GLAUBE IM PROZESS

GLAUBE IM PROZESS

Christsein nach dem II. Vatikanum

Für Karl Rahner

Herausgegeben von
Elmar Klinger und Klaus Wittstadt

HERDER

FREIBURG · BASEL · WIEN

Alle Rechte vorbehalten – Printed in Germany
© Verlag Herder Freiburg im Breisgau 1984
Satz: F. X. Stückle, 7637 Ettenheim
Druck und Einband: Freiburger Graphische Betriebe 1984
ISBN 3-451-20012-0

VORWORT

Karl Rahner feiert am 5. März 1984 seinen 80. Geburtstag. Zu diesem Anlaß darf ich ihm diese Festschrift überreichen. Ihr Thema ist das II. Vatikanum. Denn Karl Rahner war Peritus und hat einen großen Beitrag zu ihm geleistet. Die Mitarbeiter sollten daher jene Grundgedanken der Konzilsdokumente herausstellen, die in dieser Form dogmatische Bedeutung erst auf dem Konzil gewonnen haben: es entwickelt die Menschenwürde im Zusammenhang mit der Christologie, den Ökumenismus im Zusammenhang mit der Hierarchie der Wahrheiten, die Inspirationslehre im Zusammenhang mit der historisch-kritischen Methode. In all diesen Fällen, die als Beispiele im Einladungsbrief genannt waren, steht das Dogma mit der Welterfahrung des Christen und der Kirche in einem neuen systematischen Zusammenhang. Daher die Frage: Gibt es einen Prozeß des Glaubens auf dem Konzil, einen dogmatischen Fortschritt in seinen Dokumenten?

Die Widmung dieser Festschrift ist ein Zeichen des persönlichen Dankes an Karl Rahner. Er war mein Lehrer in der Theologie. Der Dank an ihn kann sich jedoch nicht in einer persönlichen Widmung erschöpfen, er umfaßt auch das, wofür Karl Rahner eingetreten ist und auch gestanden hat, nämlich die Lehre selbst. Er hat sie in Bescheidenheit, aber auch mit allem Nachdruck und unter persönlichen Opfern vorgetragen, die Lehre, daß Gott die Wahrheit der Existenz des Menschen ist.

Karl Rahner war nicht nur Peritus des Konzils. Er gehört auch zu seinen geistigen Wegbereitern. Es hat in ihm den schöpferischen Vertreter seines eigenen großen Anliegens gefunden, des Anliegens, der wirkliche Anwalt einer Theologie des Menschen zu sein. Die Festschrift ist diesem Anliegen verpflichtet. In ihr kommt auch die Meinung zum Ausdruck, daß man das Konzil nicht durchführen kann ohne angemessenen Respekt vor einem der wichtigsten Lehrer seiner Theologie.

Der historische Beitrag Karl Rahners auf dem II. Vatikanum bleibt unbekannt, solange die Quellen dafür nicht erschlossen sind. Daher ist das Thema der Festschrift auch nicht dieser Beitrag, sondern das Konzil selber als Zeuge des Glaubens im 20. Jahrhundert. Somit stellt sich die Frage: Kann man seinen Glauben als Inbegriff und Summe des Glaubens überhaupt betrachten und daher seinen Dokumenten – von ihrem Ansatz her und in ihrem Inhalt – grundsätzliche Bedeutung zuerkennen, und zwar in einem dogmatischen Sinn? Ist seine Theologie der Anwaltschaft für den Menschen eine Lehre des Glaubens selber, des Glaubens an Gott, Christus und den Heiligen Geist?

Das Konzil wurde auf den verschiedenen kirchlichen Ebenen und in den verschiedenen Regionen der Welt unterschiedlich durchgeführt. Es wird ihm zwanzig Jahre danach in offener oder verdeckter Feindschaft auch noch immer widersprochen. Es wird vorgeschützt für Handlungen, die mit ihm selber unvereinbar sind. Es gibt manchen, der sich in ihm sonnt, es aber insgeheim verachtet, und manchen, der meint, daß man das, was es sagt, immer schon gesagt hat und ihm daher keine besondere Aufmerksamkeit schenken muß. Aber das Neue des Glaubens der Kirche unseres Jahrhunderts ist es, was die Kirche erneuert, nämlich der Glaube an den Menschen, an den Menschen als Bruder Christi und Partner Gottes. So, in dieser Form, hat es ihn bisher nicht gegeben. Er ist es, der auf Widerstand gestoßen ist, aber dennoch Anerkennung verlangt.

Seine Zukunftsperspektiven und seine Herkunftsgeschichte, seine Relevanz für die Erneuerung von Kirche und Theologie ist noch weithin ungeklärt. Seine prinzipielle Bedeutung, die Frage, ob man ihn zum Ausgangspunkt von Dogmengeschichte machen kann und nicht nur zu ihrem Endpunkt, bedarf einer dringenden Erörterung.

Das Konzil stellt der Kirche die Glaubensfrage in einem ganz eigenen Sinn, die Frage nämlich, ob sie gewillt ist, sich an das zu halten, was sie auf dem Konzil beschlossen hat und ob sie die Kraft hat, das Beschlossene zu einer Perspektive der Betrachtung von Geschichte überhaupt und der Zukunft selbst zu machen.

Die Frage nach diesem Willen ist die Frage des Glaubens an Christus und Gott in unserem Jahrhundert. Die Festschrift zum 80. Geburtstag von Karl Rahner hat ihre Mitarbeiter vor die prinzipielle Frage gestellt: Haben die Beschlüsse des Konzils den Stellenwert einer Grundlagenposition des Glaubens in Kirche und Theologie?

Darauf eine Antwort zu geben ist wichtig, vor allem in Deutschland; denn man hat die Erneuerung zu oft in einem technisch-instrumentellen Sinne aufgefaßt, die theologische Position, die sie überhaupt rechtfertigt und auf Dauer alleine tragen kann, nicht ausreichend zur Kenntnis genommen oder als „bloße" Theologie betrachtet. Diese gilt dann je nachdem als dienlich, als hinderlich, oft jedoch als überflüssig. Man sagt, Dogmen seien keine Theologie.

Daher muß der Streit um das Konzil erst noch beginnen. Er muß bis in letzte Konsequenzen hinein ausgefochten werden. An wirklichen Klarstellungen kommt man nicht vorbei. Man vermeidet sie nur um den Preis der Beschädigung von allen.

Die Festschrift möchte einen Beitrag zu einer solchen Auseinandersetzung leisten und auch zur historischen Erfassung des Konzils eine Anregung sein. Zwanzig Jahre nach seinem Abschluß sind die Quellen zwar veröffentlicht, eine theologische Gesamtbewertung steht aber noch aus. Die Festschrift versteht sich als Hilfe zur Arbeit an ihm. Sie ist ein Arbeitsbuch zur Einführung in seine Theologie.

Es ist gelungen, hochgestellte Vertreter des kirchlichen Amtes und Theologen aus vielen Ländern zur Mitarbeit zu gewinnen. Allen sei für ihre Beiträge, durch die sie die Widmung und das Anliegen der Festschrift unterstützen, herzlich gedankt.

Herrn Kollegen Klaus Wittstadt habe ich zur Mitherausgabe eingeladen.

Finanzielle Hilfe für einen Druckkostenzuschuß haben geleistet die Erzbischöfe von München und Freiburg, der Bischof von Mainz, Bischof Homeyer, die Kardinal-Bea- Stiftung sowie der Verlag Herder. Ohne sie hätte es diesen Band nicht geben können. Ihnen sei daher sehr gedankt.

Terminliche Verzögerungen waren der Grund, weshalb der Beitrag von J. Grootaers nicht mehr zu übersetzen war und erst nach den anderen Beiträgen außerhalb der Gliederung am Schluß aufgenommen werden konnte. Ebenso der Beitrag von M. Seckler.

Redaktionelle Arbeiten hat mein Assistent Dr. van Schijndel geleistet. Ihm ist zu danken.

Würzburg, 21. November 1983 *Elmar Klinger*

INHALT

II. AUF DEM WEGE ZU EINEM NEUEN BEGRIFF DER KIRCHE

III. DIE WEICHENSTELLUNGEN IN DER ÖKUMENE

IV. MENSCH UND OFFENBARUNG

V. WELTPERSPEKTIVEN DES CHRISTENTUMS

VI. ANHANG

VII. RAHNER-BIBLIOGRAPHIE

I
ZUR GESCHICHTE DES KONZILS

EIN PROPHETISCHES KONZIL

Während der aufregenden ersten Wochen des II. Vatikanischen Konzils (November 1962) las ich einen langen Text von P. Rahner: der Schock, den diese Lektüre in meinem Geist hervorrief, ist mir noch in lebendiger Erinnerung. Rahner hatte diesen Text auf Wunsch der deutschen und französischen Bischöfe zu dem Zweck verfaßt, eine Zurückweisung der von der Vorbereitenden Theologischen Kommission zusammengestellten lehrhaften Schemata zu provozieren. Der Großteil der Konzilsväter hielt diese nämlich für zu schulmäßig, zu negativ und vor allem zu weit entfernt von der in der Eröffnungsansprache Johannes' XXIII. eröffneten pastoralen und kerygmatischen Perspektive.

Schon allein der Titel „Über die Offenbarung Gottes und des Menschen in Jesus Christus" des Rahnerschen Entwurfs war kennzeichnend. Der Text bedeutete in der heftigen Kontroverse über den einzuschlagenden Weg des Konzils ein Dokument erster Ordnung, das übrigens über die damaligen Umstände hinaus einen hervorragenden Wert für die Einsicht in die Heilsveranstaltung behält. Bekanntlich ist der Text in Frankreich seit 1968 veröffentlicht. Aus dieser dankbaren Erinnerung heraus will ich hier ein paar Gedanken vorlegen.

Ich habe das Konzil „prophetisch" genannt. Damit sollen die Eigenart dieses Konzils und die dringend notwendige Methode seiner Auslegung unterstrichen werden; beide, Eigenart und Interpretationsmethode, unterschieden sich nämlich sehr deutlich von denen der früheren Konzilien. Die Intervention P. Rahners war einer der Faktoren dieser kerygmatischen Ausrichtung, die auch heute noch auf Widerstand stößt.

Der Erzbischof von Mailand, Kardinal Montini, der spätere Papst Paul VI., erklärte bei seiner Rückkehr von der ersten Sitzung seinen Diözesanen, die ihn fragten, was denn nun so auf dem Konzil geschehe: „Auf dem Konzil sucht die Kirche sich selbst; sie versucht mit großem Vertrauen und großer

Anstrengung, sich klarer zu bestimmen, selber zu verstehen, wer sie eigentlich sei. (. . .) Nach den zwanzig Jahrhunderten ihrer Geschichte scheint die Kirche von der profanen Zivilisation geradezu überwältigt, der gegenwärtigen Welt geradezu fremd geworden zu sein. Sie empfindet daher die Notwendigkeit, sich zu sammeln, sich zu läutern und zu erneuern, um mit frischer Energie ihren eigenen Weg wiederaufnehmen zu können. Und während die Kirche im Begriff ist, sich auszuweisen und zu definieren, sucht sie die Welt, versucht sie, mit dieser Gesellschaft in Kontakt zu kommen. (. . .) Und wie soll dieser Kontakt verwirklicht werden? Sie nimmt erneut den Dialog mit der Welt auf, indem sie auf die Nöte der menschlichen Gesellschaft achtet, in welcher sie wirkt, und die Mängel, Notwendigkeiten, Sehnsüchte, Leiden und Hoffnungen ins Auge faßt, die heute die Menschen bewegen."

Solche Worte gaben den Beratungen und Beschlüssen des Konzils ihre Richtung, und die Radikalität der Sprache zeigt, daß es sich nicht um geschickte Apologetik und auch nicht um einen pastoralen Reformismus handelt; es geht um das Wesen der Kirche selbst. Um ein etwas grobes Bild einer kopernikanischen Wende zu gebrauchen: Nicht mehr die Welt dreht sich um die Kirche, die „Mutter und Herrin", sondern die Kirche dreht sich um die Welt. Die Kirche tritt aus sich selbst heraus, um so sie selber zu sein; sie ist „missionarisch", nicht durch eine zusätzliche Ausdehnung nach außen, sondern durch eine innere Lösung aus ihrer „Christenheit".

Die Kirche ist keine Festung, von der aus sie vom Himmel gefallene, weltlose Wahrheiten erläßt; sie ist keine „vollkommene Gesellschaft", wie sie sich juristisch nannte, in einem mit allen Vollmachten ausgestatteten Ansich. Dieser von Bellarmin im 16. Jahrhundert konstruierte Begriff sah in der absoluten Monarchie das Modell für die Kirche; er ist nunmehr zugunsten des biblischen Begriffs „Volk" beseitigt. Es ist das Volk derer, denen „die Würde und die Freiheit der Kinder Gottes [eignet], in deren Herzen der Heilige Geist wie in einem Tempel wohnt" (LG 9), ausgestattet mit dem Bürgerrecht des Evangeliums. Die Kirche ist also eine *Gemeinschaft.* Gewiß, sie ist hierarchisch verfaßt, und das bestimmt auch das Glaubensgebäude und die Leitung der Institution. Aber diese Gemeinschaft ist Träger des Wortes Gottes. Die Autorität wird hier Dienst. Als Erzbischof Woityła im Verlauf der Ausarbeitung des Textes verlangte, man solle den Begriff *societas perfecta,* zu dem „Volk" nicht gehöre, beibehalten, lehnte die Kommission den Verbesserungsvorschlag ab, und der Ausdruck wurde entschlossen aus dem offiziellen Wortschatz getilgt.

Demnach begegnet die Kirche der Welt nicht auf dem Weg zweitrangiger Zufälligkeiten, gleichsam so am Rande ihrer selbst; vielmehr ist die Welt der

17

Ort ihres bewußten Daseins in einer *oikonomía* (das typische Wort der Griechen), d.h. im zeitlichen Ablauf eines Planes Gottes, der dadurch den Menschen Anteil an seinem Gottsein geben will, und zwar durch die ständige Aufnahme ihrer Werke und Produktionen im Rhythmus des gesellschaftlichen Wachstums.

Kurz, das Christentum ist keine religiöse „Ideologie", sondern eine *Geschichte*. Ihre Ereignisse liefern dazu die Materie, ausgehend von dem einzigartigen und alles in sich zusammenfassenden Ereignis, der geschichtlichen Geburt Christi in ihrer bleibenden Bedeutung. Fortan bauen alle Geschehnisse das Reich Gottes in dem Maße, wie sie das Gewebe der Geschichte flechten. Hier liegt der einsichtige Grund für die Lehre der drei großen Konzilskonstitutionen. Und hier findet sich auch zweifellos die tiefste der theologischen Initiativen des II. Vatikanums. Das bis dahin in den Erklärungen des Lehramtes unauffindbare Wort *historia* erscheint tatsächlich 63mal in den Konzilstexten, zuweilen verstärkt durch den bisher verdächtigen Ausdruck *evolutio*.

Wenn es sich so verhält, dann sind die Geschehnisse der Ort für die Erkenntnis der Gegenwart Gottes und seiner Vorsehung. Das ganz eigene Wirken der Zweitursachen und der Entwicklung des Alls im Aufbau der Welt und im Gehalt der Kultur muß dringend als fest und gültig eingeschätzt werden. Gottes Wirken ist im Innersten seiner Immanenz transzendent, und gerade darum mindert es nicht im geringsten die Selbsttätigkeit der Geschöpfe, weder der materiellen noch der überragenden menschlichen Kreatur. Die geschichtlichen Ereignisse werden in keiner Weise ihrer Geschichtlichkeit entfremdet; sie bleiben erkennbar und analysierbar entsprechend den Gesetzen der Geschichte, entsprechend ihrer Dichte und Autonomie als Zweitursachen. Nicht ohne Grund hat Marx die verschwommene Theologie der Schöpfung seiner Zeit kritisiert. Je mehr Gott Schöpfer ist, desto unabhängiger ist das Geschöpf auf seiner Stufe. Je echter der Glaube des Gläubigen, desto besser vermag der Historiker die Zweitursachen zu achten und zu beobachten. Eine infantile Theologie und ein unangebrachter frommer Eifer haben die zwei Kausalitäten zueinander in Konkurrenz gesetzt; sie haben die menschlichen Wirklichkeiten nur im Bezug auf das Himmlische gesehen und so ihr Eigensein ausgehöhlt unter dem Vorwand, sie zu erklären. Als ob ich das, was ich dem Menschen zusage, Gott wegnähme!

In einem etwas vereinfachten Dualismus können wir sagen: Mit Hilfe der Methoden der Geschichtswissenschaften lassen sich die irdischen Wirklichkeiten *erklären*; die Augen des Glaubens aber und auch schon eine Geschichtsphilosophie erkennen in ihnen eine *Bedeutung*, durch die diese Realitäten in ihrer Tiefe den eigentlichen Sinn des Geschickes der Menschheit und die Materie für das Reich Gottes weben. Und hier stoßen wir nun auf eine der biblischen Eigentümlichkeiten des Alten und des Neuen Testaments: ihre messianische Sendung.

Zeichen der Zeit! Der im profanen Sprachgebrauch übliche Ausdruck war in dem Maße, wie sich in einer spekulativen Scholastik die Geschichtlichkeit verflüchtigte, theologisch banalisiert worden. Johannes XXIII. hat ihm seinen vollen Gehalt zurückgegeben. In der Enzyklika über den Frieden (1963) zählt der Papst summarisch eine Reihe von Geschehnissen auf, die das Wachstum der Menschheit in Gerechtigkeit gewährleisten: wirtschaftlicher und sozialer Aufstieg der Arbeitermassen, Zugang der Frau zum öffentlichen Leben, Emanzipation der Kolonialvölker, Einrichtung internationaler Organe für Gerechtigkeit und Frieden – ein gewaltiger Stoff zur Umwandlung der Welt und ebenso viele Herausforderungen an das Evangelium von der Brüderlichkeit. Noch vor jeder kirchlichen Vereinnahmung ist das alles der Ort für die Gegenwart und die Einsicht des aus seinem sakralen Getto herausgetretenen Gottesvolkes. Das Volk Gottes bemüht sich, „in den Ereignissen, Bedürfnissen und Wünschen (...) unserer Zeit (...) zu unterscheiden, was darin wahre Zeichen der Gegenwart oder der Absicht Gottes sind" (GS 11). Und etwas weiter wird das Gesetz aller Evangelisierung ausgesagt: „Es ist (...) Aufgabe des ganzen Gottesvolkes, vor allem auch der Seelsorger und Theologen, unter dem Beistand des Heiligen Geistes auf die verschiedenen Sprachen unserer Zeit zu hören, sie zu unterscheiden, zu deuten und im Licht des Gotteswortes zu beurteilen" (GS 44). So kann der Konzilstext folgern: „Zur Steigerung dieses Austauschs bedarf die Kirche vor allem in unserer Zeit mit ihrem schnellen Wandel der Verhältnisse und der Vielfalt ihrer Denkweisen der besonderen Hilfe der in der Welt Stehenden, die eine wirkliche Kenntnis der verschiedenen Institutionen und Fachgebiete haben und die Mentalität, die in diesen am Werk ist, wirklich verstehen, gleichgültig, ob es sich um Gläubige oder Ungläubige handelt" (ebd.).

„In dieser neuen Epoche" (sic) ist unter vielem anderem das Bemerkenswerteste zweifellos die von der Kirche ziemlich früh schon gezeigte Einsicht in die Befreiung der Dritten Welt nach der Epoche der Kolonisation, der sie zugestimmt hatte (Enzyklika Pauls VI. im Jahre 1967 über die Entwicklung der Völker). Den gewaltigen Aufstieg der industriellen Zivilisation hatte die Kirche nicht verstanden; diesmal aber fühlte sie sich mit der Selbstwerdung neuer Völker eins. Diese ermöglichten ihr ein vielfaches und vielseitiges Einwurzeln ihres Glaubens und ihrer Institutionen in andere Kulturen, wobei sich aus einer Kollegialität mit den einheimischen Kirchen unerwartete Anforderungen ergaben.

Dieses menschliche und christliche, vollkommen mit der Heilsökonomie

19

des Christentums übereinstimmende hohe Werk verlangt eine Voraussicht, der gemäß die Zukunft bereits in die Gegenwart hereingehört. Es ist ein „prophetisches" Werk, natürlich nicht aufgrund einer magischen und apokalyptischen Vorausschau, sondern wegen der feinen Empfindsamkeit für die innere Dynamik, die die Ereignisse durchzieht und vorantreibt. Die 1955 in Bandung versammelten Vertreter der armen Völker waren, unter den skeptischen Blicken der anerkannten Wirtschaftswissenschaftler, die Propheten einer Welt, die sich mit aller Kraft auf den Weg der Entwicklung begeben will. Wahrhaft groß ist die Intensität, mit der diese Lage als Faktor der Neuheit des Evangeliums zu Bewußtsein kommt. Sie ist wahrhaft charismatisch und von der Institution nicht erfaßt. Dieses Prophetische ist Eigentümlichkeit der Beziehung der Kirche zur Welt. Die Worte selbst werden mit Heiligem Geist erfüllt und zum Widerspruch gestärkt. „Das In-der-Welt-Sein engagiert die Kirche zu anderem als bloß zum Dienst an der Sakralisierung der bestehenden Ordnung. Es macht sie zu einer prophetischen Kraft der Veränderung und Umwandlung, aus denen Gerechtigkeit und Frieden unter den Menschen erstehen werden" (Bischof Reus-Jroglan von Porto Rico).

So wird das Volk Gottes ein *prophetisches* durch die Wiederaufnahme der alttestamentlichen messianischen Sendung und durch das Erbe des Wirkens Christi, wenn es sich dieser Rolle bewußt wird. Die Kirche entdeckt dort, wo sich ihr Evangelium mit ihrem geschichtlichen Engagement berührt, ihre ursprüngliche Wahrheit wieder, noch vor allem Dogmatischen, Moralischen und Institutionellen.

Historiker und Soziologen haben festgestellt, daß in allen Religionen ständig Spannungen zwischen Priestern und Propheten, zwischen den Vertretern der Institution und denen der Spontaneität, zwischen Klerikern und Laien bestanden. Hierin ist die christliche katholische Religion ein Musterbeispiel. Sie hält bis zur Schwerfälligkeit profaner Komplizität an ihren Institutionen fest; sie wird aber auch regelmäßig von Propheten durchgeschüttelt, denen das Evangelium einzige absolute Bezugnahme bedeutet. Nur widerwillig erkennt die Institution sie an. Franz von Assisi und der Prediger Dominikus mußten die formellsten Gesetze ihrer Zeit umgehen; sie bestritten im gesellschaftlichen und kirchlichen Sinn deren etablierte Ordnung. Es waren keine Reformisten, sondern Propheten – so wird man sie in Bälde offiziell nennen –, die es sich zur Aufgabe machten, das äußere Bild der Kirche zu verändern, eine allumfassende Brüderlichkeit zu schaffen. Nicht mehr eine Kirche der Macht, sondern eine Kirche des Zeugnisses. Dominikus verbietet seinen Schülern die Annahme der Bischofswürde, und die Brüder des heiligen Franziskus bilden Laienbruderschaften, denen kirchenrechtlich die Vollmacht zum Zeugnisgeben zugesprochen wird. So geschieht es jedesmal, wenn das aktiv gelebte Evangelium die Kirche aus ihrem Schlaf aufschreckt, oft ohne Wissen der Funktionäre. Luther war zu seiner Zeit und in all der Doppeldeutigkeit seines Schicksals doch ein Prophet.

In den meisten Fällen verlagert sich die konziliare Tätigkeit mehr auf die Seite der Institutionen, und die Propheten fühlen sich dabei nicht immer wohl. Da geschah es nun, daß sich ein Papst von alldem losmachte. Sicher bleibt das II. Vatikanische Konzil eine sehr große institutionelle Tat. Aber wer zu lesen versteht, wer in der Atmosphäre der großen konziliaren Versammlung und ihrer Kommissionen gelebt hat, der weiß, daß es auch Texte schuf, die in ihrer Verwirklichung den Buchstaben selbst hinter sich lassen und hinter sich lassen werden. Man sagt zuweilen: Das ganze Konzil, nichts als das Konzil. Das ist Verrat am Konzil! Seine Eigenart bleibt unter allen anderen Konzilien diese: Erneuerung der Wirksamkeit des Wortes Gottes durch seine ihm innewohnende Kraft, mit den Umwandlungen der gegenwärtigen Geschichte in Verbindung zu bleiben. Und das ist genau die Definition der Prophetie.

Aus dem Französischen von Arthur Himmelsbach

YVES CONGAR OP

ERINNERUNGEN AN EINE EPISODE
AUF DEM II. VATIKANISCHEN KONZIL

Bei der Eröffnung des Konzils am 11. Oktober 1962 waren an die Konzilsväter unter dem allgemeinen Titel „Quaestiones theologicae" und als „Proposita a Commissione Theologica" folgende Schemata verteilt worden:
Constitutio
De Fontibus Revelationis
De ordine morali
De deposito fidei pure custodiendo (in elf Kapiteln: De veritate, De Deo et de creatione, De Revelatione et de progressu doctrinae, De ordine naturali et supernaturali, De Spiritismo et Novissimis, De peccato originali et de Monogenismo, De sorte infantium absque baptismo decedentium, De satisfactione Christi)
Formula nova Professionis Fidei („Ego N. firma fide credo et profiteor . . .")
Jedem der siebzehn Abschnitte dieses letztgenannten Glaubensbekenntnisses war eine Anmerkung beigefügt, in der die Quelle des Textes angegeben wurde und gegen wen oder was er sich richtete. Die Quellen waren: das Trienter Konzil und sein Glaubensbekenntnis, das I. Vatikanum, die Enzykliken „Pascendi", „Mediator Dei" und „Humani generis", das Dekret „Lamentabili" sowie der Antimodernisteneid. Man kann in der Ansprache Johannes' XXIII. zur Eröffnung des Konzils eine diskrete Kritik an dem heraushören, was in dem letzten Dokument an überholten und negativen Ansichten steckte. Handelte es sich um die überkommene Lehre, so hatte ja die klassische Unterweisung dafür vorgesorgt, und es war nicht nötig, zu diesem Zweck ein Konzil einzuberufen.

Die Konzilsväter hatten alsdann ein Schema über die sozialen Kommunikationsmittel, eines über die Einheit der Kirche im Hinblick auf die Orientalen und schließlich das Schema „De sacra Liturgia" in die Hand bekommen. Mit diesem letzteren begannen auf eine Entscheidung des Präsidiums hin die Konzilsdebatten. „Der Papst", so schreibt P. Antoine Wenger, ein hervorragender Chronist, „wußte um den Wunsch der Mehrheit, mit einem praktischen Gegenstand, wie es die Liturgiereform ist, zu beginnen; er wußte auch, daß eine große Anzahl Bischöfe gegen die doktrinären Schemata eingestellt war."[1] Tatsächlich wollten zahlreiche deutsche, holländische, belgische und französische Bischöfe – ich habe mir das am 11. November selbst in mein Tagebuch eingetragen[2] – die Schemata „Quaestiones theologicae" zurückweisen. Das Schema über die Offenbarungsquellen, dessen Diskussion vom 14. bis zum 20. November dauerte, wurde zum entscheidenden Anlaß, diese Unzufriedenheit offen zum Ausdruck zu bringen. P. Wenger bemerkt: „Die französischen Bischöfe haben sich über das Schema beraten, als die Debatte bereits im Gange war. Achtzig waren dagegen, dreißig unter Vorbehalt wesentlicher und tiefgehender Änderungen dafür; nur ein einziger Bischof fand das Schema ohne weiteres annehmbar."[3] Andere nationale Bischofsgruppen zeigten eine ähnliche Haltung. Dieser Umstand führte zu der Initiative, die ich erzählen möchte; ich werde dazu einfach die entsprechenden Stellen aus meinen damaligen Tagebuchaufzeichnungen abschreiben.

Freitag, 19. Oktober 1962. – Um 16 Uhr im Haus „Mater Dei" in der Via delle Mure Aurelie 10 Zusammenkunft einiger deutscher und französischer Bischöfe sowie einiger deutscher und französischer Theologen, zusammengerufen von Bischof Volk. Anwesend waren: die Bischöfe Volk, Reuß, Bengsch (Berlin), Elchinger, Weber, Schmitt, Garrone, Guerry und Ancel, die Patres Rahner, Lubac, Daniélou, Grillmeier, Semmelroth, Rondet, Labourdette, Congar, Chenu, Schillebeeckx, die Professoren Feiner und Ratzinger, Msgr. Philips, Pater Fransen und Professor Küng.

Gegenstand der Besprechung: Es ist eine Taktik zu erörtern und festzulegen, wie man sich den theologischen Schemata gegenüber verhalten soll. In einer fast drei Stunden dauernden Diskussion kommen natürlich alle möglichen Nuancen an den

---

En date du vendredi 19 octobre 1962. – A 16 h., à la Maison Mater Dei, 10 via delle Mure Aurelie, réunion de quelques évêques allemands et quelques évêques français, quelques théologiens allemands et quelques théologiens français, organisée par Mgr Volk. Sont présents: Mgr Volk, Mgr Reuss, Mgr Bengsch (Berlin), Mgr Elchinger, Mgr Weber, Mgr Schmitt, Mgr Garrone, Mgr Guerry, Mgr Ancel, PP. Rahner, Lubac, Daniélou, Grillmeier, Semmelroth, Rondet, Labourdette, Congar, Schillebeeckx, Feiner, Ratzinger, Mgr Philips, Fransen, Küng.

Objet: discuter et arrêter une tactique relativement aux schémas théologiques. En une discussion de près de trois heures, il y a évidemment toutes sortes de nuances.

---

[1] *A. Wenger*, Vatican II. Première session: L'Église en son temps (Paris 1963) 69.
[2] „Fast alle Bischöfe, denen ich begegnet bin oder deren Meinung mir zu Ohren kam, finden die vier dogmatischen Schemata viel zu schulmäßig und philosophisch. Ein Konzil hat nicht zu räsonieren, sagen sie, es geht auf ihm nicht um das Prinzip vom zureichenden Grund usw."
[3] *A. Wenger*, a.a.O. 103.

Tag. Bischof Volk beginnt mit der Verlesung einer Art Erklärungsentwurf, der die Lage des Christen in der Welt von heute und eine christusbezogene Sicht der Heilsgeschichte mit ihrer anthropologischen, soziologischen und kosmologischen Bedeutung aufzeigt.

Im großen und ganzen wären die Deutschen folgender Meinung: 1. Die vorgeschlagenen dogmatischen Schemata sind rundweg abzulehnen (aber es handelt sich immer nur um die zur Zeit verteilten vier Schemata, nicht um die Constitutio de Ecclesia). 2. Ein *prooemium* mit kerygmatischem Gehalt und Ton soll abgefaßt werden, so ziemlich im Stil des Entwurfs von Bischof Volk. 3. Dieses *prooemium* ist dann auf dem Weg über die Kommission für die außerordentlichen Angelegenheiten vor die Konzilsversammlung zu bringen.

Die Franzosen (Garrone, Guerry und Ancel) würden eher vorschlagen: 1. Durch eine sehr energische Intervention von Bischöfen der bedeutendsten Länder das Plenum zur Feststellung zu bewegen, daß die Schemata in keiner Weise dem durch den Papst noch in der Eröffnungsansprache definierten pastoralen Ziel des Konzils entsprechen; die Papstrede müsse als Grundgesetz des Konzils gelten. 2. In der Folge sollten die bestehenden Schemata in einer kerygmatischen und pastoralen Ausrichtung wiederaufgenommen und überarbeitet werden können; es wäre dann gut, einen Text zur Verfügung zu haben, der sich vorschlagen ließe.

(. . .) Auch P. Daniélou hat einen dem von Bischof Volk sehr ähnlichen Entwurf ausgearbeitet. Er liest ihn vor. Schließlich wird beschlossen, es sei wichtig, ein Proömium von heilsgeschichtlich-kerygmatischer Gestaltung in Händen zu haben, das man vorlegen könne. Eine kleine Gruppe solle es abfassen: K. Rahner, Daniélou, Ratzinger und Congar. Im letzten Augenblick lädt Rahner noch Labourdette dazu ein.

Mgr Volk ouvre en lisant une sorte de projet de déclaration présentant la situation du chrétien dans le monde d'aujourd'hui et une vue de l'histoire du salut, centrée sur le Christ, avec sa valeur anthropologique, sociale, cosmologique.

En gros, les Allemands seraient d'avis: 1°) de rejeter simpliciter les schémas dogmatiques proposés (mais il ne s'agit jamais que des quatre actuellement distribués: pas de ceux De Ecclesia); 2°) de rédiger un *proemium* de contenu et d'allure kérygmatiques, assez dans le style de ce qu'a projeté Mgr Volk; 3°) de le présenter par l'intermédiaire de la Commission des affaires extraordinaires.

Les Français (Garrone, Guerry, Ancel) seraient plutôt d'avis: 1°) par l'intervention très vigoureuse d'évêques des principaux pays, de faire constater par l'assemblée que les schémas ne répondent pas du tout au but pastoral du concile défini par le Pape encore dans son discours d'ouverture, qui doit être comme la charte du concile; 2°) à la suite de cela, qu'on fasse admettre une reprise des schémas existants, dans une perspective kérygmatique et pastorale. Il sera bon d'avoir alors un texte à proposer. (. . .)

Le P. Daniélou a préparé aussi un canevas très analogue à celui de Mgr Volk. Il le lit. Finalement, on décide qu'il est important d'avoir à proposer un proemium de type Heilsgeschichtlich-kerygmatisch. Un petit groupe restreint le rédigera: K. Rahner, Daniélou, Ratzinger, Congar. Au dernier moment, Rahner invite Labourdette.

Sonntag, 21. Oktober. – Um 10 Uhr bei Bischof Volk auf dem Gianicolo. Zusammenkunft mit Rahner, Ratzinger, Semmelroth, Daniélou und Labourdette. Ich habe ein Proömiumsschema vorbereitet und lege es dar. Man bespricht sich darüber, welches nun angenommen werden soll, das von Bischof Volk, das von P. Daniélou oder meines. Schließlich wird das meine angenommen, und ich bekomme den Auftrag, es bis zum nächsten Sonntag zu einem etwa fünfzehn Seiten umfassenden Text auszuarbeiten. Professor Ratzinger und P. Rahner ihrerseits redigieren die Thematik der vier lehrhaften Schemata aufs neue, und zwar im Auftrag von Kardinal König; P. Daniélou übernimmt dasselbe für Bischof Veuillot.

Sonntag, 28. Oktober. – Um 17 Uhr auf dem Gianicolo bei Bischof Volk Versammlung unserer kleinen Gruppe. Ich lese den Text des Proömiums vor, dessen Entwurf letzten Sonntag gebilligt worden ist. Dann liest Rahner den Text, den er zusammen mit Ratzinger verfaßt hat mit dem Ziel, die vier unzureichenden doktrinären Schemata zu ersetzen. Eine sehr gute Arbeit. Vor allem das über Kirche, Schrift und Tradition, die gut miteinander verbunden sind. Gewisse Abschnitte werden wahrscheinlich nicht durchgehen, besonders jene Stellen, in denen von den Beziehungen zwischen geoffenbarter Religion und den anderen Religionen die Rede ist. Jedenfalls stellt sich die Frage, auf welchem Weg und mit welchen Chancen man diese neuen Fassungen wird vorbringen können. Es wird darüber diskutiert. Ich gebe gerne zu, daß Ersatzlösungen vorbereitet werden müssen, auch wenn die Arbeit zu guter Letzt umsonst gewesen sein sollte. Aber ich halte es praktisch für ausgeschlossen, daß es möglich sein wird, so wenig auf die bereits geleistete Arbeit Rücksicht zu nehmen; es findet sich Gutes und Nützliches darin. Wir bauen da Luftschlösser ... Daniélou bereitet andere Schemata vor und arbeitet so ungefähr das ganze Konzil um; in diesem Punkt aber denkt er wie ich. Er besucht jedermann, spricht überall,

---

Dimanche 21 octobre. – A 10 h. chez Mgr Volk, au Janicule, réunion avec Rahner, Ratzinger, Semmelroth, Daniélou et Labourdette. J'ai préparé un schéma de proemium, que je propose. On discute pour savoir lequel on adoptera: celui de Mgr Volk, celui du P. Daniélou ou le mien. Finalement, on prend le mien et on me charge de le rédiger en une quinzaine de pages d'ici dimanche prochain. De leur côté les PP. Ratzinger et Rahner rédigent à nouveau les sujets (Die Thematik) des quatre schémas doctrinaux, de la part du cardinal König; le P. Daniélou le fait, de son côté, pour le compte de Mgr Veuillot.

Dimanche 28 octobre. – A 17 h., au Janicule, chez Mgr Volk, réunion de notre petit groupe. Je présente la rédaction du proemium dont on avait approuvé le plan dimanche dernier. Ensuite, Rahner lit la rédaction qu'il a faite, avec Ratzinger, pour remplacer les quatre schémas doctrinaux insatisfaisants. C'est très bon, surtout sur Eglise-Ecriture-Tradition, qui sont bien liées. Certaines parties ne passeront probablement pas: surtout là où il est question des rapports entre Religion révélée et les autres Religions. De toute façon, par quelle voie et avec quelles chances pourra-t-on présenter ces nouvelles rédactions? On discute sur ce point. J'admets bien qu'il faille préparer des solutions de rechange, quitte à faire du travail finalement inutile. Mais il me semble pratiquement impossible de si peu tenir compte du travail déjà fait et où il y a du bon et de l'utile. Nous jouons à Perrette et le Pot au lait ... Daniélou, qui prépare d'autres schémas et refait un peu tout le concile, pense comme moi sur ce point. Il voit tout le monde, parle partout, dit travailler à la demande de quatre ou

behauptet, im Auftrag von vier oder fünf Bischöfen zu arbeiten. Was denn? Auf die Bitte Kardinal Döpfners hin wird Fritz Hofmann unserer kleinen Schar zugesellt; P. Cottier kommt auf Bitten von Bischof de Provenchères.

Sonntag, 4. November. – Um 17 Uhr Zusammenkunft der Gruppe Rahner, Ratzinger, Semmelroth, Labourdette und Daniélou in der „Domus Mariae". P. Cottier OP und Müller aus Erfurt sind hinzugekommen. Man verheddert sich. Daniélou redet über alles und bringt alles durcheinander. Er möchte das Proömium, um das man mich gebeten hat, zu einer dogmatischen Konstitution umarbeiten und darin im besonderen vom Menschen als Ebenbild Gottes und von der Erbsünde handeln.

Ich halte die Idee, man könne die von der Theologischen Kommission vorbereiteten Schemata durch die von Rahner und Daniélou *ersetzen,* für ein wenig naiv. Das riecht mir auch so ein wenig wie nach Revanche bei diesen Theologen, die nicht zur Vorbereitenden Theologischen Kommission gehörten. Es stimmt, die vorbereiteten Schemata sind oberflächlich, schulmäßig, zu philosophisch und zu negativ; man könnte glauben, es hätte nicht vierzig Jahre biblischer, theologischer und liturgischer Arbeit gegeben. Ich meine, es werden sich leicht zwei, wenn nicht gar drei Fünftel der Vollversammlung finden, die diese Schemata ablehnen. Ich fürchte jedoch, die Sache wird dann an die Kommission zurückgeleitet, das hieße dann Brutus bitten, Brutus zu bessern . . .

Dienstag, 6. November. – Um 18 Uhr bei Kardinal Frings (in der deutschen Kirche dell'Anima); er hat mich bitten lassen zu kommen. Ratzinger ist da, auch Jedin und Rahner. Zweck des Treffens: Wie ist vorzugehen, um die Texte von Rahner und Ratzinger anstelle der gegenwärtigen dogmatischen Schemata ins Plenum zu bringen? Es wird geredet und geredet, aber man kommt nicht wirklich voran. (. . .)

---

cinq évêques. Quid? A la demande du cardinal Döpfner, on joindra Fritz Hofmann à notre petit groupe; à celle de Mgr de Provenchères, le P. Cottier.

Dimanche 4 novembre. – A 17 h., Domus Mariae, réunion du groupe Rahner, Ratzinger, Semmelroth, Labourdette, Daniélou. On a ajouté le P. Cottier, O. P., et Müller, d'Erfurt. On patauge. Daniélou parle de tout et mélange tout. Il voudrait faire, du proemium qu'on m'a demandé, une Constitution dogmatique traitant, en particulier, de l'homme à l'image de Dieu et du péché originel.

Je trouve un peu naïve l'idée qu'on pourra *substituer* les schémas que Rahner et Daniélou ont préparés à ceux de la Commission théologique. Je subodore un peu d'esprit de revanche chez ces théologiens qui ne faisaient pas partie de la Commission théologique préparatoire. Il est vrai que les schémas préparés sont superficiels, scolaires, trop philosophiques, trop négatifs: c'est comme s'il n'y avait pas eu quarante ans de travail biblique, théologique et liturgique. Je crois qu'on aura facilement deux cinquièmes, sinon même trois cinquièmes de l'assemblée pour les rejeter. Mais je crains que la question ne soit alors renvoyée à la Commission: c'est-à-dire qu'on demande à Brutus de corriger Brutus . . .

Mardi 6 novembre. – A 18 h. chez le cardinal Frings (à l'église allemande dell'Anima): il m'a fait demander de venir. Il y a Ratzinger, Jedin, Rahner. But de la réunion: voir comment faire pour proposer les textes Rahner-Ratzinger en place des schémas dogmatiques actuels. On patauge sans avancer vraiment. (. . .)

Die Deutschen zählen auf die französischen Bischöfe und Theologen. Aber auf welche? Es gibt kaum solche, auf die sie zählen können. Ich werde gebeten, mich da ein wenig umzuschauen, sehe mich aber vor recht unklaren Möglichkeiten.

Samstag, 10. November. – Mittagessen in Santa Marta. Hernach Versammlung. Bischof de Provenchères verliest ein Papier, das er anschließend bei der Zusammenkunft der Vertreter einzelner nationaler Bischofsgruppen und bei dem darauffolgenden Zusammentreffen der französischen Bischöfe vorlegen will. Er erklärt darin die Gründe für die *Ablehnung* des Schemas „De Fontibus". Sehr sorgfältiger Text. Gute Zusammenfassung der Gründe, die so ungefähr überall zu hören sind. Anschließend stellt man mir Fragen über verschiedene Punkte, und ich sage, was ich über die Haltung anderer Bischofsversammlungen weiß.

Ich verirre mich im Vatikan. 25 Minuten lang warte ich auf einen Bus. Um halb vier bin ich zu Hause. Kaum da, kommt P. Daniélou. Er war heute morgen (ich habe ihn in Sankt Peter gesehen) von den Streitereien recht angewidert und sprach davon, Rom zu verlassen. Jetzt sagt er (nach einem Besuch bei Bischof Veuillot): Man muß heraus aus der Geheimnistuerei und zu einem annehmbaren Text kommen; das sollte doch bei einigermaßen umfassender Zusammenarbeit möglich sein. Das Schema Rahner-Ratzinger hat in seiner gegenwärtigen Form wenig Aussicht, angenommen zu werden; es ist zu persönlich gehalten. Überdies umfaßt es den gesamten Stoff der dogmatischen Schemata, während man doch nur über das Schema „De Fontibus" zu debattieren hat. Es muß also ein weniger persönlicher Text vorgelegt werden, und er muß sich auf die Thematik des Schemas „De Fontibus" beschränken. Er, Daniélou, werde selbst zusammen mit Lyonnet und Alonso vom Biblicum einen Teil davon übernehmen und dabei so weit als möglich die ehemaligen Texte beibehalten. Er fragt mich im Namen Bischof Veuillots, ob ich zusage, das Kapitel I über die Tradi-

---

Les Allemands comptent sur les évêques et sur les théologiens français. Mais qui? Il n'y en a guère. Ils me chargent un peu de voir cela, mais je me trouve devant de bien indécises possibilités.

Samedi 10 novembre. – Déjeuner à Sainte-Marthe. Après le repas, réunion. Mgr de Provenchères lit un papier qu'il veut présenter tout à l'heure à la réunion des chefs de Maisons et à celle, consécutive, des évêques français. Il y formule les raisons de *rejeter* le schéma *De Fontibus*. C'est très exact, cela résume bien les raisons qu'on entend un peu partout. Ensuite, on m'interroge sur différents points et je dis ce que je sais de l'attitude d'autres épiscopats.

Je me perds dans le Vatican. J'attends 25 minutes un Bus. A peine rentré à 15 h. 30, je reçois la visite du P. Daniélou. Il était, ce matin (je l'avais vu dans Saint-Pierre), très écœuré par la pagaille et parlait de quitter Rome. Il dit (après avoir vu Mgr Veuillot): il faut sortir de la diplomatie secrète et aboutir à un texte possible, fruit d'une large collaboration. Le schéma Rahner-Ratzinger n'a pas de chance de passer tel qu'il est: il est trop personnel. De plus, il recouvre l'ensemble de la matière des schémas dogmatiques alors qu'on n'a discuter que sur le *De Fontibus*. Il faut donc proposer un texte moins personnel et se limitant à la matière du *De Fontibus*. Il en ferait une partie, avec Lyonnet et Alonso, du Biblicum, et ceci en assumant le plus possible des anciens textes. Il me demande, de la part de Mgr Veuillot, si j'accepterais de rédiger le chapitre I, sur la Tradition et ses rapports avec l'Ecriture. J'accepte

tion und ihre Beziehungen zur Heiligen Schrift abzufassen. Ich bin mit einem Versuch einverstanden. Für morgen abend muß das fertig sein. Wir werden dann gemeinsam zu Bischof Garrone gehen. Daniélou meint, und ich bin derselben Auffassung, man könne die Schemata nicht einfach beiseite schieben, denn das Konzil *müsse* etwas Positives, etwas Genaues und Kräftiges über die Heilige Schrift, die Inspiration und die Geschichtlichkeit des Neuen Testamentes sagen, wolle es den Menschen unserer Zeit der Wahrheit Gottes gemäß dienen.

Ich mache mich noch am selben Abend an die Arbeit[4].

Zu diesem Zeitpunkt lagen zwei Texte von verschiedener Eigenart und ungleichem Wert vor, denen dann auch ein unterschiedliches Geschick zuteil wurde. Ich hatte das von mir erbetene Proömium in Form eines großen, kerygmatischen Glaubensbekenntnisses verfaßt. Kardinal Frings hat es, wenn ich mich recht erinnere, in zweihundert Exemplaren abziehen lassen. Es ist nicht bekannt und bis heute unveröffentlicht geblieben. Verdient es eine Veröffentlichung? Es trägt nichts Entscheidendes bei. K. Rahner hatte ein Schema in drei Kapiteln unter der Überschrift „Von der Offenbarung Gottes und des Menschen in Jesus Christus" zusammengestellt. Dieser Text wurde in dreitausend Exemplaren vervielfältigt, weit verbreitet und bekannt. Kardinal Frings hatte ihn durch die Vorsitzenden der Bischofskonferenzen von Österreich (Kardinal König), Belgien (Kardinal Suenens), Frankreich (Kardinal Liénart) und Deutschland billigen lassen. Der Text zirkulierte unter dieser Schirmherrschaft. Kardinal Liénart hatte die Meinung der französischen Bischöfe nicht eingeholt, und mehrere von ihnen ärgerten sich über ein Patronat, das ihr Engagement zu zeigen scheine. Der Kardinal erklärte, der Text bringe nur sein persönliches Engagement zum Ausdruck. Er war allerdings Vorsitzender der französischen Bischofskonferenz! Inzwischen ist der Text Rahners veröffentlicht und sogar ins Französische übersetzt[5]. Die These in „Hörer des Wortes" vom übernatürlichen „Existential", wenn nicht sogar die von den „anonymen Christen" waren in diesem Text als Hintergrund deutlich herauszuspüren.

---

d'essayer. Cela doit être fait pour demain soir. Alors, nous verrons ensemble Mgr Garrone. Daniélou pense, et je suis de même avis, qu'on ne peut purement et simplement écarter les schémas: car le concile *doit*, pour servir les hommes de notre temps selon la vérité de Dieu, dire quelque chose de positif, de précis et de fort sur la Sainte Ecriture, l'inspiration, l'historicité du Nouveau Testament.

Je me mets au travail le soir même.

---

[4] Daraus entstand der Text, der dann im Anschluß an den von Rahner veröffentlicht wurde; vgl. auch *B.-D. Dupuy* (s. Anm. 5) 78 f.

[5] Vgl. La Révélation divine II, hrsg. v. *B.-D. Dupuy*, in: Unam Sanctam 70 b (Paris 1968) 577–587.

Dieser große und schöne Text wurde bekannt; Wenger stellt es fest und fügt hinzu: „Dieser Text war keine Improvisation. Er spiegelte ziemlich getreu die Theologie P. Karl Rahners wider."[6] Außerdem bemerkt Wenger: „Kardinal Ottaviani hatte am Dienstagabend [13. November] die Mitglieder der Theologischen Kommission zusammengerufen. Er fand harte Worte über den unter den Konzilsvätern umlaufenden Text. Diese Handlungsweise, so sagte er, bringe die Geister in Verwirrung und beachte nicht die Regeln der konziliaren Arbeit, denn diese setze eine Vorbereitung und eine Diskussion der Schemata durch die vom Papst hierzu geschaffenen Kommissionen voraus."[7] Ich war in dieser Versammlung der Kommission nicht zugegen, habe aber davon zu hören bekommen. Folgendes habe ich mir in mein Tagebuch notiert:

Mittwoch, 14. November. – Ein großer Tag unter düsterem Himmel und ununterbrochenem Regen. Ich gehe vor der Sitzung zu Bischof Garrone. Er erzählt mir von der gestrigen Sitzung der Theologischen Kommission. Pater Tromp unterbreitete einen Text des Berichts zur Vorstellung des Schemas heute morgen. Es war niederdrückend. Wie kann man so eng, so negativ denken! Tromp ging aus von den Reaktionen aus den Reihen der Bischöfe am 15. September. Er wies sie zurück. Man spreche vom modernen Menschen. Den gebe es nicht! Man möchte pastoral sein. Aber die erste pastorale Pflicht bestehe in der Lehre! Die Pfarrer würden sie dann schon auf die Realitäten zuschneiden. Man rede von Ökumenismus. Das sei eine schwere Gefahr der Minimalisierung!

Bischof Parente erklärte, es liefen zwei Schemata als Gegenprojekte um. Eines stamme von den Vorsitzenden gewisser Bischofskonferenzen; es sei in Deutsch abgefaßt und enthalte eine Anzahl Irrtümer. Das andere sei in englischer Sprache geschrieben, aber von einem Franzosen; man erkenne das daran, daß er nicht von den Prinzipien ausgehen wolle, sondern von den Tatsachen.

Mercredi 14 novembre. – Grande journée sous une pluie incessante et un ciel sombre. Je vois Mgr Garrone avant la séance. Il me raconte la séance de la Commission théologique hier. Le P. Tromp a proposé un texte du rapport qui devait être lu ce matin pour présenter le schéma. C'était navrant d'étroitesse négative. Il partait des réactions reçues des évêques le 15 septembre et les récusait: on parle d'homme moderne: cela n'existe pas! On veut être pastoral. Mais le premier devoir pastoral est la doctrine. Ensuite, les curés adaptent.

On parle d'œcuménisme. C'est un grand danger de minimisme.

Mgr Parente a dit qu'il circulait deux contre-projets de schémas: l'un, des présidents de certaines conférences épiscopales, de rédaction allemande, qui contient nombre d'erreurs théologiques, l'autre en anglais, mais rédigé par un Français: on le voit à ceci qu'il veut partir des faits, non des principes.

---

[6] *A. Wenger*, a.a.O. 103.
[7] Ebd. 106.

Bischof Garrone war von dem in der Versammlung herrschenden Klima erschüttert. Es war einfach schrecklich, meint er. Er hat selbst auf der Sitzung erklärt: 1. Ich nehme das Schema nicht an. 2. Ich gebe für den einführenden Bericht nicht meinen Namen her. Ein anwesendes Mitglied (Bischof? Peritus? Anscheinend waren vier oder fünf Periti zugegen. Welche? Die Verfasser des Schemas?) hat ihm anschließend gedankt: „Sie haben mich befreit". . .

Andere Einzelheiten über diese Sitzung der Kommission habe ich durch Bischof McGrath erfahren. Es ist entsetzlich gewesen. Ottaviani hat zwanzig Minuten lang gesprochen. Tromp fünfundvierzig. Parente ebenfalls zwanzig. Ihm ging es um ein deutsches und ein englisches, vermutlich von einem Franzosen im Angelicum abgefaßtes Schema (einem anderen hat er dessen Namen zugeflüstert). Dieses englische Schema sind in Wirklichkeit die ins Englische übertragenen Animadversiones von P. Schillebeeckx. Ottaviani meinte, es sei die Aufgabe der Kommission, in Gegenwart des Konzils das Schema zu verteidigen. Daraufhin erklärte Kardinal Léger: „Nimmt mir meine Eigenschaft als Kommissionsmitglied meine Redefreiheit auf dem Konzil? In diesem Fall verlasse ich die Kommission auf der Stelle." Und auch das Folgende sagte er: „Ich glaubte als Mitarbeiter in die Kommission zu kommen; ich befinde mich vor einem Gerichtshof."

Kardinal Ottaviani und anschließend Bischof Garofalo hatten dann der Kommission das Schema „De Fontibus" vorgestellt. Ich übergehe das. Ich übergehe auch die eine und andere Bemerkung[8]. Aber eine Stelle aus meinem Tagebuch will ich doch noch anführen. Sie berührt die anekdotische Seite der ganzen Episode:

Mgr Garrone a été bouleversé de l'atmosphère, effroyable dit-il, de la réunion. Il a déclaré: 1°) je n'admets pas le schéma; 2°) je ne souscris pas au rapport introductif. Un membre présent (Evêque? *Peritus?* il paraît qu'il y avait quatre ou cinq Periti? Qui? Les rédacteurs du schéma??) l'a remercie ensuite: „Vous m'avez libéré" . . .

J'ai eu quelques autres précisions sur cette séance de la Commission par Mgr McGrath. Cela a été effroyable. Ottaviani a parlé vingt minutes, Tromp quarante-cinq minutes, Parente vingt minutes. Parente a parlé d'un schéma allemand et d'un schéma anglais, rédigé probablement par un Français à l'Angelico. (A un autre, il a indiqué son nom). Ce schéma anglais est en réalité les Animadversiones du P. Schille-beeckx, traduits en anglais. Ottaviani a dit que le rôle de la Commission était de défendre le schéma devant le concile. Le cardinal Léger a alors dit: Est-ce que ma qualité de membre de la Commission m'enlève ma liberté de parole au concile? En ce cas, je quitterais tout de suite la Commission. Le cardinal Léger a dit aussi: Je croyais venir dans une commission comme un collaborateur; je me trouve devant un tribunal de juges . . .

---

[8] „Samstag, 17. November. – Vor der Konzilsversammlung treffe ich Bischof Elchinger. Er lädt mich für morgen zu einer Zusammenkunft mit Bischof Volk ein; es soll über das Thema ‚Die Strategie des Konzils' gehen . . . Ich lehne ab. Ich bin zu sehr mit dringenden Arbeiten im Rückstand. Bischof Volk war verärgert wegen der Verbreitung des Textes Ratzinger-Rahner; Kardinal Frings hatte ihn hinsichtlich dieser Verbreitung nicht zu Rate gezogen."

Mittwoch, 28. November. – Ich suche vor der Messe in Sankt Peter einige Bischöfe und streife dabei Kardinal Ottaviani. Ich stelle mich also vor. Er greift mich sofort an (auf italienisch, dann, als ich lateinisch antworte, auf französisch). Er wirft mir vor, ich übe eine ganz negative, nichtkonstruktive Kritik. Da ich ihn frage, welche Kritik er meine und Kritik an was, unterschiebt er mir die Abfassung eines Teils des von den Vorsitzenden der Bischofskonferenzen unterzeichneten Schemas. Er fügt hinzu, die von diesen Leuten gewährte Billigung gereicht ihnen nicht zur Ehre. Eine Kritik, eine Antwort auf dieses Schema werde nicht ausbleiben. Und die es gebilligt haben wie auch jene, die es verfaßten, würden letzten Endes klein beigeben müssen; ihre theologische Schwäche werde an den Tag kommen.

Dieses kurze Gespräch wird vier- oder fünfmal unterbrochen, denn Kardinal Pizzardo und mehrere gewichtige Bischöfe wollen einer nach dem anderen mit Kardinal Ottaviani ein paar Worte wechseln. Jedesmal ziehe ich mich zurück.

Ich sage ihm, daß Karl Rahner zwar mein Freund sei, ich aber an dem angeschuldigten Text nicht mitgearbeitet hätte.

Der Photograph der Revue „Paris Match" macht Blitzlichtaufnahmen. Eine davon in dem Augenblick, als mich dieser erneute Angriff zutiefst empört, dieser Verdacht, von dem mich, davon bin ich überzeugt, nur der Tod befreien wird. Es kann mir wohl kaum ein Lächeln im Gesicht gestanden haben.

Kardinal Ottaviani bedeutet mir noch, ich müsse ihn besuchen, mitarbeiten, zum Assessor des Heiligen Offiziums gehen. Jawohl, ich werde Kardinal Ottaviani besuchen.

Tatsächlich war ich bei Kardinal Ottaviani (am 30. November) und sogar bei Msgr. Parente. Übrigens achtete ich darauf, den Kardinal bei jeder Versammlung der Theologischen Kommission eigens zu begrüßen.

Mercredi 28 novembre. – Cherchant des évêques avant la messe à Saint-Pierre, je frôle le cardinal Ottaviani. Je me présente donc. Immédiatement, il m'attaque (en italien, puis, comme je réponds en latin, en français). Il me reproche de faire une critique toute négative, non constructive. Comme je lui demande quelle critique et à quoi, il m'attribue une part dans la rédaction du schéma signé par les présidents. Il ajoute que l'approbation donnée par ceux-ci à ce texte ne leur fait pas honneur. Il va y avoir une critique, une réponse à ce schéma, et ceux qui l'ont approuvé comme ceux qui l'ont fait n'en sortiront pas grandis; leur faiblesse théologique apparaîtra.

Ce bref entretien est coupé de quatre ou cinq interruptions, car tour à tour le cardinal Pizzardo et plusieurs gros évêques veulent dire quelques mots au cardinal Ottaviani, et chaque fois je me retire.

Je dis que K. Rahner est mon ami, mais que je ne suis pour rien dans la rédaction du texte incriminé.

Le photographe de „Match", qui prend des flash, nous prend au moment où, profondément révolté par cette nouvelle agression et cette suspicion dont je sais que je ne sortirai que par la mort, je devais avoir une mimique assez peu souriante.

Le cardinal Ottaviani me dit que je devrais aller le voir, collaborer, voir l'assesseur du Saint-Office. Oui, j'irai voir le cardinal Ottaviani.

31

Noch einen letzten Auszug aus meinem Tagebuch möchte ich anführen. Mein Generaloberer, Pater Aniceto Fernández, hatte mich nämlich um meine Anmerkungen zum Schema „De Ecclesia" gebeten, dessen Diskussion im Plenum eben begonnen hatte. Ich brachte sie ihm am 6. Dezember, einem Donnerstag. Und ich notiere:

Ich komme auf Parente zu sprechen und auf die Tatsache, daß er mir die Urheberschaft des neuen Schemas zugeschrieben hat. Pater General weiß, daß dieser Text von Rahner stammt; er kritisiert seinen Inhalt ziemlich scharf; er sagt mir, vieles daran sei zu verbessern oder zu ergänzen, es handle sich bei diesem Text eher um eine Erbauungsschrift. Er fügt hinzu, zahlreiche Bischöfe hätten *für* das Schema „De duobus Fontibus" gestimmt, *um* so *gegen* das neue Schema zu stimmen. Er sagt, es wundere, ja schockiere ihn ein wenig, zu sehen, wie gewisse Bischofsgruppen sich zusammentun: die Deutschen, die Holländer, die Afrikaner und sogar die Franzosen. Er meint, das entrüste auch die anderen, und er sei gegen die Idee, *einen* Redner im Namen einer ganzen Gruppe sprechen zu lassen; das begünstige doch offensichtlich den Nationalgeist und die Gegnerschaften unter den völkischen Gruppen. Er preist die heilige individualistische Anarchie der Spanier.

Ich schreibe hier nicht die Geschichte der Debatte zum Schema „De Fontibus", nicht die des Briefes der neunzehn oder zwanzig gegen die biblischen Forschungen eingestellten Kardinäle an den Papst[9] und auch nicht die Geschichte der mit ihrem doppelten Vorsitz zu dem Zweck eingesetzten Gemischten Kommission, das Schema zu verbessern und es annehmbar zu gestalten. Man weiß, wie es weiterging. Das gehört zur großen Geschichte. Ich schreibe hier nur die kleine, aber dies zu Ehren eines großmütigen Mannes, unseres Freundes Karl Rahner.

Aus dem Französischen von Arthur Himmelsbach

Je fais allusion à Parente, au fait qu'il m'a attribué la paternité du schéma de remplacement. Le P. Général sait que ce texte est de Rahner; il est très critique à son sujet, me dit que beaucoup de choses étaient à y reprendre ou y manquaient, que c'était plutôt une proposition de type édifiant. Il ajoute que nombre d'évêques ont voté *pour* le schéma De duobus fontibus *pour* voter contre le schéma de remplacement. Il dit être étonné, un peu choqué, que des épiscopats prennent une attitude de groupe homogène: les Allemands, Hollandais, Africains, et même les Français. Il dit que cela choque les autres et il est contre l'idée de faire parler *un* orateur au nom de tout un groupe: cela favoriserait l'esprit national et les oppositions de groupes ethniques. Il vante la sainte anarchie individualiste des Espagnols.

---

[9] Vgl. *A. Wenger*, a.a.O. 116 Anm. 12* (zu korrigieren nach R. Rouquette, in: Études, Juni 1963, S. 419, Nr. 1).

ANHANG
ZWEI SCHEMA-ENTWÜRFE

DE REVELATIONE DEI

I.

KARL RAHNER UNTER MITWIRKUNG VON JOSEPH RATZINGER*

Quia impossibile apparet, Concilium omnia schemata tractare et de eis votare posse, necesse videtur, alia ommittere, alia abbreviare et inter se coniungere. Quapropter praesides conferentiarum episcopalium Austriae, Belgii, Galliae, Germaniae, Hollandiae sequens compendium materiae priorum duorum schematum, et quidem in tono magis positivo et pastorali, prout fundamentum disceptationis proponere audent.

Weil es unmöglich ist, daß das Konzil alle Schemata behandeln und über sie abstimmen kann, erscheint es notwendig, das eine auszulassen, das andere abzukürzen und miteinander zu verbinden. Deshalb erlauben sich die Vorsitzenden der Bischofskonferenzen von Österreich, Belgien, Frankreich, Deutschland und Holland, das folgende Kompendium des Stoffes der beiden früheren Schemata, und zwar mit einem mehr positiven und pastoralen Akzent, als Diskussionsgrundlage vorzulegen.

---

* In der französischen Veröffentlichung: Unam Sanctam 70b (Paris 1968) 577–587 fehlt der Hinweis auf die Mitarbeit von J. Ratzinger.

De revelatione Dei et hominis in Jesu Christo facta

Caput I

De vocatione hominis divina

1. *(Finis vocationis).* Homo ab exordio generis humani ad imaginem Dei factus (cf Gen 1,26 s) et ad Deum ordinatus est. Ex libera Dei voluntate et gratia ad id destinatus est, ut Dei vocem audiens, Dei caritatem, qua prior dilexit nos (1 Jo 4,19) recipiens, Deo uniatur et per eum mundus in Deum reducatur, ut ita sit „Deus omnia in omnibus" (1 Cor 15,28). Hic ergo est finis cuiuscumque actionis et locutionis divinae, ut universus a Deo creatus mundus fiat regnum Dei, „Regnum veritatis et vitae, regnum sanctitatis et gratiae, regnum iustitiae, amoris et pacis"[1], et ita Deus glorificetur per dona, quae creaturis suis impertitur[2].

2. *(Vocatio ipsa).* Confitetur ergo Ecclesia hominem super omnes alias creaturas terrenas ad Dei imaginem creatum (Gen 1,26) et ad hoc vocatum, ut Deo assimiletur et divinae caritatis sibi gratis datae particeps fiat. Quapropter credit hominem ineluctabiliter ad Deum referri, sive explicite

---

Über die Offenbarung Gottes und des Menschen in Jesus Christus

Kapitel 1

Die göttliche Berufung des Menschen

1. *(Das Ziel der Berufung).* Der Mensch ist vom Anfang des Menschengeschlechts an nach dem Ebenbild Gottes geschaffen (vgl. Gen 1,26f) und auf Gott hingeordnet. Er ist aus dem freien Willen und der Gnade Gottes dazu bestimmt, daß er die Stimme Gottes hört, daß er die Liebe Gottes, mit der er uns zuerst geliebt hat (1 Joh 4,19) empfängt, daß er mit Gott eins wird und daß die Welt durch ihn auf Gott zurückgeführt wird, so daß gilt „Gott alles in allem" (1 Kor 15,28). Dies also ist das Ziel alles göttlichen Handelns und Sprechens, daß die gesamte von Gott erschaffene Welt zum Reich Gottes werde, „ein Reich der Wahrheit und des Lebens, ein Reich der Heiligkeit und der Gnade, ein Reich der Gerechtigkeit, der Liebe und des Friedens"[1], und daß Gott so durch die Geschenke verherrlicht werde, die er seinen Geschöpfen mitteilt[2].

2. *(Die Berufung selbst).* Die Kirche bekennt also, daß der Mensch über alle anderen irdischen Geschöpfe hinaus nach dem Ebenbild Gottes erschaffen (Gen 1,26) und dazu berufen ist, daß er Gott ähnlich und der göttlichen Liebe, die ihm umsonst gegeben wird, teilhaftig werde. Deswegen glaubt sie, daß der Mensch unausweichlich

---

[1] Missale Romanum, Praefatio de Jesu Christo Rege.
[2] Cf Conc. Vatic. I (Denzinger 1783).

iam cognoscat et agnoscat hanc suam ad Deum habitudinem, sive implicite occultis secundum Dei dispositionem modis tantum in ea vivat, sive veritatem in iniustitia detineat (cf Rom 1,28). Experitur enim homo semper sese tali mentis et voluntatis amplitudine praeditum, ut infiniti capax recte appellari possit et sic in finitis numquam quiescens saltem implicite ad illud ineffabile referatur mysterium, in cuius infinito abysso finita omnia suam habet originem, Deum. Ecclesia profitetur ergo hominem esse personam intellectus et voluntatis dono praeditam et inde ab omnibus animalibus essentialiter diversam, quia ipsius Dei capax creata est. Tali modo individualis est, ut omnis homo ut singularis a Deo vocetur et ametur et ideo vera et aeterna coram Deo dignus sit existentia; tali autem modo socialis, ut nemo sibi soli vivere, nemo etiam immemor fratrum ad Patrem communem redire possit et uniuscuiusque hominis perfectio non aliter nisi in regno Dei genus humanum in unum congregante obtineri possit. Ex hac etiam sociali natura est, quod genus humanum ex suo principio atque radice unum, secundum ordinationem divinam in differentia sexuum et populorum explicatum, iam in historia sua magis magisque consocietur et in fine aeterno Dei regno uniendum credi debeat.

3. *(Modus vocationis).* Ad hunc finem, scilicet regnum Dei, prosequendum Deus hominem „Multifariam multisque modis" (cf Hebr 1,1) alloquitur per

---

auf Gott bezogen ist, sei es, daß er ihn ausdrücklich schon erkennt und diese seine Ausrichtung auf Gott anerkennt, sei es, daß er implizit auf verborgene, dem Willen Gottes entsprechende Weise nur in ihr lebt, sei es, daß er die Wahrheit in der Ungerechtigkeit festhält (vgl. Röm 1,28). Der Mensch erfährt nämlich immer, daß er mit einer solchen Weite des Geistes und Willens ausgestattet ist, daß er mit Recht als empfänglich für das Unendliche bezeichnet werden kann und so, niemals ruhend im Begrenzten, wenigstens implizit auf jenes unaussprechliche Geheimnis bezogen ist, in dessen unermeßlicher Tiefe alles Begrenzte seinen Ursprung hat, Gott. Die Kirche bekennt also, daß der Mensch als Person mit dem Geschenk des Verstandes und des Willens ausgestattet und deshalb von allen Lebewesen essentiell unterschieden ist, weil er für Gott empfänglich erschaffen ist. Auf diese Weise ist er individuell, damit jeder Mensch als Einzelner von Gott gerufen und geliebt wird und so des wahren und ewigen Lebens im Angesicht Gottes würdig ist. Auf diese Weise ist er aber sozial, damit niemand für sich allein leben oder uneingedenk des Bruders zum gemeinsamen Vater zurückkehren kann, und daß die Vollendung jedes Menschen nicht anders als im Reich Gottes, wo das Menschengeschlecht in eins zusammengefaßt wird, erlangt werden kann. Aus dieser sozialen Natur des Menschen folgt auch, daß man glauben muß, daß das Menschengeschlecht von seinem Anfang und seiner Wurzel her eines ist, gemäß der göttlichen Ordnung in die Verschiedenheit der Geschlechter und Völker sich ausfaltet, aber schon in seiner Geschichte mehr und mehr sich verbindet und am Ende im ewigen Reich Gottes vereinigt wird.

3. *(Die Art und Weise der Berufung).* Um dieses Ziel, nämlich das Reich Gottes, zu erreichen, spricht Gott den Menschen „zu verschiedenen Zeiten und auf mannigfa-

totum cursum historiae humanae, alliciens hominis arcanis suae bonitatis viis in desiderium bonitatis infinitae pulchritudinis aeternae, veritatis absolutae, amoris numquam deficientis. Ad hunc etiam finem prosequendum ex Abraham populum sibi congregavit clariusque in dies verbum suum, vocans hominem manifestavit et denique in homine Christo Jesu, nato ex Mariae Virgine, ipsum suum Verbum internum, in quo aeternaliter seipsum loquitur et aeternaliter omnia opera sua cognoscit, verbum factum est externum: Verbum suum vocans hominem factus est homo (cf Jo 1,14).

In hunc ergo hominem Jesum Christum, qui est vivum Dei Verbum quaerens nos, omnis creatura recapitulanda est. Ipse est revelatio revelans Deum et hominem hominemque reducens ex abalienationibus suis (cf Eph 4,18) in veram vitam, quae est Deus ipse. In ipso Verbo Dei incarnato revelatur veritas tam hominis quam Dei. Revelatur, quis sit homo: est ex Verbo Dei creante eum et ad Verbum Dei amans eum; factus est mendax, sibi ipse sufficere volens Deumque negans sicque contra veritatem suam vivens et misere vivens; est nihilominus a Dei amore assumptus et assumptione hac redemptus a servitute illa, cui ipse sese tradidit. Revelatur quis sit Deus: est Pater qui fecit nos; est Verbum, quod quaerit nos; est caritas quae amat nos quamvis fugientes ad nosmetipsos, cum ipsi velimus esse sicut Deus (cf Gen 3,5–10). Dominus Jesus Christus revelans haec est

---

che Weisen" (vgl. Hebr 1,1) durch den ganzen Lauf der menschlichen Geschichte hindurch an, indem er die Menschen auf den geheimen Wegen seiner Güte in die Sehnsucht nach der unermeßlichen Güte, der ewigen Schönheit, der absoluten Wahrheit und der nicht endenden Liebe lockt. Zur Erreichung dieses Zieles hat er aus Abraham ein Volk sich bereitet, hat von Zeit zu Zeit deutlicher sein Wort verkündet, indem er den Menschen gerufen hat, und endlich durch den Menschen Jesus Christus, geboren von der Jungfrau Maria, ist sein inneres Wort selbst, in dem er ewig sich selbst ausspricht und von Ewigkeit alle seine Werke erkennt, ein äußeres Wort geworden: sein Wort, das den Menschen ruft, ist Mensch geworden (vgl. Joh 1,14).

In diesem Menschen Jesus Christus also, der das lebendige Wort Gottes ist, das uns sucht, soll die ganze Schöpfung zusammengefaßt werden. Er selbst ist die Offenbarung, die ihn als Gott und als Menschen offenbart und den Menschen aus seinen Entfremdungen (vgl. Eph 4,18) zurückführt zum wahren Leben, das Gott selbst ist. Im Fleisch gewordenen Wort Gottes selbst wird die Wahrheit des Menschen wie auch Gottes geoffenbart. Es wird geoffenbart, wer der Mensch ist: er ist aus dem Wort Gottes, das ihn erschafft, und zum Wort Gottes hin, das ihn liebt; er ist ein Verblendeter geworden, der sich selbst genügen will, der Gott verneint und so gegen seine Wahrheit lebt und elend existiert; er ist nichtsdestoweniger von der Liebe Gottes angenommen und durch diese Annahme von jener Knechtschaft befreit, der er sich selbst übergeben hat. Es wird auch geoffenbart, wer Gott ist: er ist der Vater, der uns erzeugt hat; er ist das Wort, das uns sucht; er ist die Liebe, die uns liebt, obwohl wir zu uns selbst fliehen, weil wir selbst so sein wollen wie Gott (vgl. Gen 3,5–10).

revelatio efficax, quia, quod dicit est: Veritas eripiens nos de mendacio, caritas redimens nos de solitudine, in quam fugimus, quomodo Adam fugit vocem divinam, cum tentasset esse aequalis Deo et se Deum non esse cognovisset (Gen 3,8). Idem ipse, qui est revelatio, est et gratia Dei pro nobis, et hoc duplici modo: gratia est, quia in ipso communicatur dilectio, qua Deus prior nos diligit (1 Jo 4,19), cum praeveniat nos ab aeterno et illud super omnem naturam existens donum nobis det, quod ipse est. Gratia est etiam, quia in ipso amatur genus humanum a Deo, quamvis in Adae peccato eum fugerit. Immo dilectione, qua maiorem nemo habet (Jo 15,13), Christus ipse sese tradidit pro nobis, vincens peccatum nostrum maiore caritate sua (cf Rom 5,8–11; Jo 3,16). „Ubi enim abundavit delictum, superabundavit gratia" (Rom 5,20).

4. *(Huius vocationis sublimitas).* Ut omnis ergo historia generis humani sic etiam vita singulorum hominum ex hoc intime afficitur, quod Deus pura gratia hominem libere amat et libere ad sui ipsius vitam participandam vocat. Haec participatio, quae Dei ipsius communicatio est, ex una parte ita naturam, vires, exigentias hominis transcendit, ut principio et fine prorsus sit gratuita, ex altera parte qua finis obligans semper hominem afficiat eiusque naturam totam pervadat, ut sine ea ipse totus in ordine nostro

---

Der Herr Jesus Christus, der das offenbart, ist eine wirksame Offenbarung, weil er selbst ist, was er sagt: die Wahrheit, die uns aus unserer Verblendung reißt, die Liebe, die uns aus unserer Einsamkeit befreit, in die wir geflohen sind, wie Adam der göttlichen Stimme entflohen ist, als er Gott gleich sein wollte und erkannt hatte, daß er nicht Gott ist (vgl. Gen 3,8). Und derselbe, der die Offenbarung ist, ist auch die Gnade Gottes für uns, und zwar auf zweifache Weise: Gnade ist er, weil in ihm die Liebe mitgeteilt wird, durch die Gott uns zuerst liebt (1 Joh 4,19), weil er uns von Ewigkeit zuvorkommt und uns jenes jede Natur überragende Geschenk gibt, das er selbst ist. Gnade ist er auch deswegen, weil in ihm das Menschengeschlecht von Gott geliebt wird, obwohl es in der Sünde Adams vor ihm geflohen ist. Ja Christus hat sich selbst durch eine Liebe, wie sie größer niemand hat (Joh 15,13), für uns hingegeben und unsere Sünde besiegt durch seine größere Liebe (vgl. Röm 5,8–11; Joh 3,16). „Wo nämlich die Sünde mächtig wurde, da ist die Gnade übergroß geworden" (Röm 5,20).

4. *(Die Erhabenheit dieser Berufung).* Wie die ganze Geschichte des Menschengeschlechts, so wird auch das Leben der einzelnen Menschen zutiefst davon betroffen, daß Gott aus reiner Gnade den Menschen von sich aus liebt und ihn von sich aus zur Teilhabe an seinem Leben beruft. Diese Teilhabe, welche Mitteilung Gottes selbst ist, überschreitet auf der einen Seite so sehr die Natur, die Kräfte und die Ansprüche des Menschen, daß sie vom Ursprung und Ziel her ganz ungeschuldet ist, auf der anderen Seite betrifft sie den Menschen immer als verpflichtendes Ziel und durchdringt seine ganze Natur, so daß er als Ganzer ohne sie in unserer geschichtlichen Ordnung

historico adaequato modo concipi nequeat. Immo cum nihil gravioris possit esse momenti quam a Deo ita vocari et amari, homo ultimatim non iam aliter considerari potest quam ut is, quem Deus ad mysticam et prorsus liberam sui ipsius communicationem ordinavit. Ita naturam eius constituit, cui hoc sui ipsius donum liberum in caritate concedere possit. Praecelsa huius vocationis sublimitas tamen non recte perpenditur, nisi simul scitur, eam dari homini peccatori qui tanta gratia positive indignus est.

Totum enim genus humanum secundum fidem Ecclesiae imprimis in Synodo Tridentina[3] fuse declaratam originale labe infectum est, quae veram etsi analogice, rationem peccati in singulis habet. Ut propago enim proto-parentum homo privatur dono gratiae iustificantis, quo fit, ut huic suo principio misere fidelis per totam suam historiam a Deo se avertens et solum quae sua sunt quaerens, vanitati subiectus sit (cf Rom 8,20) et miseriae traditus. Hanc autem peccati miseriam, quam sibi ipse intulit, nemo alius nisi solus Deus penitus vincere potest, qui vanitatem nostram superat plenitudine sua. Attamen, ut in hoc mundo miseria vitae humanae mitige-tur, etiam humana industria, cui Deus terram subiciendam tradidit (Gen 1,28), non paulum valet. Qua de causa homo non solum in explicitis religionis suae actibus fini sibi a Deo dato inservit, sed etiam labore

nicht auf angemessene Weise erfaßt werden kann. Ja weil nichts eine größere Bedeu-tung haben kann als von Gott so berufen und geliebt zu werden, kann der Mensch schließlich nicht mehr anders betrachtet werden als einer, den Gott zu einer geheim-nisvollen und völlig freien Gemeinschaft mit sich selbst bestimmt hat. So hat er seine Natur bestimmt, um ihr dieses freie Geschenk seiner selbst in Liebe zu gewähren. Die außerordentliche Erhabenheit dieser Berufung wird dennoch nicht richtig er-messen, wenn man nicht gleichzeitig weiß, daß sie dem sündigen Menschen gegeben wird, der einer so großen Gnade von sich aus unwürdig ist.

Das ganze Menschengeschlecht ist nämlich gemäß dem Glauben der Kirche, der besonders auf dem Konzil von Trient[3] ausführlich erklärt worden ist, mit der Erb-sünde befleckt, die einen wahren, wenn auch analogen, Charakter der Sünde in je-dem einzelnen hat. Als Abkömmling nämlich von den Stammeltern wird der Mensch der rechtfertigenden Gnade beraubt, so daß er in schlimmer Treue gegen-über diesem seinem Ursprung sich durch seine ganze Geschichte von Gott abwen-det, nur das Seine sucht, der Eitelkeit unterworfen (vgl. Röm 8,20) und dem Elend ausgeliefert ist. Dieses Elend der Sünde aber, das der Mensch sich selbst aufgeladen hat, kann niemand anderer als Gott allein völlig besiegen, der unsere Eitelkeit durch seine Fülle überwindet. Aber dennoch, damit auf dieser Welt das Elend des mensch-lichen Lebens gelindert werde, vermag auch der menschliche Eifer, dem Gott die Erde übergeben hat, um sie sich untertan zu machen (Gen 1,28), nicht wenig. Aus diesem Grund dient der Mensch nicht nur in den expliziten Akten seiner Religion diesem ihm von Gott gesetzten Ziel, sondern auch durch die mannigfaltige Arbeit,

---

[3] Conc. Trid., Sessio V (Denzinger 787–792).

multiformi, quo terram colit ut spiritui suo subiecta humaniorem vitae conditionem praebeat et sic, quamvis semper imperfecte et non sine divino auxilio, adventui regni Spiritus Dei praeparetur.

Caput II

De occulta Dei in generis humani historia praesentia

1. *(Gratia Dei semper praesens).* Finis, ad quem historia generis humani tendit, in homine Jesu Christo iam praesens est. Ipse enim est regnum Dei, quia in ipso verus Deus et verus homo substantialiter uniuntur. Omnis ergo actio et locutio divina hanc historiam transcurrens occulte de eo agit, in eum tendit, in eo completur. Ergo ubi voci Dei, quamvis occulte loquenti, oboeditur, ipse et salus ab eo praestita adsunt et vice versa, ubi ipse est, ubi explicite in eum loquentem creditur et ex eo vivitur, nihil veritatis generi humano umquam datae aut ab eo aquisitae perit, sed potius in plenam lucem adducitur. Humanae enim conscientiae arcano modo gratia indebita semper adest Dei, qui omnes homines vult salvos fieri (1 Tim 2,4) atque salutem efficit, nisi homo mirabili a Deo libertatis dono praeditus culpa sese huic

---

durch die er die Erde bestellt, damit sie, seinem Geist unterworfen, menschlichere Lebensbedingungen schaffe und so, wenn auch immer unvollkommen und nicht ohne göttliche Hilfe, für die Ankunft der Herrschaft des Geistes Gottes vorbereitet werde.

Kapitel 2

Die verborgene Gegenwart Gottes
in der Geschichte des Menschengeschlechts

1. *(Die immer gegenwärtige Gnade Gottes).* Das Ziel, auf das die Geschichte des Menschengeschlechts zustrebt, ist im Menschen Jesus Christus schon gegenwärtig. Er selbst nämlich ist das Reich Gottes, weil in ihm der wahre Gott und der wahre Mensch substantiell sich vereinigen. Jedes göttliche Tun und Sprechen, das diese Geschichte durchläuft, handelt verborgen von ihm, strebt auf ihn zu, wird in ihm vollendet. Wo also der Stimme Gottes, sosehr sie auch im Verborgenen spricht, gehorcht wird, ist er selbst und das von ihm dargebotene Heil anwesend, und umgekehrt, wo er selbst ist, wo ausdrücklich an ihn und sein Wort geglaubt und aus ihm gelebt wird, vergeht nichts von der Wahrheit, die dem Menschengeschlecht jemals gegeben oder von ihm erworben wurde, sondern wird vielmehr ans volle Licht gebracht. Dem menschlichen Gewissen steht nämlich auf verborgene Weise immer die unverdiente Gnade Gottes bei, der will, daß alle Menschen gerettet werden (1 Tim 2,4) und das Heil bewirkt, wenn nicht der Mensch, der von Gott mit dem wunderba-

superno afflatui denegat. Homo ergo, cum ita ad Deum creatus sit, numquam potest efficere, ne saltem arcano quasi instinctu referatur ad Deum verum, numquam, ne professio explicita et cultus Dei in orbe terrarum penitus evanescant. Saepe homines, ignorantes Deum verum, tamen eum coluerunt et colent et numquam cessarunt nec cessabunt quaerere, „Si forte attrectent eum aut inveniant" (Act 17,23.27). Quapropter Ecclesia memor semper universalis voluntatis salvificae divinae scit neminem, qui ad usum rationis pervenerit, posse perire, nisi sua propria formali culpa, neminem salvari nisi gratia et fide in Deum (cf Hebr 11,6).

2. *(Homo gratiae et revelationis capax).* Homo ergo ab initio ita creatus est, ut aptum subiectum sit divinae revelationis, ita etiam, ut possit audire verbum Dei eique rationabile praestare obsequium[4] (cf Rom 12,1). Quapropter Ecclesia docuit et docet, „Deum, rerum omnium principium et finem, naturali rationis lumine e rebus creatis certo cognosci posse"[5]. Item docuit et docet hanc cognitionem „in praesenti . . . generis humani condicione"[6] multis obtenebrari erroribus, multis impediri obstaculis, ita ut haec

---

ren Geschenk der Freiheit ausgestattet ist, sich schuldhaft dieser göttlichen Eingebung verschließt. Der Mensch also, weil er so auf Gott hin geschaffen ist, kann niemals bewirken, daß er nicht wenigstens im Verborgenen gleichsam wie durch einen Instinkt zum wahren Gott hin gelenkt wird, und daß jemals das ausdrückliche Bekenntnis und die Verehrung Gottes auf dem Erdkreis völlig vergehen. Oft haben Menschen, die den wahren Gott nicht kennen, ihn dennoch verehrt und verehren ihn und haben niemals aufgehört, noch werden sie aufhören ihn zu suchen, „ob sie ihn ertasten und finden könnten" (Apg 17,23.27). Deswegen weiß die Kirche, immer eingedenk des universalen rettenden göttlichen Willens, daß niemand, der zum Gebrauch der Vernunft gelangt ist, zugrunde gehen kann, außer durch seine eigene formelle Schuld, und daß niemand gerettet werden kann, außer durch die Gnade und den Glauben an Gott (vgl. Hebr 11,6).

2. *(Der für die Gnade und Offenbarung empfängliche Mensch).* Der Mensch ist also von Anfang an so geschaffen, daß er ein für die göttliche Offenbarung geeignetes Subjekt ist und daß er das Wort Gottes hören und ihm vernünftigen Gehorsam leisten kann[4] (vgl. Röm 12,1). Deswegen hat die Kirche gelehrt und lehrt, daß „Gott, der Ursprung und das Ziel aller Dinge, durch das Licht der natürlichen Vernunft aus den geschaffenen Dingen mit Sicherheit erkannt werden kann"[5]. Ebenso hat sie gelehrt und lehrt, daß diese Erkenntnis „in der gegenwärtigen . . . Situation des Menschengeschlechts"[6] durch viele Irrtümer verfinstert, durch viele Widerstände behin-

---

[4] Conc. Vat. I (Denzinger 1790); Encycl. Humani generis (Denz. 2308).
[5] Conc. Vat. I (Denzinger 1785) (Dort heißt es vollständig: „Deum, rerum omnium principium et finem, naturali *humanae* rationis lumine e rebus creatis certe cognosci posse").
[6] Denzinger 1786.

cognitio vere proficere non possit, nisi miserentis Dei gratia a figmentis nostris liberemur in veritatem Christi (cf Jo 8,32).

3. *(Praeparatio evangelica in historia humana).* His ex suppositis diversas generis humani religiones et philosophias religiosas Ecclesia considerat et diiudicat. Adventum his quidem praedicat Christi, qui est plenitudo temporum (cf Gal 4,4) et omnis boni, quod in omni religione habetur et simul finis earum; scit tamen in earum umbris et imaginibus ignotum Deum quaeri hominisque cor terrena transcendens veri luminis desiderio inflammatum hoc lumine perfundi posse, ita ut etiam istae religiones tamquam paedagogi in Christum evadere possint, de eo occulte loquentes, eum occulte praedicantes (cf Act 17,23). Quidquid igitur in eis boni invenitur quoad Dei cognitionem, id Ecclesiae annuntiatio evangelica aestimat tamquam lumen a Deo datum; quae falsa, depravata, superstitiosa in eis habentur, ea eliminat, ut in thesauros Christi et Ecclesiae recondat ea, quae gentes in suis paternis religionibus non sine auxilio divino tradiderunt.

4. *(Praeparatio evangelica in oeconomia Veteris Testamenti).* Res, quae per totam historiam occulte agitur, vocatio scilicet generis humani ad mysticas nuptias Agni (cf Apoc 19,7 ss; 21,9; Lc 13,29), id est ad unionem Dei cum

---

dert wird, so daß diese Erkenntnis wahrhaft nicht nützen kann, wenn wir nicht durch die Gnade des barmherzigen Gottes von unseren Irrwegen zur Wahrheit Christi befreit werden (vgl. Joh 8,32).

3. *(Die Vorbereitung des Evangeliums in der menschlichen Geschichte).* Von diesen Voraussetzungen her betrachtet und beurteilt die Kirche die verschiedenen Religionen und religiösen Philosophien des Menschengeschlechts. Diesen verkündet sie einmal die Ankunft Christi, der die Fülle der Zeiten (vgl. Gal 4,4) und alles Guten ist, das in jeder Religion erhalten ist, und der zugleich ihr Ziel ist; sie weiß aber dennoch, daß in ihren Schatten und Bildern der unbekannte Gott gesucht wird und das Herz des Menschen das Irdische überschreitend von der Sehnsucht nach dem wahren Licht entflammt, von diesem Licht erfüllt werden kann, so daß auch diese Religionen als Erzieher auf Christus hin sich erweisen können, indem sie von ihm auf verborgene Weise sprechen und ihn auf verborgene Weise verkünden (vgl. Apg. 17,23). Was also bei ihnen an Gutem hinsichtlich der Gotteserkenntnis gefunden wird, das erachtet die kirchliche Verkündigung des Evangeliums als ein von Gott gegebenes Licht; was ihnen Falsches, Verkehrtes und Abergläubisches innewohnt, das entfernt sie, damit in die Schatzkammer Christi und der Kirche das eingebracht wird, was die Völker in ihren Religionen der Väter nicht ohne göttliche Hilfe überliefert haben.

4. *(Die Vorbereitung des Evangeliums in der Heilsgeschichte des Alten Testaments).* Das, worum es in der ganzen Geschichte im Verborgenen geht, nämlich die Berufung des Menschengeschlechts zur mystischen Hochzeit des Lammes (vgl. Offb 19,7ff; 21,9; Lk 13,29), das heißt zur Gemeinschaft Gottes mit den Menschen, wird

hominibus, specialissimo modo in Veteris Testamenti oeconomia operatur in qua Deus ut sponsus sponsam populum vocat, ita ut Vetus Testamentum fundamentum sit religionis christianae eiusque interna vis et ratio in ea non solvatur, sed adimpleatur (cf Mt 5,17; Rom 3,31). Totius ergo Veteris Testamenti momentum in hoc est, ut in Novum tendat et in Novo pateat. „Quaecumque enim scripta sunt, ad *nostram* doctrinam scripta sunt, ut per patientiam et consolationem Scripturarum spem habeamus" (Rom 15,4).

Caput III

De revelata praesentia Dei in praedicatione Ecclesiae

1. *(Dominus Jesus praesens in Ecclesia).* Quod in tota historia, specialius autem in historia Veteris Testamenti latet, id in Jesu Christo patet. Ipse est (ut iam dictum est) Verbum Dei (cf Jo 1,1–18; Apoc 19,13), est veritas erudiens nos (Tit 2,12), est via revelans vitam (cf Jo 14,6). Haec viva veritas, qua ipse est id, quod revelat, praesens est in Ecclesia, quae est Corpus Christi Spiritu eius vivens. Non ergo novas veritates Ecclesia quasi ex proprio sumens et a semetipso loquens (cf Jo 16,13) praedicat, sed hanc unam veritatem, quae in

---

auf ganz besondere Weise in der Heilsgeschichte des Alten Testaments behandelt, in der Gott wie ein Bräutigam das Volk als Braut ruft, so daß das Alte Testament die Grundlage der christlichen Religion ist, und seine innere Kraft und Vernunft in ihr nicht aufhört, sondern erfüllt wird (vgl. Mt 5,17; Röm 3,31). Die Bedeutung des ganzen Alten Testaments besteht also darin, daß es auf das Neue zustrebt und sich im Neuen offenbart. „Was nämlich geschrieben wurde, das ist zu *unserer* Belehrung geschrieben, damit wir durch die Geduld und den Trost der Schriften Hoffnung haben" (Röm 15,4).

Kapitel 3

Die geoffenbarte Gegenwart Gottes
in der Verkündigung der Kirche

1. *(Der in der Kirche gegenwärtige Herr Jesus).* Was in der ganzen Geschichte, besonders aber in der Geschichte des Alten Testaments verborgen ist, das ist in Jesus Christus offenbar. Er selbst ist (wie schon gesagt wurde) das Wort Gottes (vgl. Joh 1,1–18; Offb 19,13), er ist die Wahrheit, die uns belehrt (Tit 2,12), und er ist der Weg, der uns das Leben offenbart (vgl. Joh 14,6). Diese lebende Wahrheit, durch die er selbst das ist, was er offenbart, ist in der Kirche gegenwärtig, die der durch seinen Geist lebende Leib Christi ist. Die Kirche verkündet also nicht neue Wahrheiten, gleichsam aus dem Eigenen nehmend und von sich selbst her sprechend (vgl. Joh 16,13), sondern sie bewahrt treu diese eine Wahrheit, die im Herrn Jesus erschienen

Domino Jesu apparuit, quam Apostoli eorumque scripta testantur, fideliter custodit; hac veritate ligata est, ex huius fonte haurit aquam in vitam aeternam salientem (cf Jo 4,14). Singulae autem veritates revelatae, quae in sacris scripturis tam Veteris quam Novi Testamenti leguntur quaeque in Sanctae Matris Ecclesiae doctrina et praedicatione explicantur, omnes in hanc unam veritatem reducuntur, quae Jesus Christus est, Deus et homo, in quo omne genus humanum ad intimam unionem cum Deo vocatum est.

Pro testimonio et praedicatione huius veritatis Ecclesia instructa et solidata est missione et auctoritate Christi. Ipse, „Qui est testis fidelis" (Apoc 1,5) et simul res ipsa in testimonio annuntiata, ut caput corporis, quod est Ecclesia (Col 1,18), huic suae Ecclesiae magisterium infallibile concredidit; ipsa enim a capite suo, quod est Verbum Dei in carne revelatum, avelli nequit. Hoc magisterii munere fungens Ecclesia secundum exemplum sibi a Domino datum viva et orali praedicatione auctoritativa hominibus semper tradit vivum Dei verbum. Haec praedicatio, ut actio et ut res praedicata, a legitimis successoribus apostolorum exercita, traditio vocari solet. Hac igitur traditione, quam Ecclesia secundum mandatum Domini administrat, sermo Dei currit per saecula (cf 2 Thess 3,1); haec ut modus praesentiae actualis Christi revelati in Ecclesia veneranda est. Sed quia verba Domini „spiritus et vita" sunt (Jo 6,64), haec traditio non solum praedicatione legitima verbi, sed

---

ist und die die Apostel und ihre Schriften bezeugen; durch diese Wahrheit ist sie verbunden, aus ihrer Quelle schöpft sie das Wasser, das zum ewigen Leben fließt (vgl. Joh 4,14). Die einzelnen Offenbarungswahrheiten aber, die in den Heiligen Schriften des Alten wie auch des Neuen Testaments zu lesen sind, und die in der Lehre und in der Verkündigung der heiligen Mutter Kirche erklärt werden, werden alle auf diese eine Wahrheit zurückgeführt, die Jesus Christus ist, Gott und Mensch, in dem das ganze Menschengeschlecht zur engsten Gemeinschaft mit Gott berufen ist.

Für die Bezeugung und Verkündigung dieser Wahrheit ist die Kirche bestimmt und gefestigt durch die Sendung und die Autorität Christi. Er selbst, „der treue Zeuge" (Offb 1,5) und zugleich die Sache selbst, die im Zeugnis verkündet wird, hat wie das Haupt des Leibes, der die Kirche ist (Kol 1,18), dieser seiner Kirche das unfehlbare Lehramt anvertraut; sie kann nämlich von ihrem Haupt, welches das im Fleisch geoffenbarte Wort Gottes ist, nicht getrennt werden. In der Wahrnehmung ihres Lehramts gemäß dem Beispiel, das ihr vom Herrn gegeben worden ist, überliefert die Kirche den Menschen immer das lebendige Wort Gottes durch eine lebendige, mündliche und autoritative Verkündigung. Diese Verkündigung, als Handlung und als Inhalt, und von den legitimen Nachfolgern der Apostel ausgeübt, wird gewöhnlich Tradition genannt. Durch diese Überlieferung also, die die Kirche gemäß dem Auftrag des Herrn verwaltet, nimmt das Wort Gottes seinen Lauf durch die Zeiten (vgl. 2 Thess 3,1); diese ist als eine Weise der aktuellen Gegenwart des geoffenbarten Christus in der Kirche zu verehren. Weil aber die Worte des Herrn „Geist und Leben" sind (Joh 6,64), wird diese Überlieferung nicht nur in der rechtmäßigen Ver-

tota vita Ecclesiae exercetur, inprimis usu sacramentorum ab ipso institutorum et inter ea prae ceteris celebratione Sacrae Eucharistiae, sub cuius signis Christus sese tradit hominibus et homines tradit Patri per corpus suum crucifixum, resuscitatum, vivens in gloria Dei.

2. *(Revelatio in Sacra Scriptura contenta).* Ut revelatio divina in Jesu Christo facta fideliter custodiatur eiusque cognitio crescat de die in diem, Deus ipse testimonium revelationis irrefragabile instituere voluit in Sacris Scripturis quae Spiritu Sancto inspirante conscripta sunt[7]. Deus ergo ipse est auctor harum Scripturarum et tamen etiam homines, quos ipse arcanis modis ad scribendum movit, ut praedicationem apostolicam litteris consignarent eamque variis modis pro data occasione sincere exhiberent, suo modo auctores sunt. Ita vere divinae et non minus vere humanae habendae sunt hae Scripturae, sicut Dominus Jesus simul verus Deus et verus homo est, inconfuse et indivise habens deitatem et humanitatem. Et ideo, quamvis humanum aspectum praebeant, Scripturae revelationem tamen divinam – in pannis humanitatis involutam – sine errore non solum continunt, sed ipsae sunt verbum infallibile Dei ipsius, qui nec fallere nec falli potest. In explicandis ergo Scripturis hoc maxime attendendum est, earum verba

---

kündigung des Wortes, sondern im ganzen Leben der Kirche geübt, besonders im Gebrauch der von ihm eingesetzten Sakramente und unter diesen vor allem durch die Feier der heiligen Eucharistie, unter deren Zeichen Christus sich für die Menschen hingibt und die Menschen dem Vater übergibt durch seinen gekreuzigten und auferweckten Leib, während er selber in der Herrlichkeit Gottes lebt.

2. *(Die Offenbarung, die in den Heiligen Schriften enthalten ist).* Damit die in Jesus Christus geschehene göttliche Offenbarung treu bewahrt werde und ihre Erkenntnis von Tag zu Tag wachse, hat Gott selber ein unverbrüchliches Zeugnis der Offenbarung errichten wollen in den Heiligen Schriften, die unter der Inspiration des Heiligen Geistes niedergeschrieben worden sind[7]. Gott selbst ist also der Verfasser dieser Schriften, und dennoch sind auch die Menschen, die er selbst auf verborgene Weise zum Schreiben bewegt hat, damit sie die apostolische Verkündigung schriftlich verbürgten und sie auf verschiedene Weise für die jeweils gegebene Situation unverfälscht darlegten, auf ihre Weise Verfasser. So müssen diese Schriften wahrhaftig als göttlich und nicht weniger wahrhaftig als menschlich gelten, so wie der Herr Jesus zugleich wahrer Gott und wahrer Mensch ist, unvermischt und ungeteilt die Gottheit und die Menschheit besitzt. Und deswegen beinhalten die Schriften, wie sehr sie auch menschliches Aussehen darbieten, dennoch ohne Zweifel die göttliche Offenbarung – in ein Gewand der Menschlichkeit gehüllt –, ja sie selbst sind das untrügliche Wort Gottes selbst, der nicht täuschen und nicht getäuscht werden kann. Bei der Auslegung der Schriften ist also am meisten darauf zu achten, daß deren Worte

---

[7] Denzinger 1787.

insimul esse vere verba Dei et vere verba certorum hominum suis temporibus suisque modis loquentium et cogitantium, ita ut eorum locutio humana quasi sit caro verbi Dei.

Ex his apparet, verbum Dei in Sacris Scripturis non nudum in claritate sua immediata nobis sese exhibere, sed quasi carnis velamine tectum, licet utrumque inconfuse et indivise unum semper maneat. Haec vera humanitas verbi Dei dignitatem Sacrae Scripturae adeo non minuit, sed elevat ut, quo altius Deus in abyssum nostrum descendere dignatus est, eo clarius mysterium infinitae suae erga nos bonitatis et misericordiae splendeat. Ut ergo Scriptura bene explicetur eiusque sensus de die in diem plenius cognoscatur, sedulo exquirendi sunt modi humani loquendi, qui in ea continentur, ne cortex pro medulla habeatur neque litterae serviatur quae occidit, sed Spiritui qui vivificat (2 Cor 10,6). Haec humilis et assidua exploratio sensus litteralis pars vera et necessaria est ministerii verbi quod Ecclesiae a Christo traditum est. Spiritus autem vivificans, qui in litteris latet, nonnisi duce Sancta Matre Ecclesia certo inveniri potest, quae ipsa est quasi caro Christi, Verbi Dei, Spiritu Sancto saginata.

3. *(Sacra Scriptura per Ecclesiam tradita).* Ecclesia est custos verbi divini in Sacris Scripturis exhibiti, huic verbo inservit, ex hoc verbo vivit, in hoc

---

zugleich wahrhaft Worte Gottes und wahrhaft Worte bestimmter Menschen sind, die zu ihren Zeiten und auf ihre Weise gesprochen und gedacht haben, so daß deren menschliche Sprache gleichsam das Fleisch des Wortes Gottes ist.

Daraus wird ersichtlich, daß das Wort Gottes sich uns in der Heiligen Schrift nicht entblößt in seiner unmittelbaren Klarheit darbietet, sondern gleichsam in ein fleischliches Gewand gehüllt, mag auch beides unvermischt und ungeteilt immer als eines bestehen bleiben. Diese wirkliche Menschlichkeit des Wortes Gottes mindert die Würde der Heiligen Schrift keineswegs, sondern hebt sie empor, damit, je weiter Gott in unsere Tiefe herabzusteigen sich entschließt, desto heller das Geheimnis seiner unendlichen Güte und Barmherzigkeit uns gegenüber erstrahlt. Damit also die Schrift gut erklärt und ihr Sinn von Tag zu Tag voller erkannt werde, müssen die verschiedenen Arten menschlicher Rede aufmerksam untersucht werden, die in ihr enthalten sind, damit nicht die Schale für den Kern gehalten und nicht dem Buchstaben gedient wird, der tötet, sondern dem Geist, der lebendig macht (2 Kor 10,6). Diese schlichte und beständige Erforschung des literarischen Sinns ist ein wahrer und notwendiger Teil des Dienstes am Wort, das der Kirche von Christus übergeben worden ist. Der lebendigmachende Geist aber, der in den Buchstaben verborgen ist, kann nur unter der Führung der heiligen Mutter Kirche sicher gefunden werden, die selbst gleichsam das Fleisch Christi, des Wortes Gottes, ist, genährt vom Heiligen Geist.

3. *(Die durch die Kirche überlieferte Heilige Schrift).* Die Kirche ist die Bewahrerin des göttlichen Wortes, das sich in den Heiligen Schriften gezeigt hat, sie dient diesem

verbo veras suas divitias invenit, immo ipsa est et continuo de novo evadit congregatio hominum „qui audiunt verbum Dei et custodiunt illud" (Mt 11,28). Econtra etiam Sacra Scriptura non sine Ecclesia est. Novi enim Testamenti auctores, qui ut tales singulariter inspirati sunt, tamen non aliter quam in Corpore Christi, quod est Ecclesia, Spiritum Christi habuere. Ecclesia ergo quodammodo in electis membris auctor fuit et hac de causa iure explicat Scripturas, quae ex eius sinu natae sunt, quarum testimonium iam ante ortum earum exhibuit, quaeque conscripta sunt, ut vivum Ecclesiae verbum expeditius currat (cf 2 Thess 3,1). Quia autem iam Vetus Testamentum latenter Christum praedicabat et ad id tendebat, ut genus humanum ad mysticam cum Deo unionem pararet, et ideo de hoc, quod Christi est sumptum erat, antequam in carne apparuit, etiam huius scriptores quasi ad carnem Christi pertinebant. Iam enim ex externa historia Veteris Testamenti elucet prophetas aliosque auctores, quibus Deus inspirans ad sacros componendos libros utebatur, Spiritum Dei in populo Dei et pro populo Dei habuisse utpote ministros foederis ab eo cum Israel initi.

Pleno ergo iure Sacras Scripturas tam Veteris quam Novi Testamenti Ecclesia suas reclamat, quippe cum numquam aliter nisi in fide ab Ecclesiae traditione accepta certo cognosci posset, qui libri insimul corpus unius

---

Wort, sie lebt aus diesem Wort, in diesem Wort findet sie ihren wahren Reichtum, ja sie ist selbst und erweist sich fortwährend von neuem als eine Gemeinschaft von Menschen, „die das Wort Gottes hören und es bewahren" (Mt 11,28). Andererseits besteht auch die Heilige Schrift nicht ohne die Kirche. Die Verfasser des Neuen Testaments nämlich, die als solche inspiriert wurden, hatten dennoch auf keine andere Weise als im Leib Christi, der die Kirche ist, den Geist Christi. Die Kirche war also gewissermaßen in den erwählten Gliedern die Verfasserin, und deswegen erklärt sie zu Recht die Schriften, die aus ihrem Schoß geboren worden sind, deren Zeugnis sie schon vor deren Entstehung enthalten hat, und die niedergeschrieben worden sind, damit das lebendige Wort der Kirche sich ungehinderter ausbreite (vgl. 2 Thess 3,1). Weil aber schon das Alte Testament im Verborgenen Christus verkündigte und danach strebte, daß das Menschengeschlecht sich zur mystischen Vereinigung mit Gott rüste und daher von dem, was zu Christus gehört, genommen worden war, bevor er im Fleisch erschienen ist, gehörten auch dessen Verfasser gleichsam zum Fleisch Christi. Denn schon aus der äußeren Geschichte des Alten Testaments leuchtet ein, daß die Propheten und die anderen Verfasser, die Gott inspiriert und deren er sich zur Abfassung der heiligen Bücher bedient hat, den Geist Gottes im Volk Gottes und für das Volk Gottes hatten, nämlich als die Diener des von ihm mit Israel eingegangenen Bundes.

Mit vollem Recht also beansprucht die Kirche die Heiligen Schriften des Alten und des Neuen Testaments als die ihren, weil ja niemals auf andere Weise als im Vertrauen auf die von der Kirche angenommene Überlieferung mit Sicherheit erkannt werden kann, welche Bücher zusammengenommen das Corpus der einen Heiligen

Sacrae Scripturae constituant; nemo etiam alius nisi ipsa, quae de Spiritu Sancto vivit, discernere potuit, quid inter libros in oeconomia Veteri aut tempore Apostolico conscriptos divinitus inspiratum sit, quid non. Numquam ergo Scriptura sola sibi sufficit, sed in viva tantum traditione Ecclesiae fit pro nobis illud vivum Dei verbum, quod vocat nos ex dispersione nostra in unum novum hominem (cf Eph 2,15).

Duplex ergo est relatio Scripturam inter et Ecclesiam. Una ex parte Ecclesia verbis Sacrae Scripturae ligata est: non est domina verbi, sed eius ancilla (cf 2 Cor 1,24), ita ut ipsa cum S. Paulo dicere debeat: „Licet nos aut angelus de caelo evangelizet vobis praeterquam quod evangelizavimus, anathema sit" (Gal 1,8). Alium nuntium non habet, alium proferre non potest, sed haec Scriptura est panis ei a Deo datus, de quo vivit, quem hominibus porrigit. Altera autem ex parte Scriptura eget Ecclesia, quae illam praedicat eamque ex auctoritate sibi a Domino data explicat. Ipse enim Christus est clavis Scripturarum earumque canon interior aperiens quod in eis est (cf Lc 24,32; Jo 5,36); Jesus Christus autem non in morte remansit, sed resurrexit et vivit in Ecclesia sua secundum illud: „Ecce ego vobiscum sum omnibus diebus usque ad consummationem saeculi" (Mt 28,20). Ipse est, qui promisit ei Spiritum Sanctum, ut inducat eam in omnem veritatem, in multa etiam, quae discipuli olim portare non potuerunt (cf Jo 16,12 s). Et quia

---

Schrift ausmachen; es konnte auch niemand anders als sie selbst, die aus dem Heiligen Geist lebt, entscheiden, was unter den Büchern, die in der Heilsgeschichte des Alten Testaments oder in der apostolischen Zeit niedergeschrieben worden sind, göttlich inspiriert ist und was nicht. Niemals also hat die Schrift sich allein genügt, sondern nur in der lebendigen Tradition der Kirche entsteht für uns jenes lebendige Wort Gottes, das uns aus der Verstreutheit zum einen neuen Menschen zusammenruft (vgl. Eph 2,15).

Doppelt ist also die Beziehung zwischen der Schrift und der Kirche. Einerseits ist die Kirche an die Worte der Heiligen Schrift gebunden: sie ist nicht die Herrin des Wortes, sondern seine Magd (vgl. 2 Kor 1,24), so daß sie selbst mit dem hl. Paulus sprechen muß: „Mögen wir selbst es sein, oder ein Engel vom Himmel, der euch ein anderes Evangelium verkündet, als wir es euch verkündet haben, so sei er verflucht" (Gal 1,8). Sie hat keine andere Botschaft, eine andere kann sie nicht vortragen, sondern diese Schrift ist das Brot, das ihr von Gott gegeben wurde, von dem sie lebt und das sie den Menschen reicht. Andererseits aber braucht die Schrift die Kirche, die jene verkündet und sie, kraft der ihr vom Herrn gegebenen Vollmacht, erklärt. Christus selbst nämlich, der der Schlüssel zu den Schriften ist und deren innerer Kanon, eröffnet, was in ihnen ist (vgl. Lk 24,32; Joh 5,36); Jesus Christus aber ist nicht im Tod verblieben, sondern auferstanden, und er lebt in seiner Kirche gemäß jenem Satz: „Siehe, ich bin bei euch alle Tage bis zum Ende der Welt" (Mt 28,20). Er selbst ist es, der ihr den Heiligen Geist versprochen hat, damit er sie in alle Wahrheit einführe, in vieles auch, das die Jünger damals nicht ertragen konnten (vgl. Joh 16,12f).

Christus non solum heri erat, sed hodie est et in saecula (cf Hebr 13,8), eius verba non quasi praeterita solummodo conservanda, sed denuo hodie audienda, praedicanda, explicanda sunt, quod facit Ecclesia auctoritate Christi viventis in ea. Haec duplex relatio, quae Ecclesiam et Sacram Scripturam ita coniungit, ut Ecclesia nihil aliud praedicare possit quam Scripturam et Scriptura non aliter vivat nisi praedicatione et fide Ecclesiae explicantis eam eiusque sensum verum ex auctoritate definientis, revera circumscribit unam vitam indivisam atque indivisibilem, quam vivit verbum Dei revelatum revelans Deum et in lumine divino hominem, ut salvet eum et perducat eum ad coenam caelestem, quae est regnum Dei et finis mundi, in quo omnia complentur.

Sequens prooemium praemittendum commendatur.

Prooemium

1. Haec Sacra Synodus in Spiritu Sancto congregata omnibus hominibus, imprimis autem filiis Ecclesiae in caligine huius saeculi viventibus, denuo annuntiare vult Dei bonum verbum in Jesu Christo Ecclesiae concreditum. Ab ipso enim Christo Jesu mandatum accepit praedicandi Evangelium omni

---

Und weil Christus nicht nur gestern war, sondern heute ist und in Ewigkeit (vgl. Hebr 13,8), sind seine Worte nicht nur gleichsam als vergangene zu bewahren, sondern heute von neuem zu hören, zu verkünden und zu erklären, was die Kirche kraft der Vollmacht des in ihr lebenden Christus tut. Diese doppelte Beziehung, die die Kirche und die Heilige Schrift so verbindet, daß die Kirche nichts anderes verkünden kann als die Schrift, und die Schrift nicht anders lebt als durch die Verkündigung und die Treue der Kirche, die sie erklärt und ihren wahren Sinn mit Vollmacht bestimmt, umschreibt in Wahrheit ein ungeteiltes und unteilbares Leben, welches das geoffenbarte Wort führt, indem es Gott offenbart und im göttlichen Licht den Menschen, auf daß es ihn rette und ihn zum himmlichen Mahl führe, welches das Reich Gottes und das Ziel der Welt ist, in dem alles vollendet wird.

Das folgende Prooemium soll zur Voranstellung empfohlen werden.

Prooemium

1. Diese Heilige Synode, im Heiligen Geist versammelt, will allen Menschen, besonders aber den Söhnen der Kirche, die in der Bedrängnis dieser Zeit leben, von neuem das Heilswort Gottes, das in Jesus Christus der Kirche anvertraut worden ist, verkünden. Von Christus Jesus selbst nämlich hat sie den Auftrag übernommen, das

creaturae (Mt 28,19 ₅). Conditio autem temporis huic mandato novam et urgentiorem addit vim et instantiam. Omnes enim homines hodie omnibus propinqui facti sunt. Qui usque adhuc in diversis orbis terrarum partibus segregati et hinc se invicem fere nescientes vixerunt, hodie novis vinculis oeconomicis, socialibus, politicis, culturalibus intime coniuncti et unus ab alio dependentes unam tantum familiam immediate efformant. In una sorte aut fortunae aut interitus coniunguntur. Cum ergo Ecclesia vicinior omnibus facta sit quam umquam fuit et reapse mundi totius Ecclesia evadat, decet eam omnes instantius alloqui, ad quos missam sese agnoscit.

2. Praedicat Ecclesia semper Evangelium Christi Dei Filii, Redemptoris mundi eiusque salutem aeternam hominibus administrat, quod unicum munus ei a Deo traditum est. Haec Ecclesiae annuntiatio, cum spectet habitudinem hominis ad Deum eiusque vitam aeternam, absque dubio non praetendit afferre immediatam atque plenam solutionem omnium quaestionum socialium, oeconomicarum, politicarum, culturalium, quibus ex nova sua conditione premitur hodiernum genus humanum. Tradidit enim Deus mundum disputationi hominum (cf Eccle 3,11), ut ipsi sub divinae providentiae ductu terram sibi subiciant suaeque prosperitati terrenae pro posse consulant, id evolventes, quod Deus germine et destinatione ab initio indidit mundo et generi humano. Attamen quia in Christo iam appropin-

---

Evangelium der ganzen Schöpfung zu verkünden (Mt 28,19f). Die Umstände der Zeit aber geben diesem Auftrag eine neue und dringlichere Kraft und Gegenwärtigkeit. Alle Menschen nämlich sind heute allen zu Nächsten geworden. Die bisher noch in verschiedenen Teilen des Erdkreises abgesondert und einander kaum kennend gelebt haben, sind heute durch neue wirtschaftliche, soziale, politische und kulturelle Bande aufs engste verbunden und einer vom andern abhängig, und sie bilden so unmittelbar eine einzige große Familie. Schicksalhaft sind sie in Glück und Untergang miteinander verbunden. Weil also die Kirche allen näher gerückt ist, als es jemals der Fall gewesen ist, und sich wirklich zur Kirche der ganzen Welt entwickelt, ziemt es sich für sie, alle eindringlicher anzureden, zu denen sie sich gesandt weiß.

2. Die Kirche verkündet immer das Evangelium Christi, des Sohnes Gottes, des Erlösers der Welt, und sie wirkt sein ewiges Heil für die Menschen, was ihr als einzigartige Aufgabe von Gott übertragen wurde. Weil diese Verkündigung der Kirche die Haltung des Menschen zu Gott und sein ewiges Leben betrifft, beansprucht sie zweifelsohne nicht, eine unmittelbare und vollständige Lösung aller sozialen, wirtschaftlichen, politischen und kulturellen Fragen zu bieten, von denen die heutige Menschheit aus ihrer neuen Situation heraus bedrückt wird. Gott nämlich hat die Welt dem Forschergeist der Menschen überlassen (vgl. Koh 3,11), damit sie sich unter der Führung der göttlichen Vorsehung die Erde untertan machen und sich nach Möglichkeit um ihr irdisches Wohlergehen kümmern, um das zu entwickeln, was Gott von Anfang an im Keim durch seine Bestimmung in der Welt und im Menschengeschlecht angelegt hat. Und doch, weil in Christus schon das Reich Got-

quavit regnum Dei (Mc 1,15), Evangelii in Ecclesia praedicatio non solum est promissio futurae in caelis beatitudinis, sed etiam nunc huic mundo inserit germina novae vitae ex quibus Deus suo tempore „novum caelum et novam terram" creabit (cf Apoc 21,1).

3. Pastorali ergo cura mota Ecclesia tam filios suos quam omnes homines verbo Dei apertos alloqui vult neque systema theologicum proponens neque nova dogmata statuens, sed in tribulationibus huius temporis (cf Rom 5,3) lumen Evangelii boni nuntii Dei super candelabrum ponit (cf Mt 5,14 ss), ita ut eius serena lux omnibus effulgeat, qui in domo nostri temporis vivunt. Sicuti enim crux Christi in paschalem gloriam commutata est, ita e tribulationibus huius temporis sub quibus gementes (cf Rom 8,23) cruci configimur (cf Gal 2,19), denuo paschale gaudium eiusque consolatio effulgeant hominibus „qui in tenebris et in umbra mortis sedent ad dirigendos pedes nostros in viam pacis" (Lc 1,79). Quae sequentur, tali ratione igitur dicta et tali cum respectivi assensus obligatione imposita intelligantur oportet, qualis fide bene edoctis nota iam est ex praedicatione magisterii ordinarii Ecclesiae.

---

tes nahegekommen ist (Mk 1,15), ist die Verkündigung des Evangeliums in der Kirche nicht nur eine Verheißung der zukünftigen Glückseligkeit im Himmel, sondern legt schon jetzt in diese Welt den Samen eines neuen Lebens, aus dem Gott zu seiner Zeit „einen neuen Himmel und eine neue Erde" erschaffen wird (vgl. Offb 21,1).

3. Von pastoraler Sorge bewegt, will also die Kirche ihre Söhne wie auch alle anderen Menschen, die dem Wort Gottes geöffnet sind, ansprechen, und zwar nicht indem sie ein theologisches System anbietet oder neue Dogmen festsetzt, sondern indem sie in der Drangsal dieser Zeit (vgl. Röm 5,3) das Licht des Evangeliums, der guten Botschaft Gottes, auf den Leuchter stellt (vgl. Mt 5,14ff), so daß sein helles Licht allen voranleuchte, die in unserem Zeitraum leben. Wie nämlich das Kreuz Christi in die österliche Herrlichkeit verwandelt worden ist, so wird aus der Drangsal dieser Zeit heraus, unter der seufzend (vgl. Röm 8,23) wir ans Kreuz geheftet werden (vgl. Gal 2,19), schließlich die österliche Freude und deren Trost den Menschen hervorleuchten, „die in Finsternis und im Schatten des Todes sitzen, um unsere Schritte auf den Weg des Friedens zu lenken" (Lk 1,79). Der folgende Text soll daher als in diesem Sinne gesagt verstanden werden und mit einer solchen Verpflichtung zur entsprechenden Zustimmung auferlegt, wie dies den im Glauben gut Unterrichteten schon aus der Verkündigung des ordentlichen Lehramts der Kirche bekannt ist.

Aus dem Lateinischen von Erich Schrofner

II.

YVES CONGAR OP

Placet Sanctae Synodo ut amanter fidem pronuntiet, quae se ex omni gente congregavit in Spiritu Sancto, ad laudem Dei Patris et eius quem misit Jesu Christi. Maxime enim vult Sancta Synodus omnibus prodesse: tam fidelibus, eos in fide, spe, patientia et amore Dei confirmando (confortando), quam omnibus hominibus, paratam se praebendo ad satisfactionem omni poscenti rationem de ea quae in se est spe, cum modestia et timore, conscientiam habens bonam (cf. 1 Petr 3,15–16).

Quamvis humana ratio Deum esse certo cognoscere queat tanquam causam universi tam physici quam intellectualis et moralis, adhuc tamen excellentiori modo Deum cognoscimus cum Ipse nobis alloquitur propositumque suum erga nos patefacit.

Verbis cum locutus esset multifariam Deus quasi de longe Abrahae et semini eius, Prophetis scilicet, novissime ad nos appropinquavit in Filio, Verbo aeterno suo, qui in Christo Jesu humanitatis nostrae particeps factus est. Tam vero in verbis propheticis quam in Verbo incarnato, Deus hominibus foedus gratiae offert: „Ero vobis in Deum, et eritis mihi in Populum."

Cum nobis tam verbis quam in Verbo suo alloquitur, numquam de hominis mundique conditione ac fine salutiferas veritates a veritatibus de

Die Heilige Synode beschließt, aus Liebe den Glauben zu verkündigen, nachdem sie sich aus allen Völkern versammelt hat im Heiligen Geist, zum Lobpreis Gottes des Vaters und dessen, den er gesandt hat, Jesus Christus. Denn am meisten will die Heilige Synode allen nützen: sowohl den Gläubigen, indem sie sie in Glaube, Hoffnung, Geduld und Gottesliebe bestärkt (ermutigt), wie auch allen Menschen, indem sie gegenüber jedem, der Rechenschaft fordert über die Hoffnung, die sie erfüllt, ihre Bereitschaft beweist, diese Forderung zu erfüllen mit Bescheidenheit und Furcht, aber mit gutem Gewissen (vgl. 1 Petr 3,15–16).

Obwohl die menschliche Vernunft mit Sicherheit Gott als die Ursache des physischen wie des intellektuellen und moralischen Universums erkennen kann, erkennen wir gleichwohl Gott auf noch vortrefflichere Weise, da er selbst zu uns spricht und uns seinen Plan mit uns enthüllt.

Nachdem Gott viele Male mit Worten gesprochen hat, gleichsam von weit her, zu Abraham und seinen Nachkommen, nämlich zu den Propheten, ist er uns zuletzt in seinem Sohn nahegekommen, seinem ewigen Wort, das in Jesus Christus unserer Menschennatur teilhaftig geworden ist. Sowohl in den prophetischen Worten wie im fleischgewordenen Wort bietet Gott den Menschen einen Bund der Gnade an: „Ich werde euer Gott sein, und ihr werdet mein Volk sein."

Wenn Gott sowohl mit Worten als auch in seinem Wort zu uns spricht, trennt er niemals die heilbringenden Wahrheiten über die gegenwärtige Lage und über das Ziel des Menschen und der Welt von den Wahrheiten über sich selbst und seine

Semetipso nobis Sese communicante disiungit Deus. Nec revelat suum intimum mysterium quin Se revelet ut principium et finem illius commercii sancti quod cum Deo habere debent homines, et etiam mundus, ut *sint* vere, et sic salvi in aeternum fiant. Ipsa intima Paternitas Dei nobis revelata non est nisi in Filio pro nobis incarnato ut sit ipse Primogenitus in multis fratribus, quos cohaeredes suos fecit in sanguine suo. Nec etiam, sub priore Testamento, Moysi tradidit Deus Nomen suum, „Ego sum qui sum", quin ipsissimis hebraicis verbis significaret Se esse, et usque in finem fore, fontem omnis vitae pro populo suo et pro toto mundo. Multa mala evenerunt, non sine nostra negligentia infirmitateque, ex hoc quod iusto saepius dogma de Deo vel de cultu Dei profertur praecisum a veritate revelata de homine atque mundo: ita ut multi sibi persuasum habeant se studium erga hominem et mundum prosequi non posse nisi Deum negando vel ignorando.

Nos tamen, haeredes Apostolorum, verbis Dei Verboque eius, quod caro factum cum hominibus conversatum est, ex toto corde totaque mente adhaeremus. Ministerium reconciliationis sustinentes, plenam puramque veritatem Verbi huius confiteri intendimus.

Innixi verbo Dei, firmiter credimus et simpliciter confitemur DEUM Amorem esse (1 Jo 4,8). Per totam revelationis historiam sese manifestavit Deus ut insimul elatissimum super omnia et proximum nobis; insimul

---

Selbstmitteilung an uns. Auch offenbart er nicht sein innerstes Geheimnis, ohne sich selbst zu offenbaren als Ursprung und Ziel jener heiligen Gemeinschaft, welche die Menschen und auch die Welt mit Gott haben sollen, damit sie wirklich *sind* und so in Ewigkeit gerettet werden. Die uns geoffenbarte innerste Vaterschaft Gottes besteht nur in dem für uns Mensch gewordenen Sohn, damit er der Erstgeborene unter vielen Brüdern sei, die er in seinem Blut zu seinen Miterben gemacht hat. Auch hat Gott im Alten Testament seinen Namen „Ich bin, der ich bin" dem Mose nicht mitgeteilt, ohne mit den hebräischen Worten selbst zu erkennen zu geben, daß er ist und bis zum Ende sein wird die Quelle allen Lebens für sein Volk und für die ganze Welt. Viele Übel sind, nicht ohne unsere Nachlässigkeit und Kraftlosigkeit, dadurch eingetreten, daß öfter, als recht ist, die Lehre von Gott oder von der Gottesverehrung getrennt von der geoffenbarten Wahrheit über den Menschen und die Welt verkündet wird: so daß viele überzeugt sind, daß sie ihrem Interesse für den Menschen und die Welt nicht nachgehen können, ohne Gott zu verleugnen oder zu ignorieren.

Wir aber, die Erben der Apostel, hangen mit ganzem Herzen und mit unserem ganzen Sinn den Worten Gottes und seinem Wort an, das Fleisch geworden und bei den Menschen verkehrt hat. Indem wir den Dienst der Versöhnung leisten, beabsichtigen wir, die volle und reine Wahrheit dieses Wortes zu bekennen.

Gestützt auf das Wort Gottes, glauben wir fest und bekennen aufrichtig, daß Gott die Liebe ist (1 Joh 4,8). Durch die ganze Geschichte der Offenbarung hat sich Gott kundgegeben als zugleich über alles unendlich erhaben und zugleich uns ganz nahe;

omnia transcendentem ac familiarem valde; insimul coelis excelsiorem ac coniunctissimum nobis.

Deus est super omnia et ante omnia. Cum mundus iam non erat, erat Deus, vel potius Deus EST. Semper maior exstat omnibus quibus ad eum cogitando vel agendo intendimus: „Quia inter Creatorem et creaturam non potest tanta similitudo notari, quin inter eos maior sit dissimilitudo notanda" (Conc. IV. Later.: Denzinger 432). Deus est omnia determinans, a nullo determinatus. Mundo nullatenus indiget, cum mundi non sit effectus, sed effector.

Deus non creavit nisi ut aliquid bonitatis, ac pro tanto similitudinis suae, communicaret, seseque ita creaturae aliquo modo praesentem redderet. Insuper ac praesertim ad spiritualem creaturam venit ut apud eam maneret. Elegit enim nos ab aeterno in societatem filiorum, vocavit igitur nos, alloquitur nobis, dat dona spiritualia et insuper Spiritum Suum. Quibus omnibus ad nos descendit, certe non localiter, sed suscitando in hominibus vel in mundo novam ad Se relationem, qua modo intimo fit ipse praesens homini et mundo. Sic Deus qui „EST" et qui „ERAT" fit Deus „VENIENS": *qui est, et qui erat, et qui venturus est* (Apoc 1,4); est, non tantum Deus absconditus in se et pro se, sed fit insuper Deus revelatus, Deus ad nos et pro nobis, Deus nempe gratiae offert, necnon dat nobis ut, credentes ei et in

---

als alles übersteigend und zugleich äußerst vertraut; als den Himmel überragend und zugleich engstens mit uns verbunden.

Gott ist über allem und allem voraus. Als die Welt noch nicht war, war Gott oder vielmehr IST Gott. Immer größer, überragt er alles, durch das wir im Denken oder Tun nach ihm streben: „Denn von Schöpfer und Geschöpf kann keine Ähnlichkeit ausgesagt werden, ohne daß sie eine größere Unähnlichkeit zwischen beiden einschlösse" (DS 806). Gott bestimmt alles und ist seinerseits durch nichts bestimmt. Er bedarf in keiner Weise der Welt, da er nicht eine Wirkung, sondern der Bewirker der Welt ist.

Gott hat nicht geschaffen, ohne etwas von seiner Güte und demgemäß von seiner Ähnlichkeit mitzuteilen und sich so der Schöpfung irgendwie als gegenwärtig zu erweisen. Überdies und insbesondere ist er zu den geistigen Geschöpfen gekommen, um bei ihnen zu bleiben. Denn er hat uns von Ewigkeit zur Gemeinschaft der Söhne erwählt, er hat uns also berufen, er spricht zu uns, schenkt uns geistige Gaben und überdies Seinen Geist. Mit alldem ist er zu uns herabgestiegen, gewiß nicht im räumlichen Sinn, sondern indem er in den Menschen oder in der Welt eine neue Beziehung zu sich errichtet, durch die er selbst auf ganz innerliche Weise dem Menschen und der Welt gegenwärtig wird. So wird der Gott, der „IST" und der „WAR", der Gott, der „KOMMT": *der ist und der war und der kommen wird* (Offb 1,4); er ist nicht bloß der verborgene Gott an sich und für sich, sondern er wird überdies der geoffenbarte Gott, der Gott bei uns und für uns, nämlich der Gott der Gnade. Er bietet uns an und gewährt uns, daß wir, wenn wir ihm und an ihn glauben, seinen Ge-

eum, ambulantes in praeceptis et in voluntate sua, sibi sancta societate coniungamur si, secundum foedus sanctum in quo ipse ut caritas aeterna regnat, nos autem vere vivimus: „Gloria Dei, vivens homo" (S. Irenaeus). Attrahendo et reducendo hominem ad seipsum, Deus gratiae, qui idem est ac conditor visibilium et invisibilium, homini veram vitam impertit et ad perfectionem sui adducit.

Innisi Verbo Dei firmiter credimus et simpliciter confitemur Deum esse in se Unum et Trinum: Unum in essentia, vita, scientia, potentia, voluntate, actione, gloria et gaudio; Trinum in Personis. Sese enim nobis revelavit ut Patrem, principium scilicet sine principio, Filium quo in historia nostra ipse est nobis totus praesens ut nostra veritas, et Spiritum Sanctum, quo intime nos sanctificat. Sese nobis revelavit esse Trinum quamvis perfecte Unum atque unicum: non multitudinem scilicet, sed communionem perfectam personarum, quae, ut tales non exsistunt distinctae nisi suis ad invicem relationibus.

Innixi Verbo Dei firmiter credimus et simpliciter confitemur HOMINEM ita creatum esse, ut Sanctissimae Trinitatis inamissibiliter sit constitutus imago, et debeat, ex verbo et iuxta verbum Dei vivendo, ad similitudinem eius seipsum conformare. Quae imago Dei non tantum invenitur, et similitudo non tantum inveniri debet in intima constitutione uniuscuiusque indi-

---

boten und seinem Willen gemäß wandeln, mit ihm in heiliger Gemeinschaft verbunden werden, wenn gemäß dem heiligen Bund, in dem er selbst als die ewige Liebe herrscht, wir aber wahrhaft leben, folgendes gilt: „Die Ehre Gottes besteht in dem Menschen, der wahrhaft lebt" (Irenäus). Indem er den Menschen an sich zieht und zu sich nimmt, schenkt der Gott der Gnade, der identisch ist mit dem Urheber aller sichtbaren und unsichtbaren Dinge, dem Menschen das wahre Leben und führt ihn zur Vollendung seiner selbst.

Gestützt auf das Wort Gottes, glauben wir fest und bekennen aufrichtig, daß Gott in sich Einer und Dreifaltig ist: Einer im Wesen, im Leben, im Wissen, in der Macht, im Willen, im Wirken, in der Ehre und Freude; Dreifaltig in den Personen. Denn er hat sich uns geoffenbart als der Vater bzw. als der ursprungslose Ursprung, als der Sohn, durch den er selbst in unserer Geschichte ganz gegenwärtig ist als unsere Wahrheit, und als der Heilige Geist, durch den er uns zuinnerst heiligt. Er hat sich uns geoffenbart als der Dreifaltige, trotz seiner vollkommenen Einheit und Einzigkeit: keine Vielheit also, sondern eine vollkommene Gemeinschaft der Personen, die als solche nicht gesondert existieren außer durch ihre gegenseitigen Beziehungen.

Gestützt auf das Wort Gottes, glauben wir fest und bekennen aufrichtig, daß der MENSCH so geschaffen wurde, daß er unverlierbar als Bild der Heiligsten Dreifaltigkeit angelegt ist und daß er sich durch ein Leben aus und gemäß dem Wort Gottes zur Ähnlichkeit mit ihr gestalten soll. Dieses Bild Gottes wird nicht nur gefunden und diese Ähnlichkeit soll nicht nur gefunden werden in der innersten Verfassung je-

viduae personae in natura gratiae dono elevata, sed etiam in hac natura humana secundum quod, una manens, exsistit in multis et diversis personis ad vitam socialem agendam vocatis. Condidit enim Deus unam humanam naturam, creat et non desinit creare animas per quas humanitas constituitur communitas multarum personarum, secundum varietatem locorum et temporum: „Fecit ex uno omne genus hominum inhabitare super universam faciem terrae, definiens statuta tempora et terminos habitationis eorum" (Act 17,26).

Verbum Dei docet nos et experientia confirmat, naturae, prout de facto eam experimur, inesse simul et principium unitatis et germen divisionis, egoismi scilicet, spiritus indomitae dominationis ac possessionis et hinc contemptus aliorum. Homines et populi qui, fratres cum sint, fraterne sibi invicem opem ferre deberent, egoistice se gerere et sese impugnare non desinunt.

Verbum Dei docet nos, et experientia confirmat, unumquemque nostrum in seipso divisum esse: „Quod enim operor non intelligo: non enim quod volo bonum, hoc ago, sed quod odi malum, illud facio ... Si autem quod nolo, illud facio, iam non ego operor illud, sed quod habitat in me, peccatum" (Rom 7,15.20). Natura quam recepimus iam non est sana, sed ex vero peccato ex protoparente nobis transmisso, sauciata, infirmata, detorta. Natura sumus filii irae (cf. Eph 2,3), alienati a vita Dei. „Infelix ego homo,

---

der einzelnen Person, in ihrer durch das Geschenk der Gnade erhobenen Natur, sondern auch in dieser menschlichen Natur, insofern sie, eine einzige bleibend, in vielen und verschiedenen Personen existiert, die zur Bildung des sozialen Lebens berufen sind. Denn Gott hat eine einzige menschliche Natur begründet, er erschafft unablässig Seelen, durch die die Menschheit als eine Gemeinschaft aus vielen Personen aufgebaut wird, gemäß der Verschiedenheit der Räume und Zeiten: „Er hat aus einem einzigen Menschen das ganze Menschengeschlecht erschaffen, damit es die ganze Erde bewohne. Er hat für sie bestimmte Zeiten und die Grenzen ihrer Wohnsitze festgesetzt" (Apg 17,26).

Das Wort Gottes lehrt uns, und die Erfahrung bestätigt, daß die Natur, so wie wir sie faktisch erfahren, zugleich ein Prinzip der Einheit und einen Keim der Trennung, des Egoismus nämlich, enthält, den Geist ungezähmter Herrschaft und Besitzstrebens und damit der Verachtung der anderen. Die Menschen und die Völker, die, da sie Brüder sind, einander brüderlich Hilfe leisten sollten, hören nicht auf, sich egoistisch zu benehmen und einander zu bekämpfen.

Das Wort Gottes lehrt uns, und die Erfahrung bestätigt, daß jeder von uns in sich selber gespalten ist: „Denn ich begreife mein Handeln nicht: Ich tue nämlich nicht das, was ich will, sondern das, was ich hasse ... Wenn ich aber das tue, was ich nicht will, dann bin nicht mehr ich es, der so handelt, sondern die in mir wohnende Sünde" (Röm 7,15.20). Die Natur, die wir empfangen haben, ist nicht mehr heil, sondern durch die wirkliche Sünde, die uns von den Stammeltern her überkommen ist, verwundet, geschwächt, verkehrt. Von Natur aus sind wir Kinder des Zorns (vgl.

quis me liberabit a corpore mortis huius? Gratia Dei, per Jesum Christum Dominum nostrum" (Rom 7,24–25).

Innixi Verbo Dei, firmiter credimus et simpliciter confitemur, temporibus impletis, FILIUM DEI, qui erat in forma Dei, formam servitutis nostrae in purissimo sinu MARIAE VIRGINIS assumpsisse, ut nos ab ista servitute liberaret et ad veritatem nostrae naturae simul ac ad Deum revocaret. Etenim JESUS CHRISTUS, cum verus Deus sit et verus homo, ipse est pax nostra ... interficiens inimicitias in semetipso (Eph 2,14). Ipse est foedus quod Deus iniit cum genere humano, ipse lux gentium (cf. Is 42,6), ut filios Dei, qui erant dispersi, congreget in unum (Jo 11,52).

Qui, cum in forma Dei esset et remaneret, accepit propter nos formam servi, per omnia nobis assimilatus, absque peccato (cf. Hebr 4,15). Expertus est in semetipso Mediator noster Jesus Christus, et iram et misericordiam Dei in peccatores, quorum caput, quamvis innocens, factus est. Foedus vel Testamentum Novum et aeternum nonnisi in calice mortis suae instituit, cum eum pro peccatoribus et cum eis biberet. Mortem patiendo, peccatum atque mortem ipsam superavit, cum eis certando et victor certamine evadens. Stimulo mortis in perpetuum confracto, nobis viam resurrectionis et aditum aeternae vitae aperuit. A mortuis suscitatus, exaltatusque ad dexteram Dei, non orphanos relinquit nos, sed misit Spiritum Suum in nos, ita

---

Eph 2,3), dem Leben Gottes entfremdet. „Ich unglücklicher Mensch! Wer wird mich aus diesem dem Tod verfallenen Leib erretten? Dank sei Gott, durch Jesus Christus, unseren Herrn!" (Röm 7,24–25.)

Gestützt auf das Wort Gottes, glauben wir fest und bekennen aufrichtig, daß, nachdem die Zeit erfüllt war, der SOHN GOTTES, der in der Gestalt Gottes war, die Gestalt unserer Knechtschaft im reinsten Schoß der JUNGFRAU MARIA angenommen hat, um uns aus dieser Knechtschaft zu befreien und zu unserer wahren Natur und zugleich zu Gott zurückzurufen. Denn da JESUS CHRISTUS wahrer Gott und wahrer Mensch ist, ist er unser Friede. . . denn er hat in seiner Person die Feindschaften getötet (Eph 2,14). Er ist der Bund, den Gott mit dem Menschengeschlecht eingegangen ist, er ist das Licht der Völker (vgl. Jes 42,6), damit er die versprengten Kinder Gottes vereinige (Joh 11,52).

Obwohl er in der Gestalt Gottes war und blieb, hat er für uns die Knechtsgestalt angenommen, in allem uns ähnlich geworden außer der Sünde (vgl. Hebr 4,15). Unser Mittler Jesus Christus hat an sich selber den Zorn und die Barmherzigkeit Gottes gegen die Sünder erfahren, deren Haupt er wurde trotz seiner Unschuld. Den Neuen und ewigen Bund oder Testament hat er im Kelch seines Todes eingesetzt, als er ihn für die Sünder und mit ihnen trank. Im Erleiden des Todes hat er die Sünde und den Tod selbst überwunden, indem er mit ihnen kämpfte und als Sieger aus dem Kampf hervorging. Nachdem der Stachel des Todes auf ewig zerbrochen war, hat er uns den Weg zur Auferstehung und den Zugang zum ewigen Leben eröffnet. Von den Toten auferweckt und zur Rechten Gottes erhöht, hat er uns nicht als Waisen zurückgelassen, sondern Seinen Geist zu uns gesandt, so daß wir in ihm wahrhaft Söhne und

ut in ipso vere filii Dei cohaeredesque nominemur et simus (cf. 1 Jo 3,1; Rom 8,16 – 17). Omnia enim quae pro nobis dixit, fecit, instituitque, postquam ipse praesentiam suam visibilem nobis subduxit, nobis velut haereditatem vivam salutaremque reliquit usque in finem saeculi permansuram et ad ultimum terrae perventuram, et quidem quasi duplici et indissolubili vicaria actione, Spiritus scilicet sui intus, et Ecclesiae foris.

Innixi Verbo Dei, firmiter credimus et simpliciter confitemur JESUM CHRISTUM, Mediatorem nostrum in verbis suis et in seipso revelasse nobis Patrem, secundum illud quod dixit: „Philippe, qui videt me, videt et Patrem. Quomodo tu dicis: ostende nobis Patrem?" (Jo 14,9.) Divina institutione formati audemus dicere: „Pater noster". Scimus Deum esse paterne de nobis sollicitum; scimus Deum esse amorem, et, tam sublimis cum sit, versari apud nos miserrimos, imo deterrimam quae perierat ovem quaerentem.

Innixi Verbo Dei firmiter credimus et simpliciter confitemur Jesum Christum veritatem nostram, id est hominem in veritate conditionis suae, nobis revelasse. Veram libertatem nobis revelavit et etiam tribuit, libertatem nempe paschalem, secundum illud B. Pauli: „Pretio empti estis, nolite fieri servi hominum" (1 Cor 7,23), et iterum: „Vos in libertatem vocati estis: tantum ne libertatem in occasionem detis carnis, sed per caritatem spiritus, servite invicem" (Gal 5,13). Omnes nos, quamvis carnales ad Christum sicut

---

Miterben Gottes genannt werden und sind (vgl. 1 Joh 3,1; Röm 8,16 – 17). Denn alles, was er für uns gesprochen, getan und eingerichtet hat, hat er, nachdem er selbst uns seine sichtbare Gegenwart entzogen hatte, uns als lebendige und heilbringende Erbschaft hinterlassen, die bis zum Ende der Zeiten bleiben und bis an die Grenzen der Erde gelangen soll, und zwar gleichsam durch eine doppelte und unauflösliche Stellvertretung, Seines Geistes nämlich im Inneren und der Kirche nach außen.

Gestützt auf das Wort Gottes, glauben wir fest und bekennen aufrichtig, daß unser Mittler JESUS CHRISTUS uns in seinen Worten und in seiner Person den Vater geoffenbart hat gemäß jenem Ausspruch: „Philippus, wer mich sieht, sieht auch den Vater. Wie kannst du sagen: Zeige uns den Vater?" (Joh 14,9.) Durch göttliche Belehrung angeleitet, wagen wir zu sprechen: „Vater unser". Wir wissen, daß Gott väterlich um uns besorgt ist; wir wissen, daß Gott die Liebe ist und, so erhaben er sein mag, bei uns Ärmsten weilt und sogar das geringste Schaf sucht, das verloren war.

Gestützt auf das Wort Gottes, glauben wir fest und bekennen aufrichtig, daß Jesus Christus die Wahrheit über uns selbst, das heißt den Menschen in seiner wahren Verfassung, uns geoffenbart hat. Er hat uns die wahre Freiheit geoffenbart und auch verliehen, nämlich die österliche Freiheit nach jenem Wort des hl. Paulus: „Um einen teuren Preis seid ihr erkauft worden. Macht euch nicht zu Sklaven von Menschen" (1 Kor 7,23), und wiederum: „Ihr seid zur Freiheit berufen. Nur nehmt die Freiheit nicht zum Vorwand für das Fleisch, sondern dient einander in Liebe" (Gal 5,13). Wir bekennen, daß wir alle, obgleich fleischlich, zu Christus wie zu einem

ad hominem perfectum amanter attractos confitemur, scientes omnes homines similiter attractos se ingenue fateri debere, si cognoscerent Christum.

Ipse autem Christus, qui non venit ministrari, sed ministrare, ostendit in semetipso veritatem conditionis humanae nec in facultate faciendi quodvis, nulla lege vel necessitate exsistente, consistere, nec in superbe studendo ceteris hominibus dominari, nec in sibi placendi, in cupiditate lucrandi, possidendi et quam maxime deliciis fruendi, sed in vero amore aliorum, quo eis inservimus atque communicamus. Ceterum experimur sanitatem gaudiumque humanae vitae ex hoc pendere quod in pace simus cum aliis, per mutuam consensionem et amorem. Pax autem sincera ac integra, cum tranquillitas sit ordinis, ex hoc procedit ordine quam ad alios et ad omnia habemus, quum primo in ordine constituimur ad Deum, per fidem, oboedientiam filialem et caritatem, quibus cives aeterni Dei regni et consortes sanctorum in lumine efficimur. Si homines Evangelio oboedirent, nullum iam inter eos esset bellum! Tunc enim pro fratribus nos gerere incepimus quum Patrem cognoscimus Deum et habemus, per gratiam Christi sanantem et elevantem nos. Etenim in Christo Jesu revelatum est quantopere fragiles et miseri simus, quantopere gratia indigeamus ut divino pacis proposito respondere valeamus. Christus per Evangelium et per Spiritum Suum nobis

---

vollkommenen Menschen liebevoll hingezogen werden, wobei wir wissen, daß alle Menschen sich zu einem ähnlichen Hingezogensein offen bekennen müßten, wenn sie Christus wirklich kennten.

Christus selbst aber, der nicht gekommen ist, sich bedienen zu lassen, sondern zu dienen, zeigt an sich selbst, daß die Wahrheit der menschlichen Verfassung nicht in dem Vermögen besteht, alles mögliche zu tun, als ob es kein Gesetz und keine Notwendigkeiten gäbe, noch in dem hochmütigen Streben, über andere Menschen zu herrschen, auch nicht in dem Bemühen, sich zu gefallen, in dem Verlangen nach Gewinn, Besitz und größtmöglichem Genuß, sondern in wahrer Nächstenliebe, mit der wir ihnen dienen und mit ihnen Gemeinschaft pflegen. Weiterhin erfahren wir, daß die Gesundheit und die Freude des menschlichen Lebens davon abhängt, daß wir mit den anderen in Frieden leben, in gegenseitiger Übereinstimmung und Liebe. Der reine und unversehrte Friede aber, der in geordneter Ruhe besteht, geht aus der Haltung hervor, die wir zu den anderen und zu allem einnehmen, während wir in erster Linie durch den Glauben, kindlichen Gehorsam und Liebe auf Gott hingeordnet und zugleich Bürger des ewigen Reiches Gottes und Genossen der Heiligen im Glorienlicht werden. Wenn die Menschen dem Evangelium folgten, gäbe es unter ihnen keinen Krieg mehr! Dann nämlich müßten wir beginnen, uns als Brüder zu benehmen, wenn wir durch die heilende und uns erhebende Gnade Christi Gott als Vater erkennen und zum Vater haben. Denn in Jesus Christus wurde uns geoffenbart, wie zerbrechlich und elend wir sind, wie sehr wir der Gnade bedürfen, damit wir dem göttlichen Friedensplan antworten können. Christus schenkt uns durch das Evange-

tribuit, si libere nos possidentes gratiae respondemus, facultatem reconformandi nos imagini in prima conditione hominis communicatae, et ita unumcumque hominem, quod ipsum spectat, et omnes simul unam humanitatem efformantes ad „Pacem" allicit, sanando quod in eis erat vitiatum, confortando quod debilitatum. Venit enim quaerere et salvum facere quod perierat (Lc 19,10; Mt 18,11).

(Sequens paragraphus omitti posset. Et ideo illam minutis litteris scribimus):

Innixi Verbo Dei, firmiter credimus et simpliciter confitemur EVANGELIUM continere haec omnia quae in Christo Jesu plene nobis revelata et data sunt. Credimus Evangelium hoc, quod ante per prophetas promissum Dominus noster Jesus Christus, Dei Filius, proprio ore primum promulgavit, deinde per Apostolos suos omni creaturae praedicari iussit, esse fontem omnis salutaris veritatis et morum disciplinae. Tenemus Evangelium hoc nobis pervenisse tam Scripturis Sanctis quam non scripta Traditione, quae non solum in praedicatione episcoporum in Apostolorum locum succedentium conservatur, sed etiam in continua celebratione sacramentorum et cultus, in praxi Ecclesiae, in exercitatione fideli munerum ac officiorum ecclesiasticorum et ipsius vitae christianae (cf. Trident.: Denzinger 783).

---

lium und durch Seinen Geist, wenn wir, frei über uns verfügend, der Gnade antworten, die Fähigkeit, uns wieder dem bei der ersten Erschaffung des Menschen geschenkten Bild anzugleichen, und so gewinnt er jeden Menschen, soweit es ihn betrifft, und alle zusammen, welche die eine Menschheit bilden, für den „Frieden", indem er heilt, was in ihnen verletzt war, und stärkt, was geschwächt war. Denn er ist gekommen, zu suchen und zu retten, was verloren war (Lk 19,10; Mt 18,11).

(Der folgende Paragraph kann weggelassen werden. Wir bringen ihn daher in kleinerer Schrift:)

Gestützt auf das Wort Gottes, glauben wir fest und bekennen aufrichtig, daß das Evangelium all das enthält, was uns in Jesus Christus vollständig geoffenbart und geschenkt wurde. Wir glauben, daß dieses Evangelium, das, früher durch die Propheten verheißen, unser Herr Jesus Christus, der Sohn Gottes, erstmals persönlich öffentlich verkündet, hernach durch seine Apostel allen Geschöpfen zu predigen befohlen hat, die Quelle jeglicher Heilswahrheit und Sittenlehre ist. Wir halten daran fest, daß dieses Evangelium sowohl in den Heiligen Schriften zu uns gekommen ist wie auch in ungeschriebener Überlieferung, die nicht nur in der Verkündigung der Bischöfe bewahrt wird, die an die Stelle der Apostel nachgerückt sind, sondern auch in der fortgesetzten Feier der Sakramente und des Gottesdienstes, in der Praxis der Kirche, in der treuen Ausübung der kirchlichen Dienste und Ämter und in der christlichen Lebensführung (vgl. Konzil von Trient: DS 1501).

Innixi Verbo Dei, firmiter credimus et simpliciter confitemur Christum Dominum nostrum instituisse Ecclesiam ut Populum Dei sub Dispensatione Novi Testamenti, Corpus Christi, Templum Spiritus Sancti, testem Evangelii pro omnibus hominibus et sacramentum salutis pro toto mundo.

Conscii ergo sint oportet Episcopi sese, duce Petro, esse haeredes muneris apostolici pro Deo congregandi populum acceptabilem, per ministerium evangelici verbi et insuper fideles aedificandi in Corpus Christi per ministerium sacramentorum, in primis baptismatis et Corporis Christi. „In uno Spiritu omnes nos in unum corpus baptizati sumus" (1 Cor 12,13), „Quoniam unus panis unum corpus multi sumus, omnes qui de uno pane participamus" (10,17).

Quamvis externa professio fidei catholicae et in baptizatis communio cum Ecclesia hierarchica sufficiat ad qualitatem membri ecclesiastici corporis retinendam, Ecclesia tamen nec viva, nec plene Ecclesia Dei exstat nisi in veris fidelibus, Evangelio conversis: „Poenitemini et credite Evangelio" (Mc 1,15). „Qui crediderit et baptizatus fuerit, salvus erit" (16,16). Intime connectitur baptismus cum fide et conversione, quarum sacramentum est (S. Augustinus: baptismus = Sacramentum Conversionis). Laudabilis et obligatorius mos baptizandi infantes, omnino nequit office obligationis vinculo quo bap-

---

Gestützt auf das Wort Gottes, glauben wir fest und bekennen aufrichtig, daß Christus, unser Herr, die Kirche gegründet hat als das Volk Gottes unter der Ordnung des Neuen Testaments, den Leib Christi, den Tempel des Heiligen Geistes, die Bezeugerin des Evangeliums für alle Menschen und das Sakrament des Heiles für die ganze Welt.

Daher sollen sich die Bischöfe dessen bewußt sein, daß sie, unter der Führung des Petrus, Erben des apostolischen Amtes sind, um durch den Dienst des Evangelienwortes für Gott das willkommene Volk zu sammeln und um überdies durch den Dienst der Sakramente, vor allem der Taufe und des Leibes Christi, die Gläubigen zum Leib Christi aufzubauen. „Durch den einen Geist wurden wir in der Taufe alle in einen einzigen Leib aufgenommen" (1 Kor 12,13). „Ein Brot ist es. Darum sind wir viele ein Leib; denn wir alle haben teil an dem einen Brot" (1 Kor 10,17).

Wenn auch das äußere Bekenntnis des katholischen Glaubens und die Gemeinschaft der Getauften mit der hierarchischen Kirche genügen, um die Qualität eines Gliedes des Leibes der Kirche zu behalten, so existiert die Kirche dennoch in ihrer Lebendigkeit und im Vollsinn als Kirche Gottes nur in den wirklich Gläubigen, die sich zum Evangelium bekehrt haben: „Kehrt um und glaubt an das Evangelium" (Mk 1,15). „Wer glaubt und sich taufen läßt, wird gerettet" (Mk 16,16). Die Taufe ist zuinnerst mit dem Glauben und der Bekehrung verbunden, deren Sakrament sie ist (Augustinus: Taufe = Sakrament der Bekehrung). Lobenswert und verpflichtend ist daher die Übung der Kindertaufe, und sie vermag das Band der Verpflichtung über-

tismus conversioni fideique personali et viva connectitur, ita ut christianus infantili aetate baptizatus et sic fidelis effectus, gravi onere obligetur ut ex suo libero assensu fidelis et liber spirituali conversione iustificatus efficiatur in adulta aetate sua. Gravi onere obligantur sacerdotes totis viribus praedicatione sua curaque pastorali adlaborare, ut populus sibi commissus ad vivam fidem personalem perveniat et sacra eucharistica communione Christo plene incorporetus seipsum cum eo et in eo Deo Patri offerens spiritualem hostiam (cf. Rom 12,1 ss).

Innixi Verbo Dei firmiter credimus et animo ardenti confitemur mundoque annuntiamus, Ecclesiam, institutione divina testem Evangelii, signum beneplaciti amorisque Dei et sacramentum salutis atque Novi et Aeterni Testamenti gratiae esse pro toto mundo universisque hominibus: ita ut, ex parte sua curam quum habeat omnium, sit ex indole propria et integre missionaria, ex parte vero hominum debeat agnosci ut necessarium salutis medium vel sacramentum. Scimus tamen spe certa etiam qui ignorantia Ecclesiae vel etiam Christi laborant, Deum misericorditer providere ut et ipsi salvi fieri queant. „Reddet enim Deus unicuique secundum opera eius" (Rom 2,6).

Ecclesia cum sit *unica* sponsa Christi, eniti debet ut congreget in unum omnia quae sunt Christi, id est, ex una parte omnes filios Dei, etiam ignotos,

---

haupt nicht zu beeinträchtigen, durch das die Taufe mit der Bekehrung und dem personalen und lebendigen Glauben verbunden ist, so daß ein im Kindesalter getaufter und so gläubig gewordener Christ durch eine ernste Auflage verpflichtet ist, in gereifterem Alter mit freier Zustimmung gläubig und durch eine freie geistliche Bekehrung gerechtfertigt zu werden. Durch eine ernste Auflage sind die Priester verpflichtet, mit allen Kräften durch ihre Predigt und Seelsorge darauf hinzuwirken, daß das ihnen anvertraute Volk zu einem lebendigen, personalen Glauben kommt und durch die heilige eucharistische Vereinigung voll in Christus eingegliedert wird und sich selbst mit ihm und in ihm Gott dem Vater als geistiges Opfer darbringt (vgl. Röm 12,1 ff).

Gestützt auf das Wort Gottes, glauben wir fest, bekennen mit brennendem Herzen und verkünden der Welt, daß die Kirche, nach göttlicher Einrichtung Bezeugerin des Evangeliums, das Zeichen von Gottes Wohlwollen und Liebe und das Sakrament des Heiles und der Gnade des Neuen und Ewigen Bundes für die ganze Welt und für alle Menschen ist: so daß sie, sofern sie von sich aus für alle Menschen Sorge trägt, von ihrem eigenen Wesen her und uneingeschränkt missionarisch ist, während sie von seiten der Menschen als das notwendige Mittel und Sakrament des Heiles anerkannt werden muß. Dennoch sind wir mit fester Hoffnung dessen gewiß, daß Gott gnädig dafür sorgt, daß auch jene, die die Kirche oder sogar Christus nicht kennen, gerettet werden können. „Er wird jedem vergelten, wie es seine Taten verdienen" (Röm 2,6).

Da die Kirche die *einzige* Braut Christi ist, muß sie sich darum bemühen, daß sie alle, die zu Christus gehören, zur Einheit sammelt, d.h. auf der einen Seite alle Kin-

imo inscios, qui exstant dispersi et hinc in primis, qui baptismate christiano sunt abluti; ex altera vero parte omnia elementa sacramenti ecclesiastici quae, ab instituto apostolico Ecclesiae seiuncta, illegitime et saepe cum eorum detrimento, semper autem cum ethnicorum praesertim scandalo, extra unitatem Corporis Christi visibilem communiones dissidentes christianas constituunt. Debet Ecclesia omnibus suis viribus satagere, ut grex Domini illud „Sint unum sicut et nos unum sumus" verificet non tantum in seipso, qui desinere nequit dilecta esse Ecclesia Christi et Apostolorum, sed cum omnibus, qui christiano nomine insigniuntur. Quapropter gratias summas agimus miserentissimo Deo qui, diebus nostris, Spiritu Suo suscitavit in cordibus hominum, intra et extra saepta Ecclesiae Catholicae, voluntatem adlaborandi ad divisiones superandas et unitatem christianam restaurandam. Credimus enim Deum collecturum esse in regnum suum quod ei paravit, populum sanctificatum, ex quatuor ventis (cf. Did X 5). Scimus quoque vocationis nostrae esse ut nitamur de perfecto adventu regni Dei et eschatologicae consummationis. Deus enim in fine dabit mera gratia perfectam unitatem in Christo omnibus qui sunt eius, coronabitque pariter omnes conatus nostros, licet tenues, quibus nitimur voluntati Suae sanctae respondere.

---

der Gottes, auch die unbekannten, ja sogar die, die es selber nicht wissen, die in der Zerstreuung leben, und hier besonders jene, die durch die christliche Taufe gereinigt sind; auf der anderen Seite aber alle Elemente der sakramentalen Kirche, die, von der apostolischen Einrichtung der Kirche getrennt, illegitim und vielfach zu ihrem eigenen Schaden, immer aber zum Ärgernis vor allem der Nichtchristen außerhalb der sichtbaren Einheit des Leibes Christi getrennte christliche Gemeinschaften bilden. Die Kirche muß mit allen ihren Kräften zu erreichen suchen, daß die Herde des Herrn jenes Wort „Sie sollen eins sein, wie wir eins sind" bewahrheitet, nicht nur in sich selbst, da sie unmöglich aufhören kann, die geliebte Kirche Christi und der Apostel zu sein, sondern zusammen mit all jenen, die mit dem Namen eines Christen ausgezeichnet sind. Daher sind wir dem überaus barmherzigen Gott äußerst dankbar, daß er in unserer Zeit durch Seinen Geist in den Herzen der Menschen, innerhalb und außerhalb der Grenzen der katholischen Kirche, die Bereitschaft zur Zusammenarbeit für die Überwindung der Trennung und die Wiederherstellung der christlichen Einheit geweckt hat. Wir glauben nämlich, daß Gott das geheiligte Volk aus allen vier Himmelsrichtungen in sein Reich versammeln wird, das er für es bereitet hat (vgl. Did X 5). Wir wissen auch von unserer Berufung, nach der vollendeten Ankunft des Reiches Gottes und der endzeitlichen Vollendung zu streben. Denn Gott wird am Ende aus reiner Gnade die vollkommene Einheit in Christus all jenen verleihen, die zu ihm gehören, und gleicherweise all unsere Bemühungen krönen, und seien sie noch so gering, mit denen wir seinem heiligen Willen zu entsprechen trachten.

Innixi Verbo Dei animo confitemur Ecclesiam, etsi salutem aeternam, non terrenam prosperitatem, proprie cogitat, multum conferre MUNDO ut finem suum obtineat. Adspicientes vidimus fratres nostros homines ad elementa mundi sibi subiicienda atque ad usum suum convertenda conari, tam in labore quotidiano quam in rerum scientia adipiscenda laborando. Memores sumus conditorem omnium dixisse omnibus nobis in persona Adae: „Crescite et multiplicamini et replete terram, et subiicite eam" (Gen 1,28), et rursum peccato commisso, homini redemptione indigenti: „In sudore vultus tui vesceris pane" (3,49). Non autem sufficit hominem ad se et ad usum suum referre mundum: Quia homo ipse sibimet non sufficit. Omnia enim clamant: „Ipse fecit nos et non ipsi nos" (Ps 99,2), et „Irrequietum est cor nostrum donec requiescat in Deo" (Augustinus). Cum homo sibi omnia subiiciat et ad se usumque suum referat, debebit insuper ad Deum referre seipsum et, in seipso atque cum seipso, omnia quae sunt a Deo et ad Deum: „Est enim nobis unus Deus, Pater, ex quo omnia, et nos in illum, et unus Deus Jesus Christus per quem omnia et nos per ipsum" (1 Cor 8,6). Si omnia nostra sunt, nos sumus Christi, Christus autem Dei (3,22–23). Quomodo autem „Christi" erimus, nisi christiani cum simus, in Ecclesia et per Ecclesiam?

Quapropter, innixi Verbo Dei, profitemur nos omnes, qui Ecclesia Christi sumus conscios esse ad mundum missi, ut ei spem afferamus Christi.

Gestützt auf das Wort Gottes, bekennen wir mutig, daß die Kirche, obwohl sie eigentlich auf das ewige Heil und nicht auf das irdische Wohlergehen bedacht ist, der WELT viel dazu verhilft, ihr Ziel zu erreichen. Mit Bewunderung haben wir gesehen, wie unsere Brüder, die Menschen, versuchen, die Elemente der Welt sich zu unterwerfen und für ihren Gebrauch umzugestalten, sowohl in der täglichen Arbeit wie auch im Streben nach wissenschaftlicher Erforschung der Dinge. Wir denken daran, daß der Schöpfer aller Dinge zu uns allen in der Person Adams gesprochen hat: „Seid fruchtbar und vermehrt euch, bevölkert die Erde, unterwerft sie euch" (Gen 1,28), und wiederum nach dem Sündenfall zu dem erlösungsbedürftigen Menschen: „Im Schweiße deines Angesichts sollst du dein Brot essen" (Gen 3,19). Es genügt aber nicht für den Menschen, die Welt auf sich und seinen Nutzen zu beziehen: Weil der Mensch selbst sich nicht genügt. Denn alles ruft: „Er hat uns geschaffen, wir sind sein Eigentum" (Ps 99,3), und: „Unruhig ist unser Herz, bis es Ruhe findet in Gott" (Augustinus). Wenn auch der Mensch sich alles unterwirft und auf sich und seinen Nutzen bezieht, muß er trotzdem noch sich selbst und, in und mit sich selbst, alles, was von Gott kommt und auf Gott verweist, auf Gott beziehen: „So haben wir nur einen Gott, den Vater. Von ihm stammt alles, und wir leben auf ihn hin. Und einer ist der Herr: Jesus Christus. Durch ihn ist alles, und wir sind durch ihn" (1 Kor 8,6). Wenn alles uns gehört, gehören wir Christus, und Christus gehört Gott (1 Kor 3,22–23). Wie sollen wir aber „Christus" gehören, wenn nicht durch unser Christsein, in der Kirche und durch die Kirche?

Gestützt auf das Wort Gottes, bekennen daher wir alle, die wir die Kirche Christi sind, daß wir uns in die Welt gesandt wissen, damit wir ihr die Hoffnung Christi

Christus enim quem Deus, cum dilexisset mundum (Jo 3,16), nobis dedit salvatorem, in caput, regem et dominum constitutus est *omnium,* visibilium et invisibilium, inferiorum et superiorum, „Primogenitum omnis creaturae" (Col 1,15), ut omnia impleat atque salvet, iis solis exceptis qui voluntarie sese subtraxerint suavissimo eius imperio.

Innixi Verbo Dei credimus et confitemur ultimam consummationem mundi non reponi in potentiis ipsius mundi, praesertim cum sint, frequentius malo mixtae vel inservientes, sed in potentia illius qui mundum primo condidit, eum gubernare non desinit et in fine historiae eius perficiet eum, illa sua virtute quam Christo tradidit ut salvetur mundus per ipsum (Jo 3,17). Sic enim praenuntiaverunt prophetae Christum Domini novam terram novumque coelum facturum esse, in quibus veritas, iustitia, pax, regnaturae sunt. Ultimo suscitavit Christus corpora nostra et sedere nos faciet secum in coelestibus. Qui autem promisit se nobiscum usque ad finem amanter permansurum, non desinit, decursu saeculorum, veritatem, iustitiam, pacemque in cordibus actuositateque hominum fovere, usque ad tempus quod Pater in sua potestate posuit, ut compleat suum erga creaturam propositum. „Cum autem subiecta fuerint omnia Christum et ipse Filius subiectus erit ei qui subiecit sibi omnia, ut sit Deus omnis in omnibus" (1 Cor 15,28).

---

bringen. Denn Christus, den Gott aus Liebe zur Welt (Joh 3,16) uns als Retter geschenkt hat, wurde zum Haupt, König und Herrn aller Dinge eingesetzt, der sichtbaren und unsichtbaren, der niederen und hohen, zum „Erstgeborenen der ganzen Schöpfung" (Kol 1,15), damit er alles erfülle und rette, ausgenommen nur jene, die sich in freier Entscheidung seiner überaus sanften Herrschaft entzogen haben.

Gestützt auf das Wort Gottes, glauben und bekennen wir, daß die höchste Vollendung der Welt nicht in den Möglichkeiten der Welt selbst angelegt ist, zumal diese häufig mit Schlechtem vermischt sind oder ihm dienen, sondern in der Macht dessen, der die Welt anfangs erschaffen hat, sie unablässig lenkt und sie am Ende ihrer Geschichte vollenden wird mit jener Machtvollkommenheit, die er Christus übergeben hat, damit die Welt durch ihn gerettet werde (Joh 3,17). Denn so haben die Propheten den Gesalbten des Herrn vorherverkündigt, daß er eine neue Erde und einen neuen Himmel schaffen werde, in welchen Wahrheit, Gerechtigkeit und Friede herrschen werden. Zuletzt wird Christus unsere Leiber auferwecken und uns bei sich sitzen lassen im Himmel. Der aber versprochen hat, daß er aus Liebe bis zum Ende bei uns bleiben wird, fördert im Ablauf der Zeiten unablässig die Wahrheit, die Gerechtigkeit, den Frieden in den Herzen und im Tun der Menschen, bis zu der Zeit, die der Vater in seiner Macht festgesetzt hat für die Vollendung seines Planes mit der Schöpfung. „Wenn Christus dann alles unterworfen ist, wird auch er, der Sohn, sich dem unterwerfen, der ihm alles unterworfen hat, damit Gott herrscht über alles und in allem" (1 Kor 15,28).

Aus dem Lateinischen von Erich Schrofner

RENÉ LAURENTIN

EIN EINDRUCK VOM KONZIL

Es steht mir nicht zu, für diese Festschrift das ganze monumentale Werk Rahners hervorzuholen, dessen Größe mich auf vielfache Weise übersteigt. Ich möchte nur meine Erinnerungen an seine Präsenz in der theologischen Kommission des Konzils hervorheben.

Das war wirklich eine Präsenz! Mit den Patres Congar und de Lubac war Rahner einer jener Männer, die während des Pontifikats von Pius XII. beunruhigt waren. Wenige Jahre zuvor wäre es undenkbar gewesen, daß er in einer römischen Kommission sitzen würde. Er war Zeuge der Versöhnung und des breiten Dialogs, den Johannes XXIII. eröffnet hatte.

Er tat es nicht in der Bescheidenheit und Seltenheit des Wortes, wie das die Patres de Lubac und Congar auszeichnete (letzterer hat viel schriftlich gearbeitet, vor allem bei den letzten Sitzungen des Konzils). Er intervenierte sowohl mit Kraft als mit großer Leichtigkeit im Gebrauch des Lateins.

Seine ersten Interventionen riefen eine Mischung von Neugier und Zustimmung hervor. Er konnte nicht von vornherein mit einer wohlwollenden Beurteilung rechnen. Aber seine Aussage wurzelte immer sehr tief in der klassischen Theologie. Die kompetentesten Männer des Heiligen Offiziums fanden sich darin wieder und folgten ziemlich leicht den Weg, wozu Rahner sie einlud. Ich war getroffen durch das häufige einstimmende Kopfnicken von Pater Gagnebet während seiner Interventionen. Das war eine Überraschung. Die Kraft und das Neue von dem, was Rahner sagte, waren so stark mit einer ganzen Tradition verknüpft, daß seine Interventionen meistens auf breite Zustimmung stießen.

Ich bin ihm ganz besonders dankbar, daß er erreicht hat, daß das Konzil über jene berühmten Verse der Synoptiker über Maria sprach, die Pater Balic, ein weiteres Mitglied der Kommission, als „anti-mariologisch" qualifizierte. Wenn diese Verse anti-mariologisch waren, dann nur, weil etwas nicht stimmte in der Mariologie, die sie als solche auffaßte. Rahner stellte diese letzte Überlegung nicht auf, verhalf aber wohl zur Geltung, daß es wichtig ist, die Einheit der Schrift in bezug auf Maria festzuhalten. Und auch diesmal gewann er (LG 58).

HERIBERT SCHAUF

AUF DEM WEGE ZU DER AUSSAGE DER DOGMATISCHEN KONSTITUTION ÜBER DIE GÖTTLICHE OFFENBARUNG „DEI VERBUM" N. 9[a] „QUO FIT UT ECCLESIA CERTITUDINEM SUAM DE OMNIBUS REVELATIS NON PER SOLAM SACRAM SCRIPTURAM HAURIAT"[1]

I.

In dem 1962 auf Anordnung Johannes' XXIII. den Konzilsvätern zugestellten und der Zustellung für würdig befundenen „Schema Constitutionis Dogmaticae ‚De Fontibus Revelationis'" findet sich im 1. Kapitel „De duplici fonte revelationis" in n. 5 die Aussage[b]: „. . . immo Traditio, eaque sola, via est qua quaedam veritates revelatae, eae imprimis quae ad inspirationem, canonicitatem et integritatem omnium et singulorum sacrorum librorum spectant, clarescunt et Ecclesiae innotescunt." Es ist bekannt, daß dieses Schema, das von einer Unterkommission der Vorbereitenden Theologischen Kommission (VThK) erarbeitet und sowohl vom Plenum der VThK als auch von der Zentralkommission gebilligt worden war, nach der Aussprache und Abstimmung in der Aula zurückgezogen wurde.

---

[a] „So ergibt sich, daß die Kirche ihre Gewißheit über alles Geoffenbarte nicht aus der Heiligen Schrift allein schöpft."

[b] „. . . ja die Tradition ist sogar, und zwar sie allein, der Weg, auf dem manche geoffenbarten Wahrheiten deutlich hervortreten und der Kirche bekannt werden, vor allem jene, die die Inspiration, die Kanonizität und die Integrität aller und jedes einzelnen der heiligen Bücher betreffen."

---

[1] Zu der Frage „Schrift und Tradition" hat *G. Baraúna* die wohl umfangreichste Bibliographie in seinem Appendix zu seinem Artikel „Quaenam Sacrae Scripturae Sufficientia in Ecclesia catholica teneatur" (in: Pontificia Academia Mariana Internationalis, De Scriptura et Traditione, Romae 1963, 73–111, Appendix 85–111) vorgelegt. In diese Bibliographie sind noch nicht die ausgezeichneten Artikel von rund 40 Autoren aufgenommen, die in dem zitierten Band „De Scriptura et Traditione" geschrieben haben. Sodann sind zu vergleichen: „G. Caprile, Tre Emendamenti allo Schema sulla Rivelazione, in: CivCatt 117 (1966) 214–231; *E. Stakemeier,* Die Konzilskonstitution über die göttliche Offenbarung. Werden, Inhalt und theologische Bedeutung (²Paderborn o.J.); *J. Ratzinger,* Dogmatische Konstitution über die göttliche Offenbarung, in: LThK – Das Zweite Vatikanische Konzil II 497–583 (Ratzinger schrieb hier die Einleitung [498–503] und die Kommentare zum Vorwort und zu den ersten beiden Kapiteln

In meinem Tagebuch (Tb) notierte ich mir unter dem 14.11.1962: „Heute beginnt die Diskussion des Schemas ‚De Fontibus'. Der Bischof (Pohlschneider)[2] gab mir vorgestern abend die Kritik an diesem Schema, die als Vorspann zu der Vorlage der ‚andern' (der Deutschen) gedacht war. Ich fragte, ob das streng vertraulich sei. Ich könne es Tromp mitteilen. Tromp hatte die Sache schon von Gagnebet, der am selben Tag noch verschiedene Kardinäle aufgesucht hat. – Nachmittags war ich bei der Zusammenkunft der deutschen Theologen . . . Es war mehr eine Verschwörung und eine politische Versammlung als ein theologisches Gespräch . . . Wenn es wider Erwarten nicht gelinge, das ganze Schema zu Fall zu bringen, dann müsse man Einzelkritik geben, von möglichst vielen, immer wieder, um das Erstrebte zu erreichen. Ich habe Lengeling, dem Bischof (Pohlschneider), Erzbischof Schäufele offen gesagt, daß mir diese Art nicht gefalle . . ."

Ich teile das mit, damit klar wird, wie gespannt die Atmosphäre war. Und die andere Seite? Tb 15.11.1962: „Vorgestern, so Tromp, war die erste Sitzung der Theologischen Kommission . . . Auch sollte er (Tromp) über das Schema der Deutschen referieren. Der Kardinal (Ottaviani) bestimmte dann aber, ohne daß Tromp davon wußte, Parente. Parente schoß so scharf, daß eine frostige Luft entstand . . . Dieses und jenes sei häretisch . . . Dann trug Tromp seine Sache vor. Kardinal Santos beglückwünschte ihn nachher."

Und Tb 19.11.1962: „Diesen Morgen in der Aula wieder weitere Diskussion. Die meisten ‚placet iuxta modum', aber auch heftige Gegnerschaft. Es sieht nicht gut aus. Dabei fehlt der Diskussion die Ausrichtung auf das Wesentliche. Man sollte in Thesis – Antithesis zusammenstellen, was man sagen will, nach Art eines Syllabus doctrinae, z.B. 1) Es gibt Wahrheiten, die geoffenbart sind, aber nicht aus der Schrift bewiesen werden können . . ." Dieser letzte Satz gibt zu erkennen, in welchem Sinne viele, nicht nur ich, die Insuffizienz der Schrift verstanden und verstanden wissen wollten. Man mag schon jetzt diese Aussage mit dem oben in der Überschrift zitierten Text aus „Dei verbum" vergleichen. Doch nun zu dem neuen Schema!

[504 – 528]); *K. J. Becker,* Das Denken Domingo De Sotos über Schrift und Tradition vor und nach Trient. Ein theologiegeschichtlicher Beitrag zum Verständnis des Trienter Dekretes, in: Scholastik 39 (1964) 343 – 373; *C. Pozo,* Escritura y Tradición. A propósito de las recientes monografías de J. R. Geiselmann y J. Beumer, in: ATG 28 (1965) 179 – 198; *M. Schmaus,* Animadversiones ad opus recens historiam Traditionis non scriptam tractans, in: Divinitas 8 (1964) 131 – 141 (zu: *J. Beumer,* Die mündliche Überlieferung als Glaubensquelle, in: HDG (I/4); *U. Betti,* De Sacra Traditione iuxta Constitutionem Dogmaticam „Dei Verbum", in: Acta Congressus Internationalis de Theologia Concilii Vaticani II (Rom 1968) 524 – 534; *Ch. Boyer,* De propositione Concilii „Quo fit ut Ecclesia certitudinem suam de omnibus revelatis non per solam Sacram Scripturam hauriat", in: ebd. 535 – 539; einiges von dieser Literatur und weitere sollen im Verlauf dieses Artikels zitiert werden.
[2] Zu den in diesem Artikel vorkommenden Namen vergleiche man unten Anm. 17.

II.

Die „Commissio Mixta" legte einen Entwurf vor. Hier lesen wir im 1. Kapitel „De divina Revelatione"[3] n. 3 den Satz[c]: „Hoc autem verbum Dei, sive scriptum sive traditum, unum Depositum Fidei constituit, ex quo Ecclesiae Magisterium haurit ea omnia, quae fide Divina credenda proponit tamquam divinitus revelata." Anschließend n. 4 die Aussage[d]: „Si traditio, obiective sumpta, *antiquitate et amplitudine* praestat, S. Scriptura *inspiratione divina* excellit; nihilominus una alteri extranea non est, quinimmo una cum altera arcte connectitur et communicat ita ut utraque, ex eadem scaturigine promanans, in unum quodammodo coalescit et ad eundem tendat finem. Quapropter utraque ‚pari pietatis affectu et reverentia‘ suscipienda et veneranda est."

In dem CFM 1/63: 1 gezeichneten Entwurf „De Revelatione Divina" lesen wir „Cap. I: De Divina Revelatione" n. 10[e]: „Revelatio ab initio oretenus facta, deinde, sic Deo disponente, etiam scriptis consignata est ab hagiographis, seu Prophetis, Apostolis virisque quibusdam apostolicis, qui quidem ita sub divina inspiratione exararunt ut eorum scripta ipsum Deum principalem auctorem habere iure dicantur." Es folgt n. 11 mit der Bemerkung am Rande

---

[c] „Dieses Wort Gottes aber, sei es geschrieben, sei es überliefert, konstituiert die eine Glaubenshinterlage, aus der das Lehramt der Kirche alle Wahrheiten schöpft, die es als von Gott geoffenbart und mit göttlichem Glauben zu glauben vorlegt."

[d] „Während die Überlieferung, im objektiven Sinn verstanden, sich durch *höheres Alter* und *größeren Umfang* auszeichnet, besitzt die Heilige Schrift den Vorrang der *göttlichen Inspiration.* Trotzdem ist die eine der anderen nicht fremd, vielmehr ist die eine mit der anderen eng verbunden und gibt ihr Anteil, so daß sich beide, wie sie aus derselben Quelle entspringen, gewissermaßen zu einem vereinigen und demselben Ziel zustreben. Daher sollen beide ‚mit der gleichen Liebe und Ehrfurcht‘ angenommen und verehrt werden."

[e] „Die Offenbarung erging anfangs mündlich, dann wurde sie nach göttlicher Anordnung von den heiligen Schriftstellern, seien es Propheten, Apostel oder apostolische Männer, auch schriftlich aufgezeichnet. Sie alle schrieben so unter göttlicher Eingebung, daß ihre Schriften mit Recht auf Gott selbst als Erstverfasser zurückgeführt werden."

---

[3] Hier und in den später zitierten Dokumenten folgen wir der vorgefundenen Schreibweise, also bald Traditio, bald traditio oder Magisterium und magisterium usw.

„Adhuc suffragandum"[f]: „Idcirco divinae revelationis thesaurus non solum in S. Scriptura, sed etiam in traditione asservatur, quae quidem ab Apostolis, sive a Christo sive a Spiritu Sancto edoctis (cf. Jo 14,26 et 16,14), profluens ad nos usque pervenit. Immo traditio, eaque sola, via est qua quaedam veritates revelatae, eae imprimis quae ad inspirationem, canonicitatem et integritatem omnium et singulorum sacrorum librorum spectant, clarescunt et Ecclesiae innotescunt." In diesem letzten Satz hatte man auf das Schema von 1962 (siehe oben) zurückgegriffen. Die folgende n. 12 stimmt mit der eben zitierten n. 4 wörtlich überein. Doch zurück zu einigen Passagen aus meinem Tagebuch!

Tb 28.2.1963: „... In der ersten Sitzung vom 21. 2. der Theologischen Kommission ging es um eine der fünf Formeln De insufficientia scripturae bzw. De Traditione. Es sprachen zuerst Balic, dann Rahner, dann ich De catechismorum doctrina, dann Trapé, dann van den Eynde, auch Tromp. Großer Disput über die Formeln ... Am 23.2.1962 16 Uhr Sessio Mixta. Zuerst referierten Ramirez OP, für die andere Seite (Sekretariat) Feiner. Anschließend disputatio de formulis ... Es wurden Florit, Charue, Garrone, De Smedt beauftragt, eine Formel zu wählen, die absolut neutral sein solle. *So nach Vorschlag Beas; vorher, als Ottaviani noch anwesend war, wurde eine andere Frage vorgeschlagen ..."* Weiter unten wird mitgeteilt, wie es aus diesem Anlaß zur Explosion kam. Zunächst wird man jedoch fragen, um welche Formeln es sich gehandelt hat. Wir teilen hier den Text mit[g]:

„De Fontibus Revelationis. De habitudine inter S. Scripturam et S. Traditionem. Formulae propositae:

1. Revelatio oretenus facta item ab Apostolis primario oretenus transmissa est, quae transmissio Traditio oralis vocatur. Praeterea praedicatio, ab Apostolis facta, *partim scripto quoque,* Spiritu Sancto inspirante, consignata

---

[f] „Deshalb wird der Schatz der göttlichen Offenbarung nicht allein in der Heiligen Schrift, sondern auch in der Überlieferung aufbewahrt, die von den Aposteln, sei es durch Christus, sei es durch den Heiligen Geist belehrt (vgl. Joh 14,26 und 16,14), hervorströmt und bis zu uns gelangt. Ja die Überlieferung, und zwar sie allein, ist der Weg, auf dem einige geoffenbarte Wahrheiten deutlich hervortreten und der Kirche bekannt werden, vor allem jene, die die Inspiration, die Kanonizität und die Integrität aller und jedes einzelnen der heiligen Bücher betreffen."
[g] „Über die Quellen der Offenbarung. Über das Verhältnis zwischen Heiliger Schrift und Heiliger Überlieferung. Vorgeschlagene Formeln:
1. Die Offenbarung erging mündlich, desgleichen wurde sie von den Aposteln vornehmlich mündlich weitergegeben. Diese Weitergabe wird mündliche Überlieferung genannt. Außerdem wurde die Predigt der Apostel unter der Eingebung des Heiligen

est. Quaenam scripta inspirata sint, ex sola Traditione orali innotescit, quae insuper haec scripta integra conservat et authentice explicat. Hinc ut Revelatio adaequate audiatur, ad Scripturam et Traditionem tamquam fontes, ex quibus Revelatio cognoscatur, Magisterium Ecclesiae et fideles attendant oportet.

2. Christi itaque et Apostolorum mandatis et exemplis edocta, Sancta Mater Ecclesia semper credidit et credit integram revelationem seu puritatem ipsam Evangelii quod fons est omnis et salutaris veritatis atque morum disciplinae, contineri *in libris scriptis et sine scripto traditionibus*. Unde et libros inspiratos et traditiones tum ad fidem tum ad mores pertinentes, pari pietatis affectu ac reverentia suscipit et veneratur Ecclesia. (Am Rande steht, von meiner Hand geschrieben: „Charue".)

3. Certum est *Traditionem oralem*, ab Apostolis profluentem, sive a Christo Domino sive a Spiritu Sancto edoctis, in quantum continet omnem et salutarem veritatem et morum disciplinam, *latius patere quam S. Scripturam*. (Am Rande von meiner Hand: „Parente".)

4. Christus Evangelium suum, fontem omnis veritatis salutaris et morum disciplinae primum promulgavit. Deinde iussit Apostolos ut illud omni creaturae praedicarent: quod et fecerunt, *sive* per scripta Spiritu Sancto inspirante exarata, *sive* per doctrinam a Christi ore aut a Spiritu Sancto acceptam, et oretenus tradendam, quae et fidei depositum constituunt et fiunt fontes cog-

---

Geistes *teilweise auch in schriftlicher Form* aufgezeichnet. Welche Schriften inspiriert sind, erfahren wir allein durch die mündliche Überlieferung, welche darüber hinaus diese Schriften unversehrt bewahrt und authentisch erklärt. Damit die Offenbarung angemessen vernommen wird, müssen das kirchliche Lehramt und die Gläubigen auf die Schrift und die Tradition achten als auf die Quellen, aus denen die Offenbarung erkannt werden kann.

2. Daher hat, durch die Gebote und das Beispiel Christi und der Apostel belehrt, die heilige Mutter Kirche immer geglaubt und glaubt weiterhin, daß die gesamte Offenbarung oder das Evangelium in seiner Reinheit, das Quelle jeder Heilswahrheit und Sittenlehre ist, *in geschriebenen Büchern und ungeschriebenen Überlieferungen* enthalten ist. Daher nimmt die Kirche die inspirierten Bücher und die Überlieferungen, die sich auf den Glauben wie auf die Sitten beziehen, mit der gleichen Liebe, Ehrfurcht und Verehrung an. (Am Rande steht, von meiner Hand geschrieben: „Charue".)

3. Sicher ist, daß die *mündliche Überlieferung*, die von den Aposteln, durch Christus oder den Heiligen Geist belehrt, ausgeht, sofern sie jede Heilswahrheit und Sittenlehre enthält, *sich weiter erstreckt als die Heilige Schrift*. (Am Rande von meiner Hand: „Parente".)

4. Christus hat sein Evangelium, die Quelle jeglicher Heilswahrheit und Sittenlehre, zuerst verkündigt. Dann befahl er den Aposteln, es jeder Kreatur zu predigen. Das taten sie, *sei es* durch Schriften, unter der Inspiration des Heiligen Geistes verfaßt, *sei es* durch die Lehre, aus Christi Mund oder vom Heiligen Geist empfangen und zur mündlichen Weitergabe bestimmt, welche die Glaubenshinterlage bilden und zu

nitionis Revelationis Christianae, pari pietatis affectu et reverentia ab Ecclesia suscipiendi. (Am Rande die Bemerkung: „Browne".)

5. (Ad mentem Conc. Vatic. I) Sacrum Revelationis Depositum *vel* in verbo Dei scripto *vel* in verbo Dei tradito invenitur. Ex alterutro Magisterium Ecclesiae ea haurit quae definire vult et christifidelibus fide divina credenda proponere. Unde S. Scriptura et S. Traditio pari pietatis affectu et reverentia suscipienda et veneranda sunt."

In der Sitzung, von der eben in der Mitteilung aus meinem Tagebuch die Rede war, wies ich auf mein bald erscheinendes Buch „Die Lehre der Kirche über Schrift und Tradition in den Katechismen" (Essen 1963) hin und sagte in der Conclusio[h]:

„1. Doctrina catechismorum, luce clarius expressa, hisce verbis reddi potest: Dantur veritates revelatae quae in sacra scriptura non habentur. Statuitur principium tali modo ut admissio unius tantum casus, puta inspirationis etc., non sufficiat.

2. Catechismi non obiter, sed ex professo doctrinam de qua agitur saepe saepius tractant. Inculcant doctrinam uti omnino tenendam. Eam uti doctrinam distinguentem catholicos a protestantibus habent.

3. Catechismi ab episcopis approbati sunt, immo aliquando officiales non tantum sunt, sed ut adhibendi, et quidem aliquando exclusive, in institutione

---

Quellen der Erkenntnis der christlichen Offenbarung werden, die von der Kirche mit der gleichen Liebe und Ehrfurcht anzunehmen sind. (Am Rande die Bemerkung: „Browne".)
5. (Im Sinne des I. Vatikanischen Konzils) Die heilige Offenbarungshinterlage wird *sowohl* im geschriebenen *als auch* im überlieferten Wort Gottes gefunden. Aus beiden schöpft das kirchliche Lehramt das, was es zu definieren beabsichtigt und den gläubigen Christen mit göttlichem Glauben zu glauben vorlegt. Daher sind die Heilige Schrift und die Heilige Überlieferung mit der gleichen Liebe und Ehrfurcht anzunehmen und zu verehren."
[h] „1. Die Lehre der Katechismen, mit unübertrefflicher Klarheit ausgesprochen, kann mit folgenden Worten wiedergegeben werden: Es gibt geoffenbarte Wahrheiten, die in der Heiligen Schrift nicht enthalten sind. Es wird ein Grundsatz aufgestellt von der Art, daß die Zulassung nur eines Falles, etwa der Inspiration usw., nicht genügt.
2. Die Katechismen behandeln die diskutierte Lehre nicht bloß gelegentlich, sondern ex professo öfter als oft. Sie schärfen diese Lehre als eine durchaus zu haltende ein. Auch halten sie sie für eine Unterscheidungslehre zwischen Katholiken und Protestanten.
3. Die Katechismen sind von den Bischöfen approbiert. Manchmal haben sie nicht nur amtliches Gewicht, sondern werden vorgelegt zum Gebrauch, bisweilen sogar ausschließlich, im Unterricht für die Jugend und für das katholische Volk. Es han-

iuventutis necnon populi catholici proponuntur. Agitur ergo de actu eminenti magisterii ordinarii episcoporum.

4. Si hoc in casu catechismi errarent tali unanimitate per longissimum tempus clare et fortiter docentes actum est de magisterio ordinario episcoporum non tantum temporis praeteriti, sed etiam praesentis et futuri, actum est de auctoritate catechismorum, etiam futuri temporis. Episcopi ipsi induxissent positive fideles et populum catholicum in errorem invincibilem.

5. Teneri ergo debet doctrina unanimis catechismorum, si illa doctrina a) proponitur uti certe tenenda, b) uti distinguens catholicos a protestantibus, c) si per varias regiones per longissimum tempus a multis episcopis unanimiter proponitur.

6. Doctrina eo sensu tenenda est quo eam catechismi intellexerunt et expresserunt. Si ergo hodie ab aliquibus theologis, sicut etiam in tempore antetridentino illud ‚contineri in sacra scriptura‘ latius accipitur – quod in se fieri potest – tamen omnino dici nequit doctrinam catechismorum falsam esse, e contra eo in sensu quo catechismi dicunt veritates non contineri sacra scriptura veritas stet maneatque necesse est.

7. Illud ‚in scriptura non contineri‘ a catechismis intelligitur eo sensu ut veritates revelatae agnoscendae sint quae neque explicite neque implicite in scriptura habentur ut inde argumentando valide et licite deduci possint."

---

delt sich also um einen hervorragenden Akt des ordentlichen Lehramtes der Bischöfe.

4. Wenn in diesem Fall die Katechismen einem Irrtum unterlägen, wo sie mit solcher Einmütigkeit über sehr lange Zeit deutlich und energisch lehren, ist es aus mit dem ordentlichen Lehramt der Bischöfe, nicht nur der Vergangenheit, sondern auch der Gegenwart und Zukunft, ist es aus mit der Autorität der Katechismen, auch in der Zukunft. Die Bischöfe selbst hätten die Gläubigen und das katholische Volk positiv in einen unüberwindlichen Irrtum geführt.

5. Daher ist die einmütige Lehre der Katechismen zu halten, wenn sie vorgelegt wird a) mit der Verpflichtung, sie sicher festzuhalten, b) als Unterscheidungslehre zwischen Katholiken und Protestanten, c) einmütig von vielen Bischöfen in verschiedenen Gegenden über sehr lange Zeit.

6. Die Lehre ist in dem Sinne zu halten, wie sie die Katechismen verstanden und ausgedrückt haben. Wenn daher heute wie schon in vortridentinischer Zeit von manchen Theologen jenes ‚in der Heiligen Schrift enthalten sein‘ weiter verstanden wird – was an sich möglich ist –, kann dennoch keineswegs die Lehre der Katechismen für falsch erklärt werden. Im Gegenteil, es muß als Wahrheit in Geltung bleiben, daß diese Wahrheiten in dem von den Katechismen behaupteten Sinn nicht in der Heiligen Schrift enthalten sind.

7. Jenes ‚in der Schrift nicht enthalten sein‘ wird von den Katechismen in dem Sinne verstanden, daß geoffenbarte Wahrheiten anzuerkennen sind, die weder explizit noch implizit in der Schrift so enthalten sind, daß man sie durch gültige und erlaubte Beweisführung aus ihr herleiten könnte."

Gerade das, was unter den letzten Ziffern gesagt wurde, hat man auch später wohl nicht genug beachtet, obwohl ich in meinem eben zitierten Buch öfters mit Nachdruck – abgesehen von dem Text der Katechismen selber – darauf hingewiesen hatte (so z.B. 25, 26, 185f, 198f, 202ff, 210).

Vor allem mußte jedoch ins Gewicht fallen, was D. van den Eynde ausführte. Wir können seine Gedanken dem auch von Stakemeier (S. 153) kurz zitierten Papier „De Sacra Scriptura et Traditione", das einen Umfang von 15 Seiten hat, entnehmen. Hier die wohl wichtigsten Gedanken[i]:

„. . . Sub lite autem est: 1) Utrum, in rebus fidei, traditio latius pateat Sacra Scriptura, ita ut haec non solum formaliter, sed etiam materialiter, seu ex parte obiecti, insufficiens iudicetur; 2) utrum et quonam sensu traditio et Sacra Scriptura ut duo fontes revelationis habendae sint.

I. Ad primam quaestionem antiquitus iam multi Patres et plurimi Scholastici affirmative responderunt, concedendo adesse in Ecclesia consuetudines seu traditiones vere apostolicas, *etiam ad fidem pertinentes,* quae in Sacra Scriptura non inveniuntur. Ultimis autem quatuor saeculis doctrina de materiali insufficientia Sacrae Scripturae ab universis theologis ipsoque magisterio vel expresse docetur, vel saltem aperte supponitur, quod facile probatur ex omnibus huius temporis manualibus, ex plurimis catechismis, aliisque documentis ecclesiasticis. Iamvero unanimis ille consensus fundatur in Decreto Concilii Tridentini, sess. IV, quo declaratur:

,Synodus . . . perspiciens . . . veritatem et disciplinam contineri *in libris scriptis et sine scripto traditionibus . . .* (vgl. DS 1501).'

---

[i] . . . Umstritten ist: 1) ob sich in Glaubenssachen die Überlieferung weiter erstreckt als die Heilige Schrift, so daß diese nicht nur formell, sondern auch material, d.h. unter der Rücksicht des Gegenstandes, als nicht ausreichend beurteilt werden müsse; 2) ob und in welchem Sinn die Überlieferung und die Heilige Schrift als zwei Offenbarungsquellen zu betrachten seien.
I. Auf die erste Frage haben von alters her schon viele Väter und die meisten Scholastiker bejahend geantwortet und eingeräumt, es gebe in der Kirche wahrhaft apostolische Überlieferungen oder Gewohnheiten, *auch den Glauben betreffend,* die in der Heiligen Schrift nicht zu finden sind. In den letzten Jahrhunderten wird die Lehre von der materialen Insuffizienz der Heiligen Schrift von sämtlichen Theologen und vom Lehramt selbst entweder ausdrücklich vertreten oder zumindest offenkundig vorausgesetzt, was leicht zu beweisen ist aus allen Handbüchern dieser Zeit, aus den meisten Katechismen und anderen kirchlichen Dokumenten. In der Tat gründet sich jene einträchtige Übereinstimmung auf das Dekret der vierten Session des Konzils von Trient, in welchem es heißt:
,Die Kirchenversammlung . . . weiß, daß . . . die Wahrheit und Ordnung (disciplina) enthalten ist *in geschriebenen Büchern und ungeschriebenen Überlieferungen . . .* (vgl. NR 87).'

Cum locutio sine scripto traditiones hac epocha exclusive usurpari solebat ad designandas traditiones quae in Sacra Scriptura non consignantur, declaratio Decreti sine mora eo sensu intellecta fuit quod altera pars revelationis in libris sacris, altera vero in traditionibus extra-biblicis continebatur."

Anschließend geht van den Eynde auf die moderne Kontroverse über das partim – partim ein und schreibt dann[j]:

„Notandum tamen thesim de sufficientia materiali Scripturae a theologis qui eam proponunt non in sensu absoluto Reformatorum, sed comparate et relative intelligi. Expresse enim concedunt veritates quibus totus complexus habitudinum Scripturae et Traditionis ultimo radicatur, scil. dogmata de canonicitate et integritate omnium et singulorum librorum sacrorum, ex sola traditione Ecclesiae innotescere. Ex altera autem parte voci ‚contineri‘ sensum ita largum tribuunt ut etiam veritates quae ultimum tantum fundamentum in Scriptura habeant vel ad eam quodammodo referri et reduci possint, in ea contineri dicant.

Quid de nova theoria putandum sit, sequentibus declarare liceat:

1) Theoria de sufficientia materiali Scripturae, si pressius examinatur, non videtur opinioni communi directe contraria. Nam asserendo omnes veritates revelatas in Scriptura esse contentas, non affirmat omnes ex sola Scriptura demonstrari vel vere cognosci posse; opinio communis autem, licet procla-

---

Da der Ausdruck ‚ungeschriebene Überlieferungen‘ in dieser Epoche ausschließlich gebraucht zu werden pflegte zur Bezeichnung der Überlieferungen, die in der Heiligen Schrift nicht aufgezeichnet sind, wurde die Erklärung des Konzilsdekrets ohne Zögern in dem Sinne verstanden, daß der eine Teil der Offenbarung in heiligen Büchern, der andere Teil in außerbiblischen Überlieferungen enthalten sei."

[j] „Es ist dennoch anzumerken, daß die These von der materialen Suffizienz der Schrift von den Theologen, die sie vertreten, nicht im absoluten Sinne der Reformatoren, sondern vergleichend und relativ verstanden wird. Denn ausdrücklich räumen sie ein, daß die Wahrheiten, in denen der ganze Komplex des Verhältnisses von Schrift und Tradition letztlich wurzelt, nämlich die Glaubenssätze von der Kanonizität und Integrität aller und jedes einzelnen der heiligen Bücher, der Kirche nur aus der Überlieferung zur Kenntnis gelangen. Auf der anderen Seite legen sie dem Wort ‚enthalten‘ einen so weiten Sinn bei, daß sie auch solche Wahrheiten, die lediglich ein letztes Fundament in der Schrift haben oder die nur irgendwie auf sie bezogen oder zurückgeführt werden können, in ihr enthalten sein lassen.

Was von der neuen Theorie zu halten ist, sei im folgenden festzustellen erlaubt:

1) Die Theorie der materialen Suffizienz der Schrift erscheint, wenn man sie genau prüft, nicht in direktem Widerspruch zur allgemeinen Auffassung. Denn mit dem Anspruch, alle geoffenbarten Wahrheiten seien in der Schrift enthalten, behauptet sie nicht, sie alle könnten allein aus der Schrift nachgewiesen oder wirklich erkannt werden. Die allgemeine Auffassung leugnet ihrerseits nicht, daß die Wahrheiten in irgendeinem Sinn auf die Schrift zurückgeführt werden können, obgleich sie be-

met quasdam veritates in Scriptura non contineri, non negat eas aliquo modo ad Scripturam reducibiles esse. Diversus ergo usus vocabuli *contineri* aliqualem spem affert ut nova formula inveniatur quae utrique parti satisfaciat.

2) Quidquid est de vocibus, nova theoria certe non satis rationem habet de consensu, moraliter unanimi, qui inde ab ortu Protestantismi in Ecclesia de insufficientia materiali Scripturae existit. Etiam dato, non concesso, illum consensum ab erronea interpretatione Decreti Concilii Tridentini, sess. IV obortum esse et per oppositionem ad Reformationem propagatum, manet semper factum, summe attendendum, quod per quatuor saecula tota Ecclesia professa est, non omnes veritates vere et proprie in libris sacris contineri, proindeque Scripturam materialiter insufficientem esse. Stando ad normas receptas, ab illo consensu modoque loquendi discedere fas non est, eo vel minus quod rationes, quae ad hoc inducuntur, parum idoneae videntur.

3) Interpretatio quae de Decreto Concilii Tridentini, sess. IV, noviter data est, a permultis theologis et historiographis minime accipienda iudicatur. Nec sine causa . . ."

---

hauptet, sie seien nicht in der Schrift enthalten. Daher gibt der verschiedene Gebrauch des Wortes ‚enthalten' Anlaß zu einer gewissen Hoffnung, es werde eine neue Formel gefunden, die beide Seiten zufriedenstellt.
2) Was immer es mit den Worten auf sich hat, die neue Theorie nimmt gewiß nicht ausreichend Rücksicht auf den moralisch einstimmigen Konsens, der seit dem Aufkommen des Protestantismus in der Kirche über die materiale Insuffizienz der Schrift herrscht. Selbst angenommen, wenn auch nicht zugegeben, jener Konsens sei aus einer irrtümlichen Interpretation des Dekrets der vierten Session des Konzils von Trient hervorgegangen und im Gegensatz zur Reformation verbreitet worden, es bleibt für immer die höchst beachtenswerte Tatsache, daß die ganze Kirche durch einen Zeitraum von vier Jahrhunderten bekannt hat, nicht alle Wahrheiten seien wahrhaft und eigentlich in den heiligen Büchern enthalten und deswegen sei die Schrift inhaltlich nicht ausreichend. Wenn man zu den übernommenen Normen steht, ist es nicht erlaubt, von dieser Übereinstimmung und Sprechweise abzuweichen, dies um so weniger, als die Gründe, die dafür angeführt werden, keineswegs ausreichend erscheinen.
3) Die jüngst gegebene Interpretation des Dekrets der vierten Session des Konzils von Trient wird von sehr vielen Theologen und Historikern als keinesfalls annehmbar beurteilt. Nicht ohne Grund . . ."

Wie oben schon gesagt wurde, sprachen auch Balic, Rahner, Trapé und Tromp und später Ramirez und Feiner. Wenn ich hier auch keine Unterlagen besitze, so kann man doch aus dem, was die meisten in jener Zeit veröffentlicht oder vorgelegt haben, ihre Auffassung entnehmen[4].

Man wird fragen, wie es in der Theologischen Kommission weiterging. Tb 28.2.1963: „Über die Sitzung vom 25.2.1963 vergleiche man meinen Brief an den Bischof von Aachen. Ich füge diesen Brief vom 27.2.1963 hier bei: „. . . Die nächste große Sitzung war am 23.2. als Sitzung der Commissio Mixta de Revelatione bzw. De Fontibus . . . Ottaviani verließ die Sitzung vorzeitig, weil er zu einer Funktion mußte. Bea übernahm das erste Präsidium, Browne vertrat Ottaviani. Als Ottaviani noch anwesend war, war eine Abstimmungsfrage festgelegt worden[5]. Als Ottaviani abwesend war, änderte Bea die Abstimmungsfrage dahin, daß man darüber abstimmen solle, daß zu dem Punkt der Insuffizienz geschwiegen werde, es solle weder etwas pro noch etwas contra gesagt werden. Die Abstimmung fand statt: 29:9 im Sinne des abstinere. Browne hatte schon protestiert, daß man diese Frage genommen habe. – Die nächste, wohl dramatischste Sitzung, die ich je erlebt habe, war am 25. 2. 1963. Ottaviani hatte einen Text aufgesetzt, den er vorlesen ließ. Er protestierte förmlich gegen die Änderung der Frage, bestritt die juridische Gültigkeit der Abstimmung, erklärte, er werde sich, wenn nötig, an das Tribunal wenden (ich sah Sie im Geiste schon hier), durch die Abstimmung nach der Frage Beas sei der status quo geändert, denn man werde die Lehre, die in possessione war, vom magisterium ordinarium bis heute gelehrt worden sei, nunmehr als quaestio disputata hinstellen, es handle sich um Grundlagen des Glaubens . . . Ottaviani schlug eine neue Frage zur Abstimmung vor: Gibt es Wahrheiten, die geoffenbart sind, die nicht in der Heiligen Schrift, weder explicite noch implicite, enthalten sind? Die Gegenseite und andere baten um eine halbe Stunde Bedenkzeit. Was kommen mußte, kam. Bea lehnte im Namen des Sekretariats die Abstimmung ab. Die Sitzung flog buchstäblich auf. Die Koordinierungskommission soll entscheiden. Ottaviani: Ich lehne eine Entscheidung in dem Sinne ab, daß diese

---

[4] Für C. Balic in: De Sacra Scriptura, Traditione et Ecclesia, in: Pontificia Academia Mariana Internationalis, De Scriptura et Traditione, Romae 1963, 665–712; für K. Rahner: *P. Rusch*, De non definienda illimitata Insufficientia materiali Scripturae, in: ZKTh 83 (1963) 1–15 (dazu *H. Schauf*, Die Lehre der Kirche über Schrift und Tradition in den Katechismen [Essen 1963] 209–215); für A. Trapé in: De Traditionis Relatione ad S. Scripturam iuxta Concilium Tridentinum, in: Augustinianum 3 (1963) 253–289, und De Traditionis Relatione ad S. Scripturam apud Theologos Augustinienses, in: Pontificia Academia Mariana Internationalis, De Scriptura et Traditione, Romae 1963, 313–325; für J. Ramirez: Libri Scripti et sine Scripto Traditiones, in: ebd. 365–375.
[5] Sie lag, wie ich mich glaube erinnern zu können, in der Linie der Formel Parentes.

Kommission Entscheidungen de fide trifft ... Wohl noch nie hat das Konzilsschiff so festgesessen wie nach dieser Sitzung ... Wie es weiter gehen soll? Man sagt, die beiden Eminenzen hätten sich ausgesprochen. Jedenfalls wird die Sache auch an den Papst gehen. Browne erklärte, was immer geschehen möge, er halte diese Frage für so wichtig, daß er sie vor das Konzil bringen werde. Das gesamte Heilige Offizium scheint gewillt zu sein, auf diesem Punkt mit der ganzen zur Verfügung stehenden Autorität zu bestehen ... Nachzutragen wäre noch dies, daß Franic erklärte, in der Orthodoxie sei Unruhe darüber, daß die katholische Kirche ihre bisherige Lehre hinsichtlich Schrift und Tradition, die auch die Lehre der Orthodoxie sei, in Zweifel ziehen könne. Spanedda betonte, er wolle wissen, was er das Volk zu lehren habe und ob das bisher Gelehrte falsch sei wie alle Lehrbücher usw. Die Spanier machten ihrem Namen alle Ehre, Fernandez, der Mag. generalis OP, und Barbado ...' – Ottaviani ging ohne Zweifel taktisch und methodisch zu weit und schaffte sich so eine breite Opposition. Er wird dieses verlorene Terrain kaum wiedergewinnen ... Sachlich, d.h. in der Frage, hat Ottaviani nicht unrecht. Der status quo ist gefährdet, wenn man nichts sagt. Das ist seine Sorge. Warum kann man nicht sagen[k]: eo in sensu, probative quoad nos non omnia in scriptura ...? Warum kann man nicht länger über die Frage diskutieren und den status quaestionis von früher und von heute vergleichen und ebenso die Antworten? Nachtrag: Ramirez bedauerte, daß er kurzfristig, am Nachmittag vorher, zu seinem Bericht aufgefordert worden war ..."

Tb 1.3.1963: „Heute 16.30 Uhr wieder Sitzung der mixta commissio de fontibus. – Diesen Morgen war ich bei Florit zusammen mit Franic und Spanedda. Florit lag an Bronchitis zu Bett. Wir haben über den Florit-De Smedt-Text de fontibus gesprochen ..."

So ist es wohl an der Zeit, diesen von den vier oben genannten Bischöfen erarbeiteten neutralen Text vorzulegen. Vom 25.2.1963 datiert, lautet er unter der Überschrift[l] „Caput Primum – De Verbo Dei Revelato in Ecclesia":
„... Quare, divina sic disponente Providentia, factum est ut sacrum illud fidei depositum in libris quoque divinitus inspiratis consignaretur, qui indissolubiliter cum praedicationis ac vitae Ecclesia mysterio coniuncti, eidem constanter praelucerent.

---

[k] In dem Sinne, was den Nachweis für uns betrifft, ist nicht alles in der Schrift ...
[l] „Erstes Kapitel – Über das geoffenbarte Wort Gottes in der Kirche": „... Daher geschah es unter der so disponierenden Anordnung der göttlichen Vorsehung, daß jene heilige Glaubenshinterlage auch in den göttlich inspirierten Schriften aufgezeichnet wurde, die unlösbar mit dem Geheimnis der Verkündigung und des Lebens der Kirche verbunden sind und ihr unablässig voranleuchten.

Una tamen eadem Ecclesia vivens et praedicans in Christo Jesu, adsistente Spiritu Sancto, totam per Apostolos traditam Revelationem, scriptam et non scriptam, testatur, interpretatur, quasi per manus circumfert et saeculis transmittit. Sic sermo Dei currit ut virtus Dei sit in salutem omni credenti atque omnibus pateant investigabiles divitias Christi.

Cum igitur universum Dei verbum in Sacra Scriptura et in Sacra Traditione contineatur, eas pari pietatis affectu et reverentia suscipit et veneratur."

Datiert vom selben Tag, liegt für den ersten Satz eine Änderung vor, die lautet[m]: „Quare, divina sic disponente Providentia factum est ut sacrum illud fidei depositum tum in Traditione Apostolorum cum in libris divinitus inspiratis consignaretur, qui indissolubiliter cum praedicationis ac vitae Ecclesiae mysterio coniuncti, eidem constanter praelucerent . . ."

Doch zurück zu den Aufzeichnungen des Tagebuchs! Wieder unter dem 1.3.1963 schrieb ich: „. . . Die Sitzung heute um 16.30 Uhr verlief relativ ruhig, da Ottaviani mitteilte, daß über den Staatssekretär die Formel sub 3 in substantia vom Papst approbiert sei. Browne (und Parente) haben diese Formel vorgelegt. Wie wird sie interpretiert werden? Wahrscheinlich von jeder Partei in ihrem Sinne . . ."

Einige Monate später! Mein Buch über die Katechismen war erschienen[6].

Die eine und selbe Kirche, lebend und verkündigend in Jesus Christus, bezeugt, interpretiert, verteilt gleichsam mit Händen und übermittelt den Generationen unter dem Beistand des Heiligen Geistes die ganze von den Aposteln überlieferte Offenbarung, die geschriebene und ungeschriebene. So verbreitet sich das Wort Gottes, damit die Kraft Gottes jedem Glaubenden zum Heil gereiche und damit allen die unerforschlichen Reichtümer Christi offenstehen.

Da also das gesamte Wort Gottes in der Heiligen Schrift und in der Heiligen Überlieferung enthalten ist, nimmt sie beide mit der gleichen Liebe, Ehrfurcht und Verehrung an."

[m] „Daher geschah es unter der disponierenden Anordnung der göttlichen Vorsehung, daß jene heilige Glaubenshinterlage sowohl in der Überlieferung der Apostel als auch in den göttlich inspirierten Schriften verbürgt wurde, die unlösbar mit dem Geheimnis der Verkündigung und des Lebens der Kirche verbunden sind und ihr unablässig voranleuchten . . ."

---

[6] Wenn *J. Ratzinger* in seinem in Anm. 1 zitierten Kommentar S. 499 Anm. 6 seine Besprechung zu meinem Buch über die Lehre der Katechismen (ThRv 60 [1964] 217–224) zitiert, so vermisse ich die Zitation meiner Gegenstellungnahme „Zur Lehre der Katechismen über Schrift und Tradition" (Aachen 1964), in der diese Kritik als unzulänglich, ja in den entscheidenden Punkten als völlig verfehlt zurückgewiesen wird. Ebd. 18–22 auch eine Stellungnahme zu *W. Kasper*, Schrift und Tradition, eine Quaestio disputata, in: ThPQ 112 (1964) 205–214.

Tb 1.10.1963: „... In der Aula Staffa gesprochen, der sagte, mein Buch über die Katechismen werde hoffentlich einigen Bischöfen die Augen öffnen. Kerrigan sagte, mein Buch sei wohl Mitursache, daß man das Schema praktisch zurückgezogen habe. Balic sagte, es sei gut gewesen, Rusch anzugreifen, wo doch die Deutschen sonst auf Wissenschaft solchen Wert legten. Browne bedankte sich für das gute Buch ... Lio gesprochen, Betti, der Besprechung schreiben will, Trapé ... Dann traf ich Rahner, der fragte, ob ich noch andere Bomben bereit habe ... Wittler meinte, ich hätte Rusch zu scharf angegriffen ..."

Wieder einige Monate später.

Tb 6.1.1964: „... Mit der gleichen Post schrieb Staffa unter Prot. Num. 2705/60 und bedankte sich schriftlich noch einmal für das Buch über die Katechismen und schreibt weiter[n]: ,Dato il vivo interesse suscitato in noi da questa Sua publicazione, desidero pregare la S. V. Rev. di volere riassumere il Suo pensiero sull'importante materia in un articulo che possa essere riportata nella Rivista Seminarium.' Der Artikel könne 15–20 Schreibmaschinenseiten groß sein und solle in Latein geschrieben werden ..."

So kam es also zu meinem Artikel[o] „De traditione constitutiva ad mentem catechismorum" (Seminarium, Nuova Serie 4 [1964] 266–277), der in Hunderten von Abzügen und Sonderdrucken unter den Konzilsvätern und Theologen Verbreitung fand und in dem ich über die in meinem Buch zitierten Dokumente hinaus viele andere zitieren konnte. Auch über den Sinn des „contineri" wurde im Sinne des bisher Gesagten gehandelt (276f).

Tb 12.3.1964: „In der gestrigen Sitzung schlug Charue vor, zwei Unterkommissionen zu bilden. Florit schlug drei vor. Es wurden zwei gebildet, jedoch so, daß die erste unterteilt wurde und auch die zweite. Florit wurde Vorsitzender der ersten, Charue der zweiten ... Die beiden Unterkommissionen haben zum Thema: 1) De revelatione, 2) De traditione. Zur zweiten De traditione gehören als periti: Betti, Congar, Rahner und ich. Diese Subkommission hat sich folgende Themen in einer ersten Sitzung, die unmittelbar nach der oben genannten stattfand, gestellt[p]: 1) Traditio in sua natura et momentum traditionis; Congar soll hier die Relatio machen; 2) Traditio et

---

[n] ,Wegen unseres lebhaften Interesses für diese Ihre Veröffentlichung möchte ich Euer Hochwürden bitten, Ihre Gedanken über diesen wichtigen Gegenstand in einem Artikel zusammenzufassen, der in der Zeitschrift Seminarium erscheinen könnte.'

[o] „Über die konstitutive Überlieferung im Geiste der Katechismen."

[p] 1) Die Überlieferung – ihre Natur und ihre Bedeutung.
2) Die Überlieferung und die Schrift.

Scriptura; hier sollen Rahner und ich die Relatio geben, und 3) Traditio et Scriptura relate ad Ecclesiam et magisterium; hier wieder Congar. Betti soll aus diesen relationes die relatio generalis fertigen. Bis zum 10. April soll unsere, also die relatio Rahners und meine, vorliegen . . . Vor der Sitzung heute heftigen Disput mit Rahner, der nun absolut nichts von der Insuffizienz der Schrift wissen will. Zu einer Formulierung, daß es revelata gebe, die nicht aus der Schrift nachgewiesen werden können, sagte er: Was heißt nachweisen, beweisen? Wer will mir verbieten, daß ich es in der Schrift finde? . . ."

Tb 13.3.1964: „. . . Betti sagte mir diesen Morgen, er halte die Formulierung Florits für gut, die etwa so laute[q]: Etsi verbum Dei ex scripturis non patet, constare tamen ex traditione potest . . . In Anlehnung an den Text Florits formulierte Betti[r]: Etsi ex S. Scriptura veritas rei non constat, Traditio tamen Scripturae interpretatio, was mir nicht zu genügen scheint. Besser wohl so[s]: Etsi veritas aliqua revelata ex Scriptura cum certitudine erui non potest, Traditio tamen eam certe testificari potest (vel simile quid) . . ."

Tb 18.5.1964: „Vor einigen Tagen habe ich die Einladung zur Vollsitzung der Theologischen Kommission erhalten, die am 1.6. beginnt . . . Zugleich wurden das Schema XIII gesandt und die acta de revelatione. Darunter auch die relatio Rahner. Ich habe auf seine Conclusio mit zwei Seiten geantwortet . . . Dann habe ich einen Artikel oder besser eine Notiz geschrieben über das Düsseldorfer Religionsgespräch und Latomus und in den Anmerkungen zu Geiselmanns Angriff auf Backes und mich in der TQ Stellung genommen . . ."

Tb 20.5.1964: „Gestern habe ich die zwei Seiten observationes zu Rahner in ca. 100 Abzügen an Tromp geschickt, damit die Sache verteilt werden kann[7]. Zugleich sandte ich den umgearbeiteten Artikel mit der Bitte, schon einmal zuzusehen, wo er (Tromp) ihn unterbringen kann: Gregorianum, Antonianum, Trapé . . . Dann sandte ich ein Exemplar der observationes an Florit . . ."

---

3) Überlieferung und Schrift in ihrer Beziehung zur Kirche und zum Lehramt.
[q] Auch wenn das Wort Gottes aus den Schriften nicht klar hervorgeht, kann es dennoch aus der Überlieferung feststehen . . .
[r] Auch wenn aus der Heiligen Schrift die Wahrheit der Sache nicht feststeht, ist dennoch die Überlieferung die Interpretation der Schrift.
[s] Auch wenn eine geoffenbarte Wahrheit nicht mit Sicherheit aus der Schrift ermittelt werden kann, kann dennoch die Überlieferung sie zuverlässig bezeugen (oder etwas Ähnliches).

---

[7] Die Verteilung fand dann nicht statt, weil man berechtigterweise keine Ausnahme machen wollte. Die Exemplare wurden rein privat verteilt.

Tb 23.5.1964: „... Dann kam heute das neue Schema De Revelatione an. An sich nicht schlecht, aber da die Frage nach der Suffizienz bzw. Insuffizienz ausgeklammert ist, bin ich eigentlich nicht zufrieden. Mal sehen, ob hier das letzte Wort gesprochen ist!"

Tb 1.6.1964: „Vorgestern abend um 20 Uhr wieder in Rom angekommen ... Zunächst war ich freudig überrascht, als mir Tromp schon die Druckbogen meines Artikels über Schrift und Tradition übergab. P. D. van den Eynde, rector magnificus der Franziskanerhochschule, hatte die Sache sofort genommen. Das wiegt, da er in dieser Frage Fachmann ist ..."

Es handelt sich um den Artikel „Schrift und Tradition" (Antonianum 39 [1964] 200–209), in dem, wie schon gesagt, von dem Düsseldorfer Religionsgespräch von 1527 und von der Lehre des Latomus die Rede ist, aber auch zu den Angriffen Geiselmanns auf Backes und auf mich (203 207) Stellung genommen wird. Allein wir sind im Verzug, denn der Leser wird einiges über die von Rahner und mir verfaßten Relationes und über die Anmerkungen zu Rahner erwarten.

III.

Die[t] „Relatio de Animadversionibus Patrum circa Prooemium et Caput I Schematis ‚De Divina Revelatione' (Rev.mus Rahner)" hat einen Umfang von 11 Seiten. Nach den[u] „Praenotanda" finden wir[v]: „I. Iudicium generale Patrum" (1–3), „II. De traditione" (3–4) und „III. De habitudine inter Scripturam et traditionem" (5–9). Rahner schließt mit dem Vorschlag eines neuen Textes „De Traditione" (10f) ab. Doch nun zu der wichtigen „Conclusio" (6–9)[w]:

„3. Conclusio: Nullatenus expedit, ut schema doceat positive illimitatam insufficientiam materialem comparative ad traditionem (i.e. talem, qua praeter testimonium de ipsius Scripturae natura et canone aliae veritates fidei haberentur, quae simpliciter non nisi ex sola traditione nosci possent). Rationes pro tali abstinentia sunt inter alias hae:

---

[t] „Bericht über die Anmerkungen der Väter zum Vorwort und Kapitel I des Schemas ‚Über die göttliche Offenbarung' (Hochw. Rahner)."

[u] Vorbemerkungen.

[v] „I. Das allgemeine Urteil der Väter" (1–3), „II. Über die Überlieferung" (3–4) und „III. Das Verhältnis zwischen Schrift und Tradition" (5–9).

[w] „3. Schlußfolgerung: Es ist in keiner Weise angebracht, daß das Schema positiv die unbegrenzte materiale Insuffizienz, verglichen mit der Überlieferung, lehrt (d.h. eine solche, wonach es außer dem Zeugnis über die Natur und den Kanon der Schrift selbst noch andere Glaubenswahrheiten gebe, von denen einfachhin ausschließlich aus der Überlieferung allein gewußt werden könne). Die Gründe für eine solche Zurückhaltung sind unter anderen folgende:

1. Commissio Theologica et mixta post longissimas disceptationes ad talem modum procedendi pervenerunt. Nec ea, quae post schema reformatum a Patribus notata sunt, aliam sententiam adoptandam suadent, cum multo maior Patrum horum pars stare in hoc puncto velit schemati recepto.

2. Falsum est tali silentio deprimi dignitatem et momentum traditionis. Evidens est vivam traditionem ipsam Scripturam portare, continere omnia, quae in scriptura docentur, esse eatenus etiam fontem constitutivum nostrae cognitionis de divina revelatione, esse normam authenticae explicationis doctrinae scripturisticae et pari pietatis affectu ac reverentia suscipiendam esse ac Scripturam. Haec si dicuntur (et fusius dicuntur quam in schemate recepto) nullum est periculum damni pro traditione eiusque aestimatione.

3. Est de facto quaestio disputata et erat semper libera in Ecclesia, ut apparet ex historicis investigationibus recentibus tum a Beumer propositis. Sunt quidem, qui aliter sentiant. Sed hoc nihil demonstrat nisi factum dissensus inter theologos, qui dirimendus non est a Concilio. Non constat de mente Tridentini. Multa testimonia in favorem materialis insufficientiae Scripturae allata nihil dicunt nisi ea, quae ab omnibus admittuntur, necessitatem traditionis pro omni doctrina catholica. Id notandum est praesertim contra E 2182 et E 2206. In ZKTh 85 (1963) 12 s.[8] theologi catholici hodierni recen-

---

1. Die Theologische und die Gemischte Kommission sind nach sehr langen Debatten zu einer derartigen Vorgangsweise gekommen. Auch das, was nach dem verbesserten Schema von den Vätern angemerkt wurde, legt nicht die Annahme einer anderen Meinung nahe, weil der weitaus größere Teil dieser Väter in diesem Punkt zum angenommenen Schema stehen möchte.

2. Es ist falsch, durch ein solches Schweigen werde die Würde und Bedeutung der Tradition beeinträchtigt. Es ist offensichtlich, daß die lebendige Überlieferung die Schrift selbst trägt und alles enthält, was in der Schrift gelehrt wird. Insoweit ist sie auch konstitutive Quelle unserer Erkenntnis der göttlichen Offenbarung, Norm der authentischen Erklärung der Schriftlehre und mit der gleichen Liebe und Ehrfurcht anzunehmen wie die Schrift. Wenn das gesagt wird (und ausführlicher gesagt wird als im angenommenen Schema), besteht keine Gefahr eines Schadens für die Tradition und ihre Hochschätzung.

3. Es handelt sich in der Tat um eine Streitfrage, und sie war in der Kirche immer freigegeben, wie aus den neueren historischen Untersuchungen, unlängst von Beumer vorgelegt, hervorgeht. Es gibt welche, die anders denken. Aber das beweist nichts anderes als die Tatsache einer Meinungsverschiedenheit unter den Theologen, die vom Konzil nicht entschieden werden muß. Die Meinung des Tridentinums steht nicht eindeutig fest: Viele Zeugnisse zugunsten der materialen Insuffizienz der Schrift sagen nichts anderes, als was von allen zugestanden wird, nämlich die Notwendigkeit der Überlieferung für jede katholische Lehre. Das ist vor allem anzumerken gegen E 2182 und E 2206. In ZKTh 85 (1963) 12f[8] werden heutige katholische

---

[8] Es handelt sich hier um den in Anm. 4 schon zitierten Artikel von P. Rusch.

sentur, qui in scriptis (relativam) materialem sufficientiam Scripturae asserunt. Non sufficit (ut facit E 605) ad solum Lennerz provocare, ut constet de mente Tridentini. Si provocatur ad catechismos (E 2182), quaeri iure potest, num ista testimonia plus velint efficere nisi argumento ad hominem probare illam necessitatem traditionis, de qua nemo dubitat, *supponendo* scilicet, non dogmatice asserendo esse veritates, quae in Scriptura non inveniuntur. *Quidnam* enim ex his in catechismis allatis exemplis ut obiective verum ab unoquoque dogmatice admitti debet? Si diceretur traditionem esse necessariam ut fontem materialiter et quidem illimitate distinctam respondendum est quaestione, numquid traditio sit solum necessaria pro veritatibus, quae dicuntur non contineri in Scriptura. Si dicitur esse evidens quaedam ista evidentia sit dogmatica an humano-historica tantum, et num constet priorem suppositionem esse veram, et insuper respondendum est nullatenus facilius esse derivare quaedam dogmata ex traditione trium primorum saeculorum quam ex Scriptura et hinc argumentationem historicam (necessariam) pro theologo dogmatico reapse non evadere faciliorem, si traditionem habet ut fontem materialiter distinctam (!). Numquid enim habentur pro dogmatibus, quae dicuntur nullatenus, ne implicite quidem, in Scriptura, testimonia explicita in Patribus pro eorum origine Apostolico ex primis saeculis? In omni ergo casu provocare debemus (et iure quidem) ad explicationem ex im-

---

Theologen besprochen, die in ihren Schriften eine (relative) materiale Schriftsuffizienz vertreten. Es genügt nicht (wie es E 605 macht), sich nur auf Lennerz zu berufen, um die Meinung des Tridentinums festzustellen. Gegenüber der Berufung auf die Katechismen (E 2182) kann mit Recht gefragt werden, ob diese Zeugnisse mehr bewirken wollen, als durch ein argumentum ad hominem jene Notwendigkeit der Tradition zu beweisen, an der niemand zweifelt, wenn sie nämlich *voraussetzen,* nicht aber dogmatisch nachweisen, es gebe Wahrheiten, die in der Schrift nicht auffindbar seien. *Was* muß nun von diesen in den Katechismen angeführten Beispielen als objektiv wahr und von jedermann dogmatisch zugegeben werden? Wenn gesagt würde, die Tradition sei notwendig als materiale, und zwar unbegrenzt verschiedene Quelle, muß mit der Frage geantwortet werden, ob denn die Tradition lediglich notwendig sei für die Wahrheiten, von denen man sagt, daß sie in der Schrift nicht enthalten sind. Wenn gesagt wird, es sei evident, muß gefragt werden, um welche Evidenz es sich handle, um eine dogmatische oder bloß eine menschlich-historische, und ob feststeht, daß die frühere Voraussetzung wahr sei. Darüber hinaus ist zu antworten, es ist keineswegs leichter, bestimmte Dogmen aus der Tradition der drei ersten Jahrhunderte abzuleiten als aus der Schrift, und daher gestaltet sich die (notwendige) historische Argumentation für den Dogmatiker keineswegs einfacher, wenn er die Tradition als material verschiedene Quelle besitzt. Gibt es denn für Dogmen, welche angeblich in keiner Weise, auch nicht implizit, in der Schrift enthalten sind, ausdrückliche Väterzeugnisse aus den ersten Jahrhunderten für ihren apostolischen Ursprung? Wir müssen uns also (und zwar mit Recht) in jedem Fall auf eine reich-

plicitis satis complicatam. Haec vere ex Scriptura aeque bene succedit quam ex aliis fontibus traditionis. Talis explicatio ex Scriptura (sicut ex antiquis testimoniis traditionis?) ut certa et convincens non est singulorum theologorum ut talium, sed totius Ecclesiae eiusque magisterii, sicut in casibus in quibus ex una parte certe existit testimonium Scripturae et ex altera parte convincens et certa explicatio Scripturae fieri nequit a singulis qua talibus, sed per fidem Ecclesiae. Hinc timendum non est, ne cogamur ad exegesim et theologiam biblicam non sinceram.

4. Thesis opposita non edici potest in terminis, quorum sensus omnibus innotescit. Si dicitur: multa non continentur in Scriptura, quae tamen sunt dogmatica doctrina Ecclesiae, statim quaeritur: excluditur etiam *implicita* inclusio in Scriptura? Si ita, *quaenam* implicita inclusio excluditur? Num talis implicatio, quae a singulis suo marte et argumentatione mere conceptuali logica et syllogistica explicari potest an omnis insuper alia implicatio, quae iure cogitari potest? An censetur illa prior unice possibilis? Quo iure tale quid affirmatur? Estne tale assertum (existere nempe non nisi illam priorem implicationem) assertum dogmaticum an sententia privata, de qua unusquisque sentire potest prout ei placet? Existitne implicatio globalis praeinconceptualis, quam ope cognitionis quasi per connaturalitatem saltem Ecclesia ipsa detegere et explicare potest aut ope ‚analogiae fidei‘ aut alio simili modo? Tene-

---

lich komplizierte Entfaltung von Impliziertem berufen. Dies gelingt aber aus der Schrift ebensogut wie aus anderen Quellen der Überlieferung. Eine solche Entfaltung aus der Schrift (wie auch aus alten Zeugnissen der Tradition?), soll sie sicher und überzeugend sein, ist nicht Sache einzelner Theologen als solcher, sondern Sache der ganzen Kirche und ihres Lehramts, ebenso wie in den Fällen, in denen einesteils ein Schriftzeugnis sicher vorliegt und andererseits die überzeugende und sichere Erklärung der Schrift nicht durch einzelne als solche erfolgen kann, sondern durch den Glauben der Kirche. Von daher ist nicht zu befürchten, daß wir zu einer unseriösen biblischen Theologie und Exegese gezwungen werden.

4. Die entgegengesetzte These kann nicht in allgemein verständlichen Begriffen ausgesagt werden. Wenn gesagt wird: Vieles ist in der Schrift nicht enthalten, was dennoch zur dogmatischen Lehre der Kirche gehört, muß sogleich gefragt werden: Wird auch ein *implizites* Enthaltensein in der Schrift ausgeschlossen? Wenn ja, *welches* implizite Enthaltensein wird ausgeschlossen? Eine solche Implikation, welche von jedem einzelnen auf eigene Faust und mit rein logischer und schlußfolgernder begrifflicher Argumentation entfaltet werden kann, oder auch jede andere Implikation, an die man mit Recht denken kann? Hält man etwa jene erste allein für möglich? Ist eine solche Behauptung (nämlich daß es nur jene erstgenannte Implikation gibt) eine dogmatische Behauptung oder eine Privatmeinung, über die jeder denken kann, wie er will? Gibt es nicht eine globale vorunbegriffliche Implikation, die wenigstens die Kirche selbst mittels einer Art Erkenntnis durch Wesensentsprechung aufzudecken und zu entfalten vermag, sei es mit Hilfe der ‚Glaubensanalogie‘, sei es

remur sententia hic oppugnata etiam tales implicationes in Scriptura reiicere? Si ipsum dogma Assumptionis BM Virginis ,ultimum fundamentum' in Scriptura habet et tale fundamentum non potest esse mere non-repugnantia cum Scriptura, quis *omnem* speciem continentiae huiusmodi veritatis in Scriptura excludere potest? Potestne omnis species implicationis excludi, antequam sciatur quales species tales omnino in quaestionem venire possint? Sed disputationes theologicae circa possibiles varios modos evolutionis dogmaticae ostendunt, species has earumque numerum omnino nondum certo constare et unanimiter admitti. Multiplices modi inventionis alicuius veritatis inter alia cogitari possunt. Quinam ex his excluditur? Omnesque an aliqui? Etiamne etiam isti, qui respectivo theologo talem exclusionem asserente ignoti forte sunt? Si E 605 enumerat veritates, quae non ,clare' inveniuntur in Scriptura, num iam constat eas ibidem non obiective contineri?

5. Si abstrahimus a testimonio, quod traditio reddere debet ipsi Scripturae, quinam sunt *determinati* casus, quibus applicari *ex fide debet* axioma de insufficientia materiali Scripturae? Utique afferuntur talia exempla a defensoribus huius axiomatis (paedobaptismus, character sacramentalis etc. etc.). Sed quosnam ex istis casibus *cogor* admittere (tamquam de fide), si istud axioma ut verum supponitur? Possumne nihilominus affirmare me ex Scriptura

---

auf eine andere ähnliche Weise? Sollen wir durch die hier bekämpfte Meinung gehalten werden, auch solche Implikationen in der Schrift abzulehnen? Wenn selbst das Dogma von der leiblichen Aufnahme der seligen Jungfrau Maria ein ,letztes Fundament' in der Schrift hat und ein solches Fundament nicht in der bloßen Nicht-Widersprüchlichkeit gegenüber der Schrift bestehen kann, wer will dann *jede* Art eines solchen Enthaltenseins einer Wahrheit in der Schrift ausschließen? Kann jede Art der Implikation ausgeschlossen werden, ehe man weiß, welche solcher Arten überhaupt in Frage kommen könnten? Die theologischen Diskussionen über mögliche verschiedene Weisen der Dogmenentwicklung zeigen doch, daß diese Arten und ihre Zahl überhaupt noch nicht sicher feststehen und nicht einmütig angenommen werden. Vielfältige Weisen der Findung einer Wahrheit können unter anderem gedacht werden. Welche von diesen soll ausgeschlossen werden? Alle oder nur einige? Etwa auch jene, die dem betreffenden Theologen, der einen solchen Ausschluß vornimmt, vielleicht unbekannt sind? Wenn E 605 Wahrheiten aufzählt, die nicht ,klar' in der Schrift gefunden werden, ist dann damit schon gesagt, daß sie dort objektiv nicht enthalten sind?

5. Wenn wir von dem Zeugnis absehen, das die Überlieferung von der Schrift selbst ablegen muß, welches sind die *bestimmten* Fälle, auf die man das Axiom von der materialen Insuffizienz der Schrift *mit Glaubenszustimmung* anwenden *muß*? Gewiß werden solche Beispiele von den Vertretern dieses Axioms angeführt (Kindertaufe, der sakramentale Charakter usw., usw.). Aber welche von diesen Fällen anzuerkennen bin ich *gezwungen* (aus Glaubensgründen), wenn dieses Axiom als wahr vorausgesetzt wird? Kann ich nicht trotzdem behaupten, daß ich die Kindertaufe, die Sie-

eruere posse paedobaptismum, septenarium numerum sacramentorum et ita porro? Sed si ad nullum casum concretum et determinatum illud axioma certo et ex fide (et non tantum ex mea privata persuasione humana) applicare obligor, ad quid valet istud axioma generale, quod nullam habet certam et obligantem applicationem?

6. *Undenam* habetur cognitio huius axiomatis? Habeturne de eo traditio divino-apostolica de re ut revelata? Habeturne talis de axiomate hoc ut generali? Ubinam? Habeturne *talis* Traditio de quibusdam casibus concretis et determinatis, ex quibus axioma generale erui posset? Quinam sunt isti casus, quos ipsa revelatio exhibet? An habetur persuasio *humana* (esto vera et satis universalis) quaedam dogmata non posse iuxta privatam singulorum (etsi multorum) evidentiam erui ex Scriptura? Debetne et potest talis persuasio doceri a Concilio? Cur? Si quidem Patres aut Theologi ante et post-tridentini provocant ad factum *ipsis* evidens (sese ipsos nempe aliquid iuxta propriam experientiam non posse eruere ex Scriptura et ideo se provocare ad traditionem), tale quid nullatenus probat illos hoc axioma habere ut divinitus revelatum. Sed quomodo probatur agi saltem de ‚facto dogmatico'?

7. Habeturne sufficiens ratio de unitate et intima cohaerentia totius et

---

benzahl der Sakramente und so fort aus der Schrift ermitteln kann? Wenn ich aber nicht verpflichtet bin, dieses Axiom sicher und aus Glaubensgründen (und nicht bloß aus meiner privaten menschlichen Überzeugung heraus) auf einen konkreten und bestimmten Fall anzuwenden, wozu soll dieses generelle Axiom gut sein, das keine bestimmte und verpflichtende Anwendung aufweist?

6. *Von woher* stammt die Erkenntnis dieses Axioms? Gibt es eine göttlich-apostolische Überlieferung von ihm als einer geoffenbarten Wirklichkeit? Gibt es eine solche von diesem Axiom in seiner generellen Form? Wo denn? Gibt es eine *solche* Überlieferung über konkrete und bestimmte Fälle, aus denen das generelle Axiom gewonnen werden könnte? Was sind das für Fälle, welche die Offenbarung selbst liefert? Oder handelt es sich um eine *menschliche* Überzeugung (mag sie auch zutreffend und genügend allgemein sein), bestimmte Dogmen könnten nach der privaten Einsicht einzelner (wenn auch noch so vieler) nicht aus der Schrift ermittelt werden? Muß und kann eine derartige Überzeugung vom Konzil vertreten werden? Warum? Wenn einige vor- und nachtridentinische Väter oder Theologen sich auf eine *für sie* evidente Tatsache berufen (nämlich daß *sie selber* etwas nach eigener Überzeugung nicht aus der Schrift ermitteln können und sich daher auf die Tradition berufen), so beweist dergleichen keineswegs, daß sie dieses Axiom für ein göttlich geoffenbartes halten. Auf welche Weise wird bewiesen, es handle sich zumindest um eine ‚dogmatische Tatsache'?

7. Gibt es noch einen ausreichenden Grund für die Einheit und den inneren Zusammenhang der ganzen und einen geoffenbarten Wahrheit, wenn ein Teil dieses einen

unius veritatis revelatae, si pars una huius totius unius simpliciter excluditur a Scriptura, in qua altera pars huius unius simul dicitur contineri?

8. Si E 2206 iure dicat multas veritates in traditione primaeva non contineri explicita formula exhibitas, sed quasi in ‚germine vivo' ut inscriptas ‚in vita totius Ecclesiae', cur, si talis explicationis via admittitur quoad nova dogmata, eadem interpretatio evolutionis dogmaticae applicata ad Scripturam non pari modo inclusionem novorum dogmatum in Scriptura ostendere posset?"

Man kann verstehen, daß diese tiefgründigen Überlegungen und ernsten Fragen Rahners nicht wenige sehr beeindruckt haben. Vor meinen kritischen Anmerkungen zu diesen Aussagen soll jedoch mitgeteilt werden, was ich selber in meiner Relatio schrieb, die einen Umfang von 27 Seiten besitzt und[x] „Relatio de Animadversionibus Patrum circa Relationem inter Traditionem et S. Scripturam (Rev.mus Schauf)" betitelt ist. Hier die wohl wichtigsten Sätze[y]:

„VII. An Traditio latius pateat Scriptura

A. Documenta . . . (10 – 15)

B. Animadversiones quaedam (15 – 18)

1. Quaeritur de munere Commissionis Theologicae:

a) An Commissio Theologica tantum ponderare debeat quae a Patribus dicta sunt, et quidem secundum quantitatem eorum qui textum retinere volunt et eorum qui alium exoptant?

b) An Commissio Theologica pro rei veritate ponderare debeat argumen-

---

Ganzen einfachhin von der Schrift ausgeschlossen wird, während der andere Teil davon in ihr enthalten sein soll?

8. Wenn E 2206 mit Recht sagt, viele Wahrheiten seien in der ältesten Überlieferung nicht in Gestalt einer ausdrücklichen Formulierung enthalten, sondern gleichsam in einem ‚lebendigen Keim', eingeschrieben ‚im Leben der ganzen Kirche', warum sollte, wenn ein solcher Weg der Erklärung bezüglich neuer Dogmen zugelassen wird, dieselbe Interpretation der Dogmenentwicklung in der Anwendung auf die Schrift nicht in gleicher Weise den Einschluß von neuen Dogmen in der Schrift zeigen können?"

[x] „Bericht von den Beobachtungen der Väter zur Beziehung zwischen Tradition und Heiliger Schrift (Hochw. Schauf)."

[y] „VII. Ob die Tradition sich weiter erstreckt als die Schrift

A. Dokumente . . . (10 – 15)

B. Einige Beobachtungen (15 – 18)

1. Es wird gefragt bezüglich der Aufgabe der Theologischen Kommission:

a) Ob die Theologische Kommission lediglich abwägen soll, was von den Vätern gesagt wurde, und zwar nach der Anzahl derer, die den Text beibehalten wollen, und derer, die einen anderen wünschen?

b) Ob die Theologische Kommission die für die Wahrheit der Sache vorgebrachten

ta allata (et etiam afferendo alia si praesto sunt) ut deinde Patribus in Aula verum consilium dari possit explicando argumenta pro et contra una cum iudicio de argumentis?

2. Absque dubio argumenta a Patribus allata (e. gr. ab Em. Siri indicata) premunt, pondus non leve habere videntur et nisi argumenta refutentur solutio quaestionis aequa esse nequeat.

    a) Quid de Verbis Joannis XXIII. seu de illo ‚aut'?[9]

    b) Quid de Conciliis Provincialibus eorumque doctrina a S. Sede approbata?

    c) Quid de catechismis eorumque doctrina tam aperte enuntiata et universali?

    d) Quid de mente Tridentini et de sensu verborum ‚sine scripto traditionibus'?

    e) Quid de periculis indicatis quae ex silentio hac in quaestione sequi videntur?

2. (!) Consideranda sunt quae ab omnibus admitti videntur (wird unter a – i abgehandelt).

Argumente beurteilen soll (und auch andere hinzufügen soll, wenn welche bereitliegen), damit man nachher in der Aula den Vätern einen echten Rat geben kann, indem man die Argumente dafür und dagegen zusammen mit dem Urteil über die Argumente erklärt?

2. Ohne Zweifel drängen die von den Vätern vorgebrachten Argumente (z.B. die von Kard. Siri angezeigten). Sie scheinen kein geringes Gewicht zu besitzen, und wenn sie nicht widerlegt werden, dürfte eine Lösung der Frage nicht leicht sein.

a) Was ist von den Worten Johannes' XXIII. zu halten oder von jenem ‚oder'?[9]

b) Was ist mit den Provinzialkonzilien und ihrer vom Heiligen Stuhl approbierten Lehre?

c) Welche Bewandtnis hat es mit den Katechismen und ihrer so offenkundig und allgemein vertretenen Lehre?

d) Wie steht es mit der Lehre von Trient und dem Sinn der Worte „ungeschriebene Überlieferungen"?

e) Was ist mit den angezeigten Gefahren, die aus einem Schweigen in dieser Frage sich zu ergeben scheinen?

2. (!) Es ist zu bedenken, was von allen anscheinend zugegeben wird (wird unter a – i abgehandelt).

---

[9] Johannes XXIII. in seinem Rundschreiben „Ad Petri cathedram". Hier wird gesagt, daß die Offenbarung in dem enthalten sei, was in der Heiligen Schrift stehe oder *(aut)* mündlich oder *(vel)* schriftlich überliefert ist.

3. Considerantur ea, de quibus quaeritur:

a) An omnes veritates revelatae ad fidem spectantes tali modo in S. Scriptura sint ut ab homine fideli et ab ipsa Ecclesia inde obiective et cum certitudine educi seu probari vel cognosci possint adhibita etiam legitima, sed sola Traditione interpretativa?

b) Cum ab omnibus admittatur sic dicta via probationis traditionis dogmaticae, quaerendum est num omnia quae hucusque et in posterum de fide constant ex ipsis Scripturis Sacris adhibita interpretatione ex Traditione desumpta cognosci cum certitudine possint, an e contra quaedam de fide tenenda sint, quae tantum via traditionis (dogmaticae vel etiam historicae) constant et constare possunt. Ideo formula ab Exc. Florit proposita (186 E 2206) digna est ut serie examinetur: ‚Quod si in aliquibus S. Traditionem a S. Scriptura profluere non constat, semper tamen in scriptura ipsa reflectitur eamque illuminat.'

c) Negari non potest per saecula universaliter et apodictice in ipsis catechismis doctrinam propositam esse: Non omnia quae Deus revelaverit ex S. Scripturis haberi; non omnia expresse in Scripturis doceri et non omnia ex per se sola Scriptura cognosci vel etiam probari posse. Fundamentalis illa propositio sine obloquio per saecula vitam fidelium immediate formavit et etiam in catechismis vigentibus clare proponitur. Si ergo illa futilia, falsa vel

---

3. Es wird betrachtet, was in Frage steht:

a) Ob alle geoffenbarten und zum Glauben gehörenden Wahrheiten in solcher Weise in der Heiligen Schrift sind, daß sie vom gläubigen Menschen und von der Kirche selbst objektiv und mit Sicherheit von dort hergeleitet oder bewiesen oder erkannt werden können, auch unter Anwendung der legitimen, allerdings nur interpretierenden Tradition?

b) Da der sogenannte Beweisgang der dogmatischen Tradition von allen anerkannt wird, ist zu fragen, ob alles, was bisher und in Zukunft als Glaubensaussage feststeht, aus den Heiligen Schriften selbst unter Anwendung einer der Tradition entnommenen Interpretation mit Sicherheit erkannt werden kann oder ob im Gegenteil einiges im Glauben anzunehmen ist, das nur über den Weg der (dogmatischen oder auch historischen) Tradition feststeht und festgestellt werden kann. Daher ist die von Erzbischof Florit vorgelegte Formel (186 E 2206) einer ernsten Überprüfung würdig: ‚Wenn auch in manchen Punkten nicht feststeht, daß die Heilige Überlieferung aus der Heiligen Schrift hervorgeht, wird sie dennoch immer in der Schrift gespiegelt und erhellt sie auch.'

c) Es kann nicht bestritten werden, daß über Jahrhunderte in den Katechismen selbst allgemein und entschieden die Lehre vorgetragen wurde: Nicht alles, was Gott geoffenbart hat, stamme aus den Heiligen Schriften; nicht alles werde ausdrücklich in den Schriften gelehrt, und nicht alles könne aus der Schrift für sich allein erkannt oder auch bewiesen werden. Diese grundlegende Aussage hat unwidersprochen über Jahrhunderte das Leben der Gläubigen unmittelbar geformt und wird auch in geltenden Katechismen klar vorgetragen. Wenn das alles hinfällig, falsch, übertrieben, un-

exaggerata vel incerta seu dubia fuerint, quid de magisterio ordinario cogitare fideles possint?

d) Materialis insufficientia S. Scripturae autem non ad inspirationem librorum S. Scripturae et ad Canonem restringitur.

e) Quaestio inter eas esse videtur de quibus S. P. Paulus VI. aludendo ad dubitationes removendas locutus est.

4. Quid ergo faciendum?

a) Forsan denuo oportet Patres de statu quaestionis et de argumentis in causa certiores reddere, praesertim ponderando argumenta.

b) Patres interrogari possunt, 1) quid in Ecclesiis particularibus quorum pastores sunt de re praedicatum et in catechismis propositum sit. Testes ergo sint de doctrina in Ecclesiis proposita; 2) quid inde a iuventute ipsi de re audierint, quo sensu ipsi iuventutem instruxerint, quid in praedicatione viva Ecclesiae habeatur etc.; 3) quibus argumentis votum ab ipsis petatum nitatur?

5. Formulae si doctrinae traditionali standum sit:

a) Formula Florit (supra sub 3,b).

b) ‚Non omnia quae Deus revelaverit ex sola Scriptura, seposita Traditione, sufficienter colliguntur‘, vel: ‚Ex sola per se Scriptura non semper sufficienter colliguntur, quae Deus revelaverit‘, vel: ‚Credenda sunt quae in Tra-

---

sicher oder zweifelhaft gewesen ist, was könnten die Gläubigen vom ordentlichen Lehramt denken?

d) Die materiale Insuffizienz der Heiligen Schrift wird nicht auf die Inspiration ihrer Bücher und auf den Kanon eingeschränkt.

e) Die Frage scheint unter anderm eine jener zu sein, von denen der Heilige Vater Paul VI., anspielend auf die Beseitigung von Zweifeln, gesprochen hat.

4. Was ist also zu tun?

a) Vielleicht ist es erneut notwendig, die Väter über den Fragestand und die Argumente in dieser Angelegenheit zu unterrichten, vor allem die Argumente abzuwägen.

b) Die Väter können gefragt werden, 1) was in den Teilkirchen, deren Hirten sie sind, über diese Sache gepredigt und in den Katechismen gelehrt wird. Sie sollen also Zeugen der Lehre sein, die in den Kirchen vertreten wird; 2) was sie selbst seit ihrer Jugend darüber gehört, in welchem Sinne sie selbst die Jugend unterrichtet haben, was in der lebendigen Verkündigung der Kirche festgehalten wird usw.; 3) auf welche Argumente sich das von ihnen erstrebte Votum stütze.

5. Formeln, wenn man zur traditionellen Lehre stehen will:

a) Die Formel Florit (oben Nr. 3b).

b) ‚Nicht alles, was Gott geoffenbart hat, wird ausreichend aus der Schrift unter Beiseitestellung der Tradition gewonnen‘, oder: ‚Aus der Schrift, für sich allein genommen, wird nicht immer ausreichend das erfaßt, was Gott geoffenbart hat‘, oder: ‚Zu

ditione divino-apostolica habentur, etiam si non expresse in Scriptura leguntur nec inde per bonam consequentiam deduci queunt'. Cf. Colloquium Ratisbonense anno 1601.

c) ‚Latius patere fidem et verbum Dei quam Scriptura' (Stapleton).

d) ‚Non solum sunt credenda et servanda quae expresse in divinis litteris habentur, aut probantur ex ipsis, verum etiam quae sancta mater Ecclesia ut in Traditione contenta credit et observat' (cf. J. Eck).

e) ‚Omnia fidei mysteria ceteraque creditu necessaria in corde Ecclesiae inveniuntur, in membranis tamen S. Scripturae non omnia expresse haberi vel inde certe cognosci posse' (cf. Coster).

f) ‚Quemadmodum S. Scriptura non est unicus modus Traditionis ita nec est modus revelationis (materialiter) omni numero adaequatus vel exhaustivus' (Möhler)[10].

g) ‚Traditio, eaque sola, via est qua veritates quaedam revelatae, inter quas ipse SS. Librorum Canon, Ecclesiae innotescunt' (Nicodemo)[11].

h) ‚S. Scripturam per S. Traditionem non solum explicari, sed etiam compleri' (Siri)[12].

---

glauben ist, was in der göttlich-apostolischen Überlieferung enthalten ist, auch wenn es nicht ausdrücklich in der Schrift zu lesen ist und auch nicht durch eine gelungene Schlußfolgerung aus ihr abgeleitet werden kann.' Vgl. das Regensburger Gespräch im Jahre 1601.

c) ‚Weiter reicht der Glaube und das Wort Gottes als die Schrift' (Stapleton).

d) ‚Nicht nur das ist zu glauben und zu beachten, was ausdrücklich in den göttlichen Schriften enthalten ist oder aus ihnen bewiesen wird, sondern auch dasjenige, was die heilige Mutter Kirche als in der Überlieferung enthalten glaubt und beachtet' (vgl. J. Eck).

e) ‚Alle Glaubensgeheimnisse und alles zum Glauben Notwendige findet sich im Herzen der Kirche; auf den Blättern der Heiligen Schrift hingegen ist nicht alles ausdrücklich enthalten, und es kann auch nicht aus ihnen sicher erkannt werden' (vgl. Coster).

f) ‚Wie die Heilige Schrift nicht die einzige Weise der Überlieferung ist, so ist sie auch nicht die Weise der Offenbarung (material), die allem angemessen und erschöpfend ist' (Moehler)[10].

g) ‚Die Überlieferung, und sie allein, ist der Weg, auf dem einige geoffenbarte Wahrheiten, darunter der Kanon der heiligen Bücher, der Kirche bekannt werden' (Nicodemo)[11].

h) ‚Die Heilige Schrift wird durch die Heilige Überlieferung nicht bloß erklärt, sondern auch ergänzt' (Siri) [12].

---

[10] Vgl. E 2237.
[11] Vgl. E 2240.
[12] Vgl. E 2182, wo Siri in 12 Punkten seinen Standpunkt darlegt.

i) ,Divina Traditio est unica via et fons ad inveniendas quasdam veritates divinitus revelatas' (Builes)[13].

k) ,Traditio amplior est quam Scriptura' (Mazzoldi)[14].

l) ,Traditio complet et excedit doctrinam S. Scripturae' (cf. Batanian)."[15]

Wie oben schon mitgeteilt wurde, erhielt ich in Aachen Rahners Relatio und nahm zu ihr Stellung. Hier diese Stellungnahme[z]:

„Observationes ad Conclusionem Relationis R. P. Rahner de Cap. I Schematis ,De Divina Revelatione' (pag. 6 ad pag. 9).

Ad 1) Ultimis annis post disceptationes multa de quaestione scripta sunt. Nominetur e. gr. volumen a R. P. Balic editum ,De Scriptura et Traditione' (Romae 1963). Quaeritur iam, an ii qui in nostra quaestione maxime sub influxu Geiselmann ut ipse aperte gloriatur (in: TThQ 144 [1964] 63)[16] schema primum non admiserunt, serie examinaverint quae critice contra Geiselmann ultimis annis dicta sunt.

Ad 2) Si traditio obiective est fons constitutivus nostrae cognitionis de revelatis ultra cognitionem ipsius scripturae ut sacrae, tali amplitudine traditionis non clare et aperte professa absque dubio dignitas et momentum traditionis deprimuntur. Tantum in suppositione scripturam sufficientem esse et

---

i) ,Die Heilige Überlieferung ist der einzige Weg und die Quelle, um einige von Gott geoffenbarte Wahrheiten zu finden' (Builes)[13].

k) ,Die Tradition ist umfangreicher als die Schrift' (Mazzoldi)[14].

l) ,Die Tradition ergänzt die Heilige Schrift und geht über sie hinaus' (vgl. Batanian).[15]"

[z] „Beobachtungen zur Schlußfolgerung des Berichtes des Hochw. P. Rahner über Kapitel I des Schemas ,Über die göttliche Offenbarung' (S. 6 bis S. 9).

Zu 1) In den letzten Jahren nach den Diskussionen ist vieles über diese Frage geschrieben worden. Genannt sei beispielshalber der von Hochw. P. Balic herausgegebene Band ,De Scriptura et Traditione' (Rom 1963). Es ist nun zu fragen, ob diejenigen, die in unserer Frage zumeist unter dem Einfluß Geiselmanns, wie dieser sich öffentlich rühmt (in: TThQ 144 [1964] 63)[16], das erste Schema nicht angenommen haben, ernsthaft geprüft haben, was in den letzten Jahren kritisch gegen Geiselmann gesagt wurde.

Zu 2) Wenn die Tradition objektiv eine konstitutive Quelle ist für unsere Erkenntnis der Offenbarung über die Erkenntnis der Schrift selbst als heiliger hinaus, werden durch die Unterlassung des klaren und offenen Bekenntnisses eines solchen Umfangs der Tradition ihre Würde und Bedeutung zweifellos herabgesetzt. Nur in der

---

[13] Vgl. E 605.

[14] Es fehlt die E-Nummer der Registratur, aber pag. 86: „Traditio prior atque amplior est quam Scriptura."   [15] Vgl. E 337.

[16] *J. R. Geiselmann,* Zur neuesten Kontroverse über die Heilige Schrift und die Tradition, in: ThQ 144 (1964) 31–63.

traditionem ultra contentum in scriptura solummodo ipsam scripturam ut sacram docere, verba ipsius Rahner valent. Supponitur ergo quod probandum esset. Si suppositio ipsius Rahner non valet, vera diminutio traditionis habetur, si traditio describitur uti Rahner intendit. Insuper notandum: Geiselmann aperte admittit insufficientiam quoad consuetudines et mores; Rahner de hoc nihil dicit.

Ad 3) Quaeritur num verum sit quaestionem esse *iure* disputatam et liberam in Ecclesia.

a) Magisterium ordinarium prouti in doctrina catechismorum habetur insufficientiam scripturae clare et decisive docet. Nullum indicium habetur agi de theoria aliqua vel de sententia disputabili, e contra. Doctrina catechismorum est doctrina constans 4 saeculorum et universalis.

b) J. Beumer qui anno 1962 scripsit ‚Die mündliche Überlieferung als Glaubensquelle' (in: Handbuch der Dogmengeschichte I/4) ideoque in re maxime competens haberi debet, in recensione libri mei ‚Die Lehre der Kirche über Schrift und Tradition in den Katechismen' (Essen 1963) in: Scholastik 39 (1964) 122 contra Rahner concedit in catechismis ipsum magisterium ordinarium loqui. Consentiendo conclusioni libri mei recensionem absolvit dicens: ‚non omnia in scriptura sic continentur ut etiam inde probari possint.'

Voraussetzung, die Schrift sei ausreichend und die Tradition lehre über den Inhalt der Schrift hinaus lediglich die Heiligkeit der Schrift, gelten die Worte Rahners. Es wird also vorausgesetzt, was zu beweisen wäre. Wenn die Voraussetzung Rahners nicht gilt, handelt es sich um eine echte Beeinträchtigung der Tradition, wenn sie so beschrieben wird, wie Rahner will. Darüber hinaus ist anzumerken: Geiselmann gibt offen eine Insuffizienz bezüglich der Gewohnheiten und Sitten zu; Rahner sagt dazu nichts.

Zu 3) Es ist die Frage, ob es sich um eine *mit Recht* umstrittene und in der Kirche freigestellte Frage handelt.

a) Das in der Lehre der Katechismen enthaltene ordentliche Lehramt lehrt klar und entschieden die Schriftinsuffizienz. Es gibt keine Anzeichen dafür, es handle sich um eine bloße Theorie oder um eine disputierbare Meinung, ganz im Gegenteil. Die Lehre der Katechismen ist eine in vier Jahrhunderten beständige und allgemeine Lehre.

b) J. Beumer, der im Jahre 1962 ‚Die mündliche Überlieferung als Glaubensquelle' (in: Handbuch der Dogmengeschichte I/4) geschrieben und daher in der Sache für höchst kompetent zu gelten hat, bestätigt in der Besprechung meines Buches ‚Die Lehre der Kirche über Schrift und Tradition in den Katechismen' (Essen 1963) in: Scholastik 39 (1964) 122 gegen Rahner, daß in den Katechismen das ordentliche Lehramt selbst spricht. In Übereinstimmung mit der Konklusion meines Buches schließt er die Rezension mit den Worten: ‚Nicht alles ist in der Schrift so enthalten, daß es auch aus ihr bewiesen werden könnte.'

c) Ex discussione ultimorum annorum apparet non agi de qualicumque insufficientia scripturae, sed de qualificata, i.e. affirmatur ,non omnia, quae Deus revelaverit, expresse in scripturis haberi et non omnia bona argumentatione ex scripturis erui posse'. Hic est sensus genuinus doctrinae catechismorum. Cum hac conclusione Beumer perfecte concordat.

d) Quoad theologos modernos notandum eos magna ex parte ante aliquot annos scripsisse nec sensum genuinum insufficientiae considerasse. Oppositio eorum ex parte ut oppositio contra chimaeram considerari debet.

e) Interpretatio Rahner de catechismis legenti catechismos ut non sustinenda apparet. Non agitur de argumento ad hominem; non de illa necessitate traditionis de qua etiam Rahner non dubitat; clare, aperte, definitive, universaliter per saecula docetur dari veritates revelatas in scriptura non contentas. Ergo methodus sobria theologica postulat ut inde, non ex aliqua speculatione theologica, sensus praecisus insufficientiae hauriatur.

f) Ergo etiam quod exempla attinet incipiendum est ab iis quae magisterium ordinarium concorditer docuit. Ex exemplis etiam apparet sensus genuinus insufficientiae scripturae.

g) Non agitur ut Rahner supponere videtur de comparatione inter probationem ex scriptura et inter probationem ex traditione *historica* (e. gr. pri-

---

c) Aus der Diskussion der letzten Jahre erweist sich, daß es nicht um eine beliebige Insuffizienz der Schrift geht, sondern um eine qualifizierte, d.h., es wird behauptet, ,nicht alles, was Gott geoffenbart hat, ist ausdrücklich in den Schriften enthalten, und nicht alles kann mit guter Argumentation aus den Schriften ermittelt werden'. Das ist der ureigene Sinn der Lehre der Katechismen. Diesem Schluß stimmt Beumer vollständig zu.

d) Bezüglich der modernen Theologen ist zu bemerken, daß sie zum großen Teil vor mehreren Jahren geschrieben und den wahren Sinn der Insuffizienz nicht bedacht haben. Ihre Opposition ist zum Teil als Opposition gegen eine Chimäre zu betrachten.

e) Rahners Interpretation der Katechismen erscheint dem Leser der Katechismen als nicht haltbar. Es handelt sich nicht um ein argumentum ad hominem, auch nicht um jene Notwendigkeit der Tradition, an der auch Rahner nicht zweifelt. Klar, offen, endgültig, allgemein über Jahrhunderte hin wird gelehrt, es gebe geoffenbarte Wahrheiten, die in der Schrift nicht enthalten sind. Daher verlangt eine nüchterne theologische Methode, daß von dort her und nicht aus einer theologischen Spekulation der genaue Sinn der Insuffizienz geschöpft wird.

f) Daher ist auch bezüglich der Beispiele bei dem anzufangen, was das ordentliche Lehramt übereinstimmend lehrt. Aus den Beispielen ergibt sich auch der wahre Sinn der Schriftinsuffizienz.

g) Es handelt sich nicht, wie Rahner vorauszusetzen scheint, um den Vergleich zwischen dem Beweis aus der Schrift und dem Beweis aus der *historischen* Überlieferung

morum saeculorum), sed de comparatione inter probationem ex scriptura quae fieri nequit et probationem ex traditione quae dogmatica vocatur et sic ad traditionem constitutivam impellit. Libenter conceditur aliquando probationem ex traditione historica forsan, possibilem non esse. Hoc autem non est aporia veritatis, sed theologiae ut scientia est.

h) De insufficientia materiali scripturae seu de traditione constitutiva habetur traditio dogmatica. Magisterium ordinarium Ecclesiae istam doctrinam in catechismis per saecula proponit. Estne admittendum magisterium errasse? Estne accipiendum hac in quaestione Protestantes, contra quos magisterium veritatem defendit, veritatem, Ecclesiam autem falsa docuisse?

Ad 4) Respondeo a) veritatem tali modo doceri posse quo modo fecerunt catechismi; b) distinctiones necessarias de genuino sensu insufficientiae ex theologia patere; c) J. Beumer proposuisse formulas; d) alias formulas haberi in relatione a me exarata; e) non agi de fundamento, sed de argumento; f) incipiendum esse a doctrina magisterii ordinarii. Methodus Rahner observare non videtur regulas theologiae positivae.

Ad 5) Magisterio ordinario praescribere non possumus quae per saecula docuit. Docuit haberi veritates in scriptura non contentas expresse nec inde eruendas per modum invictae probationis. Alia omnino quaestio est, an doc-

---

(z.B. der ersten Jahrhunderte), sondern um den Vergleich zwischen dem Beweis aus der Schrift, der nicht möglich ist, und dem Beweis aus der Überlieferung, welche die dogmatische genannt wird und so zur konstitutiven Überlieferung hintreibt. Gerne wird zugestanden, daß manchmal der Beweis aus der historischen Überlieferung vielleicht nicht möglich ist. Das ist aber keine Aporie der Wahrheit, sondern der Theologie als Wissenschaft.

h) Über die materiale Insuffizienz der Schrift oder die konstitutive Überlieferung gibt es eine dogmatische Tradition. Das ordentliche Lehramt der Kirche trägt diese Lehre in den Katechismen über Jahrhunderte vor. Muß man annehmen, das Lehramt habe geirrt? Ist anzunehmen, in dieser Frage hätten die Protestanten, gegen die das Lehramt die Wahrheit verteidigt, die Wahrheit, die Kirche aber Falsches gelehrt?

Zu 4) Ich antworte: a) Die Wahrheit kann auf solche Weise gelehrt werden, wie es die Katechismen getan haben; b) die notwendigen Unterscheidungen über den wahren Sinn der Insuffizienz gehen aus der Theologie hervor; c) J. Beumer hat Formeln vorgeschlagen; d) andere Formeln sind in dem von mir ausgearbeiteten Bericht enthalten; e) es geht nicht um das Fundament, sondern um das Argument; f) anzusetzen ist bei der Lehre des ordentlichen Lehramts. Rahners Methode scheint die Regeln der positiven Theologie nicht zu beachten.

Zu 5) Wir können dem ordentlichen Lehramt nicht vorschreiben, was es über Jahrhunderte hin gelehrt hat. Es hat gelehrt, es gebe Wahrheiten, die in der Schrift nicht ausdrücklich enthalten sind und durch eine unerschütterliche Beweisführung auch nicht aus ihr ermittelt werden können. Eine ganz andere Frage ist, ob eine Lehre zu

trina sit credenda vel tantum tenenda, sequela vel suppositum revelationis, factum dogmaticum vel non. De his videant theologi. Constans enumeratio aliquorum exemplorum insuper signum est quo sensu illa insufficientia accipienda sit.

Ad 6) Cognitio doctrinae habetur ex ipso magisterio Ecclesiae prouti in catechismis habetur. Habetur insuper ex constanti doctrina theologorum ultimorum saeculorum. Neque theologi mediaevales et antetridentini aliter docuerunt ut apparet ex Beumer.

Ad 7) Si revera datur traditio constitutiva in sensu catechismorum observatio 7 obsoleta est, quia hoc in casu clarum est, Deum res ita ordinasse. Iterum ergo dicendum est incipiendum esse non a theoria vel speculatione theologica, sed ex fontibus positivis.

Ad 8) Quae dicuntur certe ex parte admitti possunt. Sed inde non patet omnes veritates ex scriptura via alicuius evolutionis veritatum in scriptura contentarum haberi posse. Insuper in hac evolutione traditio activa seu formalis supponitur.

Denique notandum: Conc. Vat. II in dogmaticis generatim non absolute et definitive loqui vult. Quae dicuntur ergo infallibliter vera non sunt, nisi aliunde de infallibliter vera doctrina constet. Ideo, si schema remanet, argu-

---

glauben oder bloß zu halten ist, ob sie eine Folge oder Voraussetzung der Offenbarung ist, eine dogmatische Tatsache oder nicht. Diesbezüglich sollen die Theologen zusehen. Eine beständige Aufzählung von Beispielen ist darüber hinaus ein Hinweis darauf, in welchem Sinn jene Insuffizienz anzunehmen ist.

Zu 6) Die Erkenntnis der Lehre ergibt sich aus dem Lehramt der Kirche selbst, wie es in den Katechismen vorliegt. Sie ergibt sich überdies aus der beständigen Lehre der Theologen der letzten Jahrhunderte. Auch die mittelalterlichen und vortridentinischen Theologen haben nicht anders gelehrt, wie aus Beumer hervorgeht.

Zu 7) Wenn es tatsächlich eine konstitutive Überlieferung im Sinne der Katechismen gibt, dann ist die Bemerkung Nr. 7 hinfällig, weil in diesem Fall klar ist, daß Gott die Sache so bestimmt hat. Wiederum ist also zu sagen, daß man nicht bei einer theologischen Spekulation oder Theorie anzusetzen hat, sondern bei den positiven Quellen.

Zu 8) Das Gesagte kann gewiß zum Teil zugegeben werden. Aber daraus geht nicht hervor, daß alle Wahrheiten aus der Schrift auf dem Weg einer Entwicklung der in der Schrift enthaltenen Wahrheiten gewonnen werden können. Überdies wird in dieser Entwicklung eine aktive oder formelle Überlieferung vorausgesetzt.

Schließlich ist zu bemerken: Das II. Vatikanische Konzil beabsichtigt im allgemeinen nicht, sich in dogmatischen Fragen absolut und endgültig zu äußern. Was gesagt wird, ist daher nicht unfehlbar wahr, wenn nicht von anderswoher die Unfehlbarkeit einer Lehre feststeht. Wenn das Schema bleibt, ergibt sich daher folgende Situa-

mentum obvium habetur: Concilium aut nihil de quaestione docuisse aut quaestionem ut dubiam habuisse ut apertam etc. Alia ex parte autem magisterium ordinarium per 4 saecula absolute clare definitive insufficientiam proposuisse. Ergo magisterium hoc ordinarium contra Concilium praevalere certum est quae conclusio pro Concilio honorifica esse non videtur. Si autem refutantur quae per 4 saecula in catechismis aperte professa sunt, habetur scandalum maximum quod maius est quam quod vocatur, iuste vel iniuste, transeat, Galilei.

Conclusio: standum est in doctrina magisterii ordinarii!

Aquisgrani, die 15 m. maii 1964   H. Schauf, peritus."

An dieser Stelle müssen wir unsere Studie abbrechen, nicht weil nichts mehr zu sagen wäre, geht doch die Streitfrage erst in ihr Endstadium, und noch verschiedene, recht interessante Tatsachen müßten ans Licht gehoben werden, sondern weil wir die zur Verfügung stehende Seitenzahl erreicht, ja schon ein wenig überschritten haben. Vielleicht findet sich später eine Gelegenheit, die begonnene Arbeit zu Ende zu führen[17].

---

tion: Das Konzil hat nichts über diese Frage gelehrt, oder es hat die Frage für zweifelhaft oder offen gehalten usw. Auf der anderen Seite hat das ordentliche Lehramt über vier Jahrhunderte hin absolut klar und endgültig die Insuffizienz vertreten. Daher ist sicher, daß dieses ordentliche Lehramt gegenüber dem Konzil das Übergewicht besitzt. Dieses Ergebnis scheint für das Konzil nicht gerade ehrenvoll zu sein. Wenn aber abgelehnt wird, was durch vier Jahrhunderte in den Katechismen offen bekannt wurde, entsteht das größte Ärgernis, größer als der sogenannte Fall Galilei, dessen Berechtigung dahingestellt sei.

Schlußfolgerung: Man muß auf der Lehre des ordentlichen Lehramts bestehen!

Aachen, den 15. Mai 1964   H. Schauf, Konzilsexperte."

Aus dem Lateinischen von Erich Schrofner

---

[17] Hier die in Anm. 2 versprochene Namenliste:

Backes, I., Prof., Trier, Konsultor der Vorbereitenden Theologischen Kommission (VThK).

Balic, C., OFM, Prof. am Antonianum, Konsultor des Heiligen Offiziums, Präsident der Pontificia Academia Mariana Internationalis, Mitglied der VThK, Peritus (P).

Barbado, F., OP, Bischof von Salamanca, Mitglied der Theologischen Kommission (ThK).

Batanian, L., Titularbischof von Colonia in Armenien, als Ignatius Petrus XVI. Patriarch der Armenier.

Bea, A. SJ, Kardinal, Präsident des Sekretariats für die Einheit der Christen, Mitglied verschiedener Kongregationen, Präsident des Konzilssekretariats.

Betti, U., OFM, Prof. am Antonianum, P, Konsultor der Glaubenskongregation.
Beumer, J., SJ, Prof. in St. Georgen (Frankfurt a.M.).
Browne, M., OP, Kardinal, Vizepräsident der ThK, früher Mag. gen. OP, Magister S. Palatii, der als solcher viel mit dem Substituten J. B. Montini (Paul VI.) zusammenarbeitete und den Paul VI. auch in der Zeit des Konzils gern und öfters zu Rate zog.
Builes, M., Bischof von Santa Rosa de Osos, Kolumbien.
Charue, A.-M., Bischof von Namur, Mitglied der ThK, Vizepräsident der ThK.
Congar, Y., OP, Prof., Konsultor der VThK, P.
Coster, F., SJ, † 1619, s. LThK.
De Smedt, E.J., Bischof von Brügge, Mitglied des Sekretariats für die Einheit der Christen.
Eck, J., † 1543, s. LThK.
Feiner, J., Prof., Konsultor des Sekretariats für die Einheit der Christen, P, Mitherausgeber von „Mysterium Salutis".
Fernandez, A., OP, Mag. gen. OP, Mitglied der ThK.
Florit, E., Erzbischof von Florenz, Kardinal, Mitglied der ThK.
Franic, F., Titularbischof, Mitglied der VThK, Bischof von Split, Mitglied der ThK.
Gagnebet, R., OP, Prof. am Angelicum, Konsultor des Heiligen Offiziums, Mitglied der VThK, P.
Garrone, G., Erzbischof von Toulouse, Kardinal, Mitglied der ThK, Präfekt der Studienkongregation.
Geiselmann, J. R., Prof., Tübingen.
Kerrigan, A., OFM, Prof. am Antonianum, Konsultor der Bibelkommission, Konsultor der VThK, P.
Lengeling, E., Prof., Münster.
Lennerz, H., SJ, Prof. an der Gregoriana.
Lio, E., OFM, Prof. am Antonianum, Konsultor der Vorbereitenden Theologischen Kommission (VThK), Konsultor des Heiligen Offiziums.
Mazzoldi, S., Titularbischof von Lamo, Uganda.
Möhler, W., SAC, Generaloberer.
Nicodemo, E., Erzbischof von Bari.
Ottaviani, A., Kardinal, Präfekt des Heiligen Offiziums, Präsident der VThK, der ThK.
Parente, P., Erzbischof, Kardinal, Assessor des Heiligen Offiziums, Mitglied der ThK.
Pohlschneider, J., Bischof von Aachen, Mitglied des Tribunale Amministrativo.
Rahner, K., SJ, Prof., Münster, München, P.
Ramirez, J., OP, Prof. am Angelicum, Mitglied der VThK, P.
Rusch, P., Bischof von Innsbruck.
Santos, R., Erzbischof von Manila, Kardinal, Mitglied der ThK.
Schäufele, H., Erzbischof von Freiburg, Mitglied der Kommission De Episcopis et Dioecesium Regimine.
Siri, J., Erzbischof von Genua, Kardinal, Vorsitzender der italienischen Bischofskonferenz, Mitglied des Consiglio di Presidenza.
Spanedda, F., Bischof von Bosa (Sardinien), Mitglied der ThK.
Staffa, D., Erzbischof, Kardinal, Sekretär der Studienkongregation, Mitglied der V-Zentralkommission, Vizepräsident der Kommission De Seminariis, Präfekt der Segnatura Apostolica.
Stapleton, Th., † 1598, s. LThK.
Trapé, A., OESA, Prof. am Kolleg S. Monica, P, Generaloberer, Mitglied der ThK.
Tromp, S., SJ, Prof. an der Gregoriana, Konsultor des Heiligen Offiziums, Sekretär der VThK, der ThK.
van den Eynde, D., OFM, Prof. am Antonianum, Mitglied der VThK, P.
Wittler, H., Bischof von Osnabrück, Mitglied des Comitato per la Stampa.

Inzwischen ist die Fortsetzung dieses Artikels abgeschlossen. Nach Erscheinen des ersten Teils in dieser Festschrift wird es darum gehen, eine Publikationsmöglichkeit zu finden.

PIETER SMULDERS SJ

ZUM WERDEGANG DES KONZILSKAPITELS „DIE OFFENBARUNG SELBST"

Dei verbum, 1. Kapitel

Karl Rahner und die Konzilskonstitution über die Offenbarung, ein Thema, das wohl einmal in der Konziliengeschichte seinen Platz finden wird, wenn die Archive Roms, der Bischofskonferenzen und einzelner Bischöfe dem Forscher eröffnet werden und er die zahllosen nichtoffiziellen (peripherischen, gar unterirdischen) Dokumente auswerten kann. Denn auf die ihm eigene Weise war Rahner, inspirierend oder bekämpft, durch seine Gedanken und durch das auf vielen Ebenen geschriebene und gesprochene Wort so ungefähr allgegenwärtig. Nicht dies aber war mein erster Einfall, als ich eingeladen wurde, dieser Freundesgabe einen Beitrag beizusteuern. Meine erste Assoziation zu Karl Rahner und zum Konzil war anderer, mehr persönlicher Art.

Nach einem anstrengenden Tag kehrte ich heim zum Mutterhaus der Franziskanerinnen von Heythuizen-Nonnenwerth an der Via Cassia, wo ich Unterkunft gefunden hatte. Auf der Piazza del Risorgimento stand bereits der Stadtbus, der mich in einer knappen Dreiviertelstunde nach Hause bringen sollte. Ich war dankbar, einen Sitzplatz zu finden, denn ich fühlte mich sehr müde und abgespannt. Aus der Mappe packte ich ein Büchlein, das ich eben in der Buchhandlung gefunden hatte, ein Bändchen mit kurzen Meditationen Rahners. Ich schlug es auf und fing an zu lesen. Auf einmal fiel die Abgespanntheit von mir ab. Ein tiefes Gefühl von Ruhe und Frieden erfüllte mich. Mitten im Gedränge der Buspassagiere vermittelten die schlichten Worte Rahners diese befreiende Gnade. An diesem römischen Herbstabend ging mir das Geheimnis eines Theologen auf, der in aller Spannung der dogmatischen Streitigkeiten dennoch zurückfindet zur Mitte seiner Theologie, zur unüberbietbaren Selbstoffenbarung Gottes, zum Herrn. Da Rahner für einen kurzen Beitrag allzu groß ist, widme ich ihm, als Dank für diese Erfahrung, die Erinnerungen eines kleineren Kollegen und Mitbruders, der – kaum vorbereitet zum Konzil berufen – allmählich in die Textwerdung der Offenbarungskonstitution einbezogen wurde. Meine Person wird so zwar

99

ungebührend in den Vordergrund gerückt; als Entschuldigung möge aber gelten, daß damit ein wesentlicher Aspekt des Konzilsgeschehens beleuchtet wird, der in der Geschichtsschreibung kaum ans Licht kommt. Die großen Figuren, Konzilsväter und Berater, füllen die Bühne. Der Alltag des Konzils aber, die Tätigkeit von weniger bekannten Bischöfen und Theologen, ist ein Gewirr von Zufällen, in denen man erst nachher das Gewebe der Vorsehung erkennen kann. Zufall war, daß ich in letzter Minute zum Konzil berufen wurde; Zufall, daß die indonesische Bischofskonferenz sich einen Stab von Beratern bildete; ein Zufall bezog mich in die Ausarbeitung der Konstitution ein.

1. Zum Konzil berufen

Am Donnerstag, dem 11. Oktober 1962, sollte das Konzil eröffnet werden. Da traf am Sonntag vorher ein Telefonat aus Rom bei der Theologischen Fakultät der Jesuiten in Maastricht ein. Der Jesuit und Erzbischof Djajasepoetra aus Indonesien war in Rom eingetroffen und erbat sich einen Berater aus seiner ehemaligen Alma Mater. Diese Bitte hatte er schon vor Monaten an die römische Ordenskurie gesandt, sie war aber nicht weitergeleitet worden. Jetzt galt es, auf der Stelle dem Erzbischof einen Theologen zur Verfügung zu stellen. Nun war ich einigermaßen eingearbeitet, denn ich hatte Internuntius Beltrami über die ersten Entwürfe, die Schemata, beraten, die mit einem Schreiben des Staatssekretärs vom 23. Juli an die Bischöfe geschickt worden waren. Meine Maastrichter Kollegen entschieden, ich solle gehen.

Am Mittwoch flog ich schweren Herzens nach Rom. Vor einigen Wochen, als Pater Tromp, Sekretär der Theologischen Kommission, die Ferien in Maastricht verbrachte, hatte dieser ja voller Zuversicht gesagt, die theologischen Entwürfe seien so gründlich vorbereitet, daß sie vom Konzil in ein paar Wochen verabschiedet werden könnten. Da hätte er sehr wohl recht haben können. Denn die Geschichte zeigt, wie stark das Beharrungsvermögen solcher Entwürfe sein kann. Dann aber wären die begeisterten, von Johannes XXIII. geweckten Erwartungen vieler enttäuscht worden.

Bei den Franziskanerinnen an der Via Cassia hatten knapp 20 Bischöfe, vor allem aus Indonesien und Brasilien, Unterkunft gefunden, zufällig – es war nichts geplant – auch diejenigen Indonesier, die einen Berater herangezogen hatten, und unter den Brasilianern ein Mitglied der Theologischen Kommission, Erzbischof Scherer von Porto Alegre.

Der Aufschub der Kommissionswahlen bot den Indonesiern Gelegenheit, sich in eine solide Konferenz zu organisieren, deren Stab dann von den zufälligen Beratern, Hardawirjana SJ, van Leeuwen OFM, van Roessel CICM, van Rijen MSC und Smulders SJ, gebildet wurde. Noch bunter war die Bischofskonferenz selber, die einheimische Bischöfe sowohl aus dem hochkulturellen Java als auch aus dem wenig entwickelten Flores, Niederländer, Deutsche, einen Italiener, Diözesanpriester, Franziskaner, Kapuziner, Karmeliten, Jesuiten, Patres der SVD und anderer Kongregationen umfaßte. Dennoch galt es, sich zusammenzufinden, um die Stimme der blühenden Mission des riesigen Inselreichs mit seinen über 100 Millionen Einwohnern zu Gehör zu bringen. Eine Einzelstimme würde ja kaum Beachtung finden, aber auf eine Gruppe von 30 Konzilsteilnehmern mußte man wohl hören. Während des ganzen Konzils wurden alle wichtigeren Fragen von der indonesischen Vollversammlung so lange beraten, bis man wirklich bezüglich des Wortlauts der Intervention oder Emendation einstimmig war. So weit ging diese Loyalität, daß einmal, als sich in der Diakonatsfrage die große Mehrheit schließlich gefunden hatte, ein einzelner Bischof aber auf seinen Bedenken bestand, die Konferenz auf die geplante Intervention verzichtete. Diese intensive und loyale Zusammenarbeit führte dazu, daß in der großen Debatte über die Quellen der Offenbarung schon am ersten Tag, dem 14. November 1962, der Florineser Manek als erster nach den Kardinälen und Patriarchen die Stimme für Indonesien erheben konnte: „Dieses Schema gefällt uns so wenig, daß es von Grund auf revidiert werden soll." Der Ausgang dieser Debatte stärkte dann das Verantwortungsgefühl der Konferenz.

Auch für deren Berater sollte solch vorbildliche Tätigkeit ihre Folgen haben. Denn wohl um die indonesische Konferenz zu würdigen, berief Papst Paul am 9. Oktober 1963 die vier Europäer (der Javaner Hardawirjana hatte sich für die zweite Sitzungsperiode entschuldigt) zu offiziellen Konzilsperiti. Von diesem Zeitpunkt an stand es uns frei, den Sitzungen der Theologischen Kommission beizuwohnen; Kardinal Ottaviani hatte sich ja geweigert, bei dieser Kommission, wie es bei den übrigen Kommissionen üblich war, spezielle Konzilsperiti zu bestimmen, so daß die Sitzungen jedem Peritus offenstanden, der theologisch oder exegetisch zuständig war[1].

2. An der Schwelle der Kommission

Schon vorher aber war ich einigermaßen in die Kommissionsarbeit einbezogen worden. Nach dem Schiffbruch des Schemas „Die Quellen der Offenbarung" (weiter: „De Fontibus") gab der Papst einer neuen „Gemischten

---

[1] Hinter dieser Weigerung, so erzählte mir Pater Tromp, stand der Unwille, Rahner zu ernennen, den der Kardinal ja nicht hätte umgehen können. Als Tromp sich gegen diesen Ostrazismus sträubte, habe er es sich beim Kardinal verdorben.

Kommission", die aus den Mitgliedern der Theologischen Kommission und des Einheitssekretariats gebildet wurde, den Auftrag, ein neues Schema zu erstellen. Am Sonntag, dem 25. November 1962, kam diese Gemischte Kommission erstmals zusammen und beauftragte einzelne Subkommissionen mit der Bearbeitung der verschiedenen Themata. Spät abends kehrte Erzbischof Scherer nach Hause zurück. Auf dem Korridor trat er auf mich zu und bat mich: „Ich bin in die Subkommission fürs Alte Testament gewählt worden. Morgen nachmittag kommt diese zusammen. Ich meine, wer zuerst kommt, mahlt zuerst. Kannst du dafür sorgen, daß ich dann einen neuen Entwurf habe? Meinen alten Bekannten, den Rektor des Bibelinstituts, werde ich anrufen, damit man dir morgen früh hilft." Mit Hilfe von Professor Alonso Schökel gelang es tatsächlich, rechtzeitig eine Skizze fertigzustellen, die am Nachmittag von der Subkommission vor anderen Entwürfen bevorzugt wurde. Mit den offiziellen Periti der Subkommission, Ahern, Baum, Kerrigan, bekam ich den Auftrag, den kurzen Text weiterzubearbeiten. Am 2. Dezember wurde dieser von der Subkommission gutgeheißen und dann noch am letzten Sitzungstag, dem 5. Dezember 1962, vor der Vollversammlung der Gemischten Kommission von Erzbischof Scherer – so erzählte man mir – gegen einen Angriff auf die Worte „verbis et gestis" kräftig verteidigt und von der Kommission verabschiedet.

Die Hauptanliegen des neuen Kapitels über das Alte Testament waren zweierlei. Vielerseits war in der Konzilsaula beanstandet worden, das ursprüngliche Schema betrachte die christliche Offenbarung ganz einseitig als Wort- und gar als Lehroffenbarung unter Vernachlässigung der göttlichen Selbstoffenbarung (unten S. 108). In bezug auf das Alte Testament brachte dies mit sich, daß die alttestamentlichen Schriften nahezu ausschließlich als Prophezeiung gedeutet wurden, die die Sendung Christi legitimierte, und so ihr Eigenwert auch für die Christen stark heruntergespielt wurde. Eine solche Verengung läßt aber dem Alten Testament kein Recht widerfahren, das ja weithin ein Buch der Volksgeschichte ist, so daß gerade in der Vermittlung seiner Geschichte das Volk seinen Gott kennenlernt. Sie entspricht auch kaum dem christlichen Gebrauch des Alten Testaments in Liturgie und Frömmigkeit und ist nach Auschwitz völlig unerträglich. Die Schicksale des alttestamentlichen Volkes sind ja noch immer, auch im Neuen Testament, die Geschicke der Christen, soweit sie um das „noch nicht" des endgültig geschenkten Heils wissen: Auszug, Wüste, Oase, Gottes Führung. Bei aller gebotenen Kürze versuchte deshalb der neue Entwurf anzudeuten, Gott habe sich selbst und seine Wege mit den Menschen geoffenbart, und diese Offenbarungsgeschichte sei auch den Christen noch immer als Gottes Wort angesagt.

Die Geschicke dieses Kapitels, das ja nie umstritten wurde, weiterzuverfolgen, gehört nicht in den Rahmen dieses Beitrags. Es bietet ein klares Beispiel sowohl für die Persistenz eines ersten Entwurfs als auch für die Modifikationen, denen es in den aufeinanderfolgenden Redaktionen unterzogen wurde. Ein Appendix bietet daher synoptisch die wichtigsten Etappen des ersten Satzes (s. Beilage 1). War es Zufall oder Vorsehung, daß dieser Entwurf noch während der ersten Sitzungsperiode von der Gemischten Kommission verabschiedet und dann als Kapitel des Entwurfs vom 22. April 1963 gedruckt wurde, so daß er achtzehn Monate lang auf dem Schreibtisch der Bischöfe lag? Hier fielen ja die Worte „se . . . verbis ac gestis revelavit – er hat sich durch Worte und Taten offenbart", die nach Stakemeier einen „Wendepunkt in der konziliaren Darstellung der Offenbarung" bedeuteten[2]. Falls diese Worte für die Bischöfe einen fremdartigen Klang hatten, wurden sie ihnen allmählich geläufig.

3. Die Kritik an den theologischen Schemata

Am 14. November 1962 stand das Schema „De Fontibus" auf der Agenda. Schon am gleichen Tag zeichnete sich eine ganz massive Offensive gegen die vier von der Theologischen Kommission vorbereiteten Entwürfe ab. Sieben Kardinäle, Patriarch Maximos Saigh und der Indonesier Manek im Namen seiner Konferenz wiesen das Schema „De Fontibus" ab. Nach der Abstimmung vom 20. November, in der sich eine knappe Zweidrittelmehrheit – 1368 von 2208 Stimmen; die Geschäftsordnung forderte zur Verwerfung zwei Drittel der Stimmen – gegen das Schema aussprach, entschied Papst Johannes, es an die neugebildete „Gemischte Kommission" zurückzuverweisen. Die anderen drei Entwürfe verschwanden ruhmlos von der Konzilsagenda.

Es könnte scheinen, die Massivität des Angriffs wäre dem Inhalt des Schemas kaum angemessen, das drei große Fragen hervorrief: das quantitative Mehr der Überlieferung gegenüber der Schrift, die Inerranz der Schrift, die Schriftinterpretation. Folgendes muß dabei bemerkt werden: Viele Konzils-

---

[2] *E. Stakemeier,* Die Konzilskonstitution über die göttliche Offenbarung (Paderborn, 2., erw. Aufl. 1967) 120. Der Gedanke, die Offenbarung bestehe in Taten und Worten Gottes, findet sich in zwei schriftlichen Interventionen, die am 21. und 23. November 1962 eingereicht wurden, wohl unabhängig voneinander, einmal vom Koadjutor-Erzbischof von Paris, Veuillot, und zum andern von Van Dodewaard im Namen der niederländischen Konferenz. Er war geradezu ein Axiom der altchristlichen Exegese: „Docet Dominus et rebus et verbis" (Hilarius von Poitiers, In Mt. 17,1, SourcesChr 258, 60; Irenäus von Lyon, Adv. haer. IV 20,8, SourcesChr 100, 650; Augustinus, Tr. in Ioann. 24,2, PL 35, 1593 usw.).

väter sahen, wohl zu Recht, in „De Fontibus" eine Präambel, die den weiteren theologischen Schemata den Weg bahnen sollte. In ihren Interventionen erklärten nicht wenige, ihre Kritik richte sich gegen alle vier Entwürfe, speziell gegen den zweiten, der den unheilsschwangeren Titel „De Deposito Fidei pure custodiendo" (weiter: „De Deposito") trug; diese Worte entsprachen ja der Aufgabe des Heiligen Offiziums. Wenn überdies diese Entwürfe zur Debatte kämen, würden sie wohl den Ton und die Orientierung des ganzen Konzils weitgehend, wenn nicht gar endgültig, bestimmen. Drittens und wohl am wichtigsten, aber weniger greifbar ahnte man hier eine Auffassung von Glauben und Offenbarung, die die meisten Väter mit Unbehagen, wenn nicht Entrüstung erfüllte und die ihres Erachtens den Glauben und die Verkündigung ernsthaft beeinträchtigen würde. In der ersten massiven Offensive traten diese verschiedenen Motive noch ziemlich unklar ans Licht, an den folgenden Tagen wurden sie deutlicher.

Man hielt die Entwürfe für schulhaft und schulbuchgemäß, ein Vorwurf, dessen Schwere unten näher beleuchtet werden soll. So meinte man auch, „De Fontibus" spiegele die Theologie einer einzigen Schule, eben der kurialen um das Heilige Offizium. Weiter sei der Ton äußerst negativ. Text und Anmerkungen wären voll Ängstlichkeit und Argwohn; man wittere überall Gefahren für den Glauben und Irrtümer, vor denen die Gläubigen sich hüten sollten. In der Tat fiel es nicht schwer, im 1. Kapitel von „De Fontibus" eine Verurteilung der Auffassung des katholischen Dogmenhistorikers Geiselmann zu sehen, dessen neue Interpretation des Trienter Dekrets über Schrift und Überlieferung weiten Anklang gefunden hatte, und in den folgenden Kapiteln Warnungen an die katholischen Bibelgelehrten zu erblicken, die die aufgeschlossene Enzyklika Pius' XII. „Divino afflante Spiritu" eifrig befolgten; und zu fast jedem Kapitel von „De Deposito" konnte der Sachkundige mühelos einen oder mehrere katholische Gelehrte nennen, die anvisiert wurden, darunter auch, wie wir noch sehen werden, Karl Rahner.

Eine solche Haltung war, der Meinung vieler Väter nach, unpastoral, erstens weil sie ein Klima von Verdächtigungen heraufbeschwören würde, das dem gegenseitigen Vertrauen zwischen den katholischen Gläubigen widerspreche. Weiter spürte man nichts von der Zuversicht in die Kraft der Wahrheit, die einst einen Newman zu den eingeschüchterten Katholiken Irlands sagen ließ: „He who believes Revelation with that absolute faith, which is the prerogative of a Catholic, is not the nervous creature who startles at every sudden sound and is fluttered by every strange or novel appearance which meets his eyes."[3] Auch vermißte man an den Schemata die tiefe Freu-

---

[3] *J. H. Newman*, The Idea of a University (1873), new ed. Harrold (London 1947) 342.

de, die in der Gestalt von Papst Johannes dem katholischen Glauben eine überraschende Glaubwürdigkeit gab. Ein Reden von der Frohbotschaft, in der nicht die Freude mitklingt, ist eben verfehlt, wenn nicht geradezu falsch. Denn schließlich läuft eine defensive Geisteshaltung, wie sie in den Entwürfen hervortrat, Gefahr, die katholische, das heißt vielseitige Wahrheit zu verzeichnen. Denn nur allzu leicht macht sie sich die Fragestellung des Gegners zu eigen.

Dieselben Züge machen die Schemata auch zutiefst unökumenisch. Mehr spezifisch kommt dann hinzu, daß in „De Fontibus" eine Lehre über das Mehr der Überlieferung gegenüber der Schrift vorgestellt wurde, die weniger auf die vorsichtige Zurückhaltung des Konzils von Trient und des I. Vatikanums hörte als auf den Antiprotestantismus des kontrareformatorischen Vulgärkatholizismus. Und was soll man sagen von einer Geisteshaltung, die wiederholt als Grund einer Verurteilung angibt, eine Auffassung katholischer Theologen nähere sich den Protestanten?[4] Als ob die katholische Kirche nicht von den andersdenkenden Mitchristen lernen könnte!

Am zweiten Tag der Debatte, dem 16. November 1962, erhoben auch die Verteidiger des Schemas die Stimme. Sie betonten, die Pastoral und der Ökumenismus erforderten an erster Stelle eine klare und eindeutige Darlegung der Lehre; mit Rücksicht auf die Verkündigung könne vom Konzil ein zweites, mehr pastorales Paralleldekret verfaßt werden. Oft betonte man auch, das Schema sei sorgfältig vorbereitet, von den zuständigen Vorbereitungskommissionen gutgeheißen und vom Papst dem Konzil vorgelegt. Über das alles aber hatten die Gegner so ihre eigenen Gedanken. Die Konzilsbischöfe, die aus der weiten Welt – Hunderte aus den Missionen – kamen, konnten über die pastoralen Bedürfnisse wohl besser urteilen als die kurialen Bischöfe und Theologen. Hinsichtlich der Vorbereitung hegte man, nach den Interventionen von Kardinal Döpfner, Erzbischof Hurley und Bischof De Smedt im Namen des Unionssekretariats, seine Zweifel. Der Papst schließlich hatte während der Vorbereitungszeit in mehreren Ansprachen und dann in der Eröffnungsansprache unverkennbar spüren lassen, daß er über die Arbeit der Theologischen Kommission nicht eben glücklich sei.[5]

---

[4] Zum Beispiel „De Deposito" IV Anm. 5 und 10.
[5] Wie steht es um die Diskrepanz zwischen der lateinischen und der italienischen Version dieser Ansprache, worauf ein Bischof schon in diesen Debatten anspielte? Beim Verlesen auf lateinisch hatte Papst Johannes einen Augenblick gezögert, um dann weiterzulesen. Am gleichen Tag, dem 12. Oktober 1962, veröffentlichte der „Osservatore Romano" beide Texte. Da ergab sich, daß eben an der Stelle, wo der Papst gezögert hatte, die lateinische Version bedeutend weniger aufgeschlossen war als die italienische. Der Leser möge urteilen:

4. Glaube und Offenbarung in den Schemata

Das Unbehagen an den Schemata wurde bei vielen Vätern, mehr oder weniger bewußt, wohl letztlich hervorgerufen durch eine unterschwellig in den Schemata vorhandene Auffassung des Glaubens – und damit der Offenbarung –, in der die Bischöfe zwar vielleicht ihre alten Seminarhandbücher, nicht aber ihren Glauben wiedererkannten. Schon 1945 hatte Professor Aubert eine Vorstellung vom Glauben skizziert als „une simple adhésion à des propositions dogmatiques révélées, donnée à cause de l'autorité du témoignage divin."[6] Mit diesen Worten beschrieb er das Zerrbild, das sich mancher Außenstehende vom katholischen Glauben machte. Hinsichtlich der Offenbarung schien nun diese Karikatur in den Schemata leibhaftig zu werden. Ein Gegner faßte deren Offenbarungsbegriff zusammen: „intimatio

---

Osservatore Romano, 12. Oktober 1962

S. 2 Sp. 3f

„ut . . . eadem doctrina amplius et altius cognoscatur eaque plenius animi imbuantur atque formentur;
oportet ut haec doctrina certa et immutabilis, cui fidele obsequium est praestandum,
ea ratione pervestigetur atque exponatur, quam tempora postulant nostra.

Est enim aliud ipsum depositum Fidei, seu veritates, quae veneranda doctrina nostra continentur, aliud modus, qua eaedem enuntiantur, eodem tamen sensu eademque sententia.
Huic quidem modo plurimum tribuendum erit et patienter, si opus fuerit, in eo elaborandum;
scilicet eae inducendae erunt rationes rei exponendae, quae cum magisterio, cuius indoles praesertim pastoralis est, magis congruant."

S. 3 Sp. 5

„attende un balzo innanzi verso una penetrazione dottrinale e une formazione delle coscienze, in corrispondenza più perfetta alla autentica dottrina,

anche questa però studiata e esposta attraverso le forme della indagine e della formolazione letteraria del pensiero moderno.
Altra è la sostanza dell'antica dottrina del depositum fidei, ed altra è la formolazione del suo rivestimento:

ed è di questo che devesi – con pazienza se occorre – tener gran conto,

tutto misurando nelle forme e proporzioni di un magistero a carattere prevalentemente pastorale."

Der italienische Text ist gewiß keine Übersetzung aus dem Lateinischen, denn er wäre sofort desavouiert. Es muß sich also umgekehrt verhalten: der lateinische Übersetzer hat das Italienische überarbeitet, und zwar, wie das Zögern des Papstes vermuten läßt, ohne Mitwissen des Papstes. Man kann nur folgern, daß der italienische Wortlaut wenn nicht das authentische, dann doch das echte Wort Johannes' XXIII. ist. Dieser Schluß wird dadurch bestätigt, daß während der ersten Konzilswochen Papst Johannes in mehreren Ansprachen (war es an die Kardinäle und die Gesandten?) eben diesen Passus zitierte, und zwar auf italienisch.
[6] R. *Aubert,* Le problème de l'acte de foi (Löwen [4]1969) 696.

veritatum", die Mitteilung von Wahrheiten. Ein Verfechter des Schemas hingegen setzte seinem Emendationsvorschlag folgenden Satz voran: „Divina revelatio est locutio Dei, constans ex propositionibus, iudiciis, conceptibus, quibus mediantibus Deus ipse nobis manifestat mysteria divina usw." Diese Vorstellung witterte man in manchen Einzelzügen von „De Fontibus", dann klarer in den Artikeln, die „De Deposito" der Offenbarung widmete. Einige Hinweise auf den Text der Schemata mögen genügen, zusammen mit einer summarischen Andeutung des theologiegeschichtlichen Hintergrundes.

In der zentralen n. 5 des 1. Kapitels von „De Fontibus" bemerkt man, daß mehrmals der Plural „Wahrheiten" gebraucht wird, der im einschlägigen Kapitel des I. Vatikanums nicht einmal begegnet, es sei denn für die natürlichen Wahrheiten (DS 3016). So aufmerksam geworden, wird man betroffen von der Weise, in der im Schema die Aufgabe der Apostel und dann auch der Bischöfe zusammengefaßt wird: „weil also die Apostel die Lehre Christi . . . predigen" (n. 2) und „die Bischöfe haben immer . . . deren (scl. der Apostel) Lehre überliefert" (n. 3). Daß Apostel und Bischöfe das ganze Evangelium predigen, wird selbstverständlich keineswegs verneint; daß aber dieses Ganze in solcher Weise zur „Lehre" verkürzt werden kann, läßt einen aufhorchen. Dann aber fängt man an nachzudenken über den Titel des Schemas, der lautet: „Über die Quellen der Offenbarung" (Plural!), während doch das Tridentinum gesprochen hatte vom „Evangelium . . . als Quelle aller heilbringenden Wahrheit und sittlicher Ordnung" (DS 1501). Denn nur wenn der Gedanke so zugespitzt ist auf die vielen „Wahrheiten", die das Gesamt der „Lehre" bilden, können die Wahrheiten säuberlich über die Quellen von Schrift und Überlieferung aufgeteilt werden. Gegenüber Trient und dem I. Vatikanum hat sich bei den Autoren der Schemata die Sicht doch wohl seltsam geändert und zu einem merkwürdigen Bild von Gottes Offenbarung geführt.

Im 4. Kapitel von „De Deposito" treten diese Vorstellungen von der Offenbarung und deren Wurzeln deutlicher ans Licht. Das Kapitel trägt den Titel „Über die öffentliche Offenbarung und den katholischen Glauben" und beabsichtigt, den Anmerkungen nach, Auffassungen von Offenbarung und Glauben zu verurteilen, die dem Modernismus entstammen, denen sich aber auch katholische Theologen gefährlich annähern. Daß mit diesen katholischen Theologen auch Karl Rahner gemeint ist, läßt sich aus der Auswahl der Themata und dem Wortlaut stärkstens vermuten[7].

Die nn. 17–21 handeln ausdrücklich von der Natur der Offenbarung.

---

[7] Zum Beispiel scheint n. 21 auf dessen Auffassung vom „anonymen Christentum" anzuspielen. Daß gerade er im Offenbarungsbegriff anvisiert wird, wird sich noch zeigen.

Von Anbeginn an aber wird diese ausschließlich als „äußere" bezeichnet, womit man von vornherein die Frage geradezu ausschließt, von der die neuere Theologie weitgehend bewegt wird, wie sich namentlich Gottes Offenbarung in Geschichte und Schrift verhält zur Erleuchtung durch den Heiligen Geist. Diese letzte wird denn auch geradezu als eine Art von Zusatz nur gestreift (nn. 17 und 28). Von dieser Offenbarung bietet das Schema dann eine Begriffsbestimmung: „Die äußere und öffentliche Offenbarung, durch welche der Gegenstand (obiectum) des katholischen Glaubens der Kirche mitgeteilt ist, ist ein Sprechen, wodurch ... Gott ... sich, die Heilsgeheimnisse und die damit verbundenen Wahrheiten bezeugt hat."[8]

Man konnte auch bei dieser Beschreibung der Offenbarung an den Ereignissen der Heilsgeschichte und der Person Jesu selbstverständlich nicht vorbei, die ja, wie n. 18 sagt, „unter den Gegenständen der göttlichen Offenbarung durch Klarheit und Bedeutung hervorragen"[9]. Diese Glaubensüberzeugung aber, nach der die Fülle der Offenbarung in Christus erschienen ist, wird dann in n. 20 mit folgendem Satz begründet: „weil Er ... die wichtigsten Glaubenswahrheiten den Menschen gelehrt hat und zudem weil Er durch sein ganzes Leben uns den Weg des Heils gezeigt hat"[10]. Werden hier die Person und das Leben Jesu nicht reduziert zu einem Lehrer von Wahrheiten und einem Vorbild? Die Wurzel aber eines solchen Reduktionismus tritt ans Licht, wenn das Kapitel bezüglich der Ereignisse der Heilsgeschichte folgenden Grundsatz aufstellt: „Diese Ereignisse gehören nicht zur geoffenbarten Heilsordnung, es sei denn durch die Wahrheiten, die darin verborgen oder damit verbunden sind."[11] Hier wird – durch die Exklusive „non ... nisi" – die Selbstoffenbarung Gottes zu einer Mitteilung von Wahrheiten über Gott reduziert. Dieser Grundsatz aber wird weder im Text noch in den Anmerkungen aus der Schrift und der Überlieferung begründet, sondern scheint nur eine Schlußfolgerung aus den allgemeinen Prinzipien zu sein, Gott habe in Worten gesprochen und sein Wort enthalte eine Lehre,

---

[8] So n. 17. Allein schon das Wort *obiectum* rechtfertigt wohl den Vorwurf eines schulhaften, kalten und objektivistischen Stils, den viele Konzilsväter erhoben. Geradezu anstößig aber wirkt es, wenn dieses Wort dann auch von der Person und dem Leben Jesu gebraucht wird (folgende Anmerkung).

[9] Siehe n. 18: „inter obiecta divinae revelationis conspicuitate et momento eminet".

[10] „Divinae revelationis plenitudo in Christo ... recte dicitur apparuisse, non solum quia praecipuas fidei veritates homines docuit, sed insuper quia per totam vitam suam nobis viam salutis monstravit." Beim Wort *apparuisse* erinnert sich wohl jeder Gläubige an die weihnachtliche Freude des Pauluswortes: „Apparuit gratia Dei Salvatoris nostri" (Tit 2,11).

[11] „ad revelatum ordinem salutis ii eventus non pertinent, nisi per veritates quae in iis latent aut cum iis connectuntur" (n. 18). Vgl. auch, in positiver Form: „in ipsa doctrina Christi ... causam reponendam esse, cur tota eius vita habeat indolem divini testimonii" (n. 20).

eine Anzahl von Wahrheiten[12]. Die konkrete Wirklichkeit, von der die Schrift redet, scheint sich einem starren Doktrinalismus fügen zu müssen. Der Glaube entspricht der Offenbarung. Auch bezüglich des Glaubens zeigt denn auch „De Deposito" eine starke Betonung des Objektiv-Doktrinalen. Ein Satz, der beinahe wie eine Begriffsbestimmung aussieht, besagt: „Der katholische Glaube umfaßt sowohl die Anerkennung von Gottes Lehrgewalt (magisterium) als auch die Zustimmung, seiner Autorität wegen, zu den geoffenbarten Wahrheiten, insofern diese als zu glauben von der Kirche vorgetragen werden" (n. 20). Wohl zum ersten Mal in der Konziliengeschichte ist hier die Rede von der „Lehrgewalt" Gottes; da redete Trient doch anders: „glaubend, was von Gottes wegen geoffenbart und versprochen ist, und zuerst dies, daß der Ungerechte von Gott gerechtfertigt wird durch seine Gnade" (DS 1525). Hier glaubt man dem Heilsgott, der dem Sünder die Rettung zusagt, im Schema einem Lehrer. Dann folgen mehrere Artikel, die darlegen, daß „die rechte Rede den göttlichen Ursprung der Offenbarung mit sicheren Beweisen nachweisen" kann[13], wobei anerkannt wird, daß zu diesen äußeren Beweisen die innere Gnade und Berufung „hinzukomme"[14].

---

[12] Daß in diesem Passus besonders Rahner anvisiert wurde, läßt sich kaum bezweifeln. Man vergleiche den Wortlaut des Schemas mit einem Satz Rahners:

„De Deposito" n. 18:
„etsi agnoscendum sit revelationem nobis datam esse in humanae salutis historia . . ., tamen minime sentiendum est, revelationem meris istis eventibus iam ita constitutam esse, ut sermone Christi . . ., secundarie tantum compleatur."

K. Rahner, Zur Frage der Dogmenentwicklung (1954), in: Schriften I 59:
„Offenbarung ist im ersten Ansatz nicht die Mitteilung einer bestimmten Anzahl von Sätzen, sondern ein geschichtlicher Dialog zwischen Gott und dem Menschen, in dem etwas *geschieht* und die Mitteilung sich auf das Geschehen, das Handeln Gottes, bezieht und der auf einen ganz bestimmten Endpunkt hinsteuert, in welchem das *Geschehen* und *darum* die Mitteilung zu ihrem nicht mehr überbietbaren Höhepunkt kommen. Offenbarung ist ein Heilsgeschehen und darum und diesbezüglich eine Mitteilung von ‚Wahrheiten'."

Das Schema isoliert durch die Worte *meris* und *tantum* Geschehen und Lehre und versteht Rahners Worte „im ersten Ansatz" und „darum und diesbezüglich" so ungefähr als „wesentlich" und „nebensächlich" (dies ist ja die klassische Bedeutung von *secundarie*). Vielleicht hörte man in „diesbezüglich" auch den verpönten Relativismus.
[13] So n. 23. Eine bemerkenswerte und wenig nuancierte Verkürzung von Aussagen des I. Vatikanums (DS 3008–3009 3034).
[14] Siehe n. 27. Das I. Vatikanum stellte die Sache geradezu umgekehrt vor: mit der inneren Hilfe des Heiligen Geistes hat Gott äußere Zeichen verbunden (DS 3009). Symptomatisch ist die Weise, wie – redaktionell – diese Gnade in einem Konzessivsatz erwähnt wird: *„Etsi* fides

Erst im Schlußartikel des Kapitels ist dann, fast nachträglich, *in recto* vom Glauben als Gabe und Gnade Gottes die Rede (n. 28).

Die Frage, wie es zu einer so einseitigen Sicht kommen konnte, würde eine Aufarbeitung der Theologiegeschichte erfordern. Zwei Faktoren seien angedeutet: Erstens hatten die Konfessionsstreitigkeiten des 16. und 17. Jahrhunderts eine starke Betonung von Einzelwahrheiten mit sich gebracht. Zweitens, und das mehr unmittelbar, hatte die Abwehr gegen den Rationalismus die katholische Theologie stark gefärbt[15]. Gegen dessen Angriff, der Offenbarungsglaube sei irrational, bemühte diese sich, einen theoretischen Weg zum Glauben zu zeichnen, der weitgehend rational verantwortet werden könnte: von den Gottesbeweisen bis zur gottgeschenkten Lehrautorität der Kirche. Anfangs war man sich bewußt, daß dieser Weg theoretisch war: das I. Vatikanum lehrte, die konkreten Menschen können ohne das Offenbarungslicht diesen Weg kaum gehen (DS 3005). Diese theoretische Glaubensbegründung aber bestimmte seit Ende des 19. Jahrhunderts weitgehend die Seminartraktate über den Glauben, der ja weniger als theologische Tugend denn als Präambel zur Apologetik behandelt wurde. Was als abstraktes Schema von rationaler Glaubensrechtfertigung konzipiert worden war, wurde nahezu zur Vorstellung eines Glaubens, der weithin kühl-objektiv begründet werden könnte.

Schon Newman und andere hatten vor der Gefahr dieser Abwehr gegen den Rationalismus gewarnt: sie übernehme nur allzu leicht dessen Fragestellung und dessen Voraussetzung. Diese Voraussetzung aber ist eine Verkennung des vollmenschlichen Denkens, weil in ganzpersonalen Überzeugungen, wie es der Glaube ist, Einsichten mitsprechen, die vom Räsonnement nicht eingeholt werden. Der Intellectus ist mehr als nur Ratio. Erst um die Jahrhundertwende aber setzte eine breitere Reaktion auf den Glaubensobjektivismus ein. Bei den Modernisten führte diese Reaktion zu einem ebenso einseitigen Subjektivismus. Gleichzeitig aber suchten kirchliche Theologen diese Dilemmata zwischen Rationalem und Irrationalem, Objektivem und Subjektivem, Personalem und Gemeinschaftlichem usw. zu überwinden. Man erarbeitete, zuerst im Anschluß an Thomas von Aquin (Mystisches im Glauben, „desiderium naturale", „cognitio per connaturalitatem"), später an die personalistische und die Sprachphilosophie (hier wäre wohl Rahners „übernatürliches Existential" einzuordnen), die objektive Wurzel des Sub-

---

salutaris ... procedit a lumine divinitus in mentem immisso" (n. 23). Ähnliches bezüglich der Offenbarung: „*etsi* agnoscendum sit revelationem nobis datam esse in humanae salutis historia" (n. 18). Schulhaft sind solche Formeln gewiß; auch regelrecht unpastoral, wenn Wesenszüge der christlichen Offenbarung und des Glaubens in Konzessivsätzen ausgesagt werden.
[15] *R. Aubert* (Anm. 6) bietet eine Fülle von Materialien und Einsichten.

jektiven und den gemeinschaftlichen Grund des Personalen. Man bemühte sich, zur konkreten Ganzheit des Glaubens zurückzufinden. In Pastoral und Frömmigkeit zeitigte diese sich erneuernde Theologie verheißungsvolle Früchte. Die führenden Köpfe aber, mit Newman angefangen, gerieten immer wieder unter „a cloud of suspicion". Wer die früheren Dilemmata nicht überwunden hatte, witterte bei ihnen Subjektivismus, Relativismus usw. Die Autoren der Schemata nun scheinen diese Entwicklung nicht mitgemacht zu haben und bei den alten Handbüchern zu verharren.

Soweit die Konzilsväter diese Einseitigkeit der Schemata durchschauten oder ahnten, mußten sie diese wohl entschieden abweisen. Denn einen solchen Geist, der in zahllosen Einzelheiten durchschimmerte, können mühselige Einzelemendationen, zu denen jedesmal eine Zweidrittelmehrheit erforderlich war, nicht austreiben. Es erhob sich denn auch die Forderung, das Konzil solle ausdrücklich von der Offenbarung als solcher reden. Wie könne man eigentlich sinnvoll über das Verhältnis von Schrift und Überlieferung, Schriftinerranz und -interpretation verhandeln, wenn nicht feststehe, daß die Schrift mehr als ein Lehr-, eventuell noch Erbauungsbuch sei? Man forderte ein weniger objektivistisches, mehr personalistisches Reden über die Offenbarung. Von vielen Seiten wurde dabei betont, Jesus Christus sei selbst die Fülle der Offenbarung, der Offenbarer und der Offenbarte. Obwohl mehrere Vorschläge in dieser Richtung vorgebracht wurden, hinterließ die große Debatte vom November 1962 doch eher den Eindruck eines tiefen, aber vagen Unbehagens am zugrunde liegenden Offenbarungsbegriff als den einer klaren Sicht.

5. Das neue Kapitel

Seit dem 22. April 1963 wurde das von der Gemischten Kommission erstellte Schema den Vätern zugesandt. Es trug den Titel „De divina Revelatione" (Form D[16]) und hob an mit einem Proömium von sechs kurzen Artikeln über die Offenbarung selbst. In kurzer Frist hatte die Kommission sehr Beträchtliches geleistet. Der Ton war völlig anders, positiv, aufgeschlossen. Zu den drei großen Streitfragen hatte man in mühsamen Beratungen einigermaßen befriedigende Kompromißlösungen ausgearbeitet, das Proömium war gut aufgebaut – diesen Aufbau werden die späteren Redaktionen in der

---

[16] Diese Majuskeln zur Bezeichnung der einzelnen Redaktionen bei *A. Grillmeier*, Die Wahrheit der Heiligen Schrift und ihre Erschließung, in: TheolPhil 41 (1966) 162f; dann auch LThK – Das Zweite Vatikanische Konzil II 502.

Hauptsache beibehalten –, und alle Sätze, die Ereignisse und Worte einander gegenüberstellten, waren getilgt worden. Und n. 4 über die Person Jesu betonte, seine Taten seien ein Zeugnis. Dennoch bemerkte ein kritischer Leser Spuren einer einseitig doktrinalistischen Sicht. So war das Wort, Gott offenbare „sich selbst", das in „De Deposito" noch aus dem I. Vatikanum übernommen worden war, hier fallengelassen worden (n. 1). Bei dem Leben und den Taten Jesu sprach man nur von *confirmare* (bestätigen) und *comprobare* (bewahrheiten), als ob sie nur seine Gottheit und Lehrautorität beweisen würden (n. 4). Wo in n. 5 die Lehre des I. Vatikanums zusammengefaßt wurde, begegnete mehrmals, in Abweichung von der Vorlage, der Plural „Wahrheiten". Angesichts der drei großen Streitfragen hatte man wohl der eben skizzierten hintergründigen Problematik nicht genug Aufmerksamkeit widmen können.

Zu diesem neuen Entwurf liefen etwa 90 Gutachten ein. Die Mehrheit lobte den Fortschritt gegenüber den ersten Schemata. Wirklich zufrieden zeigte sich wohl niemand. Wider Erwarten wurde der Entwurf während der zweiten Sitzungsperiode dem Konzil nicht vorgelegt, so daß man der Meinung sein konnte, er sei von der Konzilsagenda gestrichen worden. Zur Überraschung vieler aber nannte Papst Paul VI. in seiner Schlußansprache vom 4. Dezember die Offenbarung unter den Themata, die bis zur nächsten Konzilssitzung aufgearbeitet werden sollten. Mit Datum vom 23. Januar 1964 erhielt dann die Theologische Kommission im Namen der Koordinierungskommission ein Schreiben des Kardinalstaatssekretärs, das zwei wichtige Anweisungen enthielt. Das neue Schema sollte aufgrund der Bemerkungen und Gutachten der Väter bearbeitet werden, die von der Gemischten Kommission akzeptiert worden waren. Dies beinhaltete, man könne nicht hinter die Debatten und Beratungen von 1962/63 zurück. Zweitens sollte der auszuarbeitende Entwurf nicht noch einmal der Debatte in der Konzilsaula unterzogen, sondern nur zu den Abstimmungen vorgelegt werden. De facto wurde dieser Punkt nicht eingehalten – es wurde nochmals über die Offenbarung diskutiert –, er brachte aber eine wichtige Konsequenz für die Kommissionsarbeit mit sich. Einerseits sollten keine neuen Probleme angeschnitten werden, die neue Diskussionen heraufbeschwören könnten, andererseits sollte der Entwurf in der Weise verfaßt werden, daß er, bis auf kleinere Emendationen, vom Konzil spontan gutgeheißen werden könnte.

Die Vollversammlung der Theologischen Kommission vom März 1964 entschied, das Proömium der Form D über die Offenbarung selbst solle zu einem kurzen 1. Kapitel umgearbeitet werden.

Auf Vorschlag Kardinal Ottavianis wurde eine Subkommission von 7 Konzilsvätern – unterstützt von 18 Periti – damit beauftragt, das Schema bis zur nächsten Kommissionsversammlung im April fertigzustellen. Diese Subkommission teilte sich auf in zwei Sektionen: auf die Bischöfe Barbado, Charue und van Dodewaard, von 9 Beratern unterstützt, entfielen die vier Kapitel über die Schrift (3.–6. Kapitel der endgültigen Konstitution), den Bischöfen Florit, Heuschen, Pelletier und Abt Butler mit ebenfalls 9 Periti fiel das neue 1. Kapitel über die Offenbarung und das Kapitel über die Überlieferung zu. Da traf ich einmal mit Rahner zusammen, denn beide wurden wir dieser Sektion zugeteilt; bald aber trennten sich unsere Wege, weil faktisch das 1. und das 2. Kapitel von je anderen Gruppen von Periti bearbeitet wurden, um dann erst in der Vollversammlung der Sektion einander wieder zu treffen.

Die Subkommission betraute mich mit der Herstellung einer Relatio über das Material, das zur Schaffung des neuen Kapitels über die Offenbarung dienen könnte. Die Materialien waren reichlich und vielgestaltig: die beiden vorhergehenden Schemata „De Fontibus" und „De Revelatione" Form D, die Konzilsinterventionen vom November 1962, die zahlreichen (wohl um 200) schriftlichen Interventionen, Bemerkungen und Gutachten zu beiden Schemata, die bis März 1964 beim Konzilssekretariat eingelaufen waren. Nach Maastricht heimgekehrt, begann ich mit der Inventarisierung und Ordnung dieser Unterlagen. Bedrängend plagte mich die Sorge, wie so Heterogenes zu einem irgendwie geschlossenen, kurzen Text verarbeitet werden könnte. Noch einmal kam mir dann der Zufall zur Hilfe. Hilfsbischof Heuschen von Lüttich residierte in Hasselt, unweit von Maastricht. Wohl von derselben Sorge geplagt, lud er Mitte März die drei Periti der Subkommission, die in der Nähe wohnten, zu einer Vorberatung ein. Am Abend vorher fiel mir ein, wie sich vielleicht anhand der Unterlagen ein kurzes Kapitel verfertigen ließe. Diese Skizze gefiel den Gesprächspartnern, Msgr. Heuschen, Cerfaux und Prignon, die ihre Gedanken beisteuerten, so daß ich abends heimkehrte mit dem Auftrag, nicht nur die Relatio, sondern auch den Entwurftext herzustellen. Im Aufbau folgte der Vorentwurf hauptsächlich der Form D; nur wurden n. 5 und n. 6 so umgestellt, daß der kurze Artikel über den Glauben sich unmittelbar an den Artikel über Christus als Fülle der Offenbarung anschloß und so der personale Charakter des Glaubens als Antwort auf die personale Offenbarung wie von selbst aufleuchtete. Der Text aber war weitgehend neu redigiert, wobei manche Sätze den Worten der Konzilsväter entliehen oder von diesen inspiriert waren. Nach einer weiteren Beratung in Hasselt am 1. April und einer Neubearbeitung konnten am 12. April Text und Relatio dem Sekretär der Sektion, Betti OFM, übersandt werden. Die Relatio bot nicht nur die Grundsätze, von denen die Hasselter Gruppe sich hatte leiten lassen, sondern auch bis in Einzelheiten gehende

Verweise auf die Vorlagen. Diese Arbeitsweise der Hasselter Gruppe trug wohl – der oben erwähnten Richtlinie entsprechend – nicht wenig dazu bei, daß man sich bei diesem Entwurf heimisch fühlte. Als die vollzählige Subkommission vom 20. bis 25. April in Rom tagte, lag mit dem ganzen Schema auch das 1. Kapitel vor. Zwei anscheinend unwichtige, für den Ton des Kapitels dennoch bedeutende Änderungen wurden in diesen Tagen getroffen. Die Hasselter Vorentwürfe hoben noch, im Anschluß an das I. Vatikanum (DS 3004), mit einem kurzen Verweis auf die natürliche Gotteserkenntnis an. Was aber im Kontext des I. Vatikanums seinen guten Sinn hatte, in dem ja das Verhältnis zwischen natürlicher Rede und göttlicher Offenbarung im Blickpunkt stand, war hier, wo es sich um die Gnade der göttlichen Offenbarung handelte, unangebracht, ja sogar störend. Nicht das menschliche Vermögen oder Unvermögen, das mit den Worten des I. Vatikanums im Schlußartikel hinlänglich berührt wurde, sollte im Vordergrund stehen, sondern die Person Gottes, der in der Offenbarung alle Initiative zukommt. Auch der schwerwiegende Satz des Vorentwurfs über Wort und Tat in der Offenbarung wurde redaktionell abgeändert, damit nicht das leiseste Echo der früheren Streitigkeiten durchklinge und so die beiderseitige Durchdringung harmonischer ausgedrückt würde. Hier tauchte im Text der Gedanke auf, die Sakramentenlehre biete wohl eine geeignete Analogie zur beiderseitigen Durchdringung von Taten und Worten in der Offenbarung (Beilage 2).

So von der Subkommission emendiert, wurde das 1. Kapitel in der Vollversammlung der Theologischen Kommission (1.–8. Juni 1964) diskutiert und nach einer Änderung in n. 3 (Beilage 3) einstimmig gutgeheißen und dann mit dem ganzen Schema (Form E) den Konzilsvätern zugeschickt. Das Begleitschreiben vom 3. Juli 1964 besagte, daß das Schema der Konzilsberatung unterbreitet werden sollte. Diese Debatte (30. September bis 6. Oktober 1964) wurde eröffnet mit einer Relatio Erzbischof Florits von Florenz, der das 1. und 2. Kapitel in einem sehr gehaltvollen Vortrag dem Konzil präsentierte. Es war ein dankenswerter Tag, als der Erzbischof, der sich im November 1962 – wenn auch versöhnlich und nicht ohne Vorbehalte – hinter „De Fontibus" gestellt hatte, jetzt erklärte: „Die konstitutiven Elemente der Offenbarung sind zu gleicher Zeit die von Gott in der Heilsgeschichte gewirkten Taten und die Worte, durch die Gott selbst will, daß seine Taten gedeutet werden (explicari). Von daher ist der sowohl geschichtliche als auch sakramentale Charakter der Offenbarung klar – geschichtlich, weil sie vorerst besteht in allen Handlungen Gottes, die, weil sie unter dem einen Ziel des zu beschaffenden Heils geeint sind, mit dem Namen ‚Ökonomie' bezeichnet werden; sakramental aber, weil die ganze Bedeutung der Taten uns nur durch die Worte, das heißt durch ein Sprechen Gottes (das selbst auch ein geschichtliches Ereignis ist), bekannt gemacht werden." Mit dem Hinweis auf die Sakramentalität spielte der Relator an auf die Beratung der Theologischen Kommission über die Worte „rem verbis significatam" (n. 2; in der Konstitution: „res verbis significatas"): das aus der Sakramentenlehre vertraute Schema Gebärde – Worte – res sacramenti sei wohl eine geeignete Analogie zum Geheimnis der Offenbarung, in der ein Gewebe von äußeren Ereignissen und Worten die heilbringende Tätigkeit Gottes aufscheinen läßt. Der einseitige Doktrinalismus, der den geheimnisvollen Reichtum der biblischen Offenbarung zu reduzieren drohte, hatte einer Synthese von Heilslehre und Heilsereignis weichen müssen.

Über die weiteren Geschicke unseres Kapitels mögen wenige Worte genügen. Um das 2. Kapitel über die Überlieferung schlugen noch immer stürmische Wellen, das 1. Kapitel aber segelte hintan in ruhigen Gewässern. Noch zweimal wurde es – mit dem ganzen Schema – überarbeitet, wobei jedesmal eine ins einzelne gehende Relatio über die von der Kommission akzeptierten und abgewiesenen Änderungsvorschläge geboten wurde. Die erste Überarbeitung (Form F, den Vätern am 20. November 1964 ausgehändigt) geschah aufgrund der mündlichen oder schriftlichen Bemerkungen der Väter in der Debatte vom Oktober 1964. Den deutschsprachigen und skandinavischen Vätern verdankt die Konstitution die Worte vom Glauben, „durch welchen der Mensch sich freiwillig ganz Gott überantwortet" (n. 5).

Diese Form F wurde dann während der vierten Sitzungsperiode am 20. September 1965 den Abstimmungen unterzogen, und zwar in zwei Runden. Erst stimmte man mit einfachem Ja oder Nein über die einzelnen Artikel ab, in der zweiten Runde über das ganze Kapitel, wobei man noch den Vorbehalt von Textänderungen (die sogenannten Modi) stellen konnte. In der ersten Runde gab es von etwa 2100 Stimmen nicht mehr als 20 negative, in der zweiten neben 3 Nein-Stimmen auch 248 unter Vorbehalt, die sich auf etwa 40 Stellen des Kapitels bezogen. Zum Beispiel forderte eine Gruppe von 116 Vätern die Streichung der eben erwähnten Worte über den Glauben, zwei Gruppen von 27 respektive 139 Vätern wollten – in gegensätzlichem Sinn – in n. 2 den Satz über das Ineinander von Taten und Worten abändern. Solche den Gedanken der Vorlage umbiegenden Änderungen konnten, nachdem die große Mehrheit den Text approbiert hatte, nicht von der Kommission übernommen werden; sie beschränkte sich auf kleinere redaktionelle Verbesserungen (Form G). Von alldem legte sie den Konzilsvätern am 25. Oktober 1965 schriftlich Rechenschaft ab, und nachdem diese vom Konzil gutgeheißen worden war, konnte die endgültige Abstimmung stattfinden. Am 29. Oktober 1965 stimmten 23 mit Nein gegen 2169 mit Ja. Dann folgte am 18. November noch die Abstimmung in feierlicher Sitzung über das Ganze der Konstitution: 6 gegen 2344. Der Werdegang dieser Konstitution hatte die ganze Dauer des Konzils vom November 1962 bis November 1965 umspannt und unter vielen anderen auch mich in Atem gehalten.

Epilog

Gottes Offenbarung ist mehr als nur Unterricht. Der Offenbarungsglaube ist mehr als das Bejahen von Wahrheiten. Der Gott der Schrift ist ein personaler Gott, der sein Volk zur Gemeinschaft mit sich einlädt und erzieht. Sein Volk läßt sich – auch wenn es oft widerspenstig ist – von ihm locken, erziehen, belehren, bestrafen, retten. So eben lernt es ihn kennen, seine Sorge, seine hohe Heiligkeit, seine Treue, seine Liebe, so wie das Kind seinen Vater und seine Mutter kennenlernt. So auch lernen die Menschen sich selbst kennen: ein Volk, das zu dieser Vervollkommnung und Seligkeit geladen ist, das sich immer wieder sträubt und sich dann doch wieder von Gottes treuer Liebe gerettet findet. Der Glaube ist die personal-gemeinschaftliche Aufgeschlossenheit auf diese Ansagen und diese Erfahrungen hin. Gott engagiert sich an den Menschen von seiner personalen Mitte her, vorbehaltlos, ganz: die Menschwerdung, der Tod, die Auferweckung seines Sohnes bilden den Urtyp, an dem die Menschen die unauslotbare Tiefe des göttlichen Engagements ablesen dürfen. Der Glaube ist die ebenso ganzpersonale Antwort: im Innern des keimenden Glaubens keimen Vertrauen, Hoffnung, Liebe (Konzil von Trient, DS 1526).

So wie menschliche Personen einander erst wirklich kennenlernen in einem Geflecht von Sprechen, Gebärde, Taten, so steht es auch um das Geheimnis von Gottes Selbsterschließung und des Menschen Antwort. Erst die Überbetonung von Sprechen und Lehren durch die Schemata nötigte das Konzil, sich über diese Frage zu beugen. Eine Antwort mußte deshalb improvisiert werden und sich beschränken auf die großen, elementaren Linien. Daß dennoch diese Antwort, nahezu ohne Widerstand, bei den Konzilsvätern allgemeine Zustimmung fand, ist wohl der biblischen, liturgischen, theologischen, pastoralen Erneuerung zu verdanken, die einen Weg aus dem Engpaß wies, in dem sich die katholische Theologie festzufahren drohte. Da hat Karl Rahner, wohl mehr als irgendein anderer, dazu beigetragen, den Geist zahlloser Konzilsväter vorzubereiten. Unermüdlich und unerschrokken, mit der Ehrfurcht, dem Wagemut und der Freude des großen Theologen hat er sich bemüht, die Dilemmata zwischen Philosophie und Theologie, zwischen Persönlichem und Kirchlichem, zwischen Lehre und Erfahrung, zwischen Dogmatik – bis in die feinsten Verästelungen des Dogmas hinein – und Pastoral, zwischen wissenschaftlicher Strenge und Wärme der Frömmigkeit zu überwinden, so eine Theologie, in der „cor ad cor loquitur", gelockt und genährt von der Hoffnung auf das endgültige „facie ad faciem", zu dem der liebe Gott seinen lieben Menschen lädt.

Beilage 1

Vorentwürfe, Schema und Text von n. 14 des 4. Kapitels „De Vetere Testamento"

Vorentwurf vom 29. November 1962

Deus
hominem
numquam sine testimonio reliquit
(cf. Act 14,17)

Foedere tamen cum Abraham inito et
cum Moyse renovato,
seipsum populo sibi acquisito
intimius
revelavit,
ut vias Dei cum hominibus
experientia discerent
ac verbo Dei per prophetas facto
profundius clariusque intelligerent.

Ita autem populus in Abraham electus
praeparabatur adventui Filii Dei in carne
venientis,
et persona, gestis, verbis suis revelationem
consummantis.
Quae historia,
Deo inspirante narrata
et a prophetis interpretata et praedicta,
nobis adhuc exhibetur in libris Veteris
Testamenti,
qui ipsi etiam Ecclesiae Christi sunt
verbum Dei
sensu pleno,
quisquis sit auctor uniuscuiusque libri
humanus.

Vorentwurf vom 2. Dezember 1962

Cum Deus
de salute totius generis humani arcano
modo semper providet
speciali modo populi electi curam gerit.

Foedere enim cum Abraham inito et
cum Moyse innovato,
seipsum populo sibi acquisito

verbis et gestis revelavit,
ut vias Dei cum hominibus
experientia discerent
ac sermone Dei per prophetas facto
profundius et clarius intelligerent.

Quae series eventuum,
Deo inspirante ab auctoribus sacris
narrata, explicata, annuntiata,
adhuc in libris Veteris Testamenti

ut verum verbum Dei prostat.

Propterea libri hi vim et auctoritatem
perenniter servant.

Schema Form D vom 22. April 1963

Amantissimus Deus
de salute humani generis arcano modo
semper sollicitus,
populi ab eo electi peculiarem curam habuit.

Foedere enim cum Abraham et Moyse
inito
populo sibi acquisito ita se

verbis et gestis revelavit
ut Israel divinas cum hominibus
vias experiretur,
easque, Deo per os prophetarum loquente,
penitius et distinctius in dies intelligeret.

Quae eventuum series, divino afflante
Spiritu ab auctoribus sacris
annuntiata, enarrata atque explicata,
ut verum Dei verbum in libris Veteris
Testamenti ahuc prostat,

et ideo hi libri vim et auctoritatem suam
perenniter servant.

Constitutio

Amantissimus Deus
totius humani generis salutem sollicite
intendens et praeparans,
singulari dispensatione populum sibi elegit.
Foedere enim cum Abraham et cum plebe
Israel per Moysen inito,

populo sibi acquisito ita se
tamquam unicum Deum vivum et verum
verbis ac gestis revelavit,
ut Israel, quae divinae essent cum
hominibus viae experiretur,
easque, ipso Deo per os prophetarum
loquente,
penitius et clarius in dies intelligeret
atque latius in gentes exhiberet.

Oeconomia autem salutis, ab auctoribus
sacris
praenuntiata, enarrata atque explicata
ut verum Dei verbum in libris Veteris
Testamenti exstat;

quapropter hi libri divinitus inspirati
perennem valorem servant: folgt Rom.
15,4.

119

Beilage 2

Vorentwürfe von n. 2 des 1. Kapitels

20. April 1964	22. April 1964
Quae revelatio fit non solum per verba hominibus dicta, sed simul etiam per gesta in historia salutis facta, ita ut per opera auctoritas verborum confirmetur,	Haec revelationis oeconomia fit verbis gestisque intrinsece inter se connexis, ita ut opera, in historia salutis patrata, doctrinam et rem verbis significatam manifestent et corroborent,
et per verba mysterium in operibus contentum manifestetur.	verba autem opera proclament et mysterium in eis contentum elucident.

Beilage 3

Vorentwurf, Schema, Constitutio von n. 3 des 1. Kapitels

Vorentwurf vom 20. April 1964	Schema Form E vom 3. Juli 1964	Schema Form F vom 20. November 1964
Deus vivus, qui fecit caelum et terram et omnia quae in iis sunt,	Deus qui in Verbo suo omnia creavit	Deus qui per Verbum omnia creavit (cf. Io. 1,3)
non sine testimonio semetipsum requit (cf. Act. 14, 15–17).	et in ipsa rerum natura perenne sui testimonium hominibus ostendit (cf. Rom. 1,19–20; Act. 14,15–17),	perenne sui testimonium in rerum creatarum natura hominibus ostendens, et viam salutis supernae aperire intendens (cf. Rom. 1,19–20; 2,10–11),
	inde ab initio protoparentibus sese manifestavit,	inde etiam ab initio protoparentibus sese manifestavit.
Post peccatum vero Adae, redemptione promissa, hominum corda in spem salutis erexit (cf. Gen. 3,15).	quos post lapsum in spem salutis erexit, redemptione promissa (cf. Gen. 3,15)	Post eorum autem lapsum eos in spem salutis erexit (cf. Gen. 3,15), redemptionem promittens, ab indeque sine intermissione generis humani curam egit, ut omnibus qui secundum patientiam boni operis salutem quaerunt, vitam aeternam daret (cf. Rom. 2,6–7).

Wichtig sind die Worte des Relators zu diesem Satz (Schema Form E): „affirmatur adesse testimonium Dei in ipsa creatione, quin dirimatur quaestio utrum Deus iam in hoc testimonio percipiendo per gratiam suam de facto interveniat." Man beabsichtigte, den Raum für Rahners These frei zu lassen.

FRANZ KARDINAL KÖNIG

KARL RAHNERS THEOLOGISCHES DENKEN IM VERGLEICH MIT AUSGEWÄHLTEN TEXTSTELLEN DER DOGMATISCHEN KONSTITUTION „LUMEN GENTIUM"

Karl Rahners theologisches Denken mit einigen Textstellen von „Lumen gentium" in Verbindung zu bringen scheint mir auch für die Geschichte und das Verständnis der Konzilskonstitution von Bedeutung zu sein.

1. Rahners Bedeutung für die Theologische Kommission

Als ich zu Beginn des Konzils P. Rahner, damals in Innsbruck, ersuchte, als mein Konzilsberater nach Rom mitzukommen, stieß ich zunächst auf wenig Verständnis. Der Angesprochene meinte, er sei ja noch nie in Rom gewesen und wüßte nicht, wie er sich auf dem für ihn wenig bekannten Parkett bewegen solle. Er war der Meinung – ähnlich wie der spätere Kardinal Newman vor einer Romreise –, wir seien zwar alle auf dem Schiffe Petri, aber man müsse sich deswegen nicht unbedingt in der Nähe des Maschinenraums aufhalten. Außerdem könne er, Rahner, sich nicht vorstellen, wie er bei einem Konzil nützlich sein könne. Ich tröstete ihn mit dem Hinweis, daß niemand von den geladenen Konzilsvätern eine persönliche Erfahrung mitbringe, wie es auf einem Konzil zugehe und welche Möglichkeiten es dabei für Konzils-

---

Folgende Arbeiten von Rahner wurden berücksichtigt:
Die Gliedschaft in der Kirche nach der Lehre der Enzyklika Pius' XII. „Mystici Corporis Christi", in: Schriften II 7–94.
Kirche der Sünder, in: Schriften VI 301–320.
Sündige Kirche nach den Dekreten des Zweiten Vatikanischen Konzils, in: Schriften VI 321–347.
Kirche und Parusie Christi, in: Schriften VI 248–368.
Heilsgeschichtliche Herkunft der Kirche von Tod und Auferstehung Jesu, in: Schriften XIV 73–90.
Theologische Grundinterpretation des II. Vatikanischen Konzils, in: Schriften XIV 287–302.
Die bleibende Bedeutung des II. Vatikanischen Konzils, in: Schriften XIV 303–318.
Die Zukunft der Kirche und die Kirche der Zukunft, in: Schriften XIV 319–332.

berater gäbe. Aber die vom Papst ausdrücklich genannte Möglichkeit, daß ein Konzilsvater einen theologischen Berater mitnehmen könne, gab mir die Möglichkeit, meine Wertschätzung für Rahner zum Ausdruck zu bringen und seine theologische Mitarbeit als Berater für das Konzil zu nützen.

Im Verlauf der 1. Session (Herbst 1962) zeigte es sich bereits, daß Rahner im Kreis der übrigen Konzilstheologen aus dem deutschen Sprachgebiet – Prof. Ratzinger war als Berater Kardinal Frings' (Köln) anwesend – bekannt und anerkannt war. Er fand sich bald auch in den leitenden Gremien des Konzils zurecht und wurde dort als theologischer Berater gleich von Beginn an herangezogen. Das war vor allem bei der so wichtigen „Theologischen Kommission" der Fall. Die Aufgabe dieser Kommission war es, die vom Plenum diskutierten dogmatischen Fragen zu bearbeiten und aufgrund der vielen Änderungswünsche eine neue Vorlage zu erstellen, die dann wieder ins Plenum zurückging und von einem Relator vorgestellt wurde.

Bei der zu Ende gehenden 1. Session, am 5. Dezember 1962, ergriff der damalige Kardinal Montini in der Konzilsaula das Wort und hielt eine für den weiteren Fortgang des Konzils bedeutsame Rede. Zu diesem Zeitpunkt war es eine immer noch nicht geklärte Frage, welchen Weg das Konzil angesichts der Fülle der durch die Vorbereitungskommission vorgeschlagenen Themen letztlich einschlagen solle. Montinis Rede – so kann man heute rückblickend sagen – wurde für den weiteren Gang des Konzils entscheidend. Er führte unter anderem aus, daß es Aufgabe des Konzils sein sollte, nicht nur allen Gläubigen, sondern allen Menschen zu erklären, was das Wesen der Kirche nach dem Willen Gottes und Jesu Christi sei („quid sit Ecclesia ex voluntate Dei et Jesu Christi", „quae esse debeat eius actio salvifica his temporibus nostris") und welches ihre Heilsaufgabe gerade in unserer Zeit sei. Dabei hob er hervor, daß es vornehmlich Aufgabe unserer Zeit sein müsse, die Botschaft und Tätigkeit der Kirche mit den Problemen der Welt in einem größeren Zusammenhang zu sehen, das heißt, die Fragen unserer Zeit, die Probleme unserer Zeit sollten der Bezugspunkt für die Darstellung des Wesens und der Aufgabe unserer Kirche sein. Eine solche Darstellung einerseits ohne Abstriche betreffs der theologischen Wahrheiten, gleichzeitig aber in einer für die Menschen unserer Zeit verständlichen Sprache sei notwendig. Eine solche Beschreibung müsse vor allem unsere Gläubigen und – hier klingt das ökumenische Konzilsthema bereits an – die von uns getrennten christlichen Brüder erreichen.

Diese Rede fand große Zustimmung, nachdem sich auch Kardinal Suenens einige Tage früher in einer Generaldebatte in diesem Sinne ausgesprochen hatte. Der spätere Papst Paul VI. griff bei der Eröffnung der 2. Session des

Konzils am 29. September 1963 in seiner Eröffnungsansprache auf diese Auffassung zurück.

Von der 2. Session (Herbst 1962) bis zur endgültigen Abstimmung am 11. November 1964 (mit nur 10 Nein-Stimmen) wurde die zentrale Stellung der Dogmatischen Konstitution über die Kirche für das II. Vatikanum immer deutlicher. Die Arbeit der Theologischen Kommission wurde gerade in diesem Zusammenhang während und zwischen den Sessionen immer umfassender und wichtiger. Ich selbst war Mitglied der Theologischen Kommission und kann daher die intensive Mitarbeit Rahners bestätigen. Zahlreiche seiner Formulierungsvorschläge wurden von den Mitgliedern der Kommission und vom Sekretär aufgegriffen und in die neu zu formulierenden Texte eingebaut. Der Sekretär der Theologischen Kommission, Prof. G. Philips aus Löwen, schätzte die Mitarbeit Rahners sehr und zog ihn auch privat zu verschiedenen Beratungen heran. Sekretär Philips meinte in seiner Darstellung der Geschichte der Dogmatischen Konstitution über die Kirche[1]: „Die Entstehungsgeschichte der Konstitution über die Kirche ... zeigt uns eine Gesamtschau des Mysteriums der Kirche, die in ihrer Tiefe und in ihrem Reichtum in der Geschichte selten erreicht wurde. In dieser Hinsicht sind wir sicher, daß uns die Zukunft in keiner Weise widersprechen wird."

Auf diesem konzilsgeschichtlichen Hintergrund soll versucht werden sichtbar zu machen, wieweit Rahners Mitarbeit an diesem Konzilsdokument auch zu erkennen ist durch eine Gegenüberstellung seines schriftlich belegten theologischen Denkens zu verschiedenen Passagen von „Lumen gentium".

2. Dialog zwischen Kirche und Welt

Man hat mit Recht bemerkt, daß mit dem einleitenden Stichwort „Lumen gentium" das „ekklesiologische" und „missionarische" Programm des Konzils umrissen worden sei. In der nachtridentinischen Zeit war aus geschichtlichen Gründen die äußere Institution der Kirche gegenüber der inneren Wirklichkeit viel stärker in den Vordergrund getreten.

Der Ausdruck „sacramentum" in Verbindung mit der Kirche wird in der Folge öfters in Konzilstexten verwendet (vgl. LG 9,3: „das sichtbare Sakrament dieser heilbringenden Einheit"; vgl. LG 48,2). Die Kirche als „Sakrament des Heiles" ist in der patristischen Literatur sowie in der gegenwärtigen ekklesiologischen Diskussion bereits zu Konzilsbeginn zu finden.

Mit dem erweiterten Sinn von Sakrament über die sieben Einzelsakramen-

---

[1] LThK – Das Zweite Vatikanische Konzil I 155.

te hinaus findet es sich auch in den vorkonziliaren theologischen Schriften bei Karl Rahner. Er übernimmt Semmelroths These von der „Kirche als Ursakrament" und meint dazu noch vor Beginn des Konzils[2], man könne von der Kirche als „res et sacramentum" oder sogar als „res sacramenti" bzw. von der Kirche als „sacramentum (tantum)" sprechen.

Mit Bezugnahme auf Semmelroth führt er an derselben Stelle aus: „Sie (d.h. die Kirche) ist gewissermaßen das Ursakrament; das heißt aber, sie ist in ihrer ganzen konkreten sichtbaren und juridisch greifbaren Erscheinung eine Wirklichkeit, die Zeichen und Verleiblichung des Heilswillens Gottes und der Gnade Christi ist; eine Leiblichkeit, die als solche eine ganz bestimmte juridisch fixierbare Eindeutigkeit hat, die die Gnade Christi, die sie im geschichtlichen Hier und Jetzt gegenwärtig macht, tatsächlich bewirkt und die dennoch von dieser göttlichen Gnade, die immer das souveräne Geheimnis der Freiheit Gottes bleibt und nie von Menschen überwältigt werden kann, wesentlich verschieden bleibt." Diesen Ausführungen liegt gewissermaßen bereits der später in „Lumen gentium" formulierte Ausdruck zugrunde: „Die Kirche ist in Christus gleichsam das Sakrament, das heißt Zeichen und Werkzeug für die innigste Vereinigung mit Gott wie für die Einheit der ganzen Menschheit." Die Kirche als Ursakrament ist Zeichen und Werkzeug. Das heißt aber, diese beiden Aspekte sind nicht als „zwei verschiedene Größen zu betrachten, sondern bilden eine einzige Wirklichkeit, die aus einem menschlichen und göttlichen Element zusammenwächst. Deshalb ist die Kirche in einer nicht unbedeutenden Analogie dem Mysterium des fleischgewordenen Wortes ähnlich. Wie nämlich die angenommene Natur dem göttlichen Wort als lebendiges, ihm unlöslich geeintes Heilsorgan dient, so dient auf eine ganz ähnliche Weise das gesellschaftliche Gefüge dem Geist Christi, der es belebt zum Wachstum seines Leibes" (vgl. LG 8,1).

Auch diese hier geschilderten zwei Aspekte der Kirche weisen wieder auf das signum und instrumentum der Kirche als Ursakrament hin. Ähnliches gilt auch von der Kirche als Reich Gottes, das sichtbar durch die Kraft Gottes in dieser Welt wächst. „Dieser Anfang und dieses Wachstum werden zeichenhaft angedeutet durch Blut und Wasser, die der geöffneten Seite des gekreuzigten Jesus entströmten . . . Zugleich wird durch das Sakrament des eucharistischen Brotes die Einheit der Gläubigen, die einen Leib in Christus bilden, dargestellt und verwirklicht" (LG 3).

Damit kommt noch einmal deutlich zum Ausdruck, wie signum und instrumentum aufeinander bezogen und miteinander verbunden sind. Die Kirche selber ist jener Ort, wo das im Mysterium schon gegenwärtige Reich

---

[2] Vgl. dazu *K. Rahner*, Schriften II 79 ff.

Christi durch die Kraft Gottes sichtbar in der Welt wächst. Der Gottesherrschaft auf Erden soll die Kirche als Werkzeug zur Verwirklichung dienen. Die Kirche ist daher das im Mysterium bereits gegenwärtige Reich Christi (vgl. LG 3). Diese werkzeugliche Funktion der Kirche ist gleichzeitig eine sakramentale, das heißt heilswirkend; oder wie es Grillmeier[3] beschreibt: „Die Kirche ist das Sakrament der sich verwirklichenden Gottesherrschaft."

Rahner kommt in seinen späteren „Schriften zur Theologie"[4] auf diesen konziliaren Kirchenbegriff der Gottesherrschaft zurück und meint in bezug auf die Wurzel: „Dieser Jesus, der gekreuzigte und auferstandene, ist also die bleibende Zusage Gottes selbst an die Welt, nicht bloß im Angebot, sondern im faktisch definitiven Sieg." Diese Selbstmitteilung Gottes gewinnt ihre bleibende Gegenwart in der Welt und damit innerhalb einer weitergehenden Geschichte in der Kirche: „Die Kirche als eschatologisch endgültige und trotzdem geschichtliche, eine Glaubensgemeinde ist die bleibende Präsenz eben dieser eschatologischen und eschatologisch siegreichen Selbstzusage Gottes an die Welt in Jesus Christus."[5] In diesem Sinne ist die Kirche – nach Rahner – zu verstehen als „Sakrament des Heiles der Welt" und „Urtaufe der Welt als ganzer", die unabdingbar der Welt das in Christus ergangene Heil präsent hält und bezeugt. Damit greift Rahner den Gedanken der ersten Kapitel von „Lumen gentium" wieder auf und vertieft sie auf seine Weise.

Rahner weist in diesem Zusammenhang auf die bellarminische Ekklesiologie hin, die noch bis Pius XII. in „Mystici corporis" vorherrschte. Es war eine fundamentaltheologische Konzeption der Kirche, die als gesellschaftliche Größe in den Vordergrund trat und gewissermaßen durch „juridisch verstandene Schriftworte Jesu konstituiert wird"[6]. Demgegenüber ist es das Anliegen der soteriologisch-dogmatischen Ekklesiologie, die Kirche als den geheimnisvollen Leib Christi neben der gesellschaftlichen Verfaßtheit wieder deutlich bewußtzumachen. In dieser Sicht wird die Kirche von Rahner als „Grundsakrament des Heiles" oder, wie wir auch sagen könnten, als „die bleibende Präsenz der eschatologischen Heilstat Jesu Christi"[7] herausgestellt. „Diese beiden Konzeptionen, also die gesellschaftlich-fundamentaltheologische Ekklesiologie und die eigentlich soteriologisch-dogmatische Ekklesiologie, wurden zwar früher nicht eigens getrennt, aber sie lagen, im Grunde genommen, unvermittelt und unreflektiert in ihrer Zweiheit nebeneinander."[8]

---

[3] Kommentar zum 1. Kapitel der Dogmatischen Konstitution über die Kirche, in: LThK – Das Zweite Vatikanische Konzil I 160.
[4] *K. Rahner*, Schriften XIV 79 ff.
[5] Ebd. 82.
[6] Ebd. 75. [7] Ebd. [8] Ebd.

Daher formuliert er seine These – nach der heilsgeschichtlichen Herkunft der Kirche fragend[9] – folgendermaßen: „Vom Tod und der Auferstehung Jesu kommt die Kirche her als Moment der eschatologischen Bleibendheit des Gekreuzigten und Auferstandenen."[10]

Solche Ausführungen entsprechen ganz der theologisch-dogmatischen Linie der ersten Kapitel von „Lumen gentium".

Ein Gedanke, mit dem sich Rahner auch sonst viel beschäftigt, ist die Kirche als geschichtliche und eschatologische Größe: Weil die Kirche eine geschichtlich freie Setzung ist, so hat das zur Folge, daß eine solche Entscheidung unwiderruflich ist: „Kirche ist immer in einer einbahnigen Geschichte, in der sie ihre legitime Vergangenheit nicht verliert, und Kirche kommt in dieser unvorhersehbaren leidensvoll dunklen Geschichte immer von Jesus Christus, dem Gekreuzigten und Auferstandenen, her"[11] – „wenn diese Botschaft nicht untergeht und nicht untergehen kann, weil sie die Antwort auf unbegrenzte Hoffnung der Menschheit ist, dann geht auch die Kirche nicht unter, weil sie die Gemeinschaft derer ist, die diese Botschaft glaubend und hoffend zur Mitte ihrer Existenz machen . . . Die Zukunft der Kirche ist Gott und das ewige Leben für uns."[12]

Eine Anzahl der in Band XIV der „Schriften" gesammelten Aufsätze nimmt wiederholt auf das Konzil bzw. auf die hier behandelte dogmatische Konstitution Bezug. Es geht dabei um Artikel, Kommentare sowie um eine vertiefende Weiterführung; das gilt besonders, wenn Rahner die theologische Grundinterpretation des II. Vatikanums aufgreift oder die bleibende Bedeutung dieses Konzils erörtert oder wenn er die „Zukunft der Kirche und die Kirche der Zukunft" behandelt und auf den durch das Konzil begonnenen Dialog verweist – ein Anliegen, das besonders Paul VI. wie Johannes Paul II. am Herzen liegt. Denn, so formuliert es Rahner[13], „das II. Vatikanische Konzil bedeutet den Anfang eines neu aufgegriffenen Dialogs des Christentums und vor allem der katholischen Kirche mit der jetzt gegebenen geschichtlichen Situation. Aber der Beginn dieses Dialogs ist nicht sein Ende. Dieser Dialog bedeutet von vornherein, richtig verstanden, nicht eine kleinmütige, kompromißlerische Anpassung an irgendeinen Zeitgeist. Dieser Dialog kann und muß durchaus auch in Kritik und bedeutungsvollem Widerspruch zur Mentalität einer gottlosen und konsumgierigen Mentalität geschehen, die in Gefahr ist, ungeheuer viel an menschlicher Humanität zu verlieren." Schließlich fügt Rahner noch hinzu: „Das alles ändert aber nichts

---

[9] Ebd. 73.   [10] Ebd. 80.   [11] Ebd. 89.
[12] *K. Rahner*, Schriften XIV 331 f.
[13] *K. Rahner* in: StdZ 197 (1979) 795 ff. oder Schriften XIV 329.

an der Notwendigkeit, daß dieser Dialog zwischen Kirche und Welt weitergehen muß und auch von der Kirche Veränderung verlangt in ihrem Lebensstil, in der Art der Verkündigung des christlichen Glaubens, in der Behandlung mündig gewordener Menschen, in der Respektierung der Gewissensfreiheit . . ."

3. Einheit der Gläubigen durch die Eucharistie

Sendung und Wirkung der Kirche in der Geschichte erhalten einen besonderen Akzent durch die Eucharistie. Denn in der Eucharistie begehen die Gläubigen das Mysterium der bleibenden Gegenwart Gottes in dieser Welt, so daß die Kirche ihre Herkunft, ihre Sendung nicht vergessen kann. „Sooft das Kreuzesopfer, in dem Christus, unser Osterlamm, dahingegeben wurde (1 Kor 5,7) auf dem Altar gefeiert wird, vollzieht sich das Werk unserer Erlösung. Zugleich wird durch das Sakrament des eucharistischen Brotes die Einheit der Gläubigen, die einen Leib in Christus bilden, dargestellt und verwirklicht (1 Kor 10,17)" (LG 3).

Wenn sich auch vom Gekreuzigten und Auferstandenen bis zur Kirche von heute eine Vielzahl geschichtlicher Entwicklungen und Wandlungen – auch innerhalb der Kirche – ereignet hat, so dürfen wir dennoch von der einen Kirche Jesu Christi sprechen. In ihr wird stets an sein Erlösungswerk erinnert, es verkündet und bezeugt. Ja, gerade die Kirche in der Zeit – wie immer sie auch gesellschaftlich organisiert sein mag – bezeugt erst endgültig und andauernd, daß Gott die Welt so sehr liebt, daß diese Liebe Gottes auch an unserer Schuld und einer noch offenen Zukunft nicht mehr scheitern wird und nicht mehr scheitern kann, wenngleich wir unser Heil immer noch in Furcht und Zittern wirken müssen. Daß das Heil sich tatsächlich durch Gott durchsetzt, ist unaufgebbare Botschaft des Christentums – daß diese Botschaft in der Welt präsent bleibt, das ist Aufgabe der Kirche, und ohne sie wäre diese Botschaft gar nicht endgültig. Der „Geist" bürgt dafür, daß Gott selbst die Kirche in dieser ihrer Aufgabe niemals allein läßt oder gar verläßt. Das ist die Kirche, die trotz und in aller Geschichtlichkeit wirklich von Jesus Christus, dem Gekreuzigten und Auferstandenen, herkommt[14].

---

[14] Vgl. *K. Rahner,* Ausführungen zur Geschichte der Kirche, in: a.a.O. 86ff. Auch hier greift Rahner den Gedanken der Einheit der Gläubigen durch die Eucharistie auf und verbindet diese Aussage mit einer erweiterten geschichtlichen Perspektive im irdischen Bereich.

4. Pilgernde Kirche und Kirche der Sünder

Der Bedrängnis der Welt ausgesetzt, ist die „heilige Kirche" auch eine Kirche der Sünder; „solange wir auf Erden auf Pilgerschaft sind und in Bedrängnis und Verfolgung ihm [Christus] auf seinem Weg nachgehen, werden wir – gleichwie der Leib zum Haupt gehört – in sein Leiden hineingenommen; wir leiden mit ihm, um so mit ihm verherrlicht zu werden" (LG 7).

Die Kirche weiß, daß sie pilgernd unterwegs und nicht vollendet ist. Die Sünde ist eine ständige Bedrohung für die Glieder, wenngleich im Haupte das endgültige Heil bereits aufleuchtet und Wirklichkeit geworden ist: „Während aber Christus heilig, schuldlos, unbefleckt war und Sünde nicht kannte ..., umfaßt die Kirche Sünder in ihrem eigenen Schoße. Sie ist zugleich heilig und stets der Reinigung bedürftig. Sie geht immerfort den Weg der Buße und Erneuerung. Die Kirche schreitet zwischen den Verfolgungen der Welt und den Tröstungen Gottes auf ihrem Pilgerweg dahin und verkündet das Kreuz und den Tod des Herrn, bis er wiederkommt" (LG 8) – daher sind die „ecclesia crucis" und die „ecclesia gloriae" notwendig miteinander verbunden. In der Theologischen Kommission war für Rahner die Behandlung dieses Kapitels ein besonderes Anliegen. In der nachkonziliaren Zeit greift er diesen Aspekt in seinen Schriften wiederholt auf.

Rahner geht im Band VI seiner „Schriften zur Theologie" (S. 321–348) ausführlich auf „die sündige Kirche nach den Dekreten des II. Vatikanischen Konzils" ein. Er geht zunächst von der Feststellung aus, daß im Kirchendekret des II. Vatikanums keine allseitige Ekklesiologie beabsichtigt war. „Andererseits ist es auch kein konziliares Dekret, das in Abwehr von neuen Häresien nur den einen oder anderen Punkt der Kirchenlehre herausgreift, klärt und verteidigt. Es handelt von der Kirche, strebt doch nach einer einigermaßen gleichmäßigen und irgendwie abgerundeten Darstellung des Wesens der Kirche, wie schon der ganze Aufbau des Dekretes ... ergibt."[15] Er bedauert in diesem Zusammenhang aber, daß das Dekret die Frage nach der Kirche der Sünder nicht mit ausdrücklicher Deutlichkeit, Intensität und Ausführlichkeit behandelte, wie man es erwarten könnte. Er findet aber darin beachtliche Ansätze für eine Theologie der Sünde in der Kirche. Zusammenfassend meint er: „Das Dekret geht der Frage nicht ganz aus dem Weg ...", es sagt so viel, „daß es der künftigen Theologie genügend Wachstumreiz bietet"[16].

---

[15] *K. Rahner,* Schriften VI 330f.
[16] Ebd. 333. Zum Thema Kirche der Sünder hat *Rahner* bereits im Jahre 1947 in den „Stimmen der Zeit" 140 (1947) ausführlich gehandelt. Unter demselben Titel erschien eine eigene

Rahner beschäftigt sich dann weiter mit der Frage, wie werden die Kinder dieser Kirche mit ihrer Sündhaftigkeit fertig. Er meint zunächst, vernichtende Verurteilung oder bloßes Sichschämen sowie Flucht aus der Kirche, um das Heil in einer unverbindlichen Privatsphäre, einer bloßen Geistigkeit oder einer Sekte zu suchen, seien keine Lösung. Diese bestehe einzig und allein in einem ehrlichen Eingeständnis und Erleiden: „Wenn wir einmal über die Sünde der Kirche und über unsere eigenen Sünden ehrlich geweint haben . . ., dann wird dieses in den Tränen der Reue gewaschene Auge hellsichtig werden für das Wunder Gottes in seiner Kirche, das täglich neu wird." – Im Anschluß an den biblischen Bericht von der Ehebrecherin fährt Rahner fort: „,Weib, wo sind sie, die dich anklagen? Hat keiner dich verurteilt?' Und sie wird antworten in unsagbarer Reue und Demut: ,Keiner, Herr.' Und sie wird verwundert sein und fast bestürzt, daß keiner es getan hat. Der Herr aber wird ihr entgegengehen und sagen: ,So will auch ich dich nicht verurteilen.' Er wird ihre Stirn küssen und sprechen: ,Meine Braut, heilige Kirche.' "[17]

„Lumen gentium" greift dies auf: „Ich glaube an die heilige Kirche, denn Christus . . . liebt die Kirche als seine Braut; er ist zum Urbild des Mannes geworden, der seine Gattin liebt wie seinen eigenen Leib" (LG 7).

Die Kirche ist wesenhaft „ecclesia peregrinans" und als „ecclesia viatorum" eine „ecclesia semper reformanda". Das Bild vom Volk Gottes, das wandernd in dieser Weltzeit unterwegs ist, bildet eine Art Leitfaden der gesamten ekklesiologischen Konzeption des Konzils. Die Sünden der Christen verwunden zwar die Kirche; weil sie aber selbst „Subjekt von Schuld und Sünde" ist, muß sie auch „Subjekt der Erneuerung" sein. Von dieser Sünde aber weiß der Christ, daß sie in Jesus Christus überwunden ist und ihre Macht verloren hat. Weil die Kirche ihrer eschatologischen Vollendung entgegenschreitet, diese schon in sich trägt, so daß sie in ihr aufleuchtet, deswegen ist sie „ecclesia sancta", „sponsa immaculata", „gens sancta" und „populus Dei sanctus".

„Auf ihrem Weg durch Prüfungen und Trübsal wird die Kirche durch die Kraft der ihr vom Herrn verheißenen Gnade Gottes gestärkt, damit sie in der Schwachheit des Fleisches nicht abfalle von der vollkommenen Treue, sondern die würdige Braut ihres Herrn verbleibe und unter der Wirksamkeit des Heiligen Geistes nicht aufhöre, sich selbst zu erneuern, bis sie durch das

---

Abhandlung im Verlag Herder (Freiburg i. Br. 1948). In dieser Arbeit faßt er kurz zusammen: „Die Sünde bleibt Wirklichkeit an ihr (d.h. der Kirche), die ihrem Wesen widerspricht. Ihre Heiligkeit aber ist Offenbarung ihres Wesensgrundes."
[17] K. Rahner, Schriften VI 319f.

Kreuz zum Lichte gelangt, das keinen Untergang kennt" (LG 9,3). – Und Rahner fügt nochmals hinzu, damit bleibe deutlich, „daß die Kirche auf Erden immer die Kirche der Sünder ist". So ist erst recht verständlich, „wie und warum sie die heilige Kirche ist: durch die Gnade Gottes, die allein die Kirche als ganze nicht aus der Gnade und Wahrheit Gottes herausfallen läßt und sie so zur indefektibel heiligen macht"[18].

5. *Kirche und Parusie Christi*

Das eschatologische Thema klingt bereits in den ersten Kapiteln der Kirchenkonstitution an, so z.B. LG 5: „Von daher (d.h. von der Ausgießung des Heiligen Geistes auf die Jünger) empfängt die Kirche, die mit den Gaben ihres Stifters ausgestattet ist und seine Gebote der Liebe, der Demut und Selbstverleugnung treulich hält, die Sendung, das Reich Christi und Gottes anzukündigen und in allen Völkern zu begründen. So stellt sie Keim und Anfang dieses Reiches auf Erden dar. Während sie allmählich wächst, streckt sie sich verlangend aus nach dem vollendeten Reich; mit allen Kräften hofft und sehnt sie sich danach, mit ihrem König in Herrlichkeit vereint zu werden." – Ausführlich geht „Lumen gentium" im 7. Kapitel (nn. 48–51) auf das Thema vom endzeitlichen Charakter der pilgernden Kirche ein. Ursprünglich war dieses Kapitel nicht vorgesehen. Im Verlauf der Diskussion und vor allem aufgrund einer Anregung Johannes' XXIII., die dann von Paul VI. wieder gutgeheißen wurde, ist dieses Thema als wesentlich für die Darstellung des Gottesvolkes angenommen worden. Dadurch wurde man darauf aufmerksam, daß ein Wesenszug der Kirche fehlen würde. Die eschatologische Dynamik ist nicht nur ein Zug, der *auch* zur Kirche gehört, sondern ein Aspekt, ohne den das Institutionelle an der Kirche gar nicht korrekt dargestellt werden kann[19]. Daher wird die Kirche, „zu der wir alle in Christus Jesus berufen werden und in der wir mit der Gnade Gottes die Heiligkeit erlangen, erst in der himmlischen Herrlichkeit vollendet werden, wenn die Zeit der allgemeinen Wiederherstellung kommt" (LG 48).

Karl Rahner hat in einem Vortrag anläßlich einer gemeinsamen Tagung eines evangelischen und katholischen Arbeitskreises im April 1963 das Thema „Kirche und Parusie" noch vor der Behandlung durch das Konzil in Angriff genommen. Ihm ging es dabei vor allem darum, die Vollendung der Geschichte der Welt unter diesem Gesichtspunkt und nicht bloß die Voll-

---

[18] Ebd. 344.
[19] Vgl. *G. Semmelroth* in: LThK – Das Zweite Vatikanische Konzil I 314.

endung des einzelnen als solchen zu behandeln. Dieses Anliegen finden wir im 7. Kapitel des Kirchendokumentes ausführlich dargestellt.

Während des Diskussionsstadiums des genannten Kapitels hatte es nicht an Versuchen gefehlt, die eschatologische Ausrichtung in einer individualistischen Weise vorzunehmen – so war z.b. zunächst als Überschrift vorgeschlagen worden: „Der eschatologische Charakter unserer Berufung und die Verbindung mit der himmlischen Kirche". Vielleicht war es eine gewisse Scheu davor, der Kirche eine solche Vorläufigkeit zuzuschreiben, wie sie durch den eschatologischen Charakter ausgesagt wird. In der Diskussion wurde das individualistische Element als einseitig erkannt, und es setzte sich die Auffassung durch, die eindimensionale Darstellung auszuweiten auf alle Dimensionen, durch die der eschatologische Charakter der Kirche bestimmt wird. Daher kam es zur Überschrift des Kapitels „Der endzeitliche Charakter der pilgernden Kirche und ihre Einheit mit der himmlischen Kirche". Das heißt, die Kirche selbst ist es, die sich als vorläufig und zur Aufhebung bestimmt bekennt. Die pilgernde Kirche prägt in ihren Sakramenten und Einrichtungen, die noch zu dieser Weltzeit gehören, die Gestalt dieser Welt, die vergeht. Das heißt weiter, daß der einzelne Mensch nicht aus einer Welt herausgehoben wird, die ihrerseits im Irdischen bliebe, sondern daß das ganze Menschengeschlecht und mit ihm auch die ganze Welt vollkommen erneuert werde in Christus.

„Gerade um der Bereitschaft zur Erneuerung nicht nur der einzelnen in der Kirche, sondern auch der Kirche selbst willen war es wichtig, alle Dimensionen kirchlicher Existenz im Licht ihres eschatologischen Charakters zu sehen und darzustellen."[20]

Genau in diese Richtung ging Rahner in seinem vorgenannten Aufsatz aus dem Beginn der Konzilszeit. Seine Gedanken sind unverkennbar bestimmend gewesen für die Akzente in diesem 7. Kapitel, so z.B.: „Die Kirche ist zunächst einmal in dem Sinne selber eschatologische Größe, daß sie die Kirche der mit dem Heiligen Geist Christi Begnadeten ist und diese Begnadigung ihrer Glieder zu ihrem eigenen Wesen gehört. Unbeschadet nämlich der Heilsgewißheit des einzelnen und seiner Heilsgefährdetheit und unbeschadet der katholischen Lehre, daß auch die Sünder zur Kirche gehören, darf die Kirche nicht als eine bloß äußere Religionsorganisation aufgefaßt werden."[21] Auch hier sind es zwei ineinandergreifende wesentliche Aspekte der Kirche, denn sie gehört der noch währenden Zeit einerseits an, insofern sie sich durch Glaube und Hoffnung noch auf das Ziel hinbewegt, das heißt,

---

[20] Ebd. 316.
[21] *K. Rahner*, Schriften VI 351f.

die Parusie Christi noch auf sich zukommen lassen muß, und sie gehört gleichzeitig der Ewigkeit an, insofern als sie in der Kraft der schon angekommenen Zukunft sich auf ihr Ziel hin bewegt[22].

Während im 7. Kapitel unseres Kirchendokumentes der pastorale Aspekt, unter anderem die Heiligenverehrung, ausführlicher behandelt werden, geht Rahner auf das Verhältnis von Kirche als Institution und Amt und von Kirche als eschatologische Größe ein und wendet sich, wie des öfteren, mit besonderer Aufmerksamkeit der Geschichte in eschatologischer Sicht zu. Die Kirche hat zur Vollendung der geschaffenen Wirklichkeit und der Geschichte selber ein besonderes Verhältnis, weil sie selbst eine eschatologische Wirklichkeit ist. In n. 48 von „Lumen gentium" werden ähnliche Gedanken skizziert: „Das Ende der Zeiten ist also bereits zu uns gekommen, und die Erneuerung der Welt ist unwiderruflich schon begründet und wird in dieser Weltzeit in gewisser Weise wirklich vorausgenommen. Denn die Kirche ist schon auf Erden durch eine wahre, wenn auch unvollkommene Heiligkeit ausgezeichnet." Sie ist „Leib Christi", insofern ihre Glieder mit dem Geiste Christi begnadet sind, und das Christentum bezeugt und bekennt eindeutig, daß sich Gott schon jetzt den Glaubenden und Liebenden zu eigen gibt.

Die Kirche ist jene Gemeinde, die den Sieg Gottes als den in der Welt sich zeigenden proklamiert, „und zwar so, daß diese Proklamation des endgültigen und schon unwiderruflich eingetretenen Sieges Gottes ... in der Geschichte der Menschheit nicht mehr untergeht"[23].

Aus diesem Grunde sind wir nach Rahner auch berechtigt, von einer „Indefektibilität" der Kirche zu sprechen. Die Kirche kann von sich eine Indefektibilität ihrer Heiligkeit und ihres Glaubens bekennen.

„Während die Kirche auf die Parusie als zukünftige noch wartet ..., die Parusie des Herrn als gegenwärtige in sich trägt und so Gegenwart und Zukunft sich gegenseitig tragen", geschieht das aus dem gültig bleibenden Ereignis Christi in der Menschheit und des Wortes Gottes, dem Tod und der Auferstehung Christi[24].

In seinen weiteren Ausführungen geht Rahner auf die Frage ein, wie sich die Kirche als Institution und Amt zur Kirche als eschatologischer Größe verhält. Dabei zeigt er, daß wir nicht ohne weiteres dem Amt in der Kirche in seinen Funktionen (Lehre, Kult, Leitung, Kirchenzucht) dieselbe eschatologische Indefektibilität zuerkennen können, wie sie die Kirche als Ganzes besitzt. Indefektibilität hat ja letztlich ihren Sachgrund in der Kirche als eschatologischer Heilsgemeinde. Von dorther begründen sich auch die sicht-

---

[22] Vgl. ebd. 358.
[23] So *K. Rahner*, ebd. 355.   [24] Vgl. ebd. 356.

bar werdenden Grenzen des Amtes. Dem Amt in der Kirche kommt aber ohne Zweifel eine Indefektibilität zu, weil es von Christus als autoritative Größe gestiftet ist und die Heilsgemeinde aufhören würde, „die geschichtliche Gegenwart und Greifbarkeit des Sieges der Gnade Christi zu sein, wenn sie ... grundsätzlich und wesentlich als ganze durch ihr Amt von Christus, seiner Wahrheit und seiner Liebe losgerissen werden könnte"[25]. Trotz dieser Indefektibilität müssen aber Kirche und Christ durch das Dunkel dieses Äons pilgern, und beiden verbleibt zuletzt nur das Vertrauen auf Gottes Gnade allein.

Im vierten Teil dieser seiner Ausführungen[26] greift Rahner weiter aus auf Eschatologie im Gegensatz zu jenen innerweltlichen Zukunftshoffnungen und -utopien, die es heute in einer Art von Dringlichkeit gibt, wie es früher nicht der Fall war. Die Kirche, so meint er, muß sich mit den Daseinserfahrungen des heutigen Menschen beschäftigen, der sich in gewissen Bereichen eine planbare und herstellbare Zukunft erschließen kann bzw. eröffnet. Diese Situation hat aber eine tiefe christliche Wurzel und einen christlichen Ursprung, insofern es nämlich das Christentum ist, das die Gesamtwirklichkeit primär als Geschichte und die Natur als ein Moment darin begreift und nicht umgekehrt. Es sieht die Natur als eine geschaffene, das heißt nicht als göttliche, als diejenige also, die der Mensch sich untertan machen soll.

„Die Kirche aber muß sehen und leben, daß sie nicht dadurch die wahre und glaubwürdige eschatologische Gemeinschaft des Heiles ist, daß sie sich der Größe, der Pflicht und der Gefahr dieser Welt der Zukunft versagt, sondern indem sie ein wirkliches und ernsthaftes Interesse an der Welt hat. Allein dadurch hat das Ausharren und Mitgestalten, das Erleiden und Tun der Kirche an der Welt seinen eigentlichen Sinn. Sie tut es daher in der Gewißheit des in der Geschichte der Menschheit nicht nur nicht untergehenden Sieges Gottes, so daß diese Welt umgestaltet und neu geformt werden kann nach dem Bilde ihres Hauptes – auch dort, wo alle menschlichen Hoffnungen zerbrechen; weil sie darum weiß, daß Gott schließlich alles zum Guten wenden wird."[27]

Eine Rahnersche Inspiration können wir auch im folgenden Passus des Kirchendokumentes erkennen: „Die Wiederherstellung, die uns verheißen ist und die wir erwarten, hat in Christus schon begonnen, nimmt ihren Fortgang in der Sendung des Heiligen Geistes und geht durch ihn weiter in der Kirche, in der wir durch den Glauben auch über den Sinn unseres zeitlichen

---

[25] Ebd. 362.
[26] Ebd. 365 ff.
[27] Ebd. 366 f.

Lebens belehrt werden, bis wir das vom Vater uns in dieser Welt übertragene Werk mit der Hoffnung auf die künftigen Güter zu Ende führen und unser Heil wirken (vgl. Phil 2,12)" (LG 48,1).

Aus diesem Grund ist die Kirche im Konzilsverlauf ausführlich auf die „Sorge" für die ganze Welt eingegangen. Sie will sich ernsthaft darum mühen, daß keiner zurückbleibt, solange die Verheißung, in das Land seiner Ruhe zu kommen, noch gilt (vgl. Hebr 4,1).

6. Rahners Bemerkungen über die Bedeutung des II. Vatikanischen Konzils

In den Jahren nach dem Konzil ist Rahner des öfteren auf die Bedeutung des II. Vatikanischen Konzils eingegangen. So z.B. ist sein Kölner Vortrag „Kirche im Wandel"[28] eine Schilderung und Deutung der verschiedenen Reaktionen auf das Konzil. In zwei größeren Aufsätzen geht er auf die Bedeutung des Konzils ein: „Bleibende Bedeutung des II. Vatikanischen Konzils"[29] und „Theologische Grundinterpretation des II. Vatikanischen Konzils"[30]. Es ist nicht unwichtig, zu beobachten, wo Rahner, der selbst mit großer Intensität die verschiedenen Phasen des Konzils als Konzilstheologe miterlebt hat, die Schwerpunkte dieser Kirchenversammlung sieht. Zunächst ist es für ihn ein bedeutsamer Wendepunkt für die „Zukunft der Kirche". In den beiden soeben genannten Beiträgen über eine theologische Grundinterpretation und über die bleibende Bedeutung des Konzils stellt er den Einfluß des Konzils für die gesamte Kirchengeschichte der Zukunft heraus.

Zunächst ist das Konzil für ihn ein „Konzil der Weltkirche", und er sieht in ihm „erst den Akt in der Geschichte, in dem die ‚Weltkirche' amtlich sich selbst als solche zu vollziehen begann". Oder: „Das II. Vatikanische Konzil ist ... der erste amtliche Selbstvollzug der Kirche als Weltkirche, die sie natürlich in potentia immer schon war."[31] Das gewandelte Selbstverständnis der Kirche findet nach ihm einen Niederschlag in der Aufhebung der gemeinsamen lateinischen Kultsprache. Rahner läßt allerdings auch die Nachteile nicht unerwähnt: „Der Weg der Muttersprache in der kirchlichen Liturgie signalisiert eindeutig das Werden einer Weltkirche ... Er signalisiert natürlich auch alle die neuen Probleme einer Weltkirche."[32] Das Verhältnis der Kirche zur Welt kommt in den Konzilstexten neu und gewandelt zum Ausdruck. Der Konzilstext über „Religionsfreiheit", die positive Stellung-

---

[28] Siehe StdZ 175 (1964/65) 437–454.
[29] Siehe StdZ 197 (1979) 795 ff.
[30] ZKTh 101 (1979) 290 ff.
[31] Vgl. *K. Rahner*, Schriften XIV 288. [32] Ebd. 291.

nahme zu den nichtchristlichen Weltreligionen, entspricht einer Neuorientierung der Weltkirche. Daß solches auch in verschiedenen Bereichen einen „Machtverzicht" der Kirche einschließt, braucht nicht erwähnt zu werden. Was die Theologie des Konzils betrifft, so sieht er darin eine Entwicklung von einer Theologie neuscholastischer Prägung zu einer Theologie, die sich bemüht, aus ihrem unwandelbaren Besitz die entsprechend angepaßte Antwort auf die Fragen der Menschen in unserer Zeit zu geben. Solange die Geschichte noch im Laufen ist und sich immer wieder neue Situationen ergeben, hat die Theologie die Aufgabe, den Glauben in diese Situation hinein zu verkünden und der Zeit entsprechend auszulegen.

Von großer Bedeutung ist nach Rahner auch der Wandel in der ökumenischen Einstellung: „Das Konzil bedeutet eine Zäsur in der Geschichte des Verhältnisses der katholischen Kirche sowohl zu anderen christlichen Kirchen und Gemeinschaften als auch zu den nichtchristlichen Weltreligionen."[33]

Die Weltkirche wird sich immer mehr der Verantwortung und der Aufgaben für die gesamte Menschheit bewußt. Rahner meint: „Die Kirche ist auf diesem Konzil neu geworden, weil sie Weltkirche geworden ist, und sie sagt als solche an die Welt eine Botschaft, die, obzwar immer schon der Kern der Botschaft Jesu, heute doch bedingungsloser und mutiger als früher, also neu verkündigt wird. In beider Hinsicht, im Verkündiger und in der Botschaft, ist etwas Neues geschehen, das irreversibel ist, das bleibt."[34]

Von dieser Warte aus schematisiert Rahner die Geschichte der Kirche in drei Perioden: 1. die kurze Periode des Judenchristentums, 2. die Periode der Kirche im Kulturkreis des Hellenismus und der europäischen Kultur und Zivilisation, 3. die Periode, in der der Lebensraum der Kirche von vornherein die ganze Welt ist.

Diese letzte Periode hat im II. Vatikanischen Konzil ihren Anfang genommen. Für die Zukunft der Kirche ist zu beachten: Entweder sehe und anerkenne die Kirche die wesentlichen Unterschiede der anderen Kulturen, „in die hinein sie Weltkirche werden soll", und ziehe aus dieser Erkenntnis mit einer paulinischen Kühnheit die notwendigen Konsequenzen, oder sie bleibe westliche Kirche und verrate so letztlich den Sinn, den das II. Vatikanum gehabt habe[35].

Abschließend können wir feststellen: Rahner war aufgrund seiner offiziellen Bestellung als Konzilstheologe sowie als theologischer Berater in der

---

[33] Ebd. 311.
[34] Ebd. 318.
[35] Vgl. Ebd.

„Theologischen Kommission" intensiv an den Vorgängen beim II. Vatikanischen Konzil beteiligt. Mit großer Anteilnahme und Aufmerksamkeit engagierte er sich bei der Neubearbeitung und Neufassung der Textvorlagen zum Thema „Kirche". Er hat selbst viele Formulierungsvorschläge eingebracht, Anregungen gegeben und selbst wieder Anregungen aufgenommen. Aus einer kurzen vergleichenden Gegenüberstellung ausgewählter Stellen in „Lumen gentium" mit Passagen aus dem reichen theologischen Schrifttum Rahners geht hervor, daß verschiedene Neuansätze in Teilen dieser dogmatischen Kirchenkonstitution eine beachtliche Konvergenz zu Rahners theologischem Denken aufweisen. Seine positive Wertung des Konzils weist auf die geistige Nähe Rahners zum Gesamtereignis hin. Aus diesem kurzen Aufsatz geht hervor, daß Rahner zu den Wegbereitern des II. Vatikanischen Konzils zu zählen ist, in seinen zahlreichen Schriften und Vorschlägen neue konziliare Gedanken aufgreift, weiterentwickelt und bereichert.

GERHARD B. WINKLER

VORREFORMATORISCHE UND „GEGENREFORMATORISCHE" KATEGORIEN IM II. VATIKANISCHEN KONZIL

Der Konzilsgeschichtsschreiber Hubert Jedin beklagte noch kurz vor seinem Tod, daß der Kirchenhistoriker bei der Darstellung des II. Vatikanums eigentlich fehl am Platz sei, weil die Quellen nicht zugänglich seien, die die tatsächlichen Hintergründe dieses Weltereignisses aufhellen könnten[1]. Noch sind die Augen- und Ohrenzeugen gefragt. Und da der Jubilar ein solcher ist, muß von vornherein jede Zeile über das Ereignis, das er selbst maßgeblich mitgestaltet hat, als Anmaßung erscheinen. Einige Fragen stellten sich allerdings bereits dieser nachkonziliaren Generation mit Nachdruck auch aus historischer Sicht: Ist 1962–1965 eine Entwicklung zu Ende gegangen, die vielleicht Jahrhunderte umfaßte? Hat dieses Konzil spätreformatorische Kategorien rezipiert? Ist durch dieses Konzil damit auch die Reformation überholt? Oder haben die katholische Aufklärung des 18. Jahrhunderts, und die Reformtheologie des 19. und 20. Jahrhunderts endlich auch in den Bereich des kirchlichen Lehramtes Eingang gefunden? Hat mit 1965 die Gegenreformation ihr Ende gefunden?

Das scheinen mir legitime Fragen zu sein, die nur durch den diachronen Vergleich beantwortet werden könnten. Ohne die Gefahr vorzeitiger, ja anachronistischer Harmonisierung eingehen zu wollen, drängen sich dem Leser reformatorischer und vorreformatorischer Quellen Gleichklang und Kontrast zu den Dekreten und Konstitutionen des II. Vatikanums unmittelbar auf. Wenn man in der erwartungserfüllten Aufbruchzeit der sechziger Jahre fast eher durch Zufall in den theologischen Schriften der Humanisten des 15./16. Jahrhunderts las, wurde man der fast wörtlichen Analogien zu den Formulierungen des Konzils mit Erstaunen gewahr. Heute weiß man, daß die humanistische Theologie des 16. Jahrhunderts neben mancher Ähnlichkeit der Gesinnung, Mentalität und der Bestrebungen, neben manchen

---

[1] *H. Jedin*, Kardinal Frings auf dem Zweiten Vatikanischen Konzil, in: FS. B. Stasiewski (Leverkusen 1980) 7–16.

Zufälligkeiten gleicher Denkweisen ihre auffallenden Analogien auch einem literarhistorischen Grund verdankt. Es war eine vorscholastische Theologie, die Theologie von Bibel und Kirchenvätern, die in beiden Fällen wirksam geworden war und die Ähnlichkeit über die 450 Jahre hinweg bewirkte.

Eine der wichtigsten Errungenschaften des Konzils, wenn auch nicht ohne pastorales Risiko, war bekanntlich die Entwicklung eines relativ neuen theologischen Wahrheitsbegriffs. Man pflegt ihn mit dem Stichwort „Hierarchie der Wahrheiten" zu umschreiben. Er hätte keineswegs zu einer Relativierung der Wahrheitsfrage im philosophischen Sinn führen dürfen oder zu einer Geringschätzung einzelner Dogmen und der von ihnen abgeleiteten Lehren. Positiv verstanden, bedeutete die *hierarchia veritatum* etwa das, was man traditionell mit den theologischen Sicherheitsgraden anzusprechen pflegte. Nur wurden auch innerhalb der Dogmen und der kanonischen Schriften Schwerpunkte gesetzt und ursprünglicher unveräußerlicher Bestand gleichfalls wichtigen, aber abgeleiteten Lehren gegenübergestellt. Insofern bedeutete diese Differenzierung für die Historische Theologie die wichtige Überwindung eines Pandogmatismus, wie er in den reformatorischen Auseinandersetzungen entstanden war. Martin Luther beanspruchte einen absoluten Sicherheitsgrad für die in der Schrift geoffenbarten Heilswahrheiten. Sie würden sich dem geisterfüllten Leser mit unfehlbarer Evidenz erschließen. Luther nannte das die „Klarheit der Schrift"[2]. Im Buchstaben wurde nicht mehr nach dem Geist geforscht, was im 18. Jahrhundert pietistische Kreise und der aufgeklärte Protestantismus wiederum betrieben, sondern der Geist wurde mit dem Buchstaben gleichgesetzt. Das führte zu einem bewußten Dogmatismus der frühen protestantischen Orthodoxie, was andererseits für die tridentinische Kirche nicht ohne Folgen blieb.

Im klassisch gewordenen Streit um diese Frage der theologischen Sicherheit hatte nun der alternde Erasmus von Rotterdam (1524)[3] dem Reformator die Lehre von der Hierarchie der Wahrheiten entgegengehalten. Für ihn waren die Offenbarungswahrheiten nur näherungsweise „klar". Die Aussagen

---

[2] *De servo arbitrio* (1525), WA 18, 600–787 606ff. „Nos vero de dogmatibus, non de grammaticis figuris agimus in hac causa" (ebd. 639). – *E.-W. Kohls*, Luther oder Erasmus I (ThZ Sonderband 3) (Basel 1972); *D. Kerlen*, Assertio. Die Entwicklung von Luthers theologischem Anspruch und der Streit mit Erasmus von Rotterdam (Veröffentlichungen des Institutes für Europäische Geschichte 78) (Wiesbaden 1976).

[3] *Erasmus von Rotterdam*, De libero arbitrio, in: Ausgewählte Schriften, hrsg. von W. Welzig, IV 14ff: zum Beispiel drei Schichten in der „Hierarchie der Wahrheiten": 1. solche, die uns Gott überhaupt nicht mitteilen wollte („omnino voluit nobis esse ignota"), z.B. der Tag des Gerichtes (Mk 13,32 usw.), 2. solche Geheimnisse, die es in Ehrfurcht zu verehren gilt („mystico silentio veneremur"), z.B. die hypostatische Union oder die Verschiedenheit der Personen in der Trinität, 3. solche, die „sonnenklar" geoffenbart wurden („notissima"), wie z.B. die christlichen Lebensregeln.

der Glaubensbekenntnisse hielt er als Fixpunkte fest: Die Gottheit Jesu, die Heilsverantwortlichkeit und damit die grundsätzliche Freiheit des Menschen und der Geschenkcharakter alles Heilsgeschehens waren für ihn nicht diskutabel. Das war nach seiner Überzeugung auch dem Volk zu verkünden. Andere, davon abgeleitete Lehren gehörten nach seiner Meinung nicht auf die Kanzel, sondern auf den Katheder. Die Hierarchie der Wahrheiten sah er in der jeweiligen Nähe oder Entfernung zum Christusgeheimnis. Er hielt im Einzelfall und für das alltägliche Glaubensleben die Anbetung der Geheimnisse für wichtiger als deren spekulative Aufhellung. Die Schrift (und die Dogmen) mußten nach seiner Auffassung anders als in der frühen Reformation nach den Regeln der Auslegekunst und mit Hilfe der „Prophetie", einer Gabe des Heiligen Geistes, ausgelegt werden. Zwischen den offensichtlich sich widersprechenden Aussagen der Schrift suchte er das eigentlich Gemeinte, den „festen" Sinn der Schrift, zu ergründen. Diese an sich simple und urkatholische Lehre von den vielen Bildern und dem einen Sinn, den vielen Worten und der einen Sache überließ man dann im 18. Jahrhundert aufgeklärten Protestanten wie Gotthold Ephraim Lessing, nachdem man den katholischen Oratorianer Richard Simon (1638–1712) nicht mehr rezipiert hatte. In Wirklichkeit hatte das Lutherische *Claritas*-Denken bis herauf zur katholischen Reformationsgeschichtsschreibung der Gegenwart als Ideal gegolten. Nur hat m.E. das Konzil hier einen Dogmatismus humanisiert, der seit der Reformation in den verschiedenen konfessionellen Lagern gepflegt wurde. Das könnten manche als Aufweichung schützender Fronten bedauern. Jedoch auch für die katholische Reformtheologie der Lutherzeit bedeutete ein gewisser Verlust an Sicherheiten im Bereich der *fides quae* keine Schwächung der *fides qua.*

Der klassische Gnadenstreit des 16. und 17. Jahrhunderts (zweitens) bewegte bekanntlich die katholische Welt mit ungewohnter Intensität. Seine letzten Wellen waren in der Theologie noch vor dem Konzil zu spüren. Durch die Wiederentdeckung personaler Modelle für Gnaden-, Sakramentenlehre und Offenbarungsbegriff wurde der Streit eigentlich gegenstandslos. Dort, wo Gnade als persönliche Zuwendung, nicht als dingliche Qualität gesehen wird, erübrigten sich die vermeintlichen Aporien von kreatürlicher Freiheit und göttlicher Allwirksamkeit. Das theologische Problem des späteren Gnadenstreites wurde in radikaler Schärfe schon in der Lutherischen Theologie formuliert[4], bevor es dann gegen Ende des 16. Jahrhunderts ein innerkirchlich-katholisches Phänomen wurde. Die vermeintliche Aporie kam durch dingliche Modelle zustande, die der begrifflichen Spekulation zu-

---

[4] De servo arbitrio, WA 18, 609–620.

grunde lagen. So war der Mensch für Gott ein willenloses Werkzeug wie die Axt in der Hand des Zimmermanns. Der Mensch war das Reittier (Ps 72 [73],22), das einmal vom Teufel und dann wieder von Gott geritten wurde, ohne daß es selbst etwas zum Heil hätte beitragen können[5]. Der Ton wurde je nach der Willkür des Töpfers zu einem anständigen Gefäß oder einem Gefäß des Unrates geknetet. Die humanistischen Apologeten benützten dagegen bereits personale Modelle und Begriffe, ohne sich wahrscheinlich dessen besonders bewußt zu sein oder gar eine personalistische Philosophie zu entwickeln. Später vergaß man allerdings diese Wege und Denkmöglichkeiten auch in der katholischen Welt, indem man sich *de facto* die Lutherische Aporie zu eigen machte. So verglich Erasmus in seinem „Gnadenstreit" von 1524 den frei-unfreien Menschen mit einem Kind, das das „freie" Gehen erlernt, indem es vom Vater angesprochen und ermutigt wird[6]. Das Gnadenwort befreit sozusagen den unfreien, aber potentiell freien Menschen. Der gefallene Mensch wird einzig und allein durch den „Zuspruch" Gottes aufgerichtet, aber so, daß Gott an eine Fähigkeit zur Freiheit im Gefallenen rührt, sie weckt und aktualisiert. Hier soll nicht behauptet werden, daß der Personalismus des II. Vatikanums von der humanistischen Theologie stammt, wenngleich in dieser Zeit über die Würde des Menschen nachgedacht wurde. Wir wissen ganz genau, daß Martin Buber, Ferdinand Ebner und andere, nicht zuletzt aber die Theologie der Bibel und der Väter Pate für den konziliaren Personalismus gestanden haben.

Drittens wäre der gewisse Heilsoptimismus des Konzils mit seinen entsprechenden Konsequenzen für den Ökumenismus, für die Anerkennung der getrennten Christengemeinden als „Kirchen" und für die Würdigung des Heilscharakters nichtchristlicher Religionen zu nennen. Wir wissen, daß diese Einstellung in Mittelalter und früherer Neuzeit undenkbar gewesen wäre. Sowohl die Behandlung der Heterodoxie wie der nichtchristlichen Religionen war von einer ausgeprägten Höllentheologie gekennzeichnet. Für Dante und die mittelalterlichen Mystiker gab es keine Gnade – weder für Cicero und Vergil noch für Sokrates. Das „Extra ecclesiam nulla salus", eng ausgelegt, beflügelte noch die neuzeitliche Weltmission fast bis in die Gegenwart hinein. Dies kam geradezu auf eine Leugnung des allgemeinen Heilswil-

---

[5] WA 18, 635: „Sic humana voluntas in medio posita est, ceu iumentum, si insederit Deus, vult et vadit, quo vult Deus, ut Psalmus dicit . . . Si insederit Satan, vult et vadit, quo vult Satan, nec est in eius arbitrio ad utrum sessorem currere aut eum quaerere, sed ipsi sessores certant . . ." Zur Deutung dieser Psalmallegorese durch Luther vgl. *Th. Beer,* Der fröhliche Wechsel und Streit. Grundzüge der Theologie Martin Luthers (Einsiedeln ²1980) 227–258, hier 242.
[6] *Erasmus von Rotterdam,* De libero arbitrio (s. Anm. 3) 174ff. Dazu die Metapher aus der Sinnespsychologie, die man als teils dinglich teils personal ansprechen darf: ebd. 54ff.: „Quemadmodum in nobis est ad illatum lumen aperire oculos ac rursum claudere."

lens Gottes hinaus. Die absolute Heilsnotwendigkeit der Predigt und der Annahme der „Reformation" (des „lauteren" Wortes) wurde nun bei Luther, Calvin, dazu auch bei den täuferischen Brüderkirchen auf ihre Art noch verschärft. Das „Sancte Socrates, ora pro nobis" eines Erasmus hätten sie als Blasphemie aufgefaßt. Entsprechend war auch die theoretische Begründung der praktischen Unduldsamkeit, die auf beiden Seiten im ersten Jahrhundert der Reformation mit ganz wenigen rühmlichen Ausnahmen (in Siebenbürgen, Polen und den Niederlanden) immer ärger wurde. Die frühreformatorische Prädestinationslehre verschärfte nur noch die theoretischen Voraussetzungen religiöser Intoleranz. Man sprach zwar auch in humanistischen Kreisen von Ketzerei als Seelenmord, aber vor Gewaltanwendung schreckte man doch eher zurück. Nur dort, wo man *tumultus,* Unruhen und Hochverrat, vermutete, sah man das Eingreifen der obrigkeitlichen Gewalten als erlaubt an. Für einen Mann wie Thomas Morus etwa war ein staatliches Vorgehen gegen Ketzer eine Frage der Gewaltverhinderung. Sofern die Neugläubigen die öffentliche Ruhe störten, mußten sie verfolgt werden. Im übrigen hielt er mehr von den Waffen des Geistes, der Disputation und schließlich des Gebetes und der Buße für die Verirrten, wie er sie für seinen lutherischen Schwiegersohn Roper anwendete.

Zunächst mag viertens die dogmatische Klärung des Konzils, daß der Inbegriff des Weihesakramentes das Bischofsamt darstelle, als nicht weltbewegend erscheinen. Der Historiker weiß jedoch, wie nachteilig für den Episkopat die Weihetheologie seit dem Frühmittelalter die zweite Stufe des Ordo, den Presbyterat, in den Mittelpunkt der Aufmerksamkeit stellte. Der Episkopat wurde vielfach als bloße jurisdiktionelle Ausweitung des eigentlichen Priestertums verstanden. Diese Weihetheologie begleitete wenigstens die für das Mittelalter charakteristische Desintegration von Weihe- und Leitungsgewalt. Sie wurde zu einem kirchengeschichtlichen Phänomen, das vielfach belegt werden könnte. Durch die Amtsauffassung der Reformatoren wurde nun diese Weihetheologie keineswegs revidiert, sondern durch die weitgehende Abschaffung des überlokalen Episkopats noch radikalisiert. Kirche wurde nicht völlig falsch praktisch ausschließlich als Ortskirche verstanden. Das Amt, das mindestens seit den Zeiten des hl. Cyprian ausdrücklich für die Einheit der Ortskirchen untereinander verantwortlich sein sollte, führte im protestantischen Presbyteralismus zunächst zu einem fast gänzlichen Verlust der großkirchlichen und ökumenischen Dimension. Hier hat das II. Vatikanum auch entschieden „gegenreformatorische" Akzente gesetzt. Dabei war jedoch wohl den meisten nicht bekannt, daß auf dem Höhepunkt der ersten Phase protestantischer Konfessionsbildung Erasmus einen seiner umfangreichsten Traktate über den „Prediger" verfaßte, worin er theologisch in altkirchlicher Denkweise nicht bei der zweiten Weihestufe, sondern beim Bischof als dem Garanten der Einheit, der Großkirche, der Ökumene und der Apostolizität ansetzte[7]. Dadurch, daß man diese Theologie auch im katholischen Raum weithin vergessen hatte, kam es in der Neuzeit zu einer ungesunden Mystifizierung des Amtspriestertums, für deren Einseitigkeiten wir heute die Zeche zahlen müssen. Es kam im Protestantismus wie im Katholizismus zu einer Verklerikalisierung, wie sie nicht einmal das Mittelalter in dieser Form kannte.

Das Konzil versuchte, in der Metaphorik vom wandernden Volk Gottes eine klerikalistische Verengung des Kirchenbegriffs abzubauen. Die Reformation hatte zwar das allgemeine Priestertum neu entdeckt, aber es ist mit Recht zu bezweifeln, ob der konfessionelle Frühabsolutismus und der fürstliche Obrigkeitsstaat bis ins 19. Jahrhundert eine größere geistliche Mündigkeit des „Laien" zuließen, als es vorher der Fall war. Seine Emanzipation kam durch die säkulare Bildung, die allerdings zunächst auch in der „Bildung" des Bibellesens bestand. Es bezweifelt niemand, daß die Schulpolitik des Protestantismus über die Vermittlung Philipp Melanchthons eindeutig der humanistischen Tradition verpflichtet ist. Obendrein beachtete man oft zuwenig, daß die Forderung, daß höhere christliche und theologische Bildung, Vollkommenheit und Nachfolge Christi nicht ein Reservat der Mönche und Priester sein dürfen, sondern allen Getauften zustünden, zum konstanten Bestand humanistischer Theologie der Reformationszeit gehörte[8].

Ähnliches gilt fünftens für die Diakonie, den allgemeinen Weltdienst und die Weltoffenheit der Kirche. Diese wurde in den ersten zwei Jahrhunderten der Reformation zum Schaden der Menschheit mit Ausnahme des Schulwesens sträflich vernachlässigt, weil man die mittelalterliche und römische Frömmigkeit der „Werke" vermeiden wollte. Den Humanisten wurde die Forderung nach der Umsetzung des Dogmas in das praktische Leben als aufklärerischer Moralismus angekreidet. Man hatte dabei vergessen, daß große Initiativen nach der Gegenreformation vom neuen Seelsorgsideal bis zur Missionstheorie der Akkommodation humanistischen Ursprungs waren. Es war an der Zeit, daß das II. Vatikanum diese Kategorien wiederentdeckte. Selbst wenn seine Theologie zu einer Krise der Missionstheorie geführt haben sollte, so bedeutete sie auf lange Sicht eine Rückkehr zu einer weiteren und evangeliengemäßeren Interpretation des christlichen Erbes.

---

[7] *Erasmus von Rotterdam*, Ecclesiastes, sive De ratione conciniandi (1535), in: Opera Omnia, V, ed. J. Clericus (Leiden 1704; Repr. Hildesheim 1962) Sp. 769–1099.
[8] *Erasmus von Rotterdam*, Paraclesis (1516), hrsg. von W. Welzig, III 2–3c, bes. 2: „Nulli non licet esse theologum."

GIUSEPPE ALBERIGO

CHRISTENTUM UND GESCHICHTE
IM II. VATIKANUM

Die Analyse des im II. Vatikanum verwendeten Wortschatzes läßt den häufigen, ja reichlichen Gebrauch eines sozusagen geschichtlichen Vokabulars erkennen, d.h. den Gebrauch von Wörtern, die eine ständige und durchlaufende Aufmerksamkeit für die geschichtliche Dimension der Wirklichkeit bekunden[1]. Schon eine summarische Untersuchung zeigt, daß die Konzilsentscheidungen mit einer besonderen Feinfühligkeit für das Heute in der Geschichte der Menschheit und des Glaubens sowohl dem Wandel der Gesellschaft als den Veränderungen im Leben der Kirche Rechnung getragen haben. Mag auch die gehäufte Verwendung dieses Wortschatzes vornehmlich bei der Pastoralkonstitution „Gaudium et spes" ins Auge fallen, so darf man doch nicht außer acht lassen, daß auch andere wichtige Konzilsdokumente, insbesondere die Konstitutionen über die Liturgie und die Kirche, trotz sparsameren Gebrauchs eine analoge Ausrichtung erkennen lassen.

Ein Vergleich mit der Sprache der Dekrete des I. Vatikanums[2] – den man allerdings mit gebührender Vorsicht anstellen muß – kann dazu dienen, die grundlegende Neuheit dieser Ausrichtung zu erkennen. Tatsächlich finden sich in den Erklärungen des I. Vatikanums nur knapp mehr als ein Drittel (14) jener Wortbeispiele, die das Hauptgerüst der historischen Sprechweise des II. Vatikanums bilden. Zudem ist bei dieser Gegenüberstellung noch zu berücksichtigen, daß die den beiden Konzilien gemeinsamen Wörter mengenmäßig unterschiedlich gebraucht werden, so daß letztlich die ihnen zukommende Rolle jeweils eine ganz andere ist: Beim I. Vatikanischen Konzil

---

[1] Als Anhaltspunkte habe ich folgende Worte ausgewählt: aetas, aevum, adaptio, aptare, condicio, crescere, dies, discernere, dynamicus, eventus, evolutio, fieri, frequens, historia, hodie, hodiernus, hora, innovatio, modernus, mutabilis, mutare, mutatio, novus, novitas, nunc, peregrinare, progredior, progressus, recens, reformare, renovatio, saeculum, signum, tempus, testimonium, ultimatim, urgens, urgeo. Bezüglich ihres Häufigkeitsvorkommens in den Konzilsdokumenten habe ich mich an die in: Concilium Vaticanum II. Concordance, index, listes de fréquence, tables comparatives, hrsg. von Ph. Delhaye–M. Gueret–P. Tombeur (Löwen 1974), enthaltenen Angaben gehalten.
[2] Ich beziehe mich auf die Vergleichstabellen im Anhang von: Concilium Vaticanum I. Concordance, index, listes de fréquence, tables comparatives, hrsg. von R. Aubert–M. Gueret–P. Tombeur (Löwen 1977) 202–239.

ist sie nebensächlich und unbedeutend, beim II. hingegen charakteristisch – und das in dessen wichtigsten Erklärungen.

Aufgrund dieser Feststellungen kann man sich nun fragen, welcher Stellenwert der Beachtung der Geschichte – deren Einbeziehung in die lehramtlichen Aussagen vom Konzil selbst der Kirche nahegelegt wurde – im II. Vatikanum zukommt. Ging es dabei um ein Zugeständnis an den „weltlichen" Sprachgebrauch, um ein optimistisches Entgegenkommen, wie manche behaupten? Oder lag der Wortwahl ein vertieftes Glaubensverständnis zugrunde? Und – sei das nun so oder so gewesen – welche Folgen ergaben sich daraus für die Gesamtausrichtung des Konzils, welche doktrinären Auswirkungen lassen sich erkennen, heute, nach zwei Jahrzehnten der „Abklärung" der Entscheidungen und Dekrete und angesichts doch wesentlich veränderter Verhältnisse?[3]

Der bereits auf der Ebene des Wortschatzes aufschlußreiche Vergleich mit dem I. Vatikanum macht zusätzlich die radikal veränderte Einstellung des katholischen Lehramtes und weiter Teile der Theologie der Geschichte gegenüber bewußt. Nicht nur hatte sich damals anläßlich der Formulierung der zwei Dekrete des Jahres 1870 eine metaphysisch-essentialistisch geprägte Lehrauffassung durchgesetzt, die nach der Krise im 16. Jahrhundert innerhalb des Katholizismus immer vorherrschender geworden war: mit einer Theologie, die man zu Recht als eine „barocke" definiert hat, waren auch einzelne Elemente der Scholastik übermäßig aufgebauscht, ihres Gleichgewichts und ihrer ursprünglichen Dynamik beraubt worden. Die Reaktion auf neu aufkommende Kulturformen und die Berufung auf die Restauration hatten beträchtlich dazu beigetragen, die Vormachtstellung einer verknöcherten Theologie zu verfestigen, die dadurch ermuntert wurde, ein Begriffsarsenal zu bevorzugen, das von starren, ein für allemal vorgegebenen Wesenheiten beherrscht wurde, die – bar jeden Bezuges zur Zeit und zur Unvollkommenheit allen Werdens – außerhalb der Geschichte angesiedelt waren. Diese Statuten betrafen zwar primär die Lehräußerungen, wurden dann aber auch auf die Kirche und die politischen Doktrinen ausgedehnt. Das Fehlen jeder echten geschichtlichen Bezugnahme seitens des I. Vatikanums auf seine kulturelle Umwelt bestätigt nur das Gesagte.

Anderseits ist bekannt, daß unter dem Einfluß der großen Ära der positivistischen Geschichtsschreibung auch in der katholischen Kirche eine erste

---

[3] Vgl. meinen Versuch einer kritischen Durchleuchtung der heutigen Einstellung der katholischen Theologie gegenüber der Geschichte: „Cristianesimo come storia e teologia confessante". Vorwort zu *M.-D. Chenu, Le Saulchoir. Una scuola di teologia* (ital. Ausg. Casale Monferrato 1982) IX–XXX (vgl. Anm. 10).

Versöhnung mit der Geschichte heranreifte und – seit Leo XIII. – die Gültigkeit historischer Erkenntnisse anerkannt wurde. Dieses Zugeständnis war von besonderer Bedeutung für den Bereich der Kirchengeschichte und brachte die Überwindung der noch bei Baronius vorhandenen apologetischen Barrieren und die Freigabe der in den kirchlichen Archiven gehorteten Quellen mit sich.

Möglicherweise aus Naivität hatte man nicht bedacht, daß die Legitimierung einer historisch-kritischen Bearbeitung der Kirchengeschichte unweigerlich die Billigung mit einschloß, die historisch-kritische Methode auch beim Studium der Bibel und der dogmatischen Aussagen anzuwenden. Den damit aufgeworfenen Problemen galt das Hauptaugenmerk der besten Köpfe der katholischen Kirche zwischen dem Ende des 19. und dem Beginn des 20. Jahrhunderts. Wohlbekannt sind die Spannungen und Zerreißproben, die diese Problematik innerhalb der Kirche hervorrief, vor allem als die kirchlichen Behörden es mit der Zeit für unerläßlich hielten, lehrmäßig und disziplinär einzugreifen. Eine Folge dieser Eingriffe war, daß die Untersuchung und Vertiefung des Verhältnisses zwischen Glaube und Geschichte zumindest für die Dauer einer Generation lahmgelegt wurden.

Erst gegen Ende der dreißiger Jahre konnte eine neue Generation katholischer Gelehrter, die sowohl altersmäßig als geistig genügend Abstand zu den erbitterten Auseinandersetzungen um den Modernismus besaßen, diesen Fragenkomplex mit neuem Eifer angehen. Dennoch hatte sich inzwischen der Horizont der Fragestellung verlagert und erweitert. Die Diskussion ging nicht mehr nur und hauptsächlich um die Anwendung der historisch-kritischen Methode beim Studium der Bibel und der dogmatischen Lehraussagen, sondern dehnte sich nunmehr auf die Gesetzlichkeiten des Christentums und das Wissen darüber aus. Als besonders fruchtbar erwies sich die Forderung der französischen Theologie, daß man die geschichtliche Bedingtheit des Christentums zur Sprache bringen müsse, da es ein Ereignis sei, das zur Geschichte der Menschheit weder in einer rein zufälligen, noch in einer neutralen, geschweige denn in einer feindlichen Beziehung stehe, sondern von seinem Wesen her tiefgreifend mit ihr verknüpft sei. Auf diese Weise wollte man nicht nur der Geschichtsschreibung gerecht werden, die die Vergangenheit wissenschaftlich durchleuchtet und so der Identitätsfindung des Subjekts – auch des christlichen! – dient, sondern auch und vor allem der Geschichte selbst als dem Leben und Werden der Menschheit, in die der Gott Abrahams, Isaaks und Jakobs und noch weit mehr der Gott Jesu Christi eingetreten ist. Unter diesem Gesichtspunkt, d.h. in Anbetracht der Menschwerdung Christi, bleibt dem Christentum folgerichtig nichts anderes übrig, als seine geschichtliche Bedingtheit anzunehmen und sich auf eine

Freundschaft mit den Menschen der Geschichte einzulassen, die kein Konflikt, kein asketischer Anspruch, kein Reinheitsstreben beeinträchtigen, geschweige denn zu Fall bringen kann.

Bekanntlich haben die zwei Weltkriege endgültig klargemacht, daß die bisherigen gesellschaftlichen und politischen Ordnungen ein für allemal überholt waren und sich auch die Christen und die katholische Kirche nicht mehr ihrer schweren gesellschaftlichen Verantwortung entziehen konnten, als ob sie in einer Freizone lebten. Die Debatten über das „Schweigen" von Pius XII. zeigten ebenso wie die unaufhaltsam wachsenden ökumenischen Bewegungen an, daß die Christen in das große Weltgeschehen mit hineingezogen waren. Sie sahen sich täglich mehr genötigt, ihren Glauben in der Geschichte zu leben und ihn an ihr zu messen. Die offiziellen kirchlichen Instanzen standen dieser Sachlage höchst unvorbereitet gegenüber. Allzulange war die „profane" Geschichte von der „heiligen" Geschichte nicht nur sorgsam getrennt gehalten, sondern ihr sogar entgegengestellt worden, als ob die eine den Stempel des Vergänglichen und Hinfälligen, die andere den des Ewigen und Wahren trüge. So konnte es zu schreckhaften Reaktionen – wie etwa den eindämmen wollenden Belehrungen der Enzyklika „Humani generis" – kommen. Aber auch die Verfechter der vorherrschenden Lehre über die Kirche, die auf ein selbstgenügsames und jeder Dynamik abholdes Gesellschaftsmodell aufbaute, drängten zu Schutzmaßnahmen, die von allem Anfang an durch die ihnen zugrundeliegenden Ängste belastet waren: Ob man sich ökumenischen Bewegungen gegenüber verschloß oder mit außergewöhnlicher und pauschaler Härte jeden Kontakt mit kommunistischen Bewegungen anprangerte – immer waren es Aktionen, die eigentlich mehr die Vergangenheit als die Zukunft im Blick hatten und deshalb sehr bald an Bedeutung verloren.

Auch daraus ließ sich die Forderung nach einer Neuauffassung von Kirche ablesen: nach einer Kirche, die die Geschichte annähme, statt ihr auszuweichen, die sich in sie einbezogen wüßte, wie Jesus von Nazaret in sie einbezogen war, die es vermiede zu denken, daß ihre „Vergöttlichung" im Glauben und die „Krisis" der Geschichte ihr einen Freibrief ausstellten, der Zugehörigkeit zu den Menschen billig zu entkommen. Der Ruf nach einer tiefgreifenden kritischen Neuüberdenkung wird – wenn auch nur vereinzelt – schon in Äußerungen von Pius XII. laut, der sich wünscht, daß die Kirche die Geschichte zu lesen vermöge[4].

---

[4] In seiner Ansprache vom 20. Februar 1946 an die neuen Kardinäle verneint Pius XII. die Möglichkeit, daß die Kirche sich „in einem Augenblick der Geschichte" sozusagen versteinere und „sich jeder weiteren Entwicklung verschließe"; er betonte hingegen, daß sie „ohne Unter-

Unter dem Nachfolger Papst Pacellis erlangt die Annäherung zwischen Kirche und Geschichte eine so unerwartete Aktualität und einen solchen Aufschwung, daß man das nicht einfach damit erklären kann, daß Papst Roncalli eine gewisse persönliche Erfahrung hinsichtlich historischer Arbeit besessen habe. Sehr bald schon war zu erkennen, daß der neue Papst Interesse und Verständnis für historische Ereignisse hegte und es seine Art war, sie in ihren Zusammenhängen zu sehen, eine Angewohnheit, die im Katholizismus – besonders auf höchster Ebene – seit Jahrhunderten nicht mehr üblich war.

Bei seiner Krönungsfeier hatte Johannes XXIII. die Gelegenheit gefunden zu betonen, daß der neue Papst „ein feines Ohr für die Stimmen der Erde"[5] (d.h. der Geschichte) habe, so daß er wenige Wochen später anläßlich der Inbesitznahme der Lateranbasilika darauf hinweisen konnte, daß sich „die Zeiten und Umstände gebessert" hätten im Vergleich zu jenen, die bei der entsprechenden Zeremonie für Pius XII. herrschten. Eine selbstverpflichtende Äußerung findet sich in der Ansprache vom 25. Januar 1959, bei der er seinen Entschluß kundtat, ein Konzil einzuberufen. Damals nannte Papst Roncalli als eine Richtlinie seines Dienstes, „das Heil der Seelen und ein eindeutiges und klares Eingehen des neuen Pontifikates auf die geistigen Bedürfnisse der heutigen Zeit im Auge zu behalten" (DMC 1,129). Wer sich bei der Ankündigung eines neuen Konzils solchermaßen äußert, schenkt dem historischen Augenblick nicht nur Aufmerksamkeit, sondern macht ihn zu einem bedeutsamen und zentralen Faktor seiner Entscheidung. Das damals Gesagte wird gegen Ende des Jahres 1960 dann nochmals bestätigt werden, und zwar anläßlich der Einsetzung der Vorbereitungskommissionen. Bei dieser Gelegenheit legte der Papst Wert darauf, die vergangenen Konzile nicht nur den jeweils behandelten Lehrfragen nach zu charakterisieren, sondern auch nach den geschichtlichen Umständen, auf die sie eine Antwort zu geben versuchten (DMC 3,18).

Diese Art und Weise, das Konzil nicht als eine irgendwie wirklichkeitsfremde „Versammlung von Theoretikern", sondern als einen „lebendigen

---

brechung und ohne Widerstand fortschreite auf dem Weg, den ihr die Vorsehung durch die Zeiten und Umstände hindurch weise": Discorsi e radiomessaggi di SS Pio XII, Milano 7 (1946) 391. Etliche Jahre später erwähnte derselbe Papst in der Osteransprache von 1957 „die Zeichen einer kommenden Morgenröte": ebd. 19 (1958) 94.

[5] Discorsi, messaggi, colloqui del santo padre Giovanni XXIII, 1 (Rom 1960) 10; bei der gleichen Gelegenheit erinnerte der Papst daran, daß die Kirche „ihre Zeiten der Schwäche und des Neuaufschwungs gehabt" habe, ebd. 13; die Ansprache in der Lateranbasilika ist vom 23. November 1958, ebd. 36. Diese Ausgabe der Reden usw. von Papst Johannes XXIII. wird ab nun unter der Abkürzung DMC zitiert, der die Zahl des Bandes und der Seite folgen.

und mitschwingenden, in Christi Licht und Liebe die ganze Welt umfassenden Organismus" zu sehen, wurde am 20. Juni 1961 (DMC 3,331) nochmals bekräftigt. Ihren vollen Ausdruck findet sie in der Einberufungsbulle vom 25. Dezember desselben Jahres. Dieses Dokument ist im wesentlichen historisch ausgerichtet: Die Einberufung des Konzils wird mit der Lage der Menschheit begründet und seine Eigenbedeutung in direkten Bezug zu den Zeitverhältnissen gebracht.

Zu Beginn der Bulle wird an die „göttliche Anwesenheit Christi" erinnert, die „allezeit lebendig am Werk ist" und „vornehmlich in für die Menschheit schweren Zeiten spürbar wird" (DMC 4,868). Es wird somit ausdrücklich auf die Dauerbeziehung zwischen dem Christus und der Geschichte der Menschen hingewiesen, auf eine Beziehung, die sich in den kritischen Augenblicken der Geschichte sogar verstärkt. Dementsprechend betont die Bulle denn auch, daß gerade in solchen Momenten der Kirche voller Einsatz abverlangt werde. Nachdem er diesen Grundsatz ins Gedächtnis gerufen hat, wendet Johannes XXIII. ihn auf die „Gegenwart" an. Mit einigen markanten Sätzen stellt er fest, daß „eine Gesellschaftskrise im Gange ist", daß „die Menschheit an der Wende zu einem neuen Zeitalter steht" (DMC 4,868), sich in einer höchst bedeutungsvollen und dichten Phase befindet. Alles sehr klare, wohldurchdachte Einschätzungen, die der Papst gewiß nicht nur als eine politisch-technische Bewertung, sondern als ein Urteil über unsere Epoche verstanden wissen will.

Johannes hat demnach die tiefliegende Ebene der Langzeitlinien im Auge, die die Geschichte der Menschheit als ganzer strukturieren. Man kann sich zwar vorstellen, daß er dabei Informationen und Daten auswertet, die ihm aufgrund seiner Position zugänglich sind, aber ebenso ist anzunehmen, daß Intuition und prophetische Begabung, gekoppelt mit einer gewohnheitsmäßigen Befragung der Geschichte, eine noch größere Rolle spielen.

Da Papst Roncalli sehr wohl um den schleichenden Pessimismus in den Reihen der Katholiken weiß, weist er bei der Beurteilung dieser menschheitsgeschichtlichen Wende jede vorgefaßte Ablehnung der positiven Werte einer Geschichtsdynamik entschieden zurück: sie ließe „die verzagten Seelen nichts anderes als schwere Schatten auf dem Angesicht der Erde sehen" (DMC 4,868). Er ist der Meinung, daß man „Jesu Aufforderung, die Zeichen der Zeit zu erkennen", nachkommen müsse (ebd.). Damit stellt er ein verbindliches Kriterium auf, wie Geschichte vom christlichen Standpunkt aus zu interpretieren ist. Ein Kriterium, das nicht nur die vorbehalts- und vorurteilsfreie Annahme der Geschichte bedingt, sondern darüber hinaus Geschichte als ein Buch begreift, dessen „Zeichen" man lesen muß, weil sie für den christlichen Glauben Wichtiges zu sagen haben. Johannes XXIII. hält sich nicht bei einer exegetischen Untersuchung des Verses Mt 16,4 auf, der die Aufforderung zum Erkennen der Zeitzeichen enthält: er nimmt die Aufforderung ganz einfach wörtlich, wie der weitere Text der Bulle zeigt.

Es folgt nämlich ein sehr sorgfältig ausgearbeiteter Abschnitt, in dem die Zeichenhaftigkeit jüngst vergangener Ereignisse der Menschheitsgeschichte analysiert wird. Es wird auf die beiden Weltkriege hingewiesen, auf den durch mancherlei Ideologien hervorgerufenen geistigen Verfall, auf die Erfindung von Atomwaffen katastrophaler Vernichtungskraft, um sodann festzustellen, daß aus alldem „nützliche Lehren und beklemmende Fragen" hervorgegangen sind. Der Papst „meint daher, inmitten von soviel Düsternis nicht wenige Anzeichen zu entdecken, die berechtigte Hoffnung für die Geschichte der Kirche und der Menschheit aufkommen lassen". Seiner Ansicht nach bestehe zwischen Kirche und Menschheit insofern eine Parallelität, als in beiden gleichzeitig große Veränderungen vor sich gingen. Dieses zusammenfassende Urteil ist für Johannes XXIII. das ausschlaggebende Moment: Er „hält die Zeit nunmehr für reif, der Kirche und der Welt ein neues Konzil . . . anzubieten" (DMC 4,870).

Meines Erachtens stellt das hier skizzierte Dokument eine bedeutsame Etappe auf dem Weg der Versöhnung zwischen Katholizismus und Geschichte dar. Seinem Stil getreu formuliert Johannes XXIII. keine theoretisierenden Lehrsätze, sondern bedient sich zur Begründung der Einberufung des II. Vatikanums einer hochinteressanten und originellen Zusammenschau, in der die Bezugnahme auf die Geschichte der Menschheit den entscheidenden Ausschlag gibt für einen so echten Akt des Glaubens, wie es die Einberufung eines Konzils ist. Im übrigen steht diese seine Vorgangsweise nicht vereinzelt da: sie macht sich immer wieder und noch eindrucksvoller bemerkbar. Nahe dem Vorabend der Konzilseröffnung betont Papst Roncalli aufs neue, daß das Konzil zum „rechten Zeitpunkt" komme, d.h. in „einer jener historischen Stunden, in denen die Kirche für einen neuen Aufschwung bereit ist" (DMC 4,520). Es waren Worte messianischer Klangfarbe, wie auch der Hinweis auf Lk 21,20–33 erkennen läßt. Die Einordnung des Konzilsereignisses in den Rahmen der Welt- ebenso wie der Heilsgeschichte geschieht demnach aufgrund und in Verbindung mit einer unauflöslichen Verflechtung von Geschichtsbewußtsein und Glaubensauffassung.

So gesehen, kann es nicht wundern, daß ebenderselbe Ansatz – in erweiterter und feierlicherer Form – in der Eröffnungsrede für das Konzil wiederkehrt[6]. Diese Rede ist von ihrem Anfang bis zu ihrem Ende eine einzige

---

[6] Es ist bezeichnend, daß diese Ansprache „Gaudet mater ecclesia", die in den üblichen Ausgaben in 23 Paragraphen unterteilt ist, in den zentralen dieser Abschnitte, d.h. vom zweiten

und ununterbrochene Reflexion über die geschichtliche Bedingtheit des Christentums und die überragende Bedeutung dieser Gesetzlichkeit für das Sonderereignis des Konzils. Und so baut sie denn ganz auf den dynamischen Beziehungen zwischen Vergangenheit, Gegenwart und Zukunft auf, von welch letzterer der Papst seine ins einzelne gehende und zugleich gesamtheitliche Vision darlegt, nicht ohne einige besondere Richtlinien zu ihrer Bewältigung anzubieten. So findet sich hier zum einen die erneute Ablehnung der Schwarzseherei der „Unglückspropheten", die aus der Geschichte nicht lernen wollen, weil sie sie schlechthin als einen Ort der Verderbnis betrachten. Demgegenüber betont Johannes XXIII. die glücklichen Umstände des Konzilsbeginns angesichts des Aufkommens „einer neuen Ordnung in den zwischenmenschlichen Beziehungen" (DMC 4,581). Zum anderen wird hervorgehoben, daß die Aufgabe des Christen „nicht nur darin besteht, einen kostbaren Schatz zu hüten, als ob wir nur um Althergebrachtes besorgt wären, sondern auch darin, sich mit Eifer und ohne Angst an die Arbeit zu machen, die die Zeitenläufe uns abverlangen . . ." (DMC 4,585). Im Zuge dieses dringenden Appells, den historischen Augenblick wahrzunehmen, greift Papst Roncalli auch die alte scholastische Unterscheidung zwischen „Substanz" und „Akzidens" auf, indem er sie durch die entsprechende Unterscheidung zwischen der Substanz des depositum fidei und den sie einkleidenden Formulierungen auf den heiklen Gegenstand der Dogmenentwicklung anwendet (ebd.).

Darüber hinaus weist der Text auch noch sorgfältiger ausgearbeitete Passagen auf, wie z.B. dort, wo der Papst – in einem vorbereitenden Manuskript – einlädt, „die historischen Werte oder Unwerte früherer Epochen und überholter Traditionen genauer zu untersuchen, besonders aber die Zukunft in einem neuen Licht zu betrachten". Hier ist die dringliche Forderung nach mehr Aufmerksamkeit für die Geschichte und die Auseinandersetzung mit ihr nicht zu überhören. Nach Meinung von Johannes XXIII. erwächst sie aus der Tatsache, daß die Christen Pilger sind, die Zeit und Raum nicht nur symbolisch, sondern in aller Wirklichkeit durchschreiten. Die Menschen suchen „die Güter des Himmels stets in der Zeit, die jedem einzelnen zur Verfügung steht, und mit den Mitteln, die ihnen die Umstände ihres Erdenlebens bereitstellen" (vorb. Manuskript), obwohl das ewige Geschick der Menschen letztlich weder von der Zeit noch von den materiellen Dingen

---

bis zum siebzehnten, in irgendeiner Form an die Geschichte anknüpft. Wir verweisen hier auf die Ausgabe in DMC 4, 578–590. Man beachte jedoch, daß die offiziöse italienische Ausgabe hin und wieder und manchmal sogar auffallend vom offiziellen Text abweicht und sich dafür eher an die vorbereitenden Manuskripte von Papst Roncalli hält.

abhängig ist. Was herausgestellt werden soll, ist die geschichtliche Wesens-
verfaßtheit des Christen, die allen Menschen gleich ist, und die sich aus dieser Tatsache ergebende Aufforderung an die Kirche, die Ereignisse der Geschichte lesen zu lernen, ihre Wurzeln zu erfassen, ihnen auf den Grund zu
gehen – wobei sie immer wieder auf Anzeichen des geheimnisvollen Heilsplans selbst stoßen wird.

Die Eröffnungsrede selbst bringt hiefür ein interessantes Beispiel. Der
Papst beginnt mit der Feststellung, daß „die Vorsehung im Begriff ist, uns
einer neuen Ordnung der zwischenmenschlichen Beziehungen zuzuführen,
die – durch das Werk des Menschen und zumeist über alle Erwartungen
hinaus – der Vollendung ihres erhabenen und unvorhersehbaren Planes
dienlich ist" (DMC 4,582) und bringt sodann das Desinteresse der heutigen
Welt an den spirituellen Nöten in Erinnerung. Auch der Papst mißbilligt
diese Haltung, vertieft aber seine „Geschichtslektüre" noch weiter, indem er
darlegt, daß gerade deshalb viele Hindernisse ausgeräumt wären, die die
weltlichen Behörden der freien Tätigkeit der Kirche früher in den Weg gelegt hatten. So bestehe nun Anlaß zu Hoffnung und Trost für die Kirche,
„die endlich von vielen Hemmnissen profaner Natur befreit ist" (DMC
4,583). Auf diese Weise zeigte Papst Roncalli, wie fruchtbar eine Lektüre der
Geschichte sein kann, sofern sie unter die Oberfläche der Ereignisse dringt
und frei von jeder vorgefaßten Meinung über die Schlechtigkeit der Zeiten
ist.

Auf dieser gleichen Linie wird später die Enzyklika „Pacem in terris" liegen, die die drei Hauptanliegen der zeitgenössischen Geschichte behandelt:
den Aufstieg der unterprivilegierten Klassen, die neue gesellschaftliche Stellung der Frau und die Anbahnung einer neuen internationalen Ordnung.
Sein geschichtliches Empfinden veranlaßte den Papst, die klassische Unterscheidung zwischen Irrtum und Irrendem aufzugreifen und ihr jene zwischen falschen Lehren bzw. Ideologien einerseits und geschichtlichen Bewegungen anderseits zur Seite zu stellen (DMC 5,62). Den ergreifendsten
Ausdruck dieses geschichtlichen Empfindens haben wir wohl in jenem Akt
des Glaubens vor Augen, den der Papst am 24. Mai 1963, also kurz vor seinem Tod, ausspricht und der uns von seinem Sekretär so übermittelt wird:
„... Die heutigen Lebensumstände, die Anforderungen der letzten fünfzig
Jahre, der Fortschritt der wisäenschaftlichen Erkenntnisse haben uns vor
eine neue Wirklichkeit gestellt ... Der Augenblick ist da, die Zeichen der
Zeit zu erkennen, die gebotenen Gelegenheiten zu ergreifen und vorwärts zu
schauen."[7]

---

[7] L. *Capovilla*, Giovanni XXIII. Quindici letture (Rom 1970) 475.

Obwohl genauere Untersuchungen diesbezüglich noch fehlen, darf man annehmen, daß die Wurzeln dieses „Sinnes für Geschichte" bei Angelo Roncalli weit zurückliegen, mag ihn auch seine Wahl zum Papst veranlaßt haben, die in über einem halben Jahrhundert herangereiften Überzeugungen mit größerem Nachdruck zu formulieren.

Schon im Jahr 1907, als in Bergamo die Jahrhundertfeier für Caesar Baronius, den Begründer der katholischen Geschichtsschreibung, begangen wurde, hob der junge Priester Roncalli[8] die Bedeutung von Baronius' Beitrag für die „allgemeine Erneuerung der katholischen Kirche" hervor und wies darauf hin, daß die kulturellen Probleme, mit denen der Autor der „Annales" im 16. Jahrhundert zu tun hatte, auch heute noch die gleichen, d.h. im Konflikt zwischen Christentum und positiven Wissenschaften zu suchen wären. Den Katholiken werfe man immer noch vor, „fortschrittsfeindlich und engstirnig in alten verblaßten Formeln verfangen zu sein"[9] (dreißig Jahre später wird M.-D. Chenu das die „barocke Theologie"[10] nennen . . .).

Angesichts dieser Problematik vertrat Roncalli nun die Meinung, daß die Katholiken im Hinblick auf die „neuen Zeiten" und die „neuen Nöte" verpflichtet seien, die positiven Wissenschaften zu pflegen, ohne dabei allerdings in die Sackgassen des Modernismus zu geraten. Sehnlichst wünschte der junge Professor für Kirchengeschichte ein Zusammentreffen der „weisen Erkenntnisse der philosophia perennis, die sich aus der reinen Quelle des Aquinaten nährt" mit „den neuen Erfordernissen und den wissenschaftlichen Postulaten der heutigen Zeit"[11] herbei. Mühelos läßt sich aus dieser Formulierung die genaue Unterscheidung zwischen Thomas einerseits und der thomistischen Scholastik anderseits sowie die Forderung nach einer loyalen Anerkennung der deduktiven Methode ablesen.

Im übrigen hatte Roncalli schon ein paar Jahre zuvor Gelegenheit gehabt, sich die Unterscheidung zwischen Substanz und Akzidens zu eigen zu machen: er wendete sie nutzbringend vorerst auf der spirituellen, später ebenso auf der historischen Ebene an und fand in ihr ein geeignetes Instrument, eine beträchtliche Anzahl von Ereignissen, umstandsbedingte Geisteshaltungen oder sonstwie kurzlebige Anschauungsweisen geschichtlich einzuordnen und zu relativieren[12].

---

8 Il Cardinale Cesare Baronio, hrsg. von G. De Luca (Rom 1961).   9 Ebd. 43.
10 Le Saulchoir. Une école de théologie (Etiolles 1937).
11 Il Cardinale C. Baronio, 44.
12 Geistliches Tagebuch (Freiburg i. Br. 1968), vgl. die Notizen vom 16. Januar 1903 und vom 13. August 1961 sowie eine Stelle aus der Festrede anläßlich der konstantinianischen Jahrhundertfeier am 6. Januar 1938 (A. und G. Alberigo, Giovanni XXIII. Profezia nella fedeltà [Brescia 1978] 446–447) und eine weitere Stelle aus der Rede zur Einsetzung der Vorbereitungskommissionen für das Konzil (DMC 3,18).

Wollte man jedoch versuchen, diese Einstellung gegenüber der Geschichte und ihrer Beziehung zum Glauben in ein System zu zwängen, so hieße das, einer Denkweise Gewalt antun, die stets auch nur den Anschein einer abstrakten Theoretisierung vermeiden wollte. Was die oben analysierten Textstellen belegen, ist die tiefe Überzeugung von Papst Johannes, daß zwischen Menschheitsgeschichte und Glaubensleben weder Widerspruch noch Fremdheit herrsche, ja daß ein gegenseitig abgestimmtes Ineinandergreifen dieser zwei voneinander unterschiedenen, aber dennoch untrennbaren Seiten der Wirklichkeit möglich und sogar wünschenswert wäre. Die einfache, manchmal auch altmodische Sprechweise Roncallis möge einen nicht über den tatsächlichen Tiefgang seiner Gedankenarbeit hinwegtäuschen: sie erfaßt in aller Klarheit sowohl die Anliegen der neuen Kulturrichtungen als auch die Taubheit gewisser kirchlicher Kreise und bewegt sich mit ebenso vorsichtiger wie überzeugter Zähigkeit auf eine grundlegende Erneuerung der Grundpfeiler selbst des katholischen Denkens hin.

Dieses Heraufbeschwören der Denkposition Papst Roncallis läßt uns erahnen, welche Anliegen und Wünsche sich ungeachtet ihrer Beargwöhnung und ausgeprägter gegenteiliger Meinungen am Vorabend des Konzils in der Kirche regten und in seinem Verlauf ans Tageslicht drängten. An dieser Stelle soll nur summarisch untersucht werden, inwieweit ihnen in den markantesten Passagen der Konzilstexte entsprochen wurde. Echte Schlußfolgerungen werden erst nach der systematischen Analyse der General- und Kommissionsdebatten und des — stets komplizierten, zumeist schmerzlichen, oft unterbrochenen — Redigierungsweges der einzelnen Dokumente möglich sein.

Fast alle vom Konzil verabschiedeten Texte enthalten Hinweise auf die geschichtliche Lage; das eine Mal sind sie mehr zufällig und belanglos, das andere Mal gezielt und verbindlich. Alles in allem ergibt sich daraus die nun folgende knappe Zusammenfassung. Zunächst einmal zeigt sich, daß es für notwendig erachtet wurde, sich ausdrücklich auf die geschichtliche Dimension der christlichen Heilsgeschichte zu berufen und auf die ihr eigene Dynamik hinzuweisen: „Das Offenbarungsgeschehen ereignet sich in Tat und Wort; ... die Werke nämlich, die Gott im Verlauf der Heilsgeschichte wirkt, offenbaren und bekräftigen die Lehre und die durch die Worte bezeichneten Wirklichkeiten; die Worte verkündigen die Werke und lassen das Geheimnis, das sie enthalten, ans Licht treten" (DV 2)[13]. Ergänzend zu dieser in klassisch-theologischer Sprache formulierten Aussage stehen die Hinweise

---

[13] Die Textzitate aus den Konzilsdokumenten sind dem Kleinen Konzilskompendium von Rahner/Vorgrimler (Freiburg i. Br. 1967) (Herder-Bücherei 270–273) entnommen (Anm. d. Übers.).

auf den Alten Bund Gottes mit Israel, in dem er sich und seinen Heilsrat-
schluß in der Geschichte dieses Volkes offenbarte (LG 9,1), und auf den
Neuen Bund, aufgrund dessen „Gott beschloß, auf eine . . . endgültige Weise
in die Geschichte der Menschen einzutreten. . . . Darum sandte er seinen
Sohn" (AG 3,1). Dasselbe Thema – die Menschwerdung als der konstitutive
Eintritt der christlichen Offenbarung in die Geschichte – wird auch in der
Pastoralkonstitution „Gaudium et spes" aufgegriffen: direkt – wie in 38,1 –
oder indirekt durch den Hinweis auf altbekannte Sätze (10,3: Christus, der
Schlüssel, der Mittelpunkt und das Ziel der ganzen Menschheitsgeschichte;
vgl. auch 45,2).

Diese grundsätzlichen Feststellungen nicaeno-chalcedonensischer Färbung
und Inspiration bilden Prämisse und Grundlage einer weiteren Gruppe von
Textstellen, durch die die Einbezogenheit der Christen und der Kirche in die
Geschichte näherhin untersucht werden sollte (eine Angelegenheit, der ein
beträchtlicher Teil der kirchlichen Amtsträger und modernen Theologen
argwöhnisch gegenüberstand). Am ausführlichsten spricht darüber ein Passus im Dekret über die Missionstätigkeit der Kirche, dem zufolge eben diese
Missionstätigkeit „nichts anderes und nicht weniger ist als Kundgabe oder
Epiphanie und Erfüllung des Planes Gottes in der Welt und ihrer Geschichte, in der Gott . . . die Heilsgeschichte sichtbar vollzieht" (AG 9,2). Hier
wird die Verquickung von Menschheits- und Heilsgeschichte eindeutig bejaht. Zustimmend äußern sich „Lumen gentium": „Die Kirche tritt in die
menschliche Geschichte ein" (9,3) und „Gaudium et spes", welch letztere
daran erinnert, daß die Christen „Glieder des irdischen Gemeinwesens" (GS
40,2) und Pilger durch seine Geschichte sind, so daß sich die Kirche „mit der
Menschheit und ihrer Geschichte wirklich engstens verbunden erfährt"
(GS 1).

Trotzdem bleiben die hier aufgezählten Belehrungen auf einer so allgemeinen Ebene, daß sie weiterer unmißverständlicher Erläuterungen bedürfen.
Sonst könnte man nicht zu Unrecht fragen, ob derart allgemein gehaltene
Prinzipien die Lehrverkündigung nicht nahezu auf demselben Punkt belie-
ßen, auf dem sie sich vor dem Konzil befand. Bestenfalls würde die Menschheitsgeschichte damit als Bühne anerkannt, als unbeteiligter, rein zweckdien-
licher Hintergrund, auf der bzw. vor dem sich die „wahre" Geschichte ab-
spielte, jene, zu deren Protagonisten die Christen und die Kirche, höchstens
noch Gott, gehören, nicht aber der Mensch. In diesem Fall besitzen Geschichte und christlicher Glaube ungeachtet ihres zufälligen Nebeneinanders
keinerlei Berührungspunkte. Und wenn überhaupt etwas, so bedeutet dieses
Nebeneinander allenfalls, daß die „profane" Geschichte der historia salutis
untergeordnet ist.

Nun ist aber das II. Vatikanum tatsächlich über die allgemein gehaltenen und daher mißverständlichen Sätze hinausgegangen. In den Dekreten über die Hirtenaufgabe der Bischöfe und die Erneuerung des Ordenslebens (CD 3,2 und PC 2,1) werden die Zeitverhältnisse als bestimmendes Kriterium angeführt, im ersteren überdies – ebenso wie in GS 54,1 – der Eintritt der menschlichen Gesellschaft in eine neue Epoche erwähnt. Das Dekret über das Laienapostolat und die Erklärung über die Religionsfreiheit sehen ihrerseits „die Zeichen dieser Zeit" als für den Glauben bedeutsam an (AA 14,3 und DH 15,3). Hier ist die Trennung aufgehoben durch die Erkenntnis, daß historische Ereignisse für das Leben und die Entwicklung der Kirche wichtig sein können.

Eine letzte Gruppe von Textstellen führt dies noch weit deutlicher aus. Es sind Stellen, an denen das Konzil eine organische Verbindung zwischen Geschichte und Heil der Menschen erkennt und bestätigt. Dieses Vorgehen betrifft nicht nur Einzelereignisse, sondern läßt sich auch als methodisches Kriterium ganz allgemein auf das christlich-kirchliche Leben anwenden. So bestätigt z.B. die Liturgiekonstitution, daß „der Eifer für die Förderung und Erneuerung der Liturgie mit Recht als ein Zeichen für die Fügungen der göttlichen Vorsehung in unserer Zeit gilt" (SC 43,1). Hier ist die induktive Methode beispielhaft angewendet. Eine ähnliche – wenn auch etwas allgemeinere – Formulierung findet sich im Ökumenismusdekret, in dem das Konzil alle Katholiken ermahnt, „die Zeichen der Zeit erkennend, ... am ökumenischen Werk teilzunehmen" (UR 4,1); analog dazu lädt das Dekret über die Priester diese und die Laien ein, „die Zeichen der Zeit zu verstehen" (PO 9,2).

Mit ganz besonderem Eifer wurde das Problem der „Zeichen der Zeit" – ein Ausdruck, der sich, wie erwähnt, mit ausdrücklicher Bezugnahme auf Mt 16,4 schon in der Einberufungsbulle findet – anläßlich der Abfassung der Konstitution „Die Kirche in der Welt von heute" aufgegriffen. Schon dieser Titel allein zeigt ein fortschreitendes Bewußtwerden der engen Beziehung zwischen Glaube und Geschichte an[14]. Insbesondere sind diesem The-

---

[14] Der Gebrauch des Ausdrucks „Zeichen der Zeit" hat mehrfach Interesse geweckt und auch Anlaß zu diversen Studien gegeben, die, exegetisch gesehen, allerdings eher mangelhaft sind und dazu neigen, diesen Ausdruck und seine Inhalte unabhängig von seinem eigentlichen Kontext, nämlich der Frage nach der Beziehung zwischen Christentum und Geschichte, zu sehen. Die jüngste und eingehendste Untersuchung stammt von *C. Boff*: Segni dei tempi (Rom 1983). Sie zeigt sich gut informiert, ist aber ideologisch vorbelastet. Auf jeden Fall hätten zur exegetischen Auswertung des Ausdrucks folgende Werke mit Nutzen herangezogen werden können: Das Stichwort σημεῖον, bearbeitet von *K. H. Rengstorf* in: ThWNT 12 (1979) 17–192; *C. A. Keller*, Das Wort OTH als „Offenbarungszeichen Gottes" (Basel 1946); *F. Lévesque*, Les signes des temps, in: Science et Esprit 20 (1968) 351–362; *D. Mollat*, I segni dei tempi nella Bibbia, in:

ma die Paragraphen 4, 11, 34 und 44 gewidmet. Die wörtliche Erwähnung der Zeichen der Zeit findet sich nur zu Beginn von Paragraph 4, der die Einführung in die gesamte Konstitution eröffnet. Nach ziemlich langwieriger Ausarbeitung lautet der Satz nunmehr so: „Zur Erfüllung dieses ihres Auftrags obliegt der Kirche allzeit die Pflicht, nach den Zeichen der Zeit zu forschen und sie im Licht des Evangeliums zu deuten." Dieser Auftrag der Kirche wird einerseits als Weiterführung des Werkes Christi (GS 3,2) gesehen und anderseits als die Notwendigkeit, „auf die bleibenden Fragen der Menschen nach dem Sinn des gegenwärtigen und des zukünftigen Lebens ... Antwort zu geben" (GS 4,1). Der inneren Ausgewogenheit dieses Satzes zufolge wird die Kirche ermahnt, die hervorstechendsten und bezeichnendsten Ereignisse und Tendenzen im Werdegang der Menschheit zu erkennen und nach dem Geist des Evangeliums zu beurteilen. Es scheint sich also ein induktiv-deduktives Grundmuster abzuzeichnen, wonach die Kirche einerseits von der Geschichte selbst ausgehend die Hauptknotenpunkte der Menschheitsgeschichte wahrnehmen sollte und anderseits aufgefordert wäre, Wert und Bedeutung dieser historischen Punkte vom Evangelium her zu enthüllen.

Der Fragenkomplex wird im ersten Absatz der Einleitung zum ersten Hauptteil derselben Konstitution – er trägt die Überschrift „Die Kirche und die Berufung des Menschen" – erneut aufgegriffen. Hier wird der Ausdruck „Zeichen der Zeit" zwar nicht mehr verwendet, doch nachdem man eine Zwischenfassung (in der die Zeit als Zeichen und Ausdruck von Gottes An-

---

Segni dei tempi e risposte dei cristiani (Rom 1970) 41–65; M. *Pellegrino,* Segni dei tempi e risposta dei cristiani, ebd. 7–40; *J. Eckert,* Zeichen und Wunder in der Sicht des Paulus und der Apostelgeschichte, in: TThZ 88 (1979) 19–33. – Kritik an einem möglicherweise gefährlichen Gebrauch von „Zeichen der Zeit" als Ausdruck einer endo-historischen Auffassung, die die eschatologische Dimension außer acht ließe, melden an: *P. Valadier,* Signes des temps, signes de Dieu?, in: Études 335 (1971) 261–279, und *H. C. De Lima Vaz,* Sinais dos tempos: Lugar teologico ou Lugar Comun?, in: Revista eclesiastica brasileira 32 (1972) n. 125 101–124. Während der Konzilsarbeit wurde diese Position von den protestantischen Beobachtern vertreten. Zur Überlieferung der Reformierten Kirche: *W. Kahle,* Die Zeichen der Zeit. Ein Beitrag zur Theologie- und Geistesgeschichte des 19. Jahrhunderts, in: ZRGG 24 (1972) 289–311. Die theologische Auswertung der „Zeichen der Zeit" wird besonders von *M.-D. Chenu* befürwortet, der schon in seiner programmatischen Schrift aus dem Jahr 1937 den Abschnitt „Glaube und Geschichte" mit ein paar Seiten beschloß, in denen er einlud, „mit heiliger Neugier" die Ausbreitung der Missionsarbeit, den Pluralismus der Kulturen, die geistigen Schätze des Ostens, den Wunsch der Christen nach Einheit, den durch die Beteiligung der Volksmassen am öffentlichen Leben in Gang gesetzten Gärungsprozeß und nicht zuletzt die neue Jugend in der Kirche zu beobachten. Der Dominikanertheologe bezeichnete dies alles als „lebendige theologische Orte" (Le Saulchoir, ital. Ausgabe [s. Anm. 3] 52–54, vgl. XII). Das Thema „Zeichen der Zeit" behandelt er ausdrücklich in einem Artikel der NRTh (1965) und in „Les signes du temps" in: L'Eglise dans le monde, hrsg. von Y. Congar–M. Peuchmaurd (Paris 1967) 205–225 sowie in „I segni dei tempi" in: La chiesa nel mondo (Mailand 1965) 9–39.

wesenheit oder Abwesenheit genannt wurde) wieder verworfen hatte, gelangte man in diesem Absatz zu einer äußerst dichten und interessanten Formulierung. Das Volk Gottes wird dabei unter seinem charakteristischen Doppelaspekt betrachtet: in seinem Glauben erscheint es vom Geist geleitet, während es sein irdisches Dasein mit der ganzen Menschheit teilt. Es ist bemüht, in den Ereignissen die wahren Zeichen der Gegenwart oder der Absicht Gottes zu unterscheiden (GS 11,1). Nach dieser Darstellung ist es das ganze Volk Gottes – d.h. die Kirche als universitas fidelium, und nicht nur die Hierarchie oder der Kreis der Theologen[15] –, das nach dem Maße seiner Miteinbezogenheit in die menschliche Gesellschaft und ihre historische Entwicklung aufgerufen ist, die Zeichen des Heils in den außerordentlichen Ereignissen der Menschheitsgeschichte zu entdecken. Dies aber beinhaltet für die christlichen Gemeinschaften die Verpflichtung, die Geschicke der Gesellschaft, in deren Mitte sie leben, zu teilen und gleichzeitig die Überzeugung zu hegen, daß der vom Geist geleitete Glaube sie befähigt, in eben diesen Geschicken die Anzeichen des kommenden Reiches zu erkennen, die Vorboten der Heilsfülle, die Christus uns erwirkt hat.

Damit scheint die Zweiteilung in profane und heilige Geschichte überwunden, ohne daß man deshalb zu einer – ebenso abzulehnenden – „Sakralisierung" der Geschichte gelangte. Die Geschichte wird als „theologischer Ort" begriffen, d.h. als eine Wirklichkeit, aus der der Glaube Nahrung für seine eigene unablässige Suche nach dem Gottesreich beziehen kann und soll – nicht um dieses Reich dann eifersüchtig für sich zu behalten, sondern um es zum eigentlichen Ort der Begegnung mit den Menschen zu machen. Gleichzeitig wird aber die Ambiguität der Geschichte und ihrer Entwicklung weder übersehen noch allzu optimistisch aufgelöst.

So wird man abschließend sagen dürfen, daß das II. Vatikanum hinsichtlich der Beziehung Kirche – Geschichte eine unzweifelhafte und auffallende Tendenzwende gegenüber der seit mindestens 400 Jahren vorherrschenden katholischen Einstellung herbeigeführt hat. Die Perspektive, die das Konzil der Kirche zur Aneignung empfohlen hat, ist eher in den Grundlinien skizziert als organisch und vollständig dargelegt. Die aufschlußreichsten Hinweise finden sich in den Konstitutionen über die Liturgie, die Kirche und die Offenbarung, insofern in diesen die Bedeutung der historischen Bedingtheit des Christentums tatsächlich zum Tragen kommt. Zu wiederholten Malen ist die Mangelhaftigkeit der überdies nur am Rande behandelten Pneumato-

---

[15] GS 44,2 schwächt diese Aussage ab: „totius populi Dei est, praesertim pastorum et theologorum, adiuvante Spiritu Sancto, varias loquelas nostri temporis auscultare, discernere et interpretari easque sub lumine verbi divini diiudicare . . ."

logie im Gesamtkomplex des Konzils beanstandet worden. Die Folgen dieses Mangels sind vor allem dort zu spüren, wo es um die Beziehung zur Geschichte geht, wo man also die Rolle des Heiligen Geistes nicht nur hätte erwähnen können, sondern untersuchen und verdeutlichen müssen. Da jedoch diese Dimension nicht entsprechend ausgebaut wurde, konnten die Konzilsanweisungen zu einer stark vereinfachenden Lektüre der Geschichte verleiten, die weder dem tatsächlichen historischen Wert der Ereignisse noch – und um so weniger – ihrem inneren Gehalt gerecht wurde, der nur auf einer anderen Verständnisebene erkannt und begriffen werden kann. Es ist kein Zufall, daß die Geschichte des Christentums reich an Mißverständnissen ist – sei es aufgrund von Taub- und Blindheit gegenüber den Kehren und Wenden der Geschichte, sei es aufgrund von Fehldeutungen der messianischen Botschaften der Geschichte selbst. Ja, genaugenommen hat sogar das Konzil in mehr als einem Fall gezeigt, daß es die von ihm selbst aufgestellten Kriterien nach einer lectio facilior anwendet. Dies kann man z.B. in bezug auf den „westlich" geprägten Geschichtsoptimismus weiter Teile von „Gaudium et spes" sagen[16], wie auch in bezug auf die Zaghaftigkeit, mit der das gleiche Dokument das evangelische Grundmuster aus dem Friedensverlangen der Völker herauslas[17].

Aber auch das braucht nicht zu wundern. Die Kirche, die Johannes XXIII. zum Konzil aufgerufen hatte, löste sich eben erst aus einer langen Epoche des Mißtrauens gegenüber der Geschichte und aus einer doktrinären Starrheit, für die die Wahrheiten des Evangeliums eher ein zu hütender Schatz als ein zu verteilendes Gut waren. Das der Entwicklung vorauseilende Zeugnis eines Papstes Roncalli und der Antrieb des Geistes konnten das Konzil zwar zur Erkenntnis bewegen, daß die Christen heute mehr denn je aufgerufen sind, den Christus zu bezeugen, der mitten unter uns ist – aber Zauberstückke konnten sie keine vollbringen.

Die von der großartigen Intuition eines Johannes XXIII. erlangten Einsichten und Durchblicke würden denn auch vom Konzil eher eingeschränkt als ausgebaut. Die Verwirklichung der vom Konzil eröffneten Perspektive ist der schöpferischen Rezeption der Kirche anvertraut.

Aus dem Italienischen von Theresa Kripp

---

[16] Vgl. meinen Beitrag „La costituzione Gaudium et Spes in rapporto al magistero globale del concilio" in: La chiesa nel mondo di oggi, hrsg. von G. Baraúna (Florenz 1966) 172–195.

[17] Vgl. *M. Toschi*, Pace e Vangelo. La tradizione cristiana di fronte alla guerra (Brescia 1980) 106–112.

KLAUS WITTSTADT

LÉON-JOSEPH KARDINAL SUENENS
UND DAS II. VATIKANISCHE KONZIL[1]

1. Zur Bedeutung des Zweiten Vatikanischen Konzils

Über Kardinal Suenens und das II. Vatikanum nachzudenken, bietet sich in besonderer Weise in einer Festschrift an, die Pater Karl Rahner gewidmet ist. Beide, Kardinal Suenens sowie Pater Rahner, haben – jeder in seiner Weise – das Konzilsgeschehen bedeutend mitgeprägt; überdies sind beide freundschaftlich miteinander verbunden[2].

Das II. Vatikanum bedeutet in vieler Hinsicht einen geschichtlichen Wendepunkt im Leben der Kirche; dies nicht zuletzt deswegen, weil „der Ausgangspunkt dieses Konzils die Not des heutigen Menschen war", wie Julius Kardinal Döpfner kurz nach Abschluß des Konzils feststellte. Er deutete das „Aggiornamento" Johannes' XXIII. dahin, daß die Verkündigung der frohen Botschaft auf den Stand des Tages, auf die Höhe des heutigen Menschen zu bringen sei, um ihm wirkungsvoller und nachhaltiger das sagen zu können, was die Kirche immer verkünden muß: Das Heil schenkt allein Jesus Christus[3]. Von dieser Überzeugung bestimmt, hat das Konzil mutige Schritte nach vorne getan, ohne aber den Zusammenhang mit der Tradition der Kirche zu verlieren. Unter Beachtung der Einheit von Vergangenheit, Gegenwart und Zukunft ließ das Konzil deutlich werden, wie sehr die Kirche in der Welt steht, sich mit der Welt auseinandersetzen muß und sich mit der Welt auseinandersetzen will, ohne sich dabei „verweltlichen" zu lassen.

Die gleichen Gedanken kehren wieder in der Einberufungskonstitution

---

[1] Besonderen Dank schulde ich dem H.H. Kurienkardinal Joseph Ratzinger, der es mir ermöglichte, im Bischofshaus in München den Konzilsnachlaß Kardinal Döpfners durchzuarbeiten. Besondere Unterstützung erfuhr ich hierbei durch Herrn Generalvikar Dr. Gerhard Gruber.

[2] Ein Beispiel dieser Verbundenheit konnte ich in einem Gespräch zwischen Kardinal Suenens, Pater Rahner und Prof. Klinger am 21. November 1980 in Brüssel erleben.

[3] Konzilsnachlaß Döpfner, Akt 1 Conc II 5, Nr. 4/2 D.

„Humanae salutis" vom 25. Dezember 1961 sowie in der Ansprache Johannes' XXIII. am 11. Oktober 1962 anläßlich der Eröffnung des Konzils. Hier sagt der Papst: „Die Hauptaufgabe des Konzils liegt darin, das heilige Überlieferungsgut der christlichen Lehre mit wirksameren Methoden zu bewahren und zu erklären."[4]

Daß dieses hohe Ziel während des gesamten Konzils stets scharf gesehen und auch erreicht wurde, ist entscheidend mit ein Verdienst von Kardinal Suenens.

2. Zur Person von Kardinal Suenens[5]

Kardinal Suenens wurde am 16. Juli 1904 in Ixelles, einer Vorstadt von Brüssel, geboren. Getauft wurde er in der nahegelegenen Kirche Heilig-Kreuz von Abbé Edward Janssens, einem Bruder seiner Mutter. Er war das einzige Kind einfacher Eltern. Sein Vater starb, als er noch keine vier Jahre alt war. Stark beeindruckt von der Beerdigung seines Vaters, stand ihm dieses Erlebnis lange vor Augen, er empfand den Tod als eine Herausforderung. Von 1911 bis 1912 lebten Mutter und Sohn in Klein-Willebroek bei Abbé Janssens. Suenens sagt: „Ich glaube, daß gerade die Tatsache, in der Nähe eines Priesters gelebt zu haben, mir tiefer den Sinn des Priestertums aufschloß." Vor allem wegen der schlechten Schulverhältnisse bemühte sich die Mutter um eine Wohnung in Brüssel. Von seiner Mutter sagt er, daß „ihr Leben für ihn zu einem lebendigen Anschauungsunterricht christlicher Hoffnung und Daseinsbewältigung wurde".

Zunächst besuchte Suenens die Schule der Maristen in Brüssel, dann wechselte er mit elf Jahren zum Institut Sainte-Marie, das von Priestern der Diözese geleitet wurde. Mit 15 Jahren entwickelte er ein lebhaftes Interesse für Politik, wäre er nicht Priester geworden, hätte er den Beruf des Politikers ergriffen. Seiner Mutter fiel es schwer, die Kosten für die Schulausbildung ihres Sohnes aufzubringen. Seine soziale Stellung bedingte, daß er in der Schule oft isoliert war. Vielleicht war auch diese psychische Belastung mit Ursache dafür, daß er einige Jahre brauchte, um Klassenerster zu werden. Sehr früh zeigte sich bei Suenens eine besondere schriftstellerische Begabung. Im Jahre 1918 verfaßte er in Tagebuchform „Meine erste Reise", diese Reise hatte ihn in den Süden Belgiens geführt; ein Jahr später schrieb er den Roman

---

[4] Herder-Korrespondenz 1962/63, S. 86.
[5] Die folgenden Ausführungen sind teilweise entnommen: *E. Hamilton,* Cardinal Suenens. A Portrait (London – Sydney – Auckland – Toronto 1975) 27–78.

„A Sa Conquête". In Suenens waren in gleicher Weise flämische wie französische Einflüsse wirksam. Vielleicht bewirkte gerade diese Herausforderung, daß Suenens ein Meister der Synthese wurde.

1921 bestand er als Bester seines Jahrgangs die Reifeprüfung. Er hatte sich für den Priesterberuf entschieden und sollte deshalb an der Universität Löwen sein Studium beginnen. Irrtümlich war sein Name auf der Liste derjenigen, die von Kardinal Désiré Mercier nach Löwen geschickt werden sollten, vergessen worden. Zwei seiner Mitstudenten, die weniger begabt waren als er, konnten auf diese Weise in Löwen studieren. Suenens mußte ins Mechelner Seminar, das im Gegensatz zu Löwen keinen Universitätsstatus hatte. Dieser Irrtum traf Suenens zunächst sehr, heute betrachtet er ihn als eine „felix culpa". Er begann also seine philosophisch-theologischen Studien am Seminar in Mecheln. Bereits nach kurzer Zeit fiel hier seine außergewöhnliche Begabung auf. Großes Interesse und besondere Fähigkeiten zeigte er für die Philosophie. Um ihm eine möglichst große Förderung zuteil werden zu lassen, schickte ihn Kardinal Mercier nach Rom. Suenens sollte dort an der Gregoriana studieren. Er wohnte im „Belgischen Kolleg". Zur Charakterisierung dieser Zeit sagt Suenens: „Hier hoffte ich ein geistliches Leben vorzufinden. Aber ich fand es nicht. Selbst die Vorlesungen an der Gregoriana waren zum Teil enttäuschend: die Philosophie zu scholastisch, zu abstrakt, nicht auf das wirkliche Leben bezogen. Jede ernsthafte Konfrontation mit den modernen Denkrichtungen wurde vermieden. Die Theologie erwies sich als zu spekulativ, zu sehr der Denkweise der Apologetik verhaftet. Es erschien mir unerträglich, mit fertigen Ideen und theologischen Handbüchern abgespeist zu werden."[6] Trotz dieser Schwierigkeiten betrieb Suenens seine Studien äußerst gewissenhaft. Für seine Entwicklung besonders bedeutsam war die Begegnung mit einigen bedeutenden Persönlichkeiten in Rom. Zunächst war dies der Benediktiner Lambert Beauduin, der in Sant'-Anselmo Theologie dozierte. Er war Mitbegründer der liturgischen Bewegung. Suenens hatte Gelegenheit, mehrfach und ausgiebig mit diesem Theologen zu sprechen. Er sagt: „Er führte mich in das Gedankengut der griechischen Väter ein, er eröffnete mir trinitarische Horizonte und weckte in meiner Seele die Liebe zum Heiligen Geist."[7] Ferner wurde Suenens stark beeindruckt durch Pater Vincent Lebbe, einen Chinamissionar. Er führt hierzu aus: „,Das eigentliche missionarische Problem', erklärte er mir einmal in einem privaten Gespräch von sieben Stunden, ,besteht darin, daß die Kirche, wenn sie das Evangelium wirksam predigen will, in China chinesisch sein

---

[6] *K.-H. Fleckenstein,* Für die Kirche von morgen. Im Gespräch mit Kardinal Suenens (München – Zürich – Wien 1979) 18f.   [7] Ebd. 16.

muß, in Indien indisch usw. Sie darf nicht ausschließlich eine lateinische oder europäische Kirche sein, ohne Rücksicht auf das Milieu, in dem sie lebt und wirkt."[8] Suenens war besonders bewegt von dieser Einstellung, die für ihn ein Beispiel wahrer Katholizität war. Dieses Verständnis von Katholizität hat Suenens sein ganzes Leben lang begleitet; er ließ es auf dem II. Vatikanischen Konzil in besonderer Weise deutlich werden.

Besonders prägend für seine Spiritualität war Kardinal Mercier, den er zweimal jährlich besuchte. Mercier war eine überragende Persönlichkeit. Er hatte in Löwen und Leipzig (bei Wilhelm Wundt) Philosophie studiert. 1877 wurde er Professor für Philosophie in Mecheln, seit 1882 lehrte er an der Universität Löwen. 1906 wurde er Erzbischof von Mecheln. Unlösbar verbunden mit dem Namen Mercier sind die Mechelner Gespräche (1921–1925), in denen er die Möglichkeit einer Union der Anglikanischen Kirche mit Rom theologisch erörterte. In dieser Tradition liegen die Ursprünge für Suenens' spätere Verbindungen zu England und Amerika. Von Mercier gingen auch bedeutende Impulse für Suenens' inniges Verhältnis zum Heiligen Geist aus, besonders deutlich wird dies im Wahlspruch seines Bischofsamtes: „In Spiritu Sancto ex Maria virgine". Im Spätsommer 1921 stand Suenens erstmals als Siebzehnjähriger dem siebzigjährigen Kardinal gegenüber. Er sagt heute: „Im Laufe der folgenden Jahre wurde Mercier für mich so etwas wie ein Spiritus rector, ein geistlicher Vater."[9] Am 14. September 1927 empfing Suenens in Mecheln durch den Nachfolger Merciers, Kardinal Joseph-Ernst van Roey, die Priesterweihe, anschließend kehrte er zu weiteren theologischen Studien für zwei Jahre nach Rom zurück. Suenens besaß auch ein ausgeprägtes geschichtliches Interesse. Seine Vielseitigkeit wird dadurch unterstrichen, daß er von 1927 bis 1929 römischer Korrespondent für „La Métropole", eine liberale, auf Wirtschaft ausgerichtete belgische Zeitung, war. Unter dem Pseudonym Testis schrieb er über die Lateranverträge, über den Marsch auf Rom und andere aktuelle Ereignisse.

1929 schloß Suenens seine Studien in Rom ab und kehrte im September desselben Jahres nach Belgien zurück. Kardinal van Roey schickte ihn als Lehrer für die Unterstufe an das Kolleg Sainte-Marie, dessen Schüler er gewesen war. Wie Suenens selbst sagt, kostete es ihn viel Mühe, sich in die Psyche von Zwölfjährigen hineinzuversetzen. Doch auch in dieser für ihn nicht leichten Tätigkeit sah er einen Gewinn: die Arbeit im Kolleg bewahrte ihn vor einem übertriebenen Intellektualismus. Bereits nach sechs Monaten übertrug ihm Kardinal van Roey eine andere Aufgabe, Suenens wurde Professor für Philosophie am Priesterseminar in Mecheln. Zehn Jahre lang lehr-

---

[8] *E. Hamilton,* a.a.O. 49.   [9] *K.-H. Fleckenstein,* a.a.O. 19.

te er Moral, Philosophie, Geschichte und Erziehungswissenschaft. Worauf er besonderen Wert legte, war, die Bedeutung von Christus dem Auferstandenen „sowie die Erfahrung der Macht des Heiligen Geistes als der Triebfeder jeglichen Handelns den Studenten nachvollziehbar zu machen". Als Mensch und als Lehrer wurde Suenens von seinen Studenten geachtet und geliebt. In den Jahren 1939/40 war er als Militärseelsorger zum Teil in Südfrankreich tätig. Im Herbst 1940 wurde Suenens Vizerektor der Universität Löwen. Hier kam es zu einem Gespräch mit dem Kreiskommandanten Graf von Thadden, einem Enkel Bismarcks. Charakteristisch für Suenens war, daß er nur wenige Minuten des Gesprächs darauf verwandte, das Verhältnis der Deutschen zur Universität zu behandeln, dann aber über eine Stunde lang über das Thema „Wiedervereinigung im Glauben" sprach[10].

Eine besonders schwere Zeit hatte Suenens in den letzten 15 Monaten des Krieges zu bestehen, als der Rektor der Universität Löwen inhaftiert war und Suenens dessen Aufgaben mit übernehmen mußte.

Zur Charakterisierung von Suenens' geistigem Umfeld ist ein kurzer Blick auf die Aktivitäten von Kardinal van Roey während des Krieges angebracht. Van Roey hatte sich besonders für die belgischen Juden eingesetzt. „Der Kardinal konnte den Juden auch damit helfen, daß er die katholischen Einrichtungen bat, sowohl Kinder als auch Erwachsene zu verstecken."[11] Im Oktober 1942 sprach van Roey vor einer geheimen Versammlung der „Action Française" in Brüssel, er sagte u.a.: „Es ist Katholiken verboten, bei der Errichtung einer tyrannischen Regierung mitzuwirken. Es ist für alle Katholiken verpflichtend, gegen ein solches Regime zu arbeiten."[12] „Am Tage der Befreiung", heißt es in einem belgischen Bericht, „erhielt Kardinal van Roey viele Hunderte von Dankbriefen von Juden, darunter auch von Belgiens Oberrabbiner Ullmann, deren Leben dank seinen Interventionen gerettet worden war."[13]

Am 16. Dezember 1945 wurde Suenens Weihbischof des Kardinals van Roey. Von dieser Zeit an verwendete er seine freie Zeit darauf, „um die ‚Legion Mariens' gründlich zu studieren und sie als Werkzeug für das Laienapostolat zu lancieren"[14].

Viele fortschrittliche, ja für die Zeit revolutionäre Ideen stammen aus diesen Jahren. Diese „Vorbereitungszeit des Reflektierens und Meditierens über die Erneuerung der Kirche war wie ein in die Erde gesenkter Same, der während des Konzils aufging"[15].

---

[10] *E. Hamilton*, a.a.O. 64.
[11] *P. E. Lapide*, Rom und die Juden (Freiburg i. Br. – Basel – Wien 1967) 176.
[12] Ebd. 177.   [13] Ebd. 181.
[14] *K.-H. Fleckenstein*, a.a.O. 27.   [15] Ebd.

Am 15. Dezember 1961 wurde Suenens Erzbischof der Diözese Mecheln-Brüssel, und im Konsistorium vom 19. März 1962 erhielt er die Kardinalswürde.

Sein Verständnis vom Bischofsamt drückt sich in klassischer Weise in folgenden Worten aus: Im Bischof „verdichtet sich der Glaube, und er vermittelt Glauben. Er muß immer wieder klarstellen, was die tiefste Wahrheit der christlichen Natur ist: das Einssein in Christus . . . Um mehr Gerechtigkeit, mehr Gleichheit, mehr wahre Liebe unter die Menschen zu bringen, muß der Bischof wie in der Urkirche mit seinen Gläubigen ein Herz und eine Seele sein."[16] Diese Worte blieben nicht nur Theorie. Seine gesamte Tätigkeit als Bischof ist durchdrungen vom Gedanken der Kollegialität und Mitverantwortung. Suenens' gesamte menschliche und priesterliche Entwicklung ist somit eine Vorbereitungszeit für das II. Vatikanische Konzil. Sein Lebenswerk – und hier vor allem sein literarisches Schaffen – beweisen dies. Einige kurze Hinweise sollen als Beleg dienen. 1951 erschien „Theologie des Apostolats der Legion Mariens"[17]. Dieses Werk wurde in dreißig Sprachen übersetzt. Obwohl oder gerade weil es sich um ein marianisches Buch handelt, ist hierin die Christozentrik überragend. Neben zahlreichen anderen Arbeiten erschien 1955 das bedeutende, weil für das II. Vatikanum so wichtige Werk „Die Kirche in apostolischem Einsatz. Neue Wege im Apostolat"[18]. In seinem Geleitwort sagt Kardinal Montini, der spätere Papst Paul VI.: „Ein beunruhigendes und mutiges Buch . . . aber im Grunde ein optimistisches Buch." Hier stellt Montini eine Grundeigenschaft Suenens' heraus, die ihn auf dem Konzil besonders auszeichnete. Mit Recht wurde dieses Werk als „das Manifest Suenens'" bezeichnet, „der seiner Zeit voraus war und schon das Konzil vorausgeahnt hatte". Die Hauptakzente dieses Buches legte Suenens auf das „Wie" der Glaubensverkündigung, „wobei der Christ nie die Rolle der Überlegenheit oder Herablassung annehmen darf"[19].

Ein weiteres, sehr viel Aufsehen erregendes Werk erschien 1962 mit „Krise und Erneuerung der Frauenorden"[20]. Dieses Buch wurde in sieben Sprachen übersetzt; jeder Konzilsvater erhielt ein Exemplar. Suenens strebt in diesem Buch an, „die Fesseln zu lösen für einen besseren Dienst am Evangelium"[21].

---

[16] Ebd. 33.
[17] Originaltitel: *L.-J. Suenens*, Théologie de l'Apostolat de la Légion de Marie (Brügge 1951).
[18] Originaltitel: *L.-J. Suenens*, L'Église en état de mission (1955).
[19] *K.-H. Fleckenstein*, a.a.O. 39f.
[20] Originaltitel: *L.-J. Suenens*, Promotion Apostolique de la Religieuse (Paris – Brüssel 1962).
[21] *K.-H. Fleckenstein*, a.a.O. 40.

Alle genannten Arbeiten waren mit ihren Vorschlägen, ihrem Welt-, Menschen- und Kirchenverständnis ihrer Zeit weit voraus. Sie stellten eine ausgezeichnete Vorbereitung für die Arbeit von Suenens auf dem II. Vatikanum dar. Sie lassen etwas ahnen von dem Prozeß für seine Entscheidung, das Evangelium zu verkünden, die sich als Leitmotiv durch sein ganzes Leben hindurchzieht. Dieser Drang zur Evangelisierung, die gleichzeitig eine echte Humanisierung bedeutet, war auch maßgebend, daß Suenens als Weihbischof sechs Reisen nach Dublin unternahm, um die „Legion Mariens" genau kennenzulernen. Überhaupt reiste er gern. Dieser Umstand brachte ihm den Namen „jet-style Archbishop" ein. Hinter allen Reisen aber stand letztlich sein pastorales Anliegen. Die Irlandreisen legten die Grundlage für das Buch „Eine Heldin des Apostolates. Edel-Mary Quinn. Gesandtin der Legion Mariens in Afrika (1907 – 1944)"[22]. Es wird deutlich, daß die theologische Richtung sowie die Spiritualität, die von Kardinal Suenens ausgingen und den Verlauf des II. Vatikanums stark beeinflußten, bereits vor dem Konzil grundgelegt waren. Zum Beispiel hatte er lange vor dem Konzil auf die Solidarität zwischen Priestern, Ordensleuten und Laien hingewiesen, ohne die jeweils spezifischen Charismen zu verwischen. Alle zusammen bilden die Kirche, der Christus den Auftrag gegeben hat, der Welt das Heil zu bringen. Eine weitere wesentliche Perspektive von Suenens ist die religiöse Begegnung von Mensch zu Mensch, er nennt sie „das Geheimnis des apostolischen Erfolgs"[23]. Mit großem Einfühlungsvermögen vermag sich Suenens in die Probleme hineinzudenken, die intellektuelle und emotionale Ebene stehen dabei in einem sehr ausgewogenen Verhältnis. Niemals betreibt er etwas nur formalistisch, niemals geht es ihm um juristische Spitzfindigkeiten. Wie sich in seiner Person Gegensätze verbinden, zeigen folgende Worte: „Unsere Zeit ist voll von positiven Werten, aber auch von Zweideutigkeiten. Man muß sie lieben und sich vor ihr hüten, an ihrem Aufbruch mitarbeiten und ihr die Richtung weisen, sie bewundern und ihr Grenzen auferlegen, alles fördern, was zum Guten strebt, und ihr die Abgründe und Abstürze bewußtmachen, an die sie streift. Wir müssen den Menschen von sich selbst lösen und ihn den Erlöser entdecken lassen, der auch für ihn inmitten des zwanzigsten Jahrhunderts ‚der Weg, die Wahrheit und das Leben' bleibt."[24]

All seine Interventionen auf dem Konzil entsprangen letztlich dieser Leit-

---

[22] Originaltitel: *L.-J. Suenens,* Une Héroïne de l'Apostolat. Edel-Mary Quinn. Déléguée de la Légion de Marie en Afrique (1907 – 1944) (1952).

[23] *L.-J. Suenens,* Die Kirche in apostolischem Einsatz. Neue Wege im Apostolat (Freiburg i. Ü. – Konstanz – München o.J.) 159.

[24] *L.-J. Suenens,* Krise und Erneuerung der Frauenorden (Salzburg 1962) 15.

vorstellung, die für ihn gelebtes Leben war und deshalb zu überzeugen vermochte.

Suenens vertrat nicht etwa eine spiritualistische Position, hiervor bewahrte ihn sein großer Realitätssinn. Er wußte, daß der Christ zwei Welten angehört, der Welt Gottes und der Welt des Menschen, daß er nur dann Mittler sein kann, wenn er zugleich auf der Erde und im Himmel verankert ist[25], daß sich in Jesus Christus Gott und Mensch durchdringen.

3. Kardinal Suenens während des II. Vatikanischen Konzils

Am 19. März 1962, drei Monate nach seiner Ernennung zum Erzbischof, wurde Suenens von Papst Johannes XXIII. zum Kardinal kreiert. Nach seinen eigenen Worten hatte er diese Tatsache „eindeutig der persönlichen Liebe von Papst Johannes" zuzuschreiben, „denn damit hatte er mir eine Möglichkeit geschaffen, ihn öfters zu sehen, vor allem während der Vorbereitungsmonate des Konzils"[26]. Tatsächlich bestand auch zwischen beiden Männern eine innere Affinität, eine Art Wahlverwandtschaft. In einem von Suenens verfaßten Pastoralbrief über die Zukunft des Konzils fand sich der Papst genau wieder, er bat Suenens daraufhin, eine Art Konzilsplan zu entwerfen. Dieser unterbreitete dem Papst zu den vorbereiteten 72 Schemata einen Alternativvorschlag: alle Fragestellungen des Konzils sollten sich auf das Thema Kirche konzentrieren: ad intra et ad extra, die Kirche in ihrer Stellung zu sich selber und in ihrer Stellung zu den Menschen insgesamt. Johannes XXIII. stimmte Suenens in diesem Entwurf voll und ganz zu. Dieses Dokument wurde grundlegend für das öffentliche Einschreiten von Suenens am 4. Dezember 1962, dem sich dann auch die Gesamtheit der Konzilsväter anschloß[27]. Die Richtung für die Bearbeitung aller Schemata war aufgezeigt.

Am 25. Januar 1959 hatte der Papst in der Basilika St. Paul vor den Mauern das Konzil angekündigt. Er war ein Mann von besonderem geistlichem Gepräge; folgende Worte des Papstes vermitteln eine Ahnung von seiner Art; auf die Äußerungen vieler, es möge ihm doch vergönnt sein, das Konzil selbst zu eröffnen und zu einem guten Ende zu führen, sagte Johannes XXIII.: „Wenn der Herr Jesus zu mir sagen würde: ‚Verlange von mir diese Gnade, und ich werde sie dir gewähren', würde ich sagen: ‚Nein, Herr, ich verlange sie nicht. Mach Du es selber. Bis zum Ende meines Lebens will ich dem Vaterunser treu bleiben, das Du uns gelehrt hast, dem Fiat voluntas

---

[25] Vgl. ebd. 16.
[26] *K.-H. Fleckenstein*, a.a.O. 45.   [27] Ebd. 46.

tua – Dein Wille geschehe!, das Du uns selber mit so bezwingender Kraft von Bethlehem bis Kalvaria vorgelebt hast."[28] Er sollte am 11. Oktober 1962, am Jahrestag des Konzils von Ephesus (431), das II. Vatikanum eröffnen. Die Berufung dieses Konzils „war die höchstpersönliche Tat Johannes' XXIII."[29] Er wollte, daß persönliche Frömmigkeit „wie ein Sturm neu entfacht werden" sollte[30]. Der christliche Sendungsauftrag zur Verkündigung des Evangeliums sollte einen neuen zeitgerechten Frömmigkeitsstil ausprägen, der den Menschen den Glauben wieder zu erschließen vermag. „In einer zeitgemäßen Glaubensdynamik . . . sah er daher die Möglichkeiten für ein neues kirchliches Pfingsten. Ein ‚Pfingsten', das seelisch auch diejenigen anspricht und packt, die dem Christentum durch die Zeitentwicklung entfremdet sind und die sich trotzdem aufrichtig wünschen, wieder glauben und die christliche Botschaft aus ehrlichem Herzen bejahen zu können."[31] Die Eröffnungsansprache des Papstes vom 11. Oktober markierte genau die Linie, die Kardinal Suenens vor Augen stand. Der springende Punkt des Konzils sollte nicht Wiederholung der alten Lehre, sondern – bei unveränderter Lehrsubstanz – eine neue, erneuerte Formulierung und Ausprägung der christlichen Botschaft sein; im Lichte der modernen Forschungen und in der Sprache des heutigen Denkens; auf die zu schaffende Einheit der Christen hin; es sollte lieber vom Heilmittel der Barmherzigkeit als von der Strenge Gebrauch gemacht werden[32].

Vom Beginn ihres Kennenlernens an bestand eine enge Vertrautheit zwischen Kardinal Suenens und Johannes XXIII., weil beide die gleiche Einstellung zur Kirche hatten, weil beide die gleichen Auffassungen und die gleichen Ziele für Verlauf und Ergebnis des Konzils teilten. Beide wollten, wie es Johannes XXIII. einmal ausdrückte, „frische Luft, den Geist unserer Zeit, in diese altehrwürdigen Mauern einströmen lassen". Dies war auch ein zentrales Anliegen von Suenens. Es verwundert daher nicht, daß er bereits als Weihbischof in eine der zehn Vorbereitungskommissionen, die der Papst mit Motuproprio vom 5. Juni 1960 eingesetzt hatte, berufen wurde. Suenens konnte hier auf die Gedanken zurückgreifen, die er in seinem Buch „L'Église en état de mission" entwickelt hatte. Wenige Tage nach seiner Kardinals-

---

[28] *L. Capovilla*, Johannes XXIII. Papst des Konzils, der Einheit und des Friedens (Nürnberg – Eichstätt ²1964) 165.

[29] *H. Jedin*, Kleine Konziliengeschichte (Freiburg i. Br. – Basel – Wien ⁸1978) 131.

[30] *H. Picker*, Johannes XXIII. Der Papst der christlichen Einheit und des 2. vaticanischen Konzils (Kettwig 1963) 152.

[31] Ebd. 152f.

[32] Vgl. *M. Plate*, Weltereignis Konzil. Darstellung – Sinn – Ergebnis (Freiburg i. Br. – Basel – Wien 1966).

ernennung berief ihn Johannes XXIII. in die Zentralkommission, deren Präsident der Kardinalstaatssekretär war, als Generalsekretär wirkte Erzbischof Pericle Felici.

In allen Gremien und bei allen Arbeiten zeichnete sich Suenens durch besondere Feinfühligkeit und besonderen Mut aus. In der ersten Session des Konzils vom 11. Oktober bis zum 8. Dezember 1962 wurden bei 1100 Stellungnahmen von Konzilsvätern und 33 Abstimmungen nur zwei Schemata zu einem befriedigenden Schlußergebnis gebracht und lediglich drei weitere Schemata durchdiskutiert. In der Debatte über die Offenbarung am 14. November wurde von Suenens, von Kardinal Paul Émile Léger von Montreal, Kardinal Franz König und Kardinal Jan Bernard Alfrink von Utrecht deshalb Protest erhoben, weil sie eine solche Debatte für irrelevant hielten in bezug auf die modernen Probleme. Suenens drängte darauf, sich auf das Wesentliche zu konzentrieren, da das Konzil sonst die 18 Jahre des Tridentinums noch überdauern würde.

Es war während der ersten Session, als Suenens das Konzil zum Lachen brachte. Dies geschah bei seiner Intervention hinsichtlich der Anreden Eminentissimi, Reverendissimi, Ehrwürdiger Vater, Euer Gnaden usw. Suenens schildert selber diesen Vorgang: „Meine lieben Mitbrüder, sagte ich, ich glaube nicht, daß beim ersten Apostelkonzil solche geschwollenen Ausdrükke gebraucht wurden. Wenn ich mich nicht täusche, steht in der Heiligen Schrift absolut nichts von Reverendissimi und dergleichen. Ich kann mir auch schlecht vorstellen, daß Petrus und Paulus sich mit Eminentissimi angeredet haben. Sie begegneten sich einfach als Brüder. Außerdem gewinnen wir durch die Abschaffung der Titel mehr Zeit für die Diskussion."[33] Mit dieser letzten Bemerkung löste er in der Konzilsaula Gelächter aus. Für seine präzise Formulierungsgabe spricht die Bemerkung eines Beobachters, dem zufolge es Suenens gelang, in fünf Minuten mehr auszudrücken als andere in einer halben Stunde.

Besonderes Verständnis zeigte Suenens für die Ostkirchen; diese Sensibilität rührte aus seiner Bekanntschaft mit Pater Lambert Beaudin, die er als römischer Student gemacht hatte. Für Suenens waren die Worte des Patriarchen Maximos IV. Leitlinie: „Es gibt Tore, die der Heilige Geist geöffnet hat und die sich nicht mehr schließen werden."[34] In der Debatte über die sozialen Kommunikationsmittel am 23. November 1962 unterbreitete Suenens eine Reihe praktischer Vorschläge, u.a. sollten die Medien sinnvoll und konzentriert genutzt werden.

---

[33] *K.-H. Fleckenstein*, a.a.O. 57.
[34] *L.-J. Suenens*, Die Mitverantwortung in der Kirche (Salzburg 1968) 16.

Am 1. Dezember 1962 wurde die Debatte über „De Ecclesia" eröffnet. Sie begann mit der Verteidigung des vorbereiteten Schemas durch Kurienkardinal Alfredo Ottaviani. Von Anfang an war klar, daß der Text von der Mehrheit als zu juristisch, zu abstrakt und zu scholastisch verworfen werden würde. Im einzelnen lautete die Kritik: Triumphalismus, pompöse Sprache, Klerikalismus.

Am 4. Dezember 1962 griff Suenens entscheidend in den Konzilsverlauf ein. Die Grundlage seiner Intervention bildete der Konzilsplan, den er auf Bitten Johannes' XXIII. entworfen hatte. Das Dokument war ganz auf das Thema Kirche ausgerichtet. Am Tag der Intervention präsidierte in der Generalversammlung Kardinal Antonio Caggiano aus Buenos Aires. Suenens stellte zunächst die Frage: „Quid scopus concilii?" Bei der Beantwortung seiner Frage schaute er zurück auf das I. Vatikanum und sagte, daß damals die Gedanken über den Primat des Papstes Mittelpunkt des Konzils gewesen seien; jetzt aber müsse das Zentralthema lauten: „Ecclesia Christi lumen gentium". Die Kirche solle sich fragen: „Ecclesia, quid dicis de te ipso?" Dabei müsse sie in zwei Richtungen schauen: nach innen und nach außen. Die Kirche müsse allen dienen, nicht nur ihren Mitgliedern, d.h., sie müsse sich fragen nach ihrer Stellung in der Welt; das Konzil antwortete auf diese Frage mit der Pastoralkonstitution „Gaudium et spes".

Suenens stellte heraus, daß nicht nur das Verhältnis des einzelnen zu Gott wichtig ist, sondern die Probleme der ganzen Welt: Frieden, Gerechtigkeit, Hunger, Armut, Überbevölkerung. Ein dreifacher Dialog sei gefordert: mit den Gläubigen, den getrennten Brüdern und der nichtchristlichen Welt. Für seine Ausführungen erhielt Suenens stürmischen Applaus. Tatsächlich war jener 4. Dezember für die Weiterentwicklung des Konzils von größter Bedeutung, Suenens wurde mit seinem Beitrag richtungweisend, seine Gedanken bestimmten die weitere Arbeit und das Ergebnis des Konzils[35].

Nach der Intervention von Suenens unterstützte am 5. Dezember 1962 Kardinal Giovanni Battista Montini dessen Ausführungen. Dabei sprach Montini sehr engagiert, was sonst nicht seine Art war.

Zur Generalversammlung am 5. Dezember hatte Kardinal Döpfner in seinem Konzilstagebuch festgehalten: „Cardinal Montini commendat dicta a Suenens." Am 6. Dezember 1962 sprach Kardinal Giacomo Lercaro aus Bologna über die Kirche der Armen. Er unterstützte ebenfalls die Ausführungen von Suenens.

Als diese wichtige Diskussion stattfand, war der Papst bereits erkrankt, wohl hatte er die Intervention Suenens' noch gelesen und eigenhändig mit

---

[35] Vgl. *K.-H. Fleckenstein*, a.a.O. 45.

Bleistift kommentiert. Er vermochte sich mit den Gedanken des belgischen Kardinals voll und ganz zu identifizieren. Suenens sagte zu diesem Sachverhalt: „So wurde daraus ein indirektes Eingreifen des Papstes."[36] Ende Januar 1963 traf Suenens das letzte Mal mit Johannes XXIII. zusammen. Das Treffen war völlig unerwartet und inoffiziell. Suenens begegnete in St. Peter dem Sekretär des Papstes, der ihn in sein Büro bat, um ihm ein kleines Geschenk Johannes' XXIII. zu übergeben. Es handelte sich um ein signiertes Photo, auf dem Suenens vor dem Papst kniete und seinen Ring küßte, obwohl Kardinäle nicht vor dem Papst niederknien. Auf der Rückseite hatte Johannes XXIII. handschriftlich vermerkt: „Non placet mihi." Das gleiche stand nochmals in einem kurzen Handschreiben. Der Sekretär schlug vor, daß Suenens sich persönlich beim Papst bedanken solle, und geleitete ihn in dessen Schlafzimmer, hier kam es zu einem zweistündigen Gespräch[37].

Zu Anfang seines Pontifikats hatte der Papst einem deutschen Bischof bei einer Privataudienz den Kniefall nicht gestattet. Er sagte zu dem Bischof: „Was soll der Kniefall, ich bin doch auch nur ein Bischof!"[38] Solche Worte entsprachen der Art Johannes' XXIII.

Am 11. April 1963, dem Gründonnerstag, unterzeichnete Papst Johannes die Enzyklika „Pacem in terris – Frieden auf Erden." Er wünschte, daß Suenens die Enzyklika persönlich den Vereinten Nationen überbringen solle. Am 13. Mai händigte dieser dem Generalsekretär der Vereinten Nationen, U Thant, die Enzyklika aus, anschließend hielt er eine einstündige Rede, in der er folgende Gesichtspunkte hervorhob: Die Enzyklika ist ein offener Brief an alle Menschen guten Willens auf der ganzen Welt; Frieden erfordert Achtung vor dem einzelnen und beginnt im Herzen des einzelnen, muß aber Kreise ziehen bis ans Ende der Welt. Suenens wies darauf hin, daß Zivilisation ihren Namen nicht verdiene, wenn sie gleichzeitig der kollektiven sozialen Sünde der Unterernährung gegenübersteht. Er hob hervor, daß die Menschen mehr aufeinander zugehen müssen. Das große Ziel des Papstes sei, daß die Welt menschlicher werden solle.

In der Diskussion wurde auch nach dem Verhältnis von Kommunismus und Papst gefragt; Suenens antwortete, daß der Kommunismus als Lehre unannehmbar sei, aber Kommunisten als wohlmeinende Menschen vom Papst akzeptiert und gesegnet würden. Mit seinem Auftritt vor den UN frischte Suenens alte Kontakte auf und knüpfte neue an[39]. Wie in einem Prisma spie-

---

[36] Ebd. 47.
[37] E. Hamilton, a.a.O. 89f.
[38] H. Picker, a.a.O. 165.
[39] Vgl. E. Hamilton, a.a.O. 90–93.

geln sich die Gedanken der Enzyklika nochmals in folgenden Sätzen: „Der Friede muß jedoch ein leeres Wort bleiben, wenn er sich nicht in jenem Ordnungsgefüge entwickelt, das Wir voller Hoffnung mit diesem Rundschreiben in den Umrissen angedeutet haben: Wir meinen ein Ordnungsgefüge, das in der Wahrheit gegründet, nach den Richtlinien der Gerechtigkeit gebaut, von lebendiger Liebe erfüllt ist und sich schließlich in der Freiheit verwirklicht."[40]

Am 3. Juni 1963 starb Johannes XXIII., dem Suenens so sehr verbunden war. Am Konklave für die Wahl des neuen Papstes nahmen 80 Kardinäle teil. „Alle – außer dem Gewählten selbst – wählten den Mailänder Kardinal Erzbischof Montini. Und das schon am 21. Juni 1963 nach nur fünf Wahlgängen. Selbst Kardinal Siri, der einem Gerücht zufolge in den ersten Wahlgängen viele Stimmen konservativ eingestellter Kardinäle erhielt, soll, ebenso wie sein Kontrahent, der Führer der Fortschrittlichen, Kardinal Suenens, gebeten haben, zugunsten Montinis von der eigenen Wahl abzusehen."[41]

Für alle die brennendste Frage war, wie das Konzil fortgeführt werden sollte. Der neue Papst, der sich den Namen Paul VI. gab, verkündete sofort, das Konzil im „alten Geist" weiterzuführen. Es war Kardinal Suenens, der aufgrund seines optimistischen Weltbildes den Namen des Papstes deutete und auf das Apostolat des Apostels Paulus Bezug nahm und auf dessen Weltoffenheit gegenüber allen Völkern, auf dessen zeitnahe und soziale Predigt und auf dessen brüderlichen Dialog hinwies. „Kardinal Suenens stellte darüber hinaus klar, daß das Konzil unter der Leitung Papst Pauls VI. nicht nur fortgesetzt, sondern auch eine glänzende Vollendung finden werde."[42]

Paul VI. fand eine spontane Geste der Freundschaft für Suenens. Wenige Tage nach seiner Wahl erschien er auf dem Balkon vor dem Fenster seiner Bibliothek, bei ihm war Kardinal Suenens, den er der jubelnden Menge auf dem Platz vorstellte[43]. Sicher war dies ein außergewöhnliches Zeichen der Sympathie.

Während der ersten Session hatte sich herausgestellt, daß die Leitung des Konzils zu schwerfällig gewesen war. Nach Suenens „fehlte eine feste Führung".

Nachdem sich die Idee, zwei päpstliche Legaten für die Konzilsleitung zu ernennen, zerschlagen hatte, ernannte der Papst am 15. September 1963 die

---

[40] *Johannes XXIII.*, Pacem in terris. Rundschreiben über den Frieden unter allen Völkern in Wahrheit, Gerechtigkeit, Liebe und Freiheit (Leutersdorf ²1963) 61.
[41] *H. Picker*, a.a.O. 215f.
[42] Ebd. 222.
[43] *E. Hamilton*, a.a.O. 95.

Kardinäle Gregor Petrus Agagianian, den Präfekten der Kongregation für die Glaubensverbreitung, Giacomo Lercaro, Erzbischof von Bologna, Julius Döpfner, Erzbischof von München-Freising, und Léon-Joseph Suenens, Erzbischof von Mecheln-Brüssel, zu Moderatoren. Für die Kennzeichnung der Aufgaben der vier Moderatoren war der Satz in Artikel 4 § 2 der Konzilsordnung maßgebend: „Labores concilii dirigunt", das hieß, daß sie die Generalkongregationen zu leiten hatten. Darüber hinaus kam ihnen auch eine große Bedeutung für die theologische und geistige Linie des Konzils zu. Selbstverständlich hatten nicht allein die Moderatoren bestimmende Verantwortung, sie waren vielmehr gehalten, nach vier Seiten hin klärende, zum Teil auch abgrenzende Kontakte zu halten. Dies galt zunächst gegenüber dem Papst, der das Haupt des Konzils ist. Die Moderatoren berichteten dem Papst jede Woche über den Verlauf des Konzils und hörten seine Auffassung.

Die zweite Instanz war die Koordinierungskommission, in der alle vier Moderatoren Mitglieder waren.

Sehr wichtig war das Zusammenspiel der Moderatoren mit den Konzilskommissionen, die nach Verbesserungsvorschlägen der Konzilsväter die einzelnen Themen weiter zu bearbeiten hatten. Hier gaben die Moderatoren Anregungen und auch Direktiven für eine sachgerechte und rasche Durchführung.

Schließlich ist noch das Konzilspräsidium anzuführen, das wohl die höchste Autorität des Konzils darstellte, jedoch nicht in die inhaltliche Gestaltung der Konzilsthemen eingriff. Es war vor allem dafür verantwortlich, daß die Normen der Geschäftsordnung eingehalten und etwaige Interpretationszweifel oder Verfahrensschwierigkeiten behoben wurden. Die Moderatoren hatten also abwechselnd die Diskussionen in den Generalkongregationen zu leiten, das heißt, sie setzten die Tagesordnung fest, erteilten jeweils das Wort und sorgten für einen sinnvollen Ablauf der Aussprache.

Besonders wichtig für die Moderatoren war – das betonten die Kardinäle Suenens und Döpfner – ihre unmittelbare Verbindung mit dem Papst. Döpfner sagt hierzu: „Wir hatten jede Woche, gewöhnlich am Donnerstag, eine Audienz, in der Bericht über den augenblicklichen Stand der Konzilsarbeit gegeben und wichtige weitere Schritte besprochen wurden."[44]

Ein sehr gutes Klima herrschte nach Aussagen von Kardinal Suenens unter den vier Moderatoren, besonders verbunden fühlte er sich Kardinal Döpfner[45]. Das gemeinsame Band war, daß sich beide einer „aufgeschlossenen Linie" verpflichtet fühlten. Die beiden Kardinäle standen in einem sehr inten-

---

[44] Konzilsnachlaß Döpfner, a.a.O.
[45] *K.-H. Fleckenstein*, a.a.O. 50.

siven Gedankenaustausch während der gesamten Zeit des Konzils. Einige wenige Beispiele sollen dies erläutern.

Am 9. Juli 1963 wandte sich Döpfner in einem Brief an Suenens. Er wollte nochmals auf den Vorschlag zurückkommen, den Suenens zum Schema „De Ecclesia" der Koordinierungskommission unterbreitete. Es handelte sich um die Empfehlung, das Schema neu einzuteilen, so daß das Kapitel über die Laien geteilt und der Abschnitt über das Volk Gottes zu einem eigenen Kapitel ausgebaut würde, das nach dem 1. Kapitel „De mysterio Ecclesiae" einzureihen wäre. Kardinal Döpfner sagt hierzu: „Der Vorschlag ist mir sehr sympathisch." Allerdings fürchtet er, daß eine Umarbeitung des Schemas durch die Theologische Kommission „die Fertigstellung des endgültigen Textes und seine Versendung an den Weltepiskopat erheblich verzögern würde. Das würde dann womöglich zum Anlaß genommen, daß das Schema in der zweiten Konzilsperiode erst sehr spät vor die Generalkongregation gebracht wird, die es dann nicht mehr rechtzeitig durchdiskutieren könnte." Döpfner unterstreicht, daß das Schema „De Ecclesia" in der kommenden Konzilsperiode „den Vorrang haben und möglichst schnell vorgelegt werden muß"[46]. In einem anderen Schreiben Döpfners an Suenens heißt es: „Am Fest des heiligen Leo werde ich in Dankbarkeit für so viele Zeichen brüderlicher Liebe und im Wissen unserer gemeinsamen Sorgen um die heilige Kirche bei den großen Gottesdiensten dieses Tages gerne Ihrer gedenken. Wenn Sie am nächsten Tag, wo das Fest des heiligen Julius gerne vor dem großen Gedenktag des Todes Christi zurücktritt, Ihres Mitbruders in München gedenken, werde ich um so dankbarer sein."[47]

Diese Worte zeugen von einem sehr starken Zusammengehörigkeitsgefühl der beiden großen Konzilspersönlichkeiten im Ringen um die Kirche der Gegenwart.

Am 4. August 1963 schrieb Kardinal Suenens an Döpfner. Er spricht das Schema „De Ecclesia" an, bedankt sich für die Zusendung einiger Papiere und schließt seinen Brief mit den Worten: „Au plaisir de vous retrouver en pleine forme, et de reprendre le travail Conciliaire dans le cadre du ‚idem velle et du idem nolle' qui nous unit."[48]

Ein weiteres Zeichen für die Offenheit und das Vertrauen zwischen den beiden Kirchenmännern ist ein Brief Kardinal Döpfners vom 7. Februar 1964. Er klagt gegenüber Kardinal Suenens und sagt: „Eine große Enttäuschung hat hier das Motuproprio ‚Sacram liturgiam' bereitet. Gerade nach den Bemerkungen, die der Papst während der zweiten Konzilsperiode äußer-

---

[46] Konzilsnachlaß Döpfner, Akt 1 Conc I 2.
[47] Ebd.   [48] Ebd.

te, durfte man doch damit rechnen, daß schon jetzt mehrere Reformen in Kraft gesetzt würden. Besonders hart wird die Bestimmung empfunden, daß die Übersetzungen in die Landessprache der römischen Approbation bedürfen, denn sie steht direkt im Gegensatz zum Artikel 36 § 4 der Konstitution[49]. Die Erwartungen hinsichtlich eines erfolgreichen Abschlusses des Konzils und einer exakten Verwirklichung seiner Beschlüsse haben damit einen schweren Schlag erlitten."[50]

Aus den Konzilstagebüchern Kardinal Döpfners ließen sich noch weitere Beispiele zum Vertrauensverhältnis zwischen den beiden Kardinälen anführen.

Am 29. September 1963 fand die Eröffnungssitzung der zweiten Konzilsperiode statt. Papst Paul VI. legte sein Programm für das Konzil und sein Pontifikat vor. Die zentralen Themen waren: Selbstverständnis und Reform der Kirche, Einheit der Christen, Gespräch der Kirche mit der modernen Welt[51]. Am Montag, dem 30. September, begann die erste Generalkongregation (die 37.) der zweiten Sitzungsperiode die Debatte über das Schema „De Ecclesia". Von Kardinal Suenens stammten drei Interventionen. Am 8. Oktober sprach er über die Einführung eines ständigen Diakonats für verheiratete oder unverheiratete Männer; am 22. Oktober betonte er, daß nicht nur Priester und Ordensleute, sondern auch die Laien Charismen besitzen; am 12. November schließlich forderte er ein Ruhestandsalter für Bischöfe.

Am 8. Oktober 1963 trat unter der Leitung von Kardinal Döpfner die 43. Generalkongregation zusammen. In der Debatte sollte das 2. Kapitel des Kirchenschemas behandelt werden. Die zentralen Fragen waren Kollegialität und Diakonat.

Nachdrücklich trat Suenens in einer sehr schwungvollen Intervention für die Erneuerung des Diakonates ein. Er sah das Grundproblem dieser Frage darin, „ob das Konzil die übernatürlichen Realitäten der Kirche im Auge habe oder ob es sich von rein utilitaristischen und praktischen Überlegungen leiten lasse". Das Diakonat sei ein wesentlicher Bestandteil der kirchlichen Hierarchie. Die Gläubigen hätten ein Recht darauf, die Eucharistie zu empfangen und das Wort Gottes zu hören, was in weiten Gebieten der Kirche – Suenens nannte hier die Diaspora, die verfolgte Kirche und die modernen

---

[49] „Die in der Liturgie gebrauchte muttersprachliche Übersetzung des lateinischen Textes muß von der obengenannten, für das Gebiet zuständigen Autorität approbiert werden." *K. Rahner – H. Vorgrimler*, Kleines Konzilskompendium. Sämtliche Texte des Zweiten Vatikanums (Herder-Bücherei 270) (Freiburg i. Br. 1966) 64.

[50] Konzilsnachlaß Döpfner, a.a.O.

[51] Vgl. *W. Seibel – L. A. Dorn*, Tagebuch des Konzils. Die Arbeit der zweiten Session (Nürnberg – Eichstätt 1964) 9.

Großstädte – ohne das Diakonat unmöglich sei. Das höchste Gesetz sei das Heil des Volkes. Auch die Furcht vor einer Aufweichung des Zölibats müsse davor zurücktreten, ja die Diakone würden erst wieder dazu beitragen, daß der Stand der Jungfräulichkeit höher eingeschätzt werde[52].

Die Intervention fand bei den Konzilsvätern ein geteiltes Echo. Die nächste Intervention brachte Suenens in der 53. Generalkongregation am 22. Oktober vor. Die Leitung hatte Kardinal Agagianian. Suenens sprach über die Charismen, sein Lieblingsthema. Dieser Auftritt zeigt in besonderer Weise seine Fähigkeit, schwierige Sachverhalte zu durchdringen, seine Gabe zu koordinieren sowie seine hohe Vortragskunst.

Er betonte die Bedeutung der besonderen Gnadengaben in der Kirche. Er stellte heraus, die Charismen gehörten zum Wesen der Kirche. „Ohne sie würde die hierarchische Ordnung nur als reiner Verwaltungsapparat erscheinen." Er wies darauf hin, daß man das Element der Ordnung, das in der Hierarchie repräsentiert sei, nicht so überbetonen dürfe, daß das Charismatische an den Rand gedrängt werde, wie es im Schema den Anschein habe. Weiter verwies Suenens besonders auf die prophetischen Charismen. Er zeigte, was am Schema umzuarbeiten sei. „Zugleich mit der Amtsstruktur muß die charismatische Ordnung der Kirche hervorgehoben werden; dabei darf man vor allem die Freiheit der Kinder Gottes nicht vergessen", die Suenens das wichtigste Element nannte.

Suenens forderte dann, daß auch auf dem Konzil die Vielfalt der charismatischen Ordnung der Kirche repräsentiert sein müsse. Er schlug vor, auch Frauen als Laienauditoren zu berufen, weil auch sie von den Charismen sicher nicht ausgeschlossen seien. Er war derjenige, der immer wieder das Charisma der Laien betonte und damit ein Gespür für die Wirksamkeit des Geistes unter den Laien zeigte. „Die Intervention des belgischen Kardinals wurde vom Konzil mit großem Beifall aufgenommen."[53]

Suenens gelang es, zu zeigen, daß der Geist kein Vorrecht der Kleriker sei und daß deshalb die Kleriker auch auf die Laien zu hören haben. Suenens hat darauf hingewiesen, daß die Idee der Kollegialität tief in der Tradition der Kirche wurzelt.

Als Moderator war Suenens besonders gefordert, als es darum ging, die Theologische Kommission zu beauftragen, sich mit den Problemen der Kollegialität der Bischöfe zu befassen. „Als Moderator kündigte ich deshalb an, daß die Bischöfe am kommenden Morgen von uns Fragen erhalten würden; sie seien gebeten, dazu ein Orientierungsvotum abzugeben. Dadurch sollte der Theologischen Kommission gesagt werden, in welcher Richtung sie zu

---

[52] Ebd. 41f. [53] Ebd. 91–93.

arbeiten habe. Es kam zu einer großen Auseinandersetzung."[54] Vehement wehrte sich Pericle Felici gegen das Verteilen der Fragen.

In der Generalkongregation am 29. Oktober 1963 legten die Moderatoren dem Konzil folgende fünf Fragen vor: ob im Schema „De Ecclesia" gesagt werden sollte, daß

1) die Bischofsweihe den höchsten Grad des Weihesakraments darstellt;
2) jeder rechtmäßig geweihte Bischof Glied des Corpus der Bischöfe ist;
3) das Kollegium der Bischöfe in der Einheit mit dem Papst als dem Haupt die volle und höchste Gewalt über die ganze Kirche besitzt;
4) daß diese Vollmacht dem mit dem Haupt vereinten Kollegium aufgrund göttlichen Rechts zukommt;
5) daß das Diakonat als eigener Stand wieder zu erneuern ist.

Suenens als Verfechter der Kollegialität mußte ein elementares Interesse an einer positiven Abstimmung über diese Fragen haben. In der 58. Generalkongregation wurden alle Fragen mit großer Mehrheit bejaht. Die Verbindlichkeit der Abstimmung wurde von den Kardinälen Ottaviani und Browne angezweifelt.

Solche Meinungsverschiedenheiten änderten nichts daran, daß das Konzil in Suenens' Augen „ein kollegiales Ereignis ersten Ranges war". „Das Faktum der Kollegialität ist deshalb stärker als die Texte."[55]

Suenens' dritte Intervention erfolgte während der 65. Generalkongregation am 12. November 1963. Die Sitzung wurde von den Kardinälen Lercaro und Döpfner moderiert.

Als erster Redner des Tages setzte sich Suenens für die Festlegung einer Altersgrenze für die Bischöfe ein. „Aus Schrift und Tradition ergibt sich ganz klar, daß das Bischofsamt allein als Hirtenamt zum Dienst der Gläubigen eingesetzt ist, und das allein muß entscheidend sein." Suenens hob hervor, daß „gerade die Annahme einer Bestimmung über die Altersgrenze der Bischöfe ein überzeugendes Zeichen ist für die Welt und die Kirche, daß es dem Konzil mit seinem Willen zur Erneuerung ernst sei"[56].

Für manche Bischöfe war dieser Vorschlag des Belgiers so vermessen wie der Versuch, den Lauf des Mondes zu ändern. Alle drei Interventionen waren praktischer Natur; für Suenens war stets nur das eine entscheidend: wie das Evangelium in der bestmöglichen Weise nicht nur gepredigt, sondern auch gelebt werden kann. Es darf sicher als ein Zeichen des Geistes verstanden werden, daß sich die von Suenens vorgetragenen Anliegen durchsetzten.

---

[54] *K.-H. Fleckenstein*, a.a.O. 51.   [55] Ebd. 50.
[56] *W. Seibel – L. A. Dorn*, a.a.O. 165f.

Am 28. Oktober 1963 sollte eine Messe für Johannes XXIII. gefeiert werden. Paul VI. bat Suenens, die Gedächtnisansprache zu übernehmen. Suenens sagte zu. Er sah eine Gelegenheit, in dieser Rede das auszudrücken, was der Papst für ihn gewesen war: „ein Vater, vielleicht auch ein Großvater; ein alter weiser Mensch, bei dem man in Frieden verweilen konnte"[57]. Mit sehr großem Einfühlungsvermögen ging Suenens auf Johannes XXIII. ein, die gleiche Veranlagung ließ ihn mehr als verstehen. Besonders wird dies in folgenden Worten deutlich: „Was uns beide sicher am stärksten miteinander verband, war eine leidenschaftliche Liebe zur Kirche, nicht als einer menschlichen Institution, die um ihrer selbst willen existiert, sondern als von Gott mit der Aufgabe betraut, das Evangelium als erlösende Botschaft der Hoffnung und der Freude in der Welt zu verbreiten. Oft sprachen wir darüber, daß die Kirche – obwohl mit menschlichen Schwächen behaftet – nie diesen völlig preisgegeben ist, weil ihr Christus seinen Heiligen Geist bis ans Ende der Zeiten versprochen hat."[58] Die Ansprache von Suenens fand großen Applaus: der Papst umarmte ihn spontan, gegen das Regolamento.

Am Montag, dem 14. September 1964, wurde die dritte Konzilsperiode eröffnet. In der 81. Generalkongregation am 16. September ging es um das 7. und 8. Kapitel des Kirchenschemas. Kardinal Suenens forderte eine Revision des Heiligsprechungsverfahrens. Aus pastoralen Gründen sollten unter den kanonisierten Heiligen „alle sozialen Schichten und die verschiedenen Nationen vertreten sein. Heute besteht in dieser Hinsicht ein großes Mißverhältnis."[59] Hinsichtlich der Seligsprechung schlug er vor, das Verfahren von den Bischofskonferenzen durch spezielle Kommissionen durchführen zu lassen und die Seligen nur in die liturgischen Kalendarien der jeweiligen Nation aufzunehmen.

In der 82. Generalkongregation am 17. September 1964 ging Suenens auf das Marienkapitel ein, seiner Meinung nach werde „die geistliche Mutterschaft" Mariens zuwenig betont. Pastoral zu bemängeln sei, „daß die Vorlage nicht die Verbindung zwischen der geistlichen Mutterschaft Marias und dem Apostolat der Verkündigung aufzeigt"[60].

Am 9. Oktober 1964 wurde auf der 98. Generalkongregation das Schema über das Laienapostolat behandelt. Suenens kritisierte die Aussagen des Schemas über die Katholische Aktion. Er bezeichnete sie als „nicht hinreichend und doppelsinnig". Sein Anliegen ging dahin, daß die apostolische

---

[57] *K.-H. Fleckenstein*, a.a.O. 66.   [58] Ebd. 68.
[59] *L. A. Dorn – G. Denzler*, Tagebuch des Konzils. Die Arbeit der dritten Session (Nürnberg – Eichstätt 1965) 24f.
[60] Ebd. 32.

Initiative der Laien „auch nicht durch eine Spur von Klerikalismus eingeschränkt werden darf und aus dem Glauben an die Freiheit des Heiligen Geistes, der immer wieder neue charismatische Wirkformen im Apostolat erwecken will"[61], bedacht werden muß.

Am 21. Oktober behandelte die 106. Generalkongregation das Schema
über die Kirche in der modernen Welt. Auch hier brachte Suenens eine Reihe von Verbesserungsvorschlägen ein. Er führte u.a. aus: „So ist die Kirche
zwar ein unschätzbares Werkzeug des Friedens für die Welt, jedoch nicht direkt durch die Mittel der Diplomatie, sondern kraft ihres eigenen Wesens
. . . Durch ihre ökumenische Tätigkeit, die nach der sichtbaren Einheit der
Christen strebt, und ihr Gespräch mit den Nichtchristen und allen Menschen guten Willens fördert sie den Frieden in der Welt."[62] Als weiteren
wichtigen Punkt nannte Suenens die Klärung der Beziehung zwischen Hu-
manisation und Evangelisation der Welt. Ferner bemängelte er, das Schema
spreche nicht genug von dem modernen Phänomen des militanten Atheismus in allen seinen Formen. Suenens' Anliegen war, daß das ganze Schema
konkreter Beweis der Liebe der Kirche zur Welt und der Mitarbeit der Kirche am Aufbau der irdischen Ordnung und am Frieden werden müsse.

Am 29. Oktober 1964 behandelte die 112. Generalkongregation das Schema über die Kirche in der modernen Welt, und zwar den Abschnitt über die
Würde von Ehe und Familie. Suenens, der Vorkämpfer des Schemas, gab
auch in dieser Debatte wichtige Hinweise. So nahm er zum Beispiel zum
Problem der Überbevölkerung Stellung: „Ich beschwöre euch, Brüder, ver-
meiden wir einen neuen Galilei-Prozeß! Einer genügt schon für die Kirche."
Hier gehe es nicht um eine Situationsethik, sondern um die Anwendung un-
veränderlicher Prinzipien auf konkrete Gegebenheiten und geschichtliche
Entwicklungen. Suenens schloß: „Wir haben kein Recht zu schweigen!
Fürchten wir uns nicht davor, diese Probleme anzugehen! Es geht um das
Heil der Seelen, das Heil unserer Familien und der Welt. Hören wir auf den
Heiligen Geist, und nehmen wir die ganze Wahrheit an, die er uns eingibt,
eingedenk der Worte des Herrn: Die Wahrheit – die natürliche und die
übernatürliche, die ganze und lebendige – wird uns freimachen!"[63]

Am 7. November 1964 ging es in der 117. Generalkongregation um die
missionarische Tätigkeit der Kirche. Suenens verlangte, die Notwendigkeit
der Mission, die Sendung der Kirche zur Verkündigung des Evangeliums viel
klarer herauszustellen. Er wies darauf hin, daß das Konzil auch mehr von
der Missionspflicht der Laien sagen müsse. Ihre mögliche Mitarbeit dürfe
nicht nur in Gebet, Opfer und materieller Hilfe bestehen, vielmehr sollten

---

[61] Ebd. 144.   [62] Ebd. 211.   [63] Ebd. 266.

sie je nach ihrer Berufung direkt Verkünder des Evangeliums sein. Ferner vermißte Suenens Hinweise, in den Missionsländern ein mündiges Laientum heranzubilden, das apostolische und soziale Verantwortung übernehmen kann[64].

Am 11. November 1964 wurde in der 120. Generalkongregation ein Thema angesprochen, zu dem Kardinal Suenens die besten Voraussetzungen durch seine Arbeit „Krise und Erneuerung der Frauenorden" mitbrachte; es ging um die Erneuerung des Ordenslebens. Suenens begann seine Intervention mit einem klaren Nein; anschließend befaßte er sich mit den „aktiven Frauenkongregationen". Er forderte, eine zeitgemäße Spiritualität vom aktiven Leben und Apostolat dieser Kongregationen zu erarbeiten. Auch Apostolat im Sinne von Evangelisation müsse klar bestimmt werden. Veraltete Gebräuche gelte es abzuschaffen. Suenens schloß: „Damit der Glaube in der Welt nicht lächerlich wird, müssen jene lächerlichen Extravaganzen verschwinden, die Erbe einer längst vergangenen Zeit und eher Zeichen einer Vergreisung als einer Verjüngung der Kirche sind."[65]

In der Debatte über die Priesterausbildung am 14. November 1964 (122. Generalkongregation) schlug Suenens die Errichtung einer Sonderkommission vor, die für die Anpassung der Seminarien an die pastoralen Erfordernisse der Kirche von heute zu sorgen hat. Er verlangte, daß das Seminarleben eine Vorbereitung auf das Leben in der Welt sein müsse, es dürfe nicht eine Imitation des Klosterlebens sein.

Am 8. Dezember 1964 erfolgte die Promulgation von „Lumen gentium". Für Kardinal Suenens mußte dies ein großer Augenblick sein, denn seine Gedanken, die er bereits Johannes XXIII. vorgetragen hatte, bestimmten das kirchliche Lehrdokument[66].

Auch die Beiträge, die Suenens während der dritten Session leistete, zeichnen ihn als einen ausgezeichneten Theologen sowie zutiefst geistlichen Menschen aus, dem die Kirche des 20. Jahrhunderts, die er entscheidend mitgeprägt hat, Unsagbares zu verdanken hat.

Am 14. September 1965 fand die Eröffnungssitzung der vierten und letzten Konzilsperiode statt. In der 138. Generalkongregation am 29. September ging es um das Thema „Ehe und Familie", es moderierte Kardinal Suenens. In dieser Sitzung regte er die nötige wissenschaftliche Forschung über Sexualität und Eheleben an. Ferner schlug er vor, über einen Ritus der Erneuerung des Ehelebens nachzudenken. „Er bedauerte ferner, daß das Konzil nichts über die alarmierende Zunahme der unüberlegten Frühehen sagt und daß es nicht die öffentliche Autorität an ihre Pflicht erinnert, gegen die

---

[64] Ebd. 314.   [65] Ebd. 346.   [66] Ebd. 366.

öffentliche Unmoral einzuschreiten, die eine Schande für eine sogenannte christliche Kultur darstelle. Schließlich solle der Text das Familiengebet empfehlen."[67]

In der 147. Generalkongregation am 12. Oktober kam die wichtigste Intervention zur Ausbildung der Missionare von Kardinal Suenens. Er betonte, daß man vor allem auf die praktische Ausbildung und darin besonders auf die Hinführung zur Zusammenarbeit mit den Laien Wert legen müsse[68].

Am 15. Oktober wurde in der 150. Generalkongregation das Schema über Dienst und Leben der Priester besprochen. Kardinal Suenens warf dem Schema vor, es erfülle nicht die Erwartungen der Priester. „Die Lehre vom Priestertum werde rein abstrakt und in einer fast zeitlosen Perspektive dargelegt. Auch habe man Länder mit christlicher Tradition und einer geschlossenen christlichen Gesellschaft vor Augen, was alles schnell verschwinden werde. Die besondere Schwierigkeit, vor der der Priester heute stehe, sei die Bestimmung seiner Stellung in der Welt und in der Kirche ... Im Hinblick auf die Laien müsse der Begriff des Dienstes am Volk Gottes vertieft werden. Der Priester habe die Aufgabe, die apostolische Arbeit der Laien zu koordinieren, die besonderen Charismen zu fördern und alle zu einer freien Mitarbeit zu führen."[69]

Das II. Vatikanum, das 21. und größte Ökumenische Konzil, wurde mit einer Schlußfeier am 8. Dezember 1965 beendet. In dem Apostolischen Breve „In Spiritu Sancto" zum Abschluß des Konzils bemerkt der Papst u.a.: „Ohne Zweifel muß dieses Konzil zu den bedeutendsten Ereignissen der Kirche gezählt werden ... Wir bestimmen ferner, daß alle Konzilsbeschlüsse von allen Gläubigen heilig und eifrig eingehalten werden ... Das erlassen und bestimmen wir und erklären dieses Dokument für immer fest, gültig und wirksam. Es soll volle und ungeschmälerte Wirkung erreichen und bewahren ... Irrig und ohne Wert soll von diesem Augenblick an sein, was immer von irgend jemandem oder von irgendeiner Autorität bewußt oder unbewußt dagegen unternommen wird."[70]

Im Hinblick auf das von Johannes XXIII. geforderte „Aggiornamento" sagte Kardinal Suenens nach dem Konzil: „Zugegeben, wir sind noch nicht im Mai, eher im April, wenn es noch Nachtfröste gibt. Doch eines ist sicher: Der Frühling ist da, es gibt keine Rückkehr zum Winter."

Die nach dem II. Vatikanum erschienenen Arbeiten von Kardinal Suenens stellen eine Vertiefung und Weiterführung des Konzils dar, das er „als eine

---

[67] *L. A. Dorn – W. Seibel*, Tagebuch des Konzils. Die Arbeit der vierten Session (Nürnberg – Eichstätt 1966) 90.
[68] Ebd. 160. [69] Ebd. 185. [70] Ebd. 389f.

tiefere Sicht von Kirche und Welt" begreift, „als eine Schule der Erneuerung im theologischen, pastoralen und geistlichen Sinn"[71].

Auch Suenens' ökumenische Arbeit ist von diesem Geist geprägt: „Der Ökumenismus ist nur in gegenseitiger Achtung durchführbar; er verlangt von jedem die Anerkennung der Wesensart des anderen; sein großes Gebot ist und bleibt das, was Kardinal Mercier formulierte, als er anläßlich der berühmten ‚Mechelner Unionsgespräche', die den ersten ökumenischen Dialog zwischen Rom und der Anglikanischen Kirche (1921–1925) bildeten, schrieb:

‚Man muß dem anderen begegnen, um ihn zu kennen, ihn kennen, um ihn zu lieben, ihn lieben, um sich mit ihm zu vereinigen.'"[72]

Diese Worte Merciers drücken auch gleichzeitig die Grundeinstellung von Suenens aus: verstehen, begegnen, ausgleichen im Vertrauen auf den Heiligen Geist. Vielleicht am dichtesten, weil am direktesten sind die von ihm entwickelten Gedanken zum Konzil in seinem Buch „Die Mitverantwortung in der Kirche"[73]. Hier arbeitet Suenens heraus, was ihm als pastorale Leitidee des Konzils erscheint: „der Grundsatz der Mitverantwortung aller Christen innerhalb des Volkes Gottes". Besonders tangiert ist hier die Kollegialität, die dem gesamten kirchlichen Leben zugrunde liegt. Nur von hier aus ist es möglich, das Gottesvolk als Ganzes neu zu entdecken und in die Verantwortung zu nehmen, die sich für jedes seiner Mitglieder daraus ergibt[74]. Die Sehnsucht Suenens' richtet sich auf die Erkenntnis und Verwirklichung der Wahrheit: „In der Kirche Gottes ist . . . die grundlegende Gleichheit aller das erste: es gibt keine Supertaufe; es gibt keine Kasten; es gibt keine Privilegien (vgl. Gal 3,28)."[75]

---

[71] *K.-H. Fleckenstein*, a.a.O. 49.
[72] *L.-J. Suenens*, Gemeinschaft im Geist, Charismatische Erneuerung und ökumenische Bewegung. Theologische und pastorale Richtlinien. Mit einer Einführung von Heribert Mühlen (Salzburg 1979) 25.
[73] *L.-J. Suenens*, Die Mitverantwortung in der Kirche (Salzburg 1968).
[74] Ebd. 23.
[75] Ebd. 24.

DAS II. VATIKANISCHE KONZIL
20 JAHRE SPÄTER

Als einziger Überlebender der vier Moderatoren des Konzils – die Kardinäle Agagianian, Lercaro und Döpfner sind bereits in das Haus des Vaters heimgekehrt – wurde ich gebeten, zu sagen, wie mir das II. Vatikanische Konzil im Rückblick erscheint.

1. Das II. Vatikanische Konzil im Rückblick

a) Der Kontext des Konzils

Will man die umwälzende Bedeutung jenes Ereignisses erfassen, das das Konzil war, muß man sich in die Lage von Kirche und Welt in den Jahren 1960–1970 zurückversetzen. Dieser „Sitz im Leben" läßt sowohl seine Bedeutung als auch die Begrenzung seiner Möglichkeiten erkennen. Es würde jedoch hier zu weit führen, wollte man den vielschichtigen Kontext dieser Jahre beschreiben; es genügt, einige der Probleme aufzugreifen, die die Geister am Rand des Konzils und außerhalb seines Rahmens bewegten und nicht auf seiner Tagesordnung standen.

Nach einigem Zögern hatte das Konzil der Idee zugestimmt, sich auf die Kirche als solche, auf die Problematik in ihren eigenen Reihen und in ihrer Umgebung zu beschränken, und dies war auch der Leitfaden seiner Arbeit.

Das Konzil berührte jedoch überhaupt nicht – oder höchstens ganz nebenbei – jene Probleme, die damals in den theologischen Kontroversen die Geister erhitzten und voneinander schieden. Man denke dabei an die Gott-ist-tot-Theologie – die heute bereits tot ist – und an die exegetische Infragestellung selbst der Person Jesu Christi und seines Wortes, die hauptsächlich auf den Einfluß Bultmanns zurückzuführen war. Bücher wie Robinsons „Honest to God" – sein Autor würde es heute vielleicht nicht mehr auf die gleiche Weise schreiben – riefen heftige Polemik hervor und verunsicherten zahlreiche christliche Leser. All dieses Infragestellen war eine Art Hintergrund, von dem sich das Konzil abhob, ohne direkt hineinverwoben zu sein. Dieses Zurückgreifen ist meiner Meinung nach nützlich, wenn man vermeiden will, dem Konzil Unruhen anzulasten, die außerhalb seines Rahmens entstanden sind.

Jede Ekklesiologie hat ihre Wurzeln in einer Christologie: das Konzil – und auch Paul VI. – hat das mit Nachdruck ausgesagt. Das Konzil sollte jedoch nicht seinen unbestrittenen Ausgangspunkt einer neuerlichen Prüfung unterziehen; seine Rolle war es, für unsere Zeit Auswirkungen des Glaubens abzuzeichnen. Es war daher normal, daß das II. Vatikanische Konzil als wichtigsten Text die Konstitution „Lumen gentium" ausarbeitete, die sein Grunddokument blieb.

Da ich mich als Relator für dieses Schema in der Koordinierungskommission mit der letzten Durchsicht dieses Textes befassen mußte, ist es begreiflich, daß ich ihn mit Vorliebe herausgreife, um hier einige Reflexionen hinsichtlich der Aufnahme vorzulegen, die ihm zuteil wurde. Man weiß um die Bedeutung, die die Theologie der „Aufnahme" der Arbeiten oder Definitionen des Konzils von seiten des Volkes Gottes beimißt. Es ist interessant, die Auslegungen aufzugreifen, die diese Seiten erfuhren und die leider nicht immer ihrem Inhalt gerecht werden.

b) Das Geheimnis der Kirche

Der Titel des 1. Kapitels der Konstitution „Lumen gentium" – „Das Mysterium der Kirche" – war ein Bekenntnis des Glaubens, das der Kirche von vornherein ihren wahren Platz zuerkennt. Auf die dem Konzil gestellte Frage „Kirche, was sagst du von dir selbst?" wird vom ersten Augenblick an eine auf das Wesentliche ausgerichtete Antwort gegeben, welche die Kirche mit dem Geheimnis der Dreifaltigkeit in Verbindung bringt. Leider muß man feststellen, daß sowohl dieser Titel als auch der folgende der Öffentlichkeit, selbst der christlichen, nicht richtig zum Bewußtsein kamen. Wir stehen nun hier an einer Wegkreuzung: Was ist gemeint, wenn man das Wort „Kirche" ausspricht?

Fast immer bleibt man an der Oberfläche und sieht die Kirche als eine Institution, als ein Establishment unter anderen, mit unbeugsamen Rechtsstrukturen, einer bewegten Geschichte und einer ereignisreichen Gegenwart, bei der man die sensationellen Aspekte bevorzugt. Es ist nun bekannt, daß jede Institution, wie immer sie auch sei, heute einen schlechten Ruf genießt. Daher war es wichtig, von Anfang an die Natur der Kirche als solche klarzustellen.

Dieses ist eine sichtbare und zugleich auch unsichtbare Wirklichkeit: wir sehen sie und glauben gleichzeitig auch an sie. Sie ist natürlich und übernatürlich; sie verbirgt hinter einer menschlichen Fassade das Antlitz Gottes; sie ist menschlich und göttlich zugleich. Was ist jedoch daran erstaunlich, da die Kirche unter uns das Leben Christi fortsetzt, das Leben des wahren Gottes und wahren Menschen?

Der erste Blick, den wir auf die Kirche werfen, trifft ihre menschliche Wirklichkeit. Voll und ganz in die Menschlichkeit eingegliedert, unterliegt die Kirche ebenso wie alle anderen irdischen Wirklichkeiten der Uneinheitlichkeit, der Unvollkommenheit und der Unbeständigkeit. Darüber hinaus muß sie sich gerade aufgrund ihrer Mission, Sauerteig in der Masse zu sein, einer in ständiger Entwicklung begriffenen Welt anpassen, ohne ihre Natur preiszugeben, sonst würde der Sauerteig sich selbst zerstören – einer Welt, die in diesem Augenblick außerordentlichen Wandlungen unterworfen ist und einen sehr raschen Ablauf der Geschichte erfährt.

Der Glaube schärft jedoch unseren Blick, und dieser erfaßt das Geheimnis der Kirche als solches: sie ist das Reich Gottes, das schon auf dieser Erde im Entstehen begriffen ist, die Geschichte Gottes unter den Menschen, die Tag für Tag abläuft. Ihrer Natur nach ist die Kirche ein lebendiger Organismus. „Mit dem Himmelreich ist es wie mit einem Senfkorn, das ein Mann auf seinen Acker säte. Es ist das kleinste von allen Samenkörnern, sobald es aber hochgewachsen ist, ist es größer als die anderen Gewächse" (Mt 13,31–32). Die Kirche unterliegt also dem Gesetz des Wachstums mit allem, was dieses an innerer Dynamik mit sich bringt – wie im Fall eines wachsenden Samenkorns –, aber auch mit allem, was dieses Gesetz an Langsamkeit und an vorübergehenden Hindernissen in sich birgt. Am Beginn dieser Entwicklung steht jedoch der Herr. Christus lebt und wirkt weiterhin in seiner Kirche mit seinem Wort und seinen Sakramenten, durch den Heiligen Geist, den er geschenkt hat und der diese Kirche von innen heraus belebt. Diese wirksame und aktive Gegenwart des Geistes ist übrigens die Ursache für unseren Optimismus und unser unerschütterliches Vertrauen.

Es ist nicht leicht, zwischen dem, was von Gott, und dem, was von den Menschen kommt, zu unterscheiden: die Kirche ist hienieden eine pilgernde Kirche, die schrittweise dem Meister entgegengeht, jedoch den Straßenstaub und die Härte des Aufstiegs kennt. Man darf die triumphierende Kirche im Himmel nicht mit der Kirche auf Erden verwechseln, die noch in der Nacht dahinschreitet, im Licht der Sterne, das nur der Glaube wahrnimmt.

Die Katechese muß noch große Anstrengungen – und zwar auf allen Ebenen – unternehmen, damit die Christen das wahre Antlitz der Kirche entdecken: Christus, der in seinem mystischen Leib lebt. Der Christ muß auch aus dem lebendigen und gelebten Glauben heraus wissen, was er meint, wenn er im Glaubensbekenntnis von der „einen, heiligen, katholischen und apostolischen Kirche" spricht. Auch muß es ihm voll bewußt sein, daß es nicht zwei Kirchen gibt, eine „institutionelle" und eine „charismatische", sondern eine einzige mit zweifacher Dimension, einer sichtbaren und einer unsichtbaren. Die Kirche vollendet das Wirken Christi und des Geistes und macht es gegenwärtig.

Wenn wir wollen, daß der Christ „unsere Mutter, die heilige Kirche", neu entdeckt, muß er wieder lernen, sie mit den Augen des Glaubens zu betrachten.

Es ist nötig, das Anfangskapitel der Konstitution „Lumen gentium" neuerlich zu lesen; es ist außerordentlich reich an ungenütztem geistlichem Samen und hat das christliche Gewissen noch nicht tief genug durchdrungen.

c) Die Mächte des Bösen

Wenn aber „die Kirche Jesus Christus ist, der sich im Heiligen Geist mitteilt" (Bossuet), ist es von vornherein wahrscheinlich, daß sie bis ans Ende der Zeiten den Angriffen jener Macht ausgesetzt ist, die die Heilige Schrift als den Widersacher bezeichnet.

Beim Lesen des Evangeliums stellt man mit Erstaunen die Anwesenheit des Bösen fest, der sich Jesus widersetzt. Vom ersten Augenblick an kommt es ständig zu Zusammenstößen. Der Böse, nach der Schrift „ein Mörder von Anfang an" (Joh 8,44), war bereits in die Entscheidung des Herodes verstrickt, der das Kind zu töten suchte und den Mord der unschuldigen Kinder verursachte. Er ist der Vater der Lüge, der Sünde und des Todes, und es ist nicht verwunderlich, daß die Kirche, der mystische Leib Christi, ebenfalls seinen hinterhältigen Angriffen ausgesetzt ist. In der Person des Herodes – wie immer auch sein Name im Lauf der Jahrhunderte lautet – zielt er ständig darauf ab, „das Kind", d.h. das Werk Gottes, zu zerstören.

Jesus hat versprochen, daß die Kräfte des Bösen nicht den Sieg über seine Kirche davontragen werden, und hat ihr den Sieg am Ende der Zeiten versprochen; er hat jedoch den Seinen aufgetragen, wachsam zu sein.

Ich erinnere mich eines Gesprächs, das ich während des Konzils mit Helder Câmara, dem Erzbischof von Recife, führte. Wir waren um das Schicksal eines bestimmten Schemas besorgt und bedauerten gemeinsam den Widerstand, den es hervorgerufen und der in der Weltpresse viel Aufsehen erregt hatte. Wir befanden uns an einem für den Fortgang der Arbeiten entscheidenden Punkt. Als wir uns trennten, ließ Helder Câmara folgende Bemerkung fallen: „Wenn sich der Teufel nicht mit dem Konzil zu schaffen machte, wäre er ein Idiot!" Ich habe diesen Ausspruch nie vergessen.

Auch die nachkonziliare Zeit brachte uns zu unserem Erstaunen das Wort Pascals zum Bewußtsein, daß Christus bis zum Ende der Zeiten in Agonie liege. Unser Glaube lehrt uns, daß der auferstandene Christus durch seinen Tod die Kräfte des Bösen endgültig besiegt hat; in Erwartung seiner glorreichen Wiederkunft schreiten wir jedoch auf einem mit Hindernissen übersäten Weg einher. Die Schlacht ist gewonnen, der Feind verfügt jedoch noch über verborgene Minen, mit denen er seinen Rückzug decken und die Auswirkungen seiner Niederlage verzögern will.

Unmittelbar nach dem Konzil traten wir nicht in die tiefe Nacht des Glaubens, sondern in die der Hoffnung ein, sowohl auf der Ebene der Welt als auch auf der der Kirche. Es genügt, rings um uns zu blicken, und sogleich nehmen wir eine Welt wahr, die zweifellos in mancher Hinsicht Fortschritte macht, in anderer jedoch von einer tragischen selbstmörderischen, apokalyptischen Finsternis umfangen ist.

Blinde Gewalt, Bedrohung des menschlichen Lebens vom Mutterschoß an, unauslöschlicher Terrorismus – während ich diese Zeilen schreibe, habe ich eine Zeitung vor mir, in der von etwa 60 000 Namen die Rede ist, die in Frankreich auf der schwarzen Liste des Terrorismus stehen –, Wiederaufleben der Kriminalität, Ungerechtigkeiten auf internationaler Ebene, zügellose Verherrlichung der sexuellen Begierden. Man könnte die Beschreibung des Triumphs der Sünde, in der sich der Fürst der Finsternis auf vielfache Weise verbirgt, noch lange fortsetzen.

Sein Reich entzieht sich seiner Natur nach der Klarheit unserer kategorischen Analyse, doch veranlassen uns seine Ausdehnung und die Heftigkeit der Übel, den perversen Einfluß des Feindes Gottes beim rechten Namen zu nennen und zu entlarven.

Das gilt auch für die Nacht des Karfreitags, die in so vielen Ländern den Horizont der Kirche verfinstert und wo – mit schwerwiegenden Folgen – der Glaube im Rückgang begriffen ist. Wir wollen all das nicht noch einmal beschreiben, wollen nicht wieder bei den zahlreichen Stationen des Kreuzwegs stehenbleiben. Diese Anspielung muß jedoch genügen, um zu verstehen, daß Paul VI. es für seine Pflicht hielt, den Christen des 20. Jahrhunderts ausdrücklich in Erinnerung zu bringen, daß der Dämon kein Mythos ist und daß er am moralischen Verfall und an der Sünde der Menschen nicht unbeteiligt ist (Ansprache bei der Generalaudienz am 15. November 1972).

Was nun das Konzil betrifft, werfen wir einen Blick auf die Texte. Selbst in der Konstitution „Gaudium et spes" – der optimistischsten der Konstitutionen – liest man folgende Zeilen: „Die ganze Geschichte der Menschheit durchzieht ein mühevoller Streit gegen die Mächte der Finsternis, ein Streit, der mit dem Anfang der Welt begann und nach dem Wort des Herrn bis zum letzten Tag andauern wird. In diesen Kampf hineingestellt, muß der Mensch ununterbrochen kämpfen, um dem Guten anzuhangen, und nicht ohne große Anstrengungen vermag er mit Gottes Gnadenhilfe in sich selbst die Einheit zu behaupten" (GS 37).

Dieser Text steht nicht isoliert da: in der Konstitution „Lumen gentium", wo das Konzil die Laien zur Hoffnung einlädt, heißt es: „Diese Hoffnung sollen sie aber nicht im Inneren der Seele verbergen, sondern in ständiger Bekehrung und im Kampf gegen die Weltherrscher dieser Finsternis, gegen die Geister des Bösen (Eph 6,12), auch durch die Strukturen des Weltlebens ausdrücken" (LG 34).

Diese Texte werden gern übersehen. Man muß gegen den Strom schwimmen, um heute noch zu behaupten, daß diese Auseinandersetzung der Geister eine Tatsache ist und daß nur sie unsere Geschichte, auch unsere zeitgenössische, in ihrer wahren Dimension zeigt.

Die Angelegenheit ist so ungelegen und gleichzeitig so heikel, daß unsere Lehraussagen hier eine Art Vakuum aufweisen.

Was mich betrifft, so bin ich aus vielen Gründen der Auffassung, daß diese „Taktik des Schweigens" – auch eine teuflische List – durchbrochen werden muß.

Ich gebe unumwunden zu, daß ich in meiner seelsorglichen Tätigkeit die Rolle des Geistes der Finsternis kaum hervorgehoben habe. Heute halte ich es für meine Pflicht, die Aufmerksamkeit auf sie zu lenken. Deshalb habe ich erst kürzlich ein Buch, „Renouveau et Puissance des ténèbres" (120 Seiten; Cahiers du Renouveau, Paris 1982), veröffentlicht, um die Tatsache eines Einflusses der Kräfte des Bösen zu unterstreichen und für gewisse Seelsorgsmethoden richtungweisend zu wirken. Ein bedeutsames Vorwort von Kardinal Ratzinger, dem Präfekten der Kongregation für die Glaubenslehre, gibt dem Buch Autorität.

„Wenn man beginnt, sich mit diesem Thema zu befassen – heißt es dort –, muß man anerkennen, daß die Tatsache der Existenz eines oder mehrerer Dämonen heute bei den Christen Unbehagen hervorruft. Mythos oder Wirklichkeit? Ist Satan in das Reich der Gespenster verbannt worden? Ist er bloß die symbolische Verkörperung des Bösen, eine unangenehme Erinnerung an eine vergangene, vorwissenschaftliche Zeit?

Zahlreiche Christen sind der Meinung, es handle sich um einen Mythos; wer die Wirklichkeit erkennt, fühlt sich gehemmt und unbehaglich, wenn er vom Dämon sprechen soll, denn er fürchtet, den Eindruck zu erwecken, er stimme dem volkstümlichen Aberglauben seiner Umgebung zu und verkenne den Fortschritt der Wissenschaften.

Die Katechese, die Homiletik, die theologische Lehrtätigkeit an den Universitäten und in den Seminaren vermeiden gleichfalls dieses Thema. Selbst dort, wo es Diskussionen über die Existenz des Teufels gibt, geht man kaum daran, sein Wirken und seinen Einfluß in der Welt einer Prüfung zu unterziehen. Es ist dem Teufel gelungen, als Anachronismus betrachtet zu werden: der Gipfel seines heimlichen Erfolges.

Unter diesen Bedingungen braucht der Christ von heute Mut, wenn er der leichtfertigen Ironie und dem mitleidigen Lächeln unserer Zeitgenossen gegenübertreten will.

Und das um so mehr, als ein Anerkennen der Existenz des Teufels sich kaum mit dem vereinbaren läßt, was Léon Moulin als ‚den pelagianischen Optimismus unserer Zeit' bezeichnet."

d) Das Volk Gottes

Setzen wir das betrachtende Lesen der Konstitution „Lumen gentium" fort, indem wir zum 2. Kapitel übergehen. Diesmal hat man den Titel nicht übersehen, sondern fast bis zum Überdruß wiederholt. Der Inhalt des Kapitels als solcher ist in zahlreichen Fällen Ursache von Zweideutigkeiten und Mißverständnissen geworden. Allzuoft wurde dieses Kapitel so aufgefaßt, als ob der Ausdruck „Volk Gottes" hier „Laien" bedeutete.

In seinem im „Osservatore Romano" vom 14. Oktober 1982 veröffentlichten Artikel hob P. Sullivan SJ nochmals hervor, daß diese Auslegung unrichtig ist. Es handelt sich hier um das Volk Gottes, vom Standpunkt der allen Getauften – einschließlich des Papstes und der Bischöfe – gemeinsamen Berufung aus betrachtet; diese Studie geht der über die verschiedenen Berufungen der Laien, der Ordensleute und der Priester voran. Es handelt sich also nicht um eine Gegenüberstellung von „Volk" und „Regierung".

Als das Konzil meinen Vorschlag annahm, die Reihenfolge der Kapitel umzukehren und das über das Volk Gottes in seiner Gesamtheit dem über die Hierarchie voranzustellen, ging es tatsächlich darum, unsere grundlegende Identität als Getaufte hervorzuheben, unabhängig von der Verschiedenheit der Funktionen.

Den Laien ist das 4., nicht das 2. Kapitel gewidmet.

Dieser Hinweis ist notwendig, damit man aufhört, das 2. Kapitel „demokratisch" auszulegen, was nicht seinem Inhalt entspricht.

Diese nur allzu häufige Verwechslung hat, zusammen mit der tatsächlichen Unkenntnis des „Mysteriums der Kirche", Rückwirkungen auf eben jener pastoralen Ebene, auf die sich das Konzil gestellt hatte.

Wie man weiß, hat das II. Vatikanische Konzil verschiedene mitverantwortliche Organismen auf den Plan gerufen oder bestätigt, z.B. die Priester-

und Pastoralräte; diese Organismen jedoch, die errichtet wurden, um eine Verantwortung mitzutragen, verhalten sich allzuoft wie Teilhaber an einer Macht oder Keimzellen des Widerspruchs; sie fügen sich nicht genügend in das Geheimnis der Kirche ein, die vom Heiligen Geist bereichert wird und von seinen Gaben und seinen Charismen lebt.

Die Pastoral der Kirche kann nur dann in einem ihr entsprechenden Klima gedeihen, wenn die Christen in der Einheit des Glaubens, der Hoffnung und der Liebe und in apostolischer Solidarität leben.

Das II. Vatikanische Konzil verkündete den Vorrang des Heiligen Geistes als Lebensspender der Kirche und die Bedeutung seiner Gaben und Charismen.

Es ist bekannt, daß die Erwähnung der Charismen in dem den Konzilsvätern vorgeschlagenen Text Einwände hervorrief, als ob die Kundgebung des Geistes, wie man sie in der Urkirche antrifft, heute nur mehr in den Archiven ihren Platz hätten. „Lumen gentium" hingegen hat ihre Bedeutung und Aktualität hervorgehoben und die Apostelworte „Löscht den Geist nicht aus . . . Prüft alles, und behaltet das Gute" (1 Thess 5, 19 und 21) (vgl. LG 12) zu den seinen gemacht.

Das II. Vatikanische Konzil zeichnete daher die Weise vor, in der der Hauch des Geistes aufgenommen werden muß; dieser ist heute in der Kirche in allen fünf Erdteilen unter dem Namen der charismatischen Erneuerung oder Erneuerung in der Kirche wirksam.

Wir, die Verantwortlichen der institutionellen Kirche, wir müssen dieser Erneuerung aufnahmebereit gegenüberstehen – eine wohlwollende Neutralität ist zu wenig – und die in ihr verborgenen ungeheuren Reichtümer richtig auswerten; ebenso müssen wir ihr die entsprechende Führung zuteil werden lassen, damit Abweichungen vermieden werden, die der Geist des Bösen gewiß verursachen möchte.

Der Konzilstext über die Charismen, den Paul VI. und Johannes Paul II. aufgegriffen und kommentiert haben, ist von prophetischer Bedeutung. Er fordert uns auf, den Weizen nicht im Unkraut zu ersticken, sondern vielmehr den Heiligen Geist sein Werk der Gnade vollbringen zu lassen.

e) Die Bischöfe

Das 3., der Hierarchie der Kirche und insbesondere dem Episkopat gewidmete Kapitel ist noch immer Gegenstand ökumenischer Forschungen und Diskussionen.

Nach dem I. Vatikanischen Konzil – das den Primat des Papstes besonders betont hatte, jedoch wegen des Deutsch-Französischen Krieges von

1870 abgebrochen werden mußte, ohne die notwendigen Ergänzungen erarbeiten zu können – wurde hier ein wichtiger Schritt getan, um die Rolle der Bischöfe, der Nachfolger der Apostel, zu klären.

Das Konzil hat mit Nachdruck die Rolle und die Bedeutung der von einem Bischof geleiteten Ortskirchen sowie ihre Mitverantwortung für die Evangelisierung der Welt hervorgehoben. Ich wage nicht, zu behaupten, daß man in hinreichendem Maße verstanden hat, bis zu welchem Punkt heute die Ortskirchen das Geheimnis der einen Kirche Christi kundtun, deren konkrete Verkörperung sie in Raum und Geschichte sind. Nicht ohne Grund sprach Paulus nicht von den Kirchen von Ephesus, Korinth oder Rom, sondern immer in der Einzahl, von der Kirche, die in Ephesus oder anderswo ist.

Das Konzil hat diesen Aspekt, den das Dekret über das Hirtenamt der Bischöfe mit großer Klarheit darlegt, in der Konstitution „Lumen gentium" nicht voll entwickelt. „Die Diözese ist der Teil des Gottesvolkes – liest man im ersteren –, der dem Bischof in Zusammenarbeit mit dem Presbyterium zu weiden anvertraut wird. Indem sie ihrem Hirten anhängt und von ihm durch das Evangelium und die Eucharistie im Heiligen Geist zusammengeführt wird, bildet sie eine Teilkirche, in der die eine, heilige, katholische und apostolische Kirche wahrhaft wirkt und gegenwärtig ist" (CD 11).

Auch hier muß man sich davor hüten, auf die Kirche einen Begriff von Gesellschaft zu übertragen, der der göttlichen Vielschichtigkeit und Wirklichkeit keine Rechnung trägt. Eine Analogie zwischen Kirche und bürgerlicher Gesellschaft bedarf ständiger Korrekturen: die Kirche ist vor allem Gemeinschaft der Kirchen um die Kirche von Rom und ihren Hirten.

Johannes Paul II. war darauf bedacht, seine pastorale Rolle als Bischof von Rom stark hervorzuheben: auf dieser Linie kann der ökumenische Dialog fortgesetzt werden. Die harmonische Verbindung des I. mit dem II. Vatikanischen Konzil ist noch nicht abgeschlossen, doch wurde ein wichtiger Schritt getan, um aus der Sackgasse herauszukommen.

Ebenso bleibt noch eine von Paul VI. im Lauf des Konzils geschaffene Einrichtung theologisch und praktisch zu durchdenken: die Bischofssynode.

Es handelt sich dabei nicht um ein „Konzil in Kleinformat". Dieser Ausdruck wäre übrigens mehrdeutig, da zum Konzil alle Bischöfe der Erde – und nicht nur ihre Vertreter – berufen werden und da sie volles Recht auf Entscheidung haben: es handelt sich also hier um wesentliche Unterschiede. Sie ist auch keine eigentliche Ausdrucksform der bischöflichen Kollegialität.

Beim gegenwärtigen Stand der Dinge kann man sich nur an die von Kardinal Marella im Konzil formulierte Definition der Synode halten: „Die Synode kann als Symbol, als Zeichen der Kollegialität betrachtet werden, ist jedoch nicht Ausdruck einer bestehenden Kollegialität im doktrinären Sinn des Wortes, wie etwa ein ökumenisches Konzil."

Derzeit hat die Synode, „Ort der Reflexion" im Dienst des Papstes, an und für sich keine Entscheidungsgewalt.

Die Zukunft wird lehren, ob die beschränkte Gemeinschaft der Synode – sie wird bei jeder Synodenversammlung neu geschaffen, ist aus einigen Bischöfen aus den einzelnen Kontinenten zusammengesetzt und hat die Aufgabe, die Nacharbeit zu leisten – nicht an der Seite des Papstes eine wichtigere und auch eine ständige Rolle spielen könnte. Soviel zu ihrer Eigenart.

Was ihr Funktionieren betrifft, weiß man, daß der damalige Patriarch von Venedig, Kardinal Luciani, seinerzeit dazu eine kritische Bemerkung machte und daß seine Kritik während der wenigen Tage seines Pontifikats im „Osservatore Romano" neuerlich abgedruckt wurde. Die Tatsache ist erwähnenswert.

2. Ausblick in die Zukunft

a) Das II. Vatikanische Konzil in ökumenischer Perspektive

Das II. Vatikanische Konzil war eine entscheidende Wende in Richtung auf die sichtbare Einheit der Christen hin. Ich möchte hier einfach ein paar Gedanken über den Ursprung der beiden größten Spaltungen, die die sichtbare Einheit der christlichen Kirchen zerstört haben, äußern.

Mir scheint, daß das II. Vatikanische Konzil uns hilft, unsere eigenen Reichtümer wiederzuentdecken, die wir im Lauf der Geschichte durch die Trennung von unseren östlichen Brüdern verloren haben, speziell nach dem Schisma des 11. Jahrhunderts. Man könnte zeigen, wie das „Aggiornamento" in breitem Maß eine Wiederaufnahme der Werte, die die Ostkirche immer bewahrt hat, durch die lateinische Kirche bedeutete.

Ich halte es für nützlich, zu betonen, daß diese Bereicherung so einen globalen Aspekt bekommt, auch wenn ich nicht behaupte, das wäre der einzige. Das hieße die Dinge zu sehr vereinfachen. Aber ich wage zu behaupten: Wenn wir nicht die Trennung vom Osten im 11. Jahrhundert gehabt hätten und wenn der östliche Strom des Denkens und des christlichen Lebens sich in der lateinischen Kirche hätte weiterentwickeln können, hätten wir vielleicht nicht die Reformation gehabt. Diese ist in breitem Maß eine Reaktion gegen die juridischen und scholastischen Mißbräuche und Kleinlichkeiten der lateinischen Kirche. Meiner Meinung nach hätte das II. Vatikanische Konzil, auch wenn es kein Dekret über den Ökumenismus erlassen hätte, eminente ökumenische Bedeutung durch seinen Beitrag zu dieser gegenseitigen Ergänzung.

Ich denke an die Bezeichnung der Kirche als „Volk Gottes", auf der das Konzil bestanden hat; an die Kollegialität der Bischöfe und der Ortskirchen. Ich denke an die Bedeutung, die es der Epiklese gegeben hat, an die Liturgie in der Volkssprache, an die Konzelebration, an die Kommunion unter beiden Gestalten, an den ständigen Diakonat usw.

All das, mit neuer Betonung wiedergewonnen oder aufgenommen, hat seine merklichen Wirkungen in der gegenwärtigen ökumenischen und innerkirchlichen Entwicklung der Kirche. Dieser ganze Beitrag ist reich an Zukunft und Hoffnung. Er ist das vor allem für die Kirchen Asiens und Afrikas, die sich in ihrem eigenen Stil ausdrücken müssen, der dem östlichen Stil näher liegt als dem unsrigen, und die sich an diesem gemeinsamen Erbe bereichern können.

Hier wären natürlich die vielen ökumenischen Öffnungen in verschiedenen Konzilsdokumenten herauszustellen, angefangen vom Dekret über den Ökumenismus. Aber das würde uns zu weit führen, und unsere Absicht ist nicht, vollständig zu sein, sondern im Vorbeigehen einen Aspekt voller Konsequenzen zu betonen.

b) Das II. Vatikanische Konzil in Zukunftsperspektive

Das folgende Gebet Johannes' XXIII. ist wohl noch in Erinnerung: „O Heiliger Geist, vom Vater im Namen Jesu gesandt, der du mit deiner Gegenwart der Kirche beistehst und sie unfehlbar leitest, erneuere in unseren Tagen wie zu einem neuen Pfingstfest deine Wundertaten in der heiligen Kirche, die in einem einstimmigen, flehenden und ausdauernden Gebet mit Maria, der Mutter Jesu, vereint ist und vom hl. Petrus geführt wird, auf daß sich das Reich des göttlichen Erlösers ausbreite, das Reich der Wahrheit und der Gerechtigkeit, der Liebe und des Friedens."

Das Schlüsselwort in diesem Gebet ist der Ruf, das II. Vatikanische Konzil möge Instrument eines „neuen Pfingsten" sein und so die Kirche unserer Zeit erneuern und stärken.

Es war dies eine Einladung zu einer langen Betrachtung dieser Kirche, die im Abendmahlssaal ihre Existenz begann; zu einem gemeinsamen Gebet mit dieser ersten Gruppe von Jüngern und heiligen Frauen, „in einstimmigem Gebet mit Maria, der Mutter Jesu", vereint.

Wir haben noch nicht alle Auswirkungen dieser „Taufe aus dem Heiligen Geist und dem Feuer" wahrgenommen, die Jesus, der Verheißung des Vaters gemäß, den Seinen versprochen hat.

Was dort vor sich gegangen ist, war die tiefe Umwandlung der zögernden und ängstlichen „Jünger" des gekreuzigten und begrabenen Jesus von Nazaret in „Apostel und Zeugen" des lebendigen und auferstandenen Christus, deren Mission sich bis an die Grenzen der Erde erstreckt.

Diese Umwandlung aus der Kraft des Geistes ist heute noch wirksam. Gemeinsam, in ausdauerndem Gebet, in kleinen kirchlichen Gruppen müssen wir um den Geist der Erneuerung bitten und ihn erwarten. Gemeinsam müssen wir uns durch den Tod und die Auferstehung des Erlösers bekehren und erneuern lassen; gemeinsam müssen wir uns dem Heiligen Geist und seinen Gaben auftun. Dies ist der Weg zur Christianisierung, den alle gehen müssen und der uns die ursprünglichen Gnaden der Taufe und der Firmung neu zum Bewußtsein bringt.

So verstanden, wird das Erleben eines neuen Pfingstfestes zum Schlüssel für die Zukunft.

Niemand hat das Monopol des Heiligen Geistes, und seine Charismen sind gemeinsamer Besitz der ganzen Kirche. Der Glaube an sein gegenwärtiges Wirken muß jedoch in uns noch seine vielfachen Dimensionen entfalten.

Das II. Vatikanische Konzil geht als eine universale „pfingstliche" Erfahrung in die Geschichte ein, die im einzelnen Christen zu einer persönlichen pfingstlichen Erfahrung werden muß. Das hat Paul VI., die Gedanken seines Vorgängers fortführend, in den folgenden Zeilen zum Ausdruck gebracht:

„Auch muß man bei Unserem Vorgänger Johannes XXIII. eine prophetische Intuition anerkennen, der sich als eine Frucht des Konzils eine Art neuen pfingstlichen Erwachens erhoffte. Wir selbst haben uns die gleiche Sichtweise und dieselben Erwartungen zu eigen machen wollen . . . Nöte und Gefahren dieses Jahrhunderts sind so groß, die Horizonte einer Menschheit, die sich auf eine weltweite Koexistenz hinbewegt und sie noch nicht zu verwirklichen vermag, von solcher Weite, daß es für sie nur in einer neuen Vermittlung der Gabe Gottes wirkliches Heil geben·kann. Möge also der Schöpfergeist kommen, um das Angesicht der Erde zu erneuern!" (Apostolisches Schreiben „Gaudete in Domino", 9. Mai 1975, in: WuW [1975] 533).

In pastoraler Hinsicht bedeutet das, daß wir der beängstigenden Situation, welche die Kirche vor unseren Augen erlebt, unsere Aufmerksamkeit schenken müssen.

Wir stehen einem ernsten Problem gegenüber, das es einst nicht gab oder das zumindest nicht so akut und so weit verbreitet war: die Entchristlichung der Jugend. Sie lehnt einen überkommenen Glauben in einem bestimmten soziologischen Rahmen ab.

Die Jugendlichen wollen Jesus Christus in ihrem Leben begegnen und, um ihn entdecken zu können, das authentische Lebenszeugnis der Christen sehen. Vor jeder Katechese müssen sie das Kerygma vernehmen, um zu entdecken, wer Jesus Christus ist.

Man möge zu diesem Thema die bemerkenswerten Worte des lieben Kardinals Benelli vor dem vierten Symposion der Europäischen Bischofskonferenzen in Rom am 27. Juni 1979 lesen.

Dieser eindrucksvolle Aufruf, der heute den Wert eines geistlichen Testaments hat, forderte uns alle auf, eine Pastoral der Rechristianisierung zu beginnen, die auf einem neuen Bewußtwerden jener christlichen Wirklichkeiten beruht, welche den Sakramenten der Taufe und der Firmung innewohnen.

Es ist dies ein Aufruf zu einem Sichversenken in ein neues Pfingstfest, zu einer persönlichen Erfahrung, damit der „Jünger", der dem Herrn begegnet, in einen „Apostel" verwandelt werde und die Botschaft in die Welt hinaustrage.

Das II. Vatikanische Konzil war auf der Ebene der Weltkirche eine stets aktuelle, nicht statische, sondern dynamische und in diesem Sinn allzeit wirksame Pfingstgnade.

Ein bekannter Ausspruch von Bernanos lautet: „Man kann die alte Gnade nur dann bewahren, wenn man eine neue empfängt." Dieses Wort ist folgenschwer.

Wir leben in einem Zeitalter großer Bedrängnis und neuer Hoffnungen. Ich glaube, daß das II. Vatikanische Konzil, aus zeitlicher Entfernung betrachtet, mehr und mehr als wichtiges Datum in der Geschichte der Kirche dastehen wird. Gern unterschreibe ich das Wort Maximos' IV., des bedeutenden Patriarchen der melkitischen Kirche, dessen Wortmeldungen oft einem Hauch frischer Luft gleichkamen: „Es gibt Türen, die der Heilige Geist geöffnet hat und die niemand mehr schließen kann."

II

AUF DEM WEGE ZU EINEM NEUEN BEGRIFF DER KIRCHE

ALEXANDRE GANOCZY

KIRCHE IM PROZESS
DER PNEUMATISCHEN ERNEUERUNG

1. Die Erneuerung der Kirche gehörte zum Grundanliegen des Konzils. Das läßt sich, neben dem inhaltlichen Ertrag seiner Dekrete und Konstitutionen, schon an seinem häufigen Gebrauch der Wortgruppe „renovatio – renovare"[1] ablesen. Freilich ließe sich fragen, ob der lateinische Begriff, der hierin zum Ausdruck kommt, mit dem deutschen Hauptwort „Erneuerung" und vorab mit dem Zeitwort „erneuern" auch adäquat wiedergegeben werden kann, insofern diese beiden in der Umgangssprache folgende Bedeutungen tragen: a) auffrischen, instand setzen, b) wiederholen, wieder aufleben lassen, c) auswechseln, ersetzen[2]. Bereits ein erster Überblick über die Konzilstexte zeigt, wieweit der lateinische Begriff mit seinem eindeutig theologischen Sinngehalt solche Vorstellungen sprengt.

Gewiß mögen sowohl der Wille zum *„aggiornamento"* wie auch eine bestimmte Bußfertigkeit und Umkehrbereitschaft analog zu den genannten Wortbedeutungen in Anschlag zu bringen sein. Ersteres Anliegen scheint den Willen zu bezeichnen, althergebrachte Formen zugunsten neuerer, zeitgemäßerer auszuwechseln; letzteres mag als ein Wunsch empfunden werden, die einmal gewesene Reinheit, Rechtschaffenheit, Glaubwürdigkeit wiederzubeleben und einzuholen. Der „aggiornamento"-Gedanke verbindet sich in der Tat bisweilen mit der Rede von den „Zeichen der Zeit"[3], d. h. „Ereignissen, Bedürfnissen und Wünschen", die das Volk Gottes „zusammen mit den übrigen Menschen unserer Zeit teilt" (GS 11/1), was nicht zuletzt vom Wunsch nach Einheit gilt (UR 4/1). Dazu gehören auch „die verschiedenen Sprachen unserer Zeit" (GS 44/2), die beim Bedenken des Evangeliums aufmerksam anzuhören sind, damit manches im kirchlichen Leben und Reden „zu gegebener Zeit" sachgerecht ausgerichtet werden kann (UR 6/1). So la-

---

[1] Das Register von LThK – Das Zweite Vatikanische Konzil III 744 gibt gut 50 Stellen an.
[2] Der Sprachbrockhaus (Wiesbaden 1966) 175.
[3] Siehe den Kommentar *J. Ratzingers* zu GS 11/1 in: LThK – Das Zweite Vatikanische Konzil III 313f.

den „Zeichen der Zeit" zu Akten der „renovatio" ein, die dann teilweise darin besteht, daß Unzeitgemäßes ausgewechselt und durch Zeitgerechtes ersetzt wird. Das eigentlich Theologische solch struktureller oder formaler Erneuerung zeigt sich allerdings auf der Ebene des Kriteriums. Es muß eine theologische Unterscheidung erfolgen, damit unter den vielen Zeichen diejenigen den Ausschlag geben, die „wahre Zeichen der Gegenwart oder der Absicht Gottes sind" (GS 11/1). Es muß ein theologisches Urteil fallen, damit unter den vielen Sprachgestalten „im Lichte des Gotteswortes" jene zum Vorschein kommen, die sich zu einer „passenden Verkündigung der geoffenbarten Wahrheit" eignen (GS 44/2).

Neben diesem „aggiornamento" deutete das Konzil auch eine gewisse Bereitschaft an, Akte der kirchlichen „renovatio" im *moralischen* Sinne des Wortes zu veranlassen. Insofern kann man analog von einer Erneuerung als einem wiederholten Wiederinstandsetzen verlorener oder angegriffener sittlicher Integrität reden. Wie K. Rahner nachgewiesen hat[4], vermied es zwar die Kirchenversammlung, anders als Augustinus, die Kirche selbst als sündig zu bezeichnen. Doch ergibt sich das indirekt aus Texten wie diesem: „Während aber Christus heilig, schuldlos, unbefleckt war (Hebr 7,26) ..., umfaßt die Kirche Sünder in ihrem eigenen Schoße. Sie ist zugleich heilig und stets der Reinigung bedürftig, sie geht immerfort den Weg der Buße und Erneuerung" (LG 8/3). In diesem Zusammenhang verbinden sich auch an anderer Stelle die Ideen der Läuterung (purificatio) und der Erneuerung (renovatio) (LG 15; UR 4/6; GS 21/5). Sie beziehen sich näherhin auf die römisch-katholische Kirchengemeinschaft, die „von Tag zu Tag geläutert und erneuert" werden muß, „bis Christus sie sich dereinst glorreich darstellt ohne Makel und Runzeln" (UR 4/6), eine Gemeinschaft, die deshalb solidarisch zu erklären hat: „In Demut bitten wir ... Gott und die getrennten Brüder um Verzeihung, wie auch wir unseren Schuldigern vergeben" (UR 7/2). So weit reicht der konziliare Wille zu der als Buße begriffenen Erneuerung. Das ist freilich keine Buße um der Buße willen, sondern moralische Notwendigkeit für eine Kirche, die sich mit Christus als ihrem lebendigen „Gesetz" und Richter vergleicht und im Lichte solcher Kriteriologie ihr Gewissen zu prüfen bereit ist.

2. Wille zur Zeitgerechtheit und zur ethischen Umkehr: beide sind bisher, in einem ersten Anlauf, als Aspekte der angezielten „renovatio" erschienen. Es handelt sich um zwei Ziele, die in der nachkonziliaren Zeit häufig diskutiert

---

[4] Sündige Kirche nach den Dekreten des Zweiten Vatikanischen Konzils, in: Schriften VI 321–345.

wurden. Dennoch würden sie Gefahr laufen, Einseitigkeiten Vorschub zu
leisten und an theologischer Tiefe zu verlieren, unterschlüge man ihre Einbindung in jene umfassende *Theologie der Erneuerung,* die sich aus der Gesamtheit der einschlägigen Texte eindeutig ergibt, wie es im folgenden gezeigt werden soll. Diese Theologie bestimmt das Prinzip, das Subjekt – sowohl das bestimmende wie das bestimmte –, die Vollzugsgestalten sowie die
Zielrichtung der ekklesialen „renovatio" und begründet damit zugleich das,
was das Konzil mit dem Stichwort „reformatio" ausdrücken will.

2.1 Das *Prinzip* der Erneuerung ist in jeder Hinsicht Jesus der Christus[5].
Er wird „das Leben selbst, das alles erneuert", genannt (LG 56). Insofern die
Kirche seine Kirche ist und durch ihn lebt, erneuert sie sich. Und sofern sie
zur ständigen Selbsterneuerung bereit ist, erweist sie sich als lebendige Kirche, als die Kirche Jesu Christi in actu. Einige Texte legen es nahe, daß die renovatorische, folglich „reformatorische" Energie der Kirche besonders mit
der Lebenskraft des Auferweckten zu tun hat. Ihm als dem eschatologisch
neuen Menschen schlechthin (vgl. LG 7/5 40/2 48/4) soll das Volk Gottes
gleichgestaltet werden. Seine Neuheit beseelt jede wahre ekklesiale Erneuerung, bis er wiederkommt. Letztlich ist es Christus, der absolut Neue, der
sowohl als Ursprung wie als Ziel dieses Prozesses im geschichtlichen Unter-
wegssein des Gottesvolkes auf den Plan tritt. Freilich betätigt er diesen Prozeß nicht direkt und sichtbar, sondern durch die geheimnisvolle Wirkung
seines Geistes. Doch ist sein Wille, der dem neuen Gottesvolk Ursprung und
Grundgesetz schenkt, stets klar erkennbar. Diesem Willen gilt es treu zu sein
(UR 4/2); von ihm gilt es sich zu „dauernder Reform (perennis reformatio)"
aufgerufen zu wissen (UR 6/1). Deshalb besteht letztlich „jede Erneuerung
der Kirche wesentlich im Wachstum der Treue gegenüber ihrer eigenen Berufung" (ebd.). Da aber diese Berufung ebensowenig wie der entsprechende
Wille Christi einfach hinter der Kirche, etwa als vergangenes Vermächtnis
Jesu, liegt, sondern hier und heute waltet, kann die gemeinte Treue keine statische, am Buchstaben orientierte, bloß konservative, nur bewahrende sein.
Schöpferische Phantasie und Zeitgefühl gehören dazu, den Gaben, die vom
hier und jetzt wirkenden Christusgeist herkommen, zu entsprechen.

2.2 Das meistangesprochene *Subjekt* ekklesialer „renovatio" ist in der Tat
der Heilige Geist, so daß wir von einer wahrhaften Pneumatologie der Erneuerung reden können. Die erneuernde Wirkung des Gottesgeistes umfaßt
alle Bereiche der ekklesialen Existenz, sowohl nach innen wie nach außen
hin. Der Geist ist gesandt, „auf daß er die Kirche immerfort heilige und die
Gläubigen so durch Christus in einem Geiste Zugang hätten zum Vater"

---

[5] Die Erlösung durch Christus wird als „renovatio" bezeichnet, z. B. in AG 1/2 3/2 5/1 8/1.

(vgl. Eph 2,18). Er belebt die Kirche und führt sie „in alle Wahrheit ein" (vgl. Joh 16,13). Er eint sie in ihren hierarchischen und charismatischen Selbstvollzügen. Er läßt sie „durch die Kraft des Evangeliums allezeit sich verjüngen" und „erneut sie immerfort" (LG 4/1). Das Pneuma macht es, daß wir als Gottesvolk wirklich in Christus und nicht außer Christus unsere Erneuerung suchen und finden können, daß wir als seine Glieder leben und bewegt werden (LG 7/7). Buchstäblich be-wegt wird die Kirche durch den Geist, was aber ihre Mitbeteiligung daran in keiner Weise ausschließt. Vielmehr geschieht es „unter der Wirksamkeit des Heiligen Geistes", wenn sie nicht aufhört, „sich selbst zu erneuern" (LG 9/3).

2.3 Geistgewirkt sind folglich alle *Vollzugsgestalten* der Kirche im Prozeß der Erneuerung. In ihrem Innenraum machen die Charismen des Geistes die Gläubigen „geeignet und bereit, für die Erneuerung und den vollen Aufbau der Kirche verschiedene Werke und Dienste zu übernehmen" (LG 12/2). Seit alters galt das Ordensleben als charismatischer Stand in der Kirche. Nun will das Konzil es „unter dem Antrieb des Heiligen Geistes" erneuert sehen (PC 2/1), näherhin zum Gegenstand einer „zeitgemäßen Erneuerung (accommodatae renovationis)" werden lassen (PC 7/1; vgl. 4/1 8/3). Dieser Hinweis möge als Paradigma für viele andere Vollzugsgestalten der pneumatischen Erneuerung genommen werden. Es geht dabei um ein Zusammenspiel des Gottesgeistes mit den zeitlichen Gegebenheiten der Geschichte, woraus das je Erneuerte entstehen soll. Wo der Geist seine „Kairoi" in die Geschichte einbringt und darin fruchtbar macht, erneuern sich Kirche und Menschheit.

In welchen Bereichen genau diese „renovatio" als dauernde „reformatio" konkret werden soll, sagt die Kirchenversammlung ebenfalls in aller Klarheit[6]. Nicht nur einzelne „Stände" kommen in Frage, sondern auch die Bereiche des „sittlichen Lebens", der „Kirchenzucht" und der „Akt der Verkündigung" (UR 6/1). Von diesen dreien ist der erste eingangs schon angesprochen worden: Buße, Umkehr und Bekehrung gehören wesentlich zur reforminspirierenden „renovatio", da die Kirche immer wieder unter die Macht der Sünde gerät und der Rechtfertigung bedarf.

Eigens zu behandeln blieben die beiden anderen Bereiche: kirchliche Disziplin und Verkündigung der Glaubenslehre. Die Disziplin bzw. die Ordnung der Kirche soll reformierender Erneuerung unterzogen werden, aber dies an erster Stelle gewiß nicht so, daß sie als ein für allemal gegebenes Gesetz von den Gläubigen nunmehr besser beobachtet werden sollte. Es

---

6 Vgl. *E. Stakemeier*, Kirche und Kirchen nach der Lehre des Zweiten Vatikanischen Konzils, in: *R. Bäumer–H. Dolch* (Hrsg.), Volk Gottes. Festgabe für J. Höfer (Freiburg i. Br. 1967) 513.

herrscht vielmehr der Gedanke vor, diese Ordnung könne als ekklesiale Ordnung im Hinblick auf ihre Ursprungsgestalt in der alten Kirche „minus accurata", also unvollkommen, bewahrt worden sein, weshalb sie „zu gegebener Zeit sachgerecht und pflichtmäßig erneuert werden" müsse (ebd.). Wie mir scheint, meldet sich an dieser Stelle wiederum jene konziliare Hermeneutik zu Wort, die das Normative im Ursprünglichen, vorab freilich im biblisch Bezeugten, sucht, aber bei dessen gegenwärtiger Erneuerung die heutigen Zeitbedürfnisse unbedingt mitspielen läßt. Entscheidend ist in diesem Bemühen, das Alte und Begründende in das Neue und Aufgebaute hinein zu vermitteln, daß die kirchliche Institution selbst „Treue gegenüber ihrer eigenen Berufung" unter Beweis stellt. Denn diese allein erlaubt ihr, zwischen Wesentlichem und Zeitbedingtem die richtige Unterscheidung zu treffen, z. B. in der ekklesialen Disziplin nicht auf spezifisch römische Formen zu pochen unter Ausschluß ostkirchlicher oder evangelischer Formen, die zum normativen Ursprung nicht in Widerspruch stehen. Die ökumenische Motivation solcher Reformbereitschaft innerhalb der großen Erneuerungsunternehmung ist durch den Kontext des zitierten Textes ohnehin gegeben[7].

Ähnlich motiviert und nach demselben Denkmodell gedacht stellt sich auch die reformbereite Erneuerung „der Art der Lehrverkündigung", des „doctrinae enuntiandae modus", vor (ebd.). Hier ist die dogmatische Tradition betroffen. Von ihr wird angedeutet: sie könne und müsse in neuen Zeiten neuen Sprachregelungen unterzogen werden. Auf diesem Gebiet hat das Konzil selbst eine „vielseitige Erneuerung" eingeleitet: „durch seine stärker an der Heiligen Schrift orientierte pastorale Sprache, durch zahlreiche Akzentverschiebungen in der Lehre, durch Behebung von bestehenden Einseitigkeiten und Wiederentdeckung vernachlässigter Aspekte der Offenbarungswahrheit"[8]. Das Ökumenismusdekret selbst zählt teilweise bereits vor dem Konzil vollzogene Beispiele solcher Erneuerung auf: „die biblische und die liturgische Bewegung, die Predigt des Wortes Gottes und die Katechese, das Laienapostolat, neue Formen des gottgeweihten Lebens, die Spiritualität der Ehe, die Lehre und Wirksamkeit der Kirche im sozialen Bereich" (UR 6/2). Nun dürfte wohl angenommen werden, daß alle diese Änderungen in den verschiedensten Lebens-, Erfahrungs- und Dienstbereichen des Gottesvolkes nicht ohne Einfluß auf den Modus, dogmatische Aussagen zu machen, geblieben sind. Diesem Phänomen ist K. Rahner anläßlich der Unfehlbarkeitsdebatte der siebziger Jahre mit dem für ihn charakteristischen denkerischen Mut nachgegangen[9].

---

[7] Vgl. den Kommentar von *J. Feiner* zu UR 6 in: LThK – Das Zweite Vatikanische Konzil II 72.   [8] Ebd.

[9] *K. Rahner*, Zum Begriff der Unfehlbarkeit in der katholischen Theologie, in: Zum Problem

Der „*modus* doctrinae enuntiandae" hat demnach auf dem Konzil eine entscheidende Wende vollzogen. In dieser Kirchenversammlung „wurde nichts definiert"[10]; vielmehr wurde der Eindruck erweckt, es werde „in der voraussehbaren Zeit keine wirklich neuen Definitionen mehr geben"[11]. Der neue Modus der Lehrverkündigung kommt also ohne neue Dogmen aus, sofern „Dogma" hier im neuzeitlichen Sinn eines lehramtlich definierten, festgelegten, unabänderlich formulierten Satzes verstanden wird. Das legt nahe, daß der ebenfalls neuzeitliche Begriff der Dogmenentwicklung zugunsten eines verstärkten Bewußtseins von der Geschichtlichkeit aller dogmatischen Aussagen stillschweigend zurückgestellt wird[12]. Solches Geschichtlichkeitsbewußtsein entspricht dem konziliaren Erneuerungsgedanken ganz und gar. Dabei erweitert sich das Blickfeld zunächst auf das Ganze der geschehenen Überlieferung, die dann ihrerseits im Lichte ihrer begründenden Ursprungsphase zum Vorschein kommt. Das dort „schon Gegebene", das im Kontakt des Christusgeschehens ein für allemal Entstandene, die apostolisch verbürgte „*alte*" Hinterlassenschaft der heilbringenden Offenbarung[13] meldet sich als dasjenige, an dem in lebendiger Treue unbedingt festzuhalten ist.

So erneuert das Konzil implizit das vorneuzeitliche Dogmaverständnis, befreit dieses von einem gelegentlich übertriebenen Drang nach „neuen" und definitorischen Sätzen und erweitert den Freiraum für pastoral bestimmte Aussagealternativen, was unserem pluralistischen Zeitalter nur entgegenkommen kann. Dabei bricht ein neues Vertrauen auf den Heiligen Geist als den Geist der Wahrheit durch: er sorgt schon dafür, daß eine freiere, pluralere Sprachregelung in der zeitgerechten Artikulierung des einen Dogmas, d. h. der einen und selben Urüberlieferung, doch nicht notwendig in die Irre gehen muß, wenn sie sich nicht bei jedem Schritt auf einen lehramtlich formulierten Satz stützen kann[14]. Weil letztlich die besagte Freiheit vom Geist der Wahrheit kommt, weil sie sich oftmals auf seine Charismen stützt, kann sich der Aussprecher von Dogma und von Einzelsätzen der dogmatischen

---

Unfehlbarkeit. Antworten auf die Anfrage von Hans Küng, hrsg. von K. Rahner (Quaestiones disputate 54) (Freiburg i. Br. – Basel – Wien ²1972) 9–26.
[10] Ebd. 15.
[11] Ebd. 14.
[12] Vgl. auch *J. Ratzinger*, Das Problem der Dogmengeschichte in der Sicht der katholischen Theologie (Köln – Opladen 1966).
[13] *K. Rahner*, a.a.O. 12.
[14] Ebd. 21. Rahner sieht in der Arbeit des Lehramtes selbst „ein Moment der Sprachregelung". Interessant ist seine Begründung. Neben der soziologischen Notwendigkeit, die Sprache des Glaubens in der Kirchengemeinschaft zu regeln, ist Sprachregelung in der Kirche gegeben, „weil vom Wesen der zu lehrenden Wirklichkeit her diese nur in inadäquaten, analogen Begriffen ausgesagt werden *kann*, analoge Begriffe aber hinsichtlich der Wahrheit eines Satzes ...

Tradition – sei er Prediger, Katechet, Missionar, Theologe, Bischof – der zeitgeschichtlichen Phase jener Geschichte, die jeder solcher Satz hat, gelassen zuwenden[15]. Er vertraut auf die Gnadengabe des Verkündigers, um den Sinn des Dogmas und der Dogmen nicht zu verfremden, wenn er ihn, wie es gottgewollt sein muß, in immer neue Verstehenshorizonte und -situationen hinein vermittelt. Wo diese Art der vermittelnden Lehrverkündigung verwirklicht wird, können Zustimmung und Kritik ohne Lebensgefahr für das Dogma aufeinandertreffen: „Die absolute Zustimmung zu einem dogmatischen, aufgrund der Infallibilität gegebenen Satz und seine bleibend kritische Befragung schließen sich darum nicht von vornherein aus, zumal jedes definierte Dogma objektiv nach vorne offen ist."[16] Offen auf die je größere Wirklichkeit des lebendigen Gottes, der nur eine wahrhaft eschatologische Suche gerecht wird, offen auch auf die je neuen Sprachgestalten hin, um die die Geschichte jeder Kultur- und Kirchengemeinschaft nicht herumkommt.

Es ist anzunehmen, daß das Konzil ähnliches meinte, als es von einer reformierenden Erneuerung des „modus doctrinae enuntiandae" (wohl auch: annuntiandae!) geredet hat. Die „doctrina" als „depositum fidei" wird dabei vom „modus" ihrer Aus- und Ansage sorgfältig unterschieden (UR 6/1). Jene muß die „alte" bleiben, dieser darf „je nach den Umständen und Zeitverhältnissen" (ebd.) neu sein[17]. Stellt man diesen Hinweis des Ökumenismusdekrets in den Gesamtkontext der Konzilsdokumente[18], so ergeben sich erfreuliche Möglichkeiten einer neuen Methodik für die Dogmatik selbst, die man dann „hermeneutisch" oder „responsorisch" nennen dürfte[19].

2.4 Die *Zielsetzung* der „renovatio" zeigt sich nach dem Gesagten folgerichtig als eine weitgehend nach außen gewendete, „extrovertierte", missionarische, ökumenische. Es geht ja nicht nur um den fortschreitenden Aufbau der Kirche, näherhin der katholischen Glaubensgemeinschaft, durch moralische, strukturelle und dogmatische Erneuerung der Kräfte. Es kommt auch sehr darauf an, daß diese Gemeinschaft zusammen mit den anderen christlichen Kirchen den Weg der *Einheit* findet. „Um dies zu erlangen, betet, hofft und wirkt die Mutter Kirche unaufhörlich, ermahnt sie ihre Söhne

---

Begriffsalternativen neben sich haben, die die Wahrheit eines fraglichen Satzes nicht aufheben müssen, aber unausgesagt bleiben, jedenfalls nicht in *der* Weise ausgesagt werden wie der definierte Satz, ja so vielleicht nicht einmal ausgesagt werden *sollen*".

[15] Ebd. 13: „Der Sinn eines solchen Dogmas hat selbst eine Geschichte, und sie ist natürlich nie abgeschlossen."   [16] Ebd. 10.

[17] Zum Verhältnis „Altes – Neues" siehe *J. Doré* (Hrsg.), L'Ancien et le Nouveau (Paris 1982), darin 137–158: *A. Ganoczy*, La réforme dans l'Église. Histoire et herméneutique 223–255: *A. Ganoczy – J. Doré*, Vatican II et le „Renouveau" de l'Église.

[18] Vgl. OT 16/2ff; PC 1/4 4/1 7/1 8/3 18/1 25/1; AG 20/5 21/3 35/1; PO 12/4; passim.

[19] *A. Ganoczy*, Einführung in die Dogmatik (Darmstadt 1983) 128–206.

zur Läuterung und Erneuerung, damit das Zeichen Christi auf dem Antlitz der Kirche klarer erstrahle" (LG 15). So erneuert durch den Geist Christi, kann die katholische Mutterkirche wieder wirksames Instrument der Einigung mit dem Vater werden und den Dienst jener Ökumene verrichten, die nach dem Bild des Dreieinigen geschaffen ist[20]. Solange aber das wahre, weil christuskonforme Antlitz der katholischen Kirche „den von uns getrennten Brüdern und der ganzen Welt nicht recht aufleuchtet", muß sie „von Tag zu Tag geläutert und erneuert" werden (UR 4/6). „Es gibt keinen echten Ökumenismus ohne innere Bekehrung. Denn aus dem Neuwerden des Geistes (ex novitate mentis), aus der Selbstverleugnung und aus dem freien Strömen der Liebe erwächst und reift das Verlangen nach der Einheit" (UR 7/1).

So erfolgt die Verbindung zwischen der „renovatio" und jener Quasisakramentalität der Kirche, die dem Konzil besonders am Herzen liegt. Die Kirche ist insofern „gleichsam Sakrament, das heißt Zeichen und Werkzeug für die innigste Vereinigung mit Gott wie für die Einheit der ganzen Menschheit" (LG 1, vgl. 9/3 48/2; SC 5/2), als sie sich in der hier beschriebenen Weise erneuert. Tut sie das nicht, so sinkt ihr quasisakramentaler Wert, verhüllt sie die sein sollende „heilbringende Einheit" (LG 9/3) mehr, als sie sie greifbar macht. Der Gedanke an eine immer mögliche „antisakramentale" Wirkung ist implizit gegeben: Wo das sein sollende Lebenszeugnis ausbleibt, streben die Außenstehenden von der katholischen Glaubensgemeinschaft oder von der Kirche überhaupt noch weiter weg. Das scheint mir nicht nur ethisch zuzutreffen, sondern auch im Hinblick auf die notwendigen Neugestaltungen, Neuschöpfungen, die neuen „apostolischen" Fähigkeiten und Fertigkeiten, um die heutige Welt dort einholen zu können, wo sie steht. Von daher legt die analoge Sakramentalität der Kirche die Notwendigkeit ihrer Selbsterneuerung in besonders klarer Weise nahe. Da es ihre Bestimmung ist, als „Zeichen Christi" (vgl. LG 15) und somit als „Licht der Welt", als „Salz der Erde" in die Welt gesandt zu sein (LG 9/2), stellt für sie die „renovatio" einen buchstäblich wesentlichen Imperativ dar.

In einer bezeichnend trinitarischen Formel spricht die Pastoralkonstitution diese Sendung der Kirche an, wo sie vom Dialog mit den Atheisten handelt: „Das Heilmittel gegen den Atheismus kann nur von einer situationsgerechten Darlegung der Lehre und vom integren Leben der Kirche und ihrer Glieder erwartet werden. Denn es ist Aufgabe der Kirche, Gott den Vater und seinen menschgewordenen Sohn präsent und sozusagen sichtbar zu machen, indem sie sich selbst unter der Führung des Heiligen Geistes unauf-

---

[20] LG 4/2: „So erscheint die ganze Kirche als das von der Einheit des Vaters und des Sohnes und des Heiligen Geistes her geeinte Volk."

hörlich erneuert und läutert" (GS 21/5; vgl. LG 8/3). Das letztliche Ziel eines solchen quasisakramentalen Lebens- und Wahrheitszeugnisses kann aber nicht in der einfachen Überwindung des Atheismus liegen. Es liegt tatsächlich im Einbringen des christlichen Erneuerungsgeistes in Gesellschaft, Wirtschaft, Politik, internationale Völkergemeinschaft. In diesem echt säkularen Bereich soll die sich erneuernde Kirche Anwältin der Menschenwürde, der Menschenrechte und der Menschenpflichten im Sinne des Gemeinwohls sein (GS 26/2). Dort hat sie kritisch aufzutreten, um eine „Erneuerung der Gesinnung (mentis renovatio)" zu erzielen (GS 26/3). Denn „die Welt" hat es, ähnlich wie die Kirche, nötig, erneuert zu werden, wenn sie sich nicht ihr eigenes Grab graben will. Freilich ist es der Heilige Geist, der in den voranhelfenden weltlichen Entwicklungen als bestimmendes Subjekt am Werke ist (GS 26/4), woran zu glauben die Christen nicht aufhören dürfen. Doch wird zugleich als Wille desselben Geistes begriffen, zu seinen säkularen Zwecken den Sauerteigdienst der Kirche in Anspruch zu nehmen. Auf diese Weise „asymmetrischer" Zusammenwirkung soll die „in Christus zu erneuernde Gesellschaft" auf die Erneuerungsstrategie der vom Christusgeist beseelten Kirche treffen und „in die Familie Gottes" umgestaltet werden (GS 40/2). Christus ist ja gekommen, den Menschen „innerlich" zu „erneuern" (GS 13/2). Doch will diese „renovatio" nicht bloß individuelle Innerlichkeiten betreffen: ihr Endziel ist eine veränderte, bessere, menschlichere Welt.

2.5 Damit haben wir den Punkt erreicht, wo die konziliare Theologie der Erneuerung in eine Rede von *Reform* mündet. Der Gebrauch der Wortgruppe „reformatio – reformare" erfolgt gewiß nicht so häufig und betont wie der von „renovatio – renovare"[21]. Das liegt m. E. am eher juridisch-institutionellen Charakter der erstgenannten Wortgruppe, während die zweitgenannte eher einen glaubensmäßigen, ethischen, relationalen und lebensbezogenen Sinn besitzt. Nun macht freilich nach dem Konzil die so verstandene „renovatio" die „reformatio" nicht überflüssig, vielmehr schafft sie für diese das sachlich geeignete Fundament. Glaubensmäßige Erneuerung der Kirche soll rechtlich-institutionelle Reformen mit zeitigen. Und diese sind unerläßlich sowohl für die kirchliche wie die weltliche Institution und Rechtsordnung. Für die weltliche vielleicht noch notwendiger als für die kirchliche, wie sich das am vorwiegenden Gebrauch des Reformvokabulars in den gesellschaftstheoretischen Teilen der Pastoralkonstitution erkennen läßt.

Gewiß redet das Ökumenismusdekret von einer „perennis reformatio" der Kirche (UR 6/1). Doch macht es sofort deutlich, dieser „dauernden Reform"

---

[21] Neun Stellen thematisieren den Reformgedanken, über fünfzig den Erneuerungsgedanken (siehe LThK – Das Zweite Vatikanische Konzil III 744).

bedürfe die Kirche, „soweit sie menschliche und irdische Einrichtung (institutum)" und auf ein entsprechendes Instrumentar der Verkündigung, des Zusammenlebens, des öffentlichen Bekenntnisses und Kultes angewiesen ist. Hier soll die reformierende Erneuerung zum Zug kommen (vgl. UR 4/2). Was nun die übrigen einschlägigen Stellen anbelangt: sie finden sich alle in „Gaudium et spes". Es heißt dort im Hinblick auf die gestörten Gleichgewichte in der Weltwirtschaft, es seien „viele institutionelle Reformen . . . gefordert", die aber mit einer „allgemeinen Umkehr der Gesinnung und Verhaltensweise" verkoppelt werden müßten, um Aussicht auf Erfolg zu haben (GS 63/5). Daraus folgt, daß jenes liberalistische Wachstumsideal, das sich „auf eine mißverstandene Freiheit" beruft und „notwendigen Reformen" den Weg verlegt, als irrig abzulehnen ist (GS 65/2). Aus demselben Impuls wohlverstandener Freiheit redet das Konzil, ganz konkret, Agrarreformen in von besitzgierigen Großgrundbesitzern geplagten Ländern das Wort, damit der Kleinbauer Zugang zu Eigentum und zu besseren Arbeitsbedingungen gewinne (GS 71/6). Als eine der buchstäblich not-wendigsten Reformen wird dann noch die Einstellung des Rüstungswettlaufs verlangt, wobei aber die entsprechende Motivation nur „ex reformato animo" erwartet werden kann (GS 81/2).

Damit wird die „renovatio"-Perspektive in ihrer theologischen Begründetheit wieder eingeholt, bis hin zu ihrem christologischen Kern. Die Gesamtkonzeption ist klar: Christus ist der Erneuerer jenes Lebens, das zur Reform überhaupt fähig und bereit ist. Deswegen klingt es nur dem Schein nach als Wortspiel, wenn „Lumen gentium" das Zeitwort „reformari" nach der Vulgataversion von Phil 3,21 zur Bezeichnung des Heilsvorganges selbst verwendet (LG 48/4), der letztlich in einem „configurari" (ebd.) oder „conformari cum Christo" (LG 7/5, vgl. 40/2) dank der Wirkung seines Geistes besteht.

3. Damit sind wichtige Aspekte des Grundanliegens dargestellt worden, das das Zweite Vatikanische Konzil innehatte: die Kirche soll sich als das im Prozeß pneumatischer Erneuerung befindliche Volk Gottes verstehen und sich entsprechend reformbereit verhalten. Die angestrebte Erneuerung läßt sich weder auf ein „aggiornamento" im Sinne einer taktischen oder strategischen Anpassung an die Bedingungen gegenwärtiger Gesellschaft noch auf eine bußfertige Haltung der Kirche gegenüber den eigenen Fehlern reduzieren. Diese beiden Haltungen sind zwar angezielt, erhalten aber ihren Sinn erst im Rahmen einer umfassenden und dauerhaften Erneuerungsbewegung, die sich ganz als ein vom Heiligen Geist betätigter Prozeß versteht. Es handelt sich um einen pneumatischen Prozeß, folglich um einen eschatologi-

schen, der alle Zeitdimensionen der Kirche durchwaltet und auf eine gottgewollte Zukunft hin vorantreibt. Die Vergangenheit erscheint im Visier des
sich erneuernden Gottesvolkes, indem es sich seiner wahren Ursprünge bewußt wird, um dann auf neue, zeitgerechte Weise in die Nachfolge Jesu von
Nazaret zu treten. Das bedeutet u. a. Wille zum Dienen, Armsein, Selbsthin-
geben für andere, aber auch unnachgiebiges Festhalten am Evangelium von
der kommenden Gottesherrschaft (vgl. LG 8/3). Ferner schaut das Gottesvolk auf das ein für allemal vollzogene Kreuzes- und Osterereignis zurück,
um in glaubender Erinnerung an der von Christus erwirkten Befreiung und
Erlösung teilzuhaben. Die Kraft des neuen Lebens, die den Gekreuzigten als
den von den Toten Auferweckten erweist, zeigt sich als die Quelle schlechthin für jede renovatorische Energie, die das geschichtlich wandernde Gottesvolk braucht. Von dieser immer präsenten Vergangenheit her läßt es dann
auch seine gegenwärtige Sendung normieren, zu deren Erfüllung es sich immer wieder vom Heiligen Geist veranlaßt sieht. Insofern handelt es sich um
einen pneumatischen, charismatischen und eschatologischen Prozeß, der
sich in der Sendung des gesandten Gottesvolkes vollzieht. Das verlangt Aufmerksamkeit für das epochal Neue, das die Adressaten der Sendung in ihrem
Leben bestimmt. Handlungsweisen, dogmatische Aussagen, Formen der
Frömmigkeit müssen gewählt werden, die den Vollzug der vom Erneue-
rungsprozeß unabtrennbaren Sendung hier und jetzt ermöglichen. Von dieser Haltung her ist schließlich auch das Interesse des sich erneuernden Gottesvolkes für die Zukunft verständlich, sowohl für die Zukunft unserer
planetaren Menschengemeinschaft wie für die „absolute Zukunft", die Gott
der Vater ist. Die christliche Kirche geht also ihren Weg durch ihre Vergangenheit, Gegenwart und Zukunft in glaubender Offenheit auf die Dreieinigkeit des Vaters, des Sohnes und des Heiligen Geistes. In ihr liegen der absolute Ursprung und das absolute Ziel des ganzen Erneuerungsprozesses.

Das Konzil hat all dies nicht nur theoretisch formuliert oder angedeutet.
Es hat redlich versucht, selber die entsprechende Praxis durchzuführen, d. h.
prozeßbewußt und mit Vertrauen auf das Pneuma Gottes Taten der Erneuerung und der Reform zu vollbringen. Es wäre eine eigene Abhandlung wert,
die hier skizzierte theologische Theorie der „renovatio – reformatio" an der
Arbeitsweise des II. Vatikanum selbst zu verifizieren. Doch möge es an dieser Stelle genügen, mit dem diesbezüglichen Votum ein anderes zu verknüpfen: die Kirche ist epochal aufgerufen, den durch das Zweite Vatikanische
Konzil eingeschlagenen Weg nicht mehr zu verlassen; würde sie dies tun,
hörte sie auf, sich zu erneuern und zu reformieren, dann verlöre sie ihre
jugendliche Kraft und – rein menschlich gesehen – ihre Zukunft.

KLAUS HEMMERLE

EINHEIT ALS LEITMOTIV IN „LUMEN GENTIUM" UND IM GESAMT DES II. VATIKANUMS

1. Das Thema und sein Bezug zu Karl Rahner

Die Theologie des II. Vatikanischen Konzils ist „die Theologie eines Übergangs"[1]. Das Neue, dem dieser Übergang zusteuert, darf nicht allein in den Details gesucht werden, sondern auch und gerade im Ganzen selbst. Was aber ist das Neue im Ganzen des Konzils? Eine etwas zugespitzte Antwort könnte lauten: das Ganze. Und was heißt das? Es geht beim II. Vatikanum nicht mehr mit Vorrang darum, Klärungen dieser oder jener Einzelfrage herbeizuführen, falsche Positionen zu verurteilen und rechte Regelungen zu treffen. Solches muß gewiß immer wieder auch der Fall sein. Doch beim letzten Konzil kommt in einer in früheren Konzilien so nicht gewohnten Weise das Ganze selbst in den Blick und in Bewegung. Man kann zwar nicht behaupten wollen, das II. Vatikanische Konzil hätte ein Kompendium, eine Zusammenfassung der gesamten Theologie und Glaubenslehre angezielt oder gar geleistet. Es geht nicht um ein System. Wohl aber geht es darum, sich des Ganzen innezuwerden, was das heute heißt: Christsein und Kirche. Und ebenso geht es darum, sich dessen innezuwerden, wo auf ihrem Weg sich Menschheit und Welt befinden, wie sie im Ganzen geworden sind: Welche Fragen stellen sie an Christentum und Kirche? Wie können Christentum und Kirche sich selbst, ihr Ganzes einbringen in das offenkundig ihr fremd gewordene Ganze von Menschheit und Welt heute? Das Ganze drängt zum Ganzen, das Ganze fordert das Ganze heraus – Kirche und Christentum insgesamt müssen neu adoptiert, neu gesehen werden von denen, die glauben, damit der Auftrag für Menschheit und Welt wahrgenommen werden kann. Welt und Menschheit müssen neu anvisiert werden aus dem Glauben, damit die Glaubenden betroffen seien von der Welt, in die sie gesandt sind, betroffen wie jener, der sich in diese Welt hineingewagt und sich für sie

---

[1] K. Rahner, Die bleibende Bedeutung des II. Vatikanischen Konzils, in: Schriften XIV 309.

hingegeben hat. Kirche im Ganzen und als Ganzes – Menschheit und Welt im Ganzen und als Ganzes: zwei Pole konziliaren Denkens und Sprechens. Aber diese beiden Pole liegen nicht auseinander, sondern ineinander, sie gehören zusammen, und zwar nicht nur in einer funktionalen Betrachtung des Auftrags und der Sendung der Kirche, sondern vom innersten Grund des Glaubens her. Denn Gottes Leidenschaft für die Welt ist Sinn und Grund der Existenz der Kirche, und Gottes Präsenz und Wirksamkeit, die sich in der Kirche ereignen und vermitteln, sind die Mitte und der Zusammenhalt der Welt.

Wenn auch erst im Ansatz und in Expositionen, zu denen die Durchführung noch aussteht, liefern die großen Konzilstexte doch immer wieder Durchblicke durch die Heilsgeschichte als Geschichte Gottes mit der Menschheit. Es sei erinnert an das 1. Kapitel der Dogmatischen Konstitution über die Kirche und an die Komposition dieses zentralen Konzilsdokumentes überhaupt, an die Nummer 2 des Ökumenismusdekrets, an das 1. Kapitel des Dekretes über die Missionstätigkeit der Kirche, an die Gesamtanlage der Dogmatischen Konstitution über die göttliche Offenbarung. Als das Negativ solcher Universalsicht, die von der Mitte des Glaubens her ansetzt, als die Entsprechung von der Gegenseite her darf gewiß auch die Pastoralkonstitution über die Kirche in der Welt von heute hier herangezogen werden.

Wo es um das Ganze geht, da geht es naturgemäß um die Einheit. Unter den Allgemeinbegriffen, welche die Sprache des Konzils prägen, nimmt schon quantitativ das Wort „Einheit", zusammen mit den unmittelbar zugehörigen Wortbildungen, einen auffallend breiten Raum ein. Dies gilt nicht nur für die bereits erwähnten Konzilsdokumente.

Die beiden Grundinteressen des konziliaren Sprechens über die Einheit richten sich, dem gezeichneten Ansatz gemäß, auf die Einheit der Kirche und die Einheit der Menschheit.

Karl Rahner hat einen interessanten Artikel mit genau diesem Titel verfaßt: „Einheit der Kirche – Einheit der Menschheit"[2]. Ohne daß er hierbei auf Einzelaussagen des II. Vatikanums breit eingeht, liefert er im grundlegenden ersten Teil ein wichtiges Instrumentarium und mehr als nur ein Instrumentarium, um die Rede des Konzils von der Einheit aufzuschlüsseln, sie in ihren theologischen und philosophischen Kontext einzufügen und für den Vollzug theologischen Denkens und kirchlichen Lebens fruchtbar zu machen[3]. Wie er hier Einheit als Voraussetzung und Ziel alles Seienden und Geschehenden erhellt, es auf eine absolute, einende Einheit als Bedingung

---

[2] Schriften XIV 382–404.
[3] Vgl. ebd. 382–386.

der Möglichkeit hinbezieht, den Zusammenhang und die Differenz zwischen dieser und dem Sprechen der Offenbarung vom lebendigen Gott darstellt, den Weg der Geschichte überhaupt und der Kirche im besonderen als Weg zwischen gegebener und aufgegebener Einheit interpretiert, Liebe als den Weg zur Einheit plausibel macht und in den folgenden Teilen die Konsequenzen für die Problematik der Einheit der Menschheit und der Einheit der Kirche zieht: dies ist vom Ansatz her ein kleines Kompendium seines Denkens und zugleich ein denkerischer Rahmen, der nicht äußerlich als Systematisierungsversuch zu den Konzilsaussagen über die Einheit hinzugefügt wäre, sondern ihrer immanenten Dynamik entspricht, sie ans Licht hebt. Es ist wohl berechtigt, an diesem Exempel in Anschauung zu bringen, wie fundamental Karl Rahner einer der „auctores" des II. Vatikanums ist.

Die nachfolgenden Seiten möchten indessen nicht die lohnende und wichtige Arbeit vollbringen, die Konzilsaussagen über Einheit im einzelnen zu sammeln, zu orten und in die von Karl Rahner bereitgestellten Denkkategorien einzufügen. Dies wäre keineswegs nur eine historische Fleißarbeit, es könnte eine Fülle von Ansatzpunkten zum Weitergang aus dem „Übergang" erbringen. Gleichwohl schlägt unsere knappe Skizze einen anderen Weg ein: Nach einer kurzen Übersicht über Einheit in „Lumen gentium" und einem Seitenblick auf wenige andere Kontexte innerhalb der Konzilsaussagen soll, freilich wiederum nur in Stichworten, die einläßlicher weiterer Diskussion und Ausarbeitung bedürften, eine Struktur von Einheit gemäß dem Denken des II. Vatikanischen Konzils entworfen werden.

2. Orientierung an den konziliaren Texten

2.1 Der Ansatz von „Lumen gentium"

Nicht mit der Kirche fängt die Dogmatische Konstitution über die Kirche an, sondern mit Christus, dem Licht der Völker. Kirche kommt zur Sprache erst in der Spannung zwischen ihrem Woher und Wohin. „Christus ist das Licht der Völker. Darum ist es der dringende Wunsch dieser im Heiligen Geist versammelten Heiligen Synode, alle Menschen durch seine Herrlichkeit, die auf dem Antlitz der Kirche widerscheint, zu erleuchten, indem sie das Evangelium allen verkündet (vgl. Mk 16,15)" (LG 1). Kirche ist nur mit sich identisch, weil und sofern sie sich ausspannt zu Christus als dem Ursprung und hinspannt zur Menschheit, für die sie gesandt ist. Aber auch ihr Eigenes ist nicht etwas *zwischen* dem Ursprung und dem Adressaten ihrer Sendung. Dieses Eigene ist vielmehr der Widerschein eines Lichtes, das nicht ihr gehört, sondern dem Herrn, das ihr selber aber nur scheint, wenn es von ihr weiterscheint hinein in die Welt. Christus will die Welt und will zur Welt – das ist Kirche. Aber gerade diese doppelte Selbsttranszendenz gibt ihr auch in ihr selber Stand und verlangt von ihr selber das Einssein. Es kommt darauf an, das ganze Licht Christi als getreuer Spiegel aufzufangen, zu wahren und so weitergeben zu können. Sie hat nicht irgendeine Funktion für Jesus Christus, sondern eine selbst universale Funktion, eben jene der Durchgabe und Weitergabe, die sie nur erfüllt, indem sie in sich selbst zusammenhält. In sich selbst zusammenhalten, in sich selbst eins sein aber heißt eins sein durch das, was ihr geschenkt und anvertraut ist, eins sein in dem Licht Christi, das auf sie fällt. Der Text fährt fort: „Die Kirche ist ja in Christus gleichsam das Sakrament, das heißt Zeichen und Werkzeug für die innigste Vereinigung mit Gott wie für die Einheit der ganzen Menschheit" (ebd.). Daß Gott sich mit der Menschheit eins gemacht hat, das ist Kirche: vertikale Einheit. Diese Einheit der Menschheit mit Gott wird durch die Kirche hindurch weitergegeben und wird zugleich in ihr selber sichtbar (Werkzeug und Zeichen).

Kirche ist aber nur als Versammlung, als Einheit. Ihr Miteinander ist der Ort, an dem Christus der Welt aufstrahlt, ihr Charakter als Gemeinschaft ist in Anspruch genommen, der Welt Zeugnis zu geben von Christus und Christus selber als den in ihrer Mitte Lebenden weiterzugeben. Damit aber ist sie Zeichen und Werkzeug auch dafür, daß Gott die Menschen, alle Menschen, zusammenführen will, daß die Gemeinschaft mit ihm Gemeinschaft der Menschen miteinander werden will: horizontale Einheit. Beide Dimensionen der Einheit, die horizontale und die vertikale, schließen sich gegenseitig ein, lassen sich nicht voneinander trennen. Dieser Charakter der Kirche als Sakrament der Einheit ist jedoch nicht nur abgeleitet aus dem Ursprung der Kirche und ihrer Botschaft in Jesus Christus, sondern entspricht auch dem Kairos der Geschichte, die heute mehr denn je offenbar macht, daß Menschheit und Welt auf Einheit hin tendieren. So sagt es der Schluß der Nr. 1 unseres Dokumentes: „Deshalb möchte sie [sc. die Heilige Synode] das Thema der vorausgehenden Konzilien fortführen, ihr Wesen und ihre universale Sendung ihren Gläubigen und aller Welt eingehender erklären. Die gegenwärtigen Zeitverhältnisse geben dieser Aufgabe der Kirche eine besondere Dringlichkeit, daß nämlich alle Menschen, die heute durch vielfältige soziale, technische und kulturelle Bande enger miteinander verbunden sind, auch die volle Einheit in Christus erlangen" (ebd.).

In den nächsten drei Abschnitten (LG 2–4) entfaltet sich dieser Anfang. Jedesmal ist vom Heilswillen Gottes für die Welt die Rede, jedesmal kommen, zumindest im Ansatz, die drei göttlichen Personen der Dreifaltigkeit ins Spiel, wobei Vater, Sohn und Geist jeweils den Ansatzpunkt der aufeinanderfolgenden Nummern bilden. Kirche wird hier also hineingestellt in die Geschichte Gottes mit dieser Welt, und diese Geschichte ist die der Selbstmitteilung und Selbsthingabe Gottes, der immer als der eine nach außen wirkt, dabei aber gerade als der Vater, der Sohn und der Geist Welt und Menschheit ins göttliche Leben einbezieht, ihr an sich selber Anteil gibt. Die zusammenfassende Schlußleiste der ersten vier Nummern unseres Textes lautet denn: „So erscheint die ganze Kirche als ‚das von der Einheit des Vaters und des Sohnes und des Heiligen Geistes her geeinte Volk'" (LG 4). Das Konzil zitiert hier Cyprian, De oratione dominica 23, also die Vaterunser-Auslegung des großen afrikanischen Bischofs. Bedenkenswert, daß es sich bei Cyprian an dieser Stelle um die gegenseitige Vergebung unter den Glaubenden handelt, um die Forderung Jesu, sich zuerst mit dem Bruder zu versöhnen und die Gabe so lange am Altar zu lassen, ehe man das Opfer darbringt (vgl. Mt 5,23f). Die trinitarische Verankerung hebt nicht ab vom Leben, sondern zielt auf gelebte Einheit in der beständigen, radikalen Versöhnungsbereitschaft.

Die Einheit des dreifaltigen Gottes hält und trägt Welt und Menschheit; es kann nicht anders sein, als daß das Geschaffene nach dem Urbild des Schöpfers strebt, und zwar im doppelten Sinne der Transzendenz hin zu ihm und der Immanenz der Abbildung göttlichen Lebens in der gegenseitigen Einheit. In Jesus Christus, dem vom Vater Gesandten und mit dem Geist Erfüllten, geschieht das Werk der Einung der Menschheit mit Gott und miteinander. Werkzeug und Zeichen solcher Einheit aber ist die Kirche. Dies ist der Ansatz von „Lumen gentium", der – ungeachtet verschiedener Einflüsse, Rücksichten, Schichtungen des Textes – sich durchsetzt, hineindekliniert in die verschiedenen Fälle und hineinkonjugiert in die verschiedenen Gezeiten und Personen des Lebens der Kirche inmitten der Welt.

Es muß genügen, auf ganz wenige Punkte zu verweisen, an denen dies besonders sichtbar wird.

a) Die Vorordnung des Kapitels über das pilgernde Gottesvolk vor das Kapitel über die hierarchische Verfassung der Kirche.

Das erste und Wichtigste, was über das Warum und Wie der Kirche zu sagen ist, besteht gerade darin, daß Gott die Menschen eben nicht einzeln, nicht unabhängig von ihrer wechselseitigen Verbindung heiligen und retten, sondern sie zu seinem Volk rufen will (vgl. LG 9). Einheit als communio ist Gottes Weg mit dem Menschen, und darin prägt sich gerade Gottes Liebe aus, die sein eigenes, allem menschlichen Begreifen überlegenes und unzugängliches Dasein eben doch nicht anders uns aufzuschließen vermag als durch die Botschaft von der Dreifaltigkeit. So wird der einzelne in seiner unvertretbaren Einmaligkeit, in seinem unüberholbaren Geliebtsein und seiner unvertretbaren Verantwortung gerade nicht nivelliert, aber ins Mitsein und Fürsein hineingenommen. Geschichte des einzelnen mit Gott geht nicht ohne die Geschichte von anderen und mit anderen. Einheit selber hat so einen kommunikativen und geschichtlichen, nicht allein mit dem Bild des Organismus zu fassenden Grundcharakter. Erst in diesem transzendierenden, sich mitteilenden Einssein werden Verschiedenheiten und auch qualitative Unterschiede (vgl. die Aussagen über den nicht nur graduellen Unterschied zwischen Priestertum des Dienstes und gemeinsamem Priestertum der Gläubigen in LG 10) verstehbar. Sie stehen unter dem Vorzeichen des „für" und „mit". Im „mit" entfaltet das Fürsein als „Konstruktionsprinzip" der Einheit die Lebendigkeit, die Fülle, die Vielheit.

b) Der eine Geist, der seine Lebendigkeit in den vielen Gaben und Diensten erweist (vgl. LG 7).

Einheit kann nicht leben ohne Beziehung, sie stiftet Beziehung und hebt damit notwendigerweise das bloße Einerlei auf. Zugleich ist das „je größer" und „je mehr" Gottes durch seine Selbstmitteilung nicht nivelliert, und so kommt gerade durch die Teilgabe an Gottes einem Leben die Brechung in die vielen Gaben und Dienste innerhalb der endlichen Vermittlung zustande. Diese aber sind nicht für den Gegensatz, sondern für die Ergänzung bestimmt, sind selber Bausteine der Einheit und Hinweise auf die Einheit. Solche Einheit aber wird nur dadurch wirksam, daß ihr einender Grund, ihr einendes Worumwillen in ihnen gelebt und ergriffen wird. So bezeichnet die Kirchenkonstitution das Neue Gebot (vgl. Joh 13,34), zu lieben, wie Christus uns geliebt hat, als das Gesetz des Volkes Gottes (vgl. LG 9).

c) Das Ineinander der Kirche als sichtbare Versammlung und geistliche Gemeinschaft, als irdische mit himmlischen Gaben beschenkte Kirche (vgl. LG 8).

Es ist Kennzeichen der von Gott her gewirkten und wirkenden Einheit, daß sie nicht nivelliert, was sie verbindet. Dies wirkt sich aus in der Einheit von Einheit und Unterschied zwischen dem Wesen und der ganzen Verwirklichung der Kirche und ihrer sichtbaren Gestalt. Die Subsistenz der einen und einzigen Kirche in der römisch-katholischen Kirche *und* die Anerkennung von ekklesialen Momenten auch außerhalb ihrer sichtbaren Einheit: diese Sicht ist hier begründet (vgl. LG 8 u. LG 13).

d) Der doppelte Ausdruck der Einheit in ihrer Gestalt.

Die je größere Einheit Gottes teilt sich in der endlichen Gestalt der Kirche sakramental mit. Dies wirkt sich gerade in einer das bloße System sprengenden Verfaßtheit kirchlicher Einheit aus. Der „Eine" ist in der Tat vollgültiger Ausdruck der ganzen Einheit und ist es nicht nur aus der Zustimmung, die ihm von allen her erwächst. Die entsprechenden Aussagen über die Bedeutung des Papstes für die Kirche und, anders gewendet und akzentuiert, des Bischofs für sein Bistum bringen dies zur Darstellung. Zugleich aber wird Einheit nicht nur durch die endliche Einzelheit und deren nur aus der Grundstruktur der Sendung und der Liebe auszuhaltenden „Skandal" vollbracht, sondern zugleich durch jenes Miteinander des Kollegiums der Nachfolger der Apostel um Petrus und – wieder in einer qualitativ anderen Weise und Bedeutung – im Miteinander der Presbyter im Presbyterium um den Bischof. Die Entäußerung der Einheit in den einzelnen hinein und die Entäußerung der einzelnen in die Einheit hinein finden diesen strukturell doppelten, sich ergänzenden, einschließenden und doch nicht ineinander aufgehenden Ausdruck.

e) Die katholische Einheit als geistlicher „Verdichtungskern" jener Einheit, auf welche die gesamte Menschheit angelegt ist (vgl. bes. LG 13).

Alles, was auf den je größeren Gott und was auf das je größere Miteinander hinzielt, ist sozusagen Same jener Einheit, die sich in der katholischen, allumfassenden Einheit der Kirche bereits zeichenhaft und werkzeuglich, eben sakramental, vom Ziel der Geschichte her in deren Lauf hineinhält. Die Weise, wie Kirche solche Einheit in der Fülle der geschichtlichen und kulturellen Unterschiede lebt, soll Katalysator dieses Prozesses sein, der nicht „machbar" ist, aber gnadenhaft bereits die Menschheit und ihre Geschichte durchdringt.

2.2 Kontexte in anderen Dokumenten

Es wäre uferlos, die Spiegelungen, Parallelen aufzureihen, die zu den knapp angedeuteten Grundlinien von „Lumen gentium" in anderen Konzilsdokumenten existieren. Statt dessen sei allein auf wenige Sachverhalte in anderen Dokumenten hingewiesen, die Einheit als ein Leitmotiv des Gesamten konziliaren Denkens bestätigen.

a) Die Pastoralkonstitution über die Kirche in der Welt von heute geht davon aus, daß Kirche der Ort ist, an dem Menschen die communio, das Sicheins-Machen Gottes mit der Menschheit, durch die Geschichte hin leben. Die erste Ziffer der Pastoralkonstitution drückt das auf prägnanteste Weise aus: „Freude und Hoffnung, Trauer und Angst der Menschen von heute, besonders der Armen und Bedrängten aller Art, sind auch Freude und Hoffnung, Trauer und Angst der Jünger Christi. Und es gibt nichts wahrhaft Menschliches, das nicht in ihren Herzen seinen Widerhall fände. Ist doch ihre eigene Gemeinschaft aus Menschen gebildet, die, in Christus geeint, vom Heiligen Geist auf ihrer Pilgerschaft zum Reich des Vaters geleitet werden und eine Heilsbotschaft empfangen haben, die allen auszurichten ist. Darum erfährt diese Gemeinschaft sich mit der Menschheit und ihrer Geschichte wirklich engstens verbunden" (GS 1). Das Dokument sieht in diesem genuinen Auftrag, welcher der Kirche aus ihrem Selbstverständnis her zuwächst, eine tiefe Entsprechung zum Drängen und Streben der Menschheit in ihrem gegenwärtigen Zustand selbst (vgl. bes. GS 3 33 42 54).

b) Naturgemäß behandelt zumal das Dekret über den Ökumenismus die Frage der Wiedergewinnung der verlorenen Einheit zwischen den unterschiedlichen christlichen Kirchen und Gemeinschaften. Man kann in diesem Dokument die Linien der Kirchenkonstitution auf dieses das gesamte Konzil inspirierende und bedrängende Problem ausgezogen sehen. Das 2. Kapitel (UR 5–12) erscheint wie eine Übersetzung der unitas quae, die in der Kirchenkonstitution dargelegt wird, in den Vorgang einer unitas qua, einer – recht verstandenen – Methodik der Einheit, will sagen jenes Verhaltens und Handelns, die das Zusammenkommen in der ganzen Einheit ermöglichen. Einige Stufen: Erkennen der schon gegebenen Einheit (vgl. UR 5) – Treue zur eigenen Berufung als Weg zur Begegnung, weil durch den Ursprung, durch Jesus Christus hindurch der nächste Weg zum anderen führt (vgl. UR 6) – innere Bekehrung zum Geist als Bekehrung zur einzigen Kraft, die Einheit zu schaffen vermag (vgl. UR 7) – Gebet als unmittelbarer und gemeinsamer Kontakt mit dem, der die Einheit wirkt (vgl. UR 8) – Dialog als Gespräch, der auf die Sicht und Sinnesart der je anderen eingeht, von innen her zu denken lernt (vgl. UR 9) – Dreiklang zwischen nicht verkürzender Klarheit und Offenheit des Bekenntnisses, Bereitschaft zur Übersetzung in den gemeinsamen Verständnishorizont, Einfügung ins Gesamt der Wahrheit („Hierarchie" der Wahrheiten) (vgl. UR 11).

c) Priesterlicher Dienst und priesterliches Leben werden als Zeugnis für die Einheit und gerade darin als missionarische Kraft erachtet. Die Priester sollen Zeugen sein für jene Einheit, durch die die Menschen zu Christus hingezogen werden (vgl. OT 9). Ihr Hirtendienst ist Dienst an der Einheit (vgl. PO 6); die Einheit miteinander und mit dem Bischof, Presbyterium als Lebensform sind heute für die Glaubwürdigkeit des Priestertums entscheidend (vgl. PO 7f); Einheit als Lebensform der Priester ist Bedingung der Einheit ihres eigenen Lebens, ihrer personalen Identität (vgl. PO 14).

d) Das Dekret über das Apostolat der Laien greift in vielfacher Hinsicht das Thema Einheit auf: Die Verschiedenheit des Dienstes in der Kirche ist eingebunden in die Einheit der Sendung, an der das ganze Volk Gottes und so auch die Laien Anteil haben (vgl. AA 2). Ihr Auftrag knüpft bei jener Einheit des Erlösungswerkes Christi an, das auf das Heil der Menschen zielt, aber auch den Aufbau der gesamten zeitlichen Ordnung umfaßt (vgl. AA 5).

Das Zeugnis jedes einzelnen wird ergänzt durch das in Gemeinschaft geübte Apostolat, das den Charakter der Kirche als Volk Gottes deutlich macht und den Raum für die von Jesus selbst verheißene Gegenwart in der Mitte der in seinem Namen Geeinten eröffnet (vgl. Mt 18,20; AA 18). Ursprung und Kraft apostolischen Denkens ist die Liebe als die Einheit auferbauende und ihr entsprechende Kraft. *Das* auferbauende apostolische Zeichen ist das Neue Gebot (vgl. AA 8). Einheit muß das Struktur- und Wirkungsprinzip der vielen sich ergänzenden Aktivitäten innerhalb des Apostolates der Laien sein (vgl. AA 23). Einheit *ist* die apostolische Kraft der Kirche, ist als Vollzug die Leuchtkraft und Anziehungskraft ihres Wesens.

e) In eine andere Dimension von Einheit führt uns die Dogmatische Konstitution über die göttliche Offenbarung. Es genügt, in unserem Kontext auf das Ineinander von Schrift und Tradition hinzuweisen, das beide doch nicht ineinander auflöst. Die Einheit der Offenbarung ereignet sich nicht in zwei aus geschiedenen Quellen sich ableitenden Strömen, sondern in jenem Prozeß der wechselseitigen Verwiesenheit der Schrift auf die in ihr verfaßte und sie rekognoszierende Tradition und der Tradition auf ihre Verfaßtheit im inspirierten Wort. Einheit wird selbst dort, wo sie verschiedene Teile hat, nie zustande gebracht durch eine bloße Addition ihrer principia quae, diese haben vielmehr ihre Bedeutung fürs Ganze, haben aneinander und am Ganzen Anteil, sind, wenn auch auf je eigene und daher verschiedene Weise, principia quibus.

Was hat der Blick auf die Kontexte in den Konzilsdokumenten zu unserem Ansatzpunkt bei „Lumen gentium" erbracht? Man könnte die Dynamik des Konzils als Dynamik der Einheit betrachten, die im Konzil nicht nur den größeren Spielraum ihrer Realisierung findet, sondern zugleich als das Woraus, Worumwillen und Wie des Lebensvollzuges von Glaube und Kirche aufscheint. Einheit wird nicht „lockerer", sondern lebendiger, wird beziehentlicher, tiefer zurückgebunden an ihren trinitarischen und christologischen Ursprung.

3. Ein neues Denken der Einheit?

3.1 Was für Einheit, wessen Einheit?

Wir sprechen von Einheit. Die Einheit der Kirche, die Einheit der Menschheit, der eine Christus, die Einheit des dreifaltigen Gottes, Einheit als Lebens- und Dienstform aufgrund verschiedener Berufungen und Aufgaben in der Kirche, Einheit und Pluralität, Einheit als Verhältnisbestimmung zwischen Prinzipien – dies alles ist bislang zur Sprache gekommen. Geht das auf einen einzigen Nenner? Haben wir dabei nicht vergessen, daß Einheit als transzendentale Bestimmung des Seienden teilhat am analogen Charakter der Rede vom Sein?[4]

Wir haben diesen analogen Charakter der Rede vom Sein und darum auch von der Einheit nicht vergessen, und wir heben auch gerade nicht darauf ab, ein System der Einheit zu entwerfen. Dennoch – bei aller Unterschiedlichkeit der Aussagbarkeit von Sein und Einheit in den verschiedenen Dimensionen und Situationen, die bereits zur Sprache kamen – zeigt sich so etwas wie ein gemeinsamer Unterschied konziliaren Sprechens von der Einheit gegenüber der früheren Sicht. Damit ist keine einzige der verbindlichen theologischen Aussagen über die Einheit Gottes oder der Kirche oder der Offenbarung in Frage gezogen, im Gegenteil. Wohl aber wird es notwendig, um der Wahrung der Identität verbindlicher Überlieferung willen den „Übergang" mitzuvollziehen, der sich in der Konzilstheologie insgesamt anzeigt. Es ist ein Übergang des Seinsverständnisses, der sich nicht auf wenige Worte und Formeln bringen läßt, der vielleicht aber gerade daran ein Stückchen konkreter und verständlicher werden kann, daß wir uns an der Weise orientieren, wie neu und anders von der Einheit geredet wird. Neu und anders – will sagen mit neuen Akzenten, mit neuen Betonungen oder unter neuen Blickwinkeln, so daß bislang Selbstverständliches, vielleicht als Selbstverständliches Vernachlässigtes neues Gewicht erlangt oder Fragestellungen und Lösungsmöglichkeiten auftauchen, die bislang einfach nicht in den Blick haben kommen können. Wenn ich eine neue Seite oder Sicht einer Sache entdecke, so erkenne ich diese, ohne daß das bislang Erkannte dadurch irrelevant oder gar falsch würde.

Gerade um diese neue Sicht von Einheit ernst zu nehmen, bleiben wir im folgenden in jener vielleicht bedenklich erscheinenden Abstraktion, die nun nicht durchstößt bis zu der je unterschiedlichen Applikation des Gedankens in unterschiedlichen Feldern und Fällen. Wir fragen einfach: Wie geht Einheit, Einheit im Ausgang vom sich mitteilenden Gott durch die Kirche und in der Kirche in die Welt hinein und aus der Welt und der Menschheit auf diesen Gott zu und auf die Kirche und ihr Zeugnis und ihren Dienst zu – und wie geht Einheit zwischen dir und mir, im Miteinander der Glaubenden um des Glaubens willen, in welchem Miteinander sich Gemeinschaft, Mitsein der Menschen überhaupt, nach christlichem Selbstverständnis wiederfinden, spiegeln, verdichten, erfüllen soll?

---

[4] Vgl. ebd. 382.

3.2 Charaktere der Einheit

Wer sich auf die Aussagen des II. Vatikanischen Konzils über die Einheit ein-läßt, der ertastet etwas wie einen Rhythmus, der sieht etwas wie eine Struktur geschehender Einheit vor sich. Diese Struktur und ihr – sagen wir so – Rhythmus bedürften reflexiver Aufarbeitung, die im Rahmen dieses Beitrags nicht geleistet werden kann. Vermutlich wäre es auch zu früh und zu riskant, schon jetzt aus der Theologie des „Übergangs", als die uns die Konzilstheologie erschien, derlei weittragende Konsequenzen zu ziehen. Dennoch darf so etwas erspielt werden wie ein Zusammenhang der beobachteten Züge jener Einheit, die als Grund und Ziel und Geschehen, wir dürfen sagen: selbst als Übergang zwischen ihren Polen, sich uns zutrug. „Standort" für unseren Versuch beziehen wir zunächst nochmals beim Anfang der Dogmatischen Konstitution über die Kirche, von da aus freilich auch Momente anvisierend, die uns im Weitergang von dort auffielen.

a) Einheit geschieht im doppelten Überstieg: im Verdanken und Mitteilen. Wir beobachteten: die Kirche empfängt sich von Christus her und geht zugleich mit ihm in seiner Bewegung zur Menschheit hin. Sie hat ihren Schwerpunkt zweifach außer sich: in Christus, in der Menschheit. Gerade darin aber ist sie in sich selber, empfängt sie ihre Identität, ihre Einheit. Einheit *ist* Ursprünglichkeit und Zukommen der Ursprünglichkeit. Dies gilt von allem, was ist, sofern es ist. Auch dem rein Entsprungenen, dem anscheinend nur zukommt zu sein, kommt eben im Sein jene mitteilende Selbsttranszendenz des Seinsaktes zu, die das Sein als Empfangenes bezeugt. Der Rücktrag in den absoluten Ursprung scheint die Dimension des Empfangens und Verdankens auszuschließen – im Versuch, diesen Ursprung trinitarisch zu denken, gehört indessen auch zur primitas des Vaters deren expressio als Wiedergabe hinzu, auch Ursprünglichkeit als reine Gabe schließt die Wiedergabe als Vollendung gerade der Ursprünglichkeit mit ein. Das Aufregende bei dieser Sicht von Einheit: nicht die Bewegung auf sich selber zu, sondern von sich selber weg ist der Unterschied zwischen null und eins.

b) Einheit geschieht gerade in solchem Sich-Übersteigen als Einheit von Einung und Unterscheidung. *Indem* Kirche reiner Spiegel des Christus lumen gentium ist, indem Kirche das Geschehen der Selbstübersteigung des Lichtes im Weitergeben an die Menschheit ist, tritt sie in polare Beziehung zu dem, womit sie sich eint. Das Geschehen der Einung ist gerade kein Verlöschen, sondern bedeutet Sich-Einbringen. Es ist Mitvollzug der Bewegung des Ursprungs in der reinen Offenheit für ihn. Kirche konstituiert sich, indem sie sich empfängt und senden läßt. Seiendes ist nicht, wenn es nicht teilhat am Ursprung und ihn nicht zur Erscheinung bringt. Gerade darin aber ist es und ist anderes, recht verstanden: mehr als der Ursprung. Einheit geschieht nicht als angsthaftes Bestehen auf einer zum Ursprung und zum Worumwillen des Daseins addierten Eigenständigkeit, sondern im Loslassen an den Ursprung auf seine intentio, auf sein Ziel hin. In solchem Loslassen geschieht die Konstitution der Eigenheit vom Ursprung her. Loslassen und Zur-Erscheinung-Bringen sind Selbstvollzug.

c) Einheit geschieht in solcher Konstitution als Gehen und Bleiben. Kirche tut nichts anderes, wenn sie missionarisch sich selber über sich hinausbringt, als in ihrem Ursprung zu bleiben. Und wenn Kirche sich hinausgibt und hinauswagt in die Welt, bleibt sie gerade beim Herrn. Sie kann nicht das eine gegen das andere wählen, wohl aber gilt es, das andere im je einen zu wählen. Der Rebzweig, der im Stamm des Weinstocks bleibt, bringt dessen Frucht. Nichts ist progressiver als das Bleiben im Ursprung, nichts konservativer als die Zuwendung zum anderen. Natürlich kann solches als Gedankenspielerei gesagt werden, es vermag aber zugleich höchste und härteste Anforderung zu sein, um Einheit wahrhaft zu vollbringen. Wer ganz beim Urtext bleibt, den treibt er in die Übersetzung; wer wahrhaft übersetzt, der trägt den Urtext in sich und seinem Tun. Daß Einheit als diese doppelte Bewegung bewußt wird, daß Einheit als diese Spannung und zugleich als deren Einfalt transparent und lebendig ist, darauf kommt es an, soll Einheit nicht erstarren oder sich auflösen.

d) Einheit geschieht in der Wechselseitigkeit, im je doppelt ersten Schritt. Einheit ist nie Resultat eines Prozesses, der nur widerfährt; Einheit ist nie Produkt, das sich durch Aktivität und Anstrengung allein bewerkstelligen läßt. Kirche tut den ersten Schritt, indem sie mittut, daß der Herr den ersten Schritt getan hat. Ich tue auf den anderen den ersten Schritt zu, indem ich entdecke, daß und wo er sich mir schon geöffnet hat. Der Ansatz vom Nullpunkt aus, um den Ansatz des anderen vom Nullpunkt aus zu entdecken, dies ist die Aktivität *und* Rezeptivität der Einheit.

e) Einheit geschieht perichoretisch. Im Geschehen der Einheit umfängt jeder Pol den anderen, birgt ihn als sein Innerstes und birgt darin das ihn und den anderen Pol Einende, die einende Einheit selbst. Die Formeln von johanneischem Schrifttum bis hin zum Minnelied vom gegenseitigen Innesein sind sicher richtig. Kirche in Christus und in Kirche Christus entdecken, Welt in der Kirche und Kirche in der Welt, Welt in Christus und Christus in der Welt: von diesen perichoretischen Schritten kann nicht abgesehen werden, soll Einheit ihre Dynamik entfalten, soll Einheit gelingen. Die Erkenntnis dieses perichoretischen Charakters der Wahrheit ist auch für jede Weise von Dialog von entscheidender Bedeutung. Dies darf nicht als hermeneutischer Trick mißverstanden werden, der Auseinandersetzung, Aufdeckung von Uneinheit und Widerspruch spekulativ überhöht und nivelliert. Dies wäre das fatale Gegenteil von Einheit. Doch nur wo solche Perichorese als Maß genommen wird, kann auch ihr Defizit entdeckt werden, kann die Verzehrung des anderen statt dessen Bergung offenbar werden, können Wege der Versöhnung und des Verstehens, die gegenseitig nicht entfremden, gefunden werden. Und umgekehrt ist die Einheit zwischen Getrenntem nur möglich, sofern der perichoretische Ansatz zur Einheit entdeckt wird. Bloßes Aneinanderfügen, bloßes Summieren und Addieren ergeben nie Einheit.

f) Einheit geschieht durch Repräsentation und Unmittelbarkeit zugleich. Einheit ist Übertragung des Ursprungs, Fürsein des Ursprungs fürs Ganze in einem anderen, in einem aus allem – und zugleich sind alle gemeinsam in der Beziehung zueinander in Beziehung gesetzt zum Ursprung selbst, er ist die gemeinsame Mitte. Beide Formen ergänzen sich, ersetzen aber einander nicht. Sendung, Übertragung der Vollmacht vom Ursprung her, Repräsentation Christi – und zugleich gemeinsame Christusunmittelbarkeit im Miteinander in seinem Namen, auf daß er in der Mitte sei: beides ist konstitutiv für Kirche. Spiegeln sich in diesen beiden Strukturmomenten, die genauer differenziert werden müßten, um das reale und konkrete Gefüge der Kirche zu kennzeichnen, indessen nicht fundamentale Verhältnisse von Einheit überhaupt? Unverwechselbarer Beitrag zum Ganzen, unverwechselbares Stehen fürs Ganze einerseits und darum anderseits Bezogenheit aller auf alle in der Bezogenheit auf die alles fügende Einheit, dies sind die beiden gleichzeitigen Konsequenzen aus dem perichoretischen Charakter der Einheit. Mut zur Stellvertretung und Mut zur Unmittelbarkeit, Mut, nur einer unter allen zu sein und zugleich doch fürs Ganze zu stehen, Punkt sein, der mit der Ausdehnung Null in der Oberfläche der Kugel verschwindet und der zugleich doch fähig ist, die ganze Kugel auf der eigenen Null zu tragen, solches gehört je zusammen.

g) Einheit geschieht als Heil und Heilung des Teiles und des Ganzen. Im Konzilstext wird die elementare Sehnsucht nach Heilsein als Sehnsucht nach Einheit – Einung der Menschheit mit Gott und miteinander, Einung des einzelnen mit den anderen und mit dem einen Herrn – sichtbar. Heilswille Gottes wird Einungswille Gottes, Einheit ist Ziel und Weg des Heiles und der Heilung. Die Heilbarkeit des Gebrochenen ist die Anwesenheit des Ganzen im Fragment, der Weg der Heilung geht über die Beziehung zur einen Mitte auf die anderen, die getrennt sind, hindurch, geht zugleich durch die Beziehung zu den anderen, den Getrennten hindurch auf die eine Mitte. Heilung geschieht dadurch, daß im anderen, im Getrennten die eine Mitte entdeckt und angenommen wird, Heilung geschieht zugleich dadurch, daß in der einen Mitte, im einen Geheimnis des Ganzen der andere, Getrennte angenommen und entdeckt wird. Die Struktur dieses Vorgangs ging uns bereits auf im Bedenken der Perichorese als Grundfigur der Einheit.

h) Das angedeutete Verständnis von Einheit ist eine Alternative zu jedem mechanistischen, systemhaften oder additiven Verständnis von Einheit, aber es bezeichnet auch einen Überschuß über das bloß organische Modell. Dieses ist keineswegs ausgeschlossen, wird aber erweitert durch die spezifischen Momente des Geschichtlichen. Der Ursprung von Einheit geschieht eben durch einen Ursprung, durch unableitbare Selbstüberschreitung, ihr Ziel ist ebenso gekennzeichnet durch die Unselbstverständlichkeit, den Geschenkcharakter des Gelingens, und der Weg der Einheit ereignet sich in der Antwort, in der Treue zum Ursprung und im wagenden, hoffenden, liebenden Ausgriff zum Ziel. Solcher Charakter der Geschichtlichkeit von Einheit deutet sich an innerhalb des Konzils im Vorrang des Bildes von der Kirche als dem pilgernden Gottesvolk. Gegebene und aufgegebene Einheit sind umgriffen von der einenden Einheit Gottes, der sich als der Dreifaltige bereits erschlossen, als Zukunft zugesagt und darin als Halt in die Geschichte hineingesagt hat. Das Leben der Kirche als aus der Einheit des Vaters und des Sohnes und des Geistes geeintes Volk geschieht nichtsdestoweniger je nur in der neuen Zukehr zum dreifaltigen Gott, zur Welt und zueinander in der Kraft jener Liebe, die reinstes Geschenk Gottes und freiestes Ja des Menschen zugleich ist.

Die Charaktere der Einheit, ihr Gang und Ereignis im Ganzen kennzeichnen zugleich als unitas quae den Inhalt, die Sache des Glaubens und der Kirche und als unitas qua den Weg, auf dem Kirche in der Welt und für die Welt über alle Trennung und Entfremdung hinaus Sakrament der Einheit zu werden vermag. Unitas quae und unitas qua zugleich – dies gilt zuhöchst auch für das Geheimnis des Vaters und des Sohnes und des Geistes selber, das die Mitte unseres christlichen Glaubens ist und zugleich das Maß jener Bitte des Herrn, daß alle eins seien wie der Vater und er, damit die Welt glaube (vgl. Joh 17,21ff). Nach einer Aussage Karl Rahners wird man sich „nicht darüber hinwegtäuschen dürfen, daß die Christen bei all ihrem orthodoxen Bekenntnis zur Dreifaltigkeit in ihrem religiösen Daseinsvollzug beinahe nur ,Theisten' sind. Man wird also die Behauptung wagen dürfen, daß, wenn man die Trinitätslehre als falsch ausmerzen müßte, bei dieser Prozedur der Großteil der religiösen Literatur fast unverändert bleiben könnte."[5] Dieses Defizit scheint durch die konziliare Theologie der Einheit überwindbar zu sein. Der Anteil Karl Rahners daran ist bedeutsam.

---

[5] *K. Rahner*, Der dreifaltige Gott als transzendenter Urgrund der Heilsgeschichte, in: MySal II 319.

WALTER KASPER

DIE KIRCHE ALS UNIVERSALES SAKRAMENT DES HEILS

I. Die Aktualität der Problemstellung

Die Frage nach dem Ort des Christen und der Kirche inmitten der profanen Welt von heute gehört nach wie vor zu den vitalsten Fragen, mit denen sich der Glaube heute konfrontiert sieht. Viele Christen haben den Eindruck, die Kirche, ihre Verkündigung und ihre Sakramente seien eine Art sakraler Sonderbereich neben der profanen Welt, ihr Wort und ihre Liturgie träfen nicht das „gelebte Leben" und die „wirkliche Wirklichkeit". Es ist nicht das geringste Verdienst Karl Rahners, unablässig nach einer Antwort auf diese bedrängende Situation gesucht zu haben, um so mehr als diese Antwort nicht kurzatmigen, modischen Anpassungen an die Situation entspringt, sondern aus der Grundidee seiner gesamten Theologie hervorgeht. Der zentrale Wesensbegriff und gewissermaßen die Kurzformel des Christlichen sind für Rahner die gnadenhafte Selbstmitteilung Gottes an den Menschen und an die Welt[1]. Dadurch ist alle Wirklichkeit schon immer auf Jesus Christus hin angelegt und auf das Heil hin finalisiert[2]. Die Kirche ist in dieser Konzeption das Realsymbol und das Ursakrament dieser Selbstmitteilung des dreifaltigen Gottes in Wahrheit und Liebe[3]. Ihre Sakramente sind nicht ein Sonderbereich, sondern zeichenhafte Erscheinung der Liturgie der Welt[4].

Das II. Vatikanische Konzil hat in dem Anliegen, eine Wesensbeschrei-

---

[1] Vgl. zusammenfassend *K. Rahner*, Grundkurs des Glaubens. Einführung in den Begriff des Christentums (Freiburg i. Br. – Basel – Wien 1976) 122–132.

[2] Vgl. ebd. 132–139.

[3] Vgl. *K. Rahner*, Das Grundwesen der Kirche, in: Handbuch der Pastoraltheologie I (Freiburg i. Br. – Basel – Wien 1964) bes. 132f; *ders.*, Kirche und Sakramente (Quaestiones disputatae 20) (Freiburg i. Br. – Basel – Wien 1960) 11–18; *ders.*, Das neue Bild von der Kirche, in: Schriften VIII 329–354.

[4] Vgl. *K. Rahner*, Überlegungen zum personalen Vollzug des sakramentalen Geschehens, in: Schriften X 413–415.

bung der Kirche nach innen und nach außen zu geben, wesentliche Elemente dieses Gedankens aufgegriffen und die Kirche zusammenfassend als das universale Sakrament des Heils definiert[5]. Diese wichtige Aussage ist jedoch nach dem Konzil weithin in Vergessenheit, ja in Mißkredit geraten. Manche sehen in ihr eine theologische Verbrämung, wenn nicht gar eine ideologische Selbstüberhöhung der konkreten Kirchenwirklichkeit. In der nachkonziliaren Phase sind u. a. aus diesem Grund andere konziliare Aussagen über die Kirche, allen voran der Begriff „Volk Gottes", in den Vordergrund getreten. Während die sakramentale Wesensbestimmung der Kirche weithin theologischer Fachjargon geblieben ist, ist der Begriff „Volk Gottes" fast zum Schlagwort geworden, der dann freilich mehr Mißverständnisse bewirkt als wirkliches Verstehen geweckt hat. Eine Besinnung auf *eine* solche komplementäre konziliare Aussage über die Kirche, die – wie gleich noch zu zeigen sein wird – alles andere als unkritisch ist, legt sich also nahe.

Für die Aktualität dieses Themas spricht außerdem ein ökumenischer Gesichtspunkt, auf den wir im folgenden freilich nicht weiter eingehen können, da er eine eigene Behandlung erfordern würde[6]. Gewöhnlich ist man der Meinung, die Amtsfrage sei der wichtigste noch verbliebene Kontroverspunkt, ja die Crux der ökumenischen Diskussion. Diese Einschätzung ist dann richtig, wenn man sieht, daß sich in der Amtsfrage ein tiefer liegendes Problem zuspitzt: das Verhältnis der sichtbaren Gestalt der Kirche zu ihrem verborgenen, nur im Glauben erfaßbaren Wesen. Zwar stimmen alle Kirchen darin überein, daß die Kirche eine komplexe Realität ist, zu der sowohl sichtbare Elemente wie eine verborgene und nur im Glauben erfaßbare Dimension gehören. Das Problem beginnt erst, wenn man nach dem genaueren Verhältnis der verborgenen, geistlichen Wirklichkeit der Kirche zur sichtbaren, institutionell verfaßten Kirche fragt. Die Frage ist dann: Inwiefern gehört die institutionelle Gestalt der Kirche zur wahren Kirche, also zum Wesen der Kirche? Die konziliare Antwort auf diese Frage ist – wie gleich zu zeigen sein wird – in der sakramentalen Wesensbestimmung der Kirche gegeben.

So ergeben sich zumindest drei aktuelle Problemkomplexe, die alle eine

---

[5] Lumen gentium (LG) 48; Gaudium et spes (GS) 45.
[6] Die Rede von der Kirche als Zeichen gehört seit der Vollversammlung des Ökumenischen Rates in Uppsala (1968) auch zum ökumenischen Sprachgebrauch. Vgl. Bericht aus Uppsala 68, hrsg. von N. Goodall (Genf 1968) 15: „Die Kirche wagt es, von sich selbst als dem Zeichen der zukünftigen Einheit der Menschheit zu sprechen." Wie freilich der Beitrag von *E. Käsemann*, Zur ekklesiologischen Verwendung der Stichworte „Sakrament" und „Zeichen", in: *ders.*, Kirchliche Konflikte I (Göttingen 1982) 46–61 zeigt, ist dieser Sprachgebrauch ökumenisch heftig umstritten.

Neuverhandlung der konziliaren Aussage von der Kirche als universalem Sakrament des Heils nahelegen: das Verhältnis der Kirche zur heutigen Welt, das Verhältnis der katholischen Kirche zu den anderen Kirchen und die Verhältnisse in der katholischen Kirche selbst. Fragen wir deshalb zuerst, was das Konzil mit dieser heute vielen schon wieder fremd gewordenen Aussage gemeint hat!

II. Die Aussagen des II. Vatikanischen Konzils

Das II. Vatikanische Konzil hat an vielen Stellen von der Kirche als Sakrament gesprochen. Von Bedeutung sind vor allem die Aussagen in der Kirchenkonstitution „Lumen gentium" 1, 9, 48 sowie in mehr beiläufiger Weise 59. Dazu kommen die Liturgiekonstitution „Sacrosanctum concilium" 5 und 26, die Pastoralkonstitution „Gaudium et spes" 42 und 45 und das Missionsdekret „Ad gentes" 1 und 5. Aufschlußreich für das Verständnis dieser Aussagen ist vor allem die Textgeschichte von „Lumen gentium", wo sich naturgemäß die wichtigsten konziliaren Aussagen zu unserem Thema finden[7].

Aus der Textgeschichte[8] ergibt sich, daß die Bestimmung der Kirche als Sakrament für das Konzil nicht von vornherein selbstverständlich war. Im Text der Vorbereitenden Kommission, der maßgebend von S. Tromp, dem Hauptverfasser der Enzyklika „Mystici corporis" (1943) Pius' XII., erarbeitet war, findet sich noch nichts von einer sakramentalen Sicht der Kirche. Im Gegenteil, dieser Entwurf verblieb völlig in den Bahnen der traditionellen

---

[7] Die wichtigste Literatur: *O. Semmelroth*, Die Kirche als sichtbare Gestalt der unsichtbaren Gnade, in: Scholastik 28 (1953) 23–39; *ders.*, Die Kirche als Ursakrament (Frankfurt a. M. 1953); *ders.*, Die Kirche als Sakrament des Heils, in: MySal IV/1 (Einsiedeln – Zürich – Köln 1972) 309–356; *P. Smulders*, A Preliminary Remark on Patristic Sacramental Doctrine, in: Bijdragen 15 (1954) 25–30; *ders.*, Die sakramental-kirchliche Struktur der christlichen Gnade, in: ebd. 18 (1957) 333–341; *ders.*, Die Kirche als Sakrament des Heils, in: G. Baraúna (Hrsg.), De Ecclesia I (Freiburg i. Br. 1966) 289–312; *E. Schillebeeckx*, Christus – Sakrament der Gottesbegegnung (Mainz 1960); *J. Witte*, Die Kirche als sacramentum unitatis für die ganze Welt, in: G. Baraúna, a.a.O. 420–452; *J. Alfaro*, Cristo sacramento de Diós Padre. La iglesia, sacramento di Cristo glorificado, in: Gregorianum 58 (1967) 5–28; *L. Boff*, Die Kirche als Sakrament im Horizont der Welterfahrung. Versuch einer Legitimation und einer strukturfunktionalistischen Grundlegung der Kirche im Anschluß an das II. Vatikanische Konzil (Paderborn 1972); *Y. Congar*, Un Peuple messianique. L'Église, sacrement du salut. Salut et libération (Paris 1975); *J. Ratzinger*, Kirche als Heilssakrament, in: *J. Reicherstorfer* (Hrsg.), Zeit des Geistes (Wien 1977) 59–70; *W. Beinert*, Die Sakramentalität der Kirche im theologischen Gespräch, in: Theologische Berichte IX (Einsiedeln – Zürich 1980) 13–63; *J. Auer*, Die Kirche – Das allgemeine Heilssakrament (Kleine kath. Dogmatik VIII) (Regensburg 1983) 84–96.
[8] Zum folgenden vgl. bes. *L. Boff*, a.a.O. 228–295; *J. Ratzinger*, a.a.O. 59ff.

Schultheologie. Bei den Diskussionen in der Konzilsaula im Dezember 1972 verfiel er wegen seines Triumphalismus, Klerikalismus und Juridismus einer vernichtenden Kritik. Verschiedene Bischöfe forderten statt dessen eine Sicht der Kirche als Mysterium-Sacramentum (Döpfner, Lercaro, Suenens, Volk, König, Montini u. a.). Mit der sakramentalen Sicht der Kirche wollte man also gerade keine ideologische Überhöhung der Kirche vornehmen, sondern im Gegenteil die Verkrustungen, Verengungen und Vereinseitigungen des Kirchenbegriffs der traditionellen Schultheologie überwinden. Diese kritische Grundintention muß man festhalten, wenn man Konzilsaussagen richtig verstehen will.

Wie kam das Konzil zu dieser Aussage? Nicht durch eine Negation der Tradition, sondern durch eine Besinnung auf den ganzen Reichtum der Tradition gegenüber deren neuscholastischen Verengungen[9]. Die Erneuerung der sakramentalen Sicht der Kirche bei den Kirchenvätern wurde bereits im 19. Jahrhundert durch die Romantik, besonders durch die Tübinger Schule, vorbereitet und durch M. J. Scheeben und J. H. Oswald eingeleitet. In unserem Jahrhundert wurde sie zunächst im französischen Sprachraum entwickelt, vor allem von H. de Lubac, der schon 1938 zusammenfassend formulierte: „Wenn Jesus Christus das Sakrament Gottes genannt werden konnte, so ist für uns die Kirche das Sakrament Christi."[10] Dieser Ansatz wurde vor allem im deutschen und niederländischen Sprachraum weiter entfaltet. Zu nennen sind neben O. Semmelroth vor allem K. Rahner, P. Smulders, E. Schillebeeckx u. a. In der vorkonziliaren Theologie Mitteleuropas hatte sich also die sakramentale Sicht in der Kirche weitgehend durchgesetzt. So ist es nicht überraschend, daß sich die Bestimmung der Kirche als Sakrament in verschiedenen Entwürfen findet, die nach der ersten Sitzungsperiode des Konzils entstanden sind. Am wichtigsten ist der von deutschen Theologen, darunter auch K. Rahner, erstellte und von den deutschen Bischöfen im Dezember 1962 gebilligte Entwurf[11]. Der belgische Theologe G. Philips nahm die sakramentale Bestimmung der Kirche dann in den neuen Kommissionsentwurf von 1963 auf; sie konnte sich von da an bis zur verabschiedeten Endfassung halten[12].

---

[9] Zur Geschichte vgl. *L. Boff*, a.a.O. 49–123 295–330; *Y. Congar*, a.a.O. 27–55; *M. Bernards*, Zur Lehre von der Kirche als Sakrament. Beobachtungen aus der Theologie des 19. und 20. Jahrhunderts, in: MThZ 20 (1969) 29–54; *J. Auer*, a.a.O. 85–92.

[10] *H. de Lubac*, Katholizismus als Gemeinschaft (Einsiedeln – Köln 1943) 68; vgl. *ders.*, Betrachtung über die Kirche (Graz – Wien – Köln 1954) 137.

[11] Vgl. *G. Alberigo – F. Magistretti*, Constitutionis Lumen gentium Synopsis historica (Bologna 1975) 381.

[12] Ebd. 3.

Zwischen dem deutschen Entwurf und dem neuen Kommissionsentwurf besteht jedoch ein bedeutender Unterschied. Im deutschen Entwurf heißt es: „Ecclesia Christi ab ipso convocata et legitime constituta est et sacramentum universale, visibile et definitivum huius salutiferae unitatis existit." In diesem Entwurf wird also vorausgesetzt, daß die Bestimmung der Kirche als Sakrament ohne weiteres verständlich ist. Der Kommissionsentwurf ist in diesem Punkt realistischer und differenzierter. Denn er schickt dem Begriff Sakrament eine Sacherklärung voraus: signum et instrumentum, und er fügt hinzu, die Kirche sei „veluti sacramentum", „gleichsam ein Sakrament". Damit wird gesagt, daß der Begriff Sakrament bei der Kirche nur in einem gegenüber der gewohnten Terminologie der Sakramentenlehre uneigentlichen Sinn zu gebrauchen ist.

Aus der Relatio vom Juli und der vom Oktober 1964 geht jedoch hervor, daß der Text auch mit diesen Erläuterungen noch nicht allen Vätern verständlich war. Während sechs Väter im Namen von 130 anderen für die Beibehaltung der sakramentalen Bestimmung der Kirche plädierten, widersetzten sich drei andere Väter mit der Begründung, diese Bestimmung gäbe Anlaß zur Verwechslung mit dem Sakramentsbegriff im eigentlichen Sinn. Die Theologische Kommission hielt jedoch erfolgreich an ihrer Formulierung fest mit der Begründung, die Aussage werde durch die Erklärung im Text erläutert[13]. Versuchen wir deshalb, die Aussagen des Konzils zunächst textimmanent zu interpretieren! Bei diesem Versuch ergibt sich das folgende Bild:

1. Die Bestimmung der Kirche als universales Sakrament des Heils ist eine Bestimmung unter anderen. Das Konzil kennt daneben eine Reihe anderer Aussagen. Wichtig ist vor allem der Begriff „Volk Gottes"; daneben stehen andere Begriffe bzw. Bilder für die Kirche: Schafstall, Herde, Pflanzung, Acker, Bauwerk, Tempel, Familie Gottes, Braut Christi und nicht zuletzt Leib Christi (LG 6f). Es wäre also völlig falsch, die nachkonziliare katholische Ekklesiologie ausschließlich auf den Begriff Sakrament festlegen zu wollen. Das Konzil beschreibt die Kirche vielmehr als ein Mysterium, das durch keinen einzigen Begriff ausgeschöpft werden kann. Es bedarf einer Vielzahl voneinander wechselseitig interpretierenden und auch korrigierenden komplementären Bildern und Begriffen, um sich dem Mysterium der Kirche anzunähern.

2. Die Bestimmung der Kirche als universales Sakrament des Heils steht in den Texten des II. Vatikanischen Konzils jeweils in einem streng christologischen Kontext. Das kommt bereits in c. 5 der Liturgiekonstitution zum

---

[13] Ebd. 436f.

Ausdruck. Danach ist Jesus Christus besonders durch sein Pascha-Mysterium der eine Mittler zwischen Gott und den Menschen. Aus der Seite des
am Kreuz entschlafenen Christus ist das wunderbare Sakrament der ganzen
Kirche hervorgegangen. Die Kirchenkonstitution führt diese Sicht aus. Sie
beginnt ja gleich im 1. Kapitel mit den Worten „Lumen gentium cum sit
Christus – Da Christus das Licht der Völker ist". Deshalb wird ausdrücklich gesagt: Die Kirche sei „in Christus" gleichsam das Sakrament, d. h.
Zeichen und Werkzeug, für die Vereinigung mit Gott wie für die Einheit der
ganzen Menschheit. Womöglich noch deutlicher ist „Lumen gentium" 9:
Jesus Christus ist der Urheber des Heils und der Ursprung der Einheit und
des Friedens, die Kirche dagegen das sichtbare Sakrament dieser Einheit.
Schließlich sagt c. 48 von Christus, dem Auferstandenen und Erhöhten, er
habe durch seinen Geist die Kirche zum umfassenden Heilssakrament gemacht und er wirke durch den Geist in der Kirche weiter.

In diesen Texten wird die Kirche also keineswegs als eine autonom in sich
stehende Größe gesehen. Im Gegenteil, sie hat – um ein Bild der Kirchenväter aufzugreifen –, so wie der Mond kein anderes Licht als das von der Son-
ne hat, kein anderes Licht als das, das von Jesus Christus her in die Welt
leuchtet[14]. Deshalb dürfte es auch kein Zufall sein, daß das Konzil die mißverständliche Redeweise von der Kirche als Ursakrament nicht aufgegriffen
hat. Ursakrament im Sinn der patristischen und der scholastischen Tradition
wie im Sinn des Konzils ist allein Jesus Christus; die Kirche ist Sakrament
nur „in Christus", und das heißt, sie ist ein Zeichen und ein Werkzeug, die
beide dadurch definiert sind, daß sie über sich selbst hinausweisen. Die Kirche ist Zeichen, das über sich selbst hinaus auf Jesus Christus verweist, und
sie ist Werkzeug in der Hand Jesu Christi, der das eigentliche Subjekt alles
Heilshandelns in der Kirche ist.

Mit der Bestimmung der Kirche als Sakrament „in Christus" soll also die
Vor- und Überordnung Jesu Christi gegenüber der Kirche nicht geleugnet,
sondern im Gegenteil mit Nachdruck zur Geltung gebracht werden. Mit ihr
soll deshalb auch nicht der neuromantischen Vorstellung von der Kirche als
Fortsetzung der Inkarnation Vorschub geleistet werden. Im Gegenteil, diese
Vorstellung ist durch das Konzil bewußt korrigiert worden. Das Konzil
sieht nämlich die Kirche lediglich „in einer nicht unbedeutenden Analogie"
zum Geheimnis der Menschwerdung Gottes. Analogie besagt aber bei aller

---

[14] Vgl. *H. Rahner*, Symbole der Kirche. Die Ekklesiologie der Väter (Salzburg 1964) bes. 91ff.
Die im Begriff „Sakrament" zum Ausdruck kommende Selbstüberschreitung der Kirche auf
Christus und die Welt hin betont vor allem *H. U. v. Balthasar*, Theodramatik II/2 (Einsiedeln
1978) 394ff.

Ähnlichkeit zugleich bleibende Unterschiedenheit. Sie ist darin gegeben, daß in ähnlicher (also nicht: gleicher!) Weise, wie der Logos durch die von ihm angenommene menschliche Natur wirkt, so der Geist Christi durch das sichtbare Gefüge der Kirche (LG 8).

3. Die Bestimmung der Kirche als universales Sakrament des Heils steht jeweils in einem eschatologischen Kontext. Nach dem Konzil leuchtet das Reich Gottes auf im Wort, im Werk und in der Gegenwart Christi. Die Kirche stellt „Keim und Anfang dieses Reiches auf Erden dar" (LG 5), ja sie ist „das im Mysterium schon gegenwärtige Reich Christi" (LG 3). So ist sie ein messianisches Volk; sie ist, obwohl sie oft als kleine Herde erscheint, „für das ganze Menschengeschlecht die unzerstörbare Keimzelle der Einheit, der Hoffnung und des Heils" (LG 9). Die Kirche steht im Zeichen des schon erschienenen und doch noch nicht vollendeten Heils. Die Einheit, der Friede und die Versöhnung mit Gott und der Menschen untereinander, die Jesus Christus durch seine Erlösungstat ein für allemal gebracht hat und die am Ende der Zeiten universal offenbar sein werden, sind in der Kirche in vorläufiger und antizipatorischer Weise schon präsent, und sie sollen durch die Kirche als Zeichen und Werkzeug allen Menschen zuteil werden. Das geschieht durch den Dienst am Wort Gottes (Offenbarungskonstitution), durch die sakramentale Heilsvermittlung (Liturgiekonstitution), durch die Mission (Missionsdekret) wie durch die gesellschaftliche Diakonie (Pastoralkonstitution). Wiederum ist die Kirche als zeichenhaft-sakramentale Antizipation des eschatologischen Heils keine für sich bestehende Größe; sie weist vielmehr von sich weg und über sich hinaus auf das Heil der Menschen und auf das Heil der Welt. So muß sich die Kirche gerade als Sakrament des Heils ständig überschreiten im Dialog, in der Kommunikation und in der Kooperation mit allen Menschen guten Willens. Dieser Aspekt kommt in besonders eindrucksvoller Weise in der Pastoralkonstitution zum Ausdruck (GS 42 43 45).

Vor allem aufgrund dieses eschatologischen Kontextes der sakramentalen Wesensbestimmung der Kirche ist jeder ekklesiologische Triumphalismus ausgeschlossen. Das Konzil spricht ausdrücklich von der Knechtsgestalt der Kirche, und zwar unter drei Aspekten: 1. Die Kirche ist Kirche der Armen. 2. Sie ist Kirche der Sünder. „Sie ist zugleich heilig und stets der Reinigung bedürftig, sie geht immerfort den Weg der Buße und der Erneuerung." 3. Sie ist verfolgte Kirche. In dieser dreifachen Knechtsgestalt ist die Kirche Zeichen Jesu Christi, der sich selbst entäußert und Knechtsgestalt angenommen hat (vgl. Phil 2,6–11). Die Rede von der Kirche als Sakrament will also das Skandalum der konkreten Kirche nicht in Abrede stellen; im Gegenteil, sie will es zur Geltung bringen (vgl. auch GS 43).

4. Nachdem wir uns mit dem Kontext der Aussage von der Kirche als sakramentaler Wirklichkeit befaßt haben, müssen wir fragen, was diese Aussage nach dem II. Vatikanischen Konzil in sich bedeutet. Durch die Aussage, die Kirche sei in Christus gleichsam Sakrament, kommt – wie bereits gesagt – zum Ausdruck, daß auf die Kirche nicht der klassische Sakramentsbegriff der katholischen Theologie, wie er sich seit dem 12. Jahrhundert herausgebildet hat, angewendet werden soll. Die Kirche ist also kein achtes Sakrament neben den sieben Einzelsakramenten. Sie ist vielmehr, verglichen mit dem Sakramentsbegriff seit dem 12. Jahrhundert, nur in einem uneigentlichen Sinn Sakrament. Mit dieser nur analogen Verwendung des Sakramentsbegriffs greift das Konzil auf den älteren Sakramentsbegriff der patristischen Theologie zurück. Dort war der lateinische Begriff sacramentum bekanntlich die Übersetzung für den biblischen Begriff mysterion. Die Relatio zur Kirchenkonstitution stellt diesen Zusammenhang ausdrücklich her und sagt, Mysterium sei nicht etwas Unerkennbares oder Abstruses, sondern im Sinn der Schrift die transzendente und heilbringende göttliche Wirklichkeit, die sich auf sichtbare Weise offenbart[15]. Ausgehend von diesem Verständnis von Mysterium, gilt von der Kirche, daß ihre innere Natur verborgen ist; sie offenbart sich jedoch, wenngleich nicht ohne Schatten, in der konkreten sichtbaren ecclesia catholica.

Mit dem Begriff Sakrament soll also die mehrdimensionale Struktur der Kirche zum Ausdruck gebracht und gesagt werden, daß die Kirche eine komplexe Wirklichkeit ist, zu der Sichtbares und Verborgenes, Menschliches und Göttliches gehört; in der sichtbaren Kirche west ein nur im Glauben faßbares Geheimnis an (vgl. LG 8). Mit Hilfe des Begriffs Sakrament soll also sowohl einer spiritualistischen Sicht der Kirche wie einer naturalistischen und rein soziologischen Sicht gewehrt werden. Auch das Sichtbare an der Kirche ist der Kirche wesentlich, auch es gehört zur wahren Kirche. Wesentlich ist das Sichtbare freilich nur als Zeichen und Werkzeug für die eigentliche, nur im Glauben erfaßbare Wirklichkeit der Kirche. Die sakramentale Struktur der Kirche bedeutet demnach, daß das Sichtbare an der Kirche das vergegenwärtigende und wirksame Zeichen, d. i. das Realsymbol des in Jesus Christus erschienenen eschatologischen Heils Gottes für die Welt ist.

Zusammenfassend läßt sich also sagen: So wie der Begriff Sakrament auf dem II. Vatikanischen Konzil für die Kirche gebraucht wird, ist er ein begriffliches Mittel neben anderen, um den ekklesiologischen Triumphalismus, Klerikalismus und Juridismus zu überwinden und das in der sichtbaren

---

[15] *G. Alberigo – F. Magistretti*, a.a.O. 436f.

Gestalt verborgene und nur im Glauben faßbare Geheimnis der Kirche herauszustellen, um auszudrücken und auszudeuten, daß die Kirche einerseits ganz von Christus herkommt und bleibend auf ihn bezogen ist, daß sie andererseits als Zeichen und als Werkzeug aber auch ganz für den Dienst an den Menschen und an der Welt da ist. Der Begriff eignet sich vor allem für eine differenzierende Zuordnung und Unterscheidung der sichtbaren Struktur und des geistlichen Wesens der Kirche. Damit sind freilich noch viele Probleme offen. Wir suchen sie weiter zu klären, indem wir die bisher geübte textimmanente Interpretation verlassen, um in einer mehr systematischen Sicht der Bedeutung des Wortes von der Kirche als universalem Sakrament des Heils näher zu kommen.

III. Systematische Grundlegung

Die folgenden systematischen Überlegungen nehmen es bewußt in Kauf, fragmentarisch zu bleiben. Sie beschränken sich auf drei thesenhafte Andeutungen:

1. *Jesus Christus ist das Ursakrament.* Mit der Bestimmung der Kirche als Sakrament greifen das II. Vatikanische Konzil und die neuere katholische Theologie nicht auf den klassischen Sakramentsbegriff, wie er sich seit dem 12. Jahrhundert herausgebildet hat[16], zurück, sondern vielmehr auf die biblische Grundbedeutung von mysterion, das bekanntlich schon in den altlateinischen Bibelübersetzungen mit sacramentum übersetzt worden ist[17]. Die ursprüngliche Bedeutung von mysterion war jedoch nicht unmittelbar sakramentaler Art. Der biblische Befund ist in dieser Hinsicht vielmehr für jede Sakramententheologie zunächst überaus ernüchternd. Denn dort, wo in der Schrift von mysterion die Rede ist, wird nicht von Sakramenten gesprochen; wo aber einzelne Sakramente, vor allem Taufe und Eucharistie, genannt werden, da kommt der Begriff mysterion nicht vor[18]. Der Begriff mysterion ist aber auch nicht primär ekklesiologisch, sondern in allererster Hinsicht christologisch gemeint. Deshalb sollte man die Bezeichnung Ursakrament nicht auf die Kirche anwenden, sondern allein Jesus Christus vorbehalten[19].

---

[16] *J. Finkenzeller,* Die Lehre von den Sakramenten im allgemeinen, in: HDG IV/1a 123ff.
[17] Ebd. 24ff.
[18] So vor allem *E. Jüngel,* Das Sakrament – Was ist das?, in: *E. Jüngel – K. Rahner,* Was ist ein Sakrament? Vorstöße zur Verständigung (Freiburg i. Br. – Basel – Wien 1971) 50ff.
[19] *Augustinus,* Ep. 187, 34: „Non est enim aliud Dei mysterium nisi Christus" (PL 33, 846). Zur Sache vgl. *W. Geertings,* Christus exemplum. Studien zur Christologie und Christusver-

Diese These läßt sich mit einem Blick auf den neutestamentlichen Befund relativ leicht erhärten[20]. In der synoptischen Tradition findet sich mysterion vor allem im Parabelkapitel Mk 4,11f par: „Euch ist das Geheimnis des Reiches Gottes anvertraut; denen aber, die draußen sind, wird alles in Gleichnissen gesagt." Die Frage, was das Geheimnis des Gottesreiches ist, beantwortet dieses Logion nicht. Die Antwort auf diese Frage ergibt sich, wenn man beachtet, daß der biblische Begriff mysterion durch den apokalyptischen Sprachgebrauch geprägt ist und den vor Menschenaugen verborgenen, nur durch Offenbarung enthüllten Ratschluß Gottes bezeichnet, der am Ende der Zeit Ereignis werden soll. In diesem Kontext bedeutet das Logion, daß die Gleichnisse vom Gottesreich den Hörern Jesu zwar ein allgemeines Verständnis vom Wesen des Gottesreiches enthüllen, daß aber nur dem engeren Jüngerkreis Jesu die Augen geöffnet sind für den Anbruch der messianischen Zeit (vgl. Mt 13,16f). Allein sie vermögen im Glauben zu erkennen, daß das Reich Gottes im Wort und in der Tat Jesu hereinbricht. Das Geheimnis des Reiches Gottes, das den Jüngern offenbart ist, ist also Jesus selbst als der Messias. Auf die gleiche Spur führt uns ein Blick auf den paulinischen und vor allem deuteropaulinischen Sprachgebrauch. Christus als den Gekreuzigten verkünden (1 Kor 1,23) heißt für Paulus das Zeugnis (nach einer anderen Lesart: das Geheimnis) Gottes verkünden (1 Kor 2,1). Das wiederum bedeutet „das Geheimnis der verborgenen Weisheit Gottes, die Gott vor allen Zeiten vorausbestimmt hat zu unserer Verherrlichung" (2,7), bezeugen. Das Geheimnis ist also Gottes ewiger Heilsratschluß (Eph 1,9; 3,9; Kol 1,26; Röm 16,25), den Gott in der Fülle der Zeit in Jesus Christus verwirklicht hat, um „alles zu vereinen, alles, was im Himmel und auf Erden ist" (Eph 1,10; Röm 16,25f). Der Kolosserbrief kann deshalb direkt sagen, das Geheimnis sei Christus (2,2), es sei „Christus unter euch" (1,27), ja er kann das Geheimnis mit dem Geheimnis Christi gleichsetzen (4,3). Der 1. Timotheusbrief faßt das „Geheimnis unseres Glaubens" im gleichen Sinn zusammen: „Er wurde offenbart im Fleisch, gerechtfertigt durch den Geist, geschaut von den Engeln, verkündet unter den Heiden, geglaubt in der Welt, aufgenommen in die Herrlichkeit" (1 Tim 3,16).

Es ist nicht zuletzt das Verdienst Karl Rahners, diesen ursprünglichen Geheimnisbegriff systematisch wieder zur Geltung gebracht und damit den in-

kündigung Augustins (Tübinger Theol. Stud. 13) (Mainz 1978) bes. 220ff. Für *Leo d. Gr.* ist das Kreuz Christi das sacramentum et exemplum (Sermo 72, 1; PL 54, 390). Für ihn gilt freilich auch: „quod Redemptoris conspicuum fuit in sacramenta transivit" (Sermo 74, 2; PL 54, 398).
[20] Vgl. vor allem *G. Bornkamm*, Art. μυστήριον, in: ThWNT; *Y. Congar*, a.a.O. 27ff; *J. Finkenzeller*, a.a.O. 8ff.

tellektualistisch verengten neuscholastischen Geheimnisbegriff durchbrochen zu haben[21]. Für Rahner ist Gott in seiner ewigen trinitarischen wie in seiner geschichtlichen Selbstmitteilung in Jesus Christus und im Heiligen Geist die letzte und eigentliche Antwort auf das Geheimnis des Menschen. Im Begriff des Geheimnisses sind also Theologie und Anthropologie durch die Vermittlung der Christologie miteinander verbunden. Auch diese Aussage hat Eingang gefunden in die Lehre des II. Vatikanischen Konzils. Nach der Pastoralkonstitution ist Jesus Christus nicht nur die eschatologisch-endgültige Offenbarung Gottes, sondern auch des Menschen. Jesus Christus, „das" Bild Gottes (2 Kor 4,4; Kol 1,15; Hebr 1,3), bringt in überbietender Weise die Gottebenbildlichkeit aller Menschen (Gen 1,27) zur Erfüllung. So leuchtet „im Geheimnis des Fleisch gewordenen Wortes das Geheimnis des Menschen wahrhaft auf"; Jesus Christus als der neue Adam „macht eben in der Offenbarung des Geheimnisses des Vaters und seiner Liebe dem Menschen den Menschen selbst voll kund und erschließt ihm seine höchste Berufung" (GS 22). Als das Ursakrament Gottes ist Jesus Christus zugleich das Ursakrament des Menschen und der Menschheit. Auf die weitreichenden Konsequenzen dieser These wird abschließend nochmals zurückzukommen sein.

2. *Die Kirche als universales Heilssakrament Jesu Christi.* Diese Bestimmung der Kirche dürfte nach dem bisher Gesagten angemessener sein als die mißverständliche Bezeichnung der Kirche als Ur- oder Grundsakrament, eine Bestimmung, die Jesus Christus vorbehalten bleiben sollte. Das schließt nicht aus, daß das durch Jesus Christus in der Geschichte Wirklichkeit gewordene Heilsgeheimnis Gottes nach Eph 3,10 durch die Kirche in der Welt kundgemacht wird. Der Begriff mysterion begegnet darum sehr oft in Verbindung mit Ausdrücken der Offenbarung und der Verkündigung (Röm 16,25; 1 Kor 2,7; Eph 3,8f; 6,19; Kol 2,2; 4,3). Zur Verkündigung des Heilsmysteriums Gottes in Jesus Christus gehört nach dem Neuen Testament auch das apostolische Amt (Eph 3,2; Kol 1,25), das sich als Diener und Verwalter von Gottes Geheimnissen versteht (1 Kor 4,1). Auch das vielzitierte, in seiner Interpretation freilich umstrittene Wort vom „Geheimnis, das sich auf Christus und die Kirche bezieht" (Eph 5,32), deutet auf den Zusammenhang zwischen dem Ursakrament Jesus Christus und der Kirche.

Wiederum hat Karl Rahner den inneren Sachzusammenhang zwischen der Verwirklichung des Heilsgeheimnisses Gottes in Jesus Christus und der Kir-

---

[21] Vgl. *K. Rahner*, Über den Begriff des Geheimnisses in der katholischen Theologie, in: Schriften IV 51–99.

che herausgestellt. Das Heilsgeheimnis Gottes in Jesus Christus ist ja erst dann wirklich in der Welt angekommen, wenn es im Glauben angenommen und öffentlich bezeugt wird. So ist die Kirche, die Gemeinschaft der Glaubenden, ein wesentliches Moment in der Verwirklichung des göttlichen Heilswillens. Sie ist „die Angekommenheit der Selbstmitteilung Gottes"[22]. Als solche ist sie zugleich Heilsfrucht und Heilsmittel. Sie ist nämlich sowohl vergegenwärtigendes Zeichen des Heils Gottes in Jesus Christus wie sakramentales Mittel, um dieses eschatologische Heil allen Menschen weiterzugeben.

Die Anwendung des Sakramentsbegriffs auf die Kirche leistet vor allem eine Verhältnisbestimmung von Sichtbarem und Unsichtbarem in der Kirche jenseits von Spiritualismus und Naturalismus bzw. Soziologismus. Wenn die Kirche erfülltes Zeichen des eschatologischen Heils ist, dann bedeutet dies zugleich Einheit wie Unterschiedenheit der sichtbaren Gestalt (Institution) und des Gehalts ihres Zeugnisses. Zur Einheit von Zeichen und Bezeichnetem gehört, daß die konkrete Kirche im Unterschied zur Synagoge nicht grundsätzlich aus der Wahrheit und der Liebe Gottes herausfallen kann; wäre dies möglich, dann hätte nicht die Wahrheit Gottes, sondern die Lüge und das Böse den endgültigen Sieg davongetragen. Hier liegt der Ansatz für eine sachgemäße Diskussion der Indefektibilität und der Infallibilität der Kirche, aber auch der Lehre vom opus operatum, welches besagt, daß die Sakramente der Kirche kraft ihres objektiven Vollzugs das Heil vermitteln[23]. Trotz dieses wesensmäßigen Zusammenhangs ist die sichtbare Kirche jedoch nicht einfach identisch mit der von ihr bezeugten Sache. Im Extremfall können das äußere Zeichen und die innere Heilswirklichkeit auch auseinanderfallen[24]. Einerseits kann das äußere Zeichen zum zwar gültigen, aber leeren und unfruchtbaren Zeichen werden; umgekehrt kann die Heilswirklichkeit auch ohne äußeres kirchliches Zeichen vermittelt werden.

Die Möglichkeit dieses Auseinanderfallens ist in der scholastischen Sakramententheologie ausführlich diskutiert worden. Dies gilt dort freilich als Grenzfall, und keine Ekklesiologie kann den Grenzfall zum Normalfall, sozusagen zum Paradigma des Kirchenverständnisses machen. Deshalb ist zwischen dem ordentlichen und dem außerordentlichen Heilsweg zu unterscheiden[25]. Gemäß der von Gott gewollten Ordnung des Heils, was nicht un-

---

[22] *K. Rahner,* Das Grundwesen der Kirche, in: a.a.O. 129.
[23] *K. Rahner,* a.a.O. 137 ff.
[24] Ebd. 122 133 f.
[25] Anders *H. R. Schlette,* Die Religionen als Thema der Theologie (Quaestiones disputatae 22) (Freiburg i. Br. – Basel – Wien 1963) 85 f.

bedingt heißt: in der Mehrzahl der Fälle, wird das eschatologische Heil Gottes durch die sakramentalen Zeichen der Kirche vermittelt. Das hat Konsequenzen für das rechte Verständnis der vielleicht bekanntesten und zugleich umstrittensten Theorie K. Rahners von den anonymen Christen[26]. Diese Theorie kann theologisch nur vom Verständnis der Kirche als des universalen Sakraments des Heils her verstanden werden, d. h., man darf nicht umgekehrt von dieser Theorie her den Kirchenbegriff interpretieren und dann praktisch die konkrete Heilsordnung reduktionistisch relativieren[27]. Die Theorie von den anonymen Christen bzw. das, was der Sache nach mit diesem mißverständlichen Begriff gesagt wird, ist die außerordentliche Weise, in der die Kirche das universale Sakrament des Heils ist, das Gott in Jesus Christus für alle Menschen will (vgl. LG 16). An dieser Stelle deuten sich wiederum Konsequenzen an für das Verhältnis von Kirche und Welt, auf die wir abschließend nochmals zurückkommen müssen.

3. *Die einzelnen Sakramente als Ausfaltung der sakramentalen Struktur der Kirche.* Die Vergegenwärtigung des Mysteriums Gottes in Jesus Christus geschieht in der Kirche nach dem Zeugnis der Schrift, wie wir gesehen haben, primär durch das Wort. Die Schwierigkeit, daß die Schrift nie einzelne sakramentale Handlungen als mysterion bzw. sacramentum bezeichnet, kann jedoch durch den Hinweis aufgelöst werden, daß die Schrift zumindest eine sakramentale Handlung, die Feier des Herrenmahls, als sichtbares Wort bezeichnet. Paulus sagt 1 Kor 11,26: „Denn sooft ihr von diesem Brot eßt und aus dem Kelch trinkt, verkündet ihr den Tod des Herrn, bis er kommt." Der sakramentale Vollzug ist also eine Gestalt der Verkündigung. In diesem Sinn hat vor allem Augustinus die Sakramente als verbum visibile verstehen gelehrt[28], während Thomas von Aquin von Zeichen des Glaubens spricht[29]. Wenn die Sakramente also verleiblichtes Wort und Zeichen des Glaubens

---

[26] Es ist selbstverständlich nicht möglich, in diesem Zusammenhang das Problem der anonymen Christen bei K. Rahner zu entfalten. Diesem Thema war der als Festschrift zum 75. Geburtstag geplante Band gewidmet: Christentum innerhalb und außerhalb der Kirche, hrsg. v. E. Klinger (Quaestiones disputatae 73) (Freiburg i. Br. – Basel – Wien 1976).

[27] *K. Rahner,* Die anonymen Christen, in: Schriften VI 552: Die Lehre vom „anonymen Christentum" „ist nicht ein hermeneutisches Prinzip, um das ganze Corpus der herkömmlichen Theologie und Dogmatik kritisch zu reduzieren . . .; dogmatisch gesehen, ist diese Lehre sogar vielleicht ein Grenzphänomen, dessen Notwendigkeit, Erlaubtheit und Stimmigkeit sich aus vielen anderen Einzeldaten kirchlicher Lehre ergeben".

[28] *Augustinus,* In Joan. tr. 80,3 (CC 36,529).

[29] *Thomas von Aquin,* STh III q. 62 a. 1 c. a.: „Sunt autem sacramenta quaedam signa protestantia fidem, qua homo iustificatur." Weitere Stellen und einschlägige Literatur bei *Y. Congar,* a.a.O. 51 Anm. 9.

sind, dann läßt sich begründen, daß sakramentale Vollzüge ein integrierender Bestandteil der Vergegenwärtigung des Heilsmysteriums Gottes in Jesus Christus sind[30].

Diese ganzheitliche Sicht hat sich in der orthodoxen Kirche trotz teilweiser Rezeption der westlichen scholastischen Entwicklung mehr oder weniger bis heute durchgehalten[31]. In der westlichen Kirche des 2. Jahrtausends dagegen setzte sich immer mehr ein analytisches und dialektisches Denken durch. Man fragte nicht mehr primär nach der sakramentalen Heilswirklichkeit, sondern nach der Struktur der sakramentalen Zeichen, nach ihrer Wirkweise, ihrer Wirkung und ihrer Gültigkeit[32]. Auf diese Weise kam man immer mehr dazu, einen Allgemeinbegriff von Sakrament zu entwickeln und damit die Sakramente von den übrigen Vollzügen der Kirche zu unterscheiden[33]. Die Folge dieser an sich berechtigten Unterscheidung zwischen der sakramentalen und der nichtsakramentalen Wirklichkeit war freilich eine gewisse Isolierung der Sakramente von ihrem liturgischen und ekklesialen Zusammenhang und erst recht vom alltäglichen Leben. An dieser Stelle erweist die Bestimmung der Kirche als universales Sakrament des Heils nochmals ihre Leistungskraft. Sie ordnet die sieben Sakramente wieder deutlicher in das Ganze des kirchlichen Lebens ein und läßt die sieben Sakramente in ihrem wechselseitigen Zusammenhang als strukturierte Ganzheit verstehen[34].

Karl Rahner hat diese ganzheitliche Sicht fruchtbar gemacht für das dornige Problem der Einsetzung der Sakramente durch Jesus Christus. Die Schwierigkeiten, eine solche Einsetzung bei jedem Sakrament nachzuweisen, traten bereits bei den Auseinandersetzungen mit den Reformatoren zutage, und sie steigerten sich nochmals angesichts der modernen historisch-kritischen Bibelexegese. Karl Rahner sah nun in der sakramentalen Konzeption der Kirche eine Möglichkeit, die gequälte Apologetik, in welche sich die Theologie damit verstrickte, hinter sich zu lassen. Seine These ist, es genüge, nachzuweisen, daß Jesus Christus die Kirche als geschichtliches sakramenta-

---

[30] Diesen Aspekt hat vor allem O. Casel mit seiner Mysterientheologie wieder deutlich ins Bewußtsein gehoben. Vgl. dazu *A. Schilson*, Theologie als Sakramententheologie. Die Mysterientheologie Odo Casels (Tübinger Theol. Stud. 18) (Mainz 1982).

[31] Vgl. *R. Holz*, Sakramente – im Wechselspiel zwischen Ost und West (Ökumenische Theologie 2) (Zürich – Köln – Gütersloh 1979).

[32] Vgl. *Y. Congar*, Die Lehre von der Kirche. Von Augustinus bis zum abendländischen Schisma, in: HDG III/3c 106 110f.

[33] Vgl. *J. Finkenzeller*, a.a.O. 119ff.

[34] Das kommt u. a. in der Neuaufnahme der scholastischen Unterscheidung zwischen sacramenta maiora und sacramenta minora zum Ausdruck. Vgl. dazu *Y. Congar*, Die Idee der Sacramenta maiora, in: Concilium 4 (1968) 9-15.

les Zeichen des eschatologischen Heils gewollt hat; Sakramente sind dann immer dort gegeben, wo sich die Kirche in endgültiger und letztgültiger Weise engagiert[35]. Selbstverständlich ist Rahner nicht der Meinung, mit Hilfe dieses Prinzips die sieben Sakramente apriorisch aus dem Wesen der Kirche deduzieren zu können. Es geht ihm eher um ein nachträgliches, also ein aposteriorisches Verständlichmachen der dogmen- und theologiegeschichtlichen Entwicklung. Dennoch kann man fragen, ob er damit hinreichend Ernst macht, daß eben gerade die sakramental verstandene Kirche sich niemals autonom und autark aus sich selbst begreifen und aus sich selbst vollziehen kann. Bei aller argumentativen Erleichterung, die Rahners Theorie einer historisch-kritisch bedrängten Dogmatik verspricht, wird man aufgrund der Tatsache, daß allein Jesus Christus das Ursakrament, die Kirche aber nur „in Christus" Sakrament ist, deshalb nicht ganz auf den mühsamen Weg einer bibeltheologischen und traditionsgeschichtlichen Rückführung der Sakramente – nicht unbedingt auf den irdischen Jesus, wohl aber auf das Ganze des Heilswerks Jesu Christi, das sowohl den irdischen wie den österlich verklärten Herrn umfaßt – verzichten können. Das mehr spekulative Argumentationsverfahren Rahners behält dabei seine Bedeutung als nachträgliche theologische Reflexion, welche die historische Entwicklung vom inneren Wesen der Sache her verständlich macht und zugleich den Zusammenhang mit der gesamten Heilsökonomie herausstellt. So läßt sich das Begründetsein der einzelnen Sakramente im Ursakrament Jesus Christus am besten auf dem Weg einer sowohl historisch wie spekulativ verfahrenden Konvergenzargumentation aufweisen[36].

Wichtiger ist freilich ein anderer Gesichtspunkt. Die explizite Herausbildung der Siebenzahl der Sakramente muß u. a. auch im Zusammenhang des Investiturstreits gesehen werden. Mit der Feststellung, daß die Königsweihe nicht der Bischofsweihe gleichzustellen ist, kommt es zu einer Entsakralisierung des König- und Kaisertums, allgemeiner formuliert: zu einer Überwindung des sakralen Weltverständnisses des frühen Mittelalters und zur Unterscheidung zwischen Kirche und Welt[37]. Die Herausbildung der Siebenzahl der Sakramente steht damit im Zusammenhang des Aufkommens eines weltlichen Verständnisses der Welt, wobei sich die Autonomie der Kirche, um die der Streit damals vor allem ging, und die Autonomie der Welt gegenseitig bedingten. So positiv diese geschichtliche Entwicklung insgesamt zu

---

[35] Vgl. *K. Rahner*, Kirche und Sakramente 37–67.
[36] Vgl. zur Diskussion um diesen Punkt *Y. Congar*, Un peuple messianique 67–69.
[37] Vgl. *F. Schupp*, Glaube – Kultur – Symbol. Versuch einer kritischen Theorie sakramentaler Praxis (Düsseldorf 1974) 123–131.

beurteilen ist, so führte sie faktisch doch auch dazu, daß sich Kirche und Welt zunehmend entfremdeten und die Kirche zu einer sakramentalen Sonderwelt wurde. Die Bestimmung der Kirche als universales Sakrament des Heils der Welt könnte jenseits der unitarischen frühmittelalterlichen und der dualistischen modernen Verhältnisbestimmung von Kirche und Welt eine neue, differenzierte, die Autonomie der Welt wie die Autonomie der Kirche wahrende Sicht der Einheit beider Bereiche andeuten. Damit stehen wir zum dritten Mal vor demselben Grundproblem, welches durch das Konzil angedeutet, aber nicht abschließend beantwortet wurde. Dieser Frage müssen wir uns nun abschließend noch zuwenden.

IV. Weiterführende Perspektiven

An dieser Stelle, an der es das Konzil bei Andeutungen beläßt, hat Karl Rahner mutig weitergedacht. Er sieht die existentiellen Schwierigkeiten, die der durchschnittliche Christ, der in einer profanen Welt lebt, mit den Sakramenten und damit auch mit einer sakramentalen Wesensbestimmung der Kirche empfindet. Die Welt der Sakramente scheint ihm eine sakrale Sonderwelt neben der profanen Wirklichkeit zu sein. Um diesem Unbehagen zu begegnen, versuchte Karl Rahner nach dem Konzil eine kopernikanische Wende in der Sakramentenauffassung[38]. Er will nicht mehr primär von der geistigen und geistlichen Wirklichkeit des sakramentalen Geschehens auf dessen „weltliche" Wirkung hin denken, sondern eine geistliche Bewegung vollziehen, die von der Welt zum Sakrament führt. In dieser Sicht sind die Sakramente und damit letztlich auch die Kirche nicht mehr länger punktförmige Eingriffe Gottes in die Welt von außen; die Welt ist vielmehr zuinnerst von ihrer Wurzel, von der innersten, personalen Mitte der geistigen Subjekte her immer und dauernd von der Gnade erfaßt, von der Selbstmitteilung Gottes getragen und bewegt. Diese innerste Dynamik des normalen, „profanen" Lebens des Menschen immer und überall hat in Jesus Christus ihre deutlichste Erscheinung gefunden. Von da aus sind die Sakramente die Erscheinung der Heiligkeit und der Erlöstheit der Profanität des Menschen und der Welt. Sie sind zeichenhafte Erscheinung der Liturgie der Welt. In ihnen geschieht nicht etwas, was sonst in der Welt in keiner Weise ist, sondern es wird in ihnen zur reflexen Erscheinung gebracht und in kultischem Begehen gefeiert, was als Heilstat Gottes in der Welt und in der Freiheit der Menschheit geschieht.

---

[38] Vgl. *K. Rahner,* Überlegungen zum personalen Vollzug des sakramentalen Geschehens 405.

Der nächstliegende Einwand, den man einer solchen Konzeption leicht entgegenhalten kann, lautet, die Sakramente seien nicht nur Zeichen einer Wirklichkeit, die auch ohne sie besteht, sie seien vielmehr wirksame Zeichen, die das, was sie bezeichnen, erst bewirken. Doch diese im Rahmen einer katholischen Sakramentenlehre im Grunde selbstverständliche These wird von Karl Rahner nicht geleugnet, sondern vielmehr nachdrücklich zur Geltung gebracht. Denn – so macht er geltend – die zeichenhafte, leibhaftige Verlautbarung dessen, was in der Grundhaltung eines Menschen schon gegeben ist, hat selbst wieder eine Rückwirkung auf diese Grundhaltung; ja die Grundhaltung ist gar nicht wirklich, wenn sie sich nicht leibhaftig ausdrückt. So kommt in den Sakramenten nicht nur nachträglich zur Erscheinung, was die Welt im tiefsten zusammenhält; die Sakramente sind vielmehr Realsymbole, in denen das Bezeichnete sich ereignet und seine eigene Geschichte vollzieht. Als Sakrament der Welt ist die Kirche zugleich das Ereignis des Heils für die Welt[39].

Die Problematik der kopernikanischen Wende der Rahnerschen Sakramentenlehre, die hier stellvertretend für seine gesamte Theologie steht, liegt tiefer. Sie liegt in der These, das Verhältnis zwischen Welt und Kirche sei nicht das Verhältnis zwischen gottlos und heilig, zwischen Sintflut und Arche, sondern wie zwischen verborgen Gegebenem, das seine volle geschichtliche Selbstaussage noch sucht, einerseits und dessen voller geschichtlicher Greifbarkeit andererseits, in der sich das verborgen, aber schon real in der Welt gegebene Wesen geschichtlich vollzieht, ausdrückt und so zu der Existenzweise kommt, auf die es von vornherein angelegt ist[40].

Das berechtigte Anliegen dieser Sicht kann auch bibeltheologisch nicht bestritten werden. Denn wenn Gott nach der Schrift das Heil aller Menschen will (1 Tim 2,4), dann will er es auf eine wirksame Weise, d. h. auf eine Weise, die die seinsmäßige Situation aller Menschen vorgängig zu deren Entscheidung bestimmt und der Geschichte der Welt eine Dynamik auf Jesus Christus hin verleiht, auf den hin alles erschaffen ist (Kol 1,16f). Die Heilsfinalität aller Wirklichkeit, die Karl Rahner als übernatürliches Existential bezeichnet[41], kann also auch bibeltheologisch nicht bestritten werden. Problematisch wird die Sache erst, wenn sie verabsolutiert und als die einzige Sicht der Schrift ausgegeben wird. Neben dieser weisheitlichen, universalkosmischen Sicht kennt die Schrift nämlich auch die apokalyptische Vision,

---

[39] Vgl. ebd. 422f.   [40] Vgl. ebd. 425.
[41] Vgl. *K. Rahner*, Über das Verhältnis von Natur und Gnade, in: Schriften I 328ff; *ders.*, Natur und Gnade, in: Schriften IV 230ff; *ders.*, Art. „Existential, übernatürliches", in: LThK III 1301 u. ö.

die von einem beständigen Kampf zwischen dem Reich Gottes und dem
Reich der Welt ausgeht, einem Konflikt, der sich mit dem Fortschritt der
Geschichte eben nicht allmählich auflöst, der sich vielmehr gegen Ende der
Geschichte zuspitzt und verschärft. Diese apokalyptische Sicht wurde vor allem von Augustinus in seiner Lehre von den zwei Reichen aufgegriffen. Sie
entspricht durchaus einer Erfahrung des Menschen von heute und darf auch
aus diesem Grund nicht einfach ausgeklammert werden. Erst wenn neben
dem positiven Existential immer auch das negative Existential, die Herrschaft der sich gegen ihre Ausrichtung auf Gott und seine Gnade versperren-
den Sünde[42], die mehr ist als die Summe einzelner Sündentaten, mitgedacht
wird, wird man der ganzen Dramatik der Geschichte gerecht, innerhalb deren die Kirche das universale Sakrament des Heils ist[43]. Nur so wird man
aber auch der Dramatik innerhalb der Kirche gerecht, die nach Augustinus
eben als sakramentale Wirklichkeit an beiden Reichen Anteil hat und durch
die der Konflikt mitten hindurchgeht[44]. Schließlich kennt die Schrift noch
einen dritten Gesichtspunkt. Der neue Adam, Jesus Christus, ist nicht nur
die deutlichste Erscheinung der innersten Dynamik des normalen, „profanen" Lebens des Menschen; er ist zugleich dessen schlechthinnige Überbie-
tung. Nicht umsonst gebraucht Paulus an den beiden Stellen, an denen er das
Verhältnis des ersten und des zweiten Adam beschreibt, mehrfach den Begriff des Überreichtums und des Überflusses (Röm 5,15.17; 1 Kor 15,13). Irenäus von Lyon hat diesen Gesichtspunkt gut verstanden, wenn er schreibt,
Christus habe „alle Neuheit gebracht, indem er sich, der er verheißen war,
brachte. Denn dies wurde verkündet, daß das Neue kommen werde, um den
Menschen zu erneuern und lebendig zu machen."[45]

Mit alledem ist Karl Rahners faszinierende Einheitsschau nicht widerlegt.
Man wird aber seine via positionis ergänzen müssen durch die via negationis
und die via eminentiae[46]. Nur so kann man die Kirche davor bewahren, in

---

[42] Vgl. *K. Rahner*, Art. „Erbsünde", in: SM I 1113f.
[43] Diesen theodramatischen Aspekt hat vor allem *H. U. v. Balthasar*, Theodramatik II/2 380ff,
III 203–209, herausgearbeitet. Zur liturgischen Bedeutung vgl. *C. Vagaggini*, Theologie der Liturgie (Einsiedeln – Zürich – Köln 1959) 233–263. Von den Voraussetzungen der politischen
Theologie her verweist *J. B. Metz*, Glaube in Geschichte und Gesellschaft. Studien zu einer
praktischen Fundamentaltheologie (Mainz 1977) 149–158, neu auf die Bedeutung der Apokalyptik. Damit dürfte auch dem Grundanliegen von *E. Käsemann* (vgl. o. Anm. 6) Rechnung getragen sein.
[44] *Augustinus*, De civitate Dei XIX 26 (CSEL 40/2, 421).
[45] *Irenäus von Lyon*, Adv. haer. IV 34, 1. Vgl. ebd. III 17, 1, wonach es Aufgabe des Heiligen
Geistes ist, die Menschen aus dem Alten zur Neuheit Christi zu erneuern.
[46] Vgl. *W. Kasper*, Christologie und Anthropologie, in: ThQ 162 (1982) 202–221, bes.
211–213. Zur Theologie K. Rahners allgemein vgl. *ders.*, Karl Rahner – Theologe in einer
Zeit des Umbruchs, in: ThQ 159 (1979) 263–271.

der Praxis letztlich doch nur zur bloßen Affirmation dessen zu werden, was ist und was prinzipiell auch ohne sie gegeben ist. So verstanden, würde sie zu einer religiös-feierlichen Überhöhung und damit zur Ideologie der Welt. Nur durch die Einbeziehung der beiden anderen Aspekte kann man die kritisch befreiende Funktion und zugleich den „Neuheitswert" des Evangeliums, das die Kirche in Wort, Sakrament und Dienst zu bezeugen hat, festhalten. Nur so kann die Kirche Zeichen der Hoffnung auf das ganz Neue der Gnade sein inmitten einer gnadenlosen Welt und ihrer Aporien. Wir brauchen und können also die Einsicht Karl Rahners, die sich in seiner Theorie von den anonymen Christen ausdrückt, als solche nicht bestreiten. Wir müssen sie aber in das Ganze der christlichen Verhältnisbestimmung von Heilsgeschichte und Weltgeschichte integrieren, um so zu einem umfassenden Verständnis der konziliaren Lehre von der Kirche als universalem Heilssakrament zu kommen. Die Theologie steht zumindest in dieser Frage mit der Rezeption des II. Vatikanischen Konzils erst am Anfang.

Karl Rahner, dem Achtzigjährigen, gebührt Dank nicht nur für die Antworten und Lösungen, die er in so reichem Maß der Theologie geschenkt hat, sondern ebenso für die Fragen und Probleme, die er ihr gestellt und hinterlassen hat.

MEDARD KEHL SJ

ECCLESIA UNIVERSALIS

Zur Frage nach dem Subjekt der Universalkirche

Das „neue Bild der Kirche"[1], das vom II. Vatikanischen Konzil in (mehr oder weniger deutlichen) Strichen gezeichnet und seitdem von Karl Rahner in pointierten Farbgebungen aus- und weitergemalt wurde, ist von ihm bereits lange vor dem Konzil in seinen Grundzügen vorentworfen worden[2]. Die Ekklesiologie des Konzils und unserer nachkonziliaren Gegenwart verdankt K. Rahner eine ungemeine Öffnung ihrer systematischen Engführung, unter der sie innerhalb der von ihm so oft apostrophierten „Schultheologie" lange genug gelitten hatte. Dieses befreiende Weiterdenken betrifft gerade auch die zentrale Frage, die von dem *Subjekt* der Kirche handelt: *Wer* ist das eigentlich, von dem dieses anziehende Bild gezeichnet wird und dem das Konzil die Prädikate „Sakrament der Einheit" zwischen Gott und den Menschen, messianisches „Volk Gottes", Gemeinschaft des Glaubens, der Hoffnung und der Liebe usw. zuspricht? Auf welche „soziale Form" des Glaubens treffen diese Bezeichnungen zu? Wer ist der Träger dieser Eigenschaften? Seitdem auf solche Fragen nicht mehr schlicht und einfach mit dem Hinweis auf die römisch-katholische Kirche und die weltweite, zentral institutionalisierte Versammlung *ihrer* Gläubigen geantwortet werden kann (vgl. LG 8), ist in diesem Sektor der Theologie und der Praxis der Kirche einiges in Bewegung geraten (z. B. im Verhältnis der Gesamtkirche zu den Ortskirchen, im ökumenischen und zwischenreligiösen Gespräch, in der Mission, in der Beziehung zum Marxismus und zu anderen humanistischen Weltanschauungen). Die katholische Kirche sucht immer bewußter ihre eigene Identität als uni-

---

[1] Vgl. *K. Rahner,* Das neue Bild der Kirche, in: Schriften VIII 329–354.
[2] Besonders zu erwähnen sind seine wegweisenden Beiträge: Die Gliedschaft der Kirche nach der Lehre der Enzyklika Pius' XII. „Mystici corporis Christi", in: Schriften II 7–94; Die Freiheit in der Kirche, in: ebd. 95–114; Wort und Eucharistie, in: Schriften IV 313–355; Das Christentum und die nichtchristlichen Religionen, in: Schriften V 136–158; Dogmatische Randbemerkungen zur Kirchenfrömmigkeit, in: ebd. 379–410; *K. Rahner – J. Ratzinger,* Episkopat und Primat (Freiburg i. Br. 1961).

versale Gemeinschaft im Glauben nicht mehr primär in der definitiven Unterscheidung von anderen Glaubensweisen und in der exklusiven Beanspruchung aller theologischen Kirchenprädikate für sich selbst. Sie hat sich im Konzil zu der entscheidenden Umkehr durchgerungen, ihre Identität mehr durch *Beziehungen* zu definieren als durch Abgrenzungen (vgl. LG 13–16)[3].

Dieser Schritt zu einem relationalen Selbstverständnis bringt es allerdings mit sich, daß das „Subjekt" Kirche jetzt weder in der eindeutigen begrifflichen Präzision noch in der klaren gesellschaftlichen Unterschiedenheit mancher vorkonziliarer Kirchenepochen zu fassen ist. Denn schließlich spannt die Kirche den Beziehungshorizont, der ihre eigene Identität bestimmt, wieder (wie in den Zeiten ihrer großen Kirchenlehrer) in eine universale Weite, die alles umschließt, was von der heilenden und befreienden Liebe Gottes in unserer Welt ergriffen und umgestaltet ist. Dadurch braucht ihre Identität keineswegs in einem nebulosen Mischmasch mit allem und jedem zu verschwimmen; im Gegenteil: als Kirche, die sich nur in einem universalen Beziehungshorizont identifizieren kann, findet sie überhaupt erst die ihr angemessene Identität als *katholische* Kirche, eben als die *eine* und zugleich *allumfassende* ecclesia universalis.

Diesem Sachverhalt möchte ich hier etwas nachgehen: Was ist (nach den Aussagen des II. Vatikanums) die spezifische, sich nur in den verschiedenen Beziehungen realisierende Identität der *Universal*kirche? Wer ist jenes Subjekt gemeinsamen Handelns im Bereich des Glaubens, das wir „die Kirche" (als die eine und umgreifende) nennen?[4] Die Antwort läßt sich in zwei Schritten erarbeiten:

Zunächst (I) sollen die verschiedenen Dimensionen von *Beziehungen* genannt werden, die das Subjekt „Universalkirche" konstituieren. Dabei steht hier nicht so sehr das Verhältnis der Kirche als Gemeinschaft zu den einzelnen (innerhalb und außerhalb ihrer institutionellen Grenzen) im Vorder-

---

[3] Vgl. *J. L. Witte,* Die Kirche, „sacramentum unitatis" für die ganze Welt, in: *G. Baraúna* (Hrsg.), De Ecclesia I (Freiburg i. Br. 1966) 420–452; grundlegend für die Interpretation der dogmatischen Konstitution „Lumen gentium" bleibt der Kommentar in: LThK – Das Zweite Vatikanische Konzil I (Freiburg i. Br. 1966) 137–359.

[4] Wir setzen dabei die doppelte inhaltliche Bedeutung des Begriffs „universal" bzw. „katholisch" in Verbindung mit Kirche voraus, wie sie z. B. Y. Congar von der Tradition her aufgezeigt hat: über die ganze Welt verbreitet und zugleich die ganze Fülle der sich in Christus verströmenden Liebe Gottes enthaltend (was beides zur „wahren" Kirche macht). – Vgl. *Y. Congar,* Die Wesenseigenschaften der Kirche, in: *J. Feiner – M. Löhrer,* Mysterium salutis IV/1 (Einsiedeln 1972) 357–599, bes. 478–502 (dort auch ausführliche Literaturangaben); *W. Beinert,* Der Sinn der Kirche, in: ebd. 288–308; *H. U. v. Balthasar,* Die Absolutheit des Christentums und die Katholizität der Kirche, in: *W. Kasper* (Hrsg.), Die Absolutheit des Christentums (Quaestiones disputatae 79) (Freiburg i. Br. 1977) 131–156.

grund, sondern mehr ihr Verhältnis zu den verschiedenen *sozialen Formen* des Glaubens, die eine konstitutive Bedeutung für die Identität der Kirche haben (auch wenn sich die beiden Gesichtspunkte nicht eindeutig trennen lassen)[5].

Sodann (II) werden diese Dimensionen so miteinander verbunden, daß in ihrer Einheit das *Strukturprinzip* der Kirche und ihrer Identität als Universalkirche sichtbar wird.

I. Dimensionen der Universalität

1. Kirche in der Beziehung zum Reich Gottes: eschatologische Universalität

Vom ersten Kapitel der Kirchenkonstitution „Lumen gentium" an bestimmt die eschatologische Perspektive das „neue Bild" der Kirche entscheidend mit: Die Kirche versteht sich wieder bewußt von ihrem letzten Woraufhin her, wo der universale Heilswille Gottes zu seinem Ziel kommt. Was in der *Mensch*werdung des Sohnes, in seinem ganzen Geschick und in seiner Verkündigung bereits grundlegend verwirklicht ist, nämlich die Heimholung der ganzen *Menschheit* zur Einheit des Volkes Gottes, findet seine Erfüllung in der eschatologischen Vollendung der Geschichte.

Auf diese universale Einheit aller Menschen im vollendeten Reich Gottes ist die Kirche immer schon ausgerichtet. Sie stellt „Keim und Anfang dieses Reiches auf Erden" dar (LG 5) und ist insofern das „universale Sakrament des Heils" für die Welt (LG 48) bzw. das „Zeichen und Werkzeug für die innigste Vereinigung mit Gott wie für die Einheit der ganzen Menschheit" (LG 1; vgl. das ganze Kap. 7 der Kirchenkonstitution über den „endzeitlichen Charakter der pilgernden Kirche"). Das bedeutet: der von Anfang der Schöpfung an wirksame, in Christus sich unwiderruflich durchsetzende Heilswille Gottes, nämlich sein Reich der Gerechtigkeit und des Friedens aufzurichten, gilt grundsätzlich *allen* Menschen und durch sie der ganzen Schöpfung. Das Ziel dieser Geschichte Gottes mit den Menschen ist erreicht in der endzeitlichen „ecclesia universalis", in der „alle Gerechten von Adam an, von dem gerechten Abel bis zum letzten Erwählten in der allumfassenden Kirche beim Vater versammelt" sein werden (LG 2)[6].

---

[5] Zum Verhältnis zwischen Kirche und einzelnem Glaubenden vgl. *M. Kehl*, Kirche – Sakrament des Geistes, in: *W. Kasper* (Hrsg.), Gegenwart des Geistes (Quaestiones disputatae 85) (Freiburg i. Br. 1979) 155–180; *M. Kehl*, Kirche der Sorge um ihre Identität oder Kirche für die anderen?, in: Lebendige Seelsorge 32 (1981) 57–65.

[6] Vgl. *P. Smulders*, Die Kirche als Sakrament des Heils, in: *G. Baraúna* (Hrsg.), De Ecclesia I (Freiburg i. Br. 1966) 289–312.

Das ist der „gefüllteste" Modus der Universalität der Kirche: eben das endgültige Aufgehobensein der sich vom Heil Gottes zur „Gerechtigkeit" befreien lassenden Menschheit im vollendeten Reich Gottes. Erst in dieser Gestalt einer universal gerechtfertigten und versöhnten „Menschheitsfamilie" findet die Kirche ihre volle Identität; sie ist auch das letztlich angezielte Subjekt von Universalkirche (vgl. die ganze Konstitution „Gaudium et spes", zumal den Schluß von n. 32!). Daß diese Universalität dennoch nicht eine unterschiedslos-gleichmäßige Ein-sammlung der ganzen Menschheit besagt, kommt gerade in dem Begriff „alle Gerechten" zum Ausdruck: es sind die, die aus der recht-schaffenden Gerechtigkeit Gottes leben und sie zum Maßstab ihres gerechten Handelns machen – gerade zugunsten derer, die unter den ungerechten Zuständen dieser Welt am meisten leiden und deswegen das „Reich der Gerechtigkeit, der Liebe und des Friedens" am stärksten herbeisehnen (vgl. GS 21 u. 38f).

Aus der sich selbst übersteigenden Beziehung zu dieser eschatologischen Universalität erhält nun auch die *innergeschichtliche* Gestalt von Kirche ihren eigentümlichen universalen Charakter. Insofern nämlich keine geschichtliche Wirklichkeit einfachhin mit diesem vollendeten Reich Gottes identifiziert werden kann, gibt es innergeschichtlich auch keine vollkommen „in sich stehende" und sich selbst genügende, gleichsam „substantielle Universalität" der Kirche (im Sinn einer „societas universalis perfecta", die jede Vermittlung des Heils ausschließlich in ihrer eigenen, wenn auch noch so weltweit ausgedehnten Partikularität gegeben sieht); eine solche Kirche brauchte sich nur nachträglich jeweils in zusätzlich-akzidentelle, ihren „Seinsbestand" nicht zuinnerst tangierende Beziehungen zu anderen geschichtlichen Realitäten zu begeben. Demgegenüber bedingt das konstitutive Bezogensein auf das in Jesus Christus grundgelegte und von ihm einmal zur Vollendung geführte Reich Gottes und *seine* Universalität auch eine „relationale Universalität" der Kirche im Verhältnis zu anderen geschichtlichen Vermittlungsweisen des Heils. Das Konzil führt diese eschatologisch motivierte Sicht von Kirche ansatzweise durch; es entwickelt von daher eine realsymbolisch-sakramentale und eine institutionelle Form kirchlicher Universalität.

2. Kirche in der Beziehung zu den „Realsymbolen" des Reiches Gottes: die realsymbolisch-sakramentale Universalität

Reich Gottes als Ziel der universalen Heilsgeschichte besagt nicht einfach die rein geschichtstranszendente Zukunft unserer Wirklichkeit. Durch die Gegenwart des gekreuzigten und auferstandenen Jesus Christus im Geist, der weht, wo er will, nimmt dieses Reich bereits in der Geschichte Gestalt an, und zwar „kommt" es überall dort an, wo Menschen sich von diesem Geist der recht-schaffenden und totenerweckenden Liebe Gottes bestimmen lassen und dies so in den *sozialen Formen* ihres Zusammenlebens ausdrücklich machen, daß diese von dem unbedingten Willen zur Einheit, zur Gerechtigkeit, zum Frieden für alle geprägt sind (vgl. GS 39). Dadurch entstehen an den verschiedensten Raum-Zeit-Stellen der menschlichen Geschichte solche „Realsymbole" des Reiches Gottes, die seine vollendete Universalität vorwegnehmend darstellen[7]; dies jedoch nicht nur auf die Weise einer bloß „intentionalen" Universalität, die nur als ewig ausständiges Ziel oder als regulative Idee des Handelns anwesend ist; auch nicht in der Weise einer sich in einzelne „Teile" auslegenden bzw. sich nur in der additiven Summe dieser Teile vollendenden Universalität. Nein, realsymbolische Vorwegnahme des Reiches Gottes bedeutet, daß das eschatologisch *Ganze* der versöhnten Menschheit unter den Bedingungen einer bestimmten raumzeitlichen Partikularität zwar nicht *als Ganzes,* aber dennoch *ganz* repräsentiert wird (non totum, sed totaliter). Das heißt: sowohl der Sinngehalt dessen, was mit „Heil", mit „Einheit", mit „Friede" usw. gemeint ist, ist in solchen Symbolen kraft des in ihnen wirkenden Geistes Gottes ganz realisiert (nicht bloß „ein Stück weit"), als auch die all-umfassende Weite des Reiches Gottes kommt in diesen Symbolen bereits zur Geltung; denn der Geist schafft sich in ihnen solche sozialen Formen menschlichen Zusammenlebens, die miteinander – wegen ihres gemeinsamen, grundsätzlich alle einschließenden Sinngehaltes – bereits in einer (durchaus auch sichtbaren) „universalen Kommunikationsgemeinschaft" des Heils stehen und die sich von daher gleichsam in einer „seinsmäßigen" (wenn auch nicht notwendig „zielgewissen"!) Dynamik auf eine bewußtseinsmäßig und gesellschaftlich ausgeformtere universale Einheit hinbewegen (vgl. z. B. die gegenwärtig an den verschiedensten Orten der Welt sich manifestierenden und zueinanderfindenden Formen des sozialen und politischen Einsatzes für Gerechtigkeit und Frieden). Der Geist als die „communio"-Gestalt der Liebe Gottes[8] und somit als Formprinzip des Reiches Gottes legt sich innergeschichtlich aus in diesem weltumspannenden „Netz" von Realsymbolen, das als kommunikative

---

[7] Ich übernehme hier von K. Rahner den Begriff des Realsymbols, wie er ihn in dem Beitrag „Zur Theologie des Symbols", in: Schriften IV 273–311, eingeführt hat.

[8] Vgl. *J. Ratzinger,* Der Heilige Geist als communio. Zum Verhältnis von Pneumatologie und Spiritualität bei Augustinus, in: *C. Heitmann* – *H. Mühlen* (Hrsg.), Erfahrung und Theologie des Heiligen Geistes (Hamburg – München 1974) 223–238; *H. Mühlen,* Soziale Geisteserfahrung als Antwort auf eine einseitige Gotteslehre, in: ebd. 253–272; *H. U. v. Balthasar,* Pneuma und Institution (Einsiedeln 1974) 201–235.

Einheit aller Vorwegnahmen des Reiches Gottes die „realsymbolische" Universalität der Kirche bildet. *Diese* Einheit ist deswegen auch das innergeschichtlich grundlegende Subjekt von Kirche; sie macht das Fundament der universalkirchlichen Identität aus und berechtigt dazu, von der Kirche als dem „universalen Sakrament des Heils" zu sprechen (LG 48). So sagt das Konzil ausdrücklich (LG 13): „Zu dieser *katholischen* Einheit des Gottesvolkes, die den *universalen* Frieden vor-bezeichnet und vorantreibt (praesignat et promovet), sind *alle* Menschen berufen. *Auf verschiedene Weise* gehören ihr zu oder sind ihr zugeordnet die katholischen Gläubigen, die anderen an Christus Glaubenden und schließlich alle Menschen überhaupt, die durch die Gnade Gottes zum Heil berufen sind."[9]

Innerhalb dieses Subjektseins von universaler Kirche gibt es nun – wie das Zitat aus LG 13 andeutet – verschiedene Stufen der „Dichte" solcher realsymbolischen Darstellung und Vermittlung, und zwar von zwei Perspektiven aus gesehen, die voneinander zu unterscheiden, aber grundsätzlich nicht zu trennen sind: einmal unter der Rücksicht des (mehr oder weniger) ausdrücklichen *Glaubens* an Gott und zum anderen aus der Sicht einer Lebenspraxis, die auf den Aufbau eines *menschenwürdigen Zusammenlebens für alle* zielt. Die erste Blickrichtung wird vom Konzil stärker in der dogmatischen Konstitution „Lumen gentium", die andere mehr in der pastoralen Konstitution „Gaudium et spes" verfolgt. Im Grunde gehören jedoch beide Seiten zum *dogmatischen* Selbstverständnis der Kirche; denn die sich in der Welt betätigende Nächstenliebe ist nicht einfach eine „pastorale Konsequenz" aus dem „dogmatischen Wesen" der Kirche als Gemeinschaft im Glauben, sondern ein integraler Teil ihres Selbstvollzugs als universales Heilssakrament (im Sinn von 1 Kor 13, 13: „Für jetzt bleiben Glaube, Hoffnung, Liebe, diese drei; doch am größten unter ihnen ist die Liebe"). Wo *beide* Bewegungen so zusammenkommen, daß die Liebe das eindeutigste „Sakrament" des Glaubens wird, da ist die höchste Stufe realsymbolischer Vergegenwärtigung des Reiches Gottes und damit der universalkirchlichen Identität innerhalb der Geschichte erreicht.

Faktisch jedoch sind diese beiden Wege keineswegs nur in einem einzigen, klar umschreibbaren sozialen Subjekt miteinander verbunden; es gibt die „heilsbedeutsame" Liebe ohne den ausdrücklich-kirchlichen Glauben an Gott. (Von der anderen Möglichkeit, den Glauben in der Kirche ohne die Liebe zu verwirklichen, können wir hier absehen, weil sie irrelevant ist für das Reich Gottes [vgl. LG 14].) Diese Tatsache ist der Grund, daß man ver-

---

[9] Vgl. *F. Ricken*, „Ecclesia ... universale salutis sacramentum", in: Scholastik 40 (1965) 352–388.

schiedene Stufen der realsymbolischen Intensität und damit auch verschiedene soziale Ausformungen des grundlegenden Subjektseins von Kirche unterscheiden muß, eben je nach dem Maß der gesellschaftlich greifbaren Verbindung zwischen Glaube und Liebe.

a) Symbolik der Liebe

Während das Konzil unter der Perspektive des ausdrücklichen Glaubens mehrere Stufungen differenziert, unterscheidet es im Bereich der weltgestaltenden *Nächstenliebe* nur pauschal zwischen denen, die aus dem Glauben heraus sich um eine menschenwürdige Gestaltung des (persönlichen und gesellschaftlichen) Lebens auf dieser Erde bemühen, und denen, die dies aus einer rein humanen Grundeinstellung heraus tun. Zwischen beiden besteht eine Beziehung der aufrichtigen „Zusammenarbeit" (GS 3 21), des „gegenseitigen Dienstes" (GS 11) und des „gegenseitigen Dialogs" (GS 40 92 u. a.); im wechselseitigen Geben und Empfangen tragen sie grundsätzlich gemeinsam zu einer „humaneren Gestaltung der Menschenfamilie und ihrer Geschichte" bei (GS 40), vor allem was die zunehmende universale Einheit der Menschen betrifft (GS 39 42). In diesem „wachsenden Leib der neuen Menschenfamilie" sieht das Konzil eine „umrißhafte Vorstellung" (adumbratio) der „künftigen Welt"; er hat teil an jenem „Mysterium", in dem das Reich Gottes bereits hier anwesend ist (GS 39).

Der Grund dafür, daß auch das Tun der *Nichtglaubenden* eine „große Bedeutung für das Reich Gottes" (ebd.) sowohl in seiner Vollendung wie auch in seiner realsymbolischen Gegenwart haben kann, wird in dem „Weg der Liebe" gesehen, der versucht, eine „universale Brüderlichkeit und Schwesterlichkeit" herzustellen und der allen Menschen offensteht (GS 38). Denn der auferstandene Christus wirkt „durch die Kraft seines Geistes in den Herzen der Menschen" und befreit sie zu der hoffenden Selbstlosigkeit, alle Kraft der Humanisierung unserer Welt zu widmen (ebd.; vgl. auch n. 22). Überall da also, wo Menschen in brüderlicher oder schwesterlicher Solidarität miteinander umgehen, sind sie bereits im Geist und im Namen Jesu „versammelt"; da ist er (verborgen, aber wirksam) „mitten unter ihnen", da wächst Kirche in ihrer realsymbolischen Universalität[10]. Daß dabei besonders die Solidarität mit den „Armen und Bedrängten aller Art" (GS 1) eine große Rolle spielt, wird immer wieder betont (z. B. GS 8 21 27 29 60 63 66

---

[10] „Diese Solidarität muß stetig wachsen bis zu jenem Tag, an dem sie vollendet sein wird und die aus Gnade geretteten Menschen als eine von Gott und Christus, ihrem Bruder, geliebte Familie Gott vollkommen verherrlichen werden" (GS 32).

usw.). Denn weil gerade die Liebe zu den Notleidenden dieser Erde eine heilbringende Beziehung zu Jesus Christus, dem anonymen Bruder aller „Geringsten" (vgl. Mt 25, 31ff), stiftet, wird die universale Einheit des Reiches Gottes dort auf hervorgehobene Weise vorweggenommen, wo im Geist Jesu alle armen und hungernden und geschädigten Menschen zur befreienden Tischgemeinschaft mit ihm versammelt werden. In welch „anonymer" Form auch immer dies geschieht, auf jeden Fall nimmt hier das eine und universale Subjekt Kirche bereits eine für das Reich Gottes entscheidende soziale Gestalt an.

Worin besteht nun aber der besondere Dienst der (ausdrücklich) *Glaubenden* für diese wachsende Einheit und Solidarität unter allen Menschen? Das Eigene, das die Gemeinschaft der Glaubenden innerhalb dieses Einsatzes für die Humanisierung der menschlichen Geschichte beiträgt, liegt vor allem darin, daß sie aus dem Vertrauen auf den ermöglichenden Grund ihrer Liebe und aus der Zuversicht des vollendenden Zieles aller menschlichen Bemühungen heraus sich für diese Erde liebend engagiert. Der ausdrückliche Glaube an Gott, dem sie ihre Liebe verdankt und auf *dessen* Reich sie in ihrem Tun hofft, befähigt den menschlichen Einsatz erst dazu, sich zu seiner vollen Humanität zu entfalten (vgl. GS 11 21 22 38 39 usw.). Schenkt er ihm doch jene große Gelassenheit, die weiß, daß es nicht einfachhin von uns abhängt, ob es Heil in dieser Welt gibt: *Gott* richtet sein Reich der Gerechtigkeit und des Friedens unter uns auf; und keine Macht der Welt kann das in Christus und in seinem Geist bereits anwesende Reich überwältigen. Diese „Gelassenheit des Beschenkten" vermindert nicht im geringsten die hoffende „Leidenschaft für das Mögliche" (Kierkegaard); vielmehr befreit sie diese von jeder inhumanen Nötigung zur Selbsterlösung; sie „imprägniert" sie von Grund auf mit Dankbarkeit und macht sie dadurch erst wirklich menschlich.

Genau zur Darstellung dieser Einheit von dankend-hoffendem Glauben und solidarischer Liebe ist nun – wenn man die Gedanken des Konzils (besonders von GS 38) weiterdenken will – jenes „Sakrament des Glaubens" (ebd.) bestimmt, in dem die universale Tischgemeinschaft des Reiches Gottes, zu der ja vor allem die von draußen, „die Armen und die Krüppel, die Blinden und die Lahmen", von den Straßen und Gassen der Welt versammelt werden (Lk 14, 15–24), ihre realsymbolische „Vorfeier" begeht (ebd.): die *Eucharistiefeier* der Kirche. Sie gewinnt gerade in der Perspektive der alles vereinenden Nächstenliebe den Charakter der intensivsten Form realsymbolischer Universalität. Denn hier kommt – von ihrem Ursprung in Verkündigung, Tod und Auferstehung Jesu her – grundsätzlich das zusammen, was tatsächlich oft getrennt ist: die umfassende Solidarität der Liebe, zumal zu den Armen, findet im Sakrament des Glaubens an das Reich Gottes ihre eigene sakramentale Darstellung und Begründung. Insofern konstituiert sich hier das eine und universale Subjekt Kirche in seiner innergeschichtlich gefülltesten Gestalt.

b) Symbolik des Glaubens

Aus der Sicht des *ausdrücklichen Glaubens* an Gott und seiner Bedeutung für die Vorwegnahme des Reiches Gottes unter uns wird dieses Ergebnis bestätigt. Hier allerdings führt das Konzil eine differenziertere Stufung der realsymbolischen „Dichte" von Kirche ein (LG 14–16). Sie beginnt (wenn man – anders als das Konzil – am „äußersten" Bereich ansetzt) bei den Atheisten, die „ohne Schuld noch nicht zur ausdrücklichen Anerkennung Gottes gekommen sind, jedoch, nicht ohne göttliche Gnade, ein rechtes Leben zu führen sich bemühen" (LG 16). Sie haben insofern teil an der umgreifenden kommunikativen Einheit aller Realsymbole des Reiches Gottes und somit am Subjekt Kirche (auf *dieser* Ebene der Universalität!), als sie ihr Leben am Wert des „Guten" und des „Wahren" orientieren und damit die universale Einheit der Menschen fördern (GS 42).

Eine nächste Stufe bilden hier die verschiedenen Religionen, die „in Schatten und Bildern den unbekannten Gott suchen" (LG 16). Hier wird Gott bereits ausdrücklich verehrt; und insofern Menschen „seinen im Anruf des Gewissens erkannten Willen unter dem Einfluß der Gnade in der Tat zu erfüllen trachten" (ebd.), kommt auch in ihnen die universale Gemeinschaft des Reiches Gottes bereits zur Darstellung. Eine besondere Rolle innerhalb dieser „religiösen Realsymbolik" spielen die Muslime, da sie sich ausdrücklich zum Glauben Abrahams bekennen und mit uns den einen, barmherzigen und als Richter erwarteten Gott anbeten. Noch ausdrücklicher wird dieser Glaube im Gottesvolk des Alten Bundes, das kraft des einmal geschlossenen Bundes und der reuelosen Verheißungen Gottes die bleibend integrierte Vor-Form des in Christus erfüllten Bundes mit Gott darstellt. (Ob dieser theologischen Bedeutung Israels die Einordnung seines Glaubens unter die „Religionen" der Welt gerecht wird, kann man füglich bezweifeln.)

Eine qualitativ andere Stufe dieser glaubenden Thematisierung des einen und universalen Subjekts Kirche wird da erreicht, wo in bestimmten Gemeinschaften der christliche Glaube an den dreifaltigen Gott sich in den geistgewirkten Zeichen der Verkündigung des Wortes, der Sakramente (besonders der Taufe), einer strukturierten Glaubensgemeinschaft, einer gemeinsam gelebten Spiritualität usw. verwirklicht (LG 15; UR 3), also dort, wo eine Gemeinschaft auch ausdrücklich als Kirche bzw. kirchliche Gemeinschaft bezeichnet werden kann. Hier bekommt nämlich die realsymbolische Gegenwart des Reiches Gottes den Charakter einer im strengen Sinn *sakramentalen* Vermittlung, was sich sprachlich im Konzil schon darin niederschlägt, daß die kommunikative Einheit unter *diesen* sozialen Formen des Glaubens mit dem altkirchlich-sakramentalen Selbstverständnis der „coniunctio" (LG 15) bzw. der „communio" bezeichnet wird (wenn auch als „unvollkommene Gemeinschaft" [UR 3]). Das bedeutet: die Zeichen des ausdrücklich kirchlichen Glaubens (vor allem die gültig gespendete, heilsvermittelnde Taufe)[11] vergegenwärtigen aufgrund der Selbst-Bindung Gottes in Jesus Christus und seiner Geistes-Gegenwart das Reich Gottes so endgültig und untrüglich, daß keine geschichtliche Vorläufigkeit sie aufheben und keine menschliche Schuld sie zerstören kann. Die vorausgehenden Stufen realsymbolischer „Dichte" stehen alle unter dem Vorbehalt, daß eine neue geschichtliche Situation sie in ihrer Zeichenhaftigkeit wieder auflösen oder völlig verändern kann; sie bleiben zugleich auch der Macht des Bösen so unterworfen, daß sie sowohl von außen durch entgegenstehende und sie bekämpfende Kräfte zerstört wie auch von innen durch die Vermischung mit menschlicher Schuld zersetzt werden können, wodurch ihre Dynamik auf universale Einheit hin verhindert wird. Es ist uns keinerlei Gewißheit gegeben, daß die kommunikative Einheit aller Realsymbole des Reiches Gottes auch empirisch (d. h. auf der Ebene der Zeichen) zu einer immer greifbareren, allumfassenden „communio" auf dieser Erde zusammenwächst. Auch wenn all das, was in solchen Zeichen an geistgeschenkter Liebe investiert wird und in den sozialen Formen menschlicher Einheit Gestalt gewinnt, endgültig „aufgehoben" bleibt in der eschatologischen Erfüllung des Reiches Gottes, so gilt doch – auf der Ebene innergeschichtlicher Darstellung und Vermittlung – die Verheißung unbedingter Geltung nur jenen Zeichen, die im eigentlichen Sinn „Sakramente" sind und in denen sich der auferstandene Christus von ihm selbst her auf kirchlich-soziale Weise „auslegt".

Innerhalb dieser sakramental-kirchlichen Gestalt des universalen Heilssakraments Kirche sieht das Konzil noch einmal eine Stufung, und zwar nach dem Maß, wie alle entscheidenden, die ursprüngliche Identität des Glaubens wahrenden sakramentalen Strukturelemente konstitutiv für die jeweilige Gemeinschaft sind. Unter dieser Rücksicht kann die „dichteste" Weise der sakramentalen Verwirklichung von Kirche in der (römisch-)katholischen Kirche erkannt werden; in ihr findet das „universale Sakrament des Heils" seine eigentliche „Vollgestalt" („subsistit", sagt LG 8); sie ist – in Ein-

---

[11] Vgl. *F. Ricken,* a.a.O. 376ff; *B. C. Butler,* Nichtkatholische Christen und ihr Verhältnis zur Kirche, in: *G. Baraúna* (Hrsg.), De Ecclesia I (Freiburg i. Br. 1966) 585–601.

heit und Verbundenheit mit all den anderen Weisen realsymbolisch-sakra-
mentaler Vermittlung – das dem Sinngehalt von universaler Kirche am
deutlichsten entsprechende soziale Subjekt der Einheit des Reiches Gottes in
unserer Geschichte. Der Grund liegt darin, daß die katholische Kirche sich
in ihrem ganzen sozialen Gefüge von jenem Sakrament der Einheit her aufbaut, in dem die universale Einheit des Reiches Gottes sich (seit der Verkündigung Jesu und seiner Auferstehung) am ausdrücklichsten darstellt und vermittelt: von der Eucharistie her. In ihrem Dienst stehen die wichtigsten
strukturierenden Zeichen der universalkirchlichen Einheit, das Bischofskol-
legium und das Petrusamt, die die katholische Kirche als ganze und in ihren
Ortskirchen zu einer einzigen, allumfassenden eucharistischen Tischgemeinschaft versammeln. Darin gelangt das über die ganze Welt verstreute kommunikative Geflecht aller Realsymbole und Sakramente des Reiches Gottes
zu seiner kon-zentrierenden Mitte; denn hier sind alle nur möglichen ein-
heitsstiftenden Momente der Geschichte zur Einheit eines konkreten
sozialen Subjekts integriert: eben zu der Eucharistiefeiernden Gemeinde der
an das Reich Gottes Glaubenden und es in hoffender Liebe Vorwegnehmenden.

Dieses alles versammelnde und integrierende Sakrament ist auch der
Grund für die Überzeugung der katholischen Kirche, daß alle „Elemente der
Heiligung und der Wahrheit", die über ihre institutionellen Grenzen hinaus
in der universalen Vielfalt der realsymbolisch-sakramentalen Darstellung gegenwärtig sind, „als der Kirche eigene Gaben auf die katholische Einheit hindrängen" (LG 8), eben auf die Einheit einer universalen Eucharistiegemeinschaft (gleichsam als der „causa finalis" aller Realsymbole). Solange allerdings
dieses „Hindrängen" bzw. dieses „Hingeordnetsein" (LG 13) sich primär nur
als eine innere „ontologische", mit dem Sinngehalt der Einheit gegebene Dynamik aller Realsymbole auf das innergeschichtliche Ziel dieser Einheit vollzieht und sich das bewußtseinsmäßige Aufeinanderzubewegen nicht auch in
einem gemeinsamen, gesellschaftlich geeinten Subjektsein als eucharistische
Tischgemeinschaft vollendet, bleibt diese Dimension der kirchlichen Universalität von den Rissen und Spaltungen durchzogen, die das „universale Sakrament der Einheit" so tief verwunden und so hilflos dastehen lassen vor
der Welt, der es ja die umfassende Einheit des Reiches Gottes vermitteln soll.
Nur ein *wechselseitiges* Aufeinanderzugehen vermag diese Übereinstimmung
zwischen realsymbolischer *und* gesellschaftlich verfaßter Einheit der universalen Kirche zu bringen. Denn wenn auch die katholische Kirche beansprucht, die „Vollgestalt" sakramentaler Darstellung der „ecclesia universalis" des Reiches Gottes zu sein, so bedeutet das keineswegs, daß sie dies auch
(geistlich, ethisch, strukturell) vollkommen und in der einzig möglichen

Weise realisiert; die Endlichkeit und Sündigkeit menschlicher Vollzüge betrifft auch ihre eigene sakramentale Wirklichkeit (ohne sie jedoch zerstören zu können). Deswegen muß sie sich um einer auch gesellschaftlich verfaßten Integration aller Realsymbole willen immer wieder selbst übersteigen und empfangend beziehen auf die anderen hin, in denen die Symbole der Einheit oft viel vollkommener, dem Antrieb des Heiligen Geistes gemäßer gelebt werden (vgl. GS 43 u. 44). So erst wird die angezielte Integration nicht zu einem uniformierenden Aufsaugen in einem einzigen institutionellen System, sondern zu einem differenzierenden „Aufheben" in einer vielfältig-einen Eucharistiegemeinschaft.

Dieses Ziel ist trotz aller verheißungsvollen Schritte noch nicht erreicht; es besteht eine offene Differenz zwischen der Kirche als dem „universalen Sakrament des Heils" und ihrer gesellschaftlich-sakramentalen Einheit. Dennoch beansprucht die katholische Kirche *für sich* den Titel der „Universalkirche" (vgl. LG 19 22 23 26 28 usw.); dieser Sprachgebrauch ist im Konzil und in der nachkonziliaren Theologie immer noch der gebräuchlichste. Er legitimiert sich von der oben genannten einzigartigen Beziehung des universalen Heilssakramentes Kirche zur katholischen Kirche her. Dabei muß aber um einer präzisen Begrifflichkeit willen immer mitgesagt sein, daß diese Form der Universalität zugleich Identität *und* Differenz zwischen beiden Größen ausdrückt. Terminologisch möchte ich deswegen diese Universalität, deren Subjekt – unter der Voraussetzung der Geistes-Gegenwart Christi – die weltweite soziale Einheit im katholischen Glaubensbekenntnis, in den Sakramenten und in der kirchlichen Gemeinschafts- und Leitungsstruktur ist (LG 14), als „institutionelle" Universalität der Kirche bezeichnen: nämlich die Gegenwart der realsymbolischen Universalität in der institutionell verfaßten, von anderen unterschiedenen und somit auch partikulären katholischen Kirche.

3. Kirche in der Beziehung zu den Kirchen „in ihr": institutionelle Universalität

Die Identität dieser institutionalisierten Universalkirche bestimmt sich nicht nur durch Beziehungen, die über sie hinausweisen (s. o.), sondern ebenso durch solche, die ihre innere Struktur ausmachen. Es sind die Beziehungen, die zwischen ihr als der einen, umfassenden Kirche und den vielen örtlich, personell und kulturell voneinander unterschiedenen Kirchen herrschen und die das Modell einer künftigen ökumenisch-universalen Eucharistiegemeinschaft abgeben können. Dieses von den Ursprüngen der Kirche an vertraute, aber zwischenzeitlich verdrängte Beziehungsgefüge hat das II. Vatikanische Konzil im Gefolge seiner Aufwertung des Bischofskollegiums wieder neu ins Bewußtsein gehoben (vgl. besonders LG 22–27). Wir können hier nicht den ganzen Fragenkomplex behandeln; es geht uns einzig um die Frage, wie auch diese Beziehungen dazu beitragen, das eine und universale Subjekt Kirche in seiner Identität zu verwirklichen[12].

Das leitende Modell für diese Identität bildet seit dem II. Vatikanum wieder die altkirchliche *communio ecclesiarum*. Das bedeutet: sowohl die Gesamtkirche wie auch die vielen Orts- und Personalkirchen, in denen auf legitime Weise die kirchlichen Grundvollzüge der Martyria, Liturgia, Diakonia und Koinonia vollzogen werden, gelten im vollen Sinn als Kirche (ecclesia). Die erstere ist demnach weder der (nachträgliche) Zusammenschluß in sich fertig „subsistierender" Orts- bzw. Personalgemeinden (nach Art eines organisatorischen Dachverbandes) noch die (vorgängige) soziale Systemganzheit, die sich in die Vielheit ihrer Teile untergliedert (nach Art von „Abteilungen" einer weltweiten „Superdiözese"). Nein, Kirche ist vielmehr *gleich ursprünglich* die eine, umgreifende Kirche (eben das eine „Volk Gottes", der eine „Leib Christi" usw.) wie auch die Vielfalt der verschiedenen Kirchen und Gemeinden („Volk Gottes" in Korinth, in Rom, in Philippi usw.); beide Seiten sind nicht voneinander ableitbar und nicht aufeinander reduzierbar. Sie konstituieren sich nur in der wechselseitigen Beziehung zueinander, so daß einerseits die Gesamtkirche nur „in und aus" den Ortskirchen besteht (LG 23), nur in ihnen (als einzelnen und im Gesamt) „da ist" und sich darstellt (LG 26) und andererseits die Ortskirchen nur in der kommunikativen (d. h. letztlich in Eucharistiegemeinschaft miteinander stehenden) Einheit aller ihr Kirchesein verwirklichen.

Auf der institutionellen Ebene wird hier dasselbe Verhältnis abgebildet, wie es zwischen der Universalität des Reiches Gottes und seinen realsymbolischen Verwirklichungen herrscht: unter den Bedingungen einer jeweils verschiedenen örtlichen, kulturellen und gesellschaftlichen Partikularität wird das Ganze von Kirche repräsentiert. Sozialphilosophisch kann von einer reflexiven Systemiteration gesprochen werden[13]: das soziale System Kirche „wiederholt" sich ganz auf den verschiedenen Reflexions- und Voll-

---

[12] Vgl. *B. Neunheuser*, Gesamtkirche und Einzelkirche, in: *G. Baraúna* (Hrsg.), De Ecclesia I (Freiburg i. Br. 1966) 547–573; *K. Rahner – J. Ratzinger*, Episkopat und Primat (Freiburg i. Br. 1961); *K. Rahner*, Das neue Bild der Kirche, in: Schriften VIII 329–354; *W. Beinert*, Die Una catholica und die Partikularkirchen, in: TheolPhil 42 (1967) 1–21; *A. Ganoczy*, Wesen und Wandelbarkeit der Ortskirche, in: ThQ 158 (1978) 2–14; *L. Boff*, Die Neuentdeckung der Kirche (Mainz 1980); *J. Komonchak*, Die Kirche ist universal als Gemeinschaft von Ortskirchen, in: Concilium 17 (1981) 471–476.
[13] *J. Heinrichs*, Reflexion als soziales System (Bonn 1976) 76ff; *H. J. Höhn*, Die gesellschaftliche Wirklichkeit der Kirche (unveröffentlichte Diplomarbeit) (Frankfurt a. M. 1981) 67ff.

zugsebenen, indem jeweils dort alle systemkonstitutiven und systemab-schließenden Handlungen in der dieser Ebene eigenen Weise ausdrücklich gesetzt werden (also das Sich-beschenken-Lassen mit dem Geist Christi und die darin begründete Verkündigung des Evangeliums, die Feier der Sakra-mente, die brüderlich-schwesterliche Liebe der Glaubenden untereinander und zu allen Notleidenden, die rechtlich-amtliche Ordnung der Gemeinde). In den einzelnen miteinander kommunizierenden Orts- und Personalkir-chen re-flektiert sich die Kirche als deren kommunikative Einheit; und zu-gleich re-flektieren sich in dieser Einheit die einzelnen Kirchen als deren dif-ferenzierte Selbstdarstellung.

Für unsere Frage entscheidend ist, daß nur beide Reflexionsbewegungen zusammen die institutionelle Universalität der Kirche ausmachen. Denn die-se ergibt sich aus der (vom Geist Gottes geschenkten) Fähigkeit der Kirche, die beiden Prinzipien der Integration und der Differenzierung[14] so miteinan-der zu verbinden, daß nur in dieser gegenläufigen Einheit „Universalkirche" entsteht; d. h., die vielen örtlich, personell und kulturell verschiedenen Kir-chen sind in dem Maße selbst Universalkirche, in dem sie sich in die kom-munikative Einheit der ganzen Kirche hineinbinden lassen und somit den Sinngehalt von Kirche ganz realisieren (Prinzip der Integration); diese Ein-heit aller Kirchen kann hinwiederum nur in dem Maß Universalkirche ge-nannt werden, in dem sie sich selbst in der Vielfalt ihrer möglichen Verwirk-lichungsweisen darstellt, diese in sich aushält und fördert (Prinzip der Diffe-renzierung). Deswegen ist der normale Sprachgebrauch unpräzise, wenn er nur die Gesamtheit der Kirchen „universal" nennt, weil diese sich eben (geographisch und soziologisch) als die „Weltkirche" mit ihren sichtbaren institutionellen Einheitszeichen darstellt (vor allem dem gemeinsamen Glau-bensbekenntnis, der Eucharistiegemeinschaft, der rechtlich geordneten Ge-meinschaft unter der Leitung des Bischofskollegiums und des Papstes). Terminologisch sollte man deswegen genauer zwischen dieser „Weltkirche" und der „Universalkirche" unterscheiden: der letztere Begriff kommt theo-logisch sowohl der umgreifenden kommunikativen Einheit der Kirche wie auch jeder einzelnen in dieser Einheit stehenden Kirche und Gemeinschaft zu. Beide Größen bilden in wechselseitiger Konstituierung das eine, in sich differenzierte Subjekt der institutionellen Universalkirche. Der eindeutigste gesellschaftlich erfahrbare Ort dieses Subjektseins liegt deswegen für beide Seiten in jeder – wenn auch noch so unscheinbaren – Versammlung von Glaubenden zu den zentralen kirchlichen Grundvollzügen, vor allem zur Eucharistiefeier (vgl. LG 26).

---

[14] *J. Heinrichs*, a.a.O. 104f.

II. Konkrete Universalität

1. Die Kraft der Konkretisierung

Als Ergebnis des ersten Schritts können wir festhalten: Das Subjekt der universalen Kirche ist grundlegend die kommunikative Einheit aller vorwegnehmenden Zeichen der endgültig versöhnten Menschheit des Reiches Gottes; dieses eine soziale Subjekt verwirklicht sich in je verschiedener realsymbolisch-sakramental-institutioneller Intensität; es findet (bei aller geschichtlichen Vorläufigkeit und Unvollkommenheit) seine strukturelle „Vollgestalt" insofern in der katholischen Kirche, als diese ihre Gemeinschaft im Glauben von der Eucharistie, der alle anderen Zeichen ein-sammelnden und untrüglich auf die Einheit des Reiches Gottes hin kon-zentrierenden Mitte, und von ihren damit verbundenen Einheitsdiensten her aufbaut; wo immer diese Eucharistie in der differenzierten Vielfalt und zugleich integrierten Gemeinschaft örtlich-personell-kulturell verschiedener Gemeinden gefeiert wird, ist das universale Subjekt Kirche präsent, und zwar in seiner höchstmöglichen sakramentalen und gesellschaftlich verfaßten Konkretheit.

Was diese verschiedenen Formen der universalen Kirche in der Einheit eines sozialen Subjekts zusammenbindet, ist die ihr eigene Kraft der *Konkretisierung*[15]. Diese beinhaltet zwei Momente: 1) Die Universalität des vollendeten Reiches Gottes kommt in dem Maße innergeschichtlich zur Darstellung, in dem sie sich hineinbindet („objektiviert") in eine *partikuläre*, d. h. unter den verschiedensten Rücksichten (zeitlich und räumlich, inhaltlich und personell) bestimmte kirchliche Form. Diese partikuläre Form zerstört nicht die Universalität, sondern läßt sie in der Geschichte erst voll wirksam werden, da sie sie aus der Abstraktheit eines rein zukünftigen, sich als bloßes Handlungs- und Hoffnungsmotiv manifestierenden Ideals herausführt und den *ganzen* Sinngehalt universaler Versöhnung *in* der bestimmten Form gegenwärtig setzt.

Daß darin zugleich auch eine Beschränkung liegt, ist klar; darin zeigt sich die Ambivalenz jeder Objektivation. Die Beschränkung führt jedoch nicht notwendig zur Selbstauflösung der Universalität; denn diese Konkretisierung enthält in sich immer schon 2) das Moment der *Integration:* Die partikuläre kirchliche Form des Reiches Gottes ist grundsätzlich unbegrenzt of-

---

[15] Vgl. zum Verhältnis von Universalität und Konkretheit der Kirche die genannten Artikel von *J. L. Witte* (Anm. 3) 424, *A. Ganoczy* (Anm. 12) 11, *J. Komonchak* (Anm. 12) 473; außerdem *W. Kasper,* Die Kirche als universales Sakrament des Heils, in: *A. Bsteh* (Hrsg.), Universales Christentum angesichts einer pluralen Welt (Mödling 1976) 33–55, bes. 43ff.

fen für die gesamte ihr begegnende Wirklichkeit, und zwar sowohl in dem Sinn einer universalen *Sendung*, um den Sinngehalt des Reiches Gottes, also die Kraft seiner Versöhnung und seiner Einheit, in alle Bereiche der Schöpfung ausdrücklich hineinzutragen, wie auch im Sinn einer universalen *Empfänglichkeit*, die all das in Schöpfung und Geschichte wahr-nimmt und entgegen-nimmt, was dort an Zeichen des Reiches Gottes anwesend ist und was von ihr zur Einheit eines auch gesellschaftlich faßbaren sozialen Subjekts integriert werden kann.

Daß diese Konkretisierung in der Kirche gelingt, ist ein Geschenk des Geistes, in dem die alles versöhnende Liebe Gottes in der Gestalt des gekreuzigten und auferstandenen Jesus von Nazaret unter uns anwesend bleibt[16]. Wird doch gerade in der äußersten „Objektivation" und Entfremdung des Kreuzes, in der letzten Verlassenheit von Gott und den Menschen jene Liebe „für euch und für alle" verschenkt, die als endgültige und universal befreiende Solidarität mit allen Leidenden und Verlorenen der Geschichte erfahren wird. In der (ganz und gar „partikulären" und zugleich doch alles heilend „integrierenden") Gestalt des auferstandenen Gekreuzigten bricht die Versöhnung des vollendeten Reiches Gottes „konkret" in unsere Geschichte ein: er ist das alles tragende und ermöglichende „universale concretum" des Reiches Gottes. Und nur in der Kraft seiner Geistes-Gegenwart können auch die verschiedensten Formen der Konkretisierung vom Reich Gottes dessen Universalität voll und ganz vermitteln, bis hin zu jenen partikulären „Altargemeinschaften", die „klein und arm sind oder in der Diaspora leben" (LG 26).

2. Die Konkretheit der Armen

In solchen Eucharistiegemeinschaften – so sahen wir oben – findet die Universalkirche ihr kon-kretestes, weil alles kon-zentrierendes soziales Subjekt. Hier gibt sich der gemeinsame und ausdrückliche Glaube an das Reich Gottes seine sakramental und institutionell eindeutigste Gestalt. Als „Sakrament des *Glaubens*" (GS 38) führt die Eucharistie eben vor allem *diese* Stufung nach dem Maß des jeweils ausdrücklicheren und kirchlich gestalteten *Glaubens* innerhalb der realsymbolischen Vermittlung zu ihrem Höhepunkt (s.o.). Die andere, mehr in GS zur Sprache kommende Perspektive verschafft sich erst in einer nachkonziliaren, von der Dritten Welt beeinflußten

---

[16] Vgl. *H. U. v. Balthasar*, Theologie der Geschichte (Einsiedeln ³1959) 69; *ders.*, Pneuma und Institution 6; *M. Kehl – W. Löser* (Hrsg.), In der Fülle des Glaubens. H. U. v. Balthasar-Lesebuch (Freiburg i. Br. 1980) 16–20.

Ekklesiologie mehr Geltung: daß die Eucharistie eben auch „Sakrament der *Liebe*", vor allem jener solidarischen Liebe zu den Geringsten der Brüder und Schwestern Jesu darstellt. Ihnen (und solchen, die mit ihnen solidarisch werden) ist das Reich Gottes zuallererst verheißen; unter ihnen muß deswegen auch jede realsymbolische und sakramentale Vergegenwärtigung ihren bevorzugten Ort haben.

Auch wenn auf dem Konzil die „Kirche der Armen" immer wieder thematisiert wurde, so bleibt diese Sicht universalkirchlicher Identität doch im ganzen weit hinter der einer sakramental-institutionellen Bestimmung von Kirche zurück[17]. Dennoch ist es nicht unwichtig, daß LG die besondere Sendung der Kirche zu den Armen gerade in der dogmatisch hochkarätigen n. 8 erwähnt: dort, wo die volle Konkretheit, das „Subsistieren" des universalen Heilssakramentes in der amtlich-institutionell verfaßten katholischen Kirche ausgesagt wird, kommt in unmittelbarem Anschluß daran die Nachfolge der Kirche auf dem Weg des armen Christus zu den Armen dieser Erde zur Sprache. Man darf darin keineswegs nur eine erbauliche, pastorale Ermahnung sehen mit dem Ziel, einem in den ersten Abschnitten dieser n. 8 vielleicht insinuierten institutionellen Triumphalismus zu wehren. Nein, diese Zeilen gehören m. E. – wie die nachkonziliare Wirklichkeit der „armen Kirchen" zeigt – durchaus in das dogmatische Selbstverständnis der Kirche. Das heißt: die *institutionelle* Konkretisierung der ecclesia universalis in der katholischen Kirche, besonders in der Eucharistiefeier ihrer Gemeinden, bleibt unvollständig, wenn sie nicht zugleich *inhaltlich* im Sinn des 3. Abschnitts der n. 8 aufgefüllt wird, eben durch die Präsenz dieser Kirche unter den Armen, den Leidenden und den Sündern. Nur wo die Konkretheit der Strukturen sich mit der Konkretheit der Armen verbindet, wo die Eucharistie und die mit ihr verknüpften Ämter unter denen zu Hause sind und das soziale Subjekt Kirche bilden, denen Jesus das Reich Gottes zuallererst verheißen und es in der Tischgemeinschaft mit ihnen vorweg geschenkt hat, da kommt die realsymbolische Gegenwart des Reiches Gottes auch heute noch zu ihrer höchstmöglichen „Vollgestalt". Denn es gibt für den christlichen Glauben keine höhere Konkretion, als in der Nachfolge Jesu das Leben mit

---

[17] K. *Rahner*, Die Unfähigkeit zur Armut in der Kirche, in: Schriften X 520–530; *J. Dupont*, Die Kirche und die Armut, in: *G. Baraúna* (Hrsg.), De Ecclesia I (Freiburg i. Br. 1966) 313–345; *L. Boff*, Die Neuentdeckung der Kirche (Mainz 1980); *H. Vorgrimler*, Das Subjekt der Kirche. Argumente angesichts der Herausforderungen der Dritten Welt, in: EvTh 41 (1981) 325–334; *G. Gutiérrez*, Die großen Veränderungen in den Gesellschaften und Kirchen der neuen Christenheit nach dem II. Vatikanum, in: *G. Alberigo, Y. Congar, H. J. Pottmeyer* (Hrsg.), Kirche im Wandel (Düsseldorf 1982) 35–47; *V. Cosmao*, Verlagerung der Schwerpunkte, in: ebd. 48–56.

den Hungernden und Durstigen, mit den Fremden und Obdachlosen, mit den Armen und Kranken, mit den Gefangenen und Unterdrückten wirklich leibhaftig, in der materiell erfahrbaren Widerständigkeit („Objektivität") einer derart beschädigten Lebenswelt zu teilen. Wenn gerade der gekreuzigte und auferstandene Christus für uns *das* erlösende „universale concretum" bedeutet, also das „gefüllteste" Sakrament der Liebe Gottes zu allen, dann kann die gemeinsame Gedächtnisfeier seines Leidens, seines Sterbens und seiner Auferstehung erst da diese Konkretheit seiner Liebe ganz vergegenwärtigen, wo sie seinen Kreuzweg auch „im Fleisch" unserer Geschichte mitgeht und so die in dieser Geschichte Verlorenen und Vergessenen heimholt in die Gemeinschaft des Reiches Gottes.

Die Lebendigkeit vieler Kirchen der Dritten Welt, die gerade um diese ekklesiologische Perspektive in Praxis und Theorie ringen (was natürlich nicht ohne Konflikte und Einseitigkeit abgehen kann), spricht für die Fruchtbarkeit dieser gegenseitigen Konkretisierung von Institution und Armut. Dabei verfehlen Begriffe wie „Kirche von oben" und „Kirche von unten", die bei uns gern gebraucht werden, völlig das Phänomen; denn sie scheinen den theologischen Sinngehalt von Kirche eher unter bürgerlich-liberalen Emanzipationsvorstellungen zu subsumieren und werden deswegen dort schnell gegenstandslos, wo die institutionelle Form der Kirche ihren umgreifenden theologisch-inhaltlichen Ort bei den von Jesus Seliggepriesenen findet (und nicht bei den von der Institution frustrierten bürgerlichen Individuen). Der wichtige Satz des Konzils, daß Christus und durch ihn auch die universale Kirche anwesend sind in allen einzelnen Gemeinden und Altargemeinschaften, *„auch wenn* sie oft klein und arm sind oder in der Diaspora leben" (LG 26), bringt diese Beziehung von konkret-universaler Kirche und Reich Gottes zur Sprache; allerdings müßte man zutreffender das „auch" durch ein *„gerade"* ersetzen. Erst von solchen Eucharistiegemeinschaften gilt im eigentlichen Sinn die Kennzeichnung von GS 38: als „Abendmahl brüderlich-schwesterlicher Gemeinschaft und als Vorfeier des himmlischen Gastmahls" sind sie das „Angeld der Hoffnung" auf das Reich Gottes.

GISBERT GRESHAKE

KONZELEBRATION DER PRIESTER

Kritische Analyse und Vorschläge zu einer problematischen Erneuerung
des II. Vatikanischen Konzils

In einer Zeit, wo das Problem Nummer 1 vieler Gemeinden darin besteht,
überhaupt noch *einen* Priester für die Eucharistiefeier zu finden, mag das
Thema dieses Beitrags, der sich mit der Konzelebration, d. h. mit der gemeinsamen Meßfeier mehrerer Priester miteinander[1], beschäftigt, bizarr,
ausgefallen, ja weltfremd erscheinen. Und selbst wenn man vom zunehmenden Priestermangel absieht, stellt sich die Frage, ob es nicht wichtigere
Probleme gibt als die Beschäftigung mit einer eher am Rande liegenden liturgischen Erneuerung des II. Vatikanums.

Doch der Anschein des Nur-Peripheren trügt bei genauerem Zusehen.
Wie ganz allgemein – nach einer sprichwörtlichen Redensart – „der Teufel
im Detail liegt", so zeigt sich auch in der Theologie oft erst an Detailfragen,
d. h. an kleinen, gelegentlich unscheinbaren Formen und Ausdrucksgestal-
ten christlicher Praxis, was die großen Prinzipien, Axiome und Theorien
„wert" sind und ob sie authentisch und widerspruchsfrei in Glaubenspraxis
übertragen werden. Ein solches „Detail", in welchem wichtige Züge der Kir-
chen-, Sakraments- und Amtstheologie – gleich Lichtstrahlen in einem kleinen Diamant gebündelt – aufleuchten, ist die durch das II. Vatikanum in der
Westkirche erneuerte priesterliche Konzelebration[2]. Sie ist nicht nur – wie

---

[1] Eben dies, die von mehreren Priestern zugleich und miteinander getätigte Feier der heiligen
Messe, ist der spezifische Sinn von „concelebrare" seit Ende des 12. Jahrhunderts. Siehe dazu
Ph. Hofmeister, Die Konzelebration, in: ALW IX 2 (1966) 283f. Es sei allerdings ausdrücklich
vermerkt, daß es in einem weiteren Sinn noch andere liturgische „Konzelebrationen" gibt als
die der Eucharistiefeier. Siehe dazu *J. C. McGowan,* Concelebration. Sign of the Unity of the
Church (New York 1964) 66ff.
[2] Eine umfassende Bibliographie zum Thema „Konzelebration" findet sich bei *H. Schmidt,* In-
troductio in Liturgiam Occidentalem (Rom 1960) 406–409. Danach finden sich wichtige bibliographische Hinweise bei *G. Danneels,* Het problem van de concelebratie, in: Collationes
Brugenses et Gandavenses 9 (1963) 160[1], sowie bei *P. Tihon,* De la concélébration eucharistique, in: NRTh 86 (1964) 578[2], und *R. Taft,* Ex oriente lux?, in: ThGw 25 (1982) 266–277 (ursprünglich in englischer Sprache veröffentlicht in: Worship 54 [1980] 308–325). Neuerdings
ist eine nahezu komplette Bibliographie zum Thema veröffentlicht, zusammengestellt von St.
Madeja in: ELit. 97 (1983) 262–273.

A. Häußling[3] schreibt – „ein Modellfall der Liturgiereform", sondern geradezu ein „Lehrstück" für angewandte Ekklesiologie.

Im folgenden soll zunächst (I) die konziliare und nachkonziliare Erneuerung der Konzelebration entfaltet und kritisch analysiert und dann in einem zweiten Schritt (II) der legitime Rahmen für eine priesterliche Konzelebration positiv abgesteckt werden.

I. Die Konzelebration im Kontext des II. Vatikanischen Konzils.
Eine kritische Analyse

1. Der Problemhorizont des Konzils und seine Konsequenzen

Der vom Konzil verabschiedete Text über die Konzelebration lautet: „Die Konzelebration ist in der Kirche des Ostens wie des Westens bis auf den heutigen Tag in Übung geblieben. In ihr tritt passend die Einheit des Priestertums in Erscheinung. Deshalb hat es das Konzil für gut befunden, die Vollmacht zur Konzelebration auf folgende Fälle auszudehnen . . ." (SC 57 § 1). Hieraus lassen sich zwei Gründe für die konziliare Erneuerung entnehmen: *Erstens* geht es um eine alte kirchliche Tradition, die nur „ausgedehnt" wird; *zweitens* ist diese Tradition sinnvoll, da sie die Einheit des Priestertums zeichenhaft aufleuchten läßt. Über beide Motive wird noch eingehend zu handeln sein.

Doch zuvor muß man sich zum besseren Verständnis der auftretenden Probleme vergegenwärtigen, daß der eigentliche Anlaß und Hintergrund der konziliaren Beschäftigung mit der Konzelebration dem Konzils*text* nicht zu entnehmen ist: es ist das – in der liturgischen Bewegung gewachsene – Unbehagen an der Privatmesse, an deren Häufung und ihren oft unwürdigen Bedingungen. Statt Sakrament der Einheit zu sein, das Menschen in Jesus Christus versammelt, führt(e) die von jedem Priester separat und individuell gefeierte Eucharistie – sofern mehrere Priester an einem Ort präsent sind – zur Aufspaltung der Gläubigen und zur Abspaltung der Priester voneinander. Diese die Mitte der Eucharistie pervertierende Konsequenz wurde besonders bei großen Priesterzusammenkünften (kurz vor dem Konzil vor allem beim Jubiläum von Lourdes 1958 und dem Eucharistischen Kongreß in München 1960), an Wallfahrtsorten und nicht zuletzt in Priesterkollegien und -konventen empfunden. Dabei hatte sich besonders in Frankreich schon seit den fünfziger Jahren immer mehr die Praxis herausgebildet, daß Priester

---

[3] Die Konzelebration, in: StdZ 179 (1967) 334.

auf ihre Privatmesse verzichteten und statt dessen an einer Gemeinschaftsmesse teilnahmen. Dagegen setzte sich die liturgische Kommission der französischen Bischofskonferenz 1951, ohne diese Praxis völlig zurückzuweisen, für die Erneuerung einer wahren Konzelebration ein, in welcher der „Wert der Privatmessen" erhalten bliebe[4].

Dieser Wunsch nach Erneuerung der Konzelebration wurde verstärkt mit Hinweis auf die liturgische Praxis der (unierten) Ostkirchen vorgetragen, denen man in den zwanziger und dreißiger Jahren neue Aufmerksamkeit schenkte. Bot sich in deren Konzelebrationspraxis nicht auch ein Modell für die Westkirche an, um die Auswüchse der Privatmesse zu vermeiden?[5] So stand auch die Begegnung mit der ostkirchlichen Konzelebration ganz im Bann der Frage, ob hier eine Form der Meßzelebration angeboten werde, in welcher der „Wert" der vom einzelnen Priester zelebrierten Messe erhalten blieb[6].

---

[4] Vgl. dazu M. Nicolau, La concelebración eucarística, in: Salmanticenses 8 (1961) 269f; J. Tillard, Concélébration et messe de communauté, in: QLP 43 (1962) 22–35; J. C. McGowan, a.a.O 62f (Lit.).

[5] Siehe dazu H. v. Meurers, Die Eucharistische Konzelebration, in: Pastor Bonus 53 (1942) 65f, mit der dort angegebenen Literatur von P. de Meester, A. Paladini, L. Beauduin.

[6] Von dieser an die ostkirchliche liturgische Praxis herangetragenen Problemstellung her kam der Professor der Liturgik an der Gregoriana, Johann Michael Hanssens, zu einer Unterscheidung, welche die theologische Debatte für Jahrzehnte beherrschen sollte. Er unterschied zwischen einer „zeremonialen Konzelebration", wie sie in den orthodoxen Kirchen üblich sei, wo nur der Hauptzelebrant – nicht aber die umgebenden assistierenden Priester – die Konsekrationsworte spricht, und der „sakramentalen Konzelebration" der unierten Ostkirchen, wo alle beteiligten Priester gemeinsam den Einsetzungsbericht rezitieren. Siehe dazu J. M. Hanssens, De concelebratione eucharistica, in: Periodica 16 (1927) 143–154 181–210, 17 (1928) 93–127, 21 (1932) 193–216. Hanssens hat seine Distinktion, die er selbst nur deskriptiv-phänomenologisch verstanden haben wollte, später wiederholt und in folgenden Artikeln präzisiert: La concelebrazione sacrificale della messa, in: Divinitas 2 (1958) 240–266, sowie in einem gleichnamigen Beitrag in: Eucaristia, hrsg. von A. Piolanti (Rom 1957) 809–826. Hier unterstrich Hanssens noch einmal, daß die „sakramentale Konzelebration" an eine „Konkonsekration" (zur Herkunft dieses Ausdrucks vgl. Hanssens in: Eucaristia [Rom 1957] 810[4]) gebunden sei. Damit ist deutlich, daß in der von Hanssens nur phänomenologisch gemeinten Differenzierung doch stillschweigende theologische Prämissen und Konsequenzen stecken. Diese deckte vor allem auf B. Botte, Note historique sur la concélébration dans l'Église ancienne, in: La Maison-Dieu 35 (1953) 9–13, und – neuestens – E. J. Lengeling, Mißverständnisse in der Konzelebrationspraxis, in: Gottesdienst 9 (1975) 34. Letzterer bemerkt (in Anschluß an Botte): „Es ist ein typischer Fall von ‚Petitio principii', solche ‚schweigende' Konzelebration als ‚nicht-sakramental', als nur ‚zeremonial' zu erklären, wie das mit J. M. Hanssens auch Pius XII. getan hat. Denn so wird – nicht aus biblischen oder theologischen, sondern aus philosophischen Axiomen (aristotelischer Hylemorphismus) heraus – als zur Gültigkeit einer sakramentalen Handlung notwendig erklärt, was erst theologisch als nötig bewiesen werden müßte. Völlig anachronistisch werden Denkmodelle auf Jahrhunderte und auf nichtwestliche Kirchen angewandt, denen sie ganz unbekannt waren." – Zur Diskussion zwischen Hanssens und Botte vgl. auch besonders G. Schultze, Das theologische Problem der Konzelebration, in: Gregorianum 36 (1955) 223ff.

Die Frage nach der Konzelebration war also bereits vor dem Konzil akut. Viele diesbezügliche Nachfragen wurden an die Ritenkongregation herangetragen. Diese leitete ihrerseits das Anliegen an die Vorbereitende Konzilskommission für das II. Vatikanum weiter, welche das Problem auf die Tagesordnung des Konzils setzte. Hier zeigten nun noch einmal die lebhaften, ja heißen Konzilsdebatten über die Konzelebration, daß eine Reihe von Vätern „hauptsächlich in dem begrifflichen Kontext argumentierte, die Unzuträglichkeiten und Mißbräuche der vielen Privatzelebrationen zu vermeiden"[7]. Die Stimmen, die sich gegen eine Erneuerung der Konzelebration richteten, hatten nur die Sorge, daß der Kirche dadurch sakramentale Gnaden entzogen würden. So äußerte z. B. Kardinal Spellman von New York bezeichnenderweise die Besorgnis, daß durch die Konzelebration von 100 Priestern die Kirche um 99 Messen ärmer würde[8].

Wenn also auch der Konzilstext ganz andere Motive für die Erneuerung der Konzelebration nennt und wenn auch sowohl im weiteren Verlauf der Konzilsdiskussionen wie gleichfalls später im Promulgationsdekret des neuen Ritus deutlich wurde, daß für die erneuerte Konzelebration mehr als nur „rationes ordinis mere practici" maßgebend waren[9], bleibt die Tatsache bestehen, daß das Thema „Konzelebration" auf dem II. Vatikanischen Konzil eng mit dem Problem verknüpft war: Kann dadurch auf andere, passendere Weise die häufige, ja möglichst tägliche Zelebration des Priesters gewährleistet werden. Es ging letztlich darum, eine Alternative, ja eine „Ablösungsform" zu finden, welche an die Stelle der gehäuften Privatzelebrationen treten und in der die Eucharistie als Sakrament der Einheit – ein Gedanke, welcher für die Liturgiekonstitution des II. Vatikanums ganz wesentlich ist – deutlicher in Erscheinung treten konnte.

Die Frage, ob überhaupt die Quantifizierung von Messen in sich sinnvoll ist, ob also der Priester möglichst oft von seiner eucharistischen „Vollmacht" Gebrauch machen sollte, wurde entweder gar nicht konsequent gestellt, bzw. es wurde stillschweigend die durch Pius XII. gegebene Entscheidung vorausgesetzt: „Die These, wonach die Feier *einer* Messe, an welcher hundert Priester mit religiöser Hingabe teilnehmen, soviel wert sei wie (idem esse atque) hundert Messen von hundert Priestern gefeiert, ist als irrige Meinung (error opinionis) zu verwerfen." Pius XII. begründete seine Entscheidung damit, daß es „in bezug auf die Darbringung des eucharistischen Op-

---

[7] *J. C. McGowan,* a.a.O. XI; so auch O. *Nußbaum,* Liturgiereform und Konzelebration (Köln 1966) 24; A. *Franquesa,* De concelebratione, in: ELit 78 (1964) 300f.
[8] Vgl. *A. A. King,* Concelebration in the Christian Church (London 1966) 63f.
[9] Vgl. AAS 57 (1965) 411.

fers so viele Akte des Hohenpriesters Christus gibt, als da zelebrierende Priester sind"[10], welche gerade durch das Aussprechen der Konsekrationsworte „in persona Christi" handeln. Es geht – betonte der Papst – bei dieser Frage nicht um die „Frucht" des Meßopfers, sondern es geht darum, ob der Priester die „actio Christi se ipsum sacrificantis et offerentis" ausübt[11], und dies tut er nur konsekrierend. Ganz auf dieser Linie lag auch die Entscheidung des Heiligen Offiziums vom 23. 5. 1957, wonach „aufgrund der Einsetzung Christi nur derjenige gültig zelebriert, der die Konsekrationsworte ausspricht"[12].

Diese Äußerungen sind gleichsam die letzte und sehr fragwürdige Frucht einer jahrhundertelangen (westkirchlichen) Entwicklung, wonach in der Messe nicht so sehr die gemeinsame Eucharistiefeier als vielmehr der sachhafte (und damit quantifizierbare) Wert der eucharistischen Opfergabe sowie – entsprechend – im Amtspriestertum vor allem die Vollmacht zur „confectio sacramenti" gesehen und also der Sinn des priesterlichen Amtes in der „in sich" werthaften konsekratorischen Darbringung des Meßopfers erblickt wurde.

Diese spezifisch westkirchliche theologische Entwicklung und die vorangehenden Lehrentscheidungen Pius' XII. waren der nicht hinterfragte Kontext der konziliaren Diskussion und Lehrdokumente wie auch des nachkonziliaren Ritus der Konzelebration. Dies ist eigentlich erstaunlich. Denn zur Zeit des Konzils war bereits die Arbeit von Karl Rahner „Die vielen Messen und das eine Opfer"[13] international bekannt, und durch sie war das Problem längst ins Rollen gekommen[14].

Rahner hatte in dieser Arbeit gezeigt, daß angesichts des unendlichen Wertes des Opfers Christi weder die Quantifizierung der Messen als solche bereits einen Wert darstellt noch daß dem Priester aus der individuellen Zelebration ganz besondere, nur ihm zukommende „Früchte" erwachsen. Vielmehr gilt für Priester und Volk: „Eine neue und dem Einzelmeßopfer als

---

[10] *Pius XII.*, Allocutio am 2. 11. 1954 = AAS 46 (1954) 668f; wiederholt in der Allocutio am 22. 9. 1956 = AAS 48 (1956) 716f.

[11] Allocutio vom 22. 9. 1956 (a.a.O.).

[12] AAS 49 (1957) 370.

[13] Ursprünglich als Aufsatz in der ZKTh 71 (1949) 257–317 erschienen, 1950 ins Englische übersetzt, 1955 in zwei weiteren Aufsätzen „Die vielen Messen als die vielen Opfer Christi" (in: ZKTh 77 [1955] 94–101) und „Dogmatische Bemerkungen über die Frage der Konzelebration" (in: MThZ 6 [1955] 81–106) präzisiert und schließlich von *A. Häußling* für die Reihe der Quaestiones disputatae (31) (Freiburg i. Br. – Basel – Wien 1966) überarbeitet.

[14] Vor Rahner hatte bereits *B. Neunheuser,* Die Einmaligkeit in der Feier der Eucharistie, in: Liturgisches Leben 5 (1938) 111–127, ganz ähnliche Thesen aufgestellt.

einzelnem eigene und von der Opferwirkung Christi verschiedene Wirkung der Messe als Opfer der Kirche kommt dem Meßopfer . . . nur zu, insofern eben Menschen der Kirche an dem einzelnen Opfer als solchem durch ihr subjektives Tun wirklich beteiligt sind . . . Der *neu* hinzukommende Wert des einzelnen Opfers als Opfer der Kirche fällt also sachlich mit dem Wert des Opfers als des Opfers der *Opferfeiernden* zusammen."[15] Das aber bedeutet, „daß es für das Maß der Meßopferfrüchte an sich . . . gleichgültig ist, in welcher der möglichen Weisen (Darbringung als Priester, Teilnahme am Opfer als Laie, Konzelebration, Ermöglichung des Opfers durch Bereitstellung der Opfermaterie [Stipendium]) jemand am Opfer teilnimmt, da jeder Teilnehmer alles und nur das erhält, was er aufgrund seiner übernatürlichsittlichen Anteilnahme am Opfer empfangen kann"[16]. Und dies bedeutet, auf den Priester gewendet: „Unter der Voraussetzung, daß er als bloß assistierender Teilnehmer faktisch dieselbe innere Anteilnahme leistet (oder leisten würde) wie beim eigenen Zelebrieren, ist die Wirkung der bloß ‚gehörten‘ Messe für ihn dieselbe wie die der von ihm selbst zelebrierten."[17]

Wenn man den von Rahner ausführlich begründeten Thesen zustimmt – und ernst zu nehmende Bedenken werden m. W. *heute* gegen Rahners Untersuchung nicht mehr vorgebracht[18] –, so ist die Konzelebration nicht im Horizont des Interesses anzugehen, die vielen Privatmessen durch eine Feier

---

[15] *K. Rahner,* Die vielen Messen 54f.

[16] Diese durch K. Rahner auf dem Wege einer theologischen Besinnung auf das Kreuzesopfer Christi gewonnene Einsicht liegt – wie *E. Iserloh,* Der Wert der Messe in der Diskussion der Theologen vom Mittelalter bis zum 16. Jahrhundert, in: ZKTh 83 (1961) 44–79, gezeigt hat – durchaus auf der Linie der großen mittelalterlichen Theologie bis – ausschließlich – Duns Scotus. Erst im späten Mittelalter setzt sich (mit Ausnahme von Cajetan) immer mehr die Meinung durch, daß die Wirkkraft der Messe schon in sich und nicht erst aufgrund der Disposition der Beteiligten begrenzt ist. Vgl. dazu auch *E. Iserloh,* Die Eucharistie in der Darstellung des Johannes Eck (Münster 1950).

[17] *K. Rahner,* Die vielen Messen 98f. – Damit will Rahner keineswegs die private Meßfeier eines Priesters total in Frage stellen. *Nur:* eine solche private Zelebration soll einen hinreichenden Grund haben. Dies betonte auch *Paul VI.* in seiner Enzyklika „Mysterium fidei", in: AAS 57 (1965) 761. Dazu die Erläuterung von *K. Rahner,* Die vielen Messen 121: „Wo die volle Möglichkeit konkret besteht, die Messe ihrem Wesen gemäß in Gemeinschaft zu feiern, gibt es für die private Zelebration keine justa causa."

[18] Ältere kritische Auseinandersetzungen mit Rahner, welche gegen ihn darauf bestehen, daß die Messe auch unabhängig von der Disposition der Teilnehmer einen impetratorischen und satisfaktorischen Wert in sich habe, finden sich z. B. bei *J. Putz,* Community Mass and Concelebration, in: Clergy Monthly 19 (1955) 41–53; *V. Rassa,* Sul criterio circa il numero delle messe, in: Rivista Liturgica 42 (1955) 217–222; *G. Frénaud,* Théologie du sacrifice eucharistique et pratique des messes communautaires, in: Revue grégorienne 34 (1955) 74–80; *A. Michel,* Valeur du sacrifice de la messe, in: L'Ami du Clergé 66 (1956) 593–602; *F. Vandenbroucke,* Functionalité de la liturgie, in: QLP 37 (1956) 81–90. – Besonders gegen die Kritik von Putz

abzulösen, in der – zwar auf andere, nicht Gemeinschaft schädigende Art, aber doch – auf grundsätzlich gleiche bzw. analoge Weise die konzelebrierenden Priester das tun, was sie auch sonst bei der einzeln gefeierten Messe tun: nämlich *als* (konsekrierende) *Priester* das Opfer Christi gegenwärtigzusetzen, um damit für sich selbst und für die Kirche Früchte des Opfers Christi zu erlangen, die sie in der Mitfeier als Laien nicht erlangen würden. Vielmehr: wenn eine Konzelebration der Priester überhaupt einen Sinn haben soll, so kann dieser nur auf der Ebene des *Zeichens* liegen. Dies deutet das Konzil ja auch an mit der Aussage, daß durch die Konzelebration „die Einheit des Priestertums passend *in Erscheinung tritt*" (SC 57)[19]. Doch diese – vom Konzil sehr wohl grundsätzlich gesehene – Zeichenstruktur der Konzelebration geriet – wie Hintergrund, Inhalt und Nachwirkung der Konzilsdiskussion zeigen – in den Bann des Interesses, daß auch in der erneuerten Konzelebration der mitfeiernde Priester – wie man sagt – „sein Priestertum verwirklicht" bzw. „seine Messe hat"[20].

Dies wird über den schon genannten Kontext und Verlauf der Konzilsdiskussionen konkret besonders an zwei Punkten deutlich:

1. Im verabschiedeten Konzilstext wird die Konzelebration damit begründet, daß „die Einheit des Priestertums passend in Erscheinung tritt". Der Vorschlag, stattdessen zu schreiben, „daß darin die Einheit der Kirche passend in Erscheinung tritt", wurde abgelehnt. Das heißt: das Problem der Konzelebration wurde vom konzelebrierenden Priester, nicht von der konzelebrierenden Gemeinde her angegangen.

2. Der nachkonziliare Ritus, den das II. Vatikanum nur in allgemeiner Form (SC 58) in Auftrag gegeben hat, knüpft weder an die liturgische Praxis der alten Kirche noch an die bis heute geübten Formen ostkirchlicher Konzelebration an, sondern an die erst seit dem 12./13. Jahrhundert in der

---

und Michel bestätigte *Rahner* noch einmal seine Position in: Thesen über das Gebet „im Namen der Kirche", in: ZKTh 83 (1961) 307–324.

[19] Ähnlich auch SC 41. Im Ökumenismusdekret 15 heißt es entsprechend: „Durch die Konzelebration wird ihre (= der Einzelkirchen) Gemeinschaft *offenbar*." Das Priesterdekret 7 sagt: „Diese Gemeinschaft (von Bischöfen und Priestern) *bekunden sie* vorzüglich bei gelegentlicher Konzelebration." Auch das Decretum generale zur Promulgation des neuen Ritus thematisiert auf verschiedene Weise den Zeichencharakter der Konzelebration.

[20] Ja bei einzelnen Priestern – nicht zuletzt in einigen Konventen – dürfte auch das Meßstipendium eine Rolle spielen, das nach geltendem Kirchenrecht nur dem tatsächlich zelebrierenden = konsekrierenden Priester zusteht und das demnach – für einige Priesterkonvente – in *stattlicher Höhe* entfallen würde, wenn statt der bisherigen nicht selten großen Zahl der Privatmessen nur noch ein zelebrierender = konsekrierender Priester der gemeinsamen Eucharistiefeier vorsteht. Der Hinweis auf das Meßstipendium klingt recht prosaisch, sollte aber – leider! – für diesen Fragenkomplex nicht unterschätzt werden. Siehe dazu auch Anm. 47.

Westkirche übliche (Weihe-)Konzelebration, die in ihrer Form eine synchronistische Kon-Konsekration vieler Priester ist. Gewiß kann man sagen, daß dieser Konzelebrationsritus „nach dem Tenor der Konzilstexte eigentlich nicht selbstverständlich"[21], daß er sogar in dieser Form „eigentlich nicht vorgesehen war"[22]. Auf der anderen Seite aber kommt in diesem Ritus der Hintergrund und formale Horizont der Konzilsdebatte (von dem die Rede war), ja eine bestimmte äußerst fragwürdige Theologie durch und durch zum Tragen[23]. Gerade das aber gibt zu ernsten theologischen Bedenken Anlaß.

2. Fragwürdigkeiten des gegenwärtigen Konzelebrationsritus

a) Verdunkelung der sakramental-kultischen Ausdrucksgestalt

Die Eucharistiefeier ist – wie das II. Vatikanische Konzil sagt – „Quelle und Höhepunkt des ganzen christlichen Lebens" (LG 11), „Mitte der Gemeinschaft der Gläubigen" (PO 5). Denn durch sie wird die „Einheit des Volkes ... sinnvoll bezeichnet und wunderbar bewirkt" (LG 11). Indem Christus in der liturgischen Versammlung sein Opfer unter den Menschen vergegenwärtigt und diese sich in das Opfer Christi hineinnehmen lassen in Lob, Dank und Hingabe, entsteht in Zeichen und Wirklichkeit die Einheit von Christus und seinen Brüdern und Schwestern sowie die Einheit der Vielen untereinander. Insofern ist die Eucharistiefeier wesentlich das Opfer der Kirche, die Feier des ganzen mystischen Leibes, die Feier aller Gläubigen[24]. Deshalb wird auch der Ausdruck „celebrare missam" vom Altertum bis zum 10. Jahrhundert[25] nicht nur im Blick auf den Priester gebraucht, sondern auf

---

[21] *A. Häußling*, Die Konzelebration, in: StdZ 179 (1967) 340.
[22] *J. W. Fontana*, Die Konzelebration der Eucharistiefeier (Dipl.-Arbeit) (Wien 1977) 48.
[23] *E. J. Lengeling*, Mißverständnisse 34f, berichtet aus seiner persönlichen Erfahrung: „Für die Konzelebration der Messe war es angesichts der zeitlichen Nähe der ... Entscheidung des Heiligen Offiziums und mehr noch weil die hylemorphistische Konzeption der Sakramente bei den entscheidenden Personen als unumstößlich galt, erst recht unmöglich, zu erreichen, was alle Mitglieder der Arbeitsgruppe Pontificale und wohl auch fast alle Konsultoren des Consiliums an sich und auch aus ästhetischen Gründen gewünscht hätten", nämlich den Verzicht auf das gemeinsame Sprechen der Konsekrationsworte.
[24] Vgl. SC 7. Siehe ferner *Y. Congar*, L'„Ecclesia" ou communauté chrétienne sujet intégral de l'action liturgique, in : La Liturgie après Vatican II (Paris 1967); *A. Nuij*, Die Konzelebration der Eucharistiefeier (Lebendiger Gottesdienst 11) (Münster 1965) 21f; *E. Schillebeeckx*, Das kirchliche Amt (Düsseldorf 1981) 85f (Lit.).
[25] Selbst bei *Innozenz III.* wird das „celebrare" noch von den Gläubigen ausgesagt: De sacr. alt. myst. 3, VI = PL 207, 845.

jeden Gläubigen. Erst die verengte Sicht der mittelalterlichen Theologie sowie die durch die Krise der Reformation ausgelöste gegenreformatorische Schlagrichtung führten dazu, das „Zelebrieren" dem Priester vorzubehalten[26].

Die eucharistische Feier, die also *von allen Gliedern* der Kirche zelebriert und damit in einem richtigen Sinn „konzelebriert" wird, ist aber innerlich strukturiert, und zwar so, daß in dieser Struktur sakramental-zeichenhaft das Wesen der Kirche überhaupt aufleuchtet. Denn wenngleich die Kirche sich als „Leib Christi" (1 Kor 12,12) verstehen darf, als „vollendete Gestalt" ihres Herrn (Eph 4,13), so sind dennoch – was diese Bild- und Redeweisen nahelegen könnten – Kirche und Christus nicht schlechthin ein und dasselbe Handlungssubjekt. Die Kirche ist nicht nur Leib Christi, sondern auch „Braut Christi", die in grenzenloser Bedürftigkeit und Armut alles von ihm empfängt; sie ist Volk Gottes, das von ihm gesammelt wird, sein Bauwerk, das von ihm erbaut wird. Diese Bilder bringen einen ganz wesentlichen, ja den fundamentalsten Aspekt von Kirche zum Ausdruck: Kirche *verdankt* sich ganz und gar dem Herrn, sie ist wirklich ek-klesia, d. h. die Gemeinschaft, die herausgerufen, zusammengeführt und im Sein erhalten wird durch Jesus Christus, durch sein Wort und sein Werk. Auch wenn Christus die Kirche mit seinem Leben erfüllt und die Kirche sich selbst als sein Leib verstehen darf, als Ort, Zeichen und Werkzeug (Sakrament) seiner Gegenwart, so ist und bleibt er doch das *ständige* Voraus der Kirche, ihr Herr, Erlöser und „Bräutigam", und die Kirche *bleibt* Geschöpf: „creatura Verbi", bedürftige „Braut", die – solange sie unterwegs ist – immer hinter dem Reichtum ihres Bräutigams zurückbleibt. Diese *Differenz* zwischen Christus und seiner Kirche, die nicht der Einheit beider widerstreitet, sondern den bleibenden Gnadencharakter und das Noch-unterwegs-Sein der Kirche betont, ist für das kirchliche Selbstverständnis fundamental. Darum bringt sie sich auch in allen ihren Lebensvollzügen zur Geltung. Niemals ist ein kirchliches Handeln (also ein „von unten") einfach mit dem Handeln Christi („von oben") so zu identifizieren, daß nicht gleichzeitig die Differenz zum Ausdruck kommt, d. h. im Zeichen erscheinen muß, da Kirche eine wesentlich sakramental-zeichenhafte, auf Christus und sein Heil verweisende Wirklichkeit ist. Wo diese „Differenz" übersehen wird oder nicht deutlich genug ins Bewußtsein rückt und zur Erscheinung gebracht wird, droht die Gefahr

---

[26] Bis Pius XII. diesen Ausdruck wieder auf die Teilnahme aller Gläubigen an der Eucharistiefeier ausdehnte. Vgl. dazu *J. M. Hanssens,* La concelebrazione sacrificale della messa, in: Divinitas 2 (1958) 242f; *ders.,* La concelebrazione sacrificale della messa, in: Eucaristia (Rom 1957) 810f.

einer Kirche, die in ihren Grundvollzügen nur ihre eigene Gemeinschaft feiert. Das bleibende Voraus Christi in seiner Kirche zu bezeugen und in den zentralen kirchlichen Lebensvollzügen zur Geltung zu bringen, ist Aufgabe des Amtes.

Das Gesagte gilt in besonderer Weise für die Eucharistiefeier als der Mitte kirchlichen Lebens. Sosehr sie Feier der ganzen Gemeinde, ja Feier des ganzen mystischen Leibes ist, so tritt doch dabei gerade im Priester auf sakramental-zeichenhafte Weise jene Grunddifferenz in Erscheinung, welche überhaupt erst die Eucharistiefeier der Kirche ermöglicht. Das „Voraus" des Opfers Christi und seine Proexistenz für uns wird durch das amtliche Tun des Priesters, der „in persona Christi" zeichenhaft-wirksam spricht und handelt, Gegenwart. Und erst aufgrund der Vorgabe des Opfers Christi, also aufgrund *seines* „offero", kann die Gemeinde ihr „offerimus" sprechen und damit in die eucharistische Hingabe ihres Herrn eingehen. Dies bedeutet, daß der Priester beim eucharistischen Geschehen nicht einfach der gottesdienstlichen Feier „vorsteht" in jenem allgemeinen Sinn, in dem auch der Islam einen Imam kennt und das Judentum einen Chazzan bzw. Gottesdienstleiter, sondern daß der Priester Christus als Herrn und Erlöser im sakramentalen Zeichen „repräsentiert"[27]. Daraus aber folgt, daß eine Konzelebration von Priestern, wobei gleichzeitig viele „in persona Christi" handeln, *zumindest* die Zeichenhaftigkeit dieses doch gerade wesentlich zeichenhaften Geschehens verundeutlicht, wenn nicht gar zerstört. Daß bei der Eucharistiefeier *Christus* sein Opfer Gegenwart werden läßt, damit seine Jüngerschaft sich darin einbeziehen lassen kann, daß *Christus* es ist, der die Vielen zur Gemeinschaft versammelt, daß *er* es ist, der zum Mahl ruft: all das wird zeichenhaft im sakramental-amtlichen Gegenüber des *einen*, aufgrund der Weihe Christus repräsentierenden Priesters und der *übrigen Gemeinde* dargestellt[28].

Gegen diese Schlußfolgerung werden nicht selten Einwände vorgebracht, die sich in drei Formen aufschlüsseln lassen (wobei das erste und zweite Argument aufs engste miteinander verbunden sind): *Erster Einwand.* Die vielen

---

[27] Zum spezifischen Begriff sakramentaler Repräsentation vgl. *G. Greshake,* Priestersein (Freiburg i. Br. – Basel – Wien ³1983) 28f.
[28] Vgl. dazu *N. Afanas'ev,* Trapeza Gospodnja (Paris 1952) 64. Seine Darlegungen faßt *B. Schultze,* Das theologische Problem der Konzelebration, in: Gregorianum 36 (1955) 221f, so zusammen: „Wenn der zelebrierende Priester oder Bischof Christus beim letzten Abendmahl darstellt, dann darf nur einer diesen Platz einnehmen, und die gegenwärtige Praxis der Ostchristen, bei denen gleichgeordnete Priester konzelebrieren, erscheint so als ‚liturgisches Paradox'."

konzelebrierenden Priester sind ein „unum morale" und stellen als solches den einen Herrn dar[29]. *Zweiter Einwand.* Es wird in der Konzelebration deutlich, daß die Befähigung, Christus sakramental zu repräsentieren, gerade nicht dem einzelnen Priester als einzelnem zukommt, sondern nur als Glied des Presbyteriums. Im formalen Sinne werde Christus also nicht durch den einzelnen Priester, sondern durch das Presbyterium repräsentiert. Dafür sei die Konzelebration ein treffliches Zeichen. *Dritter* (andersgearteter) *Einwand.* In der Konzelebration repräsentiert zwar allein der Hauptzelebrant sakramental den handelnden Herrn, die konzelebrierenden Priester aber repräsentieren *sinnvoll* die mitopfernde Kirche[30].

Alle drei Einwände sind jedoch nicht schlüssig.

Zum ersten Einwand

Dieser verwechselt zwei Ebenen miteinander, auf denen sich das Verhältnis des Einen (Herrn) zu den Vielen (Priestern) realisiert, nämlich a) die Ebene der kausalen Relation, sei es nun die der causa efficiens (der Eine handelt durch die Vielen), sei es die der causa formalis (der Eine ist das Prinzip der Einheit von Vielen), *und* b) die Ebene der kultisch-sakramentalen Darstellung. Auf dieser letzteren Ebene, die allein für unser Problem in Frage kommt, da die Konzelebration ihren Sinn wesentlich – wie auch das II. Vatikanum zu erkennen gibt – „in genere signi" hat, gelten nun ganz spezifische Gesetze. Befragt man nämlich das Verhältnis von Einheit und Vielheit auf seine *Ausdrucksgestalt* hin, so gibt es eine unumkehrbare Struktur: die Vielen können zwar in Einem *in Erscheinung treten,* nicht aber sind die Vielen (als solche) Ausdrucksgestalt des Einen. So werden z. B. die vielen Bürger eines Staates repräsentiert durch *eine* Person (durch den Bundespräsidenten oder dgl.), nicht aber wird der Eine durch die Vielen repräsentiert. Einer

---

[29] So schon *Thomas von Aquin:* „Quia sacerdos non consecrat nisi in persona Christi, multi autem sunt *unum in Christo* (Gal 3,28), ideo non refert utrum per unum vel per multos hoc sacramentum consecraretur" (STh III q. 82 a. 3 ad 2; siehe auch ad 3). – Auf der gleichen Linie liegt die Bemerkung *Pius' XII.* in seiner Ansprache vom 2. 11. 1954, in: AAS 46 (1954) 668: „Dans le cas d'une concélébration au sens propre du mot, le Christ, au lieu d'agir par un seul minister, agit par plusieurs." Ähnliche Aussagen finden sich im „Ritus Concelebrationis et Communionis sub utraque specie", in: AAS 57 (1965) 410, mit Berufung auf das Trienter Konzil.
[30] So *A. Nuij,* Die Konzelebration der Eucharistiefeier (Münster 1965) 24. Nuij beruft sich dabei auf *G. Danneels,* a.a.O. 187, den er auch in deutscher Übersetzung zitiert: „Der Hauptliturge verlangt normalerweise nach Nebenliturgen, nicht zuletzt weil Christus als Liturge sein Opfer auch nicht ohne seine Kirche darbringt, deren Opfervollmacht auf dem Priesteramt in ihrer Mitte beruht. Das konzelebrierende Presbyterium stellt dann in einer konkreten feiernden Gemeinde dieses Priestertum und die hier und jetzt stattfindende Konkretisierung der Kirche dar."

kann nur durch Einen *zeichenhaft dargestellt* werden. Und deshalb wird Christus auch durch *eine* Person sakramental repräsentiert[31].

Eben dieses Prinzip wendet auch Thomas von Aquin an, um die Spendung des *Taufsakraments* durch eine Mehrzahl von taufenden Priestern *zurückzuweisen.* „Denn der Mensch tauft nur als minister Christi und dessen Repräsentant (vicem eius gerens). Daher darf es auch nur, weil Christus Einer ist, *ein* minister sein, der Christus repräsentiert" (STh III q. 67 a. 6). Ausdrücklich entkräftet Thomas den Einwand, was Einer zu *tun* vermöchte, könnten doch auch viele *tun.* Mit dieser Hervorhebung der Perspektive des effektiven *Tuns* weist er die Auffassung zurück, daß man das Verhältnis von Einheit und Vielheit hier auf der Ebene der causa efficiens betrachten dürfe. Denn dieser Gesichtspunkt gelte nur von Tätigkeiten, die „virtute propria" geschehen. Da die Taufe aber „virtute Christi" gespendet werde und – so können wir diesen Gedanken ergänzen – dies auch *in Erscheinung treten müsse,* „wirkt der Eine (Herr) sein Werk durch den *einen* minister" (ebd. ad primum).

Man sollte nun erwarten, daß Thomas dieses in sich stimmige Prinzip auch zur Beurteilung der Konzelebration anwendet. Aber hier wird er in auffälliger und evidenter Weise inkonsequent[32], ja hier verfährt er unlogisch.

a) Er lehnt in STh III q. 82 a. 2 ad 1 die Parallele zwischen Taufe und Eucharistie ab. Denn gemäß der Schrift habe Christus nicht zusammen mit seinen Aposteln getauft, wohl aber – so heißt es im corpus articuli – mit ihnen zusammen das Abendmahl gefeiert. Und in gleicher Weise („ita") könnten – heißt es weiter – auch die Neugeweihten mit dem weihenden Bischof konzelebrieren. Diese Konsequenz ist offensichtlich unstimmig. Denn natürlich haben die Apostel nicht mit Christus zusammen konzelebriert in dem Sinn, wie hier Konzelebration verstanden wird, nämlich als spezifisch priesterliches mitkonsekratorisches und das Opfer Christi mitkonstituierendes Tun. Im Gegenteil! Im Abendmahl waren die Apostel nichts als „Laien", die das Tun Christi *entgegennahmen.* Gerade das Abendmahlsgeschehen

---

[31] Der Einwand E. J. *Lengelings* (a.a.O. 33), es gäbe doch auch sonst eindeutig kollegiale Akte des Lehr- und Hirtenamtes Christi, ist demgegenüber letztlich nicht durchschlagend. Vermutlich hat Lengeling Konzilien im Auge. Aber – *erstens* – ursprünglich haben sich Konzilien kaum verstanden als „repraesentatio personae Christi docentis", sondern als „repraesentatio ecclesiae credentis". Vgl. dazu H. *Hofmann,* Repräsentation. Studien zur Wort- und Begriffsgeschichte von der Antike bis ins 19. Jahrhundert (Berlin 1974). Der ursprünglich formale Kontext der Konzilien ist nicht das „docemus", sondern das „credimus" (bzw. „confitemur"). Erst später tritt über die Vermittlungsformel von Chalcedon („docemus . . . confiteri") das konziliare „docemus". *Zweitens* muß nicht *jeder* Akt des Hirtenamtes Christi eine *sakramentale Darstellung* finden. Sakramente aber sind – im Unterschied zu sonstigen kirchlichen Akten, die sich als „in persona Christi" geschehend verstehen – *von ihrer Natur her* zeichenhaft-anamnetischer Art, deren *Wesen* zerstört wird, wenn ihre Zeichenhaftigkeit verdunkelt wird.
[32] Darauf weist auch B. *Schultze* (a.a.O. 244) hin.

steht in seiner Zeichenhaftigkeit: der eine handelnde Herr und die vielen empfangenden Glaubenden, in knirschendem Widerspruch zur Konzelebrationspraxis[33].

b) Offenbar hat Thomas die Unstimmigkeit selbst bemerkt. Deshalb argumentiert er für die Legitimierung der Konzelebration auch nicht – wie bei der Taufe – auf der sakramental-zeichenhaften Ebene, sondern auf der Ebene der causalitas efficiens: die Priester haben die Vollmacht zu konsekrieren empfangen. Mit dieser Vollmacht handeln sie immer „in persona Christi". Darum tut es nichts zur Sache bzw. hat es keine Bedeutung („non refert"), ob durch Einen oder durch Viele das Sakrament vollzogen wird. Die Vielzahl der Priester ist aufgrund der vereinigenden causa formalis Christi zur Einheit zusammengebunden („multi sumus unum in Christo"). Plötzlich spielt also in der Argumentation *die zeichenhafte Darstellung* des Prinzips der Einheit, Christus, keine Rolle mehr[34]. Jetzt gilt tatsächlich: „Wenn mehrere gemeinsam ein Sakrament vollziehen oder spenden, leidet durch die kollektive Tat als solche die innere Einheit keinerlei Einbuße."[35] Gewiß leidet die *innere* Einheit keine Einbuße, aber in dieser Sprechweise zeigt sich noch einmal die Verkennung der verschiedenen Ebenen: auf der sakramental-kultischen Ebene hat die „innere Einheit" auch die ihr entsprechende Ausdrucksgestalt zu finden.

c) Sucht man nach einem Grund für diese Ungereimtheiten, so stößt man – wie so oft bei Thomas – auf seinen Willen, die faktische Praxis der Kirche unter allen Umständen zu rechtfertigen[36] und dafür einen Widerspruch zu

---

[33] Das hat die Kirche auch immer „gespürt", weshalb z. B. uralte westkirchliche Praxis war, daß am Gründonnerstag nur einer zelebriert (und das heißt, daß nur einer von seiner spezifisch priesterlichen Befähigung, den Herrn zu „repräsentieren", Gebrauch macht), daß alle anderen dagegen (auch Priester) die Kommunion aus der Hand des Zelebranten empfangen. Bis in die Konzilsdebatten des II. Vatikanums hinein wurde die Meinung geäußert, eine Konzelebration am Gründonnerstag, „omnino conformis non esset iis quae Christus olim gessit, neque historiae, neque traditioni, neque demum vero et profundo sensui liturgico" *(A. Franquesa,* a.a.O. 303[19]).

[34] Ganz abgesehen davon, daß – nimmt man die Argumentation ganz beim Wort – Thomas „zuviel" beweist. Läßt man nämlich die Ebene des anamnetisch je sich wiederholenden Zeichens außer Betracht und blickt man nur auf die unica causa formalis der Vielen, „ne consequirregge che tutte le Messe celebrate nella santa Chiesa dal principio sino alla consumazione dei secoli costituscono una unica e continua concelebrazione sacrificale" *(J. M. Hanssens,* La concelebrazione, in: Divinitas 2 [1958] 263).

[35] *B. Schultze,* a.a.O. 264.

[36] Deshalb bezeichnet *Thomas* ausdrücklich die Konzelebration als „secundum consuetudinem quarundam ecclesiarum", und er spricht vom „ritus ecclesiae", den es zu wahren gilt (STh III q. 82 a. 2 c und ad 2). Daß die Art und Weise der Konzelebration, die er kennt, nämlich die synchronistische Weihekonsekration, damals ganz neuen Datums ist, wird er dabei kaum gewußt haben.

seinem theologischen Grundprinzip, das er im Zusammenhang des Taufsakraments äußert, in Kauf zu nehmen.

Summa: Selbst nach gut thomanischem Prinzip bedarf auf der *zeichenhaft-
sakramentalen Ebene* die Tatsache, daß Christus *der eine Herr* und eigentliche
Spender der Sakramente ist, der zeichenhaften Darstellung. Diese wird eindeutig beim heutigen Ritus der Konzelebration verletzt.

Zum zweiten Einwand

Auch diese Form des Einwands verwechselt die beiden schon genannten
Ebenen miteinander: die Ebene seinshafter Befähigung und die der kultisch-
sakramentalen Ausdrucksgestalt. Zwar kommt die durch Weihe übertragene
Befähigung zur sakramentalen Christusrepräsentation nicht nur dem einen
Priester, sondern dem ganzen Presbyterium zu (und darüber hinaus – aufgrund von Taufe und Firmung – jedem Christen). Aber nicht diese grundsätzliche Befähigung wird bei der Konzelebration dargestellt – sonst würde
diese ja zur Feier der „hierarchischen Struktur" der Kirche, zu einer Zelebration, in der sich diejenigen präsentieren, denen Vollmacht übertragen wurde –, es geht vielmehr darum, wer hier und jetzt bei der kultischen Anamnese des Christusgeschehens für Christus, der auf seine Gemeinde zukommt,
steht und ihn im sakramentalen Tun gleichsam „vertritt"[37].

Im übrigen dürfte auch die Aussage überzogen, wenn nicht falsch sein, daß
der einzelne Priester „nur (!) aus seiner Anteilnahme an diesem Hohenprie-
stertum Jesu Christi und als Glied des ganzen priesterlichen Ordo seine
persönliche Weihevollmacht in persona Christi ausübt"[38]. Zwar fügt die
Priesterweihe eo ipso ins Presbyterium ein, so daß man tatsächlich nicht
Priester sein kann, ohne gleichzeitig dessen Glied zu sein, aber deshalb empfängt der Geweihte seine besondere Sendung und Beauftragung nicht via
Presbyterium, sondern er empfängt sie vom Bischof, der in der Weihehand-
lung den berufenden Herrn repräsentiert. Deshalb kann man wohl kaum
sagen, daß der Priester nur *als* Glied des Presbyteriums sein Priesteramt vollziehen kann[39].

---

[37] Zum (mißverständlichen!) Begriff der „Stellvertretung" vgl. *G. Greshake*, a.a.O. 36f.

[38] *O. Nußbaum*, a.a.O. 26f; siehe auch 36.

[39] Dagegen spricht *nicht*, daß bei der Ordination auch die anwesenden Priester dem Neugeweihten die Hände auflegen und damit gleichsam eine Weihe-„Konzelebration" vollziehen.
Denn das Zeichen der Handauflegung als solches hat eine vielfache Sinndimension: es bezeichnet Sendung und Bevollmächtigung durch Christus, Mitteilung des Heiligen Geistes und seiner Charismen, Gebet und Segenswunsch und schließlich *auch* Aufnahme in das Presbyterium. Mir scheint nun – auch aufgrund des dunklen Textes von Traditio Apostolica 8b (= ed.
Botte 60) –, daß die Ordinations-Handauflegung durch die Presbyter sich vor allem auf die
letztgenannte Dimension bezieht; bezüglich der ersten Inhalte wird durch die presbyterale
Handauflegung allenfalls eine Bestätigung des bischöflichen Tuns angedeutet.

Zum dritten Einwand

Dieser anders laufende Einwand ist in sich selbst widersprüchlich. Denn ausdrücklich bemerkt A. Nuij: „Stellt doch jeder Konzelebrant, ob Bischof oder Priester, den Herrn selbst dar. Er konsekriert selbst und gibt sich selbst das Brot und den Kelch. Er empfängt sie nicht von dem Hauptzelebranten, sondern nimmt sie selbst."[40] Damit ist zu Recht herausgestellt, daß die Konzelebranten nicht die „Rolle der Kirche" einnehmen, sondern die Rolle Christi. Das Geheimnis der mitopfernden Kirche wird gerade nicht durch die Konzelebranten, sondern durch den λαὸς θεοῦ, also durch die Laien, dargestellt.

So zeigt sich: Die durch das II. Vatikanum inaugurierte Erneuerung der Konzelebration, die in Ritus und Sinngebung an die bisher bei der Priesterweihe geübte Weihe-Konzelebration anknüpft, wo eine Mehrzahl von Priestern „nebeneinander" der Eucharistie vorsteht und sozusagen auf gleicher Ebene handelt, bedeutet eine Verdunkelung und Nivellierung der sakramentalen Ausdrucksgestalt der Eucharistie[41]. Denn zur Ausdrucksgestalt der Eucharistie gehört es wesentlich, daß zwar die ganze Gemeinde Eucharistie feiert, doch so, daß darin das Gegenüber von Christus und seiner Kirche kultisch-anamnetische Darstellung findet[42]. Die eine Person des *im eigentlichen Sinn* Christus repräsentierenden Zelebranten gehört wesentlich zum Zeichen, weit mehr als andere zeichenhafte „Zutaten", auf die sonst ein so großes Gewicht gelegt wird[43].

---

[40] A.a.O. 25.

[41] Dies gibt sogar *J. M. Hanssens,* La concelebrazione, in: Divinitas 2 (1958) 254, der im Prinzip ein Befürworter der Konzelebration ist, zu: É chiaro che la celebrazione eucaristica nella quale un solo sacerdote consacra, corrisponde più perfettamente alla realtà mistica delle cose, che quella in cui più sacerdoti consacrano." Ähnlich *J. Pascher,* Eucharistia. Gestalt und Vollzug (Münster – Freiburg i. Br. ²1953) 158: „Ja, man muß gestehen, daß eine eigentliche Konzelebration weniger gut das Abendmahl darstellt und so weniger klar dem ‚Tut dieses' des Auftrages gerecht wird."

[42] Deshalb ist es auch völlig abwegig, wenn Priester miteinander ohne jede Gemeinde konzelebrieren oder auch wenn die konzelebrierenden Priester im Kreis den Altar so umschließen, daß überhaupt kein Gegenüber von Christus und seiner Gemeinde mehr dargestellt wird, sondern diese nur äußerer Anhang der konzelebrierenden Priester ist.

[43] Wie ernst und buchstäblich die amtlichen Verlautbarungen der Kirche *sonst* die „natürliche Analogie" der Zeichen betonen, zeigt beispielsweise die Erklärung der Kongregation für die Glaubenslehre „Zur Frage der Zulassung der Frauen zum Priesteramt" von 1976. Hier heißt es, daß der Priester bei der Feier der Eucharistie „nicht nur kraft der ihm von Christus übertragenen Amtsgewalt handelt, sondern *in persona Christi,* indem er die Stelle Christi einnimmt und sogar sein Abbild wird, wenn er die Wandlungsworte spricht. Der Priester ist ein Zeichen, ... ein Zeichen aber, das wahrnehmbar sein muß und von den Gläubigen auch leicht verstanden werden soll. Die Ökonomie der Sakramente ist in der Tat auf natürlichen Zeichen begründet, auf Symbolen, in die menschliche Psychologie eingeschrieben sind: ‚Die sakramentalen Zeichen', sagt der hl. *Thomas,* ‚repräsentieren das, was sie bezeichnen, durch eine natürliche Ähnlichkeit' (In IV Sent. d. 25 q. 2 a. 2,1 ad 4). Dasselbe Gesetz der Ähnlichkeit gilt

b) Trennung des sakramentalen vom „kerygmatischen" Wort

Das gleiche – aber nochmals verschärft – zeigt sich noch an einem anderen Strukturmoment des nachkonziliaren Konzelebrationsritus: Die konzelebrierenden Priester treten nicht nur nebeneinander als Zelebranten auf, sie haben auch die Konsekrationsworte gemeinsam zu proklamieren. Entsprechend werden auch – nach Informationen von E. J. Lengeling[44] – von der römischen Fachkommission, die den Ritus zusammengestellt hat, Epiklese und Konsekration als konsekratorischer und nicht als mimetisch-demonstrativer Gestus verstanden[45]. Der theologiegeschichtliche Hintergrund dieser Vorschrift ist die schon erwähnte spezifisch westliche Sakramententheologie und die darin eingebettete Meßopferlehre, wonach das Wesen der Messe gerade in der durch Konsekration (forma) von Brot und Wein (materia) geschehenden Repräsentation des Kreuzesopfers Christi beschlossen liegt und der Priester mithin nur dann Messe feiert („sacramentum conficit"), wenn er die Konsekrationsworte spricht.

In die Kirchen des Ostens haben diese liturgische Praxis und die ihr zugrunde liegende Theologie niemals Eingang gefunden. In einer größeren Treue zur altkirchlichen Überlieferung ist bei der orthodoxen Konzelebration die Stellung des Christus repräsentierenden Priesters eindeutig markiert, insofern die „konzelebrierenden" Priester zwar kultische Nebenfunktionen ausüben (Übernahme bestimmter Gebete, Spendung von Weihrauch, Austeilung der Kommunion), niemals aber nebeneinander der Eucharistie vorstehen: allein der Hauptzelebrant spricht die Konsekrationsworte. All diese Formen sind allein der altkirchlich-liturgischen Tradition gemäß[46].

---

ebenso für die Personen wie für die Dinge: wenn die Stellung und Funktion Christi in der Eucharistie sakramental dargestellt werden soll, so liegt diese ‚natürliche Ähnlichkeit', die zwischen Christus und seinem Diener bestehen muß, nicht vor, wenn die Stelle Christi dabei nicht von einem Mann vertreten wird: andernfalls würde man in ihm nur schwerlich das Abbild Christi erblicken. Christus selbst war und bleibt nämlich Mann" *(Nr. 5)*. – *Wenn* hiernach also sogar die Männlichkeit des Priesters zum sakramentalen Zeichen gehört (was sicher problematisiert werden kann), dann erst recht – muß man argumentieren – auch die numerische Einheit der handelnden Personen.

[44] Siehe dazu *E. J. Lengeling,* Demonstrativ oder epikletisch?, in: Gottesdienst 9 (1975) 44f.

[45] Liturgiegeschichtlich ist freilich dieser Gestus nicht so eindeutig. Während der lateinische Text der Traditio Apostolica Nr. 4 auf eine gemeinsame impositio manuum von Bischof und Presbyterium interpretiert werden kann (!), heißt es in einem von Gratian überlieferten Text eines fränkischen Schriftstellers des 9. Jahrhunderts, daß die den Bischof bei der Eucharistiefeier umgebenden Priester *„consensum eius praebeant sacrificio".* Siehe Decretum Gratiani III 1, 59, 20 = PL 187, 1726; *P. de Puniet,* The Roman Pontifical (London 1932) 227. Demnach wäre also ihr Mittun eher mimetisch-demonstrativ zu verstehen.

[46] Zur altkirchlichen Konzelebration vgl. besonders *P. de Meester,* De Concelebratione in Ecclesia Orientali, in: ELit 37 (1923) 102–110 145–154 196–201; *J. M. Hanssens,* De concelebrazione eucharistica, in: Periodica 16 (1927) 143–154 181–210, 17 (1928) 93–127, 21 (1932)

Nach orthodoxem Verständnis bis heute würde das gemeinsame Sprechen der Konsekrationsworte die Einheit der Messe zerstören[47]. Indem aber der nachkonziliare westliche Konzelebrationsritus das gemeinsame Sprechen der Konsekrationsworte verlangt, zeigt er noch einmal in aller Deutlichkeit, daß er de facto einem Ensemble von synchronisierten Einzelmessen nahekommt[48] und unter dem schon erwähnten Interesse steht, jedem teilnehmenden Priester „seine eigene Messe" zu ermöglichen.

Das gemeinsame Proklamieren der Konsekrationsworte unterliegt nun aber der gleichen Kritik, die schon vorher geäußert wurde: es verdunkelt das Zeichen, daß Christus selbst es ist, der in diesen Worten vor der Gemeinde seine Selbsthingabe für uns anamnetisch proklamiert, es verdunkelt, daß der Priester hier sakramental „in persona Christi" spricht.

Es kommt jedoch noch ein weiteres kritisches Bedenken hinzu: das synchronisierte Sprechen reißt in letzter Konsequenz Wort und Sakrament auseinander, oder genauer: es trennt das sakramentale Wort (in engerem Sinn) vom Wort Gottes, das in der Verkündigung der Kirche überhaupt lebendig ist. Dies ist – im Anschluß an K. Rahner[49] – zu erläutern.

Wenn es richtig ist, daß das Wort Gottes nicht einfach nur *Belehrung* über Göttliches zum Inhalt hat, sondern als personale Selbstzusage und Selbstmitteilung Gottes, also als im Wort geschehende wirksame Gnadentat am Menschen, zu verstehen ist, so gibt es eine innerste Zuordnung von Sakrament

---

193–217; *P. de Puniet*, Concélébration liturgique, in: DACL 3 (1948) 2470–2488; *B. Botte*, a.a.O. 9–23; *J. C. McGowan*, a.a.O. 25f 39–53; *A. Franquesa*, a.a.O. 297–300; *A. A. King*, a.a.O. 6–69. Einzelheiten zur Konzelebration in den Kirchen des Ostens finden sich besonders bei *P. de Meester*, a.a.O.; *J. M. Hanssens*, art. cit.; *H. v. Meurers*, Die Eucharistische Konzelebration, in: Pastor Bonus 53 (1942) 72–77; *A. Raes*, La concélébration eucharistique dans les rites orientaux, in: La Maison-Dieu 35 (1953) 24–47; *B. Schultze*, a.a.O.; *A. A. King*, a.a.O. 102–132; *Ph. Hofmeister*, a.a.O.; *R. Taft*, a.a.O.
[47] Siehe *A. Raes*, a.a.O. 30f. – Die einzige Ausnahme bildet hier die russisch-orthodoxe Kirche. Es läßt sich aber eindeutig zeigen, daß die Praxis des gemeinsamen Sprechens der Konsekrationsworte durch westkirchliche theologische und liturgische Beeinflussung in diese Kirche eingedrungen ist. Näheres siehe bei *J. M. Hanssens*, art. cit. 17 (1928) 104f; *A. Raes*, a.a.O. 36ff. Das gleiche gilt auch von der liturgischen Praxis der unierten Kirchen, denen allen seit Ende des 18. Jahrhunderts vom Westen her die synchronistische Konzelebration aufgezwungen wurde; Einzelheiten bei *J. M. Hanssens*, art. cit. 17 (1928) 95–101; *Ph. Hofmeister*, a.a.O. 398ff; *R. Taft*, a.a.O. – Hanssens bemerkt aufgrund der analysierten Dokumente, daß die „ratio" für diese Vorschrift „nobis videtur esse quod cum etiam concelebrantibus licitum sit pro concelebrata missa consuetum stipendium accipere. Ecclesia periculo praecavere voluit ne istud stipendium unquam pro concelebratione ceremoniali tantum acciperetur" (100).
[48] So auch *B. Schultze*, a.a.O. 235: „Die volle Konzelebration erweckt phänomenologisch mehr den Eindruck mehrerer gleichzeitig gefeierter, gleichsam ineinandergeschobener Messen"; ebenso *A. Kassing*, Konzelebration und eucharistische Gemeinde, in: WuW 20 (1965) 236.
[49] Vgl. zum Folgenden: *K. Rahner*, Wort und Eucharistie, in: Schriften IV 313–355; *ders.*, Was ist ein Sakrament?, in: Schriften X 377–391.

und Wort. Das jedes Sakrament mitkonstituierende Wort ist dann nicht etwas grundsätzlich anderes als das in der übrigen Verkündigung den Menschen heilvoll ergreifende Wort Gottes, sondern *dieses selbst,* insofern es in seiner höchsten Zuspitzung, Dichte und Intensität mit letzter Wirkmächtigkeit in eine durch ein bestimmtes sakramentales Zeichen dargestellte Heilssituation hineingestellt wird. Das gilt auch bezüglich der Eucharistie. Sie ist und wird (mit)konstituiert durch das Wort, das hier „exhibitiven Charakter" hat, d. h., das hier auf der höchsten Stufe seiner Heilsmächtigkeit erscheint.

Nun wird – ganz allgemein – das Wort in der Kirche faktisch (und sinnvoll) verkündigt durch den Zeugen, der für das Wort Gottes eintritt. Verlesung der Heiligen Schrift und Predigt geschehen durch den einzelnen, der im Auftrag Christi und der Kirche das Wort proklamiert. Niemandem würde es einfallen, das Evangelium zu zweit oder dritt oder gar zu fünfzigst vorzulesen (es sei denn, es handle sich – wie bei der Passionsgeschichte – um eine dramatisierte Rollenaufteilung).

Indem nun aber in der konzelebrierten Eucharistiefeier beim Sprechen der Konsekrationsworte ein – sit venia verbo! – meist nicht sehr wohllautender „Bardenchor" mehr oder minder synchroner Stimmen einsetzt, wird die Einheit der kirchlichen Wortverkündigung aufs Spiel gesetzt: das konsekratorische Wort erscheint gerade in seinem gemeinsamen Vortrag als eine Größe, die aus der Einheit des vielgestuften kirchlichen Wortgeschehens herausfällt und gleichsam eigenen Gesetzen gehorcht. Der gemeinsam gesprochene Einsetzungsbericht stellt sich nicht mehr als verkündetes Evangelium (das ja sonst immer nur einer verkündet) dar, sondern als eine quasimagische Beschwörungsformel[50].

Schon den großen scholastischen Theologen – unter ihnen z. B. dem hl. Albertus Magnus und Durandus – ist die „Unstimmigkeit" der gemeinsam gesprochenen Konsekrationsworte aufgefallen. Und teils haben sie sich deshalb sehr heftig gegen jedwede Konzelebration ausgesprochen. Jedoch hatten sie ein vordergründig etwas anders gelagertes Problem: Wie kann beim gemeinsamen Sprechen verhindert werden, daß ein Konzelebrant, der – wenn auch nur ein wenig – zeitlich *vor* den andern spricht, *allein* die Konsekration und damit die „Gültigkeit" der Messe „besorgt", die „nachhinkenden" übrigen Konzelebranten dagegen dem bereits gewirkten Sakrament

---

[50] Auf der gleichen Linie bemerkt *A. Kassing,* a.a.O. 236: „Gerade bei diesem Gebet wird man größtmögliche Echtheit und schlichte Gültigkeit der Wortgestalt wünschen müssen ... Die Schwerfälligkeit und Nuancierungsarmut, wie sie gemeinsamer Vortrag durch eine ganze Gruppe unvermeidbar mit sich bringt, allein schon in der Satzgliederung durch Pausen, belastet die Wortgestalt und zwingt also wieder vor die Frage, ob so an der Feier der eucharistischen Gemeinde ein echter *Dienst* getan wird."

durch Wiederholung „Unrecht" tun. Dieses Problem wurde von einigen Scholastikern mit der Forderung gelöst, das gemeinsame Sprechen müsse von der Intention begleitet sein, die eigenen Worte mit denen der anderen Konzelebranten oder des Hauptzelebranten zu verbinden. *Sachlich* bedeutet dies, daß schon für die scholastische Theologie allein durch eine innere, „geistige" Intention das verdunkelte äußere Wort-Zeichen „gerettet" werden kann[51].

Dieser durch das gemeinsame Sprechen entstehenden Verdunkelung des Wortzeichens entgeht man auch dann nicht, wenn man dem Hauptzelebranten einen lauten Vortrag der Wandlungsworte, den übrigen aber ein Sprechen „submissa voce" empfiehlt[52]. Denn ein leises Murmeln oder Flüstern der Zelebranten ist noch einmal mehr ein Hinweis darauf, daß es hier nicht um die *Verkündigung* des Wortes, um die *öffentliche Proklamation* der Selbsthingabe Jesu geht, sondern daß ein rein rituelles Tun gemeint ist, das dem einzelnen Priester die Selbstbestätigung gibt, als Priester „in persona Christi" Eucharistie zu feiern[53].

So wird nicht nur die sakramentale Zeichenhaftigkeit der Christusrepräsentanz verdunkelt, sondern auch die – zwar vielstufige, aber doch – grundsätzliche Einheit des Wortgeschehens in Frage gestellt.

3. Nur eine Frage des Ritus?

Man mag gegen die bisher geäußerten Bedenken zur nachkonziliaren Konzelebration einwenden, daß diese nur relativer, nicht aber grundsätzlicher Art seien, insofern es verhältnismäßig leicht wäre, sowohl den „ideologischen Kontext" der Konzelebration (Ablösung der Privatmessen durch eine einzige synchron begangene Feier) als auch den daraus resultierenden Ritus dadurch zu ändern, daß man klar und eindeutig den Hauptzelebranten als den „in persona Christi" sakramental Handelnden herausstellt[54]. Wären aber al-

---

51 Näheres dazu siehe bei *P. de Meester*, a.a.O.; *B. Schultze*, a.a.O. 237ff; *M. Nicolau*, La concelebración eucarística, in: Salmanticenses 8 (1961) 274–278.

52 Wie es in Art. 170 der Allgemeinen Einführung in das Römische Meßbuch vom 6. 4. 1969 heißt.

53 Ähnlich bemerken auch *K. Rahner* – *A. Häußling* (a.a.O. 127), daß „der von den Konzelebranten gemeinsam rezitierte Kanon den heiligen Text nicht der Gemeinde zuspricht, sondern wie ein Geheimwort ihn gleichsam unter sich behält, als ginge er sonst niemand etwas an; schließlich ist der zentrale Text, der Einsetzungsbericht, seiner literarischen Art nach ein Verkündigungstext, ein Evangelium: er wird sinngemäß von einem Bevollmächtigten vorgetragen und von allen andern als Gottes Wort vernommen, nicht aber von einem Kollegium aufgesagt".

54 Auf dieser Linie setzen sich auch die bereits zitierten Arbeiten von Häußling, Kassing und Lengeling für eine Änderung des Ritus ein. Siehe ferner auch *F. Kolbe*, Die Liturgiekonstitution des Konzils, in: LJ 14 (1964) 128.

lein durch eine Änderung des Ritus alle Bedenken gegen die Konzelebration beseitigt?

Mit dieser Frage betreten wir eine neue Stufe der kritischen Analyse. Selbst wenn der Konzelebrationsritus und die darin zum Tragen kommende Theologie korrigiert würde, ist – so sei die These vorangestellt – nicht einfach jede Konzelebration sinnvoll und legitim, vielmehr unterliegt sie noch weiteren grundsätzlichen Bedingungen. Diese sollen im folgenden zweiten Teil unserer Überlegungen entfaltet werden. Dieser zweite Teil setzt also eine Korrektur des Ritus voraus und fragt, in welchen Sinnkontexten und unter welchen Bedingungen eine (in ihrem Ritus korrigierte!) Konzelebration ihren authentischen Ort hat.

II. Sinnkontexte und Bedingungen legitimer Konzelebration

1. Sakrament ortskirchlicher Einheit

a) Die „Lehre" der Geschichte

Einen Zugang zum Sinn der Konzelebration gibt uns die Geschichte. Die älteste Form der Konzelebration[55] besteht darin, daß der Bischof, umgeben von seinem Presbyterium und assistiert von den Diakonen, auf der einen und das übrige Volk Gottes auf der anderen Seite miteinander Eucharistie feiern und in dieser Ordnung sowohl die Einheit der – nicht durch eine Vielzahl von Messen zerspaltenen – Gemeinde als auch deren innere Struktur – das Christus repräsentierende Amt steht im „sakramentalen Gegenüber" zur übrigen Gemeinde – in Erscheinung treten. An dieser *einen* Eucharistiefeier nimmt jeder an der Stelle, in der Funktion und in der zeichenhaften Ausprägung teil, die seiner Stellung im Gesamt des kirchlichen Lebens entspricht: der Bischof vertritt kultisch-anamnetisch Christus, d. h., er allein handelt „in persona Christi"[56] und spricht allein das eucharistische Hochgebet mit den Konsekrationsworten. Das Presbyterium tritt als „Bild der Apostel", d. h. als die dem Bischof zur Seite stehende Ratsversammlung, so-

---

[55] Erste, zunächst noch undeutliche Hinweise können wir dafür vielleicht bereits 1 Clem 40, 1ff und IgnPhld. 3, 2ff entnehmen. Eines der ältesten ausdrücklichen Zeugnisse einer eucharistischen Konzelebration findet sich in der Traditio Apostolica Nr. IV (= ed. Botte, 47ff).

[56] Daß der Bischof bei Ignatius „Bild des Vaters" genannt wird, steht dazu nicht im Widerspruch, insofern man in der frühen Kirche sehr bewußt an den Satz dachte: „Wer mich sieht, sieht auch den Vater" (Joh 14,9). Insofern ist der Bischof sowohl Bild des Vaters als auch Bild Christi, in dem der Vater sichtbar wird. Vgl. dazu *J. Pascher,* Bischof und Presbyter in der Feier der heiligen Eucharistie, in: MThZ 9 (1958) 161f.

wie als Kollegium derjenigen auf, die der Bischof als seine Helfer zur Leitung von kleineren Lokalgemeinden entsendet; sie bestätigen das Tun des Bischofs durch Handausstreckung. Die Diakone haben die Gaben der Gläubigen (aus denen auch die Armenfürsorge bestritten wird) zum Altar zu bringen und bei der Feier Dienste zu leisten. Die übrigen schließlich nehmen als das zum Gotteslob versammelte und zur Sendung in die Welt bereite Volk Gottes an der Eucharistiefeier teil. Sie bestätigen die sakramentale Anamnese durch ihr „Amen"[57].

Kurz: jeder „konzelebriert" = feiert mit den übrigen Eucharistie mit, an der sichtbaren Stelle und in der spezifischen Ausprägung, die ihn auch sonst in der Kirche bestimmt. So gesehen, ist die Konzelebration Darstellung der Kirche, nämlich ihrer Einheit in der Vielfalt ihrer Ämter und Funktionen. Sie ist – wie auch der Ritus concelebrationis[58] sagt – die „actio totius populi sancti Dei, hierarchice ordinati et agentis".

Während die eucharistische Frömmigkeit der mittelalterlichen und neuzeitlichen Kirche sich um den Schlüsselbegriff der personalen Gegenwart des Herrn zentrierte, ist der entsprechende Schlüsselbegriff der alten Kirche der der *Einheit: eine* Eucharistie, *ein* Altar, *eine* Gemeinde. Eben dieser entscheidende Grundgedanke findet in der konzelebrierten Eucharistiefeier seinen kongenialen Ausdruck. Der entscheidende Ansatz zum Verständnis der Konzelebration ist also nach Maßgabe der frühen Kirche nicht die Frage nach dem *Priester*, ob und was er bei einer solchen Feier Spezifisches tut, ob z. B. der „Wert" seines priesterlichen Handelns erhalten bleibt oder inwiefern sich bei der Konzelebration das Presbyterium in besonderer Weise darstellt – auf diese zweitrangigen Fragen hat leider das II. Vatikanum sein Hauptaugenmerk gerichtet –, sondern es geht primär darum, daß in der konzelebrierten Eucharistiefeier eine Gemeinde, in der Vielfalt ihrer Dienste und Begabungen um einen Altar geschart, die eine Eucharistie feiert, um sich darin von Christus her zur Einheit formen zu lassen, um Einheit zu verwirklichen und Einheit zu erfahren. So liegt der Sinn der Konzelebration in der sakramentalen Darstellung der Kirche in ihrer Spannung von Einheit und Vielfalt. Es geht nicht um ein „mehr" oder „weniger" an Gnaden, sondern um ein „mehr" oder „weniger" an Ausdrücklichkeit dessen, was die Kirche ist. Konzelebration ist so „ein sichtbarer Kundgabe-Akt der Kirche und vor der Kirche"[59].

---

[57] Dieses Bild der Konzelebration ist auch in die Konzilstexte des II. Vatikanums eingegangen. Vgl. SC 41.   [58] AAS 57 (1965) 411.
[59] *K. Rahner*, Dogmatische Bemerkungen 89. – So auch der „Ritus concelebrationis": „Vere habetur praecipua manifestatio Ecclesiae in unitate Sacrificii et Sacerdotii, in unica gratiarum actione, circa unicum altare cum ministris et populo sancto" (a.a.O. 411).

Dann, wenn dies als Zentrum klar erkannt ist, und *nur* dann kann auch in einem zweiten Anlauf gefragt werden, was die Konzelebration im Bezug auf die konzelebrierenden Priester bedeutet.

Indem die konzelebrierenden Priester als solche neben dem Bischof der Gemeinde gegenüberstehen, vom Bischof die eucharistischen Gaben empfangen und sie zugleich, von ihm beauftragt, als seine Helfer an die Gläubigen weiterreichen, wird ihre (gestufte) Teilnahme am amtlichen, im Bischof seine Vollgestalt findenden Priestertum dargestellt. Damit wird etwas vom spezifischen Wesen der zweiten Weihestufe deutlich: der Presbyter nimmt teil an der bischöflich-apostolischen Sendung; so „vertritt" er den Bischof und hält durch sein Wirken die ihm vom Bischof anvertraute Gemeinde in der Einheit der (bischöflichen) Ortskirche. Somit wird in der konzelebrierten Eucharistiefeier deutlich, daß „jede nicht bischöfliche Meßfeier nur vom Bischof her zu sehen" ist[60], ja im Anschluß an die Theologie der Ignatius-Briefe läßt sich geradezu sagen: „Wer immer die Eucharistie feiert, immer ist es die Eucharistie des Bischofs"[61].

---

[60] *J. Pascher,* a.a.O. 162.

[61] *J. Pascher,* a.a.O. 162. – Liturgiegeschichtlich gesehen, wurde durch die Tatsache, daß ursprünglich die Priester prinzipiell mit dem Bischof konzelebrierten und nur dann, wenn sie vom Bischof in Sprengelgemeinden gesandt wurden, selbständig Eucharistie feierten, die Einheit der bischöflichen Lokalkirche gewahrt. Dieser grundlegende Sachverhalt wird auch dadurch unterstrichen, daß wenigstens vom 5. bis 8. Jahrhundert in Rom den zur Eucharistie in Sprengelgemeinden beauftragten Presbytern aus der Eucharistiefeier des Papstes durch Akolythen das *fermentum,* ein Stück des konsekrierten Brotes, übermittelt wurde, um so *anstelle der Konzelebration* die Einheit der verschiedenen Eucharistiefeiern des bischöflichen Sprengels zu bezeugen. Im Liber Pontificalis (ed. Duchesne I 216) heißt es sogar, daß unter Papst Siricius (984–999) kein Priester die Woche hindurch die Messe zelebrieren darf, wenn er nicht das fermentum erhält. Nach *J. Pascher* (a.a.O. 165) bedeutet die Übersendung des fermentum die gleiche sakramentale Darstellung der Einheit, wie sie *sonst* in der konzelebrierten Eucharistiefeier verwirklicht wurde. Der Brauch des fermentum sowie die Konzelebration als „eigentliche" Form der Eucharistiefeier verschwanden in dem Maße, als die einzelnen Presbyter gegenüber dem Bischof eine immer größere Selbständigkeit gewannen. Jedoch ging die Idee der Einheit von bischöflicher und presbyteraler Eucharistie nie ganz verloren. In Rom finden wir ab dem 8. Jahrhundert bezeugt, daß die „Presbyteri cardinales" (also die „Nachfolger" des päpstlichen Presbyteriums) an Festtagen mit dem Papst konzelebrierten, ein Brauch, der unter dem Einfluß der römischen Ordines auch in den Provinzen (z. B. in Frankreich: Lyon, Vienne, Orléans) und in einigen Orden (Benediktiner, Zisterzienser) nachgeahmt wurde. Die enge Zusammengehörigkeit, ja „Auswechselbarkeit" von fermentum und Konzelebration zeigt sich auch darin, daß die Praxis des nach der Priesterweihe den Neugeweihten zur ersten Messe übermittelten fermentum im Mittelalter durch die bis heute übliche synchronistische Konzelebration abgelöst wurde, die gleichfalls die Einheit des Neugeweihten mit dem Bischof darstellen will (wobei diese Form der Konzelebration ursprünglich wohl auch der Initiation der Neugeweihten diente). Jedenfalls zeigt sich an der „Auswechselbarkeit" von Konzelebration und Übersendung des fermentum, daß hinter beidem die gleiche Idee steht, nämlich die Verwirklichung und Darstellung der Einheit der Lokaleucharistien mit der bischöflichen Eucharistiefeier.

Darüber hinaus findet, insofern Bischof und Priester im Miteinander handeln, die Einheit des Presbyteriums, nämlich der Priester mit dem Bischof und der Priester untereinander, ihre zeichenhafte Darstellung. Von dieser Einheit gibt schon Ignatius eine begeisterte Schilderung: „Euer gottwürdiges Presbyterium . . . ist mit dem Bischof verbunden wie die Saiten mit einer Zither. Deshalb ertönt in eurer Eintracht und zusammenklingenden Liebe das Lied Jesu Christi" (IgnEph 4,1). Auf dieser Linie steht auch das II. Vatikanische Konzil, das als eine Motivation für die Erneuerung der Konzelebration angibt: „In ihr tritt passend die Einheit des Priestertums in Erscheinung" (SC 57 § 1).

Diese Darstellung und Realisierung der Einheit des Presbyteriums ist keineswegs daran gebunden, daß die konzelebrierenden Priester in einem „kollektiven Konsekrationsakt" priesterlich tätig werden (die damit gegebene Verundeutlichung der sakramentalen Christusrepräsentanz wurde bereits im Teil I zurückgewiesen). Die deutlichere „Kundgabe" der Kirche, ihrer umfassenden Einheit und der Einheit ihres Priestertums hat als solche bereits sakramentalen Wert[62]. Denn wenn ein sakramentaler Akt „wesentlich ein sichtbarer Kundgabe-Akt der Kirche und vor der Kirche" ist, so läßt sich mit Karl Rahner folgern, daß das „bewirkt wird, was kundgemacht wird und insofern etwas gerade kundgemacht wird"[63], nämlich: Einheit in Verschiedenheit.

Sieht man die Konzelebration in diesem Sinnkontext, der fest in der frühen Geschichte der Liturgie und Frömmigkeit verankert ist, so ist sie auch heute prinzipiell sinnvoll und legitim. Jedoch sind mit dieser Feststellung auch schon die Rahmenbedingungen für ihren „Ort" und ihre Angemessenheit gegeben.

b) Bedingungen und Einschränkungen

Der Blick auf die Geschichte zeigt, daß die Konzelebration der Priester als ein Strukturmoment in die Konzelebration der ganzen Gemeinde oder Lokalkirche eingebettet ist. Das bedeutet aber, daß man sie nicht rechtfertigen kann, wenn sie aus diesem Gesamtgefüge herausgebrochen wird, sei es, daß Priester ohne „Volk" konzelebrieren (bzw. daß die Partizipation der Gläubigen in keinem Verhältnis zur Zahl der Priester steht) oder daß Priester ohne den Bischof oder eine andere „Bezugsperson" konzelebrieren, in welcher der Bischof als einheitgebende Mitte des Presbyteriums vertreten wird bzw. in

---

[62] Vgl. dazu die Konkretisierungen von *K. Rahner,* Dogmatische Bemerkungen 99.
[63] *K. Rahner,* a.a.O. 89.

welcher sich in analoger Weise das Verhältnis von Bischof und Presbyterium wiederholt[64]. Das letztere ist etwa der Fall in einem Ordenskonvent im Hinblick auf den entsprechenden Oberen, in einer Pfarrei hinsichtlich des Verhältnisses Pfarrer–Kapläne (bzw. sonstige mithelfende Priester) oder überall dort, wo sich der Bischof vertreten läßt (durch Visitatoren, Dechanten u. dgl.). Kurz: überall dort, wo sich wirklich eine Ortskirche in der Eucharistiefeier als solche in voller Zeichenhaftigkeit darstellt, ist eine Konzelebration der Priester sinnvoll und legitim.

Diese Situation dürfte heute aber der Ausnahmefall sein, zumal eine solche Konzelebration – jedenfalls unter den gegenwärtigen pastoralen Bedingungen und seelsorglichen Strukturen der Westkirche – eine gewisse Aufwendigkeit, Feierlichkeit und zeremonielle Imposanz erfordert und mit sich bringt[65].

Damit hängt ein weiteres Moment zusammen, das gegen eine allzu illimitierte Praxis der Konzelebration spricht: In der konzelebrierten Eucharistiefeier stellt sich das kirchliche Amt faktisch im „sakramentalen Gegenüber" zur Gemeinde dar. Die Konzelebration ist – wie das nahezu alle Autoren mit größerem oder geringerem Nachdruck unumwunden formulieren – die *hierarchische* Darstellung der Kirche[66].

---

[64] Das II. Vatikanum hat in SC 57 – blickt man auf die dort für eine Konzelebration aufgezählten Fälle – nicht differenziert zwischen einer Konzelebration, in der der Bischof (oder entsprechende „Vertreter") vorsteht, und einer Konzelebration von „ranggleichen" Priestern. Im „Ritus concelebrationis" (AAS 57 [1965] 411) steht wenigstens, daß die Konzelebration eine „praecipua manifestatio Ecclesiae" ist, *„praesertim si praeest Episcopus"*. Ähnlich bemerkt auch *A. Franquesa* (a.a.O. 300) in seinem Kommentar: „Ritus vero concelebrationis . . . per se requirit ordinarie praesidentiam sive Episcopi sive eius delegati." Dagegen scheint mir die These, daß der Hauptzelebrant als solcher eo ipso immer den Bischof vertritt, sehr fraglich zu sein. Diese These vertritt z. B. *K. Rahner*, Dogmatische Bemerkungen 94, wenn er sagt, „daß die Konzelebration eine entweder von vornherein oder wenigstens hier und jetzt zu diesem Vorgang strukturierte Gemeinschaft der meßfeiernden Priester voraussetzt, in der einer die Leitung hat und nicht alle ‚gleichberechtigt' sind". Und in Anmerkungen kommentiert Rahner das „von vornherein" mit Hinweis auf eine Konzelebrationsfeier von Bischof und konzelebrierenden Priestern und das „wenigstens hier und jetzt" mit Hinweis auf „bloß mehrere Priester, von denen aber einer allein als Zelebrant vor Konzelebranten fungiert". In ähnliche Richtung geht *A. Nuij*, a.a.O. 24. Kann man aber wirklich von einer hier und jetzt strukturierten Gemeinschaft sprechen, wenn mehr oder minder „zufällig" irgendein Priester das Amt des sakramentalen Vorsitzes übernimmt?
[65] So auch *A. Franquesa*, a.a.O. 300: „Ritus vero concelebrationis est ritus extraordinarius, solemnis . . ." – Franquesa informiert in diesem Zusammenhang (a.a.O. 304) über die zwei auf dem Konzil bereits differenzierenden „Schulen", die deutsche und die französische. Nach ersterer (unter der Führung des Liturgischen Instituts von Trier) ist die Konzelebration ein „extraordinarius eventus", während die französische Schule unter Führung des „Centre de Pastorale Liturgique" von Paris eine häufigere Praxis der Konzelebration vertritt.
[66] Um nur einige Autoren aus einer wahren Fülle zu zitieren: *L. Beauduin* formuliert in „Concélébration eucharistique", in: QLP 7 (1922) 277: „Die eigentliche und tiefste Idee, die dem Ri-

Dieser Gesichtspunkt ist durch und durch legitim, insofern das Weiheamt ja das heilende und heiligende Gegenüber Christi zur Kirche sakramental repräsentiert[67]. Und doch ist dies nur *eine* – wenn auch unabdingbar wesentliche – Sicht des Amtes. Denn der kirchliche Amtsträger steht nicht nur „in persona Christi" im Gegenüber zur übrigen Gemeinde, sondern – gerade auch nach der Auffassung des II. Vatikanischen Konzils – mit mindestens (!) gleichem Gewicht *in* der Gemeinde als Gleicher neben Gleichen[68]. Amt ist (auch) ein Charisma unter und neben den vielen anderen Charismen, wobei im Charisma Amt sich sogar in besonderer Weise die übrige Gemeinde zeichenhaft verdichtet und als Handlungssubjekt repräsentiert[69]. Der Geweihte ist nicht einer, der – wie man gelegentlich scherzhaft, aber nicht ohne Hintersinn sagt – durch die Weihe das „Charisma des Laien" verloren hat, vielmehr bleibt er aufgrund von Taufe und Firmung „Laie" im vollen Sinn des Wortes, nämlich Glied des λαὸς θεοῦ, des Gottesvolkes, Bruder neben Brüdern und Schwestern, angewiesen wie sie auf das erlösende Handeln Christi.

Diese Einsicht hat beträchtliche Folgen für eine Theologie des Amtes. Die Weihe macht einen Menschen nicht zu einem „alter Christus" in dem Sinn, daß er nun auf der ganzen Breite seiner Existenz und in allen Lebensbereichen amtlich-sakramental Christus repräsentiert (und darin im Gegenüber zur übrigen Gemeinde steht). Vielmehr ist seine amtliche Sendung *handlungsbezogen,* genauer: auf *bestimmte* Handlungen bezogen. Damit wird keineswegs das Amt im schlechten Sinn „funktionalisiert" und der Amtsträger

---

tus der Konzelebration zugrunde liegt, ist die der hierarchischen gegliederten Einheit der Kirche." *A. Cornides,* Concelebration, in: Worship 37 (1962) 68: Jede Konzelebration unterstreicht „die wahre hierarchische Natur der Kirche . . ." Romen's Woorden-Boeken, Bd. I (Roermond 1968): Die Konzelebration „laat beter de hiërarchische eenheid van de eucharistische vergadering, en dus van de Kerk, uitkomen" (450). Kurz – wie schon der „Ritus concelebrationis" sagt –, die Konzelebration ist „actio totius populi sancti Dei, *hierarchice* ordinati et agentis".

[67] Vgl. dazu *G. Greshake,* a.a.O. 31ff.

[68] Dieser Vorrang der Gleichheit ist nicht nur in der Kirchenkonstitution herausgestellt, sondern auch im Konzilsdekret „Vom Dienst und Leben der Priester". *P. J. Cordes* schreibt in seinem Kommentar „Sendung zum Dienst" (Frankfurt a. M. 1972) dazu, daß in der Dekretsgeschichte *zunächst* „fast ausschließlich die Kompetenzen abgegrenzt und Unterscheidendes bedacht und geschrieben wurde". Jedoch schlug sich „im Fortgang der Beratungen immer deutlicher nieder, daß die Gemeinsamkeit des Volkes Gottes grundlegender ist als alle Differenzierung in ihm. Darum darf man bei allen Aussagen, die eventuell über die Struktur des Volkes Gottes gemacht werden können, die Betonung der Gleichheit seiner Glieder vor Gott niemals überhören. Dieses Volk ist ja fundamental bestimmt durch die gemeinsame Erwählung und Erlösung; und was die Zugehörigkeit zum Gottesvolk begründet, schafft im selben Augenblick eine unverlierbare Gleichheit aller" (117).

[69] Näheres dazu *G. Greshake,* Priestersein 81ff, sowie *ders.,* Priestersein. Grundzüge einer Theologie des kirchlichen Amtes, in: Priester – Mitarbeiter Christi (Wien 1983) 12–16.

„Funktionär"[70]. Der Priester ist Priester, auch wenn er keine Amtsfunktionen ausübt, da er von Christus bleibend in Dienst genommen ist. Doch ist die sakramentale „Gegenwart" Christi im Amtsträger nicht als statisch-substanzhafte Präsenz zu denken, so als ob der Priester in seinem Wesen ein „alter Christus" und seine amtliche Vollmacht ein persönlicher „Seinsbesitz" wäre. Vielmehr vermittelt sich das Heilswerk Christi durch ihn in bestimmten sakramentalen Zeichen*handlungen* weiter, d. h. in Wortverkündigung, Sakramentenspendung, Gemeindeleitung (letztere im Sinne von Zurüstung der Gemeinde zur Nachfolge Christi). Schon auf dem II. Vatikanischen Konzil erhoben sich sehr kritische Stimmen gegen ein mögliches „wesensontologisches" Mißverständnis der durch den Priester geschehenden Christusrepräsentation. Die im Priesterdekret gewählten Formulierungen, wonach z. B. der Priester die Fähigkeit hat, „in der Person des Hauptes Christus *handeln zu können*" (PO 2), sollen bewußt das Handlungsbezogene der sakramentalen Christusvergegenwärtigung herausstellen[71]. Gewiß gründet das priesterliche Handeln-Können im „Sein". Aber dieses Sein ist – wie Thomas von Aquin formuliert – eine „potentia" bzw. ein „habitus", zu deutsch: eine – wie O. H. Pesch übersetzt – „Tätigkeitsvorprägung", die in bestimmten (sakramentalen) Handlungen, in denen tatsächlich der Priester in das sakramentale Gegenüber zur Gemeinde tritt, aktualisiert wird[72]. Wo es nicht um einen solchen Christus repräsentierenden Dienst geht, steht der Priester ganz in der Gemeinde, er ist und bleibt „Laie" im theologischen Vollsinn des Wortes. Gerade in einer solchen Amtskonzeption, die mindestens auf der Fluchtlinie mancher Äußerung des II. Vatikanums liegt, wird der Dienstcharakter des Amtes, der auf dem gleichen Konzil in solch hervorstechender Weise herausgestellt wird, deutlich.

Diese Überlegungen haben nun auch Konsequenzen für das Problem der Konzelebration. Wenn es auch – wie gezeigt wurde – unter bestimmten Bedingungen sinnvoll ist, daß sich bei der Eucharistiefeier das Amt als Amt im Gegenüber zur Gemeinde darstellt, so muß ebenso eindringlich gefragt wer-

---

[70] Vgl. dazu *K. Hemmerle*, Der nahe Gott – der entäußerte Mensch (Köln 1973) 16f.
[71] Die diesbezüglichen Diskussionen auf dem II. Vatikanum sind ausführlich dargestellt bei *P. J. Cordes*, Sendung 176–208; siehe auch *ders.*, „Sacerdos alter Christus"? Der Repräsentationsgedanke in der Amtstheologie, in: Cath 26 (1972) 38–49.
[72] *O. H. Pesch* bemerkt ausdrücklich, „daß es einen reinen ‚habitus entitativus', also in keiner Weise auf das Handeln bezogenes Gehaben, in der *mittelalterlichen* Theologie nicht gibt – was immer auch die Neuscholastik dazu sagen mag": *O. H. Pesch – A. Peters*, Einführung in die Lehre von Gnade und Rechtfertigung (Darmstadt 1981) 71. Deshalb möchte *O. Semmelroth*, Die Präsenz der drei Ämter Christi im gemeinsamen und besonderen Priestertum der Kirche, in: TheolPhil 44 (1969) 185, statt „Handeln in der Person Christi" geradezu „Handeln in der *Rolle* Christi" übersetzen. Es geht um eine handlungsbezogene Repräsentation!

den: Wo und wie findet denn ihre sakramentale Darstellung die Tatsache, daß der Amtsträger *in* der Gemeinde steht, daß er sich mit allen anderen zusammen die Heilsgaben Christi vermitteln lassen muß, daß also seine besondere amtliche Stellung nur Dienst für die anderen ist – ein Dienst, der eben dann zum Tragen kommt, wenn er gebraucht wird, und den man nicht zur eigenen Befriedigung einsetzt? Oder mit den Kategorien des II. Vatikanums ausgesagt: Auf welche Weise findet das 2. Kapitel „Das Volk Gottes" der Kirchenkonstitution, das mit Bedacht vor das 3. Kapitel „Hierarchische Verfassung der Kirche" gesetzt ist, seine Sichtbarmachung? Die „Darstellung" des Amtes, insofern es ganz und gar in das Volk Gottes eingebettet ist, gehört ebenso zur Sakramentalität der Kirche wie dessen „hierarchische" Darstellung. Gewiß, der einzelne Amtsträger *praktiziert* es *faktisch*, daß er (auch) Laie ist: Er geht zu einem Amtsträger, um sich z. B. das Bußsakrament oder die Krankensalbung spenden zu lassen; er wird sich – hoffentlich! – von einem anderen das Evangelium verkünden und den Weg der Nachfolge Christi weisen lassen. Aber normalerweise sind dies Vollzüge, die nicht in die öffentliche Sichtbarkeit der Kirche treten, sondern geradezu in der Privatsphäre des persönlichen Glaubenslebens der Priester verbleiben[73]. Dies aber ist gewiß eine Verkürzung. Wenn das „Mitsein" des Amtes mit den übrigen Christen ebenso zur Struktur des Amtes gehört wie das „Gegenübersein", muß es auch seine öffentlich-ekklesiale Darstellung finden[74].

Man könnte gegen diese These halten, daß sie neu ist und in der langen Geschichte der Kirche bisher kaum explizit vertreten wurde. Jedoch ist zu bedenken, daß es auch in der Vergangenheit eine Fülle von geistlichen Gepflogenheiten gab, in denen wenn schon nicht ausdrücklich, so doch implizit das „Mitsein" des Amtes mit den übrigen Christen in Erscheinung trat: angefangen von öffentlichen Entscheidungsprozessen in der frühen Kirche, an denen *alle* Gläubigen mit den Amtsträgern zusammenwirkten, bis hin zu jener spirituellen Tradition, wonach bei Präsenz vieler Priester an einem Ort nur einer zelebriert, die andern aber mit dem übrigen Volk Gottes an

---

[73] Folgende tatsächlich geschehene Praxis eines Priesters ist (leider) eher die Ausnahme: Ein Priester hört am Samstag Beichte, und in einer Beichtpause an seinem Beichtstuhl verläßt er diesen und stellt sich mit den anderen Gläubigen zusammen in einer Reihe an den Beichtstuhl eines andern Priesters an, um dort bei ihm das Bußsakrament zu empfangen. Diese Praxis macht tatsächlich etwas sichtbar von der Dialektik des Amtes: Gegenübersein im Christusdienst für andere – Mitsein mit den anderen in der Angewiesenheit auf das Heil Gottes, wie sie schon Augustinus herausstellt: „Für euch bin ich Bischof, mit euch bin ich Christ. Jenes bezeichnet das Amt, dieses die Gnade, jenes die gefährliche Verantwortung, dieses das Heil" (*Augustinus*, Sermo 340,1 = PL 38, 1483).
[74] So auch sehr vorsichtig P. *Tihon*, De la concélébration eucharistique, in: NRTh 86 (1964) 605 (mit weiteren Literaturangaben).

der Eucharistiefeier teilnehmen[75]. *Diese* Tradition zu beleben hat heute eine besondere Dringlichkeit. Denn anders als in früheren Zeiten ist für viele Zeitgenossen die amtliche Sonderstellung eines Menschen in der Kirche (also das „hierarchische Moment") das eigentlich Problematische und wird nur dort ertragen, wo zugleich ganz deutlich wird, daß diese „Sonderstellung" eindeutigen Dienstcharakter hat und der Amtsträger in einem viel fundamentaleren Sinn Bruder im Gottesvolk ist.

Diese Erwägungen bedeuten für unsere Frage nach der Angemessenheit der priesterlichen Konzelebration, daß diese auch da, wo die vorher genannten Bedingungen erfüllt sind, noch einmal in Balance zu bringen ist mit jener Art der „Konzelebration", wo der oder die Priester ganz bewußt mit und unter dem Gottesvolk ihren Platz einnehmen und dadurch gleichfalls ein Zeichen setzen, daß sie nämlich *erstens* die Weihe strikt als Dienst verstehen und sich als Amtsträger nur dort „darstellen" wollen, wo dieser ihr Dienst von ihnen gefordert ist, und *zweitens* daß sie – obgleich geweihte Amtsträger – (immer auch) Laien, Glied des Volkes Gottes unter den anderen Gliedern bleiben, angewiesen auf die Heilsgabe Christi, die ihnen jetzt in der eucharistischen Feier durch den sakramentalen Christusdienst eines anderen vermittelt wird.

Auf dieser Linie dürfte auch die Ermahnung des hl. Franz von Assisi an das Generalkapitel von 1224, dem er wegen Krankheit nicht beiwohnen konnte, liegen: „Ich spreche im Namen des Herrn noch den Wunsch und die Bitte aus, daß die Brüder in ihren Niederlassungen nur eine Messe am Tage feiern, wie es in der heiligen Kirche Brauch ist. Sind aber mehrere Priester zu Hause, so gebe sich der eine um der Liebe Gottes willen damit zufrieden, daß er der Feier des anderen beiwohnt. Der Herr Jesus Christus weiß sowohl die, die anwesend sind, als auch die, die nicht zugegen sein können, mit Gnaden zu erfüllen, wie sie es verdienen." Hinter dieser Ermahnung dürfte die Betonung der brüderlichen Einheit stehen, die sich dagegen wehrt, die Gemeinde aufzuspalten in solche, die zelebrieren, und solche, die „nur" beiwohnen.

Der Einspruch des Poverello hat auch gegenwärtig nichts an Aktualität verloren. Es ist wohl nicht von ungefähr, daß sich heute manche Laien bei einer Konzelebration „ausgesperrt fühlen. Die Konzelebration kommt ihnen wie die Neuauflage einer Klerusliturgie vor, wo allein der Klerus unter

---

[75] Der Brauch der täglichen oder fast täglichen Zelebration des Priesters ist erst relativ neueren Datums, er setzt die spezifisch tridentinische Meßopferlehre voraus und setzte sich erst im 19. Jahrhundert vollends durch. Vgl. dazu *A. Nuij*, a.a.O. 11; *A. Häußling*, Ursprünge der Privatmesse, in: StdZ 176 (1965) 21–28.

sich etwas ausmacht und die staunenden Laien zuschauen dürfen"[76]. Gilt nicht tatsächlich der von A. Kassing veröffentlichte Satz eines Laien: „Die Konzelebration stellt zwar die Einheit des Priestertums deutlicher dar, aber auf Kosten der Einheit der Gemeinde." Und Kassing fügt hinzu: „Dieses Bedenken ist schwer zu entkräften. Solange *ein* Priester für die versammelte Gemeinde Dienst tut, ist er gerade als der Eine, in Stellvertretung Christi, ein dieser Einheit dienendes Prinzip. Der Eine ist völlig der ganzen Gemeinde zugewandt bzw., sie zusammenfassend, dem Vater zugewandt. Wenn aber die Konzelebration in einer Form begangen wird, die das Mittun der übrigen Priester . . . stark hervorhebt, geschieht eine Gruppenbildung, wird ein priesterlicher Sonderraum in der Gemeinde abgegrenzt."[77] So steht tatsächlich die zu häufige und zu aufwendige Konzelebrationspraxis in Gefahr des Klerikalismus[78], d. h. jener Haltung, worin der Priester sich vornehmlich im Gegenüber zur Gemeinde versteht und nicht als Laie und Mitchrist ganz in der Gemeinde verwoben ist. In bezug auf die Konzelebration stellt sich tatsächlich die Frage, ob der Priester sein Amt als Dienst oder als Berechtigung begreift, ob er – anders gesagt – mit der Haltung Ernst macht: „Ob *ich* der Priester bin, der das Konsekrationsgebet spricht, oder ob das ein anderer Priester tut, ist nicht entscheidend: es handelt sich hier um einen Dienst, nicht um ein Vorrecht."[79]

2. Zeichen der Einheit verschiedener Ortskirchen

Die Konzelebration ist von ihrer Geschichte her nicht nur eine deutlichere Darstellung der Kirche als des einen Gottesvolkes in der Verschiedenheit seiner „Stände", sondern sie ist von alters her auch Zeichen der Einheit und Begegnung verschiedener Ortskirchen. Dieser Gesichtspunkt wird vom II. Vatikanum im Ökumenismusdekret hervorgehoben: „Es wächst durch die Feier der Eucharistie des Herrn in diesen Einzelkirchen die Kirche Gottes, und durch die Konzelebration wird sie für die Gemeinschaft offenbar" (n. 15). Denn die Amtsträger, die gemeinsam um den Altar versammelt sind, stellen nicht nur ihr Priestertum und ihre presbyterale Gemeinschaft dar, sondern sind jeweils (auch) Repräsentanten ihrer Gemeinden[80], so daß *deren* Einheit durch die Konzelebration ihrer Amtsträger ins sichtbare Zeichen

---

[76] *A. Häußling*, Konzelebration 341.
[77] *A. Kassing*, a.a.O. 235.
[78] *H. Schmidt* hat auf einer Studientagung in Trier 1963 auf das merkwürdige Paradox hingewiesen, in einer Zeit, die die Liturgie entklerikalisieren möchte, sie durch die Konzelebration erneut zu klerikalisieren. Vgl. dazu „Heiliger Dienst" 17 (1963) 64–68.
[79] So *R. Taft*, a.a.O. 275.
[80] *G. Greshake*, Priestersein 82ff.

tritt[81]. Für diesen Sinnkontext gibt es reiches Material bereits aus der frühen Kirche[82]. Als *ein* Beispiel sei nur can. 33 der Statuta Ecclesiae Antiqua (aus dem Ende des 5. Jahrhunderts) erwähnt: „Episcopi vel presbyteri si causa visitandae ecclesiae ad alterius ecclesiam venerint, in gradu suo suscipiantur, et tam ad verbum faciendum, quam ad oblationem consecrandam invitentur."[83] Umgekehrt war die Verweigerung der Konzelebration ein Zeichen für die nicht oder nicht mehr bestehende Einheit verschiedener Ortskirchen untereinander.

So gesehen, kann die gemeinsame Konzelebration von Priestern oder Bischöfen auch heute ein Zeichen dafür sein, daß die Eucharistiefeier der tatsächlich gegenwärtigen Ortsgemeinde in Beziehung steht bzw. sich immer neu öffnen muß auf die Eucharistiefeier der ganzen ecclesia catholica hin. Eucharistie feiern heißt nicht nur in Koinonia mit Christus und den hier und jetzt gegenwärtigen Brüdern und Schwestern der eigenen Gemeinde stehen, sondern auch in Koinonia stehen mit den Brüdern und Schwestern anderer Gemeinden und Kirchen, von denen bestimmte in den konzelebrierenden Amtsträgern gleichsam „gegenwärtig" sind. So ist die Konzelebration von Amtsträgern verschiedener Gemeinden ein höchst sinnvolles Zeichen. Es wird damit deutlich, „daß auch ein Band zwischen den verschiedenen örtlichen Kirchen besteht, die die universale Kirche bilden. Somit ist die Konzelebration nicht nur Verwirklichung der inneren Einheit einer einzelnen Gemeinde oder Kirche, sondern ebenso des Gemeinschaftscharakters der allumfassenden Kirche, an der alle Einzelkirchen teilnehmen. Also ein guter Grund, daß auch verschiedene Bischöfe konzelebrieren."[84] Dieses Zeichen hat seine Zeichenhaftigkeit auch unabhängig davon, ob – wie beim ersten Sinnkontext – ein Bischof oder ein ihn vertretender Priester als einheitgebende Mitte des Presbyteriums gegenwärtig ist. Wenn konzelebrierende Priester die Koinonia ihrer verschiedenen Gemeinden darstellen, so sollte im allgemeinen *der* Gast den Vorsitz übernehmen, dessen Gemeinde für die gastgebende Ortskirche eine besondere Rolle spielt[85].

---

[81] Vgl. dazu *A. Franquesa,* La concélébration, rite de l'hospitalité ecclésiastique, in: Paroisse et liturgie 37 (1955) 169–176; *H. Manders,* Die Konzelebration, in: Concilium 1 (1965) 140f.
[82] Siehe dazu *J. M. Hanssens,* art. cit., in: Periodica 21 (1932) 211ff; *A. A. King,* a.a.O. 18ff; *J. C. McGowan,* a.a.O. 28f.
[83] *Mansi* III 954.
[84] *H. Manders,* a.a.O. 140f.
[85] Es sei ausdrücklich darauf hingewiesen, daß auch diese Art der Konzelebration niemals eine Konkonsekration bedeutete. Im allgemeinen stand schon in der frühen Kirche der *Gast* (Bischof oder Presbyter) der eucharistischen Gemeinschaft vor. Wenn dagegen ein Text aus der Didascalia II 58, 2–3 (ed. Funk I 168) bemerkt: „Et si episcopus advenerit, cum episcopo sedeat eundem honorem ab eo recipiens. Et petes eum tu, episcope, ut adloquatur plebem tuam,

Doch erfordert auch dieser Sinnkontext der Konzelebration von seiner Sache her bestimmte Rahmenbedingungen. Voraussetzung ist auf seiten der konzelebrierenden Priester (oder Bischöfe), daß sie aus der Anonymität heraustreten und als Vorsteher und „Repräsentanten" ihrer Gemeinden charakterisiert werden; auf seiten der Gemeinde, die natürlich anwesend sein muß – eine reine Pristerkonzelebration ohne ins Gewicht fallende Präsenz der Gemeinde würde auch hier das Wesen der Sache verfehlen –, ist erforderlich, daß sie sich bewußt wird oder werden kann, daß sie in einer solchen Feier in besonderer Weise in Gemeinschaft mit einer oder vielen anderen Gemeinden steht. Dafür ist im allgemeinen wohl noch ein Maximum an katechetischer Vorbereitung zu leisten. Auch wäre eine Änderung des Ritus wünschenswert, insofern in wenigstens *einem* Kanongebet (etwa im Zusammenhang mit den Memorien) der anderen, durch den jeweiligen Amtsträger vertretenen Gemeinde besonders gedacht wird.

So „wartet" die durch das II. Vatikanum in die Wege geleitete Erneuerung der Konzelebration noch darauf, sinnvoll verwirklicht zu werden. An einer erneuerten Konzelebration wird sich erweisen, ob die konziliaren ekklesiologischen und sakramentstheologischen Neuansätze nur Theorie bleiben oder sich in die vergleichsweise kleine Münze liturgischer Praxis, wie die Konzelebration eine ist, umzusetzen vermögen.

---

quoniam peregrinorum adloquium iuvat admodum . . . Et in gratia agenda ipse dicat, si autem, cum sit prudens et honorem tibi reservans, non velit, super calicem dicat", so ist von dieser „Aufteilung" der Konsekration mit *A. Franquesa* (a.a.O. 298) zu bemerken: „agitur certe de casu magis singulari quam raro".

PIET FRANSEN SJ

EINIGE HERMENEUTISCHE UND SPIRITUELL-DOGMATISCHE ÜBERLEGUNGEN ZUR UNFEHLBARKEIT

Seit die Väter des I. Vatikanischen Konzils am 18. Juli 1870 die dogmatische Konstitution „Pastor aeternus" proklamierten, ist das darin enthaltene Kapitel 4 „Über die unfehlbare Lehrautorität des römischen Papstes" beinahe ständiger Streitpunkt gewesen. Übrigens ist es extrem wichtig, sich darauf zu besinnen, daß der volle Titel der dogmatischen Konstitution lautet: „Dogmatische Konstitution I über die Kirche". Offensichtlich war ein zweiter Teil geplant, der aber niemals vollendet wurde wegen der Besetzung Roms am 20. September 1870. Am 20. Oktober vertagte Papst Pius IX. das Konzil „sine die". Da die Deputation und ihre „Berichterstatter" bei den Erörterungen des ersten Teils dieser Konstitution über die Kirche oftmals für die Beantwortung einiger von den Bischöfen aufgeworfener Fragen auf den geplanten zweiten Teil verwiesen, haben wir in der Tat nur eine verkürzte Einsicht in die Lehren des I. Vatikanischen Konzils. Diese Tatsache wird, obwohl allgemein bekannt, zu selten im Sinne einer korrekten Interpretation seiner Lehren berücksichtigt.

Die Kontroversen um das neue Dogma der päpstlichen Unfehlbarkeit waren von Anfang an gegeben. Jedermann weiß zum Beispiel, daß Kardinal J. H. Newman vor seiner Verkündung selbst seine Zweifel daran hatte. Seine kürzlich veröffentlichten Briefe und eine sorgfältige Durchsicht seines berühmten „Offenen Briefes an den Herzog von Norfolk" von 1875 beweisen, daß er sich sogar nach der Proklamation niemals völlig mit der Idee abfinden konnte. Die jüngsten Veröffentlichungen von Hans Küng und August B. Hasler haben eine neue Welle der Kritik und weitere wissenschaftliche Untersuchungen ausgelöst[1].

---

[1] *H. Küng,* Unfehlbar? Eine Anfrage (Einsiedeln 1970). Die wichtigsten Kommentare finden sich in den Sammelbänden: Zum Problem Unfehlbarkeit, Antwort auf die Anfrage von Hans Küng, hrsg. von Karl Rahner (Freiburg i. Br. 1972); Fehlbar. Eine Bilanz, hrsg. von Hans Küng (Einsiedeln 1973); für die USA: The Infallibility Debate, hrsg. von John J. Kirvan (New York 1973).

Unser Artikel hat einen doppelten Zweck. Wir wollen zum einen versuchen, die strittigen Punkte klarzustellen, da nach mehr als einem Jahrhundert der Kontroversen die ganze Angelegenheit hoffnungslos verworren scheint. Es gibt ein sehr seltsames Phänomen in menschlichen Angelegenheiten. Je mehr die Menschen über die Aspekte eines Streites reden und schreiben, desto unstreitiger scheint es, daß sie sich mit *Tatsachen* abgeben; das ist aber oftmals nicht wahr. Sie befassen sich häufig mehr mit reinen *Ansichten* über Tatsachen, was entschieden nicht dasselbe ist.

Seit vielen Jahren haben wir mit anderen gemeinsam daran mitgewirkt, zu beweisen, daß die klassischen Interpretationen der Beschlüsse des Konzils von Trient irrig waren. Diese Situation hat über viele Jahrhunderte hinweg gedauert, bis Pius XI. schließlich die Veröffentlichung der *Akten* des Konzils durch die Goerres-Gesellschaft anordnete. Es gab viele Gründe für diesen Zustand. Der erste, in der historischen Reihenfolge, war die unkluge Regelung, die Pius IV. in seiner Bestätigungsbulle des Konzils, „Benedictus Deus" vom 26. Januar 1564, traf, worin er strikt jede Form der Interpretation der Dekrete des Konzils verbot und diese der alleinigen Zuständigkeit des Papstes und der ad hoc gegründeten „Congregatio super executione et observatione S. Concilii Tridentini" (1564), aus welcher später die Konzilskongregation wurde, vorbehielt. Eine administrative Körperschaft ist aber für wissenschaftliche Forschung nicht besonders geeignet[2]. So kam es dazu, daß sich die späteren Untersuchungen und Erörterungen über den Zweck, dogmatischen Wert und den Inhalt der Kanones um Probleme drehten, an die das Tridentinische Konzil niemals gedacht oder die zu beantworten es sich sogar geweigert hatte[3].

Später veröffentlichte *August B. Hasler,* Pius IX (1846–1878), Päpstliche Unfehlbarkeit und I. Vatikanisches Konzil, 2 Bde. (Stuttgart 1977). Derselbe Autor veröffentlichte eine popularisierte Version seines wissenschaftlichen Werkes: Wie der Papst unfehlbar wurde, Macht und Ohnmacht eines Dogmas (München 1979) mit einem Vorwort von H. Küng.

Von den wissenschaftlicheren Studien, die nachfolgend publiziert wurden, möchten wir insbesondere anführen: Dr. *Anton Houtepen,* Onfeilbaarheid en hermeneutiek. De betekenis van het infallibilitas-concept op Vaticanum I (Brügge 1973) und *Hermann J. Pottmeyer,* Unfehlbarkeit und Souveränität, Die päpstliche Unfehlbarkeit im System der ultramontanen Ekklesiologie des 19. Jahrhunderts (Mainz 1975), mit der Kritik von *Y.-M. Congar* in: RSPhTh 59 (1975) 489–493.

[2] „Ad vitandum praeterea perversionem et confusionem, . . .: Apostolica auctoritate inhibemus omnibus . . .: ne quis sine auctoritate Nostra audeat ullos commentarios, glossas, annotationes, scholia *ullumve omnino interpretationis genus* super ipsius Concilii decretis *quocumque modo edere* aut quidquam quocumque nomine, etiam sub praetextu maioris decretorum corroborationis aut executionis aliove quaesito colore statuere." Es läßt sich kaum eine absolutere Form des Verbotes vorstellen. Im folgenden Absatz reserviert Pius IV. jede Form der Interpretation dem Heiligen Stuhl: DS 1849–1850.

[3] Zum Beispiel: *P. Fransen,* Wording en strekking van de canon over het merkteken te Trente, 17 januari – 3 maart 1547, in: Bijdragen 32 (1971) 2–34.

Diese Lehre aus der Vergangenheit stellt die Ekklesiologen und Konzils-wissenschaftler vor ein doppeltes *hermeneutisches* Problem. Zum einen soll-ten wir immer unterscheiden zwischen den historischen Entscheidungen eines Konzils einschließlich seiner tatsächlichen und formellen Intentionen einerseits und der folgenden, oftmals konfusen Deutung jener, die später so-zusagen einen neuen Zweck und einen neuen Gehalt derselben Entscheidun-gen „schufen".

Das zweite Problem betrifft eine allgemeinere Überlegung. Sobald die un-mittelbaren Zeugen gestorben sind oder – wie es unter Pius IV. geschah – offiziell „zum Schweigen vergattert" worden sind, scheint der Text des Kon-zils *ein eigenes Leben* zu entwickeln. Das ist ganz offenkundig und, ich glau-be, normal oder zumindest unvermeidbar.

Der einzige Punkt, den ich herausstreichen möchte, ist, daß diese Tatsa-che, dieses beinahe unabhängige Funktionieren eines Textes in seinem sozio-logischen Kontext, für die Hermeneutik offenkundig ein Problem ist. Es versteht sich von selbst, daß diese neuen „Lehren" nicht die gleiche Autorität beanspruchen können wie die formellen Entscheidungen des Allgemeinen Konzils selbst, wo die lebenden Mitglieder einer historischen Hierarchie „authentisch", wie man heutzutage, seit dem II. Vatikanischen Konzil, sagt, die ihnen gebührende kirchliche Funktion der autoritativen Führung inner-halb der Grenzen einer sehr konkreten Situation ausüben. Die Situation, das geistige Klima und die Mentalität der Väter des I. Vatikanischen Konzils wa-ren oft sehr unterschieden von den unsrigen[4]. Die Berufung auf die „Tradi-tion" – wie sie vom Magisterium oftmals sowohl im Hinblick auf das Tri-dentinische wie das Vatikanische Konzil erfolgt – ist, gelinde gesagt, nicht sehr ehrlich. Die einzige annehmbare Entschuldigung ist, daß das Magiste-rium in der Tat das Recht hat zu warten, bis die Schlüsse der wissenschaft-lichen historischen und hermeneutischen Forschung einen ausreichenden Grad von historischer Gewißheit erreicht haben.

Dieses menschliche Phänomen wirft übrigens ein neues Licht auf die kirchliche Wirkungsweise der „Rezeption" historischer Dokumente der Kir-

---

Die Autorität in Fragen des „dogmatischen Wertes" der Konzilsdekrete der Kirche bis zum Konzil von Trient war Prof. Dr. Albert Lang von der Bonner Universität. Er hat seine Schluß-folgerungen nach langjährigen Untersuchungen zusammengefaßt: Der Bedeutungswandel der Begriffe „fides" und „haeresis" und die dogmatische Wertung der Konzilsentscheidungen von Vienne und Trient, in: MThZ 4 (1953) 133–146.

[4] Houtepen bezieht sich auf die Intervention von Mgr. Losanna, Bischof von Biella, auf dem I. Vatikanischen Konzil, in: Mansi 52, 862–868. Der Bischof wandte sich gegen die Unfehlbar-keit mit Argumenten, die denjenigen, die wir heutzutage gebrauchen, sehr ähnlich waren. Er wurde sowohl von den Bischöfen der Mehrheit wie auch von der Minderheit verlacht. Dieser Vorfall zeigt deutlich, wie anders die „Mentalität" der Bischöfe war, verglichen mit der unsri-gen. Vgl. ebd. 302–303.

che, das, soweit wir wissen, nicht beachtet worden ist. Diese „Rezeption" hat in der Tat verschiedene Aspekte: Sie kann zu einem „Prozeß der Assimilation" in das Glaubensleben der Kirche durch die gesamte Gemeinde werden; umgekehrt kann sie ein Prozeß der „Ablehnung" werden. Diese beiden Aspekte sind schon wohlbekannt. Die „Rezeption" kann auch eine weitere Entwicklung im Ausdruck des Glaubens anregen. Insbesondere der letzte Aspekt kann von der ursprünglichen Autorität des Konzils selbst nicht „gedeckt" sein. Notwendigerweise muß er vielmehr der kritischen Analyse von Theologen und dem zeitgenössischen authentischen Urteil des Magisteriums unterworfen werden ebenso wie jede andere Entwicklung eines Dogmas.

Das scheint mit den Dekreten des I. Vatikanischen Konzils geschehen zu sein, und das wird den ersten Teil unseres Artikels ausmachen.

Im zweiten Teil wollen wir versuchen, die Untersuchung der Probleme der Unfehlbarkeit voranzutreiben zu Überlegungen, die den Vätern des I. Vatikanischen Konzils tatsächlich unbekannt waren. Soweit wir wissen, haben auch heute anscheinend erst sehr wenige diese Frage aufgeworfen. Unsere Untersuchung behandelt die spirituellen und dogmatischen Grundlagen der Unfehlbarkeit, soweit sie die gesamte Kirche auf ihren drei Ebenen betreffen: der Ebene des Volkes Gottes, des Weltepiskopats und des Papstes.

I. Hermeneutische Aporien

Es gibt eine allgemeine Einschätzung der sogenannten „Mentalität" der Väter des I. Vatikanischen Konzils, die heutzutage von beinahe niemandem in Frage gestellt wird. Die Bischöfe waren angesteckt vom Rationalismus ihrer Zeit. Sie vertrauten daher zu sehr auf die „offenkundige" Macht der Vernunft. Sie glaubten auch an die Möglichkeit, daß Menschen, insbesondere wenn sie vom Heiligen Geist geleitet würden, zu „absoluten Wahrheiten" vorstoßen könnten. Schließlich glaubten sie an die Fähigkeit des menschlichen Verstandes, solche Wahrheiten zu formulieren nach den Grundsätzen von Descartes' Lehre von den „idées claires et distinctes" und der populäreren und typischen französischen Redewendung: „Ce qui se conçoit bien s'énonce clairement, et les mots pour le dire arrivent aisément"[5].

Dieses rationalistische *a priori* bedingt, wie jedermann weiß, eine autoritäre, voluntaristische und juridische Mentalität. Da allein das Magisterium kompetent scheint, dieses Verständnis des Glaubens mit Hilfe des Heiligen Geistes zu erreichen, ist es klar, daß es erste Pflicht der Gläubigen ist, die

---

[5] Ein Zitat aus *Nicolas Boileaus, Art Poétique* (1636–1711).

Entscheidungen ihrer privilegierten Herren, die gewissermaßen von Gott selbst eingesetzt sind, zu ehren und zu befolgen. Sie sind „das Orakel Gottes". Hier begegnen wir dem Begriff der „fides implicita" (ich glaube, was immer mein Bischof glaubt), die im 19. Jahrhundert und am Beginn dieses Jahrhunderts als die Form des Glaubens angesehen wurde, die den Bedingungen des einfachen Volkes angepaßt war[6]. Am Ende seines Artikels „Über die Befragung der Gläubigen in Fragen der Lehre" kritisiert J. H. Newman diese Vorstellung[7].

All dies ist sehr wahr, und für jene, die die *Akten* des Konzils gelesen haben, ist es klar, daß einige Bischöfe bei Gelegenheit ähnliche Ansichten entwickelt haben. Man kann sogar sagen, daß ihr Hintergrund insgesamt von den Ideen jener Zeit durchdrungen war. Wichtiger noch bleibt aber die Frage: Was wollten sie wirklich mit der Definition selbst lehren?

Kürzlich hat jedoch Dr. Anton Houtepen einige Zweifel aufgeworfen, was diese simplistische Interpretation der „Mentalität" der Bischöfe betrifft, die sich in Rom versammelt hatten. Seine Untersuchung zielte, wie ihr Titel andeutet, insbesondere auf die Entdeckung der richtigen Hermeneutik für das I. Vatikanische Konzil[8]. Er verfolgt einen doppelten Zweck. Er sucht zum einen nach solchen hermeneutischen Prinzipien, die gelegentlich von den Konzilsvätern selbst angeschnitten wurden. Das sind wenige, und jene, die sich herausfinden lassen, sind eher die klassischen, die sich aus den Traditionen der Kanonisten ergeben[9]. Zweitens möchte er jene indirekten Hinweise ausgraben, die dazu dienen können, einige passende hermeneutische Regeln aufzustellen, die für dieses spezielle Konzil, seinen historischen Kontext und seinen Hintergrund, sein Hauptanliegen und seine grundlegenden Argumentationslinien passen.

Es gibt vor allen Dingen ein grundlegendes Prinzip für das richtige Verständnis eines jeden Konzils, insbesondere des I. Vatikanischen. Houtepen geht mit vielen heutzutage darin einig, daß die Deklarationen der Glaubensdeputation, insbesondere die zwei offiziellen „Relationen" von Mgr. V. Gasser, Bischof von Brixen, gegenüber den Vätern des Konzils uns sehr solide Informationen über die Bedeutung der Texte und ihren Zweck liefern. Daran kann kein Zweifel bestehen! Er behauptet aber, und meiner Ansicht nach zu Recht, daß die Dekrete im Endeffekt Ergebnis der *Verantwortung der*

---

[6] *R. Aubert,* Le problème de l'acte de foi (Louvain – Paris ⁴1969) 241–255.
[7] Hrsg. von John Coulson (London 1961).
[8] *Houtepen,* a.a.O., insbesondere seine Schlußfolgerungen 336–366.
[9] So beispielsweise der „Bericht" eines theologischen Peritus, W. A. Maier: Mansi 52, 25–26; *Houtepen,* a.a.O. 265. Er meint, die Regeln für die Interpretation des Konzils seien die gleichen wie für die Interpretation jedes anderen Dokuments der Kirche.

Kollegialität aller Bischöfe sind. Die Deputation gab nicht nur nützliche Informationen über die Formulierung der Dekrete, sie versuchte auch zu überzeugen, zu plädieren und zu überreden. Und damit äußerte sie ihre eigenen Meinungen, ihre eigenen Einschätzungen, gelegentlich sogar die Vorschläge des Papstes selbst. Es trafen aber alle Bischöfe in ihrer kollegialen Verantwortung die endgültigen Entscheidungen. Daher müssen wir alle Meinungen und Argumente, die sie vorbrachten, berücksichtigen[10]. Die Deputation allein macht kein Konzil aus.

Ausgehend von dieser Einschätzung zieht Houtepen eine wichtige Schlußfolgerung. Ideen, welche auf dem Konzil nicht ernsthaft erörtert worden sind, welche von den meisten der Bischöfe ignoriert wurden, welche die Bischöfe vernachlässigt oder zurückgewiesen haben in der *kollegialen* Ausübung ihrer Lehrautorität, *können nicht zum Inhalt der Dekrete, die von ihnen schließlich angenommen wurden, gehören.* Wir wissen, daß der Papst, die römische Kurie und einige eifrigere Vertreter der Mehrheit manchmal ungebührenden Druck auf die Bischöfe ausgeübt haben. Solche Manöver gehören zu den menschlichen Seiten des Konzils und wurden ebenso auf den großen ökumenischen Konzilen der Vergangenheit praktiziert, als der Kaiser, die Kaiserin oder andere mächtige Personen Druck auf die Bischöfe ausübten. Es wäre historisch ebenso naiv, das auf das I. Vatikanische Konzil zu beschränken wie es zu leugnen.

Aber kein Konzil kann Antwort auf Fragen geben, die zu seiner Zeit nicht gestellt wurden oder die es zu ignorieren vorzog. Jene Lehren können demnach nicht in die Lehre dieses Konzils eingegangen sein, egal wie wichtig sie für uns heute sein mögen[11]. Wir müssen ein sehr gesundes Prinzip kanonischer Interpretation beachten: „Privilegia sunt amplianda; odiosa vero sunt stricte interpretanda!"

Da ist, zum Beispiel, die Vorstellung von der „absoluten Wahrheit". Wenn diese Vorstellung vom Konzil förmlich vertreten worden wäre, hätte sie unsere Interpretation seiner Dekrete beeinflussen können. Nach Houtepen scheint dieses nicht der Fall zu sein. Im Gegenteil, es drängt sich einem der Eindruck auf, daß solche Ansichten eher von der Minderheit vertreten wurden. Sie waren einer der Gründe für ihre Opposition gegen das Dekret. Wir werden sehen, daß die Mehrheit sich nicht um „absolute Wahrheiten" scherte; ihre Sorge galt einem anderen Problem, einem Problem sehr viel pastoralerer Natur.

---

[10] *Houtepen,* a.a.O. 304–305. Dies gegen *H. Meyer,* Das Wort Pius' IX: „Die Tradition bin ich" (München 1965).
[11] *Houtepen,* a.a.O. 332–340.

Ein weiterer dorniger Punkt des Dekrets ist die „unabänderliche" Qualität einer unfehlbaren päpstlichen Definition. Schon bald nach dem Konzil verstand man sie allgemein als eine Art metaphysischer Qualifikation. Brian Tierney zum Beispiel hat sehr richtig gesehen, daß die mittelalterlichen Päpste Anregungen bezüglich ihrer Unfehlbarkeit, wie sie Peter Olivi in Fragen der Armut des Franziskanerordens vorgeschlagen hatte, ablehnten. Sie würde unweigerlich die päpstliche Autorität zerstören, anstatt sie zu vergrößern. Denn auf den ersten Blick engte jedes unfehlbare Dekret eines Papstes die Regierungsfreiheit seiner Nachfolger ein[12]. Seltsamerweise wollte die Mehrheit des I. Vatikanischen Konzils gerade und vor allem die völlige Freiheit des päpstlichen Primats gegen alle Einschränkungen von seiten der Gallikaner, Konziliaristen und der weltlichen Mächte jener Zeit verteidigen[13].

Das Hauptanliegen der Konzilsväter war ein ganz anderes. Houtepen benutzt den ausdrucksvollen deutschen Terminus „Anliegen". Angesichts der katastrophalen religiösen Situation nach der Französischen Revolution, den Napoleonischen Kriegen und den verschiedenen Revolutionen in mehreren Ländern, denen eine allgemeine Verwirrung religiöser Glaubenssätze und moralischer Prinzipien folgte, suchten sie nach einer höchsten religiösen Autorität, die unstreitigen Gehorsam und Verehrung gebieten und somit Frieden und Sicherheit schaffen könnte. Sie fanden diese Autorität im päpstlichen Primat. Darüber hinaus brauchten sie einen *unfehlbaren* Primat, da ihnen eine oberste Autorität, die nicht unfehlbar war, unter den damaligen Umständen nutzlos und unwirksam schien. Das war eine pastorale Position, ein „Notstandsgesetz". Logischerweise und im Licht einer allgemeineren menschlichen Erfahrung von Regierung bedeutet oberste Autorität nicht notwendigerweise Unfehlbarkeit. Aber so sahen sie die Sache eben.

Daher ist der Satz, der für unsere Zeitgenossen noch immer so schockierend ist, nämlich: „solche Definitionen des römischen Papstes sind deshalb aus sich selbst heraus unabänderlich, nicht dank der Zustimmung der Kirche (ex sese, non ex consensu ecclesiae)", laut Houtepen ihr wirkliches „Anliegen"[14].

Es ist bemerkenswert, daß das II. Vatikanische Konzil in „Lumen gentium" genau diese Einschätzung Houtepens und die einiger anderer Wissenschaftler bestätigte. Das Konzil schloß sogar noch eine weitere Deklaration

---

[12] *Brian Tierney,* Origins of Papal Infallibility, 1150–1350. A Study on the Concept of Infallibility, Sovereignty, and Tradition in the Middle Ages (Leiden 1974). Eine gute Zusammenfassung des Kerns dieses Buches: *ders.,* Origins of Papal Infallibility, in: Journal of Ecumenical Studies 8 (1971) 841–864, bes. 858.

[13] *Houtepen,* a.a.O. 340.

[14] DS 3074.

an, die ausreichend deutlich macht, was gemeint war: „Deshalb bedürfen sie (die unfehlbaren Dekrete des Papstes, die als „unabänderlich" gelten) keiner Billigung durch andere, noch gestatten sie *eine Anrufung irgendeines anderen Urteils*"[15]. Die lateinische Formulierung „. . . nec ullam ad aliud judicium appellationem patiantur" macht es sogar noch deutlicher, daß sowohl das I. als auch das II. Vatikanische Konzil förmlich von einer juridischen und strukturellen Realität sprechen wollen und nicht von einer Art illusorischer metaphysischer Qualifikation.

Wir haben einige Ideen von Houtepen dargelegt. Sie bedürfen natürlich der weiteren Ausarbeitung, die wir im begrenzten Rahmen dieses Artikels nicht bieten können. Es müssen selbstverständlich viele andere Punkte klargestellt werden in der Definition der päpstlichen Unfehlbarkeit. Wir haben nur zwei der kritischsten Punkte ausgewählt, um die Aufmerksamkeit unserer Leser auf die wirklichen Probleme der Interpretation zu lenken.

Wir sind uns dessen bewußt, daß diese Art von Darstellung die Reaktionen von Konservativen wie Progressiven hervorrufen kann. Wir sind der Meinung, daß beide Parteien in den Diskussionen die elementaren Regeln der Hermeneutik vernachlässigen, wie sie für ein historisches Dokument gelten. Die Konstitution und der definierende Kanon im Anhang sind nicht wie Melchisedek „ohne Vater, ohne Mutter und ohne Stammbaum" (Hebr 7,3). Sie gebrauchen eine Sprache. Und Sprache ist unser elementarstes Instrument der Kommunikation. Jeder geschriebene oder gesprochene Text ist von einer Person oder Gruppe von Personen an eine andere Gruppe von Personen gerichtet, und das geschieht in einer konkreten Situation. Daher sollte die Bedeutung dieses Dokuments von seinem *funktionalen* Gebrauch der Sprache bestimmt sein; also von dem *Kontext* des schriftlichen Dokuments selbst und von dem historischen Kontext oder der Situation sowohl derjenigen, die es geschrieben haben, als auch jener, für die es geschrieben wurde.

Die Dekrete des Konzils gehören in hervorragendem Maß zu diesem „Sprachspiel". Eines der besten Beispiele für dieses elementare hermeneuti-

---

[15] „*Quare definitiones eius ex sese, et non ex consensu Ecclesiae, irreformabiles merito dicuntur* (anstatt „irreformabiles esse"), *quippe quae sub assistentia Spiritus Sancti, ipsi in beato Petro promissa, prolata sint, ideoque nulla indigeant aliorum approbatione, nec ullam ad aliud judicium appellationem patiantur. Tunc enim Romanus Pontifex non ut persona privata sententiam profert, sed ut universalis Ecclesiae magister supremus, . . .*" Mit Kursivdruck sind die Teile hervorgehoben, die im letzten „Entwurf" hinzugefügt wurden. Die vorherige Redaktion hatte gelautet: „ita ut ab eius judicio ad aliud judicium appellare numquam omnino liceat."
Constitutionis dogmaticae „Lumen gentium" Synopsis historica, hrsg. von G. Alberigo und F. Magistretti (Bologna 1975) 129–130. Was einige „Modi" betrifft, die während der letzten Sitzungsperiode 1964 vorgeschlagen wurden, siehe ebd. 533, bes. die Zeilen 889–893 über das ‵ ‵ridische Verständnis von „consensus".

sche Prinzip findet sich in einer kurzen Kritik von M.-D. Chenu, worin er sich mit einem Artikel von Dom A. Stolz über die von Pius XII. geplante Definition der Himmelfahrt Mariä auseinandersetzt. Er schreibt: „Die offiziellen Entscheidungen der Kirche" sind „daher eine gelegentliche Intervention, eine teilweise und utilitaristische, keine organische und innerliche Suche nach der offenbarten Wahrheit"[16]. Es ist falsch, eine „Definition des Glaubens" als den höchstmöglichen Ausdruck der Offenbarung als solcher darzustellen. Die höchsten Dogmen unseres Glaubens wurden in der Tat niemals „definiert"! Dies war und ist unglücklicherweise noch immer die allgemeine Ansicht vieler Theologen und Gläubigen, insbesondere der Mariologen vor dem II. Vatikanischen Konzil, die mit soviel Enthusiasmus und Pietät danach strebten, einen Kranz von Definitionen zur höheren Ehre Mariens zu flechten. Im Lichte jener Schlußfolgerungen glauben wir, daß die marianischen Definitionen sowohl von Pius IX. wie auch von Pius XII. als weniger dienlich anzusehen sind, es sei denn, sie waren wirklich Antwort auf ein dringendes und unmittelbares religiöses Bedürfnis der Christen gedacht und nicht als eine Erhöhung des Papsttums.

Als einzige Bekräftigung wollen wir nur aus den abschließenden Sätzen der bemerkenswerten historischen Untersuchung von H. J. Pottmeyer[17] zitieren. Houtepen beschränkte seine Analyse auf die *Akten* des I. Vatikanischen Konzils, während Pottmeyer uns die Früchte einer extensiven Erforschung der Argumente der ultramontanen Theologen im Verlauf des 19. Jahrhunderts bis zum Vorabend des I. Vatikanischen Konzils vorträgt. Beide Studien ergänzen einander. Pottmeyers Schlußfolgerungen sind im wesentlichen die gleichen wie die Houtepens, obwohl ich den Eindruck habe, daß sie einander nicht gelesen haben. Pottmeyer verweist ein paarmal

---

[16] *Dom A. Stolz*, Nouveaux dogmes, in: Irénikon 12 (1935) 129–150. Wir zitieren die drei Absätze von Chenu vollständig: „En réalité, comme en témoigne l'histoire de l'Église, les délibérations du concile du Vatican (nämlich I. Vatikanum), la définition acte du magistère extraordinaire, est le fait d'une réaction de défense contre l'hérésie, un acte *judiciaire* (Hervorhebung von Chenu!) de l'Église au sujet d'un délit contre la foi, donc une intervention occasionnelle, partielle et utilitaire, non une recherche organique et interne de la vérité révélée.

Dès lors, mettre comme fondement et centre d'un traité dogmatique les décisions officielles de l'Église telles qu'elles sont contenues dans l'*Enchiridion* de Denzinger, c'est disposer les matières non d'après leur valeur et leur cohérence interne, mais d'après des points de vue souvent extérieurs et fortuits, à savoir ceux qu'on a dû mettre en face des hérésies.

Hormis quelques formes vives la réaction du P. Stolz nous paraît légitime. Plus radicalement que lui, nous trouverions la cause de cette conception fâcheuse des définitions dans un faux intellectualisme d'une part, qui mesure la valeur d'une vérité à la clarté de ses expressions conceptuelles, et d'autre part, à l'autoritarisme qui a prévalu dans les structures de foi au détriment de sa valeur de perception religieuse. Double péché de la théologie ‚baroque', au temps de l',Aufklärung'": RSPhTh 24 (1935) 705–707.

[17] Unfehlbarkeit und Souveränität (s. Anm. 1).

auf Houtepen, meist ganz allgemein, während er in seinen Schlußfolgerungen ausdrücklich seine Übereinstimmung mit einigen von dessen Schlüssen erklärt[18]. Mehr konnte er nicht tun, da er nicht auf das eingehen wollte, was während der Sitzungen des Konzils selbst geschah.

Ihre Terminologie ist etwas unterschiedlich. Pottmeyer räumt ein, daß es den Ultramontanen nicht sosehr um die Lehren der Bibel oder der Tradition ging, sondern mehr um die tatsächliche Situation der Kirche. Ihre Argumente, so sagt er, waren zumeist „politisch", während Houtepen sie als „Argumente der Opportunität" bezeichnet. Beide sprechen von dem „Notstandsgesetz" oder der „Notstandsverordnung". Pottmeyer bringt sehr interessante Analysen der neuen Ideen über Autorität, insbesondere die Autorität des weltlichen Staates (was er als „Souveränität" bezeichnet), die in der Französischen Revolution entstanden sind. Pottmeyer beschreibt daher die katastrophale Situation der Kirche vor dem I. Vatikanum ausführlicher.

Eingangs betonten wir die dringende Notwendigkeit, die Lehren des I. Vatikanischen Konzils, wie sie von der Konzilsversammlung formell beabsichtigt waren, nicht zu verwechseln mit den heutigen Theorien über die Unfehlbarkeit, welche sich später entwickelten – Lehren, die sowohl Traditionalisten wie Progressiven gemeinsam sind, die von den ersteren verteidigt und von den letzteren kritisiert werden. Wir sind der Ansicht, da sie theologische Ansichten *über* Themen darstellen, die vom I. Vatikanum behandelt wurden und nicht förmlich vom Konzil gelehrt wurden, sollten sie so behandelt werden, wie wir in der Theologie normalerweise abweichende Meinungen von Theologen und Bischöfen behandeln. Wir müssen sie demgemäß vor dem Hintergrund der Bibel, der Tradition und innerhalb des „sensus fidei" der Kirche erörtern. Im Namen der intellektuellen Redlichkeit schlagen wir vor, daß beide Parteien darauf verzichten sollten, sich auf die Dekrete des I. Vatikanischen Konzils zu berufen. Es sind dies Ideen unserer Zeit, die sehr oft den beabsichtigten Lehren des I. Vatikanums vollständig oder teilweise fremd sind.

Warum sollten wir uns nicht an die vernünftige Regelung des kanonischen Rechts halten, des alten in can. 1323 § 4 oder des neuen in can. 749 § 3: „Infallibiliter definita nulla intelligitur doctrina nisi id *manifeste* constiterit"?

---

[18] „Mit Recht stellt A. Houtepen fest: ‚Die Bedeutung des Dogmas von 1870 ist also eine beschränkte, die aber vielfach maximalisiert worden ist, vor allem durch das kumulative Verständnis der verschiedenen Funktionen des Infallibilitasbegriffs. Die Unfehlbarkeit Gottes, die Treffsicherheit des Glaubens, die Zuverlässigkeit des Kerygmas, die unwiderrufliche Autorität des höchsten Richters in Glaubensfragen und die Verehrung des Stellvertreters Christi haben ˙˙h nach dem Vatikanum I überlagert und ist das Dogma von 1870 mystifiziert'", ebd. 417.

II. Dogmatische und spirituelle Grundlagen der Unfehlbarkeit

Tief besorgt wegen der Notlage der Kirche, hat das I. Vatikanum seine Aufmerksamkeit auf das *Subjekt* der Unfehlbarkeit, nämlich den Papst, konzentriert. Es versäumte, die Minderheit zu besänftigen, da es sich weigerte, in das Dekret verschiedene andere Aspekte der allgemeinen Lehre von der Unfehlbarkeit aufzunehmen, auf denen diese bestanden hatte. Über die *Quelle* der Unfehlbarkeit enthielt es nur drei sehr wichtige Sätze. Die Quelle der Unfehlbarkeit ist nicht in irgendeiner Form von Offenbarung zu finden, noch in einer Art Inspiration, wie sie die Kirche in der Heiligen Schrift anerkennt. Daher kann kein unfehlbares Dekret jemals „das Wort Gottes" werden, so wie wir glauben, daß es in der Bibel enthalten ist. Positiv basiert die Unfehlbarkeit auf der Unterstützung durch den Heiligen Geist, die der Papst kraft seiner Mission als „oberster Hirte und Lehrer" erhält.

Weniger technisch ausgedrückt bedeutet dies, daß weder die Päpste noch der Episkopat, wenn sie „die Lehre von Glauben und Moral"[19] verkünden, irgendeine Art von Wissen oder Einsicht besitzen, die sich ihrem Wesen nach unterscheidet von dem allen Mitgliedern der Kirche gemeinsamen gewöhnlichen Verständnis der offenbarten Wahrheit. Das kann nicht oft genug wiederholt werden, da so viele Menschen außerhalb der Kirche noch immer glauben, der Papst besitze eine Art privater Offenbarung, und da zu viele innerhalb der Kirche weiterhin so reden, zumindest implizite, als ob dem tatsächlich so wäre.

Mgr. V. Gasser hat diese Prinzipien zweckdienlich zusammengefaßt: „Wir schließen in dieser Sache die Mitarbeit der Kirche nicht aus, da die Unfehlbarkeit dem römischen Papst nicht durch Inspiration oder Offenbarung verliehen ist, sondern in der Form der göttlichen Hilfe. Daher *hat* der Papst angesichts seines Amtes und der Wichtigkeit der Angelegenheit *die Pflicht*, die angemessenen Mittel zu nutzen, um ehrlich die Wahrheit zu erforschen und sie gehörig auszudrücken. Zu diesen Mitteln zählen wir die Konzile; auch den Rat der Bischöfe, der Kardinäle, der Theologen usw."[20]

---

[19] „... doctrina de fide et moribus" (DS 3074). Vgl. *P. Fransen,* „Geloof en zeden". Historisch-kritische verkenning, in: Ethische vragen voor onze tijd, Hulde aan Mgr. V. Heylen, hrsg. von Jos Ghoos (Antwerpen 1977) 133–153; und noch neuer: A Short History of the Meaning of the Formula „fides et mores", in: Louvain Studies 7 (1979) n. 4, S. 270–301.

[20] „Cooperationem Ecclesiae tum ideo non excludimus, quia infallibilitas Pontificis Romani non per modum inspirationis vel revelationis, sed per modum divinae assistentiae ipsi obvenit. Hinc Papa, pro officio suo et rei gravitate, *tenetur* media apta adhibere ad veritatem rite indagandam et apte enuntiandam; et eiusdem sunt concilia vel etiam consilia episcoporum, cardinalium, theologorum, etc.:" Mansi 52, 1213. Die offizielle Veröffentlichung von „Lumen gentium" enthielt nur die Hinweise, während die „Synopsis historica" uns das volle Zitat bringt,

In der Tat bleibt jede „Hilfe", und gerade die göttliche, nutzlos ohne menschliche Mitarbeit. Denn nach der göttlichen Heilsordnung erkennt die christliche Religion jene Art der Wirksamkeit „ex opere operato" nicht an, die menschliche Verantwortung, Offenheit und wahre Akzeptanz umgeht. Weder die Bischofsweihe noch die Annahme der Wahl zum Papst verleihen *automatisch* eine wirksame Unfehlbarkeit.

Unsere unmittelbare Schlußfolgerung ist, daß die Unfehlbarkeit ein *qualitativer,* nicht nur ein juridischer Begriff ist. Die Ausübung der Unfehlbarkeit in der Geschichte ist natürlich mit juridischen Bedingungen verbunden, da das Christentum eine *inkarnierte* Religion ist. Aber auch wenn alle juridischen Bedingungen erfüllt sind, kann es noch immer mehr oder weniger Unfehlbarkeit geben. Dies ist einer der „loci", wo die „Rezeption" ins Spiel kommt. Im Falle der Unfehlbarkeit können wir analog das Kriterium anwenden, das vom Konzil von Trient so beschrieben wurde: „entsprechend dem Maß, welches ‚der Heilige Geist jedem einzelnen individuell zuweist, wie es ihm gefällt' (1 Kor 12,11), und entsprechend der persönlichen Veranlagung und Mitarbeit jedes einzelnen"[21].

Da wir nun jene Aspekte der Lehre des I. Vatikanischen Konzils deutlich herausgearbeitet haben, die ich für eine weitere Erörterung brauchte, können wir versuchen, unser Verständnis ein bißchen weiter fortzuentwickeln. Als unser Leitprinzip wählen wir: Kein Mensch ist unfehlbar oder kann unfehlbar sein. Nur Gott ist aus seinem Wesen heraus unfehlbar. Er kann nicht zulassen, daß er selbst irrt, noch kann er andere irreleiten. Er ist nicht nur die oberste Wahrheit; er ist höchste Barmherzigkeit und Treue. Wenn also einem Menschen oder einer Gruppe von Personen eine wenn auch begrenzte und schwache Unfehlbarkeit zugesprochen werden kann, so kann diese nur von ihm, als sein gnädiges Geschenk, kommen. So weit, so gut!

Das I. Vatikanum hat auch wirklich auf die Unterstützung des Heiligen Geistes als einzige Quelle der Unfehlbarkeit verwiesen. Der Heilige Geist jedoch ist auch die Quelle aller Gnade und allen Charismas[22]. Seit der Veröf-

---

wie es für die Bischöfe gedruckt wurde. Es gibt noch ein weiteres wichtiges Zitat von Gasser: „Verum est quod Papa in suis definitionibus ex cathedra *eosdem habet fontes quales habet Ecclesia*" (Mansi 52, 1216). Siehe: Synopsis historica (s. Anm. 15) 134–135.
21 DS 1932.
22 Wir übergehen die scholastische Unterscheidung zwischen Gnade (für mich) und Charisma (für andere). Sie ist nicht biblisch, noch gehört sie zur orthodoxen Theologie. Vgl. *P. Fransen,* The Anthropological Dimensions of Grace, in: Theology Digest 23 (1975) 217–223; ders., Das neue Sein des Menschen in Christus, in: MySal IV/2 (1973) 921–984, bes. 939–951. Wir stimmen überein mit einigen modernen Deutungen des „Charismas", wie zum Beispiel von *K. Rahner,* Das Charismatische in der Kirche, in: LThK II, 1027–1030. Gottes Wege mit Männern und Frauen sind radikal konkret, das heißt vollkommen der tatsächlichen Situation und Beru-

fentlichung unseres Buches über die Gnade[23] haben wir eine neue Definition oder Beschreibung der Gnade entwickelt: „Gnade ist die liebende und lebendige Präsenz des Vaters im Sohn und durch den Heiligen Geist im Kosmos, in der Kirche und in uns."[24] Wenn wir die Unfehlbarkeit erörtern, dann brauchen wir nur die beiden letzten Aspekte zu betrachten: „in der Kirche und in uns". Diese beiden Aspekte sind, wie schon gesagt, untrennbar. Göttliche Gnade ist gleichzeitig persönlich und kollektiv. Wir sind „begnadet" als Person *und* als Gemeinschaft von Menschen, als ein Kind Gottes *und* als seine Familie oder sein Volk.

Diese „lebendige und liebende" Präsenz erreicht uns *unmittelbar* ohne eine irgendgeartete Vermittlung, weil Gott Gott ist, unser Schöpfer und Heiland. Er erreicht uns im Innersten unseres Seins, im dichten Zentrum unserer Existenz, vor einer Differenzierung zwischen Körper und Seele, Verstand, Wille und Herz, in jener Tiefe, wo wir fortwährend aus Gottes Schöpferhand fließen; also in unserem tiefsten inneren Kern, da Gott, wie Jan van Ruusbroec sagte, „von innen nach außen wirkt, während der Mensch von außen nach innen wirkt"[25].

Diese gnädige aktive Präsenz ist ihrer Natur nach *schöpferisch;* sie bewirkt in uns eine innere „Anziehung" (Joh 6,44), eine „Lust" (Augustinus), einen „Instinkt" (Thomas), ein „inneres Fühlen und Schmecken" (Ignatius von Loyola), eine Neigung und einen Dynamismus (K. Rahner) zurück zu Gott, zurück zu seinem Sein und seinen Wegen mit Männern und Frauen, zu seiner Wahrheit, Treue und Liebe (= der Quelle theologischer Tugenden). Wir können das eine „Erfahrung Gottes" nennen; nicht, daß irgendein menschliches Wesen Gott in ihm selbst erfahren könnte ... (Joh 1,18; 5,37; 6,46; 1 Joh 4,12.20; Kol 1,15 und 1 Tim 6,16). Wir können aber von einer Art Erfahrung Gottes sprechen insofern, als wir erleben, wie wir zu ihm hingezogen werden; in der Erfahrung einer inneren dynamischen Kraft, „en creux", wie J. Maréchal es nennt, sozusagen durch einen negativen „Spiegel" (1 Kor 13,12) oder als „den letzten Horizont" aller unserer Aktivitäten, wie es K. Rahner ausdrückt[26].

---

fung jedes einzelnen angepaßt. Daher bedeutet für uns Charisma die äußerste Form von Gottes gnädiger Aktivität, wo sie gleichsam die gewöhnlichen Kanäle, die institutionalisierte Kirche und ihre Sakramente, verläßt.

[23] De Genade, Werkelijkheid en leven (Antwerpen 1965); in englischer Übersetzung: The New Life of Grace (New York – London 1969).

[24] MySal IV/2 (1973) 921–926 928–935 und 939–951.

[25] *Jan van Ruusbroec,* Die gheestelike Bruloht: Werken, deel I (Tielt 1944) 147, 7–18 und 202, 8–26. Beide Zitate sind nachzulesen in: The New Life of Grace (s. Anm. 23) 22 und 131.

[26] In diesem Absatz geben wir in unseren Worten eine der zentralen Inspirationen unseres lieben Freundes und Lehrers, Prof. Dr. Karl Rahner, wieder, wie sie sich in seiner Lehre von dem „übernatürlichen Existential" und in der gesamten Struktur seiner transzendentalen Philoso-

Diese innere Neigung ist radikal unfehlbar, da sie *unmittelbar* aus Gottes gnädiger Gegenwart entsteht. Gott wird uns nicht irreleiten; Irrtum hat menschliche Ursachen.

Technisch wird diese Erfahrung „obskur und konfus" genannt, was, insbesondere in seiner lateinischen Version, heißt: noch nicht durch den Gebrauch von Symbolen und Begriffen genau umschrieben[27]. Das beeinträchtigt natürlich nicht ihre mögliche Intensität und Kraft, wenn wir ihr unsere Herzen öffnen. Es ist weiter notwendig, in Sachen der Religion einen weiteren Aspekt hinzuzufügen: was bislang in Formen des religiösen Lebens noch nicht realisiert und artikuliert ist. Gottes Gegenwart ist nicht prinzipiell eine Quelle des Wissens, sondern des Lebens, eine Präsenz, die uns „den Weg" weist[28].

Dieser Prozeß des Selbstausdrucks in und durch Leben und Einsicht ist schwierig und empfindlich. Wir brauchen die religiöse Sprache und die Verhaltensmuster, die wir von unseren Vorfahren im Glauben ererbt haben[29]. Jeder von uns ist beschränkt und behindert durch seine eigene Vergangenheit, durch Milieu, Erziehung und Kultur. Wir werden noch mehr irregeleitet durch unsere Trägheit, unsere Faulheit und unseren Egoismus[30]. Auf allen diesen Ebenen treffen die menschliche Person und die Glaubensgemeinde auf die Bedrohungen von Stumpfheit, Entfremdung und Irrtümern, viel-

---

phie und Theologie findet, die im Grundkurs des Glaubens. Einführung in den Begriff des Christentums (Freiburg i. Br. 1976) so zutreffend zusammengefaßt sind.

[27] Die Begriffe „obskur und konfus" sind vielleicht eingeführt worden mit der Absicht, sie förmlich der Descarteschen Formel „clair et distinct" gegenüberzustellen. Wir möchten unsere verschiedenen Wege der Erkenntnis nicht streng auf diese beiden Wege, den rein gedanklichen und den „mystischen", beschränken. Es gibt viele andere Formen des Wissens und der Erkenntnis, wie das gesamte Gebiet des symbolischen Ausdrucks.

[28] Siehe das Stichwort „Weg" in: Wörterbuch zur biblischen Botschaft, hrsg. von Xavier Léon-Dufour (Freiburg i. Br. ²1967, 1981) 741–743.

[29] Über unseren Gebrauch der zwei wesentlichen Typen von Kommunikation, „Sprache" und „Verhaltensmuster", in unserer Theologie der Gnade siehe: Grace, Theologizing, and the Humanizing of Man, in: Proceedings of the Twenty-Seventh Annual Convention of the Catholic Theological Society of America, Los Angeles, Cal., September 1–4, 1972, vol. 27 (Bronx, N. Y. 1973) 55–77 und The Anthropological Dimensions of Grace, in: Theology Digest 23 (1975) 217–223, eine gekürzte Übersetzung von „De antropologische dimensies van de genade", in: Collationes 5 (1975) 167–185.

[30] Wir finden eine schonungslose „weltliche" Analyse der Gefahren der „konventionellen Weisheit" in dem Buch des Ökonomen *John K. Galbraith,* The Affluent Society (Mentor Books) (New York 1958) 17–26. *Peter L. Berger* und seine Schule untersucht dasselbe Problem vom Standpunkt der Soziologie des Wissens in: The Social Construction of Reality, A Treatise in the Sociology of Knowledge (Anchor Books) (New York 1967). Schließlich gibt *Bernard J. F. Lonergan* uns eine philosophische Analyse der destruktiven Natur des „gesunden Menschenverstands", der „sich selbst nicht erlösen kann", in: Insight, A Study of Human Understanding (New York ³1958) 173–244.

leicht sogar Sünden, nicht nur durch unsere persönliche Sündigkeit, sondern auch durch „die Sünden der Welt" (Joh 1,29; 1 Joh 3,5).

Die offensichtliche Antwort ist: Man muß mit seinem eigenen tiefsten Selbst radikal ehrlich sein; muß „seine Intentionen läutern", wie die großen Mystiker der Vergangenheit so oft empfohlen haben. Das ist richtig, aber noch nicht ausreichend, denn diese Antworten übersehen einen sehr wichtigen Aspekt, ein grundlegendes Bedürfnis unserer menschlichen Lage und Existenz: *Niemand kann sich selbst verwirklichen, es sei denn in der und durch die Begegnung mit anderen.* Wir finden die Wahrheit *gemeinsam*[31]; wir entdecken die wirklichen Werte des Lebens *gemeinsam*, wir erforschen und vertiefen unser religiöses Leben *gemeinsam*, das heißt innerhalb der Communio des Glaubens[32].

Auf der Schwelle dieser Entdeckung werden unsere Augen plötzlich geöffnet für ein total neues Verständnis der wirklichen Rolle der Kirche und ihrer Bedeutung. Die Gemeinde derer, die Christus nachfolgen und an ihn glauben, alle, sowohl als verantwortliche Personen wie als lebendige Gemeinde in Glauben, Hoffnung und Liebe, bleiben unter der sanften Lenkung durch den Heiligen Geist unfehlbar treu gegenüber der Person und den Lehren Christi. Nicht nur müssen wir lernen, auf Gottes inneres Wort in unseren Herzen und unserem Gewissen zu lauschen, wir müssen auch erforschen, wie Gott in anderen wirkt. Wir sollten auf deren Hunger nach Gerechtigkeit und Liebe, nach Frieden und Wahrheit hören. In diesem Klima der Communio wird dann die totale Treue zu der lebendigen Person und Botschaft Christi nicht nur im einsamen Herzen eines Menschen gedeihen, wie herausgehoben seine Stellung auch sein möge, sondern in den Herzen aller treuen Kinder Gottes. Wenn der Papst gesandt ist, „seine Brüder zu bestärken" (Lk 22,32), so wird er auch von ihnen bestärkt, wenn auch auf andere Weise.

Wenn es also eine Unfehlbarkeit in der Kirche gibt, so kann diese nur aus der „Communio" von Glauben und Liebe unter dem Heiligen Geist kommen. Wie wir oben gesehen haben, ist diese Idee niemals vom I. Vatikanischen Konzil verworfen worden, obwohl man es nicht für opportun hielt, sie in den Text der Definition aufzunehmen. Dieses Verständnis wurde später in gewisser Weise von den Lehren des II. Vatikanums in „Lumen gen-

---

[31] K. *Rahner*, Über die kollektive Findung der Wahrheit, in: Schriften VI 104–110.
[32] Über die Funktion der „Communio" in diesem Kontext siehe P. *Fransen*, La communione ecclesiale, principio de vita, in: Cristianesimo nella Storia 2 (1981) 165–185, in deutscher Übersetzung: Die kirchliche Communion, ein Lebensprinzip, in: Kirche im Wandel. Eine kritische Zwischenbilanz nach dem Zweiten Vatikanum, hrsg. von G. Alberigo, Y.-M. Congar und H. J. Pottmeyer (Düsseldorf 1982) 175–194.

tium" bestätigt. In Kapitel II, „Über das Volk Gottes", Nr. 12, lesen wir eine wunderbare, wenn auch lange vergessene Einschätzung der Unfehlbarkeit oder „Indefektibilität" des gesamten Gottesvolkes unter seinen Hirten[33]. Kapitel III, „Über die hierarchische Struktur der Kirche", Nr. 24, berichtet uns sowohl von der unfehlbaren Lehre des Weltepiskopats im Verein mit dem Heiligen Stuhl wie auch von der speziellen Unfehlbarkeit des Papstes als des „Oberhaupts des Kollegiums der Bischöfe"[34].

Diese Doktrin wurde jedoch nicht systematisiert, eine Aufgabe, die offensichtlich nicht die eines Konzils ist. Ein Konzil ist kein internationales Theologentreffen, das einberufen ist, eine strukturierte und logisch schlüssige Abhandlung zu erstellen. „Lumen gentium" zeigt eben jene Mehrdeutigkeiten in der Darstellung der Konzeption der Kirche, von denen man weiß, daß sie schon zwischen Mehrheit und Minderheit während des Konzils bestanden. Die Dualität einer juridischen Kirche und einer Kirche, die auf der Communio aufbaut, ist niemals überwunden noch in eine höhere Synthese integriert worden[35]. Diese Mehrdeutigkeiten sind auch nach dem Konzil nicht verschwunden[36]. Das ist auch ganz normal für ein Konzil, das nach einer jahrhundertealten Tradition die verschiedenen geistigen Tendenzen, die innerhalb der Kirche bestehen und von ihr gelten gelassen werden, respektiert. Dasselbe geschah in Trient, und ganz bewußt[37].

Aber die Lehre steht noch immer da. Kein römischer Katholik darf fürderhin vorgeben, allein der Papst sei unfehlbar, was nach dem I. Vatikanum noch möglich gewesen sein mag, da seine Arbeit von dem Deutsch-Französischen Krieg und den italienischen Freiheitskriegen unterbrochen wurde und weil so viele sich nicht die Mühe machen, die Texte ernsthaft zu studieren.

Zweifellos müssen wir nun fragen, *welche Art von Unfehlbarkeit* hier gemeint ist. Nach den Studien von Houtepen und anderen können wir ruhig

---

[33] Der Absatz wurde während der letzten Sitzungsperiode 1965 wesentlich verbessert. Unfehlbarkeit wird beschrieben als „in credendo falli nequit". Zum Schluß fügte die Kommission an *„indefectibiliter* adhaeret", was anscheinend von Congar vorgeschlagen wurde. Somit wurde ein anderer Begriff der Unfehlbarkeit benutzt, wie wir glauben, ein reicherer, da er allumfassend und existentiell ist, nicht ausschließlich spekulativ.

[34] Synopsis historica (s. Anm. 15) 127–135, vgl. ebd. 458 485–501 und 840–856.

[35] *Antonio Acerbi,* Due ecclesiologie, ecclesiologia giuridica ed ecclesiologia di communione nella ‚Lumen gentium' (Bologna 1975).

[36] *A. Acerbi,* L'ecclésiologie à la base des institutions ecclésiales post-conciliaires, in: Les Églises après Vatican II, Dynamisme et prospective, hrsg. von G. Alberigo (Paris 1981) 223–258; die französische Übersetzung seines Artikels, der zuerst veröffentlicht worden ist in: Cristianesimo nella Storia 2 (1981). Dt. Übers. in: Kirche im Wandel (Düsseldorf 1982).

[37] *H. Lennerz,* Das Konzil von Trient und die theologischen Schulmeinungen, in: Scholastik 4 (1920) 38–52.

davon ausgehen, daß diese Unfehlbarkeit nicht darauf zielt, „ewige und absolute Wahrheiten"[38] zu bestätigen, so als ob der Papst oder der Episkopat
durch eine Art übernatürlicher Kamera in der Lage wären, die göttlichen
Wahrheiten zu fixieren oder sogar einzufrieren. Diese Ansicht würde uner-
laubterweise die Illusion einer privaten Offenbarung wieder einführen. Die
Diskussionen beim I. Vatikanischen Konzil zeigen, daß die Unfehlbarkeit
hauptsächlich negativ verstanden wurde. Sie waren mit Mgr. Gasser der Meinung, daß der Begriff „Unfehlbarkeit" nicht gerade der bestmögliche Begriff,
insbesondere im Deutschen, aber dennoch traditionell war. Sie benutzten
ebenso gerne, ohne merklichen Unterschied in der Bedeutung, die Ausdrükke „immunitas ab errore", „non posse errare" usw. Wir meinen in der Tat
„Irrtümer" in den „in recto"-Aussagen der Definitionen, offensichtlich nicht
in dem „in obliquo" Mitgemeinten des dogmatischen Zusammenhangs und
der Argumente.

Die tiefe pastorale Sorge der Bischöfe des I. Vatikanischen Konzils läßt uns
mutmaßen, daß sie mehr an eine Art *verläßlicher* Lehre dachten, welche sie,
Christus und seiner Botschaft treu, *zu* der Wahrheit *hin*führte, die von den
Dekreten beabsichtigt war und welche gleichzeitig verbindlich wäre, und
das ohne Appellation einer höheren Instanz. In diesem Sinne allein können
wir sagen, daß diese Lehre „definitiv" war und doch keinen Fortschritt in
Verständnis und Sprache ausschloß. Weil das I. Vatikanum sich so intensiv
um das oberste *Subjekt* der Unfehlbarkeit sorgte, beabsichtigte es in der Tat
nicht, uns die tieferen hermeneutischen Probleme nahezubringen, die das
Dogma in sich trägt. Hermeneutik war nicht gerade die bevorzugte Beschäftigung der Theologen im 19. Jahrhundert und noch weniger die der Bischöfe. Wie wir oben schon gesehen haben, bestand jene „Hermeneutik", deren
sie sich bewußt waren und die sie gelegentlich benutzten, in den praktischen
Regeln der Interpretation, welche die Kanonisten in ihren Kommentaren
zum Kirchenrecht erarbeitet hatten.

Nach dem ersten Prinzip unserer Exposition können wir daher keinerlei
dogmatische Lehre zu dem Thema erwarten. Diese Aufgabe blieb unserer
Zeit überlassen, in der die Philosophie und Theologie der Religion sich allmählich der vielen heiklen und dornigen Probleme der religiösen Sprache
bewußt werden[39].

---

[38] Siehe die abschließenden Schlußfolgerungen von *Houtepen*, a.a.O. 345–347, auch zitiert bei
Pottmeyer (s. Anm. 18).

[39] Es sei uns erlaubt, auf zwei Werke hinzuweisen, die für diese Art von Forschung typisch
sind: *Eugen Biser*, Religiöse Sprachbarrieren. Aufbau einer Logoaporetik (München 1980) und
Theolinguistics, hrsg. von J. P. van Noppen: Tijdschrift van de Vrije Universiteit Brussel, Stu-
diereeks, Nr. 8 (Brüssel 1981).

Weiterhin sollten wir beginnen einzusehen, daß die auffällige Sprache des Magisteriums selbst von eigener Art ist. Unsere Erfahrung mit der Untersuchung von Texten des Magisteriums führt uns zu der generellen Ansicht, daß das Magisterium ganz eigenen Regeln folgt. Das ist einer der Gründe für die Mißverständnisse zwischen Magisterium und Theologen. Die Bischöfe sind im allgemeinen nicht so sehr an einer exakten Interpretation der Bibel[40] oder der Tatsachen von Geschichte und Tradition interessiert, noch auch an irgendeinem philosophischen System[41]. Im besten Falle haben auch jene, die daran Gefallen fänden, einfach keine Zeit dafür.

Die Bischöfe interessieren sich vielmehr für jene Art von Wahrheit, die auf die tatsächliche Lage der Gläubigen anwendbar ist, aller Gläubigen, der gebildeten wie der ungebildeten, und das in den verschiedenen Ländern. Meistens sind diese Probleme dringlich und ziemlich komplex, gerade weil sie sich auf die konkreten alltäglichen Realitäten der Kirche beziehen. Es ist einfacher zu spekulieren als ein sehr konkretes Problem hier und jetzt zu lösen, worin es um den Glauben geht. Sie sind Hirten, die unmittelbar konfrontiert sind mit den Nöten und Zweifeln ihres Volkes, mit den Spaltungen und Schismen, welche seine Einheit und Communio bedrohen, mit der Unsicherheit, die aus der Krise der Zeit entspringt. Deshalb gilt ihr ganzes Bemühen mehr einem „Urteil prudentieller Weisheit"[42]. Mit dieser Art Studie befinden wir uns noch im Hintertreffen, sehr oft einfach deshalb, weil eine falsch verstandene Loyalität zu unseren Vorgesetzten, eine Empfindlichkeit ihrerseits und ihre Furcht vor Kritik kein günstiges Klima für friedliche und vorurteilsfreie Sachlichkeit schaffen.

---

[40] Wir finden ein typischen Beispiel für diese Mentalität in der Motivation der Theologischen Kommission während der Vorbereitung von „Lumen gentium". Die Frage war, ob Apg 20,28 auf die Bischöfe anwendbar sei. In der Tat hatte Paulus die „presbyteroi" von Ephesus bis Milet eingeladen, die er dann „episkopoi" nannte. Exegeten hatten vermutlich gegen den Gebrauch dieses Textes protestiert, der von den Bischöfen ҫo geschätzt wird, besonders in der lateinischen Formulierung der Vulgata. Die Kommission antwortet: „Textus de quo exegetice disputari potest (!), sumitur quia in documentis Ecclesiae saepe saepius adhibetur." Dann folgt eine Liste von allgemeinen und lokalen Konzilen: Synopsis historica (s. Anm. 15) 86.
[41] Es gibt eine bemerkenswerte Ausnahme im Konzil von Vienne von 1312. Die Kirchenväter verteidigten die Lehre von der „anima ut forma corporis" als eine Glaubenswahrheit. Für die richtige Interpretation siehe den Artikel von *A. Lang* (s. Anm. 3).
[42] Kard. *J. M. van Rossum*, De essentia sacramenti ordinis (Romae – Friburgi 1914), Vorwort S. 8, und *L. Choupin*, Valeur des décisions doctrinales et disciplinaires du Saint-Siège (Paris 1907); wir zitieren aus der 3. Aufl. (Paris 1928) 85 – 89. In der Tat schließt er aus seinen Überlegungen förmlich die unfehlbaren Definitionen des Glaubens aus. Epistemologisch sehen wir nicht recht, warum. Es ist wohl mehr als wahrscheinlich, daß auch er der Fata morgana der „ewigen und absoluten Wahrheiten" erlag.

Schluß

Wir möchten nur einen sehr wichtigen Punkt herausheben. Es scheint, daß die Idee der „Rezeption" in der modernen westlichen Theologie von uns erstmals 1962 ins Gespräch gebracht wurde[43]. Diese Idee ist noch heute umstritten. Es ist offensichtlich, daß jene, die eine juridische und autoritäre Konzeption der Kirche vertreten, nur schwer die Realität der „Rezeption" anerkennen können[44]. Einige Argumente gegen die Rezeption, die wir kürzlich zur Kenntnis genommen haben, bezeugen des Menschen ewigen Traum, „absolute Wahrheiten" zu erringen, den Traum, der in der Mitte dieses Jahrhunderts recht verbreitet war über die „Philosophia perennis"! „Rezeption", so sagen sie, gibt uns keine klaren, endgültigen und schlüssigen Antworten. Wenn wir etwas von der Geschichte wissen, von der Geschichte der Sprache wie derjenigen der Kirche, so werden wir erkennen, daß das in dieser Welt unmöglich ist. Andere meinen, die Kirche sei keine Demokratie. Die Mehrheit habe nicht unbedingt recht. Das ist offensichtlich! Die Antwort darauf ist, daß „Rezeption" ganz entschieden nichts mit Demokratie noch mit einer Mehrheitsentscheidung zu tun hat. Das ist schon vom Begriff her ausgeschlossen.

„Rezeption" könnte man vergleichen mit dem, was Soziologen als einen langsamen Prozeß der *Assimilation* von Ideen und Lebensweisen in einer Gesellschaft von Männern und Frauen beschreiben. In der Kirche aber sollte die bewegende Kraft dieser Assimilation die sanfte Steuerung durch den Heiligen Geist bleiben, insbesondere bei besonderen Anlässen, welche das II. Vatikanische Konzil Gottes „kairos" nannte, die „Zeichen der Zeit". Die grundlegende Motivation jedes Prozesses der Rezeption sollte *der Glaube* bleiben, auch wenn andere Einflüsse stören können. Der „sensus fidei" aller Mitglieder der Kirche, der in Nr. 12 in „Lumen gentium" so gut beschrieben ist, „das Wahrnehmen der Geister" durch fromme Männer und Frauen, der

---

[43] *P. Fransen*, The Authority of the Councils, in: Problems of Authority, hrsg. von John Todd (London 1962) 43–77, bes. 63–65. Als wir diese Arbeit 1961 in Angriff nahmen, waren wir uns nicht bewußt, ein neues Problem aufgeworfen zu haben, wie Pater Congar uns so schön in einem Brief mitteilte. Wir haben nichts „entdeckt", aber es aus unseren Begegnungen mit russischen und griechischen Theologen während unserer ersten ökumenischen Treffen nach dem Krieg gelernt.

[44] In einer juridischen Mentalität, wie wir sie oben beschrieben haben, wo die „voluntas Principis legis vigorem habet", ist kein Platz für „Rezeption". Erst vor kurzem wurden einige Bücher zu diesem Thema herausgebracht, so *Helmuth Pree*, Die evolutive Interpretation der Rechtsnorm im kanonischen Recht (Wien 1980) und *Günter Virt*, Epikia. Verantwortlicher Umgang mit Normen. Eine historisch-systematische Untersuchung zu Aristoteles, Thomas von Aquin und Franz Suarez (Tübingen 1983).

prophetische Einfluß von Gott gesandter Führer und gelegentlich auch die Abhaltung von Konzilen und die Leitung durch die Hierarchie, alle diese Elemente, von der Kraft des Heiligen Geistes bewegt, helfen uns, die Lehren unserer Kirche zu ergründen, zu verstehen und in unserem Leben zu verwirklichen. Sie ist in Wirklichkeit eine Realität des Lebens, eine qualitative Realität, nicht eine Quantität der abgegebenen Stimmen oder der Zahl der Parteigänger. Auch wenn wir sie nicht zur Kenntnis nehmen, wie es so viele Jahrhunderte lang geschah, oder wenn wir sie ablehnen, ist sie deshalb doch vorhanden. Leben ist unzerstörbar, insbesondere wenn es vom Geist Gottes beseelt ist.

„Rezeption" wird nur richtig verstanden als ein wesentlicher Aspekt der Communio des Glaubens. Auf allen Ebenen des kirchlichen Lebens leitet der Heilige Geist uns alle, jeden entsprechend seinen Fähigkeiten, seiner Verantwortung und Berufung. Die Mission des Magisteriums ist es, dieses Leben zu lenken, nicht sich ihm entgegenzustellen. Die Aufgabe der Theologen ist es, die Reichtümer der Bibel und der Tradition zu erforschen, um bessere Lösungen für unsere Zeit zu finden. Was auch die Meinung einiger Bischöfe sein möge, Theologen fühlen sich durch ihr Gewissen verpflichtet, einige Ansichten oder Direktiven der Hierarchie zu kritisieren, ohne unnötige und ungesunde Skandale unter den Gläubigen zu provozieren. Sie sind nicht nur die institutionalisierten Kommentatoren der päpstlichen und bischöflichen Dokumente[45]. Das Volk Gottes lebt seinen Glauben in der Einheit der Liebe, und dabei geht es sanft ein in die Reichtümer der Lehren der Kirche[46]. Wahrheit wird entdeckt, indem man „das Wahre tut", und nicht so sehr, indem man darüber spekuliert.

Aus dem Englischen von Sigrid Winkler

---

[45] *B. de Sesboüé*, Autorité du Magistère et vie de foi ecclésiale, in: NRTh 93 (1972) 337–359. Siehe insbesondere seine Bemerkungen über den „monophysisme ecclésial" innerhalb der römisch-katholischen Kirche, ebd. 339.

[46] Als die Verleger Longmans, Green & Co. J. H. Newman baten, eine neue Ausgabe seines Werkes „The Via Media" vorzubereiten, worin er die anglikanische Tradition gegen Katholizismus und Protestantismus verteidigt hatte, wußte er nicht, was er tun sollte. Sollte er als römisch-katholischer Kardinal das Buch umschreiben, was die Verleger nicht im Sinne gehabt hatten? So beschloß er, ihnen die Wiederauflage seines früheren Textes zu gestatten, fügte aber eine lange Einführung hinzu über die tieferen Ursachen der Übel, welche die römisch-katholische Kirche belasteten. Die Hauptursache der Übel ist, daß so häufig in der Kirche Mißbräuche entstehen, weil einige Leute sich die Verantwortung anderer anmaßen. Er denkt insbesondere an die Spannungen zwischen der Hierarchie und den Theologen. Siehe: The Via Media of the Anglican Church (London 1895), Bd. I, Vorwort zur 3. Aufl. XV–XCIV. Siehe *Richard Bergeron*, Les abus de l'Église d'après Newman (Recherches de théologie 7) (Paris – Tournai – Montréal 1971).

PETER HÜNERMANN

REFLEXIONEN ZUM SAKRAMENTENBEGRIFF
DES II. VATIKANUMS

1. Wandel in den Perspektiven

Die Bedeutung, die das II. Vatikanische Konzil im Hinblick auf die theologische Entfaltung des Sakramentenverständnisses einnimmt, ist bislang kaum hinlänglich reflektiert worden. Dies hängt damit zusammen, daß dieses Konzil bei den Einzelaussagen vielfach die alten und gewohnten Formeln benutzt, die Sakramente aber in einen Rahmen stellt, der ein neues Verständnis auch der einzelnen Momente der Sakramententheologie ergibt. Der Wandel in den Perspektiven läßt sich zeigen, wenn zuvor die leitenden Fragestellungen der mittelalterlichen Sakramententheologie skizziert werden, jene Sichtweisen, die grundsätzlich auch die Aussagen des Konzils von Trient über die Sakramente bestimmen und die bis in die Ausläufer der neuscholastischen Theologie in unseren Tagen führend sind.

Thomas von Aquin stellt im III. Teil seiner Summa theologiae sechs Fragen, um die Sakramente als solche zu charakterisieren[1]: Unter der Überschrift „Quid sit sacramentum?" wird die Definition des Sakramentes erarbeitet. Anhand der zweiten Frage nach der Notwendigkeit der Sakramente weist er unter Bezugnahme auf die Etappen der Heilsgeschichte die jeweilige Angemessenheit der Gnadenvermittlung durch Sakramente auf. Die dritte Frage richtet sich auf den primären Effekt der Sakramente, die Gnade; die vierte Frage behandelt den „Charakter" als zweiten Effekt der Sakramente. Die fünfte Frage erörtert schließlich die Ursachen der Sakramente, und die sechste Frage widmet Thomas der Zahl der Sakramente.

Überdenkt man diese Erörterungen, so zeigt sich, daß bei Thomas die einzelnen, sinnlich greifbaren Sakramente, jene Instrumente, durch die Jesus Christus, der erhöhte Herr, binnengeschichtlich wirksam wird und in den Menschen Gnaden verursacht, in einer völlig singulären, scharf von allen sonstigen Formen seiner Wirksamkeit abgehobenen Weise im Blickfeld ste-

---

[1] *Thomas von Aquin*, STh III q. 60 – q. 65.

hen. Dabei verbinden sich in der Charakteristik der Sakramente selbst zwei Reihen von Aussagen: auf der einen Seite werden die Sakramente mit Hilfe der aristotelisch geprägten Ursachenlehre charakterisiert, auf der anderen Seite wird ihr zeichenhafter Charakter herausgestellt[2].

Wendet man sich demgegenüber den Aussagen des II. Vatikanums über die Sakramente zu, so fällt zunächst der gewandelte Kontext der Aussagen über die Sakramente auf. Dieses gewandelte Umfeld führt ganz selbstverständlich zu anderen Kategorien in der Beschreibung dessen, was ein Sakrament ist.

Wo in den Texten des II. Vatikanums ausdrücklich von den Sakramenten gehandelt werden soll, da wird zunächst vom Geheimnis des Leidens, des Sterbens und der Auferstehung Jesu Christi gehandelt, vom „Mysterium paschale", danach von der Kirche, und erst im Beziehungsfeld von Jesus Christus und Kirche findet dann die Rede von den Sakramenten ihren Platz (vgl. SC 5–7; LG 3; u. ö.). Dabei handelt es sich weder um eine bloß äußerliche Rahmung noch um die Abklärung von Voraussetzungen, die dann den Übergang zur eigentlichen Sache ermöglichen. Vielmehr sind die Sakramente von vornherein eingeordnet in jenes göttlich-menschliche Mitteilungsgeschehen, in dem die Kirche konstituiert wird und von dem sie bleibend getragen ist. Die Sakramente sind so von vornherein charakterisiert als vermittelnde Momente in diesem Vollzug der Kommunikation. Sie tragen *Wort*-Charakter, weil sie ihr Wesen ganz und gar in der eröffnenden Mitteilung haben: sie erschließen und vermitteln dem Menschen die Präsenz Jesu Christi, lassen ihn seinem Erlöser begegnen, lassen ihn eins werden mit seinem Leiden, Sterben, begaben ihn mit der Kraft seiner Auferstehung, lassen ihn Anteil gewinnen am Geist Jesu Christi. Ihre Auswirkungen werden als ein Gleichgestalten mit ihm, ein Eingepflanztwerden in Jesus Christus und seinen Tod, ein Mitsterben zum Mitauferstehen bezeichnet (vgl. LG 7). Was die sakramental bewirkte Gnade ist, wird jeweils durch Verben und Substantive der Mitteilung ausgesagt.

Zugleich aber, in ihrem Wort-Charakter, werden die Sakramente als *Handlungen* der kirchlichen Gemeinden und der einzelnen charakterisiert (vgl. LG 11).

So kann man in einer ersten Hinsicht die Sakramente als „kommunikative Handlungen"[3] bezeichnen.

---

[2] Vgl. etwa: STh III q. 62 a. 3 c.

[3] Zum Verständnis der Sakramente als kommunikative Handlungen vgl. *P. Hünermann, Sakrament – Figur des Lebens*, in: *R. Schaeffler – P. Hünermann, Ankunft Gottes und Handeln des Menschen. Thesen über Kult und Sakrament* (Quaestiones disputatae 77) (Freiburg i. Br. – Basel – Wien 1977) 51–87. Zur Mysterientheologie Odo Casels vgl. *A. Schilson, Theologie als Sakramententheologie. Die Mysterientheologie Odo Casels* (TThSt 18) (Mainz 1982).

Der Wort-Charakter der Sakramente, wie er in der Konzeption der Väter des II. Vatikanums entfaltet wird, erinnert an die reformatorische Sakramentenlehre, ist allerdings von der Sakramenteninterpretation Martin Luthers zu unterscheiden. Die Eucharistie etwa ist nicht nur das handgreifliche, mit dem Zeichen besiegelte Wort von der Vergebung der Sünden. Vielmehr geschieht in den Sakramenten umfassendste Kommunikation mit Jesus Christus, dem Sohne Gottes, der gelitten hat, gestorben und auferstanden ist.

So zeichnet sich bereits bei dieser ersten Annäherung die hohe ökumenische Bedeutung der Sakramentenlehre des II. Vatikanums ab: die mittelalterliche und tridentinische Sakramententheologie ist hier in einer solchen Weise fortgeschrieben und weiterentwickelt worden, daß darin auch das reformatorische Sakramentenverständnis anklingt und zugleich in eine neue Weite hinein geöffnet ist.

Sind die Sakramente aber für das II. Vatikanum in dieser Weise wichtige Momente der Mitteilung Jesu Christi und seiner Kirche, so erhebt sich die Frage: Wie wird das „Dreiecksverhältnis" Mysterium paschale – Kirche – Sakramente nun im einzelnen bestimmt? Gibt es hier neue begriffliche Fassungen?

Wendet man sich diesen Fragen zu, so steht man zunächst vor dem Faktum, daß nicht nur im Bereich der Sakramententheologie, sondern ebenso im Bezug auf die Christologie und die Ekklesiologie erhebliche Umgewichtungen stattgefunden haben.

2. Das Mysterium paschale – Mitte der christologischen Aussagen

Im Unterschied zur Christologie der Neuzeit, wie sie etwa in exemplarischer Form von Franz Suárez ausgearbeitet worden ist[4], legt das II. Vatikanische Konzil das Schwergewicht der Christologie nicht auf die Inkarnation. Selbstverständlich wird an zahlreichen Stellen von der Menschwerdung Gottes gesprochen. Die Bewegung der Offenbarung Gottes, verstanden als Selbstmitteilung Gottes (vgl. DV 2), kommt zwar mit der Inkarnation in ihre eschatologische Erfüllung. Aber die Inkarnation selbst ist gleichsam nur notwendiger „Durchgangspunkt". Das Geheimnis Jesu Christi entfaltet sich in seinem irdischen Lebensweg. Es wird in seiner Abgründigkeit allererst voll aufgeschlossen und mitgeteilt im Leiden, im Kreuz und in der Erhöhung des

---

[4] Vgl. dazu *Ph. Kaiser,* Die Gott-menschliche Einigung in Christus als Problem der spekulativen Theologie seit der Scholastik (MthSt II 36) (München 1968) 94–156.

Herrn[5]. Dieses Geschehen im Mysterium paschale aber wird in sich selbst als „personale Mitteilung" charakterisiert. Damit setzt sich das II. Vatikanum von der Barockscholastik und den vorherrschenden Tendenzen in der Neuscholastik ab, in denen die communicatio darin gesehen wird, daß aufgrund der Verdienste Jesu Christi Auswirkungen im Menschen hervorgebracht werden, nämlich die heiligmachende Gnade, die als dem Menschen eigene Gnade zugleich eine geschaffene Realität ist, und die verschiedenen helfenden Gnaden. Offenbarung Gottes, als personal-geschichtliche Selbstmitteilung verstanden, trägt schöpferischen Charakter: durch dieses Geschehen wird die Kirche allererst hervorgebracht, wird sie in Wahrheit konstituiert (vgl. LG 4 5). „In diesem Mysterium ‚hat er durch sein Sterben unseren Tod vernichtet und durch sein Auferstehen das Leben neu geschaffen'. Denn aus der Seite des am Kreuz entschlafenen Christus ist das wunderbare Geheimnis der ganzen Kirche hervorgegangen" (SC 5).

Von dem theologischen Prinzip der Barockscholastik und der daran anschließenden neuzeitlichen Theologie, wonach aufgrund der Inkommensurabilität Gottes und des Geschöpfes die Mitteilung Gottes lediglich in der Hervorbringung geschöpflicher Realitäten bestehen könne, ist hier nirgends mehr die Rede. Es geht vielmehr um die Hineinnahme des Geschaffenen in Gott selbst, in die Beziehung von Vater und Sohn im Heiligen Geist, ohne daß dadurch der geschöpfliche Charakter der Kirche und der Glaubenden negiert würde[6].

3. Das Mysterium paschale – Grund und Mitte der Kirche

Das österliche Geheimnis Jesu Christi, jenes Geschehen, in dem er Sünde und Tod des Menschen auf sich genommen hat, ist einerseits *Grund* der Kirche, andererseits aber auch ihre innere, bewegende *Mitte*. Es ist Grund der Kirche, weil sie daraus hervorgeht (vgl. SC 5). Dieser Grund aber ist für sie nicht nur die äußerliche Basis ihres Daseins, vielmehr ist das österliche Geheimnis Jesu Christi auch so Grund der Kirche, daß dieses „opus salutis"

---

[5] Vgl. DV 4: „Er ist es, der durch sein ganzes Dasein und seine ganze Erscheinung, durch Worte und Werke, durch Zeichen und Wunder, vor allem aber durch seinen Tod und seine herrliche Auferstehung von den Toten, schließlich durch die Sendung des Geistes der Wahrheit die Offenbarung erfüllt und abschließt und durch göttliches Zeugnis bekräftigt, daß Gott mit uns ist, um uns aus der Finsternis von Sünde und Tod zu befreien und zu ewigem Leben zu erwecken."

[6] Vgl. LG 4: „So erscheint die ganze Kirche als ‚das von der Einheit des Vaters und des Sohnes und des Heiligen Geistes her geeinte Volk'." Vgl. auch GS 40.

(vgl. SC 2) zugleich die bewegende Mitte ihres eigenen Tuns und Lassens wird: immer wieder wird in den Texten des II. Vatikanums die Kirche als die Gemeinschaft jener Menschen charakterisiert, die aufgrund der Erlösung durch Jesus Christus den tiefsten Sinn ihres Lebens, ihre Sendung und ihren Auftrag darin erfahren haben, die Sendung und den Auftrag Jesu Christi fortzusetzen und auszuwirken. Entscheidend ist dabei, daß die Kirche nicht nur die „Sache Jesu" fortführt, das von ihm verkündete Wort weiter bezeugt, sein Verhalten zum Maß ihres Verhaltens macht; die Mitte der Kirche ist vielmehr nach den Texten des II. Vatikanums das Mysterium paschale im Ganzen, und insofern wird die Kirche charakterisiert als jene Gemeinschaft, die dieses in Jesus Christus gestiftete Heil bezeugt, indem sie sich in das Geheimnis seines Todes eingeschlossen weiß und so mit ihm der Auferstehung entgegenharrt. Die Sendung der Apostel wie die Mission der Kirche, die Liturgie, alle Aktivitäten werden aus diesem Mitvollzug des Mysterium paschale verstanden (vgl. SC 2; LG 7; AG 5). Diese Bestimmung gilt für Klerus und Laien, einzelne, Familien und Gemeinden, für alle.

Damit ist gegeben, daß die Kirche einen wesentlichen Bezug zur Welt in ihrer sündhaften Verfassung hat. Dieser Bezug, diese Sendung für die Völker, wird zwar an einer ganzen Reihe von Stellen in den Dokumenten des II. Vatikanums angesprochen[7]. Zugleich aber bleiben Defizienzen in der genaueren Bestimmung dieses Bezuges[8]. Ebenso wie im Hinblick auf das Mysterium paschale nicht genau und im einzelnen ausgeführt wird, wie Jesus Christus in dieser Hingabe an den Vater zugleich in die Gemeinschaft mit den Sündern eingegangen ist, ihre Verlorenheit übernommen hat, so wird in den ekklesiologischen Partien oft die konkrete Bedeutung für die Sendung der Kirche nicht herausgearbeitet. Auffällig ist dieses Fehlen der „Kreuzestheologie" gerade in der Pastoralkonstitution über die Kirche in der Welt von heute „Gaudium et spes".

Wird Kirche so vom Paschamysterium als ihrem Grund und ihrer Mitte her charakterisiert, dann muß ein Mißverständnis ferngehalten werden. Es liegt darin, dieses Heilsgeschehen in dem Sinne als Mitte der Kirche zu verkünden, als ob die Kirche dieses Geschehen jetzt gleichsam ungebrochen als Eigenes besäße und *so* aus dieser Mitte heraus zu handeln vermöchte. Kirche

---

[7] Vgl. dazu LG 17; GS 40–45; AG 1.
[8] So ist nicht von der Notwendigkeit die Rede, daß die Kirche ihren Gesellschaftsbezug in der Form mündiger Gemeinden, in der Form nationaler oder regionaler Kirchen, die aus ihrer eigenen Geschichte heraus leben, wahrnehmen muß, um darin neu im Blick auf die jeweilige Gestalt der Öffentlichkeit und Kultur das Wort des Evangeliums in seiner kritischen Funktion zu bezeugen. Vgl. zu diesem Problemkreis *H. Wieh*, Konzil und Gemeinde. Eine systematisch-theologische Untersuchung zum Gemeindeverständnis des II. Vatikanischen Konzils in pastoraler Absicht (FrThSt 25) (Frankfurt a. M. 1978).

erscheint in den Texten des II. Vatikanums nicht als verfügende, sondern als begnadigte Kirche. Das Paschamysterium ist Mitte allen kirchlichen Tuns nur dort, wo es jeweils als Grund und Ursache des Heiles für die Kirche bezeugt wird. So wird durch das Tun der Kirche, durch ihre Lebensvollzüge der gekreuzigte und erhöhte Herr selbst geschichtlich präsent für die Menschen[9]. Er ist der eigentlich Wirkende, die Kirche wirkt mit[10]. Und solches Mitwirken kann jeweils nur geschehen in der Kraft des Geistes Jesu Christi selbst. Nur indem Kirche Hohlform ist für diesen wesentlichen Inhalt, nur indem sie sich in ihrem eigenen Tun zurücknimmt und so in ihrer Freiheit dem Herrn und seinem Wirken allein Raum gibt, ist sie wahrhaft Kirche, vollzieht sie ihr eigenes Geheimnis (vgl. LG 8). So ist sie „universale salutis sacramentum"[11], Instrument göttlichen Wirkens, durch das die Menschen mit Gott und untereinander verbunden werden[12].

4. Eucharistia – Sacramentum ecclesiae

Die gekennzeichnete Kommunikation zwischen Jesus Christus und der Kirche, wie sie im Geheimnis der drei Tage begründet ist, wird konkret vollzogen in der Eucharistiefeier (vgl. SC 47).

Auch hier taucht eine Reihe neuer Termini in der theologischen Fachsprache auf: Vom Kreuzesgeheimnis Jesu Christi heißt es in bezug auf die Eucharistiefeier:

– ad actum deducitur (LG 11): es wird real gesetzt,

– exercetur (LG 3): es wird vollzogen.

---

[9] Vgl. SC 7. Zu dieser Sicht der Sakramentalität der Kirche *H. Mühlen,* Die Kirche als die geschichtliche Erscheinung des übergeschichtlichen Geistes Christi. Zur Ekklesiologie des Vaticanums II, in: ThGl 55 (1965) 270–289.

[10] Vgl. SC 7: „Infolgedessen ist jede liturgische Feier als Werk Christi, des Priesters, und seines Leibes, der die Kirche ist, in vorzüglichem Sinn heilige Handlung, deren Wirksamkeit kein anderes Tun der Kirche an Rang und Maß erreicht." Das Konzil spricht in bezug auf die Liturgie auch von einem „Tun der Kirche" (SC 9).

[11] Vgl. dazu LG 48; GS 45; AG 1. Zur Kirche als „universale salutis sacramentum" vgl. *L. Boff,* Die Kirche als Sakrament im Horizont der Welterfahrung. Versuch einer Legitimation und einer struktur-funktionalistischen Grundlegung der Kirche im Anschluß an das II. Vatikanische Konzil (Paderborn 1972) 228–537.

[12] Grundsätzlich ist dieser sakramentale Charakter der Kirche ausgedrückt in LG 1: „Die Kirche ist ja in Christus gleichsam das Sakrament, das heißt Zeichen und Werkzeug für die innigste Vereinigung mit Gott wie für die Einheit der ganzen Menschheit." Vgl. dazu auch *P. Visentin,* Struttura sacramentale della Chiesa, in: La Chiesa Sacramento e i Sacramenti della Chiesa. Atti della XVII Settimana Liturgica Nazionale (Padua 1967) 31–46. Ebenso *L. Lemire,* L'Église comme sacrement. Le rapport de ce thème ecclésiologique aux thèmes du Corps du Christ et du Peuple de Dieu (Diss. Lyon 1977).

Damit wird bereits angesagt, daß es sich um eine Realität handelt, die in einem wahren Sinn von der Kirche selbst vollbracht wird. Wie wird dies näher verstanden?

Von der Seite Jesu Christi her wird die Stiftung des Abendmahles charakterisiert als jener Akt, durch den der Herr der Kirche sein Kreuz zum Gedächtnis und Mitvollzug anvertraut hat. „Unser Erlöser hat beim Letzten Abendmahl in der Nacht, da er überliefert wurde, das eucharistische Opfer seines Leibes und Blutes eingesetzt, um dadurch das Opfer des Kreuzes durch die Zeiten hindurch bis zu seiner Wiederkunft fortdauern zu lassen und so der Kirche, seiner geliebten Braut, eine Gedächtnisfeier seines Todes und seiner Auferstehung anzuvertrauen: das Sakrament huldvollen Erbarmens, das Zeichen der Einheit, das Band der Liebe, das Ostermahl, in dem Christus genossen, das Herz mit Gnade erfüllt und uns das Unterpfand der künftigen Herrlichkeit gegeben wird" (SC 47). In diesem kirchlichen Tun, in der Feier der Eucharistie, ist Jesus Christus selbst der eigentlich Handelnde[13]. Zugleich aber vollzieht die Gemeinde in der Kraft seines Geistes dieses Opfer mit. Sie bringt in, mit und durch Christus dem Vater dieses opus salutis dar und opfert sich selbst zugleich mit Christus[14].

Die so gegebene Doppelpoligkeit des christologisch-ekklesiologischen Geschehens, die zweifache Trägerschaft, gewinnt ihre Greifbarkeit und Ausdrücklichkeit im Gegenüber von Bischof bzw. Presbyter und Gemeinde. Der Vorsteher der Eucharistiegemeinde handelt „in persona Christi capitis" (LG 10; PO 2), in der Vollmacht, der Rolle und Stellung Jesu Christi, des Hauptes seines Leibes, der die Kirche ist, die versammelte Gemeinde hingegen in der Vollmacht, Rolle und Stellung der Kirche, des Leibes Jesu Christi (vgl. LG 10).

In genauer Parallelität zum Mysterium paschale wird die Eucharistiefeier „fons et culmen" des Lebens der Kirche, Quelle und Höhepunkt aller ihrer Aktivitäten, genannt (vgl. SC 10; LG 11; CD 30; PO 5; AG 9). Sie ist *Grund* des Lebens der Kirche, weil sie nichts anderes ist als das Mysterium paschale, insofern es von der Kirche empfangen und vollzogen wird. Die Eucharistiefeier wird *Höhepunkt* ihres Lebens, Höhepunkt der Gemeindeaktivitäten genannt, weil sie reine Darstellung des Wesens der Kirche, Wesensvollzug von Kirche ist[15].

---

[13] Vgl. SC 7: Liturgie wird hier als „opus Christi" bezeichnet.
[14] Vgl. dazu SC 48; LG 10 34.
[15] Vgl. LG 11: „Das heilige und organisch verfaßte Wesen dieser priesterlichen Gemeinschaft vollzieht sich sowohl durch die Sakramente wie durch ein tugendhaftes Leben." Zur Bedeutung der Eucharistie für die Auferbauung und Struktur der Kirche vgl. *J. Coté,* Les Sacrements fondements de l'Église d'après Vatican II (Diss. Rom 1977).

Es ist auffällig, mit welcher Konsequenz die Eucharistie so als Sakrament der Kirche bzw. der Gemeinde beschrieben wird. Die einzelnen Gläubigen werden gerade in bezug auf die Eucharistie immer wieder als Glieder der Kirche, Glieder des Leibes Christi angesprochen (vgl. LG 7). Ist so die *Eucharistie* wesentlich *Sakrament der Kirche,* d. h. jene Handlung, in der die Kirche ihr eigenes, von Christus gestiftetes Wesen begeht und immer erneut in diese Wirklichkeit vermittelt wird, so kann umgekehrt die Ekklesiologie des II. Vatikanums zu Recht als eine *eucharistische Ekklesiologie* charakterisiert werden. Damit ist keine kultische Verengung der Kirche ausgesprochen, kein Gegensatz zum Weltbezug der Kirche aufgestellt. Im Gegenteil! Diese Ekklesiologie versteht Kirche wesentlich als Mitvollzug der Sendung Jesu Christi zu den Menschen und ist deswegen eine eucharistische Ekklesiologie. Denn in der Eucharistie gewinnt gerade dieses Wesen der Kirche seine fundamentale Konkretion.

Damit ist allerdings gegeben, daß der Weltbezug der Kirche, ihr Engagement in der Welt keine unvermittelte Relation ist. Kirche ist auf die Welt und die Menschen bezogen in und durch Christus. Ihr Tun schreibt sich ein in jenes eine opus salutis, das er erwirkt hat.

Indem Eucharistie und Kirche bzw. Gemeinde in diesem wechselseitigen Vermittlungsverhältnis stehen, ergibt sich zugleich eine Reihe von Fortschreibungen bzw. Wandlungen und Ergänzungen bisheriger dogmatischer Aussagen.

Eine erste Ergänzung betrifft die significatio sacramentalis. Das Konzil fügt der seit dem Mittelalter gebräuchlichen Formel „Brot und Wein bezeichnen das Mysterium Jesu Christi" hinzu, daß dieses Sakrament auch die Kirche bezeichne[16]. Wird diese Aussage ernst genommen und in ihrer Tragweite bedacht, so ergibt sich, daß eben der zur Speise hingegebene Leib Christi und sein Blut das Geheimnis der Kirche real umschließen. Das Mysterium paschale ist ohne die Kirche nicht zu denken.

Die höchst denkwürdige mittelalterliche Bedeutungswandlung der Termini „corpus Christi mysticum" und „corpus Christi reale" mit ihren weitreichenden Konsequenzen für die Bestimmung des Amtes ist damit im Grunde aufgefangen und in eine neue Konstellation gebracht[17].

---

[16] Vgl. etwa SC 2: „In der Liturgie, besonders im heiligen Opfer der Eucharistie, ‚vollzieht sich' ‚das Werk unserer Erlösung', und so trägt sie in höchstem Maße dazu bei, daß das Leben der Gläubigen Ausdruck und Offenbarung des Mysteriums Christi und des eigentlichen Wesens der wahren Kirche wird."

[17] Der Begriff „corpus mysticum" wandelte seine Bedeutung im Mittelalter dahingehend, daß er die Kirche als rechtliche Größe, als Körperschaft allein bezeichnete, nicht mehr den sakramentalen Charakter der Kirche. In der Enzyklika „Mystici corporis" Papst Pius' XII. ist dieses

In bezug auf die Bestimmung des Amtes haben die Konzilsväter die Konsequenzen weitreichend gezogen. Wenn in den Kommentaren zum Dekret über Dienst und Leben der Priester „Presbyterorum ordinis" öfters das unausgeglichene Nebeneinander eines traditionellen, von der Ausrichtung auf die Eucharistie, d. h. den Kult, her bestimmten Priesterbildes und eines funktionalen, vom konkreten Gemeindedienst her entworfenen Konzeptes priesterlichen Dienstes angesprochen wird[18], so ist zu fragen, ob die hier gekennzeichnete Vermittlungsstruktur von Eucharistie und Kirche gesehen und hinreichend gewürdigt wird.

Zugleich hat in dieser Lehre von der Eucharistie als sacramentum ecclesiae die mittelalterliche Auffassung der Eucharistie als des schlechthin hervorragenden Sakraments eine neue Form gefunden[19].

Schließlich wäre – in Ausweitung des bisherigen Gebrauchs des Terminus – zu sagen, daß die Kirche sich in der Eucharistie gleichsam als „opus operatum", als Vorgegebenheit in ihrer von Christus her gestifteten Wesentlichkeit findet, die sie jeweils in die Fülle ihrer konkreten Einzelvollzüge einzubringen hat. Eucharistie als sacramentum ecclesiae ist auf diese Weise maßgebende Quelle für die Auferbauung der Kirche.

5. Eucharistie – Wort und Sakrament

Weil in der Eucharistie als dem sakramentalen Mysterium paschale zugleich das Wesen der Kirche aufleuchtet und vollzogen wird, deswegen wird in den Texten des II. Vatikanums die Bestimmung des Wortes und der übrigen Sakramente, der Aufgaben und Tätigkeiten der Kirche wesentlich von dieser komplexen Mitte aus bestimmt. Die Bezeugung des Wortes Gottes durch Verkündigung und gelebtes Zeugnis zielt auf die Erweckung des Glaubens (vgl. PO 5), aber nicht lediglich der einzelnen als solcher, sondern auf die Herausbildung von Gemeinden, von mündigen, selbständigen Christen, deren Leben schließlich ihre Mitte in der Feier der Eucharistie findet. „Missionarische Tätigkeit ist nichts anderes und nichts weniger als Kundgabe oder

---

Mißverständnis von „corpus Christi mysticum" als bloß physische Einheit bereinigt und neu als Bezeichnung für das Geheimnis der Kirche eingeführt. Vgl. *Y. Congar*, Die Lehre von der Kirche. Vom Abendländischen Schisma bis zur Gegenwart (HDG III 3 d) (Freiburg i. Br. – Basel – Wien 1971) 121–123.

[18] Vgl. *F. Wulf*, Kommentar zu Artikel 1–6 des Dekrets über Dienst und Leben der Priester „Presbyterorum ordinis", in: LThK – Das Zweite Vatikanische Konzil III 143 a b 149 a 152 b 158 b.

[19] Dies zeigt sich äußerlich bereits darin, daß die Liturgiekonstitution dem Sakrament der Eucharistie ein eigenes Kapitel (II) vor allen anderen Sakramenten (III) widmet.

Epiphanie und Erfüllung des Planes Gottes in der Welt und ihrer Geschichte, in der Gott durch die Mission die Heilsgeschichte sichtbar vollzieht. Durch das Wort der Verkündigung, die Feier der Sakramente, deren Mitte und Höhepunkt die heilige Eucharistie darstellt, läßt sie Christus, den Urheber des Heiles, gegenwärtig werden" (AG 9). Führt das Wort so zur Konkretion des Heilsgeschehens in der Kirche, so ist es umgekehrt ebenso Auslegung und Entfaltung des bezeugten opus salutis in alle Dimensionen menschlicher Existenz hinein.

Ebenso wie aber Wort und Eucharistie aufs engste aufeinander hingeordnet werden, so die Eucharistie und die übrigen Sakramente. Thomas von Aquin hatte die Siebenzahl der Sakramente aus einer Betrachtung des menschlichen Gesamtlebens heraus plausibel gemacht. Sein wesentliches Argument war: die Lebensvermittlung des übernatürlichen Lebens müsse durch eine Abfolge der dem natürlichen Leben entsprechenden Heilsmittel symbolisiert werden[20]. Von solchen Reflexionen findet sich in den Dokumenten des II. Vatikanums nichts. In strenger Wiederaufnahme der patristischen Überlieferung werden alle Sakramente vom Mysterium paschale her bestimmt[21]. Dies gilt zunächst von den Initiationssakramenten, der Taufe, der Firmung und der damit verbundenen Eucharistie. Durch die *Taufe* werden die Gläubigen dem Tod Jesu Christi gleichgestaltet. Sie werden in seinen Tod eingepflanzt, um mit ihm aufzuerstehen (vgl. LG 7). Gerade durch dieses Hineinpflanzen in das österliche Geheimnis Jesu Christi werden sie in die Kirche aufgenommen (vgl. LG 11; AG 7). Das Sakrament der *Firmung,* die Versiegelung mit dem Geist, vermittelt ihnen die Kraft, aus diesem Geheimnis Jesu Christi heraus verantwortlich als Zeuge zu leben und so volles Glied der Kirche zu sein (vgl. LG 11). Das Sakrament der *Buße* wird als von Christus her gewirkte Versöhnung des Sünders mit Gott und zugleich als reconciliatio mit der Kirche charakterisiert (vgl. LG 11; PO 5). Taufe und Firmung wie das Sakrament der Buße stehen so im engsten Zusammenhang mit dem Sakrament der Eucharistie. Sie finden darin ihre innere Finalität[22]. Dabei ist zu beachten, daß es hier nicht um eine äußerliche Hinordnung geht, vielmehr um eine zugleich äußere und innere Ausrichtung, weil ja die

---

[20] Vgl. *Thomas von Aquin,* STh III q. 65 a. 1 c.
[21] Vgl. SC 61: „Die Wirkung der Liturgie der Sakramente und Sakramentalien ist also diese: Wenn die Gläubigen recht bereitet sind, wird ihnen nahezu jedes Ereignis ihres Lebens geheiligt durch die göttliche Gnade, die ausströmt vom Pascha-Mysterium des Leidens, des Todes und der Auferstehung Christi, aus dem alle Sakramente und Sakramentalien ihre Kraft ableiten."
[22] Vgl. PO 5: „Mit der Eucharistie stehen alle übrigen Sakramente im Zusammenhang; auf die Eucharistie hin sind sie hingeordnet."

Eucharistie als realer kirchlicher Vollzug des Geheimnisses Jesu Christi und seiner Mitteilung an die Menschen begangen wird. Wie das Sakrament des *Ordo* eucharistisch-ekklesiologisch in den Dokumenten des II. Vatikanums begründet wird, wurde oben bereits angesprochen. In bezug auf das Sakrament der *Ehe* wird ganz auf das Miteinander Jesu Christi und der Kirche, auf diese grundlegende communicatio im Mysterium paschale und seine Fruchtbarkeit abgehoben (vgl. LG 11). Schließlich geht es in der *Krankensalbung* nochmals um die besondere Einbindung des leidenden Menschen in das Mysterium paschale im Hinblick auf die endgültige Vollendung dieses Menschen (vgl. LG 11), jene Vollendung, die gerade im Sakrament der Eucharistie vorausnehmend gefeiert wird.

6. Zur Differenz der Sakramente von den nichtsakramentalen Vollzügen der Kirche

Gerade weil die Sakramente, zuhöchst aber die Eucharistie, die Natur und das Wesen der Kirche aufdecken, deswegen verwundert es nicht, daß sakramentale und nichtsakramentale Funktionen und Vollzüge der Kirche in den Texten des II. Vatikanums ganz eng zusammenrücken. Dies soll an zwei Beispielen zunächst kurz erläutert werden: anhand der Bestimmung der Liturgie und des Apostolates.

Bereits im Vorwort der Konstitution über die heilige Liturgie heißt es: „In der Liturgie, besonders im heiligen Opfer der Eucharistie, ‚vollzieht sich‘ ‚das Werk unserer Erlösung‘, und so trägt sie in höchstem Maße dazu bei, daß das Leben der Gläubigen Ausdruck und Offenbarung des Mysteriums Christi und des eigentlichen Wesens der wahren Kirche wird, der es eigen ist, zugleich göttlich und menschlich zu sein, sichtbar und mit unsichtbaren Gütern ausgestattet . . .“ (SC 2). Die Eucharistie erscheint in diesem Kontext als der ausgezeichnete Fall von Liturgie. Dies deutet bereits darauf hin, daß Liturgie und Eucharistie ganz eng verbunden werden. Noch deutlicher wird dieses Vorgehen des Konzils im 1. Kapitel der genannten Konstitution, das vom Wesen der heiligen Liturgie und ihrer Bedeutung für das Leben der Kirche spricht. So wird eine theologische Charakteristik der Liturgie gegeben, welche alle jene begrifflichen Momente aufweist, die traditionellerweise zur Charakterisierung der Sakramente verwendet wurden, nämlich äußeres Zeichen, innere Gnade, Einsetzung durch Jesus Christus. „Mit Recht gilt also die Liturgie als Vollzug des Priesteramtes Jesu Christi; durch sinnenfällige Zeichen wird in ihr die Heiligung des Menschen bezeichnet und in je eigener Weise bewirkt und vom mystischen Leib Jesu Christi, d. h. dem Haupt und den Gliedern, der gesamte öffentliche Kult vollzogen“ (SC 7,3).

Wenn die Väter im voraufgehenden Abschnitt die Präsenz Jesu Christi in seinem Wort, nämlich beim Verlesen der heiligen Schriften in der Kirche, seine Präsenz in der betenden und singenden Kirche und die Präsenz des Herrn in den Sakramenten in einer Linie aufzählen (vgl. SC 7,1.2) und dann zu der genannten Deskription der Liturgie kommen, so zeigt sich in solcher Argumentation ein erheblicher Umbruch gegenüber dem mittelalterlichen bzw. tridentinischen Sakramentenverständnis. Während bei Thomas von Aquin streng den sieben Sakramenten eine instrumentale *Wirkursächlichkeit* in bezug auf die Hervorbringung der Gnade zugeschrieben wird[23], wird dem Wort nur eine *disponierende* Kraft zuerkannt. Im vorgegebenen Text hingegen wird auf die Gegenwart Jesu Christi für die Menschen abgehoben und aus dieser personalen Kommunikation heraus auch von einer Erwirkung der Gnade gesprochen.

Ein ganz ähnlicher Befund ergibt sich bei der Analyse des Apostolatsbegriffes, wie er in den Texten des II. Vatikanums entfaltet wird. Dies tritt besonders prägnant im Missionsdekret zutage. Die missionarische Tätigkeit wird dort im ganzen als ein Dienst an den Menschen und den Völkern charakterisiert, durch den Gott „die Heilsgeschichte sichtbar vollzieht. Durch das Wort der Verkündigung und die Feier der Sakramente, deren Mitte und Höhepunkt die heilige Eucharistie darstellt, läßt sie" (gemeint ist die missionarische Tätigkeit) „Christus, den Urheber des Heils, gegenwärtig werden". Diese Tätigkeit aber bewirkt Gnade für die Völker und die einzelnen: „Was an Gutem in Herz und Sinn der Menschen oder auch in den jeweiligen Riten und Kulturen der Völker keimhaft angelegt sich findet, wird folglich nicht bloß nicht zerstört, sondern gesund gemacht, über sich hinausgehoben und vollendet zur Herrlichkeit Gottes, zur Beschämung des Satans und zur Seligkeit des Menschen. So strebt die missionarische Tätigkeit auf die eschatologische Fülle hin, denn durch sie wird bis zu dem Maß und der Zeit, die der Vater in seiner Vollmacht festgesetzt hat, das Volk Gottes ausgebreitet . . ." (AG 9).

Die genannten Momente der traditionellen Sakramentendefinition sind auch hier wiederum gegeben: es handelt sich um ein geschichtlich greifbares Geschehen: die missionarische Tätigkeit. Diese missionarische Tätigkeit wird vollzogen aufgrund eines ausdrücklichen Auftrags des Herrn. Ihre Stiftung geht auf ihn zurück. Diese Tätigkeit bezeichnet nicht nur, sondern bewirkt auch Gnade für die Adressaten, weil Gott selbst in diesem Tun der *principalis agens* ist und Jesus Christus in diesem Tun als Urheber des Heils seine wirkmächtige Präsenz entfaltet.

---

[23] Vgl. *Thomas von Aquin*, STh III q. 62 a. 1 c.

Es werden so in bezug auf Liturgie wie in Hinblick auf Mission bzw. Apostolat ganze Tätigkeitsbereiche der Kirche sakramental verstanden und definiert. Zugleich aber werden Wort und Sakrament unter den mannigfaltigen Aktivitäten, die hier gebündelt werden, eigens herausgehoben. Es wird ihnen ein besonderer Platz angewiesen. Sie bezeichnen so offenbar nicht nur den inhaltlichen Mittelpunkt der gesamten Tätigkeiten, von ihnen her ergeben sich vielmehr auch Form und Struktur dieses Tuns. Von ihnen her kann abgelesen werden, worum es im Grunde in all den mannigfachen Aktivitäten geht, die zu diesem jeweiligen Bereich Liturgie bzw. Apostolat gehören.

Damit zeigt sich auch hier nochmals eine Vermittlungsstruktur, die allerdings nicht eigens gefaßt und reflektiert wird: die Sakramente, insbesondere die Eucharistie, vermitteln die verschiedenen kirchlichen Aktivitäten, die Freiheitsvollzüge der einzelnen Glaubenden zu ihrem eigenen Wesen und lassen sie damit an der Struktur der Sakramente, dem sakramentalen Wirklichkeitsgehalt Anteil nehmen.

Die Väter des II. Vatikanischen Konzils waren selbstverständlich von der Notwendigkeit des Sakramentenempfanges für die einzelnen und die Gemeinden überzeugt. Auf die Heilsnotwendigkeit der Taufe, der Eucharistie wird ausdrücklich hingewiesen (vgl. LG 14). Es wird mit aller wünschenswerten Insistenz herausgestellt, daß die Gemeinden und die einzelnen gerade aus der Feier der Eucharistie und dem Empfang der übrigen Sakramente Kraft für ihr Leben aus dem Glauben gewinnen (vgl. SC 2 48; LG 11 26).

Eine begrifflich genaue Fassung des Wechselverhältnisses von Sakramenten und sonstigen Vollzügen aber ist nicht erfolgt. In den paränetischen Teilen der Texte, in denen zum häufigen Empfang der Sakramente gemahnt wird (vgl. LG 42; CD 30), finden sich häufiger Formulierungen, die auf die überlieferte Sicht der Sakramente zurückgreifen und auf ihre Wirkursächlichkeit in bezug auf die Gnade abheben.

Es ist aufgrund dieser Sachlage verständlich, daß sich in der nachkonziliaren kirchlichen Praxis diese Sakramententheologie mit ihren Stärken, aber auch mit ihren Grenzen ausgeprägt hat. Auf drei Phänomene ist in diesem Zusammenhang besonders hinzuweisen:

Erstens: In der nachkonziliaren Kirche ist ein sehr starkes Bewußtsein der Zusammengehörigkeit von Kirche bzw. Gemeinde und Eucharistie gegeben. Beides wird so selbstverständlich in eins gesetzt, daß die Teilnahme am sonntäglichen Gottesdienst den Eucharistieempfang ohne weiteres einzuschließen scheint.

Zweitens: Im Bewußtsein von vielen Gläubigen ist die Heilsbedeutsamkeit der einzelnen Sakramente und des Sakramentenempfanges gegenüber Formen, in denen sich die allgemeine Zugehörigkeit zur Kirche ausspricht, zurückgetreten. Dies gilt von den Sakramenten unter Absehung von der Eucharistie, die sehr stark im Vordergrund steht.

Drittens: In der Wertung nichtsakramentaler Handlungen im Vergleich mit dem Empfang von Sakramenten werden erstere oft als wichtigere, persönlich bedeutsamere Vollzüge eingestuft. Die persönliche Versöhnung wird etwa vielfach über die sakramentale Buße gestellt.

Im Bewußtsein der Gläubigen – dies wird man als generelle Konklusion ziehen dürfen – haben sich durch die Sakramententheologie des II. Vatikanums die früher gegebenen scharfen Konturen und Abgrenzungen der Sakramente im kirchlichen Leben, im Selbstvollzug der Gemeinden verwischt. Zugleich ist offenbar das Verständnis der Kirche bzw. der Gemeinden als sakramentaler Größen in dieser Welt gewachsen.

7. Theologische Aufgaben

Die voraufgehenden Erörterungen haben auf der einen Seite jene Vertiefung aufgewiesen, die das kirchliche Selbstverständnis durch die Rückbesinnung auf das Mysterium paschale in seinem gott-menschlichen Kommunikationscharakter gefunden hat. Sie haben auch gezeigt, wie die Sakramente hier in einen viel lebendigeren Zusammenhang mit dem Christusgeschehen in der Kirche gebracht worden sind. Hier hat zweifellos eine Weiterführung im Glauben stattgefunden. Man wird zu Recht das Wort aus der Offenbarungskonstitution auf das II. Vatikanum anwenden können: „Diese apostolische Überlieferung kennt in der Kirche unter dem Beistand des Heiligen Geistes einen Fortschritt: es wächst das Verständnis der überlieferten Dinge und Worte durch das Nachsinnen und Studium der Gläubigen, die sie in ihrem Herzen erwägen (vgl. Lk 2,19.51), durch innere Einsicht, die aus geistlicher Erfahrung stammt, durch die Verkündigung derer, die mit der Nachfolge im Bischofsamt das sichere Charisma der Wahrheit empfangen haben; denn die Kirche strebt im Gang der Jahrhunderte ständig der Fülle der göttlichen Wahrheit entgegen, bis an ihr sich Gottes Worte erfüllen" (DV 8).

Auf der anderen Seite hat sich gezeigt, daß die neue Fassung der Sakramente begrifflich noch nicht hinlänglich aufgearbeitet ist, so daß im Bewußtsein der Gläubigen – und wohl auch des Klerus – vielfach eine erhebliche „Randunschärfe" entstanden ist. Daraus ergibt sich für die systematische Theologie die Aufgabe, hier begrifflich kreativ weiterzuarbeiten. Es kann dabei nicht einfach um eine Restauration der mittelalterlichen oder tridentinischen Sakramententheologie gehen. Die Darstellung der Sakramente im II. Vatikanum ist über diesen Rahmen hinausgewachsen. Die Sakramentenlehre kann nicht erneut auf diese engeren Gleise zurückgeführt werden. Ein Weg eröffnet sich vielmehr nur nach vorne: in der Ausarbeitung nämlich von Kategorien, welche der Gesamtkonzeption der Kirche als eines Kommunikationsgeschehens Gottes mit den Menschen angemessen sind.

Es seien abschließend drei Hinsichten genannt, unter denen die Differenz zwischen Kirche bzw. Gemeinde und Sakramenten und damit die positive heilsnotwendige Bedeutung der Sakramente für die Gemeinde und die Kirche zu reflektieren sind. Voraussetzung dieser begrifflichen Differenzierung ist das Bewußtsein davon, daß die Sakramente grundsätzlich in den personalen und gemeinschaftlichen geschichtlichen Vermittlungsprozeß der Kirche mit ihrem gekreuzigten und erhöhten Herrn hineingehören und insofern konstitutive Momente dieses Kommunikationsgeschehens sind. Dies vorausgesetzt, ergibt sich:

1. Nur durch die Verkündigung des Wortes Gottes als maßgeblicher und verbindlicher Glaubenshinterlassenschaft durch den amtlichen Dienst auf der einen Seite und die Feier der Sakramente auf der anderen Seite kann die Kirche den *eschatologischen Charakter des Heils* und ihrer eigenen Existenz wahren. Werden (das Wort und) die Sakramente nicht scharf und deutlich differenziert vom gegebenen kirchlichen Leben, von den kirchlichen Selbstvollzügen, so ergibt sich ein plattes Ineinanderfallen, eine schlechte Identifikation des Gemeindegeistes bzw. des kirchlichen Geistes einer gegebenen Zeit mit dem Heiligen Geist, es ergibt sich eine falsche Ineinssetzung zwischen dem Tun der Kirche und dem Tun des erhöhten Herrn. Umgekehrt gilt: Gerade dort, wo die Gemeinden, wo die Kirche (das Wort und) die Sakramente als göttliche *Vor*gegebenheit ernst nehmen, da reißt die Kirche durch ihr eigenes Tun jene unerhörte Spannung und Weite auf, die ihr von Gott her bereitet ist. Sie gewinnt sich selbst als pilgernde Kirche, was sie in Wahrheit vor Gott ist.

2. Nur durch das Ernstnehmen (des Wortes, seiner maßgeblichen und verbindlichen Gestalt und) der Sakramente stellen sich die Gemeinden, die einzelnen und die Kirche im ganzen unter das gnädige *Gericht Gottes in dieser Zeit.* Nur aus dieser Unterstellung unter das Gericht Gottes, das hier in der Kirche real bejaht wird, erwächst den Gemeinden, den einzelnen und der ganzen Kirche die Möglichkeit, sich wahrhaft in Solidarität mit allen Sündern zu verstehen und so in Wahrheit Zeugnis von der Erlösung abzulegen.

3. Gerade (durch das Wort und) durch die Sakramente, die als kirchliche Vollzüge das Noch-nicht der Kirche aufdecken, sie unter das gnädige Gericht Gottes stellen, wird nun aber auch der Kirche jene Kraft der *Hoffnung* zuteil, die alle Hoffnungslosigkeit der Sünde und des Todes, alle Ausweglosigkeit der Geschichte übersteigt.

Gerade unter diesen drei genannten Hinsichten gewinnen dann sowohl das Kerygma von Jesus Christus wie die Sakramente in ihrer ekklesiologischen Vermittlungsfunktion eine neue Relevanz auch für den Christen, der in dieser technisch beherrschten und verwalteten Welt lebt und deren Gefährdungen, die Bedrohung durch die menschliche Freiheit, in einem neuen und erschreckenden Ausmaß erfährt. In der Ausarbeitung dieser Perspektiven bieten die Texte des II. Vatikanums mannigfache Anregungen. Die systematisch-theologische Ausarbeitung dieser Perspektiven scheint dringlicher als je.

III
DIE WEICHENSTELLUNGEN
IN DER ÖKUMENE

DIE ÖKUMENISCHE BEDEUTUNG
DES II. VATIKANUMS

Die ökumenische Bedeutung des II. Vatikanischen Konzils liegt nicht darin, wie es eine Zeitlang mißverständlicherweise angenommen wurde, daß es ein „ökumenisches" Konzil war im Sinn eines Konzils aller christlichen Kirchen. Denn es war „ökumenisch" im Sinn des katholischen Kirchenrechts (auch nach dem neuen Codex can. 337 338).

Die ökumenische Bedeutung des Konzils liegt vielmehr darin, daß es sich der *ökumenischen Bewegung,* der die katholische Kirche bis dahin skeptisch oder mißtrauisch gegenüberstand, öffnete, sich ihr zur Verfügung stellte und es als eine der Hauptaufgaben des Konzils bezeichnete, „die Einheit aller Christen wiederherzustellen" (UR 1). Die ökumenische Bewegung wird nach den Worten des Konzils von „Menschen getragen, die den dreieinigen Gott anrufen und Jesus als Herrn und Erlöser bekennen" – hier klingt die Basisformel des Weltrats der Kirchen an –, „und zwar nicht nur einzeln für sich, sondern auch in ihren Gemeinschaften, in denen sie die frohe Botschaft vernommen haben und die sie ihre Kirche und Gottes Kirche nennen" (ebd.). Die Spaltung innerhalb der Christenheit – das Resultat verschiedener Wege – widerspricht ganz offenbar dem Willen Christi, „sie ist ein Ärgernis für die Welt und ein Schaden für die heilige Sache der Verkündigung des Evangeliums" (ebd.). Aus diesem Grund ist die ökumenische Bewegung zu begrüßen. Sie ist charakterisiert durch die ernste Reue über die gespaltene Christenheit und durch die Sehnsucht nach Einheit. Beide Motive werden als Gnade Gottes und als „Einwirkung der Gnade des Heiligen Geistes" charakterisiert (ebd.).

Darin begegnet uns eine völlig andere Bestimmung der außerhalb der katholischen Kirche entstandenen ökumenischen Bewegung, wie sie in der Enzyklika „Mortalium animos" von Pius XI. (1928) gegeben wurde, wo ökumenische Bestrebungen als verwerfliche und verderbliche Sache abschätzig beurteilter „panchristiani" beschrieben wurde. Demzufolge „gibt es keinen anderen Weg, die Vereinigung aller Christen herbeizuführen, als den, die Rückkehr aller getrennten Brüder zur einen wahren Kirche Christi zu fördern, von der sie sich ja einst unseligerweise getrennt haben"[1].

Nach diesen Darlegungen des Konzils ist es einleuchtend, daß es im Unterschied zu einem protestantischen oder orthodoxen keinen katholischen Ökumenismus gibt; es gibt den Ökumenismus nur als gesamtchristliches Phänomen der unmittelbaren Vergangenheit und Gegenwart. Deshalb gibt es auch nicht die Prinzipien des katholischen Ökumenismus – dieser Vorschlag wurde während der Beratungen gemacht –, sondern nur die katholischen Prinzipien des Ökumenismus (UR Kap. 1). Das bedeutet: Die katholische Kirche findet die ökumenische Bewegung vor und sucht sie von ihren Prinzipien aus zu würdigen, d. h. „nach den vom katholischen Glauben geforderten Bedingungen zur Mitwirkung an der ökumenischen Bewegung"[2].

I. Die katholischen Prinzipien des Ökumenismus

1. Als erstes ist die Bestimmung und die *Sicht von Kirche* zu nennen, wie sie in der dogmatischen Konstitution „Lumen gentium" vorgelegt wurde: Die Kirche ist in „Christus gleichsam das Sakrament, das heißt Zeichen und Werkzeug für die innigste Verbindung mit Gott wie für die Einheit der ganzen Menschheit" (LG 1). In ihr sind die zusammengerufen, die an Christus glauben. Die Ursprünge der Kirche reichen bis zum Anfang der Welt, ihre Vorbereitung ist in der Geschichte des Volkes Israel gegeben, im Neuen Bund wurde sie gestiftet, durch die Ausgießung des Heiligen Geistes wurde sie offenbart, und am Ende der Weltzeit wird sie in Herrlichkeit vollendet werden. So erscheint die ganze Kirche als das „von der Einheit des Vaters und des Sohnes und des Heiligen Geistes her geeinte Volk" (LG 2).

Diese universale *heilsgeschichtliche Sicht* der Kirche ist ein Prinzip der Einheit der Kirche und die Grundlage der Gemeinsamkeit und Verbundenheit aller, deren Glaube und Leben durch das Bekenntnis zum dreifaltigen Gott bestimmt ist, der sich in Jesus Christus endgültig geoffenbart hat, damit die Menschen frei und befreit sind und Gemeinschaft mit Gott und ewiges Leben haben (DV 1 u. 4).

Diese Bestimmungen werden noch näher entfaltet durch die Aussagen des Konzils vom *Heiligen Geist:* „Der Heilige Geist, der in den Gläubigen wohnt und die ganze Kirche leitet und regiert, schafft diese wunderbare Gemeinschaft der Gläubigen und verbindet sie in Christus so innig, daß er das Prin-

---

[1] In: Die Heilslehre der Kirche. Dokumente von Pius IX. bis Pius XII., hrsg. von *A. Rohrbasser* (Freiburg i. Ü.1953) 408.
[2] *J. Feiner* in: LThK – Das Zweite Vatikanische Konzil II (Freiburg–Basel–Wien 1967) 44.

zip der Einheit der Kirche ist. Er selbst wirkt die Verschiedenheit der Gaben und Dienste, indem er die Kirche Jesu Christi mit mannigfachen Gaben bereichert, ‚zur Vollendung der Heiligen im Werk des Dienstes zum Aufbau des Leibes Christi‘ (Eph 4,12)" (UR 2).

Dieser Aussage korrespondiert die Bemerkung von „Lumen gentium" (14): Als erste Bedingung für die volle Eingliederung in die Gemeinschaft der Kirche wird der „Besitz des Geistes Christi" genannt.

Daraus wird insgesamt ersichtlich: In der Bestimmung dessen, was Kirche ist, kommt der Gemeinschaft der Gläubigen im Heiligen Geist die primäre Bedeutung zu. Dabei gelangt „die Überordnung des Geistes über das Amt und die Vorrangstellung der Gnadengemeinschaft vor dem Gesellschaftlichen der Kirche zum Ausdruck"[3]. Wo sie fehlt, kann von Kirche und Gemeinschaft der Kirche nicht die Rede sein. „Das Amt ist Werkzeug, dessen sich der Geist bedient und das Sichtbar-Gesellschaftliche steht im Dienst der übernatürlichen Gnadengemeinschaft."[4]

Damit aber sind entscheidende Voraussetzungen für die ökumenische Thematik gegeben. Wenn der Heilige Geist Schöpfer der kirchlichen Gemeinschaft des Glaubens, der Hoffnung und der Liebe ist, dann ergibt sich daraus eine grundlegend neue – positive – Sicht, für die Kirchen und kirchlichen Gemeinschaften, die von der römisch-katholischen Kirche getrennt sind. Mit diesen Aussagen befindet sich das Ökumenismusdekret in Übereinstimmung mit den Aussagen des Weltrats der Kirchen in den Vollversammlungen in Evanston (1954) und New Delhi (1961). Dadurch ist es auch möglich, von der in ihnen präsenten Kirchlichkeit zu sprechen. Diese wird noch einmal hervorgehoben durch die Beschreibung des Vorbildes und Urbildes des Geheimnisses der Einheit der Kirche. „Höchstes Vorbild und Urbild dieses Geheimnisses ist die Einheit des einen Gottes, des Vaters und des Sohnes im Heiligen Geist in der Dreiheit der Personen" (UR 2).

2. Ein weiteres wichtiges katholisches Prinzip des Ökumenismus ist das bekannte und vieldiskutierte *„subsistit"* bei der Bestimmung von Kirche. Die dogmatische Konstitution spricht von „der einzigen Kirche Christi, die wir im Glaubensbekenntnis als die eine, heilige, katholische und apostolische Kirche bekennen". Von ihr wird gesagt: „Diese Kirche, in dieser Welt als Gesellschaft verfaßt und geordnet, ist verwirklicht in der katholischen Kirche, die vom Nachfolger Petri und von den Bischöfen in Gemeinschaft mit ihm geleitet wird" (LG 8).

---

[3] Ebd. 47.
[4] Ebd.

Es ist bekannt, daß die Formulierung „subsistit in – ist verwirklicht in" an die Stelle des zuerst konzipierten „est – ist" getreten ist. Damit sollte eine exklusive und absolute Identifizierung der Kirche Jesu Christi mit der römisch-katholischen Kirche, die bis dahin noch gemäß der Enzyklika „Mystici corporis" (1943) als Doktrin der katholischen Ekklesiologie galt, vermieden werden. Das exklusive „est" schloß die übrigen „Kirchen" vom Begriff der Kirche aus und läßt ihn in bezug auf diese auch nicht einmal in einem analogen Sinn gelten[5]. Das „subsistit in" verbindet die Treue zum Eigenen mit der Offenheit für die nicht römisch-katholischen Kirchen und kirchlichen Gemeinschaften. Dies wird ausdrücklich gemacht in dem Satz: „Das schließt nicht aus, daß außerhalb ihres Gefüges vielfältige Elemente der Heiligung und der Wahrheit zu finden sind, die als der Kirche Christi eigene Gaben auf die katholische Einheit hindrängen" (LG 8).

Diese Aussagen sind im Zusammenhang der Dogmatischen Konstitution über die Kirche und der Frage der Zugehörigkeit und der Eingliederung in die Gemeinschaft der Kirche zu sehen und zu lesen (LG 14).

Die *volle Inkorporation,* die Vollgliedschaft in der Gemeinschaft der Kirche, wird denen zugesprochen, die „im Besitz des Geistes Christi ihre ganze Ordnung und alle in ihr eingerichteten Heilsmittel annehmen und in ihrem sichtbaren Verband mit Christus, der sie durch den Papst und die Bischöfe leitet, verbunden sind, und dies durch die Bande des Glaubensbekenntnisses, der Sakramente und der Gemeinschaft". Das bedeutet: „Die Vollgliedschaft verwirklicht sich auf einer doppelten Ebene: auf der innerlich-geistigen und auf der sichtbaren Ebene. Der Besitz des Geistes Christi, der durch die Zugehörigkeit des Geistes bezeichnet und vermittelt wird, steht an erster Stelle."[6] Auch auf der Ebene des „plene incorporari" kann die Zugehörigkeit zur Kirche gemindert oder vertieft werden. Insbesondere trifft das für die Sünder in der Kirche zu, die der Kirche äußerlich voll angehören können, aber ihre volle Eingliederung ist von innen her gelockert und des tiefsten Sinnes beraubt. Das hat zur Folge: „Nicht gerettet wird aber, wer, obwohl der Kirche eingegliedert, in der Liebe nicht verharrt und im Schoß der Kirche zwar dem Leibe, aber nicht dem Herzen nach verbleibt."

Von diesen Grundlagen aus wird die Situation und die faktische Realität der von der römisch-katholischen Kirche getrennten Kirchen und kirchlichen Gemeinschaften bestimmt. Dabei werden sie zunächst als Gesamtheit gesehen und gewürdigt: „Mit jenen, die durch die Taufe der Ehre des Christennamens teilhaft sind, den vollen Glauben aber nicht bekennen oder die

---

[5] *H. Mühlen* bei *A. Grillmeier* in: LThK – Das Zweite Vatikanische Konzil I (1966) 174.
[6] *A. Grillmeier,* a.a.O. 199.

Einheit der Gemeinschaft unter dem Nachfolger Petri nicht wahren, weiß sich die Kirche aus mehrfachen Gründen verbunden" (LG 15). Es besteht also das Verhältnis der Verbundenheit, des *„coniunctum esse"*; dies ist die neue Kategorie innerhalb der katholischen Prinzipien des Ökumenismus.

Mit dieser Bestimmung wird sowohl die alte Klassifizierung in Häretiker und Schismatiker überwunden – diese beiden Begriffe kommen im ganzen Konzilstext nicht mehr vor, ebensowenig ein Anathematismus – wie auch der frühere Versuch, die Zugehörigkeit zur katholischen Kirche mittels der „Votum-Lehre", sei es im Sinn eines expliziten oder eines impliziten Votums, zu beschreiben, wie es noch die Enzyklika „Mystici corporis" getan hatte (Art. 101); der Gedanke des Votums gilt nur noch für die Katechumenen. Auch der Versuch, mittels einer gestuften Gliedschaft, einer konstitutionellen und einer aktiven Gliedschaft, diese Verhältnisbestimmung zu geben (K. Mörsdorf), wurde nicht aufgenommen. An deren Stelle tritt das „coniunctum esse", also eine positive, bejahende, anerkennende, nicht bloß abgrenzende Bestimmung. Das ist ein entscheidender Unterschied zu früher und hebt hervor, was man die ökumenische Bedeutung des Konzils nennen kann.

Im folgenden Text werden die *konkreten Inhalte* genannt, die das „coniunctum esse" begründen.

„Viele halten die Schrift als Glaubens- und Lebensnorm in Ehren, zeigen einen aufrichtigen religiösen Eifer, glauben in Liebe an Gott, den allmächtigen Vater, und an Christus, den Sohn und Erlöser, empfangen das Zeichen der Taufe, wodurch sie mit Christus verbunden werden, ja sie anerkennen und empfangen auch andere Sakramente in ihren Kirchen oder kirchlichen Gemeinschaften. Mehrere unter ihnen besitzen auch den Episkopat, feiern die heilige Eucharistie und pflegen die Verehrung der jungfräulichen Gottesmutter. Dazu kommt die Gemeinschaft im Gebet und in anderen geistlichen Gütern; ja sogar eine wahre Verbindung im Heiligen Geist, der in Gaben und Gnaden auch in ihnen mit seiner heiligenden Kraft wirksam ist und manche von ihnen bis zur Vergießung des Blutes gestärkt hat. So erweckt der Geist in allen Jüngern Christi Sehnsucht und Tat, daß alle in der von Christus angeordneten Weise in der einen Herde unter dem einen Hirten in Frieden geeint werden mögen" (LG 15).

Die hier genannte Aufzählung ist nicht systematisch; bald ist von den äußeren, bald von den inneren Elementen der Zugehörigkeit die Rede – hervorgehoben werden die „vincula fidei", die im gemeinsamen trinitarisch-christologisch bestimmten Glaubensbekenntnis artikuliert sind, die „vincula sacramenti", wo vor allem die Taufe und Eucharistie genannt werden, wobei der Taufe eine für die Einheit grundlegende Bedeutung zukommt; dazu kommt das „vinculum regiminis" durch den Episkopat und den Papst. Genannt wird ferner die Gemeinsamkeit im Heiligen Geist und dem von ihm gewirkten geistlichen Leben in den von ihm geschenkten Gaben.

Der Text versucht eine Beschreibung aller von der römisch-katholischen Kirche getrennten Gemeinschaften und macht deutlich, wie sehr das Verbundensein, das „coniunctum esse", die Verschiedenheit in der Trennung, das „seiunctum esse", überbietet und zugleich im Tiefsten von einer größeren Gemeinsamkeit getragen ist.

Von daher ist es nicht weit zu jener Formulierung, die fast wie beiläufig in dem zitierten Text begegnet: *Kirchen und kirchliche Gemeinschaften* als Bestimmungen des „coniunctum esse" und der darin liegenden Zugehörigkeit zur Kirche Jesu. Dabei ist nicht genauer gesagt, welche nicht römisch-katholischen Kirchen als Kirche und welche als kirchliche Gemeinschaften bezeichnet werden. Die im allgemeinen übliche und vereinfachende Verteilung: die Bezeichnung „Kirche" für die Kirchen des Ostens, die Bezeichnung „kirchliche Gemeinschaften" für den Westen, trifft schon aus dem Grund nicht zu, weil im Ökumenismusdekret ausdrücklich ebenfalls von „Kirchen und kirchlichen Gemeinschaften im Abendland" die Rede ist (UR 19). Die unterschiedliche Benennung ergibt sich auch aus dem jeweils verschiedenen Selbstverständnis dieser Kirchen und kirchlichen Gemeinschaften.

Unter diesen Voraussetzungen ist auch zu sagen, daß „die katholische Kirche, nicht zwar in konstitutiver Hinsicht, aber doch in der Verwirklichung ihres Wesens, sich ein Beispiel an anderen Kirchen und Gemeinschaften nimmt, soweit sie ein Teilzeichen vorbildlich verwirklichen und leben"[7].

Diese Gedanken aus „Lumen gentium" werden im *Ökumenismusdekret* wiederaufgenommen bei der Beschreibung der geschichtlich gewordenen Spaltungen. Dort wird gesagt: Es kam zur Abtrennung recht großer Gemeinschaften von der vollen Gemeinschaft mit der katholischen Kirche, „oft nicht ohne Schuld auf beiden Seiten". Die Formulierung „plena communio" korrespondiert dem „plene incorporari" in „Lumen gentium". Darüber hinaus kann man darauf hinweisen, daß das Wort „seiunctae sunt" anstelle des schärferen „separatae sunt" zum Ausdruck bringen will, daß die Trennung nicht total und radikal ist. Ferner ist zu beachten: anstelle eines früheren Textvorschlags „Trennung von der Gemeinschaft der katholischen Kirche" heißt es „Trennung von der vollen Gemeinschaft mit der katholischen Kirche"[8]. Damit wird zum Ausdruck gebracht, daß es ein Mehr oder Weniger an kirchlicher Gemeinschaft, an kirchlicher communio gibt. Diese Gestuft-

---

[7] *Grillmeier*, a.a.O. 203.
[8] *J. Feiner*, a.a.O. 51.

heit gibt es aber auch bei denen, die zwar alle konstitutionellen Kirchenelemente anerkennen, aber den Geist Christi nicht haben.

„Wer an Christus glaubt und in der rechten Weise die Taufe empfangen hat, steht dadurch in einer gewissen, wenn auch nicht vollkommenen Gemeinschaft mit der katholischen Kirche" (UR 3); diese Gemeinschaft kann als grundlegend gekennzeichnet werden. Der Gedanke wird weitergeführt in den Worten: Trotz noch bestehender „Diskrepanzen verschiedener Art" in Lehre, Disziplin und Struktur der Kirche sind sie „durch den Glauben in der Taufe gerechtfertigt und dem Leibe Christi eingegliedert, darum gebührt ihnen der Ehrenname des Christen, und mit Recht werden sie von den Söhnen der katholischen Kirche als Brüder im Herrn anerkannt".

Diese Aussage wird noch gefüllt durch den Hinweis auf die Realitäten „Elemente oder Güter", aus denen insgesamt die Kirche erbaut wird und Leben gewinnt, die auch außerhalb der sichtbaren Grenzen der katholischen Kirche existieren können: das geschriebene Wort Gottes, das Leben der Gnade, Glaube, Hoffnung und Liebe und andere innere Gaben des Heiligen Geistes und sichtbare Elemente: all dieses, „das von Christus ausgeht und zu ihm hinführt, gehört rechtens zur einzigen Kirche Christi". Es heißt nicht einfachhin: zur katholischen Kirche, gemeint ist vielmehr die Kirche, die in der katholischen Kirche subsistiert, was aber die kirchliche Realität bzw. das Kirchesein der nicht römisch-katholischen Kirchen und Gemeinschaften nicht negiert, sondern – aufgrund all des Gesagten – grundsätzlich mit einschließt.

„Auch zahlreiche liturgische Handlungen der christlichen Religion werden bei den von uns getrennten Brüdern vollzogen, die auf verschiedene Weise, je nach der Verfaßtheit einer jeden Kirche und Gemeinschaft, ohne Zweifel tatsächlich das Leben der Gnade zeugen können und als geeignete Mittel für den Zutritt zur Gemeinschaft des Heils angesehen werden."

Damit sind die Voraussetzungen geschaffen für die Kirche und Kirchlichkeit der getrennten Kirchen und Gemeinschaften im Blick auf deren Bedeutung als *Mittel des Heils:* sie sind „nicht ohne Bedeutung und Gewicht im Geheimnis des Heils. Denn der Geist Gottes hat sich gewürdigt, sie als Mittel des Heils zu gebrauchen, deren Wirksamkeit sich von der der katholischen Kirche anvertrauten Fülle der Gnade und Wahrheit herleitet."

In diesen Worten kommt vielleicht am intensivsten die Bejahung und positive Würdigung der nicht römisch-katholischen Kirchen und Gemeinschaften zum Ausdruck: Sie sind durch die Kraft des Heiligen Geistes Mittel des Heils.

Dieser Satz ist um so eindrucksvoller, als er einen Gegensatz zur Aussage in „Mystici corporis" darstellt, in der es heißt: Darum können diejenigen nicht in einem Leib dieser Art oder in dessen einem göttlichen Geist leben, die im Glauben oder in der Leitung voneinander getrennt sind (DS 3802). Oder die andere Aussage, wo es heißt, der Heilige Geist verschmähe es, „in den vom Leib völlig getrennten Gliedern durch die heiligmachende Gnade zu wohnen"[9].

Auch und gerade in diesem Zusammenhang spielt das Wort von der „plenitudo" eine Rolle, deren, wie es heißt, die nicht römisch-katholischen Kirchen nicht teilhaftig sind. Diese „plenitudo" bezieht sich indes nicht auf das Heil, sondern auf die Heilsmittel, also auf die institutionelle und sakramentale Wirklichkeit der Kirche. Hinsichtlich dieser ist noch keine volle Einheit, keine volle Gemeinschaft.

„In diesen Aussagen kommt wieder die Idee einer mehrschichtigen, gestuften Zugehörigkeit zum Volke Gottes und Eingliederung in den Leib Christi zur Geltung. Die Vollgliedschaft wird auf einer doppelten Ebene verwirklicht: auf der innerlich-geistigen und auf der äußeren, sichtbaren Ebene. Wenn auch der sichtbare, institutionelle Bereich als Zeichen und werkzeugliche Ursache auf den innerlich-geistigen Bereich hingeordnet ist, so besteht doch keineswegs eine mechanisch-automatische Entsprechung zwischen beiden Bereichen. Einerseits kann das sichtbare Zeichen, die äußere Kirchenzugehörigkeit, für den einzelnen Menschen durch seine eigene Schuld zum „sacramentum validum, sed informe" werden, andererseits kann die Zugehörigkeit zur Kirche und die Eingliederung in den Leib Christi auf der innerlichen Ebene als das Bezeichnete voll verwirklicht sein, obwohl das sakramental-institutionelle Zeichen, die Kirchenzugehörigkeit auf der sichtbaren Ebene, unvollständig ist. Wenn also das Dekret für die nichtkatholischen Christen ein „non plene incorporantur" aufgrund eines Mangels im Bereich des Sakramental-Institutionellen annimmt, so ist zu bedenken, daß das Konzil ein viel schwerer wiegendes „non plene incorporantur" für katholische Gläubige kennt. Die Kirchenkonstitution, deren Ekklesiologie das Ökumenismusdekret übernimmt, erwähnt, wie gesagt, als erste Bedingung für die Vollgliedschaft den „Besitz des Geistes Christi" und sagt deshalb: „Nicht gerettet wird aber, wer, obwohl der Kirche eingegliedert, in der Liebe nicht verharrt und im Schoße der Kirche zwar ‚dem Leibe', aber nicht dem Herzen nach verbleibt" (LG 14). Die Gliedschaft am Leibe Christi ist keine unteilbare Wirklichkeit, auch nicht innerhalb der katholischen Kirche. Sie ist auch nicht eine statische Größe, da sie auf beiden Ebenen sowohl innerhalb wie auch außerhalb der katholischen Kirche wachsen, aber auch abnehmen kann[10].

---

[9] In: *Rohrbasser* (Anm. 1) 496.
[10] *J. Feiner*, a.a.O. 57 f.

3. Für die katholischen Prinzipien des Ökumenismus sind noch folgende Aussagen des Konzils von Bedeutung. Das Konzil spricht vom endzeitlichen Charakter der pilgernden Kirche (LG 7. Kapitel), also von der *Vorläufigkeit der Kirche*. Dies bedeutet, daß sie einem Ende als Vollendung entgegengeht. Dieses Ende bedeutet die Aufhebung der Kirche im Reich Gottes und macht die viatorische Existenz der Kirche aus: „Bis es aber einen neuen Himmel und eine neue Erde gibt, in denen die Gerechtigkeit wohnt (vgl. 2 Petr 3,15), trägt die pilgernde Kirche in ihren Sakramenten und Einrichtungen, die noch zu dieser Weltzeit gehören, die Gestalt dieser Welt, die vergeht, und zählt selbst so zu der Schöpfung, die bis jetzt noch seufzt und in Wehen liegt und die Offenbarung der Kinder Gottes erwartet (vgl. Röm 8,19–22)."

Diese wird noch verdeutlicht durch die Aussage: „Obgleich nämlich die katholische Kirche mit dem ganzen Reichtum der von Gott geoffenbarten Wahrheit und der Gnadenmittel beschenkt ist, ist es doch Tatsache, daß ihre Glieder nicht mit der entsprechenden Glut daraus leben, so daß das Antlitz der Kirche den von uns getrennten Brüdern und der ganzen Welt nicht recht aufleuchtet und das Wachstum des Reiches Gottes verzögert wird. Deshalb müssen alle Katholiken zur christlichen Vollkommenheit streben und ihrer jeweiligen Stellung entsprechend bemüht sein, daß die Kirche, die die Niedrigkeit und das Todesleiden Christi an ihrem Leibe trägt, von Tag zu Tag geläutert und erneuert werde, bis Christus sie sich dereinst glorreich darstellt, ohne Makel und Runzeln" (UR 4).

Diese Worte sind eine Absage an jeden kirchlichen Triumphalismus und zugleich ein Hinweis dafür, daß auch die Gemeinschaft und Einheit der irdischen Kirche niemals eine vollendete, sondern eine vorläufige, eschatologische sein wird.

Die Tatsache der pilgernden Kirche schließt die Tatsache der „ecclesia semper reformanda" ein, den Gedanken an eine Kirche, die der *steten Erneuerung* bedürftig, aber auch fähig ist. Dieser Gedanke wird noch vertieft, indem betont wird, daß die Kirche eine Kirche der Sünder ist. Die Kirche ist deshalb „zugleich heilig und stets der Reinigung bedürftig, sie geht immerfort den Weg der Buße und Erneuerung" (LG 8).

Die Erneuerung der Kirche besteht „wesentlich im Wachstum der Treue gegenüber ihrer eigenen Berufung, und so ist ohne Zweifel hierin der Sinn der Bewegung in Richtung auf die Einheit zu sehen. Die Kirche wird auf dem Weg ihrer Pilgerschaft von Christus zu dieser dauernden Reform gerufen, deren sie allezeit bedarf, soweit sie menschliche und irdische Einrichtung ist" (UR 6).

Dieser Erneuerung und dem, was sie an innerer Bewegung in sich schließt, kommt eine besondere ökumenische Bedeutung zu. Sie bewahrt ebenso vor einem ekklesiologischen Narzißmus, vor einer ekklesiologischen Statik, wie vor einer falschen Selbstgenügsamkeit; sie ist ein eminent dynamisches Element, zu dessen Wesen die Offenheit für die anderen Kirchen und kirchlichen Gemeinschaften gehört. Die Erneuerung der Kirche und der Kirchen im Blick auf das Wachstum der Treue zu ihrer Berufung, wozu ihre Herkunft von Jesus Christus und die Verantwortung vor ihrer Sendung gehört, ist die Voraussetzung und der Weg in die Einheit durch Einigung.

Deshalb ist das II. Vatikanum, das kein Unions-, sondern ein Reformkonzil war, ein Konzil von eminent ökumenischer Bedeutung; es schafft die Voraussetzungen für ein mögliches Unionskonzil, das als ein Konzil der Kirchen und der kirchlichen Gemeinschaften gedacht wird und die Einheit der Kirche im Sinn einer konziliaren Gemeinschaft darstellt und verwirklicht.

In diesen Zusammenhang gehören die Konzilsaussagen über den *geistlichen Ökumenismus:* „Alle Christgläubigen sollen sich bewußt sein, daß sie die Einheit der Christen um so besser fördern, ja sogar einüben, je mehr sie nach einem Leben gemäß dem Evangelium streben. Je inniger die Gemeinschaft ist, die sie mit dem Vater, dem Wort und dem Geist vereint, um so inniger und leichter werden sie imstande sein, die gegenseitige Brüderlichkeit zu vertiefen. Diese Bekehrung des Herzens und die Heiligkeit des Lebens ist in Verbindung mit dem privaten und öffentlichen Gebet für die Einheit der Christen als die Seele der ganzen ökumenischen Bewegung anzusehen; sie kann mit Recht geistlicher Ökumenismus genannt werden" (UR 7 u. 8).

4. Dem allem seien noch einige Bemerkungen hinzugefügt, die für die katholischen Prinzipien des Ökumenismus bedeutsam sind.

Bei der Beschreibung des ökumenischen Zieles sagt das Ökumenismusdekret: „Fast alle streben, wenn auch auf verschiedene Weise, zu einer einen, sichtbaren Kirche Gottes hin, die wahrhaft universal und zur ganzen Welt gesandt ist, damit sich die Welt zum Evangelium bekehre und so ihr Heil finde zur Ehre Gottes" (UR 1). In dieser – amtlichen – deutschen Übersetzung fällt ein Wort aus, das im Urtext steht und ökumenische Relevanz hat: Es ist – als Ziel der Ökumene – von der einen und sichtbaren Kirche die Rede, „quae sit vere universalis" – von einer Kirche also, die nicht einfach schon als bestehende universal ist, sondern die wahrhaft *universal sein soll.* Es wird kein einfach Gegebenes und Vorhandenes, es wird ein – so noch nicht erreichtes – Ziel beschrieben. „Es geht in diesem Zusammenhang nicht um die Betonung der Universalität der katholischen Kirche und um die Behauptung, die nichtkatholischen Kirchen strebten zur tatsächlichen universalen katholischen Kirche hin, sondern es wird die ökumenische Bewegung nach dem Verständnis der nichtkatholischen Christenheit beschrieben, welche die Katholizität und Universalität der Kirche nicht als etwas einfach Vorhandenes, sondern als Ziel einer Entwicklung betrachtet."[11]

Eine ähnlich ökumenisch wichtige Spannung liegt in dem Satz, daß „nach unserem Glauben" die Einheit der Kirche in unverlierbarer Weise „in der katholischen Kirche besteht". Auch hier begegnet wieder das offenere „subsistit", was offenkundig besagen will, daß es auch in anderen Kirchen und kirchlichen Gemeinschaften Realitäten der Einheit der Kirche gibt. Auch hier verbindet sich die Treue zum Eigenen mit der Offenheit zum andern. Diese innere Dynamik wird noch unterstrichen durch die Bemerkung, daß die in der katholischen Kirche subsistierende Einheit – das ist die Hoffnung des Konzils – „immer mehr wachsen möge bis zur Vollendung der Zeiten". Die subsistierende Einheit ist noch nicht vollkommene Einheit, sie geht auf deren Vollendungsgestalt zu.

Dieses *Wachstum* wird nach den Worten des Konzils dadurch gefördert und angereichert, daß „die Katholiken die wahrhaft christlichen Güter aus dem gemeinsamen Erbe anerkennen und hochschätzen, die sich bei den von uns getrennten Brüdern finden". Dem wird hinzugefügt, „daß alles, was von der Gnade des Heiligen Geistes in den Herzen der getrennten Brüder gewirkt wird, auch zu unserer eigenen Erbauung beitragen kann. Denn was wahrhaft christlich ist, steht niemals im Gegensatz zu den echten Gütern des Glaubens, sondern kann immer dazu helfen, daß das Geheimnis Christi und der Kirche vollkommener erfaßt werde" (UR 4). Das Katholische lebt nicht von der Herabsetzung, sondern von der dankbaren Anerkennung der andern.

Daraus ergibt sich aber auch die Kehrseite: „Die Spaltungen der Christen sind für die Kirche ein Hindernis, daß sie die ihr eigene Fülle der Katholizität in jenen Söhnen wirksam werden läßt, die ihr zwar durch die Kirche zugehören, aber von ihrer völligen Gemeinschaft getrennt sind. Ja es wird dadurch auch für die Kirche selber schwieriger, die Fülle der Katholizität unter jedem Aspekt in der Wirklichkeit des Lebens auszuprägen" (ebd.).

Aus alledem ergibt sich auch: Zu den katholischen Prinzipien des Ökumenismus gehört nicht die *Konversion* einzelner – deren im Gewissen des einzelnen begründete Entscheidung hat nach wie vor ihr Recht und ist kein Widerspruch zur Ökumene –, denn die ökumenische Arbeit ist nicht eine Konversionsmethode. Es geht ihr nicht um den Anschluß einzelner an die katholische Glaubensgemeinschaft, sondern um die Annäherung und Einigung der christlichen Glaubensgemeinschaften. Es geht um die Darstellung

---

[11] *J. Feiner*, a.a.O. 43.

und die noch bessere Manifestation des bereits bestehenden „coniunctum esse" und um das Streben nach dessen größerer und glaubwürdigerer Verwirklichung.

Den katholischen Prinzipien des Ökumenismus entspricht deshalb auch nicht einfach die Rückkehr zur römischen Kirche, die unbekümmert, unverändert und ohne innere Bewegung auf die dann mit Freuden gefeierte Rückkehr wartet. Vielmehr sollen alle Kirchen in Buße und Umkehr und in einem gläubigen Willen zur Erneuerung sich auf den Weg zu einem noch nicht erreichten, aber mit aller Intensität erstrebten Ziel machen.

5. Als Methode des Ökumenismus wird der *Dialog* erklärt, der ein Dialog des „par cum pari" ist. Er löst sowohl den Monolog wie die Polemik ab. Er wird als sachgemäße Weise der Begegnung und des Suchens nach der vollen Einheit von der höchsten kirchlichen Autorität empfohlen. Der Dialog ist nicht eine versteckte Konversionsbemühung, sondern ein Mittel zum gegenseitigen Verstehen, also ein Mittel der Hermeneutik und damit auch der Sprache und der Kategorien (UR 9). Das „par cum pari" will aber keinem relativierenden oder minimalisierenden Standpunkt oder Indifferentismus das Wort reden; ein ökumenischer Dialog ist nur sinnvoll, wenn jeder Partner seinen Logos, d. h. das Glaubensverständnis seiner Kirche, einbringt. Der Dialog verlöre jede Bedeutung und Berechtigung, wenn sich die Dialogpartner gegenseitig täuschen. Durch diesen Dialog erwerben „alle eine bessere Kenntnis der Lehre und des Lebens jeder von beiden Gemeinschaften und eine gerechtere Würdigung derselben. Von hier aus gelangen diese Gemeinschaften auch zu einer stärkeren Zusammenarbeit in den Aufgaben des Gemeinwohls, die jedes christliche Gewissen fordert, und sie kommen, wo es erlaubt ist, zum gemeinsamen Gebet zusammen" (hier wäre zu fragen, wo es nicht erlaubt sein sollte). „Schließlich prüfen hierbei alle ihre Treue gegenüber dem Willen Christi hinsichtlich der Kirche und gehen kräftig ans Werk der notwendigen Erneuerung und Reform" (UR 4).

Der Dialog ermöglicht es, daß auch der „katholische Glaube tiefer und richtiger ausgedrückt werden muß – auf eine Weise und in einer Sprache, die auch von den getrennten Brüdern wirklich verstanden werden kann". Der doppelte Komparativ bedeutet eine Aufgabe und eine Verpflichtung. Das ökumenische Gespräch zeigt, „daß sich in den verschiedenen Konfessionen und ihren Theologien verschiedene Sprachen und Terminologien entwickelt haben, die das gegenseitige Verstehen erschweren. Man verwendet Begriffe, die den andern nicht geläufig sind, man gebraucht die gleichen Worte und meint damit Verschiedenes, oder man verwendet verschiedene Begriffe und meint damit sachlich dasselbe. Zum gegenseitigen

Verstehen bedarf es der gleichen Sprache einer Übersetzung in die andere Sprache."[12]

Den katholischen Theologen beim ökumenischen Dialog wird gesagt, sie müssen, „wenn sie in der Treue zur Lehre der Kirche mit den getrennten Brüdern die göttlichen Geheimnisse zu ergründen suchen, mit Wahrheitsliebe, mit Liebe und Demut vorangehen" (UR 11). Die „getrennten Brüder" sind also nicht mehr wie früher Gegner, sondern Mitarbeiter an der Wahrheit.

In diesem Zusammenhang wird vor einem falschen *Irenismus* gewarnt. Er besteht darin, daß „die Reinheit der katholischen Kirche Schaden leidet und ihr ursprünglicher und sicherer Sinn verdunkelt wird" (ebd.).

Das schließt nicht aus, daß es einen richtigen Irenismus gibt, der mit den Bedingungen des Dialogs verbunden ist.

Die Frucht des ökumenischen Dialogs ist nicht nur ein besseres Verstehen des anderen, der anderen Kirchen und kirchlichen Gemeinschaften, sondern ein vertieftes Verständnis der eigenen Sache und des eigenen Glaubens. Das Gespräch kann also z. B. dazu führen, daß die katholischen Teilnehmer sich bewußt werden oder wenigstens deutlicher bewußt werden, daß die übliche katholische Lehrverkündigung in dieser oder jener Hinsicht einseitig ist und durch Aspekte ergänzt werden muß, die in einer andern Kirche deutlicher zur Geltung gebracht werden, daß dieses oder jenes institutionelle Element der katholischen Kirche durch die Geschichte bedingt ist, den Forderungen des Evangeliums nicht genügend entspricht und darum einen Wandel erfahren muß usw. Für solche der katholischen Selbsterkenntnis dienenden Ergebnisse des ökumenischen Dialoges ließen sich zahlreiche konkrete Beispiele anführen. Hier mag übrigens noch angemerkt werden, daß das Ökumenische Direktorium in seinem zweiten Teil bedeutend ausführlicher und gründlicher über den ökumenischen Dialog handelt, als dies im Ökumenismusdekret möglich war[13].

II. Die Konkretionen

Nach der Darlegung der katholischen Prinzipien des Ökumenismusdekrets sei noch von einigen Konkretionen gesprochen, in denen die Prinzipien wirksam werden, zur Anwendung kommen und ihre Tragfähigkeit für den Ökumenismus erweisen.

---

[12] Ebd. 87.
[13] Ebd. 83.

6. Zuerst sei genannt die besondere Hervorhebung der *Heiligen Schrift* als normative Urkunde für Glauben und Leben der Kirche. Dies zeigt sich darin, daß für das Konzilsgeschehen im ganzen und für die Konzilstexte nicht primär ein apriorisches theologisches System maßgeblich wurde, sondern die Orientierung an der Heiligen Schrift und an der von ihr bezeugten Wirklichkeit.

Der Heiligen Schrift hat das Konzil eine besondere Aufmerksamkeit zugewendet in der Dogmatischen Konstitution über die göttliche Offenbarung. Schon der Anfang der Konstitution – „Dei verbum" – läßt erkennen, daß die Offenbarung Gottes als Wort Gottes nicht satzhaft und lehrhaft und informationstheoretisch, sondern im umfassenden Sinn der geschichtlichen und personalen, in Jesus Christus definitiv erfüllten Selbstmitteilung verstanden wird, deren Ziel nicht Belehrung, sondern Lebensgemeinschaft mit Gott ist (DV 1). Der Glaube als Antwort auf dieses Geschehen wird beschrieben als Überantwortung des ganzen Menschen an Gott in Freiheit (DV 5). Die Kirche selbst aber bestimmt dadurch ihre Existenz als Verwiesenheit über sich selbst hinaus, „ihr ganzes Sein ist in den Gestus des Hörens zusammengefaßt, von dem allein ihr Reden kommen kann"[14].

Die Weitergabe, die Überlieferung der Offenbarung bedeutet die lebendige Bewahrung des „Evangeliums", die Überlieferung der apostolischen Predigt und Verkündigung, die in der Heiligen Schrift als Gottes Rede (DV 9) ihren Niederschlag und besonders deutlichen Ausdruck gefunden hat. Damit ist das Verhältnis von *Schrift und Tradition*, Schrift und Überlieferung, angesprochen. Über die Schrift hinaus gibt es einen Fortschritt nicht quantitativer, sondern qualitativer Art: „durch Belehrung, Studium und geistliche Erfahrung" und durch die lebendige Verkündigung. Der Überlieferung schreibt das Konzil die Funktion zu, die Erkenntnis über den Kanon der Schriften gebracht und ein tieferes Verständnis der Heiligen Schrift bewirkt zu haben. Die „Kirche strebt im Gang der Jahrhunderte ständig der Fülle der göttlichen Wahrheit entgegen, bis an ihr sich Gottes Worte erfüllen" (DV 8).

Die Frage, ob die Tradition als materiale Ergänzung der Heiligen Schrift anzusehen sei, was auch durch die Formulierung des Konzils von Trient, in der das „partim . . . partim" durch ein „et" ersetzt wurde: „in libris scriptis et sine scripto traditionibus" (DS 1501), nicht entschieden wurde[15], wird auch im II. Vatikanum offengelassen. So ist es berechtigt, von einer inhaltlichen, materialen Suffizienz der Schrift zu sprechen und der Tradition die – wichtige – Funktion der Interpretation, der verbindlichen Auslegung, zuzuschreiben.

---

[14] *J. Ratzinger* in: LThK – Das Zweite Vatikanische Konzil II 504.
[15] Vgl. *J. R. Geiselmann*, Die Heilige Schrift und die Tradition (Freiburg i. Br. – Basel – Wien 1962).

Dem Konzil kommt es vor allem darauf an, die Einheit der Weitergabe des Evangeliums zu betonen. „Die Heilige Überlieferung und die Heilige Schrift sind eng miteinander verbunden und haben aneinander Anteil. Demselben göttlichen Quell entspringend, fließen beide gewissermaßen in eins zusammen und streben demselben Ziel zu" (DV 9). Die Heilige Überlieferung und die Heilige Schrift bilden „den einen der Kirche überlassenen Schatz". Beide sind „so miteinander verknüpft und einander zugesellt, daß keines ohne das andere besteht und daß beide zusammen, jedes auf seine Art, durch das Tun des Einen Heiligen Geistes wirksam dem Heil der Seele dienen".

Mit diesen Aussagen ist ein wichtiges reformatorisches Anliegen aufgenommen: die Orientierung des Glaubens, der Lehre und des Lebens der Kirche an der Heiligen Schrift als normativem Zeugnis. Allerdings – das hat die evangelische Kritik an diesen Aussagen zum Ausdruck gebracht: Die Normativität der Schrift gegenüber aller späteren Überlieferung, die Schrift als *traditionskritische Instanz* gegenüber den vielen möglichen Gestalten und Ausprägungen von Tradition, gegenüber legitimen und illegitimen Traditionen kommt ob der Tendenz, ihr Zusammen zu sehen, zu wenig deutlich zur Sprache. J. Ratzinger betont: „Das Vatikanum II hat in diesem Punkt bedauerlicherweise keinen Fortschritt gebracht, sondern das traditionskritische Moment so gut wie völlig übergangen. Es hat sich damit einer wichtigen Chance des ökumenischen Gesprächs begeben; in der Tat wäre die Herausarbeitung einer positiven Möglichkeit und Notwendigkeit innerkirchlicher Traditionskritik ökumenisch fruchtbarer gewesen als der durchaus fiktiv zu nennende Streit um die quantitative Vollständigkeit der Schrift."[16] Überdies wäre gerade dieser Gedanke für ein Reformkonzil, wie es das II. Vatikanum war, erheblich gewesen.

Karl Barth hat Artikel 2 der Konstitution über die göttliche Offenbarung als „Schwächeanfall" des Konzils bezeichnet[17], und Oscar Cullmann hat es bedauert, daß in diesem Text die richterliche Funktion der Schrift zu wenig bedacht wurde und daß die Worte „Norm und Autorität" aus dem Text verschwunden sind[18].

Eine gewisse andere Akzentuierung in der Konstitution selbst vermag man daran zu erkennen, daß von den sechs Kapiteln der Konstitution über die göttliche Offenbarung fünf einer eingehenden Darlegung der Bedeutung der Heiligen Schrift gewidmet sind, während eine entsprechende Entfaltung hin-

---

[16] *J. Ratzinger*, a.a.O. 520.
[17] Ad limina Apostolorum (Zürich 1967) 52.
[18] In: *K. Rahner – O. Cullmann – H. Fries*, Sind die Erwartungen erfüllt? (München 1966) 49; Die kritische Rolle der Heiligen Schrift, in: *J. Ch. Hampe* (Hrsg.), Die Autorität der Freiheit (München 1967) 189–197.

sichtlich der Tradition und des Lehramtes fehlt. Dabei wird gesagt, daß das Studium der Schrift, des Wortes Gottes und der Stimme des Heiligen Geistes (DV 21), gleichsam die Seele der Theologie sei, dadurch gewinne sie sichere Kraft und verjünge sich ständig (DV 24); daß der Dienst am Wort vor allem durch das Wort der Schrift genährt sein und wachsen soll (DV 21); daß die Schrift nicht kennen Christus nicht kennen heißt (DV 25); daß die Schrift in der Kirche verehrt wird wie der Herrenleib selbst (DV 21).

Noch auf ein anderes sei hingewiesen: „Die Heilige Schrift ist Gottes Rede, insofern sie unter dem Anhauch des Heiligen Geistes schriftlich aufgezeichnet wurde. Die Heilige Überlieferung aber gibt das Wort Gottes, das von Christus dem Herrn und vom Heiligen Geist den Aposteln anvertraut wurde, unversehrt an deren Nachfolger weiter, damit sie es unter der erleuchtenden Führung des Geistes der Wahrheit in ihrer Verkündigung treu bewahren, erklären und ausbreiten" (DV 9).

Die Überlieferung ist nicht Ergänzung der Heiligen Schrift, sondern ihr *Werkzeug*. Von der Schrift wird gesagt, daß „sie schriftlich festgehaltenes Sprechen ist. Die Tradition wird dagegen nur funktional beschrieben, von dem her, was sie tut: sie vermittelt Gottes Wort, ist es aber nicht. Kommt schon auf diese Weise der Vorrang der Schrift deutlich zum Vorschein, so zeigt er sich noch einmal bei der näheren Charakterisierung des Vorgangs der Überlieferung, deren Auftrag das Bewahren, Auslegen und Verbreiten ist; sie ist nicht produktiv, sondern konservativ, dienend einem Vorgegebenen zugeordnet."[19]

Der Satz: So „ergibt sich, daß die Kirche ihre Gewißheit über alles Geoffenbarte nicht aus der Schrift allein schöpft" (DV 9), ist, ökumenisch gesehen, unbedenklich – er spricht nicht gegen eine mögliche materiale Suffizienz der Schrift, sondern bezieht sich auf die Vergewisserung ihres Inhalts, bewegt sich also im „formal-gnoseologischen Bereich". Die Aussage schließlich, daß Schrift und Tradition „mit gleicher Liebe und Achtung angenommen und verehrt werden" (DV 9), bezieht sich auf die Tatsache, daß beide Normen des kirchlichen Glaubens sind und in dieser (nicht in jeder Hinsicht) mit gleicher Liebe und Achtung anzunehmen sind.

Die Zuordnung von Schrift und Überlieferung zur Kirche wird so gesehen: „Die Heilige Überlieferung und die Heilige Schrift bilden den einen der Kirche überlassenen heiligen Schatz des Wortes. Voller Anhänglichkeit an ihn verharrt das ganze heilige Volk, mit seinen Hirten vereint, ständig in der Lehre der Apostel, beim Brotbrechen und Gebet, so daß im Festhalten am überlieferten Glauben in seiner Verwirklichung und seinem Bekenntnis

---

[19] *J. Ratzinger*, a.a.O. 525.

ein einzigartiger Einklang herrscht zwischen Vorstehern und Gläubigen" (DV 10).

Dieser die ganze Kirche umgreifende und bedenkende Satz ist eine deutliche Änderung gegenüber den Aussagen der Enzyklika „Humani generis", wo es heißt, der göttliche Erlöser habe sein Wort „weder den einzelnen Gläubigen noch den Theologen als solchen zur authentischen Erklärung anvertraut, sondern einzig und allein dem Lehramt" (DS 3886). Wenn das Konzil erklärt, nur dem lebendigen Lehramt stehe es zu, das geschriebene oder überlieferte Wort Gottes verbindlich zu erklären, so ist dieser Satz im Kontext des Vorangehenden zu lesen: Die dem Lehramt zugeschriebene Funktion authentischer Auslegung ist ein spezifischer Dienst im Dienst eines Ganzen der Gegenwartsweise des Wortes und der ganzen Gemeinschaft der Glaubenden. Überdies betrifft die authentische Erklärung des Lehramts nicht eine einzelne Schriftstelle, sondern den Gesamtzusammenhang des Wortes Gottes, wie es in Schrift und Tradition begegnet.

Ausdrücklich wird dieser Aussage hinzugefügt: Die authentische Auslegung bedeutet keine Verfügung über das Wort Gottes – das Wort Gottes bleibt die maßgebende, orientierende und normierende Größe –, das Lehramt, so heißt es dezidiert, „steht nicht über dem Wort Gottes, sondern dient ihm, indem es nichts anderes lehrt, als was überliefert ist, weil es das Wort Gottes aus göttlichem Auftrag und mit dem Beistand des Heiligen Geistes voll Ehrfurcht hört, heilig bewahrt und treu auslegt" (DV 10).

Auch diese Aussage bedeutet einen Unterschied zur Enzyklika „Humani generis" (DS 3886), wo gesagt wird, es sei offenkundig falsch, das Klare vom Dunklen her erklären zu wollen, was im Kontext besagen will, daß nicht das Lehramt von der Schrift her, sondern nur umgekehrt die Schrift vom Lehramt her erklärt werden dürfe. Hier droht eine „Entmündigung der Quellen, die schließlich den Dienstcharakter des Lehramts aufheben müßte"[20].

In diesen Sätzen kehrt die Konstitution über die göttliche Offenbarung an den Anfang zurück, in dem die Kirche primär als auf das Wort Gottes hörende Kirche beschrieben wird. Im letzten ist die ganze Kirche hörend, und umgekehrt hat die ganze Kirche teil am Verharren in der rechten Lehre.

Zu den Konkretionen der katholischen Prinzipien des Ökumenismus gehört zweifellos die Bestimmung des II. Vatikanums über die Heilige Schrift und ihren Zusammenhang mit Überlieferung und Kirche. Wenngleich in dieser Frage noch keineswegs eine volle Übereinstimmung besteht – das Problem entzündet sich gerade an diesem Zusammenhang von Schrift, Tradition, Kirche, Lehramt –, so ist doch, blickt man auf das Ganze dieser Kon-

---

[20] Ebd. 527.

stitution, ein beachtlicher Weg des Zueinanders beschritten, eine Position, die es in dieser Frage zuvor noch nicht gab. Und man kann dem Votum von nicht wenigen, so von Oscar Cullmann, zustimmen, die erklären, die Konstitution über die göttliche Offenbarung – vor allem auch wenn man den Weg von den ersten Entwürfen bis zum endgültigen Text bedenkt – gehöre zu den ökumenisch wichtigsten und folgenreichsten Texten. Sie eröffne im Blick auf das reformatorische Formalprinzip „sola scriptura" neue Perspektiven. Oscar Cullmann schlägt vor, das „sola scriptura" zu ergänzen: „scriptura, traditio, magisterium, sed scriptura sola norma superior"[21].

Dem kann auch katholische Theologie zustimmen. Auf jeden Fall aber: Die von Karl Barth in seinen frühen Jahren ausgesprochene Charakterisierung des I. Vatikanums, die vom „vatikanischen Frevel" sprach, von der pantheistischen Identifizierung von Schriftautorität und Kirchenautorität, der Erhebung der Kirche über die Schrift und damit über die Offenbarung und das Wort Gottes, die Bestimmung der sich so verhaltenden Kirche als Kirche der Hybris, der Selbstregierung und des Ungehorsams[22] ist nach dem II. Vatikanum und seiner Aussage über die Offenbarung und das Wort Gottes nicht mehr aufrechtzuerhalten, und Karl Barth hat es in der Würdigung des II. Vatikanums nicht nur nicht mehr getan, sondern faktisch widerrufen.

7. Ein ökumenisch überaus wichtiger Beitrag für den theologischen Dialog ist der vom Konzil aufgestellte Grundsatz von der *„hierarchia veritatum"*, ein Modus, der von Erzbischof Pangrazio vorgeschlagen wurde und erst in die Schlußredaktion des Textes aufgenommen wurde: „Man soll nicht vergessen, daß es eine Rangordnung oder Hierarchie der Wahrheiten innerhalb der katholischen Lehre gibt, je nach der verschiedenen Art ihres Zusammenhangs mit dem Fundament des christlichen Glaubens" (UR 11)[23].

Diese Auffassung ist eine wichtige Ergänzung zu der Konzeption der materialen und formalen Vollständigkeit, der zufolge alle geoffenbarten Wahrheiten mit dem gleichen Glaubensakt festgehalten werden müssen. Dieses formale Prinzip könnte leicht den Eindruck erwecken, für die katholische Kirche stünden alle Lehren und die durch sie vermittelten Wirklichkeiten auf der gleichen Stufe. Dabei droht die Gefahr, daß die inhaltlich zu bestimmende Mitte der Offenbarung durch sekundäre und tertiäre Züge verdunkelt wird. Dies geschieht, wenn etwa das Gebet zu den Heiligen die Anrufung Gottes durch Jesus Christus überwuchert oder wenn der Mariologie oder der Lehre vom Ablaß eine gleiche Bedeutung wie der Christologie zu-

---

[21] Bei *J. Ch. Hampe* (Anm. 18) 197.   [22] Vgl. *H. Fries* bei *J. Ch. Hampe* (Anm. 18) 165.
[23] Vgl. *U. Valeske*, Hierarchia veritatum (München 1968).

gemessen wird. Auch die Glaubensbekenntnisse der Kirche enthalten nicht alle, sondern nur die zentralen Wahrheiten.

Das Kriterium für die Hierarchie der Wahrheiten liegt in ihrer je verschiedenen Beziehung zum Fundament des christlichen Glaubens. Dieses aber ist christologisch und trinitarisch bestimmt. Die Gewichtigkeit einer Lehre wird also nicht durch den theologischen Verbindlichkeitsgrad derselben bestimmt, so daß etwa eine definierte Lehre schon allein aufgrund ihrer Definiertheit zu den erstrangigen Wahrheiten gehörte oder eine nicht definierte Offenbarungswahrheit eo ipso minderen Ranges wäre. Das Kriterium ist vielmehr die Nähe zum Mysterium Christi, das das Mysterium Trinitatis einschließt. Den Glaubensaussagen, die sich unmittelbar über dieses Fundament – man könnte, ebenso bildhaft, auch vom Zentrum sprechen – des christlichen Glaubens aussprechen, kommt jedenfalls die erste Stelle in der „Hierarchie" der Wahrheiten zu. Das Dekret will selbstverständlich nicht zu einer Geringschätzung oder Vernachlässigung zweit- oder drittrangiger Glaubenswahrheiten auffordern, aber es fordert dazu auf, immer zu bedenken, daß nicht allen Glaubenswahrheiten der gleiche Stellenwert im Ganzen des Glaubens zukommt, den Blick in erster Linie auf das Fundament und Zentrum des christlichen Glaubens zu richten und alle anderen Wahrheiten im Lichte der fundamentalen und zentralen Glaubenswahrheit zu sehen und zu werten[24].

Eine solche Orientierung: die Umschichtung vom Formalen auf das Materiale, vom Quantitativen auf das Qualitative, gibt dem christlichen Glauben und dem Leben aus diesem Glauben Profil, Zusammenhang, Inhalt und Tiefe. Dabei wird auch zu fragen sein, ob „das Maß der personalen Engagiertheit des Glaubensvollzugs, der ja ein Verhältnis von Person zu Person ist, sich nicht auch bemessen kann nach dem Gewicht der Glaubenswahrheit, welche jeweils Inhalt des personalen Glaubensvollzugs ist"[25].

Karl Rahner spricht von einer *existentiellen Hierarchie der Wahrheiten* im Unterschied zur objektiv gegebenen. Das bedeutet: „Es ist durchaus legitim, weil gar nicht vermeidbar, daß die einzelnen Glaubenswahrheiten nicht überall bei den unterschiedenen Glaubenssubjekten in derselben Weise im Glaubensbewußtsein gegenwärtig sind, in dessen Vordergrund rücken oder darin zurücktreten. Im konkreten religiösen Bewußtsein sind die Glaubenswahrheiten auch hinsichtlich ihrer lebensprägenden Kraft sehr verschieden."[26]

Für die ökumenische Fragestellung ist es wichtig, zu erkennen, daß im

---

[24] *J. Feiner,* a.a.O. 88.
[25] *H. Mühlen,* Die Lehre des Vaticanum II über die „hierarchia veritatum" und ihre Bedeutung für den ökumenischen Dialog, in: ThGl 56 (1966) 303–335.
[26] *K. Rahner,* Hierarchia veritatum, in: Schriften XV 166 f.

Fundament des christlichen Glaubens eine große und tiefe Einheit der Christen und der Kirche besteht, eine Einheit, die sich noch lebendiger und überzeugender manifestieren sollte: gegenüber einer säkularisierten, atheistischen und nichtchristlichen Welt. Zugleich aber liegt darin der Hinweis, daß die Erneuerung der Kirche und der Kirchen aus dem Fundament und aus der Mitte des christlichen Glaubens erfolgen muß.

Dieser Gedanke aber führt zu der für die Ökumene wichtigen Frage, ob als Bedingung der Möglichkeit der Einigung der Kirche von allen Christen eine ausdrückliche Zustimmung zu den Wahrheiten verlangt werden könne, die über dieses Fundament des christlichen Glaubens hinausgehen, auch wenn diese Wahrheiten definiert sind, wie die Dogmen von 1854, 1870/71, 1950. Die Tatsache, daß mit der orthodoxen Kirche heute schon unter bestimmten Bedingungen eine Abendmahlsgemeinschaft möglich ist, obwohl diese Kirche die neueren Dogmen nicht rezipiert hat und wohl auch nicht rezipieren wird, ist ein Hinweis zur Lösung dieses Problems.

Karl Rahner hat sich im Lauf seines theologischen Denkens immer intensiver mit dem Fundament des christlichen Glaubens beschäftigt. Er formuliert es als theologische Besinnung auf die einfache Unbegreiflichkeit und die unbegreifliche Einfachheit der ganzen biblischen Botschaft. Er reflektiert über das Problem, wie sich das Geheimnis zu den vielen Glaubensgeheimnissen in der katholischen Glaubenslehre verhalte, von dem her sich alles Kirchliche in seiner mannigfachen Gestalt als reiner Dienst für etwas ganz Einfaches erweist[27].

8. Eine weitere Konkretion der katholischen Prinzipien des Ökumenismus stellt die im II. Vatikanum betonte *Bedeutung der Ortskirchen* dar. Zwar ist die Kirchenkonstitution im ganzen durch die Konzeption als Welt- und Gesamtkirche orientiert. Aber dies bleibt nicht die einzige Perspektive; sie wird ergänzt durch eine Betrachtung der Kirche als Ortskirche; diese Perspektive wurde als Einschub in den Kontext von „Lumen gentium" n. 26 eingefügt[28], der von den Bischöfen handelt.

„Diese Kirche Christi ist wahrhaft in allen rechtmäßigen Ortsgemeinschaften der Gläubigen anwesend, die in der Verbundenheit mit ihren Hirten im Neuen Testament auch selbst Kirchen heißen. Sie sind nämlich je an ihrem Ort, im Heiligen Geist und mit großer Zuversicht (vgl. 1 Thess 1,5), das von Gott gerufene neue Volk. In ihnen werden durch die Verkündigung der

---

[27] In: Sind die Erwartungen erfüllt? (Anm. 18) 31 f; Über den Begriff des Geheimnisses in der katholischen Theologie, in: Schriften IV 51–99; Grundkurs des Glaubens (Freiburg i. Br.–Basel–Wien 1976); *H. Fries–K. Rahner,* Einigung der Kirchen – reale Möglichkeit (Quaestiones disputatae 100) (Freiburg i. Br.–Basel–Wien 1983) 35–53.

[28] *K. Rahner,* Das neue Bild der Kirche, in: Schriften VIII 334.

Frohbotschaft Christi die Gläubigen versammelt, in ihnen wird das Mysterium des Herrenmahls begangen, ,auf daß durch Speise und Blut des Herrn die ganze Bruderschaft verbunden werde'. In jedweder Altargemeinschaft erscheint unter dem heiligen Dienstamt des Bischofs das Symbol jener Liebe und jener Einheit des mystischen Leibes, ohne die es kein Heil geben kann. In diesen Gemeinden, auch wenn sie oft klein und arm sind oder in der Diaspora leben, ist Christus gegenwärtig, durch dessen Kraft die eine, heilige, katholische und apostolische Kirche geeint wird. Denn ,nichts anderes wirkt die Teilhabe an Leib und Blut Christi, als daß wir in das übergehen, was wir empfangen'."

In diesem Text wird gesagt, daß die Kirche am Ort, die Orts- und Altargemeinde, nicht nur einen Sprengel oder eine Filiale einer religiösen Großorganisation darstellt, sondern die Konkretheit der Kirche Jesu Christi meint, die Kirche gleichsam im Vollzug. In ihr geschieht, was Kirche als Kirche konstituiert. Dies schließt die vielfache Verbundenheit mit der Gesamtkirche nicht aus, sondern ein. Aber der ekklesiologische Ansatz- und Ausgangspunkt ist die Kirche am Ort.

Wenn bei den Ortskirchen, den „ecclesiae locales", in den Konzilstexten, auch in LG 26 u. ChD II 1, zunächst an die von einem Bischof geleitete Diözese gedacht ist, so ist darin auch die lokale Kirche als Ortsgemeinde mitbedacht. Das zeigen nicht zuletzt die Verweise auf die im Neuen Testament begegnenden (Orts-)Kirchen. Die Liturgiekonstitution macht überdies darauf aufmerksam: „Da der Bischof nicht immer und nicht überall in eigener Person den Vorsitz über das gesamte Volk seiner Kirche führen kann, so muß er diese notwendig in Einzelgemeinden aufgliedern, sie stellen auf eine gewisse Weise die über den ganzen Erdkreis hin verbreitete sichtbare Kirche dar" (SC 42).

Die ekklesiologische Orientierung an der Ortskirche – das spezifisch Neue, das das Konzil gebracht hat; man sprach sogar von einer kopernikanischen Wende[29] – ist deshalb ökumenisch von großer Bedeutung, weil sowohl die orthodoxen Kirchen wie die Kirchen der Reformation von der Kirche als Kirche am Ort ausgehen und sie zum Mittel- und Bezugspunkt machen. Damit wird eine gemeinsame Gesprächsbasis hergestellt.

9. Ein weiterer Beitrag des II. Vatikanums im Blick auf den Ökumenismus liegt darin, daß es für die mögliche Gestalt der einen Kirche wichtige Voraussetzungen geschaffen hat durch die Erkenntnis einer *Einheit in Vielfalt*.

---

[29] E. *Lanne* in: Kirche im Wandel. Eine kritische Zwischenbilanz nach dem Zweiten Vatikanum, hrsg. von G. Alberigo – Y. Congar – H. J. Pottmeyer (Düsseldorf 1982) 117.

Dieses Bewußtsein ist vor allem durch die theologische Reflexion über die Kirchen des Ostens geweckt worden. Es hat jene Einheitsvorstellungen korrigiert, die dem katholischen Denken vor allem seit dem I. Vatikanum und durch die davon ausgehenden Wirkungen geläufig waren und die durch den Codex Juris Canonici verstärkt wurden: Einheit ist am optimalsten als Einheitlichkeit, als Uniformität gegeben, durch eine von einem Zentrum ausgehende, alles festlegende Regelung.

Im Ökumenismusdekret begegnen ganz andere Vorstellungen. Man kann sie nicht besser beschreiben, als indem man den Text zitiert: „Schon von ältesten Zeiten her hatten die Kirchen des Orients ihre eigenen Kirchenordnungen, die von den heiligen Vätern und Synoden, auch von ökumenischen, sanktioniert worden sind. Da nun eine gewisse Verschiedenheit der Sitten und Gebräuche, wie sie oben erwähnt wurde, nicht im geringsten der Einheit der Kirche entgegensteht, sondern vielmehr ihre Zierde und Schönheit vermehrt und zur Erfüllung ihrer Sendung nicht wenig beiträgt, so erklärt das Heilige Konzil feierlich, um jeden Zweifel auszuschließen, daß die Kirchen des Orients, im Bewußtsein der notwendigen Einheit der ganzen Kirche, die Fähigkeit haben, sich nach ihren eigenen Ordnungen zu regieren, wie sie der Geistesart ihrer Gläubigen am meisten entsprechen und dem Heil der Seelen am besten dienlich sind. Die vollkommene Beobachtung dieses Prinzips, das in der Tradition vorhanden, aber nicht immer beachtet worden ist, gehört zu den Dingen, die zur Wiederherstellung der Einheit als notwendige Vorbedingung durchaus erforderlich sind.

Was oben von der legitimen Verschiedenheit gesagt wurde, dasselbe soll nun auch von der verschiedenen Art der theologischen Lehrverkündigung gesagt werden. Denn auch bei der Erklärung der Offenbarungswahrheit sind im Orient und im Abendland verschiedene Methoden und Arten des Vorgehens zur Erkenntnis und zum Bekenntnis der göttlichen Dinge angewendet worden. Daher darf es nicht wundernehmen, daß von der einen und von der anderen Seite bestimmte Aspekte des offenbarten Mysteriums manchmal besser verstanden und deutlicher ins Licht gestellt wurden, und zwar so, daß man bei jenen verschiedenartigen theologischen Formeln oft mehr von einer gegenseitigen Ergänzung als von einer Gegensätzlichkeit sprechen muß. Gerade gegenüber den authentischen theologischen Traditionen der Orientalen muß anerkannt werden, daß sie in ganz besonderer Weise in der Heiligen Schrift verwurzelt sind, daß sie durch das liturgische Leben gefördert und zur Darstellung gebracht werden, daß sie genährt sind von der lebendigen apostolischen Tradition und von den Schriften der Väter und geistlichen Schriftsteller des Orients und daß sie zur rechten Gestaltung des Lebens, überhaupt zur vollständigen Betrachtung der christlichen Wahrheit hinführen.

Dieses Heilige Konzil erklärt, daß dieses ganze geistliche und liturgische, disziplinäre und theologische Erbe mit seinen verschiedenen Traditionen zur vollen Katholizität und Apostolizität der Kirche gehört; und sie sagt Gott dafür Dank, daß viele orientalische Söhne der katholischen Kirche, die dieses Erbe bewahren und den Wunsch haben, es reiner und vollständiger zu leben, schon jetzt mit den Brüdern, die die abendländische Tradition pflegen, in voller Gemeinschaft leben" (UR 16).

Die Bedeutung des Papsttums wird in der Funktion der Moderation gesehen, wenn „Streitigkeiten über Glaube oder Disziplin unter ihnen entstanden" (UR 14). Die deutsche Übersetzung mit „Führungsrolle" gibt den Sachverhalt nicht entsprechend wieder. Gemeint ist vielmehr eine Art subsidiäre Funktion, die aktuell wurde, wenn die Tätigkeit der anderen kirchlichen Organe nicht genügte.

In diesem Zusammenhang ist ein Gedanke von J. Feiner beachtenswert, „daß die orthodoxen Kirchen trotz ihrer Trennung von Rom, vor allem aufgrund ihrer gegenseitigen Verbundenheit, ohne gemeinsames jurisdiktionelles Oberhaupt ihren gleichen und einen Glauben, die Sakramente und die hierarchische Struktur bewahrt haben und daß sie darum die Gewährleistung der Glaubenseinheit nicht einzig im Papsttum sehen dürfen"[30].

10. Eine ökumenisch wichtige Aussage ist die Aussage des Konzils über die *Stellung des Laien in der Kirche.* Wenn man dafür einen Hintergrund nennen soll, so ist er im lange Zeit üblichen Bild von der katholischen Kirche als Kirche des Klerus gegeben. Das ging so weit, daß man in theologischen Nachschlagewerken unter dem Stichwort „Laie" auf „Klerus" verwiesen wurde, daß das Kirchenrecht fast ausschließlich Klerikerrecht war und ist, daß Papst Bonifaz VIII. sagen konnte: „Clericis laicos infestos esse oppido tradit antiquitas."[31] Demgegenüber haben die Reformatoren den Gedanken vom Priestertum aller Gläubigen in großer Eindringlichkeit hervorgehoben. Das II. Vatikanum hat auch hier für die katholische Kirche eine Wende gebracht. Dies war schon dadurch gegeben, daß der Begriff des Volkes Gottes zur Grundaussage von Kirche gemacht wurde (LG Kap. 2). Vom gemeinsamen Priestertum der Gläubigen ist in „Lumen gentium" n. 10 die Rede. Das 4. Kapitel „Die Laien" nimmt die Aussagen von nn. 10–13 auf und führt sie weiter.

Als Laien bezeichnet das Konzil die Christgläubigen, die – ohne Glieder

---

[30] *J. Feiner,* a.a.O. 98.
[31] Vgl. dazu *Y. Congar,* Der Laie. Entwurf einer Theologie des Laientums (Stuttgart 1956); *F. Klostermann* in: LThK – Das Zweite Vatikanische Konzil I 260–283.

des Weihestandes und des Ordensstandes zu sein –, durch die Taufe Christus einverleibt, zum Volk Gottes gemacht und des priesterlichen, prophetischen und königlichen Amtes Christi teilhaftig, zu ihrem Teil die Sendung des ganzen christlichen Volkes in der Kirche und in der Welt ausüben (LG 31). Dem wird hinzugefügt: „Eines ist das auserwählte Volk Gottes, gemeinsam die Würde der Glieder aus ihrer Wiedergeburt in Christus, gemeinsam die Gnade der Kindschaft, gemeinsam die Berufung zur Vollkommenheit, eines ist das Heil, eins die Hoffnung und ungeteilt die Liebe" (LG 32). Die Tätigkeit der Laien in der Kirche wird nicht mehr wie früher beschrieben als Teilnahme am hierarchischen Apostolat, so daß sie im Grund nur der verlängerte Arm des Klerus oder die Befehlsempfänger der Hierarchie sind. Die Sendung der Laien ist „Teilnahme an der Heilssendung der Kirche selbst" (LG 34) in und an der Welt, an ihrer rechten Funktion, Gestalt und Ordnung. „Sache der Laien ist es, kraft ihrer Berufung in der Verwaltung und gottgemäßen Ordnung der zeitlichen Dinge das Reich Gottes zu suchen. Sie leben in der Welt, das heißt in all den einzelnen irdischen Pflichten und Werken und den gewöhnlichen Bedingungen des Familien- und Gesellschaftslebens, aus denen sich ihre Existenz zusammensetzt. Dort sind sie von Gott gerufen, ihre eigentümliche Aufgabe, vom Geist des Evangeliums geleitet, auszuüben und so wie ein Sauerteig zur Heiligung der Welt gewissermaßen von innen her beizutragen und vor allem durch das Zeugnis ihres Lebens, im Glanz von Glaube, Hoffnung und Liebe Christus den anderen kundzumachen" (LG 31). Ausdrücklich wird gesagt: Es gibt Orte und Verhältnisse, wo die Kirche als Salz der Erde nur durch die Laien anwesend gemacht werden kann (LG 33). So ist jeder Laie kraft der ihm geschenkten Gaben zugleich Zeuge und lebendiges Werkzeug der Kirche selbst, nach dem Maß der Gabe Christi (Eph 4,7).

Das Verhältnis von Klerus und Laien wird in folgender Weise umschrieben: „Die Hirten der Kirche sollen nach dem Beispiel des Herrn einander und den übrigen Gläubigen dienen; diese aber sollen mit Eifer den Hirten und Lehrern tatkräftige Gefährten sein" (LG 32). Deshalb wird auch gesagt, „die Bischöfe sollen die Freiheit, die Würde und Verantwortung der Laien in der Kirche anerkennen und fördern" (LG 37).

Die Laien haben das Recht, aus den geistlichen Gütern der Kirche, vor allem die Hilfe des Wortes Gottes und der Sakramente, von den geweihten Hirten reichlich zu empfangen (LG 36).

Das Kapitel über die Laien schließt mit den bewegenden Worten: „Jeder Laie muß vor der Welt Zeuge der Auferstehung und des Lebens Jesu, unseres Herrn, und ein Zeichen des lebendigen Gottes sein" (LG 38).

Man geht nicht fehl, wenn man sagt, die Gedanken des Konzils über die

Laien seien nicht nur das Ende des Klerikalismus, der den Antiklerikalismus hervorruft, sondern, geschichtlich gesehen, eine Frucht jener theologischen Bemühungen um diese Frage, wie sie vor allem in der Theologie Deutschlands und Frankreichs unternommen wurden.

Eine besondere Bedeutung wird den Laien, dem „heiligen Gottesvolk", infolge ihrer Teilnahme am „prophetischen Amt Christi" zugesprochen: in der Verbreitung ihres „lebendigen Zeugnisses, vor allem durch ein Leben in Glaube und Liebe". Daraus leitet das Konzil eine wichtige Folgerung ab: „Die Gesamtheit der Gläubigen, welche die Salbung von dem Heiligen haben (vgl. 1 Jo 2,20 u. 27), kann im Glauben nicht irren. Und diese ihre besondere Eigenschaft macht sie durch den übernatürlichen Glaubenssinn des ganzen Volkes dann kund, wenn sie ‚von den Bischöfen bis zu den letzten gläubigen Laien' ihre allgemeine Übereinstimmung in Sachen des Glaubens und der Sitten äußert. Durch jenen Glaubenssinn nämlich, der vom Geist der Wahrheit geweckt und genährt wird, hält das Gottesvolk unter der Leitung des heiligen Lehramtes, in dessen treuer Gefolgschaft es nicht mehr das Wort von Menschen, sondern wirklich das Wort Gottes empfängt (vgl. 1 Thess 2,13), den einmal den Heiligen übergebenen Glauben (vgl. Jud 3) unverlierbar fest. Durch ihn dringt es mit rechtem Urteil immer tiefer in den Glauben ein und wendet ihn im Leben voller an" (LG 12).

Die ökumenische Bedeutung gerade dieser Aussage im Blick auf die Unfehlbarkeit der Kirche macht A. Grillmeier in seinem Kommentar deutlich.

Im Bewußtsein der Gläubigen wie der Amtsträger war die Gabe der *Unfehlbarkeit* zu einseitig auf das Amt – und noch dazu auf einen vom Gesamtepiskopat isoliert gesehenen Primat des Papstes – verlagert. Dies muß zu Passivität und Gleichgültigkeit gegenüber der Verantwortung am Wort Gottes führen. Der eigentliche Ort und Hort der Offenbarungs- und Heilswirklichkeit ist in der Schau des II. Vatikanums das Christusvolk als ganzes, dies freilich in gestufter aktiver Berufung. Das Gesamtvolk Christi (die Amtsträger mit eingeschlossen) ist unfehlbar „in credendo", was aber nicht passiv, sondern aktiv verstanden werden muß, als tätiges Bewahren, als lebendiges Bezeugen, als immer tieferes Eindringen in den Glauben und als aktive Lebensgestaltung. Die Amtsträger sind unfehlbar, nicht bloß „in credendo" in Einheit mit dem Gesamtvolk, sondern kraft des ihnen verliehenen Charismas auch im Lehren, „in docendo". Der Glaubenssinn des Gesamtvolkes und das unfehlbare Lehramt der Kirche verhalten sich zueinander ebenso wie das gemeinsame Priestertum aller Gläubigen und das Weihepriestertum. Die Teilnahme aller Gläubigen an der Bewahrung der Heilswirklichkeit und die Stiftung der Ämter mit ihrem besonderen Charisma der Unfehlbarkeit leiten sich von dem Gnadenbeschluß Gottes her, seine Wahrheit und sein Heil im ganzen Volk des Neuen Bundes – zum Heil der Gesamtmenschheit – unverlierbar ruhen und wirken zu lassen und damit die Bundestreue dieses Volkes selbst zu erhalten[32].

11. Die Ökumene ist in ganz besonderer Weise mit *Abendmahl und Eucharistie* verbunden.

Kirchengemeinschaft stellt sich als Abendmahlsgemeinschaft dar: Der Leib Christi (die Kirche) lebt vom Leib Christi (dem Abendmahl). Zerbrochene Kirchengemeinschaft manifestiert sich als zerbrochene Abendmahlsgemeinschaft; zerbrochene Abendmahlsgemeinschaft bezeichnet und bewirkt zerbrochene Kirchengemeinschaft.

Daraus folgt auch: Solange es keine Abendmahlsgemeinschaft gibt, so lange gibt es keine Kirchengemeinschaft, und solange es keine Kirchengemeinschaft gibt, gibt es keine Abendmahlsgemeinschaft. Abendmahlsgemeinschaft ist Realisation von Kirchengemeinschaft. Hier besteht ein unlöslicher innerer Zusammenhang und gleichsam ein Kreislauf des Lebendigen, bei dem alles darauf ankommt, in diesen Zusammenhang hineinzugelangen[33].

Dieser Sachverhalt kommt in den beiden Formulierungen zum Ausdruck: Die Abendmahlsgemeinschaft *fordert* und *fördert* die konkrete Glaubensgemeinschaft der Kirche, oder: Die Abendmahlsgemeinschaft ist Ausdruck und Zeichen von Kirchengemeinschaft, Abendmahl und die Abendmahlsgemeinschaft sind aber auch ein Weg, um zur Kirchengemeinschaft zu gelangen.

Auch in dieser Frage hat das Konzil keine endgültige Lösung, aber Bedingungen für eine Möglichkeit gesehen.

Nachdrücklich wird hervorgehoben, daß und wie sehr die Eucharistie mit der Einheit der Kirche verbunden ist: „Durch das Sakrament des eucharistischen Brotes wird die Einheit der Gläubigen, die einen Leib in Christus bilden, dargestellt und verwirklicht (1 Kor 10,17). Alle Menschen werden zu dieser Einheit mit Christus gerufen, der das Licht der Welt ist: Von ihm kommen wir, durch ihn leben wir, zu ihm streben wir hin" (LG 3).

Die Eucharistie ist demgemäß Darstellung (repraesentatur) und eine die Einheit bewirkende Realität (efficitur), also Ausdruck und Zeichen von Kir-

---

[32] In: LThK – Das Zweite Vatikanische Konzil I 189.
[33] *Gemeinsame römisch-katholische und evangelisch-lutherische Kommission,* Das Herrenmahl (Paderborn–Frankfurt a. M. 1979) Nr. 72.

chengemeinschaft, sie fordert und fördert Einheit. Dies ist allerdings gesagt im Blick auf die in der katholischen Kirche gegebene Einheit.

Eucharistie und Abendmahl begegnen auch im Kontext der ökumenischen Fragestellung:

„Der Mensch wird durch das Sakrament der Taufe, wenn es gemäß der Einsetzung des Herrn recht gespendet und in der gebührenden Geistesverfassung empfangen wird, in Wahrheit dem gekreuzigten und verherrlichten Christus eingegliedert und wiedergeboren zur Teilhabe am göttlichen Leben nach jenem Wort des Apostels: Ihr seid in der Taufe mit ihm begraben, in ihm auch auferstanden durch den Glauben an das Wirken Gottes, der ihn von den Toten auferweckt hat (Kol 2,12; vgl. Röm 6,4). Die Taufe begründet also ein sakramentales Band der Einheit zwischen allen, die durch sie wiedergeboren sind. Dennoch ist die Taufe nur ein Anfang und Ausgangspunkt, da sie ihrem ganzen Wesen nach hinzielt auf die Erlangung der Fülle des Lebens in Christus. Daher ist die Taufe hingeordnet auf das vollständige Bekenntnis des Glaubens, auf die völlige Eingliederung in die Heilsveranstaltung, wie Christus sie gewollt hat, schließlich auf die vollständige Einfügung in die eucharistische Gemeinschaft" (UR 22).

Es ist kein Zweifel: Hier wird eine grundlegende Einheit der Christen ausgesprochen. Sie folgt aus dem Grundgesetz: Christen, die in Christus, in seiner Person, in seinem Tod und seiner Auferstehung gleichgestaltet sind, haben dadurch eine Gemeinschaft untereinander; sie sind durch ein sakramentales Band verbunden. Diese Einheit ist grundlegend, wenn sie auch nicht vollständig ist. Das zeigt der Hinweis auf die eucharistische Gemeinschaft, auf die die in der Taufe begründete Gemeinschaft ausgerichtet ist.

Die hier angesprochene Spannung des „schon" und „noch nicht" kommt auch in der praktischen Regelung der sogenannten Gottesdienstgemeinschaft zur Sprache, von der im Ökumenismusdekret die Rede ist: „Die Bezeugung der Einheit der Kirche und die Teilnahme an den Mitteln der Gnade. Die Bezeugung der Einheit verbietet in den meisten Fällen die Gottesdienstgemeinschaft, die Sorge um die Gnade empfiehlt sie in manchen Fällen" (UR 8).

Es wird in dem Text nicht gesagt, welches die „meisten" und welches die „manchen Fälle" sind. Die gegenwärtige Praxis und Konzeption in dieser Frage besteht vor allem von seiten der katholischen Kirche darin, zu erklären, daß Abendmahlsgemeinschaft Ausdruck von Kirchen- und Glaubensgemeinschaft ist, gleichsam Abschluß und Krönung der ökumenischen Wege. Da aber die Einheit im Glauben noch nicht im vollen Maß gegeben ist, ist, so wird gesagt, eine Abendmahlsgemeinschaft noch nicht möglich. Sie wäre eine Verschleierung der ekklesiologischen Wirklichkeit und Vortäuschung eines Tatbestandes, der noch nicht vorhanden ist. Um der Wahrhaftigkeit und Redlichkeit willen ist die Trennung beim Abendmahl auszuhalten: die hier sich zeigende Wunde darf, um der Heilung willen, nicht vorzeitig geschlossen werden. Auch der zugegebene Skandal der hier zutage tretenden Trennung der Kirchen im Tiefsten, das sie eigentlich verbinden sollte, in der Gemeinschaft am sakramentalen Leib des Herrn, ist, so sagt man, um der Wahrheit willen zu ertragen. Denn es kann keine Einigung auf Kosten der Wahrheit geben. Der darin liegende Stachel ist allerdings ein immer neues Motiv, an der Einheit des Glaubens zu arbeiten und sie zu erbitten, damit Abendmahlsgemeinschaft möglich werde.

Das nach dem Konzil veröffentlichte Ökumenische Direktorium hat diesen Grundsatz dahin geregelt, daß nichtkatholischen Christen in besonderen Notfällen, in „Todesgefahr oder in schwerer Not (Verfolgung, Gefängnis)", die Teilnahme an der Eucharistie gewährt wird. In der Instruktion des Sekretariats für die Einheit der Christen vom 1.6.1972 wird dieser Text noch dahingehend erläutert, daß es sich auch um eine schwere geistliche Not handeln kann: um eine Situation, wo Christen keine Möglichkeit haben, sich an ihre eigenen Gemeinschaften zu wenden, wenn etwa eine Diasporasituation vorliegt. Im Ökumenischen Direktorium (44) wird ausdrücklich gesagt: „Ohne rechtmäßigen Grund soll ein Glaubender nicht der geistlichen Frucht der Sakramente beraubt werden."

Die Teilnahme eines Katholiken am Abendmahl der reformatorischen Kirche kann, so formuliert es die Würzburger Synode, zum gegenwärtigen Zeitpunkt nicht gutgeheißen werden[34]. Hier ist jedes Wort wichtig, weil behutsam gewählt.

Die Begründung dafür lautet, daß trotz vieler kirchenkonstituierender Realitäten die volle Einheit mit der reformatorischen Kirche noch nicht gegeben ist. Im Blick auf die Eucharistie wird geltend gemacht, daß die von uns getrennten kirchlichen Gemeinschaften wegen des „defectus sacramenti ordinis" – Fehlen oder Mangel an der Vollgestalt des ordo? – die ursprüngliche und vollständige Wirklichkeit des eucharistischen Mysteriums nicht bewahrt haben (UR 22). Worin dies näher besteht, wird nicht gesagt. Trotzdem spricht das Konzil in sehr positiver Weise vom Abendmahl in den evangelischen Kirchen: Es ist Gedächtnis des Todes und der Auferstehung des Herrn, Zeichen der lebendigen Gemeinschaft mit Christus und hoffend-erwartende Ausschau nach der glorreichen Wiederkunft.

---

[34] Gemeinsame Synode der Bistümer in der Bundesrepublik Deutschland. Offizielle Gesamtausgabe, Beschluß: Gottesdienst 5.5., S. 216.

Aus diesen Worten ergibt sich, daß in dieser Frage das letzte Wort noch nicht gesprochen ist. Deshalb wird gesagt, daß die Lehre vom Abendmahl des Herrn, von den übrigen Sakramenten, von der Liturgie und von den Dienstämtern der Kirche notwendiger Gegenstand des Dialogs sei (UR 22). Das könnte nicht gesagt werden, wenn man nicht erhoffte, durch den Dialog zu einer weiteren Klärung in Theorie und Praxis zu kommen.

Hier gibt vielleicht die Regelung der Abendmahlsgemeinschaft mit den orthodoxen Kirchen einen weiterführenden Hinweis. Sie wird nicht nur als möglich, sondern auch als ratsam angesehen (UR 18). Das bedeutet: Abendmahlsgemeinschaft ist möglich, obwohl keine volle Glaubenseinheit gegeben ist. Die Definitionen des I. Vatikanums über den Primat des Papstes und die Unfehlbarkeit seines Lehramts werden von den orthodoxen Kirchen nicht angenommen. Diese Fragen sind durch das I. Vatikanum nicht mehr nur Fragen der Disziplin, sondern des Glaubens, und zwar in einem für das Verständnis des katholischen Christen sehr wichtigen Punkt. Die noch kaum verklungene heftige Diskussion um die Unfehlbarkeit hat dies gezeigt.

Im Blick auf die orthodoxen Kirchen kann also gesagt werden, daß sie die Einheit fordere und fördere, daß sie Ausdruck und wirksames Zeichen der Einheit sei. Angesichts dieses Tatbestandes ist zu fragen: Welche Form und Weise von Glaubenseinheit ist gefordert als Bedingung der Möglichkeit von eucharistischer Gemeinschaft? Was erbringt dazu der Satz von der Hierarchie der Wahrheiten? Die Würzburger Synode hat sich mit diesem Problem beschäftigt und dazu folgendes gesagt: Eine Einigung im Glauben ist nicht möglich, „wo eine Kirche sich genötigt sieht, eine verbindliche Lehre der anderen als der Offenbarung widerstreitend abzulehnen. Andererseits verlangt die katholische Kirche von ihren Mitgliedern nicht, daß sie alle Ausprägungen und Ableitungen in der Geschichte des gelehrten und gelebten Glaubens in gleicher Weise bejahen. Noch weniger erwartet sie dies von den anderen Christen. Hier öffnet sich ein breites Feld ökumenischer Möglichkeiten, das im Gespräch mit den Kirchen zu sondieren ist. Dabei ist auch zu prüfen, inwieweit eine Einigung in der Weise möglich ist, daß eine Kirche die Tradition der anderen als zuverlässige Entfaltung der Offenbarung respektieren und anerkennen kann, auch wenn sie diese für sich selbst nicht übernehmen will (zum Beispiel bestimmte Formen der eucharistischen Frömmigkeit und der Heiligenverehrung, Sakramentalien, Ablaß)"[35].

Zudem ist noch folgendes zu bedenken: Die Einheit der Kirche ist nicht monolithisch, statisch und als endgültig abgeschlossen zu denken. Sie ist

---

[35] Ebd. Beschluß: Ökumene 3.2.3, S. 780 f.

offen und steht als bestehende und lebendige Einheit im Zeichen des Unvollendeten, des Unterwegs, des eschatologischen Vorbehalts. Dieser ekklesiologische Tatbestand kann auch in der Weise verstanden werden, daß man die Wirklichkeit der Kirche als Gabe und als Aufgabe bestimmt und ihre Einheit als durch Jesus Christus gegebene und vorgegebene Einheit, die für die Gemeinschaft der mit Christus Verbundenen zur ständigen und unaufhörlichen Aufgabe wird; sie kann als Streben nach Einheit (vgl. Eph 4,3), als Bemühung um Einigung, um Versöhnung verstanden werden.

OSCAR CULLMANN

EINHEIT IN DER VIELFALT IM LICHTE DER „HIERARCHIE DER WAHRHEITEN"

1. Hierarchie der Wahrheiten und Vielfalt der Charismen

Die im Dekret des II. Vatikanischen Konzils über Ökumenismus proklamierte Anerkennung der Notwendigkeit einer Rangabstufung unter den Glaubenswahrheiten stellt vielleicht theoretisch keine absolute Neuerung dar, aber durch den Ort, an dem sie erscheint, kommt ihr ein bisher nie vorhandenes Gewicht zu, und sie ist denn auch in ihrer ökumenischen Tragweite von Katholiken wie von Nichtkatholiken als eine besonders segensreiche Tat gewürdigt worden, die zu großen Hoffnungen berechtigt, wenn die mit ihr gegebenen Elemente nach allen Seiten ausgeschöpft werden[1]. Sie ist nicht zuletzt durch die theologische Arbeit Karl Rahners möglich geworden[2]. Als einer Konzilsaussage wird ihr zunächst eine innerkatholische Bedeutung beigemessen, insofern sie der Gefahr des Synkretismus, auf die von protestantischer Seite oft hingewiesen wird, durch Beziehung aller Wahrheiten auf ein Zentrum einen Riegel vorschiebt. Zugleich kann jede Reform der einen christlichen Konfession fruchtbar für den ökumenischen Dialog werden, wie Johannes XXIII. dies ausdrücklich als Folge der katholischen Erneuerung durch das II. Vatikanische Konzil ins Auge gefaßt hat. Aber die Herstellung einer Stufenleiter von Wahrheiten fördert den Ökumenismus auch auf direkte Weise, einerseits indem Kontroversen über gewisse Glaubensaussagen an Schärfe verlieren, wenn diese zwar Bestandteil der „Hierarchie" bleiben, aber in ihr nicht mehr an höchster Stelle stehen, anderseits indem die Vorbedingung der Einheit durch gemeinsame Anerkennung einer Spitze von zentraler Wichtigkeit erfüllt wird[3].

---

[1] Siehe besonders *U. Valeske*, Hierarchia veritatum (München 1968).

[2] Besonders *K. Rahner*, Über den Begriff des Geheimnisses in der katholischen Theologie, in: Schriften IV; *ders.*, Theologie im Neuen Testament, in: Schriften V.

[3] Wenn wir im folgenden dem allgemeinen Sprachgebrauch gemäß von „Zentrum", „Fundament", „Grundwahrheit", „Kern" sprechen, sind wir uns bewußt, daß diese Ausdrücke dem *Bild* der „Hierarchie" nicht adäquat sind, da dieses ja einen „Höhepunkt" erfordert.

Dazu ist aber notwendig, daß nicht nur die katholische Kirche sich auf die Hierarchie der von ihr verkündeten Wahrheiten besinnt, sondern daß die anderen Kirchen eine Rangordnung für ihre eigene Kirche herstellen. Für den Protestantismus könnte es scheinen, als sei dies überflüssig, da es zu seinem Wesen gehöre, daß er sich konzentriert, nämlich auf die Bibel. Wir werden aber sehen, daß die Frage auch für ihn damit nicht gelöst ist.

Die verschiedenen Hierarchien müssen miteinander konfrontiert werden. Dabei ergeben sich besondere Aspekte, die Gegenstand dieser Arbeit sein sollen, die nicht nur die erstrangigen, sondern gerade die zweit- und mehrrangigen Aussagen berücksichtigen wird. Eine solche Konfrontation ist geeignet, die großen Schwierigkeiten, aber doch auch die Möglichkeiten einer Verständigung aufzuzeigen.

Die gleiche These, die ich in mehreren Artikeln über die Verschiedenheit der Charismen entwickelt habe, möchte ich auch auf die Offenbarungswahrheiten anwenden: nicht Uniformität, sondern Einheit in der Vielfalt. Abgesehen von der Notwendigkeit einer gemeinsamen Akzeptierung des Zentrums aller Offenbarung, sollte von vornherein auf die Utopie einer Gleichschaltung der „Hierarchien der Wahrheiten" verzichtet werden. Eine solche wäre nicht nur eine Utopie – sie wäre auch dies im Hinblick auf die Hartnäckigkeit, mit der sich konfessionelle Tendenzen in der Theologie erhalten; vielmehr widerspräche sie dem innersten Wesen der Glaubenswahrheiten. Denn diese stehen in engster Verbindung mit dem Einheit immer in der Diversität schaffenden Heiligen Geist und mit dem jeder Kirche verliehenen Charisma. Besonders ausgeprägte Geistesgaben führen zur Offenbarung besonders vertiefter Glaubenswahrheiten. Dann gilt für letztere mutatis mutandis das gleiche wie für die Charismen: Wie es „Verschiedenheit unter den Charismen, aber den gleichen Geist gibt" (1 Kor 12,4), so auch Verschiedenheit in der Rangordnung unter den offenbarten Wahrheiten, aber den gleichen Ursprung aller Offenbarung. Ich wiederhole hier nicht, was ich in verschiedenen Artikeln über das Charisma[4] und zuletzt in dem Beitrag zu der Festschrift ausgeführt habe, die J.-L. Leuba gewidmet ist[5], der wie K. Rahner mit mir einen Ökumenismus der Einheit in der Vielfalt konsequent vertritt.

Uniformität ist Sünde gegen den Heiligen Geist. Der große Abfall der Christenheit bestand darin, daß sie aus dem Reichtum der Vielfalt, die gerade die Einheit begründen sollte, einen Anlaß zu Streit und Spaltung gemacht hat. Diese Spaltung heute durch Uniformität, durch einen Ökumenismus

---

[4] Siehe besonders: Ökumenismus im Lichte des biblischen Charismabegriffs, in: ThLZ Nr. 11 (1972) Sp. 808ff.
[5] In necessariis unitas, Éd. du Cerf (Paris 1983).

der Fusion bekämpfen zu wollen, in der jede Kirche ihr kostbarstes Gut, das Charisma, aufgäbe, hieße den Teufel mit Beelzebub austreiben.

Gewiß wird heute auf allen ökumenischen Tagungen die Notwendigkeit der Einheit in der Vielfalt betont. Aber die Konsequenzen werden nicht immer auf allen Ebenen daraus gezogen, daß es sich nicht um Einheit *trotz*, sondern *durch* und *in* Diversität handelt[6]. Eine Fusion der Kirchen durch Uniformität soll auch als Fernziel ausgeschlossen bleiben. Denn der Heilige Geist wirkt *immer* diversifizierend. Die in Form einer Föderation[7] zu erstrebende Einheit sollte also nicht als ein nur provisorisches Ziel betrachtet, sondern als eigentliche ökumenische Aufgabe nach allen Seiten ausgebaut werden und den Rahmen für die Lösung der zwischen den Konfessionen strittigen ökumenischen Probleme abgeben. So werden auch ökumenische Ungeduld und Enttäuschung, die der Sache der Einheit so sehr schaden, vermieden.

Freilich wird auf diese Weise die Konfrontierung der verschiedenen Rangordnungen nicht zu einem leichteren Unternehmen. Wir stellen die folgenden Fragen: 1. Wie ist die allgemeine Anerkennung einer auf wenige Aussagen reduzierten, an oberster Stelle stehenden *Grundwahrheit* in einer ökumenisch geeinten Föderation verschiedener Teilkirchen zu verwirklichen? – 2. Wie können die konfessionellen Abweichungen in der Rangordnung der *abgeleiteten* Wahrheiten statt zur Zersplitterung zur gegenseitigen Ergänzung führen? – 3. Verunmöglichen nicht zu überbrückende Gegensätze eine Einheit in der Vielheit?

2. Die von allen Kirchen zu akzeptierende Hauptwahrheit

Die Vielfalt der Wahrheiten hört auf, Reichtum zu sein, sobald ihre Beziehung zur Spitze der „Hierarchie" fehlt. Nicht die Vielfalt an sich ist ein Übel, wohl aber ihre Beziehungslosigkeit. Für den Katholizismus ist die Herstellung einer Rangordnung besonders wichtig, da für ihn die Tradition eine größere Anzahl verbindlicher Wahrheiten in sich schließt und so die Gefahr des Synkretismus eher entstehen kann. So erklärt es sich, daß der Begriff der „Hierarchie der Wahrheiten" gerade im Katholizismus aufgekommen ist.

---

[6] Siehe dazu auch *J.-L. Leuba*, Oecuménisme et confessions, in: IKZ Nr. 2 (1982) 96ff. Prof. K. Stalder zum 70. Geburtstag.
[7] Ich gebrauche diesen Ausdruck in Ermangelung eines besseren. Aber es muß als ausgemacht gelten, daß die Wesenszüge etwa einer politischen Föderation nicht einfach auf die hier ins Auge gefaßte ökumenische übertragen werden können, in der die Einheit durch den Heiligen Geist geschaffen wird.

Es könnte scheinen, daß sich für den Protestantismus die Bestimmung eines Zentrums, wie schon erwähnt, erübrige, da es ja zu seinem Wesen gehört, daß er sich auf die Bibel konzentriert. Aber in Wirklichkeit hat auch er sich mit der Frage auseinanderzusetzen. Denn die Bibel selbst enthält eine Vielfalt von Wahrheiten. Daher taucht hier das Problem des „Kanons im Kanon" auf. Die Geschichte beweist, daß unter den in ihren verschiedenen Teilen offenbarten Lehren bald diese, bald jene bevorzugt und zum Mittelpunkt erhoben worden ist, von dem aus alle übrigen Aussagen erklärt wurden: für Erasmus die in der Bergpredigt verkündigte, für die Reformatoren die paulinische Rechtfertigungslehre, für die orthodoxe Kirche die johanneische Theologie.

Gibt es ein objektives Kriterium, das uns erlaubt, die Mitte (oder im Bild der „Hierarchie": den Höhepunkt der Stufenleiter) innerhalb der Bibel präziser zu bestimmen als mit der Formel Luthers: „das, was Christum treibet"? Ich habe meine Arbeit über die ältesten Glaubensformeln im Neuen Testament[8] hauptsächlich in der Absicht geschrieben, festzustellen, was die Verfasser der Schriften des Neuen Testaments selbst als das *Wesentlichste* in ihnen angesehen haben. Die ersten Offenbarungszeugen haben sich in diesen Formeln, von denen die einen nur in einem kurzen Satz bestehen (etwa „Kyrios Christos"), die andern mehr ausgeführt sind (etwa 1 Kor 15,3ff oder Phil 2,6ff), bemüht, sich auf die für sie wichtigsten Aussagen zu beschränken (ohne damit die andern biblischen Wahrheiten zu vernachlässigen).

K. Rahner hat in einem Aufsatz[9] und einem im Anschluß an diesen gewährten Interview[10] und wohl auch bei anderen Gelegenheiten als Grundbedingung eines Zusammenschlusses die gemeinsame Annahme des sogenannten apostolischen Credos und des Nicaeno-Constantinopolitanums genannt. Diese berechtigte Bedingung ist weitgehend bereits erfüllt. Man könnte höchstens auch dazu die Frage aufwerfen, ob nicht unter den in diesen Bekenntnissen aufgezählten Wahrheiten, die ihrerseits eine Vielfalt darstellen, die einen zentraler sind als andere (deren Verbindlichkeit damit keineswegs bestritten wird[11]). Könnte nicht auch unter ihnen von den oben erwähnten neutestamentlichen Bekenntnisformeln aus eine Hierarchie aufgestellt werden? Kommt nicht den Aussagen über Tod und Auferstehung Christi ein stärkeres Gewicht zu als den anderen? Damit soll jedoch Karl Rahners Forderung nicht abgetan werden. Jedenfalls ist heute ein Einver-

---

[8] Die ersten christlichen Glaubensbekenntnisse (Zollikon 1943).
[9] Evangelisches Monatsblatt (Bielefeld Sept. 1982).
[10] La Vie protestante vom 25.2.1983.
[11] Daß dies auf keinen Fall geschehen dürfe, hat *K. Rahner* mehrfach betont. Siehe: Theologie im Neuen Testament, a.a.O. 49.

ständnis über ein Zentrum, ein Fundament des Glaubens[12] weitgehend möglich, und damit ist eine Instanz geschaffen, an die in der ökumenischen Diskussion über die *andern* Wahrheiten zu appellieren ist.

Einem gefährlichen Irrtum muß zu diesem Zweck gesteuert werden: die Unterwerfung unter die Grundwahrheit darf unter keinen Umständen der Einheit zuliebe aufgegeben oder beschnitten werden, wie dies seitens eines oberflächlichen Modeökumenismus zuweilen geschieht, als ob die Hauptsache Einheit „um jeden Preis" wäre. Eine solche könnte nur zu einem Scheinökumenismus führen. Das Wort in Joh 17,21: „daß alle eins seien", darf nicht aus dem Zusammenhang gerissen werden. Wenn die Einheit nicht streng an der zentralen Wahrheit orientiert bleibt, werden andere Zentren willkürlich geschaffen, um die man sich schart, etwa politische Ideale, während doch solche dem wahren Glaubenszentrum zu unterstellen und demgemäß einzureihen sind.

3. Die Rangordnung der abgeleiteten Wahrheiten

Während der Grundwahrheit gegenüber ein Konsensus angestrebt werden muß, ist für die Stufenleiter der weiteren Glaubensartikel eine gegenseitige Gleichschaltung der Klassifizierungen nicht nur unmöglich, sondern meistens nicht einmal geboten. Wohl sollen die verschiedenen Konfessionen, was die Zugehörigkeit oder das Fehlen dieser oder jener Wahrheit und was ihren Stellenwert betrifft, voneinander lernen und zu einer gewissen *Anpassung* bereit sein. Aber im großen und ganzen gilt hier doch das gleiche wie für die Charismen, die im Interesse der Bereicherung der Gesamtkirche durch den Heiligen Geist sich in ihrer Diversität ergänzen sollen. Denn wenn in dieser Kirche die einen, in jener die andern Wahrheiten eine stärkere Betonung erfahren, so hängt dies mit dem einer jeden eigenen Charisma zusammen, aus dem sie hervorgehen.

Erst im nächsten Abschnitt soll von unlösbaren Diskrepanzen die Rede sein. Zunächst ist zu bedenken, daß eine stärkere Betonung einer Wahrheit ihrer Vertiefung dienen kann und daß sie gerade dadurch auch dort, wo sie einen niedrigen Platz einnimmt, gereinigt und geklärt werden kann. So steht im Neuen Testament etwa in der Thessalonichergemeinde die Offenbarung über die Hoffnung im Vordergrund. Auf diese Weise kann in allen Gemeinden die Enderwartung geläutert werden. Analoges könnte für die apostolischen Gemeinden von Korinth oder Rom gezeigt werden.

Auch das *Vorhandensein* oder *Fehlen* bestimmter Glaubensaussagen in den

---

[12] Das „Zentrum" muß natürlich nicht in einem einzigen Satz bestehen.

verschiedenen Reihen kann Anlaß zu gegenseitiger Ergänzung oder Sichtung werden. Naturgemäß ist die Liste der katholischen Kirche, in der die Tradition miteinbezogen ist, länger als diejenige der protestantischen, deren Wesen die biblische Konzentration, die Reduktion, ist. Das Problem des „zuviel" auf der einen Seite, des „zuwenig" auf der andern wird hier deutlich. Es kann zur Aufgabe des Protestantismus gegenüber dem Katholizismus werden, vor einem Überschuß des „zuviel" zu warnen, zu derjenigen des Katholizismus gegenüber dem Protestantismus, diesen vor einer zu weit gehenden Reduktion, vor einer Enge, zu bewahren.

In beiden Fällen ist zu prüfen, ob es sich wirklich bei dem „zuviel" oder „zuwenig" um solche Wahrheiten handelt, die aus der Hauptwahrheit hervorgehen oder nicht. So sollten die protestantischen Gesprächspartner sich fragen, ob nicht eine Entfaltung jener Hauptwahrheit zu einer solchen abgeleiteten Wahrheit, die *implizit* in ihr enthalten ist, legitim sein kann[13], wenn sie auch vielleicht auf einer niedrigeren Stufe einzureihen ist. Daher sollten die Protestanten ihrem Bibelprinzip gemäß untersuchen, ob gewisse bei ihnen fehlende Lehrstücke, ohne in der Bibel unbedingt explizit erwähnt zu sein, mit dieser doch in Einklang oder in Widerspruch stehen. So könnten sie etwa zum Schluß gelangen, daß Aussagen über ein Petrusamt der Einigung, auch über ein Lehramt aufgenommen werden können, wobei sie allerdings die im Katholizismus damit verbundenen Unfehlbarkeitsdogmen von ihrer Position aus ausklammern müßten.

Auf jeden Fall ist das Bemühen um das Beziehungsverhältnis der Wahrheiten unerläßlich: Beziehung einer jeden zur gemeinsam angenommenen Grundwahrheit; Beziehung der abgeleiteten Wahrheiten untereinander.

Die erste ist besonders nötig, wenn zwei verschiedene abgeleitete Wahrheiten zu Streitigkeiten zu führen drohen. In Gal 2,6ff hören wir im Zusammenhang mit dem sogenannten Apostelkonzil, wie zwei scheinbar gegensätzliche Lehrmeinungen durch Konfrontierung mit der übergeordneten Wahrheit sich ergänzen. In der Tat hatte schon in der Urgemeinde eine gottgewollte Vielheit der Offenbarung – in diesem Fall auf der einen Seite Kontinuität der neuen Gemeinschaft mit Israel (Petrus), auf der andern Seite Verkündigung des Evangeliums an die Heiden (Paulus) – gedroht, Anlaß zu einem menschlichen Konflikt zu werden. Die Spaltung konnte dank jenem ersten Konzil durch den Rückgang zu der gemeinsamen Glaubensüberzeugung vermieden werden: es wurde anerkannt, daß auch Paulus „eine Gnade

---

[13] Daß dies nicht a priori zu verneinen ist, wie dies zuweilen von protestantischer Seite geschieht, könnte z. B. das so wichtige Trinitätsdogma zeigen, das ja auch nur *implizit* in der Bibel vorhanden ist.

verliehen war" (V. 9) von dem, der sie dem Petrus zuteil werden ließ. Die Gnade betraf nicht nur ihre Mission, sondern auch die Offenbarung, die ihr zugrunde lag.

Jede *Isolierung* einer an sich noch so wichtigen Glaubensaussage hat eine Störung der Harmonie und damit sektiererische Absonderung zur Folge. So ist im 2. Jahrhundert im Montanismus gerade eine so wichtige Wahrheit wie die über den Heiligen Geist isoliert worden (was immer gleichzeitig Entstellung bedeutet), während sie der Ergänzung durch diejenigen Wahrheiten bedürfte, die zum Gegenstand die Mittel haben, die die Geisteswirkung vor Anarchie bewahren sollen. Im Marcionismus erzeugt die Isolierung der zutiefst biblischen Verkündigung der göttlichen Liebe unter Ablehnung der göttlichen Gerechtigkeit Häresie und Spaltung.

Wir können die Verzerrung legitimer Glaubensaussagen durch Herausfallen aus ihrer Bindung an die Harmonie der übrigen Wahrheiten durch die ganze Kirchengeschichte verfolgen. Wir finden sie in den eschatologischen Sekten, obwohl diese von der unbestritten ins Christentum gehörenden Lehre über das Ende ausgehen. In all diesen Fällen kann es dazu kommen, daß die isolierte Wahrheit die Grundwahrheit aus ihrer übergeordneten Stellung verdrängt. Die von protestantischer Seite proklamierte Freiheit wird ein alle Einheit vernichtendes Element der Unordnung, wenn die auf die Erhaltung der Gemeinschaft zielenden Wahrheiten (Gott ist ein Gott der Ordnung, 1 Kor 14,33) mißachtet werden. Umgekehrt droht die katholische, auf Gott zurückgeführte Organisation in Institutionalismus und Totalitarismus auszuarten, wenn sie nicht durch die Beherzigung der Lehre über die freie Geisteswirkung geläutert wird[14].

4. Die Grenzen der gegenseitigen Anerkennung der jeder Kirche eigenen Rangordnung

In den zuletzt genannten Fällen ist die Bedrohung der Einheit zu beheben durch Wiederherstellung des richtigen Beziehungsverhältnisses, d.h. der Harmonie der Wahrheiten. Nun ist es aber unvermeidlich, daß ein von den einen für gewisse Aussagen unbedingt geforderter Stellenwert von den andern prinzipiell als Irrtum abgelehnt wird, wobei es sogar zur Bestreitung

---

[14] Die von *K. Rahner* (in seinem Beitrag zu der mir gewidmeten Festschrift „Ökumenische Möglichkeiten und Grenzen heute", hrsg. von K. Froehlich [Tübingen 1982]) verlangten „konkreten offiziellen Schritte auf eine Einigung hin" (S. 80ff) weisen in die gleiche Richtung der Herstellung solcher Ergänzungen, wenn er z. B. in bezug auf die Lehre über das Papsttum die Härten der ex cathedra gefällten dogmatischen Beschlüsse durch Verbindung mit der der Gesamtkirche verliehenen Offenbarung abschwächt.

der betreffenden Aussage kommen kann. Aus apostolischer Zeit wäre an Behauptungen über „rein" und „unrein" zu denken, aus späterer Zeit – mit theologisch viel größerer Relevanz – an Mariendogmen. Ihr Vorhandensein oder Fehlen an hervorragender Stelle mag zu einer unüberbrückbaren Diskrepanz führen. Gewisse Mariendogmen würden, so lautet etwa der Einwand der Protestanten, der gemeinsamen Grundwahrheit dadurch Abbruch tun, daß sie in so große Nähe zu dieser gebracht werden, daß sie fast *neben* sie zu stehen kommen. Auf der katholischen Gegenseite heißt es im Gegenteil, daß die Hauptwahrheit entleert werde, wenn sie nicht mit jener andern *eng* verbunden werde. Wenn auf diese Weise das gemeinsam anzunehmende Zentrum zum Gegenstand der Kontroverse wird, dann drohen die Einigungsversuche jedenfalls in dieser Frage zu scheitern. In der Regel kann aber gerade durch die „Hierarchia veritatum" eine größere Distanz jener Dogmen zum Zentrum respektiert werden.

Verunmöglichen unüberschreitbare Grenzen Ökumene auch in Form der Einheit in der Vielfalt? Manche bejahen diese Frage, so alle sogenannten Integristen auf katholischer wie auf protestantischer Seite. Für Paulus war das Problem, das sich zu seiner Zeit hinsichtlich der unbedingten Forderung von Speisevorschriften, von Scheidung zwischen „rein" und „unrein" durch die eine Gruppe der Gemeindeglieder stellte, ein ganz großes Anliegen. Darum hat er sich in langen Ausführungen in seinen Briefen mit ihm auseinandergesetzt. Immer wieder kommt er darauf zurück: in 1 Kor 8,7ff; 10,23ff; Röm 14,1ff. Letzten Endes handelt es sich um einen Aspekt der Rangordnung der Wahrheiten. Paulus sieht die Lösung der Diskrepanz zwischen jenen Vorschriften und der Überzeugung von der christlichen Freiheit ihnen gegenüber in der Rücksicht auf die „Schwachen im Glauben". Er hält zwar aufgrund der „Befreiung" durch Christus (Gal 5,1) die betonte Unterscheidung von „rein" und „unrein" für einen Irrtum. Aber er will nicht, daß diese Freiheit so überbetont werde, daß der Glaube „des Bruders, um dessentwillen Christus gestorben ist" (1 Kor 8,11; Röm 14,15), durch sie gefährdet werde. Sie darf nicht an die erste Stelle rücken. Die Offenbarung der Liebe Christi ist der Freiheit überzuordnen. Dies ist die Lösung durch Beziehung zum Zentrum, von der wir gesprochen haben: πάντα μοι ἔξεστιν, ἀλλ᾿οὐ πάντα συμφέρει (1 Kor 6,12; 10,23).

Nicht für alle Glaubensfragen liegt es so klar und eindeutig zutage wie für die von „rein" und „unrein", daß „die Schwachen im Glauben" sich auf der einen Seite, die „Starken" auf der andern befinden. Im Gegenteil, oft wird die eine Kirche oder Gruppe die Betonung der Aussage, die andere gerade ihre Ablehnung als Merkmal ihrer „Stärke" im Glauben ansehen. Sollte aber nicht auch hier, bevor die Tür zu allen Einheitsbestrebungen verschlossen wird, die Forderung des Apostels Paulus beherzigt werden? Dem „in neces-sariis unitas" ist das „in omnibus caritas" hinzuzufügen.

Allerdings ist aber hier eine Einschränkung unerläßlich. Die Rücksicht auf die als „Schwache im Glauben" Bezeichneten ist in jedem Fall an deren An-nahme der christlichen *Grundwahrheit* gebunden. Nie darf das vornehmste Gebot des Ökumenismus unbeachtet bleiben, die Liebe mit der Wahrheit zu verbinden: ἀληθεύοντες ἐν ἀγάπῃ (Eph 4,15). Der Bereitschaft zu Konzes-sionen ist eine Grenze gesetzt. Auch in dieser Hinsicht ist uns Paulus ein Vorbild: den „falschen Brüdern" hat er „nicht einen Augenblick nachgege-ben, damit die Wahrheit des Evangeliums unter uns bleibe" (Gal 2,5).

PAUL-WERNER SCHEELE

JESUS CHRISTUS SUB SPECIE UNITATIS

Das Christuszeugnis des Ökumenismusdekretes

„Ihr aber, für wen haltet ihr mich?" (Mt 16,15.) Stets aufs neue werden die Christen mit dieser Frage ihres Herrn konfrontiert. Einzeln und gemeinsam, persönlich und amtlich, in Worten und Werken haben sie zu antworten. Von Suchenden und Versuchenden, von Klagenden und Anklagenden wird diese Frage an sie herangetragen. Immerzu sind sie verpflichtet, nicht nur „in ihrem Herzen Christus, den Herrn, heiligzuhalten"; sie müssen überdies bereit sein, „jedem Rede und Antwort zu stehen, der nach der Hoffnung fragt", die sie erfüllt (1 Petr 3,15). Letztlich steht hinter allen Einzelfragen, wo und wie immer sie artikuliert werden, der Herr selbst. Er zielt mit ihnen die Antwort an, von der das Leben abhängt. Wird sie in der rechten Weise gegeben, dann spricht nicht bloß der jeweilige Partner, sondern zuerst und zugleich der himmlische Vater. Jedem angemessen Antwortenden kann Christus sagen: „Selig bist du . . ., denn nicht Fleisch und Blut haben dir das offenbart, sondern mein Vater im Himmel" (Mt 16,17).

Vergegenwärtigt man sich diese Zusammenhänge, dann liegt es nahe, die Frage, die Christus den Aposteln stellte, ausdrücklich an ihre im Konzil versammelten Nachfolger zu richten: „Als Zeuge und Künder des Glaubens des gesamten in Christus geeinten Volkes Gottes" (GS 3, 1) ist jedes Konzil in besonderer Weise zum Christuszeugnis berufen, befähigt und verpflichtet. Das gilt für seinen gesamten Vollzug wie für alle seine Verlautbarungen. Seltsamerweise ist man bislang der Frage nach dem zentralen Christuszeugnis des II. Vatikanischen Konzils kaum nachgegangen. Um so wichtiger ist es, daß dies fortan geschieht. Dazu soll hier nach Kräften animiert werden. Zugleich soll ein Beitrag zur Beantwortung dadurch geliefert werden, daß ein Konzilsdokument, das für das II. Vatikanum besonders signifikant ist, das Ökumenismusdekret, auf seine Antwortelemente hin untersucht wird. Entsprechend geht es nach einer notgedrungen summarischen Besinnung auf das Christuszeugnis des II. Vatikanischen Konzils im allgemeinen (I) in der Hauptsache um die Ermittlung und Erörterung der einschlägigen Aussagen des Ökumenismusdekretes (II).

1. Das Christuszeugnis des II. Vatikanischen Konzils im allgemeinen

Angesichts der Schwierigkeiten der Aufgabenstellung (a) empfiehlt es sich, nach einem geeigneten Helfer zu suchen. Wir finden ihn in Papst Paul VI. Namentlich in seiner Ansprache zu Beginn der zweiten Sitzungsperiode hat er hinsichtlich der Einzelthemen wie der Gesamtaufgabe des Konzils Wegweisendes gesagt (b). Von da aus eröffnen sich wichtige Perspektiven auf das konziliare Christuszeugnis (c).

a) Problematik

Unter den vielen *Verlautbarungen* des II. Vatikanums findet sich keine einzige, die ausdrücklich christologischen Fragen gewidmet ist. Sieht man die vielfältige *Konzilsliteratur* durch, ergibt sich ein ähnlicher Befund. Ob man beispielsweise das anregende Werk „Umkehr und Erneuerung" zur Hand nimmt, das Theodor Filthaut herausgegeben hat[1], oder die engagierte Stellungnahme „Die Signatur des Zweiten Vatikanums"[2] von Edward Schillebeeckx oder das von Johann Christoph Hampe betreute dreibändige Werk „Die Autorität der Freiheit"[3] – keines von ihnen widmet der Christusfrage einen Artikel oder auch nur ein Kapitel. Wohl aber begegnet uns eine Fülle von Themen und Thesen.

Will man sie auf einen Nenner bringen, bietet sich das Stichwort „Kirche" an. Näherhin geht es um die Kirche in der Geschichte, um die Kirche in der Welt. Mit Karl Rahner kann man geradezu sagen: „Das II. Vatikanische Konzil ist in einem ersten Ansatz, der sich erst tastend selber zu finden sucht, der erste amtliche Selbstvollzug der Kirche *als Weltkirche*"[4]. Zweifellos war das II. Vatikanum ekklesiologisch orientiert. Leitet man daraus eine Fehlanzeige hinsichtlich des Christuszeugnisses ab, verkennt man Entscheidendes des konziliaren Geschehens. Zugleich begibt man sich wichtiger Möglichkeiten der Christuserkenntnis und läuft Gefahr, heute gestellte Aufgaben zu verfehlen oder nur in irritierender Isolation anzugehen. Auch wenn man es bedauern mag, daß nicht mehr, nicht lebendiger, nicht aktuel-

---

[1] *Th. Filthaut* (Hrsg.), Umkehr und Erneuerung. Kirche nach dem Konzil (Mainz 1966).
[2] *E. Schillebeeckx,* Die Signatur des Zweiten Vatikanums. Rückblick nach drei Sitzungsperioden (Wien 1965).
[3] *Chr. Hampe* (Hrsg.), Die Autorität der Freiheit. Gegenwart des Konzils und Zukunft der Kirche im ökumenischen Disput, 3 Bde. (München 1967).
[4] *K. Rahner,* Schriften XIV 288; vgl. ebd. 287–302: Theologische Grundinterpretation des II. Vatikanischen Konzils, sowie 303–318: Die bleibende Bedeutung des II. Vatikanischen Konzils.

ler, nicht unmißverständlicher von Christus gesprochen wurde, sollte man nicht übersehen, was gleichwohl in dieser Beziehung geschehen ist. Eindrucksvoll tritt das in der Ansprache zutage, mit der sich Papst Paul VI. 1963 an das Konzil wie an die Weltöffentlichkeit wandte[5]. Sie ist ein wichtiger Schlüssel zum Konzilsgeschehen wie zu dessen christologischer Relevanz.

b) Wegweisung

Wie wertet der neue Papst das, was sein Vorgänger Johannes XXIII. initiiert hatte? Wie verhält er sich zum konziliaren Prozeß, der recht mühsam begonnen hatte? Wie steht er zu den bedrängenden Problemen, die sich inzwischen verstärkt abzeichneten, ohne daß deren Lösung in Sicht war? Diese und andere Fragen ließen viele gespannt auf die Ansprache warten, mit der Paul VI. die zweite Konzilsperiode eröffnete. Wie er selbst sagte, wollte er zum Beginn seines Pontifikates kein Rundschreiben erlassen; er zog es vor, sich unmittelbar an seine Brüder zu wenden: „Wir hatten vor, der Tradition entsprechend, auch Unsere Antrittsenzyklika zu übersenden. Aber warum – so überlegten Wir – schriftlich mitteilen, was wir bei dieser so glücklichen und einzigartigen Gelegenheit, eben in diesem Konzil, mündlich vor euch aussprechen können?"[6] In unmittelbarer Begegnung sollte das „Vorspiel" für das Konzil wie für das Pontifikat realisiert werden[7]. Es wurde eine eindrucksvolle Ouvertüre, in der die wichtigsten Leitmotive zu hören waren. Ihre Dynamik zeichnete sich ab und auch ihr spannungsreicher Zusammenklang.

Vier Aufgabenbereiche stellte der Papst heraus: Vertiefung des kirchlichen Selbstverständnisses, Erneuerung des Gottesvolkes, Förderung der christlichen Einheit, Brückenschlag zur modernen Welt[8]. Etliche damit zusammenhängende Faktoren wurden angesprochen. Wichtiger indes war dem Papst der schlechterdings entscheidende Faktor. In engagiertem Bekenntnis hat er auf ihn hingewiesen. Die Frage nach Ausgangspunkt, Richtung und Ziel des gesamten konziliaren Bemühens aufgreifend, erklärte er mit allem Nachdruck: Auf diese Fragen „gibt es nur eine Antwort . . .: Christus. Christus ist unser Ausgangspunkt. Christus ist unser Führer und unser Weg. Christus ist unsere Hoffnung und unser Ziel."[9] Entsprechend lauten

[5] *Paul VI.,* Ansprache bei der Eröffnung der zweiten Sitzungsperiode am 29. September 1963, in: O. *Müller* (Hrsg.), Vaticanum secundum II (Leipzig 1965) 59–73.
[6] Ebd. 61.
[7] Ebd.
[8] Ebd. 64–73.
[9] Ebd. 63.

Wunsch, Weisung und Gebet des Papstes für das Konzil: „Möge diese Versammlung hier durch kein anderes Licht erleuchtet werden als durch Christus, das Licht der Welt. Suchen wir keine andere Wahrheit als das Wort des Herrn, unseres einzigen Lehrers! Suchen wir nichts anderes, als seinen Gesetzen treu zu gehorchen. Kein anderes Vertrauen soll uns aufrecht halten außer das Vertrauen zu seinem Herrenwort, das unsere klägliche Schwachheit stärkt: ‚Seht, ich bin bei euch alle Tage bis ans Ende der Welt' (Mt 28,20) ... Beten wir mit den Worten der Liturgie: ‚Christus, dich allein kennen wir, dich suchen wir einfachen und aufrichtigen Herzens, klagend und singend: Blicke auf unser Flehen' (Hymnus der Laudes am Mittwoch)."[10]

Damit wurde in erstaunlicher Weise ein *solus Christus* gesprochen und so eine Brücke zur evangelischen Christenheit geschlagen. Den orientalischen Kirchen zugewandt, beschwor Paul VI. das Bild des Pantokrators, wie es in den Apsiden vieler Basiliken zu finden ist. Direkt bezog er sich auf das Apsismosaik der römischen Paulskirche: „Wir sehen Uns selbst gleichsam in die Rolle Unseres Vorgängers Honorius III. versetzt, wie er, Christus anbetend, in der Apsis der Basilika St. Paul vor den Mauern in einem wunderschönen Mosaik dargestellt wird. Jener Papst, klein von Gestalt, kniet, wie zunichte geworden, auf dem Boden und küßt die Füße Christi, der in seiner überragenden Größe wie ein königlicher Lehrer dem in der Basilika versammelten Volk, der Kirche, vorsteht und es segnet."[11]

Hätten Polemiker auf solche Weise von der Relation Christus – Papst – Kirche gesprochen, hätte das allerhand Aufsehen erregt. Man hätte leidenschaftlich Partei ergriffen, hätte lauthals applaudiert oder aber solche Äußerungen empört zurückgewiesen. Haben Freund und Feind seither ernstlich zur Kenntnis genommen, was der Papst in jener feierlichen Stunde mit aller Entschiedenheit über sich und seinen Dienst zum Ausdruck gebracht hat? Es sieht nicht danach aus. Daß es für Paul VI. um mehr als ein Bild ging, zeigt der sich sogleich anschließende Hinweis auf das Christuszeugnis der Geheimen Offenbarung. Das, was im letzten Kapitel des letzten biblischen Buches geschildert wird, ist nach der Überzeugung des Papstes für Kirche und Welt von höchster Aktualität: „Es scheint Uns ganz und gar richtig, daß dieses Konzil von diesem Bild, ja vielmehr von dieser mystischen Feier ausgeht. Denn diese Feier verkündet unseren Herrn Jesus Christus als das menschgewordene Wort, als Sohn Gottes und Menschensohn, als Erlöser der Welt, als Hoffnung des Menschengeschlechtes, als einzigen und obersten Lehrer und Hirten, als Brot des Lebens, als unseren Bischof und als unsere Opfergabe,

---

[10] Ebd.
[11] Ebd. 63f.

als einzigen Mittler zwischen Gott und den Menschen, als Retter der Welt und als König der Ewigkeit."[12] Hier verbindet sich das *solus* Christus mit dem *totus* Christus unter besonderer Akzentuierung von dessen Menschheits- und Weltbezug.

Hat das Konzil sich von dieser Sicht leiten lassen? Wie immer man diese Frage im einzelnen beantwortet, man wird nicht übersehen dürfen, daß es wichtige Elemente des von Paul VI. intendierten Christuszeugnisses auf seine Weise wieder- und weitergegeben hat.

c) Aussage

Was war in aller Kontinuität mit früheren konziliaren Verlautbarungen das Neue beim Christuszeugnis des II. Vatikanums? Die Antwort läßt sich mit einem Wort geben, mit dem Wort *Pro-existenz*. Anders als die christologischen Bekenntnisse der ersten Konzilien hat das II. Vatikanum die Bedeutung herausgestellt, die Christus *für uns* hat, für den einzelnen Menschen (1), für die Kirche (2) und für die Welt (3).

1) Allzuoft haben Verkündigung und Theologie verkannt oder vergessen, daß Gottes Wort wesenhaft Antwort ist. Es fällt nicht wie ein Fremdkörper von einem anderen Stern auf unsere Erde, es ist in all seiner Souveränität persönliche Antwort auf Fragen, die im Innersten des Menschen aufbrechen. Ein Grund mit dafür, daß man das weithin nicht erfaßt bzw. nicht hinreichend vermittelt hat, liegt in dem Einfluß griechisch-hellenistischer Sicht auf die Dogmengeschichte. Es ist dem Konzil zu danken, daß es eine neue Richtung eingeschlagen hat. Das zeichnet sich besonders in der Pastoralkonstitution „Über die Kirche in der Welt von heute" ab. Sie akzentuiert in einer vom Lehramt bislang ungewohnten Weise das *Antwortgeben* und darüber hinaus das *Antwortsein* Jesu Christi.

Bereits in seiner Erklärung „Über das Verhältnis der Kirche zu den nichtchristlichen Religionen" hat das Konzil die Fragen aufgegriffen, mit denen sich die Menschheit konfrontiert sieht: „Was ist der Mensch? Was ist Sinn und Ziel unseres Lebens? Was ist das Gute, was die Sünde? Woher kommt das Leid, und welchen Sinn hat es ... Und schließlich: Was ist jenes letzte und unsagbare Geheimnis unserer Existenz, aus dem wir kommen und wohin wir gehen?" (NA 1.) Im Anschluß daran wurde dargetan, daß alle diese Fragen in Christus ihre Antwort finden. Überdies wurde die Überzeugung bekundet, daß jeder zutreffende Antwortversuch in irgendeiner Weltanschauung bzw. Religion faktisch zu der einen umfassenden Antwort Christi gehört, von ihr getragen wird und zu ihr hinführen kann.

---

[12] Ebd.

Was hier in wenigen Sätzen angezielt wurde, hat in der Pastoralkonstitution den Aufbau des gesamten Dokumentes mitbestimmt. Zunächst suchte man einleitend auf die Situation des Menschen in der heutigen Welt einzugehen. Dabei wurden außer den eben erwähnten auch die Grundfragen artikuliert, die das Gemeinschaftsleben betreffen: „Was kann der Mensch der Gesellschaft geben, was von ihr erwarten?" (GS 10.) Im Anschluß daran bekannte das Konzil, daß die entscheidende Antwort auf diese Fragen Christus zu verdanken ist. Die gesamte Konstitution hat eigentlich kein anderes Ziel, als im Lichte Christi alle anzusprechen, „um das Geheimnis des Menschen zu erhellen und mitzuwirken dabei, daß für die dringlichsten Fragen unserer Zeit eine Lösung gefunden wird" (GS 10).

Nimmt man die existentiellen Fragen in ihrem vollen Gewicht, dann kann man mit Fug und Recht sagen: Der Mensch stellt nicht nur diese und jene Fragen, er ist Frage*wesen,* er ist Frage*existenz.* Analog gilt von Jesus Christus: Er gibt nicht nur diese oder jene Antwort, er ist leibhafte wesenhafte Antwort, er ist Antwortexistenz.

Christus sagt nicht nur, was der Mensch sein kann und tun soll. Er *ist* der *neue* Mensch. Der Glaubende weiß: Auf die anthropologische Grundfrage unserer Zeit gibt es mehr als eine Antworttheorie, mehr als ein Antwortsystem. Es gibt die *Antwort in Person.* Jesus ist der Mensch für andere. Seine Ganzhingabe zeigt, in welcher Richtung die Vollendung des Menschen zu suchen ist. Gleichwohl beschränkt sich das Konzil nicht darauf, die Vorbildlichkeit Jesu darzustellen[13]. Es spannt den Bogen von der Menschwerdung über das ganze Leben und Leiden hin zum Sein und Wirken des Auferstandenen. „Denn er, der Sohn Gottes, hat sich in seiner Menschwerdung gewissermaßen mit jedem Menschen vereinigt. Mit Menschenhänden hat er gearbeitet, mit menschlichem Geist gedacht, mit einem menschlichen Willen hat er gehandelt, mit einem menschlichen Herzen geliebt" (GS 22). Hier wird nicht nur dem weitverbreiteten innerkirchlichen Monophysitismus Paroli geboten. Es wird eingegangen auf die vornehmlich im Marxismus aufgebrochene Frage nach der Tragweite des menschlichen Schaffens wie auf das sowohl im Idealismus wie im Existentialismus gestellte Problem des menschlichen Erkennens.

All das betrifft zunächst die Existenz des einzelnen, seine Fragen, seine Möglichkeiten, seine Grenzen. Gleichwohl darf es nicht individualistisch mißverstanden werden. In Wahrheit geht es immer um die *Gemeinschaft,* hat es Gott doch gefallen, „die Menschen nicht einzeln, unabhängig von aller wechselseitigen Verbindung zu heiligen und zu retten" (LG 9). Entspre-

---

[13] Vgl. AG 8.

chend ist Christus in den sozialen Dimensionen von Kirche und Menschheit zu sehen.

2) Das Konzil sieht Jesus als schlichtes Mitglied des alten und des neuen Gottesvolkes ebenso wie als einzigartigen „Führer zur Herrlichkeit und Urheber des Heils" (Hebr 2,10). Kraft seiner Erhöhung kann er in der *Kirche* gegenwärtig und wirksam sein und bleiben. „Zum erstenmal erlangt die Verherrlichung Christi und seine Existenz in der göttlichen Ewigkeit (jenseits von Zeit und Raum) in einem Dokument des Lehramtes jene volle erlösende Bedeutung, die der Glaube der Kirche ihm zuerkannt hat."[14]

Das II. Vatikanum findet in der *Gottmenschheit* Christi einen zentralen Zugang zur Wirklichkeit der Kirche. Es macht sich damit eine Sicht zu eigen, die nicht unproblematisch ist. Allzu leicht kann es nämlich dazu kommen, daß man, vom Licht dieser Gegebenheiten geblendet, Christus und Kirche nicht hinreichend unterscheidet. Namentlich Karl Barth hat das leidenschaftlich attackiert. Diese Gefahr ist gewiß sehr ernst zu nehmen. Das darf indes nicht dazu führen, vor dem Licht die Augen zu verschließen. Zwei Konzilsaussagen verdienen in diesem Zusammenhang besondere Aufmerksamkeit: Gemäß der Liturgiekonstitution ist es der Kirche eigen, „zugleich göttlich und menschlich zu sein, sichtbar und mit unsichtbaren Gütern ausgestattet . . ., in der Welt zugegen und doch unterwegs, und zwar so, daß dabei das Menschliche auf das Göttliche hingeordnet und ihm untergeordnet ist, das Sichtbare auf das Unsichtbare, die Tätigkeit auf die Beschauung, das Gegenwärtige auf die künftige Stadt, die wir suchen" (SC 2). Sichtbares und Unsichtbares, geordnete Gesellschaft und geistliche Gemeinschaft „sind nicht als zwei verschiedene Größen zu betrachten, sondern bilden eine einzige komplexe Wirklichkeit, die aus menschlichem und göttlichem Element zusammenwächst. Deshalb ist sie in einer nicht unbedeutenden Analogie dem Mysterium des fleischgewordenen Wortes ähnlich. Wie nämlich die angenommene Natur dem göttlichen Wort als lebendiges, ihm unlöslich geeintes Heilsorgan dient, so dient auf eine ganz ähnliche Weise das gesellschaftliche Gefüge der Kirche dem Geist Christi, der es belebt, zum Wachstum seines Leibes (vgl. Eph 4,16)" (LG 8).

Die Besonderheit des Wirkens Christi zeit seines Lebens, in seiner Erhöhung und im Medium seiner Kirche wird vom dreifachen Dienst des Propheten, des Priesters und des Herrn her gesehen. Mit Recht bemerkt Juan Alfaro: „Die ausdrückliche Betonung der drei Funktionen Christi als Offen-

---

[14] *J. Alfaro* in: *R. Bäumer – H. Dolch* (Hrsg.), Volk Gottes. Zum Kirchenverständnis der katholischen, evangelischen und anglikanischen Theologie. Festschrift für Josef Höfer (Freiburg i. Br. 1967) 522.

barer, Priester und Herr sind in den kirchlichen Lehrentscheidungen neu".[15] Ohne Zweifel bildet sie eine wichtige Brücke zum Calvinismus. Zugleich lenkt sie den Blick auf die Aktion Christi und auf das, was sie von uns fordert. Schließlich verweist sie uns auf den Menschheits- und Weltbezug des Christusereignisses.

3) Alles, was in, mit und durch Christus geschieht, gilt der ganzen *Menschheit*. Er ist der „Lehrer, König und Priester aller" (LG 13). Er ist gesandt, „damit er, Mensch geworden, das ganze Menschengeschlecht durch die Erlösung zur Wiedergeburt führe und in eins versammle" (UR 2,1). „Christus ist ja Ursprung und Urbild jener erneuerten, von brüderlicher Liebe, Lauterkeit und Friedensgeist durchdrungenen Menschheit, nach der alle verlangen" (AG 8). Alle brauchen ihn „als Beispiel, Lehrer, Befreier, Heilbringer, Lebensspender" (AG 8). Für alle ist er da.

Die Stellung Christi als *Haupt der Menschheit* gewinnt besondere Brisanz, wenn man sich von anthropozentrischen Impulsen bewegen läßt, ohne anthropozentrischen Ideologien zu verfallen. Das II. Vatikanum tut das in erstaunlich hohem Maß. So lehrt die Kirchenkonstitution, daß die ganze Welt „mit dem Menschen innigst verbunden ist und durch ihn ihrem Ziel entgegengeht" (LG 48). „Die Finalität der Welt ist mit der Finalität des Menschen verflochten. Hierin liegt eine grundlegende Voraussetzung für die Vollendung des Universums in Christus, dem menschgewordenen Sohn Gottes, und für die Umgestaltung der Welt durch Christus mittels des Menschen".[16] In diesem Kontext kann das Konzil auf neue Weise den Glauben der Kirche bekennen, „daß in ihrem Herrn und Meister der Schlüssel, der Mittelpunkt und das Ziel der ganzen Menschheitsgeschichte gegeben ist" (GS 10).

Es ist wichtig, diese Aussagen weder punktuell noch statisch mißzuverstehen. Christus beschränkt sich nicht darauf, eine gewisse Mitteposition zu halten. Er ist nicht ruhender Mittelpunkt, um den sich das Ganze dreht. Er ist bewegte, lebendige, *dynamische Mitte des Weltprozesses*. In ihm kommt dieser gleichsam zu sich selbst und damit erst voll zur Auswirkung. Was in ihm, dem einen wahrhaft neuen Menschen, Gestalt gewinnt, soll fortan das weitere Geschehen bestimmen. So ist Christus zugleich treibende Herzmitte und der Punkt Omega, auf den die Menschheit sich hinbewegt. „Der Herr ist das Ziel der menschlichen Geschichte, der Punkt, auf den hin alle Bestrebungen der Geschichte und der Kultur konvergieren, der Mittelpunkt der Menschheit, die Freude aller Herzen und die Erfüllung ihrer Sehnsüchte ... Von seinem Geist belebt und geeint, schreiten wir der Vollendung der mensch-

---

[15] *J. Alfaro*, a.a.O. 520 Anm. 13.
[16] *J. Alfaro*, a.a.O. 518f.

lichen Geschichte entgegen, die mit dem Plan seiner Liebe zusammenfällt: ‚alles in Christus, dem Haupt, zusammenzufassen, was im Himmel und was auf Erden ist' (Eph 1,10)" (GS 45). Auf neue Weise ist damit das *Motiv der Einheit* angeschlagen. Wie greift das Konzilsdokument, das besonders den Fakten und Postulaten der Einheit gewidmet ist, dies auf? Was sagt es näherhin über den einen Herrn Jesus Christus? Diesen Fragen ist nunmehr nachzugehen. Dabei ist auf das gesamte Ökumenismusdekret Bezug zu nehmen, auch wenn seine Intentionen und Implikationen hier nicht angemessen zur Sprache kommen können[17].

2. Das Christuszeugnis des Ökumenismusdekretes im besonderen

Bedenkt man, wie viele unterschiedliche Probleme und Aufgaben vom Ökumenismusdekret auf verhältnismäßig engem Raum zu bewältigen waren, ohne daß man auf irgendeine frühere konziliare Verlautbarung ähnlicher Art zurückgreifen konnte, dann legt sich die Frage nahe, ob es überhaupt Gelegenheit und Platz für ein besonderes Christuszeugnis gab. Die Frage ist zu verneinen – wenn man nach einem speziellen christologischen Abschnitt sucht. Sie ist entschieden zu bejahen – wenn man das christologische Gepräge des gesamten Textes beachtet und den verschiedenen Christuszeugnissen in den einzelnen Teilen nachgeht. Mehr als mancher erwarten mochte und mehr als bislang zur Kenntnis genommen wurde, ist das ganze Dekret ein bewegendes, eindringliches und spezifisches Christusbekenntnis. In ihm hat das Programm konkrete Gestalt gewonnen, das Paul VI. zu Beginn der zweiten Konzilsperiode mit den Worten markierte: „Christus ist unser Ausgangspunkt. Christus ist unser Führer und unser Weg. Christus ist unsere Hoffnung und unser Ziel."[18] Schließen wir uns daran an und greifen zugleich das Herrenwort auf: „Ich bin der Erste und Letzte und der Lebendige" (Offb 1,17f), dann eröffnen sich uns folgende Perspektiven:
a) Jesus Christus, der Erste – Urbild und Ursprung,
b) Jesus Christus, der Lebendige – Mittler und Mitte,
c) Jesus Christus, der Letzte – Hoffnung und Ziel.

---

[17] Vgl. dazu folgende Kommentare: *L. Jaeger*, Das Konzilsdekret ‚Über den Ökumenismus'. Sein Werden, sein Inhalt und seine Bedeutung (Paderborn ²1968); *W. Becker – J. Feiner*, Dekret über den Ökumenismus, in: LThK – Das Zweite Vatikanische Konzil II 9–126. *P.-W. Scheele*, Einheit, die wir haben; Einheit, die wir suchen. Auslegung des Ökumenismusdekrets, in: *J. Ch. Hampe*, a.a.O. II 601–613; *A. Bea*, Der Ökumenismus im Konzil (Freiburg i. Br. 1969).
[18] *O. Müller*, a.a.O. 63.

a) Urbild und Ursprung

Wer mit der christlichen Einheit befaßt ist, hat es nicht mit einer Sache, sondern mit Personen zu tun: mit Menschen, genau gesagt: mit allen Menschen, mit dem einen Gottmenschen und mit dem dreifaltigen Gott. Ermöglicht und verwirklicht wird dieses singuläre Verhältnis, dieses weitreichende und tiefgehende Verhalten durch Jesus Christus. Zur Gemeinschaft mit ihm gehört die Gemeinschaft mit seinen Brüdern und Schwestern sowie mit allen, für die er da ist, und vor allem mit Gottvater in der Kraft des Heiligen Geistes. Eine einzigartige, wahrhaft umfassende Gemeinschaft ist das Geheimnis seines Wesens (1), das Ziel seines Lebens (2) und die Frucht seines Wirkens (3).

1) Wesen

Bevor man sich mit allen möglichen Formen der Einheit befaßt, ist es unerläßlich, die *Wirklichkeit* der Einheit in unserer Mitte zu erfassen, besser: sich von ihr erfassen zu lassen und sie zur Mitte unseres Lebens zu machen. Diese wirkliche Einheit begegnet uns in Jesus Christus. In ihm, dem einen und einzigen „Gottes- und Menschensohn" (UR 15, 2), sind Gottheit und Menschheit für immer vereint. Als „das fleischgewordene Wort Gottes" (UR 21, 2) ist er der fleischgewordene Friede zwischen Gott und den Menschen. In ihm ist die Trennung überwunden, die am Anfang aller anderen Trennungen steht, die Trennung der Kreatur von ihrem Schöpfer.

Es ist ein gutes Zeichen, daß die in sich gespaltene Christenheit im Grundbekenntnis zu Jesus Christus verbunden ist. Gleich zu Beginn kommt das Dekret darauf zu sprechen, indem es auf die trinitarischen und christologischen Elemente der Basisformel des Ökumenischen Rates der Kirchen verweist: Wenn von Menschen die Rede ist, „die den dreieinigen Gott anrufen und Jesus als Herrn und Erlöser bekennen"[19], geht es nicht um Einzelpersonen oder -gruppen und deren Überzeugung, sondern um die Verfassung des Weltrates. Seit 1961 charakterisiert er sich in deren Basisartikel als „Gemeinschaft von Kirchen, die den Herrn Jesus Christus gemäß der Heiligen Schrift als Gott und Heiland bekennen und darum gemeinsam zu erfüllen trachten, wozu sie berufen sind, zur Ehre Gottes, des Vaters, des Sohnes und des Heiligen Geistes"[20]. Im letzten Teil des Dekrets wird nochmals auf diese fundamentale Gemeinsamkeit hingewiesen, wenn auf die Christen Bezug genommen wird, „die Jesus Christus als Gott und Herrn und einzigen Mittler

---

[19] Verfassung des ÖRK, I, in: *F. Lüpsen* (Hrsg.), Neu Delhi Dokumente (Witten ²1962) 475.
[20] Ebd.

zwischen Gott und den Menschen offen bekennen, zur Ehre des einen Gottes, des Vaters und des Sohnes und des Heiligen Geistes" (UR 20).

Die Freude über die sich damit abzeichnende Verbundenheit wird dadurch getrübt, daß es im Blick auf die Christuswirklichkeit bis zur Stunde tiefgreifende Diskrepanzen gibt. Das gilt, auch wenn das Konzil jenem Vater nicht gefolgt ist, der diesbezüglich von „fundamentalen Unterschieden" sprechen wollte; es hat sich darauf beschränkt, auf die „nicht geringen Unterschiede" hinzuweisen, die „gegenüber der Lehre der katholischen Kirche bestehen" (UR 20). Im übrigen hat man der Versuchung widerstanden, solche Unterschiede zu fixieren. Wichtiger als das Ab- und Ausgrenzen ist in der Tat, daß das positive Christuszeugnis angestrebt wird in der Hoffnung, daß möglichst viele es sich zu eigen machen. Am intensivsten ist das im 1. Kapitel geschehen, das „die katholischen Prinzipien des Ökumenismus" darzulegen sucht. Vor allen einzeln zu entfaltenden Prinzipien steht das eine lebendige *Urprinzip*, das Urbild und Ursprung aller Einheit ist, „Quelle und Mittelpunkt der kirchlichen Gemeinschaft" (UR 20). Entsprechend beginnt die Darlegung der Prinzipien mit dem Zeugnis: „Darin ist unter uns die Liebe Gottes erschienen, daß der eingeborene Sohn Gottes vom Vater in die Welt gesandt wurde, damit er, Mensch geworden, das ganze Menschengeschlecht durch die Erlösung zur Wiedergeburt führe und in eins versammle" (UR 2, 1).

Daß in dieser unserer Welt in Christus eine einzigartige Verwirklichung umfassender Einheit gegeben ist, hat seinen Urgrund in der einzigartigen Verwirklichung allumfassender Einheit vor und über unserer Welt im dreieinigen Gott. „Höchstes Vorbild und Urbild dieses Geheimnisses [„der Einheit in Christus und durch Christus"] ist die Einheit des einen Gottes, des Vaters und des Sohnes im Heiligen Geist in der Dreiheit der Personen" (UR 2, 6). Jesu Existenz in lebendiger Einheit und sein ganzheitlicher Einsatz für sie erwachsen aus der göttlichen Existenz der dreifaltigen Einheit und dem entsprechenden Einsatz der drei göttlichen Personen. Das Konzil deutet dessen Art dadurch an, daß es die biblischen Kategorien des Sendens und Gesandtwerdens aufgreift: Der Vater sendet den Sohn; beide senden den Heiligen Geist; alle senden das eine Gottesvolk hinaus in alle Welt (UR 2; LG 3f; AG 4f). Das Gott und der Welt gegenüber gemeinsam zu bekennen ist erste Christenpflicht. Selbst inmitten der Spaltungen ist ihr nach Kräften nachzukommen: „Vor der ganzen Welt sollen alle Christen ihren Glauben an den einen, dreifaltigen Gott, an den menschgewordenen Sohn Gottes, unseren Erlöser und Herrn, bekennen und in gemeinsamem Bemühen in gegenseitiger Achtung Zeugnis geben für unsere Hoffnung, die nicht zuschanden wird" (UR 12; vgl. 14, 2).

2) Wille

Seiner Sendung gemäß setzt sich Jesus Christus zeitlebens dafür ein, „daß alle eins seien" (Joh 17,21). Wie er nicht nur dann und wann bemüht ist, dem Willen des Vaters zu gehorchen, wie dieser heilige Wille vielmehr allzeit entschieden bejahtes Grundgesetz jedes Augenblicks und jeglichen Tuns ist, so verhält es sich mit Jesu Dienst an der Einheit: Er wird nicht gelegentlich, sondern immerzu verwirklicht. Die einzelnen Taten Jesu für die Einheit, auf die das Dekret hinweist, sind nicht isoliert zu sehende Sonderaktionen, sie sind zusammengehörige Elemente der einen, ununterbrochenen Actio Jesu für die Einheit. Demgemäß ist keine Vollständigkeit angestrebt, es wird vielmehr exemplarisch gesprochen, wenn das Dekret lehrt: „Bevor er sich selbst auf dem Altar des Kreuzes als makellose Opfergabe darbrachte, hat er für alle, die an ihn glauben, zum Vater gebetet, ‚daß alle eins seien wie Du, Vater, in mir und ich in Dir, daß auch sie in uns eins seien: damit die Welt glaubt, daß Du mich gesandt hast' (Joh 17,21), und er hat in seiner Kirche das wunderbare Sakrament der Eucharistie gestiftet, durch das die Einheit der Kirche bezeichnet und bewirkt wird. Seinen Jüngern hat er das neue Gebot der gegenseitigen Liebe gegeben und den Geist, den Beistand, verheißen, der als Herr und Lebensspender in Ewigkeit bei ihnen bleiben sollte" (UR 2, 1). Trotz aller Begrenztheit der damit gemachten Aussagen wird durch sie deutlich, daß der Einsatz für die Einheit von Christus her existentielle, spirituelle, kerygmatische, sakramentale und pneumatische Komponenten hat. Die „Einheit, die Jesus will" (UR 4, 1), ist weder eine des kleinsten Nenners noch eine des billigsten Preises. Das mit ihr umschriebene Ziel der ökumenischen Bewegung stellt daher an alle Betroffenen höchste Ansprüche.

Indem das Konzil die eben zitierte Formulierung gebraucht, greift es Anregungen Paul Couturiers[21] auf, die in der jüngsten Ökumenegeschichte geradezu bahnbrechend gewirkt haben. Angesichts des Dilemmas, daß die getrennten Christen unterschiedliche Zielvorstellungen hinsichtlich der Einheit mitbringen und so mit denselben Worten nicht nur Unterschiedliches, sondern geradezu Entgegengesetztes intendieren können, war eine Zielangabe notwendig, die sich alle ohne jeden Vorbehalt zu eigen machen konnten. Paul Couturier machte dazu 1938 folgenden Vorschlag: „Daß Gott die sichtbare Einigung seines Königreiches geben möge, so wie er sie wünscht und durch welche Mittel er sie durchgeführt wissen will."[22] Das konnten und können alle Christen bejahen. Entsprechend sind alle gehalten, „ihre Treue

---

[21] Vgl. *M. Villain*, L'Abbé Paul Couturier. Apôtre de l'Unité Chrétienne (Tournai 1957); *G. Curtis*, Paul Couturier, in: *W. Becker – B. Radom* (Hrsg.), Ökumenische Menschen (Leipzig 1969) 27–38.
[22] *G. Curtis*, a.a.O.

gegenüber dem Willen Christi hinsichtlich der Kirche" zu prüfen und „tatkräftig ans Werk der notwendigen Erneuerung und Reform" zu gehen (UR 4, 2).

3) Werk

Christi Wille zur Einheit ist nicht wirkungslos geblieben. Ein für allemal hat er seiner Kirche die Gabe der Einheit geschenkt. Alle, „die er zu einem Leib und zur Neuheit des Lebens wiedergeboren und lebendig gemacht hat" (UR 3, 5), sollen ihrer teilhaft werden. „Christus hat eine einige und einzige Kirche gegründet" (UR 1, 1). Sie ist eine geistgewirkte und -bestimmte Realität, deren Grund und Ziel das geistgeschenkte Glauben, Hoffen und Lieben ist: „Nachdem der Herr Jesus am Kreuze erhöht und verherrlicht war, hat er den verheißenen Geist ausgegossen, durch den er das Volk des Neuen Bundes, das die Kirche ist, zur Einheit des Glaubens, der Hoffnung und der Liebe berufen und versammelt, wie uns der Apostel lehrt: ,Ein Leib und ein Geist, wie ihr berufen seid in einer Hoffnung eurer Berufung. *Ein* Herr, *ein* Glaube, *eine* Taufe' (Eph 4,4 – 5)" (UR 2, 2).

Die Gemeinsame römisch-katholische/evangelisch-lutherische Kommission hat in ihrem 1980 publizierten Dokument „Wege zur Gemeinschaft" aus diesen Fakten wichtige Konsequenzen gezogen[23]. Sie lauten: „Nur wo gemeinsam geglaubt (1), gehofft (2) und geliebt (3) wird, lebt die Einheit, wächst sie und bringt Frucht."[24] „Alles, was gemeinsames Zeugnis, gemeinsames Bekennen und gemeinsame Lehre fördert, führt nicht nur der Einheit entgegen, sondern ist bereits gelebte Einheit, Einheit im Glauben."[25] „Der von allen Christen geforderte Dienst an der Einheit muß Ausdruck der unentwegten und unverdrossenen *unverkürzten christlichen Hoffnung* sein."[26] „In dem Maße, wie Glauben und Hoffen *in der Liebe* wirksam werden, wächst die Gemeinschaft in Christus. Liebend wird der Mensch voll empfänglich für die Gaben des schenkenden Herrn, liebend lernt er, ihm nachzufolgen und mit ihm zu sammeln (vgl. Mt 12,30; Lk 11,23)."[27]

Amt und Ämter der Kirche haben Glauben, Hoffen und Lieben zu dienen. Sie sind ihnen eindeutig untergeordnet. Beachtet man die im Dekret akzentuierte „Hierarchie der Wahrheit" (UR 11, 3), dann gehören die Ämter zweifellos in die „Ordnung der Mittel", von der Bischof Andreas Pangrazio sprach, als er diesen Terminus in der Konzilsdebatte einbrachte[28]. Dabei ging

---

[23] Gemeinsame römisch-katholische/evangelisch-lutherische Kommission, Wege zur Gemeinschaft (Paderborn – Frankfurt a. M. 1980) 16–19.
[24] Ebd. n. 24 S. 16.   [25] Ebd. n. 26 S. 17.   [26] Ebd. n. 29 S. 18.   [27] Ebd. n. 30 S. 18.
[28] *L. Jaeger,* a.a.O. 142f.

es dem Bischof von Görz vornehmlich um die möglichst eindeutige Herausstellung des möglichst gemeinsamen Christuszeugnisses. Angesichts quantitativ anmutender Aufzählungen des ersten Dekretentwurfes forderte er: „Man sollte den Mittelpunkt angeben, auf den diese Elemente zu beziehen sind und ohne den man sie nicht erklären kann. Dieses Band und dieser Mittelpunkt ist Christus selbst, den alle Christen als Herrn der Kirche bekennen, dem ohne Zweifel die Christen aller Gemeinschaften treu zu dienen trachten und der sich herabläßt, auch in den von uns getrennten Gemeinschaften durch seine tätige Gegenwart im Heiligen Geiste Wunderbares zu wirken."[29] Im Blick darauf unterschied Bischof Pangrazio die „Ordnung des Zieles" und die „der Heilsmittel". Zur letzteren zählt er u. a. die Wahrheiten der hierarchischen Struktur der Kirche und der apostolischen Sukzession. Sie betreffen „Mittel, die der Kirche von Christus für ihren irdischen Pilgerweg übergeben sind; danach aber hören sie auf"[30].

Trotz ihrer Bedingtheit und Begrenztheit sind sie für uns unentbehrlich. Nach Christi Willen gehören sie unabdingbar zum neuen Gottesvolk: Um „seine heilige Kirche überall auf Erden bis zum Ende der Zeiten fest zu begründen, hat Christus das Amt der Lehre, der Leitung und der Heiligung dem Kollegium der Zwölf anvertraut. Unter ihnen hat er den Petrus ausgewählt, auf dem er nach dem Bekenntnis des Glaubens seine Kirche zu bauen beschlossen hat" (UR 2, 3; 4, 5).

Das ist das katholische Votum zu der Intention, die den Ökumenischen Rat der Kirchen bewegt. Das Dekret nimmt diese positiv auf, wenn es darauf hinweist, daß „fast alle", „wenn auch auf verschiedene Weise, zu einer einen, sichtbaren Kirche Gottes" hinstreben, „die doch in Wahrheit allumfassend und zur ganzen Welt gesandt ist, damit sich die Welt zum Evangelium bekehre und so ihr Heil finde zur Ehre Gottes" (UR 1, 2). Die damit bekundete Konvergenz wurde verstärkt, als die 5. Vollversammlung des ÖRK 1975 in Nairobi in der revidierten Satzung das „Ziel der sichtbaren Einheit" offiziell verankert hat und diese näher bestimmte als „Einheit im einen Glauben und der einen eucharistischen Gemeinschaft, die ihren Ausdruck im Gottesdienst und im gemeinsamen Leben in Christus findet, . . . damit die Welt glaube"[31].

Vom „gemeinsamen Leben in Christus" her und auf es hin eröffnet sich eine weitere Perspektive der kirchlichen Wirklichkeit, die wiederum transparent ist für die Christuswirklichkeit.

---

[29] Ebd. 143.
[30] Ebd.
[31] Nairobi 327.

b) Mitte und Mittler

Die Kirche kann nicht nur zu Christus als ihrem Ursprung zurückschauen und zu ihm als ihrem Urbild aufschauen; sie kann sich der bleibenden heiligen Kommunion mit ihm erfreuen. In jedem Augenblick lebt sie durch, mit und in Christus. Er ist die Mitte ihres Lebens (1); er ist ihr bleibender Mittler (2); ihm verdankt sie die Heilsmittel, durch die sie existiert (3).

1) Mitte

„Ihr alle seid einer in Jesus Christus" (Gal 3,28). Mit diesen Worten des Völkerapostels deutet das Konzil (UR 2, 2) an, daß die christliche Einheit schlechterdings singulär ist. Sie ist mehr als Einmütigkeit im Denken, als Übereinstimmung im Reden, als Vereinigung im Handeln, als Geeintsein in der Organisation, sie ist selbst mehr noch als ein Einssein neutrischer Art. Sie ist ein personal-soziales Einer-Sein. „An den Getauften sind die aus dem alten Äon stammenden metaphysischen, geschichtlichen und natürlichen Unterschiede sakramental, d. h. aber verborgen und real aufgehoben"[32], so daß sie alle „in Christus Jesus *Einer* sind, nämlich Christus selbst"[33]. Die christliche Gemeinschaft ist Christusgemeinschaft. Er ist ihr Haupt, ihre lebendige Mitte. Sein Geist, der Heilige Geist, ist ihre Seele. Er „schafft diese wunderbare Gemeinschaft der Gläubigen und verbindet sie in Christus so innig, daß er das Prinzip der Einheit der Kirche ist" (UR 2, 2).

Näherhin ist Christus vor allem dadurch die Mitte der Kirche, daß er die Mitte allen Glaubens, Hoffens und Liebens ist. Christus ist zentraler Gegenstand und zugleich zentrierende Gegenwart im *Glauben*. Der Glaubende bejaht alle Wahrheiten, die zum Mysterium Christi gehören, und wird so seiner selbst teilhaftig. Die Bitte des Apostels erfüllt sich: „Durch den Glauben wohne Christus in eurem Herzen" (Eph 3,17). „An Christus glauben heißt dasselbe wie Christus ergreifen oder vielmehr von Christus ergriffen sein, und zwar von Christus als neuem Lebensquell; Christus ist gegenwärtig in der Lebensform des Glaubens an ihn."[34]

Der Glaube ist darauf aus, den gegenwärtigen Herrn immer besser zu erkennen. Ob dies gelingt hängt mit davon ab, ob und inwieweit die Verbundenheit aller Glaubenden realisiert wird. Deshalb bedeutet jede Minderung der christlichen Glaubensgemeinschaft auch eine Beeinträchtigung des Chri-

---

[32] *H. Schlier*, Der Brief an die Galater (Göttingen ¹²1962) 174.
[33] Ebd. 175.
[34] *G. Söhngen*, Die Einheit in der Theologie (München 1952) 326.

stusverhältnisses und so der Christuserkenntnis. Unser Dekret macht bei seinen Ausführungen über die praktische Verwirklichung des Ökumenismus auf diese Zusammenhänge aufmerksam. Der unerläßliche christliche Dialog darf sich nicht darauf beschränken, Kontroversfragen zu diskutieren. Ihm ist vornehmlich aufgetragen, „in gemeinsamer Forschungsarbeit mit den getrennten Brüdern die göttlichen Geheimnisse zu ergründen" (UR 11, 3). Gelingt der Dialog, dann wird der Weg bereitet, „auf dem alle in diesem brüderlichen Wettbewerb zur tieferen Erkenntnis und deutlicheren Darstellung der unerforschlichen Reichtümer Christi angeregt werden" (UR 11, 3).

Was die Glaubenden miteinander empfangen dürfen, müssen sie miteinander den Mitmenschen weitergeben. Sie schulden ihnen Rechenschaft über die Hoffnung, die in ihnen ist (1 Petr 3,15). Auch ihre *Hoffnung* hat Gestalt und Antlitz. Sie wird weder durch ein sachhaftes Etwas noch durch ein abstraktes Prinzip bestimmt, sie lebt von Jesus Christus. Sie setzt nicht auf irgendeine vage bessere Zukunft; sie erwartet voll Vertrauen den auf uns zu kommenden Herrn und ist dessen gewiß, daß er sich zuvorkommend dem Bereiten jetzt schon schenkt. Die gemeinsam Hoffenden dürfen wissen: „Christus ist unter euch, er ist die Hoffnung auf Herrlichkeit" (Kol 1,27). Die gegenseitige Achtung, die das Dekret fordert, gilt nicht nur dem Mitmenschen und Mitchristen, sie gebührt vor allem dem Christus praesens, dem Herrn, der versprochen hat, mitten unter uns zu sein, wenn zwei oder drei sich in seinem Namen versammeln (Mt 18,20). In unserer Zeit, die weithin depressiv an Perspektiven- und Zukunftslosigkeit leidet, hängt viel davon ab, daß wirklich *alle* Christen „in gemeinsamem Bemühen in gegenseitiger Achtung Zeugnis geben für unsere Hoffnung, die nicht zuschanden wird" (UR 12, 1).

Das Römerbriefwort (5,5), auf das hier indirekt Bezug genommen wird, ist das letzte Wort des Dekretes: „Die Hoffnung aber wird nicht zuschanden: Denn die Liebe Gottes ist ausgegossen in unseren Herzen durch den Heiligen Geist, der uns geschenkt ist" (UR 24, 2). In der *Liebe* gipfelt die Inexistenz Christi im Menschen und dessen Inexistenz in Christus. Er, in dem die Liebe Gottes unter uns erschienen ist (UR 2, 1), will so innig mit uns verbunden sein, daß die Liebe Gottes in uns gegenwärtig und wirksam wird. Je stärker seine Liebe sich in uns auswirkt, je mehr er die Mitte unseres Lebens wird, desto fester wird das Band der Einigkeit, das die Christen umschließt. „Je inniger die Gemeinschaft ist, die sie mit dem Vater, dem Wort und dem Geist vereint, um so inniger und leichter werden sie imstande sein, die gegenseitige Brüderlichkeit zu vertiefen" (UR 7, 3).

Erst wenn man bedenkt, welche Bedeutung dem Glauben, Hoffen und Lieben zukommt, kann man die Tragweite der Aussagen ermessen, die diese göttlichen Tugenden jenseits der Grenzen der Kirche betreffen. Mehrfach bekundet das Dekret die Überzeugung, daß „das Leben der Gnade, Glaube, Hoffnung und Liebe und andere innere Gaben des Heiligen Geistes" „auch außerhalb der Grenzen der katholischen Kirche existieren können" (UR 3, 2). Ausdrücklich wird erklärt, daß das christliche Leben der getrennten Brüder „durch den Glauben an Christus genährt wird" (UR 23, 1). „Der Christusglaube zeitigt seine Früchte in Lobpreis und Danksagung für die von Gott empfangenen Wohltaten; hinzu kommen ein lebendiges Gerechtigkeitsgefühl und eine aufrichtige Nächstenliebe" (UR 23, 2).

Wo immer sich all dieses findet, „das von Christus ausgeht und zu ihm hinführt" (UR 3, 3), wird die christliche Einheit verwirklicht. „So wächst der Leib und wird in Liebe aufgebaut" (Eph 4,16). In jeder Phase ist dieses Werden von Christus abhängig. Er ist dessen einziger Mittler.

2) Mittler

Als Karl Rahner 1966/67 an Stätten ökumenischer Studien zum Thema „Der eine Mittler und die Vielfalt der Vermittlungen" sprach[35], griff er eine der ökumenisch relevantesten Fragestellungen auf. Für viele evangelische Christen ist die abendländische Kirchenspaltung durch ihr Festhalten am Bekenntnis zum einen Mittler Jesus Christus motiviert und markiert. Sie sind der Überzeugung, daß katholischerseits dieses Bekenntnis „zwar verbal gegeben sei (das kann ja im Ernst nicht geleugnet werden), aber sachlich nicht wahrhaft und wirklich eindeutig aufrechterhalten werde, da die katholische Lehre und vor allem die religiöse Praxis ‚neben' Jesus Christus eine Fülle anderer Heilsvermittlungen kennt"[36]. An der Überwindung dieser Kluft zu arbeiten erscheint wichtiger als der eine oder andere gutgemeinte Annäherungsversuch. Die Hilfen, die das II. Vatikanum dazu bietet, lassen weitere Züge seines Christuszeugnisses hervortreten.

Für die Konzilsväter gehört das Bekenntnis zum einen und einzigen Mittler zu den Gegebenheiten, welche die getrennten Christen trotz aller Spaltungen verbinden. Selbst wenn „nicht geringe Unterschiede" bestehen, gibt es die wahre, wenn auch nicht volle Gemeinschaft mit denen, „die Jesus Christus als Gott und Herrn und einzigen Mittler zwischen Gott und den Menschen offen bekennen zur Ehre des einen Gottes" (UR 20). Mehrfach hat das Konzil die zentrale katholische Glaubensüberzeugung von einem Herrn und Mittler zum Ausdruck gebracht[37]. Es läßt keinen Zweifel daran, daß „Christus allein Mittler und Weg zum Heil" ist (LG 14). Zugleich ver-

---

[35] *K. Rahner,* Schriften VIII, 218–235.   [36] Ebd. 218.
[37] SC 5,1; LG 8 14 28 60 62; DV 2 4; AG 3 7.

schweigt es nicht, daß mit der Konkretgestalt dieses einen Mittlers auch die Konkretgestalt vermittelnder Elemente verbunden ist. Das wichtigste von ihnen ist die Menschheit Jesu. Sie gehört nicht nur zufällig und beiläufig, sondern wesenhaft und für immer zum Heilsgeschehen. „Christus Jesus ist in die Welt gesandt worden als wahrer Mittler Gottes und der Menschen. Da er Gott ist, wohnt in ihm leibhaftig die ganze Fülle der Gottheit (Kol 2,9); der menschlichen Natur nach aber ist er, voll Gnade und Wahrheit (Joh 1,14), als neuer Adam zum Haupt der erneuerten Menschheit bestellt" (AG 3, 2). In der Linie dieses Zeugnisses liegt Karl Rahners Explikation: „In seiner wahren, freien Menschheit, die unverkürzt und unvermischt in Freiheit Gott auch dialogisch gegenübersteht, ist er der Mittler und wird dieses Menschliche nicht nur Adressat des Heiles von Gott her, sondern ist mitkonstituierendes Moment am Heilsereignis selbst."[38]

Alle, die durch den einen Mittler das Heil empfangen, werden durch ihn auch *ins Heilswirken einbezogen.* Otto Semmelroth sagt in seiner Interpretation der Kirchenkonstitution mit Recht, daß es geradezu Eigenart der Erlösungsgnade Christi ist, „daß sie die Menschen zur Teilnahme am gottmenschlichen Sein und Wirken des Erlösers erhebt. Was der Erlöste an Gnade von Christus empfängt, wird in ihm selbst wieder zu einer Heilsquelle für andere, mit denen er solidarisch ist."[39] Karl Rahner spannt den Bogen noch weiter, wenn er feststellt: „Wo immer Heil in der individuellen Heilsgeschichte geschieht, ist es auch heilsmittlerisch für alle anderen. Ein solches Heilsereignis ist nämlich notwendig immer auch, ob ausdrücklich oder nicht, interkommunikatorisch, schlicht: ist Nächstenliebe, ist ein Ereignis *in* der einen Ganzheit der Heilsgeschichte überhaupt, ein Ereignis, das von Gott gewollt und gewirkt wird auf dieses Ganze hin und von ihm her."[40]

Erst im Kontext dieser Gegebenheiten erschließt sich die Tragweite der konziliaren Aussage: „Der einzige Mittler Christus hat seine heilige Kirche, die Gemeinschaft des Glaubens, der Hoffnung und der Liebe, hier auf Erden als sichtbares Gefüge verfaßt und trägt sie als solches unablässig; so gießt er durch sie Wahrheit und Gnade auf alle aus" (LG 8, 1). Nach dem Willen des Herrn ist die Kirche immerzu Instrument seines heilsmittlerischen Wirkens. Sie „ist das allgemeine Hilfsmittel des Heiles (generale auxilium salutis)", durch das man den „Zutritt zu der ganzen Fülle der Heilsmittel (salutarium mediorum plenitudo)" findet (UR 3, 5). Insofern die getrennten Christen zur einen Kirche gehören, haben sie Anteil am Heil und an der Heilsvermitt-

---

[38] *F. X. Arnold – K. Rahner – V. Schurr – L. M. Weber* (Hrsg.), Handbuch der Pastoraltheologie II/1 (Freiburg i. Br. 1966) 61.
[39] *O. Semmelroth* in: LThK – Das Zweite Vatikanische Konzil I 337.
[40] *K. Rahner,* Schriften VIII 231.

lung. So können ihre liturgischen Handlungen „ohne Zweifel tatsächlich das Leben der Gnade zeugen"; sie müssen daher „als geeignete Mittel für den Zutritt zur Gemeinschaft des Heiles angesehen werden" (UR 3, 3). Von den getrennten Kirchen und Gemeinschaften als ganzen gilt, daß sie „nicht ohne Bedeutung und Gewicht im Geheimnis des Heiles" sind. „Denn der Geist Christi hat sich gewürdigt, sie als Mittel des Heiles zu gebrauchen" (UR 3, 4).

Wie sich Christi Heilswirken seiner messianischen und damit prophetischen, priesterlichen und königlichen Sendung gemäß vollzieht, so werden die kirchlichen Hilfsdienste diesem dreifachen Amt gemäß realisiert. Die Kirchenkonstitution hat das ausführlich dargelegt. Das Ökumenismusdekret kann dies voraussetzen und sich auf einige diesbezügliche Andeutungen beschränken. Dazu zählen seine Hinweise auf „das Amt der Lehre, der Leitung und der Heiligung" (UR 2, 3) sowie auf das von Christus erwartete, noch vor uns liegende Geschehen, daß er „seine Gemeinschaft in der Einheit" vollendet: „im Bekenntnis des einen Glaubens, in der gemeinsamen Feier des Gottesdienstes und in der brüderlichen Eintracht der Familie Gottes" (UR 2, 4).

Besondere Aufmerksamkeit widmet unser Dekret den Heilsmitteln, deren sich der eine Mittler besonders bedient.

3) Mittel

Bewegt „von dem Wunsch nach der Wiederherstellung der Einheit unter allen Jüngern Christi", hatte sich das Konzil vorgenommen, „die Mittel und Wege" zu nennen, die dorthin führen (UR 1, 3). Unter ihnen kommt Wort und Sakrament eindeutig die Priorität zu. „Jesus Christus will, daß sein Volk durch die gläubige Predigt des Evangeliums und die Verwaltung der Sakramente ... unter der Wirksamkeit des Heiligen Geistes wachse" (UR 2, 4). Dieses Faktum hat bedeutsame christologische Implikationen. Wort und Sakrament eröffnen je auf ihre Weise und zugleich innerlich verbunden einen zentralen Zugang zum Christusgeheimnis. Sie zeigen nicht nur, was er im Sinn hat und wie er handelt; sie offenbaren, was er ist und wie er ist. Christus gebraucht nicht nur Wort und Sakrament, um das Heil zu vermitteln; er ist selber wesenhaft Wort und ebenso wesenhaft Sakrament des Heils, das eine „für uns fleischgewordene Wort Gottes" (UR 21, 2) und das eine Ursakrament der Gottbegegnung[41]. Die einzelnen uns zugesprochenen Worte und die uns gespendeten Sakramente wiederum sind christomorphe Realitäten. Sie tragen das Gepräge, den „Charakter" des Herrn; die Heilsgemeinschaft, die sie vermitteln, ist bereits in ihrer Konkretgestalt angedeutet.

---

[41] Vgl. E. *Schillebeeckx*, Christus, Sakrament der Gottbegegnung (Mainz 1960).

Nicht zuletzt infolge der heftigen Debatten anläßlich einiger Modifizierungen der Dekretaussagen über die Heilige Schrift sind wichtige Grundaussagen über das biblische *Gotteswort* und dessen verbindende Kraft nicht hinreichend zur Kenntnis genommen worden. Nicht um Unterschiede herauszustellen, sondern um gemeinsam Geglaubtes zu artikulieren, lehrt das Konzil im Blick auf die evangelischen Brüder: „Unter Anrufung des Heiligen Geistes suchen sie in der Heiligen Schrift Gott, wie er zu ihnen spricht in Christus, der von den Propheten vorherverkündigt wurde und der das für uns fleischgewordene Wort Gottes ist. In der Heiligen Schrift betrachten sie das Leben Christi und was der göttliche Meister zum Heil der Menschen gelehrt und getan hat, insbesondere die Geheimnisse seines Todes und seiner Auferstehung" (UR 21, 2). Auf diese Weise wird bezeugt, daß die Bibel die Begegnung mit dem dreieinigen Gott vermittelt. Der Vater schenkt in seinem Sohn sein Wort, das nur kraft des Heiligen Geistes in der rechten Weise aufgenommen werden kann. Dieses Wort ist im Heiligen Geist die lebendige Mitte der Heiligen Schrift. Das prophetische Wort zielt diese Mitte an, das Neue Testament stellt sie uns vor Augen, wie sie sich im Wunder der Fleischwerdung des Wortes darbietet[42]. Es geht um dieselbe Wahrheit, von der Martin Luther in seinen Tischreden sagt: „In diesem Buch findest du die Windeln und Krippen, darinnen Christus lieget, dahin auch der Engel die Hirten weiset. Es sind wohl schlechte und geringe Windeln, aber teuer ist der Schatz Christus, so darinnen lieget."[43] Zusammen mit dem Geheimnis der Inkarnation wird das Pascha-Mysterium angesprochen[44]. Damit sind die Dimensionen angezeigt, in die der Glaubende hineingenommen wird.

Die Konzilsväter wissen sich mit vielen getrennten Christen verbunden, die „ebenso wie wir an dem Worte Christi als der Quelle christlicher Tugend festhalten" (UR 23, 3). „Das christliche Leben dieser Brüder wird genährt durch den Glauben an Christus, gefördert durch die Gnade der Taufe und das Hören des Wortes Gottes" (UR 23, 1). Das Wort, das sie glaubend bejahen, ist mehr als eine Information über Unbekanntes; es ist die Ermöglichung eines ansonsten unerreichbaren und auch nach der Offenbarung unfaßbaren neuen Lebens. Kraft des Herrenwortes wird der Mensch in ein neues Verhältnis zu Gott, zum Nächsten und zur ganzen Welt gebracht (UR 23, 2). Wie das im einzelnen geschieht und welche Konsequenzen das für das sittliche Leben des Menschen hat, wird zum Teil unterschiedlich gesehen bzw. gedeutet. Deshalb sind die Christen gehalten, sich darüber im offenen

---

[42] Vgl. DV 4,1; GS 57,3.
[43] *H. H. Borcherdt* – *G. Merz* (Hrsg.), Martin Luther, Ausgewählte Werke VII (München 1938) 332; vgl. DV 13.
[44] Vgl. SC 5 6 61; LG 5.

Dialog zu verständigen. Ziel dieser Bemühung ist nicht irgendein Kompromiß, sondern der radikale und totale Glaube, der sich dem unverkürzten Wort und dessen Anspruch ohne Einschränkung stellt. Vom Wort des Herrn ausgehend, ist gemeinsam die fällige Antwort zu suchen. Entsprechend kann und soll „der ökumenische Dialog über die Anwendung des Evangeliums auf dem Bereich der Sittlichkeit seinen Ausgang nehmen" (UR 23, 3). Hier wie anderwärts erweist sich die Heilige Schrift als „ein ausgezeichnetes Werkzeug in der mächtigen Hand Gottes, um jene Einheit zu erreichen, die der Erlöser allen Menschen anbietet" (UR 21, 4).

Das gilt et extra et intra. Entsprechend betont das Dekret über Leben und Dienst der Priester: „Das Volk Gottes wird an erster Stelle geeint durch das Wort des lebendigen Gottes" (PO 4, 1). Mit dem Einheitsdienst des Wortes ist der des Sakramentes wesenhaft verbunden, „sind doch die Sakramente Geheimnisse des Glaubens, der aus der Predigt hervorgeht und durch die Predigt genährt wird" (PO 4, 2). Anders als die vielfach proklamierte Entgegensetzung „Hie Kirche des Wortes – da Kirche des Sakramentes" es behauptet, steht das Konzil zu dem gottgegebenen Miteinander von Wort und Sakrament in der einen Kirche des Wortes und des Sakramentes. Viele nichtkatholische Christen sehen diesen vitalen Zusammenhang ähnlich und erkennen in ihm zugleich Elemente der wechselseitigen Verbundenheit inmitten aller Trennungen. Das Konzil bestärkt sie in dieser Sicht und der ihr gemäßen Praxis. Ausdrücklich erklärt es: Viele „halten die Schrift als Glaubens- und Lebensnorm in Ehren, zeigen einen aufrichtigen religiösen Eifer, glauben in Liebe an Gott, den allmächtigen Vater, und an Christus, den Sohn Gottes und Erlöser, empfangen das Zeichen der Taufe, wodurch sie mit Christus verbunden werden; ja sie anerkennen und empfangen auch andere Sakramente in ihren eigenen Kirchen oder kirchlichen Gemeinschaften" (LG 15).

Mit Recht wird die *Taufe* besonders herausgestellt. Sie begründet „ein sakramentales Band der Einheit zwischen allen, die durch sie wiedergeboren sind" (UR 22, 2). Durch die Taufe werden die Menschen „in das Pascha-Mysterium Christi eingefügt. Mit Christus gestorben, werden sie mit ihm begraben und mit ihm auferweckt. Sie empfangen den Geist der Kindschaft, ‚in dem wir Abba, Vater, rufen' (Röm 8,15), und werden so zu wahren Anbetern, wie der Vater sie sucht" (SC 6; vgl. UR 22, 1). „Durch die Taufe werden wir ja Christus gleichgestaltet: ‚Denn in einem Geist sind wir alle getauft in einen Leib hinein' (1 Kor 12,13)" (LG 7, 2).

Die so geschenkte Einheit ist wie die Taufgnade dynamischer Natur. Die Taufe ist „nur ein Anfang und Ausgangspunkt, da sie ihrem ganzen Wesen nach hinzielt auf die Erlangung der Fülle des Lebens in Christus. Daher ist die Taufe hingeordnet auf das vollständige Bekenntnis des Glaubens, auf die völlige Eingliederung in die Heilsveranstaltung, wie Christus sie gewollt hat, schließlich auf die vollständige Einfügung in die eucharistische Gemeinschaft" (UR 22,2).

Damit rückt das Sakrament in den Blick, „durch das die Einheit der Kirche bezeichnet und bewirkt wird" (UR 2, 1). Wie kein Konzil zuvor hat sich das II. Vatikanum mit dem Geheimnis der *Eucharistie* befaßt[45]. Die eindrucksvollsten Aussagen des Ökumenismusdekrets über das Herrenmahl finden sich in dem Teil, der den orientalischen Kirchen gewidmet ist. Es ist gleichermaßen ökumenisch, ekklesiologisch und sakramentstheologisch bedeutsam, daß die Beschreibung des orthodoxen liturgischen Lebens zugleich Ausdruck der eigenen Überzeugung ist. Miteinander können katholische und orthodoxe Christen dem Herrn für die Eucharistie danken und sie preisen als „die Quelle des Lebens der Kirche und das Unterpfand der kommenden Herrlichkeit, bei der die Gläubigen, mit ihrem Bischof geeint, Zutritt zu Gott dem Vater haben durch den Sohn, das fleischgewordene Wort, der gelitten hat und verherrlicht wurde, in der Ausgießung des Heiligen Geistes, und so die Gemeinschaft mit der allerheiligsten Dreifaltigkeit erlangen, indem sie ‚der göttlichen Natur teilhaftig' (2 Petr 1,4) geworden sind" (UR 15, 1). Was hier komprimiert und lediglich von der katholischen Seite gesagt wurde, ist inzwischen von offiziellen Vertretern der katholischen und der orthodoxen Kirche gemeinsam und detailliert ausgesprochen worden. Das geschah in dem Dialogdokument, das am 6. Juli 1982 zum Abschluß der Zweiten Vollversammlung der Internationalen gemischten Kommission verabschiedet wurde. Sein Titel markiert exakt die Perspektiven des eben zitierten Konzilstextes: „Das Geheimnis der Kirche und der Eucharistie im Licht des Geheimnisses der Heiligen Dreifaltigkeit"[46]. Das Münchener Dokument ist zugleich eine Bestätigung der Konsequenz, die das Konzil im Blick auf die orthodoxe Liturgie deutlich gemacht hat. Sie lautet: „So baut sich auf und wächst durch die Feier der Eucharistie des Herrn in diesen Einzelkirchen die Kirche Gottes" (UR 15, 1).

Angesichts der Divergenzen innerhalb der evangelischen Christenheit und zwischen dieser und der katholischen Kirche sind dem gemeinsamen Zeugnis bezüglich der Eucharistie Grenzen gesetzt. Diese respektierend, stellt unser Dekret positiv heraus, daß man evangelischerseits „bei der Gedächtnisfeier des Todes und der Auferstehung des Herrn im Heiligen Abendmahl" bekennt, „daß hier die lebendige Gemeinschaft mit Christus bezeichnet wer-

---

[45] Vgl. besonders SC 2 5–8 10 47–58; LG 3 7 10f 26 28 34; PO 2 5f 13.
[46] Übersetzung von *H.-J. Vogt* in: Una Sancta 37 (1982) 334–340.

de" (UR 22, 3); außerdem wird auf die eschatologische Perspektive hingewiesen. Wiederholt hat man beklagt oder aber attackiert, daß diese Aussagen distanzierend, wenn nicht gar disqualifizierend gemeint seien. Demgegenüber ist zu unterstreichen, daß sie gemeinsame Überzeugungen artikulieren, die trotz der nicht verschwiegenen trennenden Unterschiede gegeben sind. Inzwischen hat sich im ökumenischen Dialog gezeigt, daß es auch im Blick auf die Eucharistie erheblich mehr Möglichkeiten und damit auch Notwendigkeiten gemeinsamen Zeugnisses gibt[47]. Gleichwohl sind bis zur Stunde substantielle Divergenzen festzustellen, die der Gemeinschaft am Tisch des Herrn entgegenstehen.

Die christologischen Implikationen dessen, was das Ökumenismusdekret über die Eucharistie sagt, ergeben sich aus der Tatsache, daß sie „das Heilsgut der Kirche in seiner ganzen Fülle (enthält), Christus selbst, unser Osterlamm und das lebendige Brot. Durch sein Fleisch, das durch den Heiligen Geist lebt und Leben schafft, spendet er den Menschen das Leben" (PO 5, 2). Christus schenkt nicht nur die eucharistische Gabe, er ist sie selbst. Er teilt nicht nur Gnaden aus, er teilt sich selber mit. So erhalten wir beim Brechen des eucharistischen Brotes „wirklich Anteil am Leib des Herrn und werden zur Gemeinschaft mit ihm und untereinander erhoben". ‚Denn ein Brot, ein Leib sind wir, die Vielen, alle, die an dem einen Brot teilhaben' (1 Kor 10,17). So werden wir alle zu Gliedern jenes Leibes (vgl. 1 Kor 12,27), ‚die Einzelnen aber untereinander Glieder' (Röm 12,5)" (LG 7, 2).

Bezüglich der übrigen Sakramente hat sich das Ökumenismusdekret nicht weiter geäußert. Nachdem die Liturgie- und die Kirchenkonstitution näher auf sie eingegangen sind[48], beschränkt sich unser Dokument auf das Postulat, sie im ökumenischen Dialog zu behandeln: Angesichts des Verbindenden wie des Trennenden sind „die Lehre vom Abendmahl des Herrn, von den übrigen Sakramenten, von der Liturgie und von den Dienstämtern der Kirche notwendig Gegenstand des Dialogs" (UR 22, 3). Die hier gewählte Reihenfolge hat einen tiefen Sinn. Er ergibt sich aus der Aussage des Priesterdekrets: „Mit der Eucharistie stehen die übrigen Sakramente im Zusammenhang; auf die Eucharistie sind sie hingeordnet; das gilt auch für die anderen kirchlichen Dienste und für die Apostolatswerke" (PO 5, 2).

Vergegenwärtigt man sich, daß und wie Jesus Christus die Mitte und der Mittler der Einheit ist und welche Mittel er für sie einsetzt, dann kann einem

---

[47] Vgl. Gemeinsame römisch-katholische/evangelisch-lutherische Kommission, Das Herrenmahl (Paderborn – Frankfurt a. M. 1981); Kommission für Glauben und Kirchenverfassung des Ökumenischen Rates der Kirchen, Taufe, Eucharistie und Amt (Paderborn – Frankfurt a. M. ²1982).

[48] Vgl. SC 59–78; LG 9–11.

aufgehen, wie katastrophal die Spaltung der Christenheit ist. Andererseits kann man vertieft dessen gewiß werden, daß es eine wirksame Katastrophenhilfe gibt und daß somit nicht nur Aussicht auf Linderung der Not, sondern auch auf deren Überwindung besteht. Damit zeichnet sich ein letzter Themenkreis ab, der zu durchschreiten ist, wenn man das Christuszeugnis des Ökumenismusdekrets ermitteln will: Inmitten aller Nöte läßt er Christus als Hoffnung und als Ziel der gegebenen und aufgegebenen Einheit erfassen.

c) Hoffnung und Ziel

„Je dunkler der Himmel, desto größer werden die Sterne erscheinen."[49] Diese Beobachtung Leonardo da Vincis gilt nicht nur für unsere Augen angesichts des nächtlichen Firmaments. Sie bewahrheitet sich in allen Lebensbereichen. Sie betrifft auch unsere Erkenntnis Christi: Seine Gestalt tritt erst in ihrer vollen Größe und Ausstrahlung hervor, wenn sie inmitten der Finsternis wahrgenommen wird. Erst wer sich der Nacht und Sünde ausgesetzt sieht, kann ermessen, was der Erlöser bedeutet. Erst im Dunkel der Spaltung kann man hellsichtig werden für den, der es überwindet. Er schenkt das Licht der Hoffnung (1), er gibt Kraft, ihm zu folgen (2). Er stellt uns das Ziel vor Augen, dem alle Einheitsbemühung gilt (3).

1) Hoffnung

Immer wieder bekommt man zu hören oder zu lesen, die Vielzahl christlicher Kirchen und Konfessionen sei nicht zu beklagen, sondern zu bewundern. Sie sei nicht Armut, sondern Reichtum, nicht Not, sondern Gnade. Die Fülle des christlichen Lebens müsse sich auf unterschiedliche und sogar auf gegensätzliche Weise bekunden. Bereits in der Bibel sei nicht von der Einheit die Rede; dort lasse sich vielmehr eine spannungsreiche Verschiedenheit erkennen, die in etwa den heutigen Konfessionen entspreche. Diese müßten deshalb als solche bewahrt bleiben, auch wenn sie im Umgang miteinander „ökumenischer" werden sollten.

Das Konzil ist entschieden anderer Überzeugung. In seiner Sicht ist die *Spaltung* der Christenheit ein Skandal mit verhängnisvollen Folgen, ein Abfall von Christus, der nicht eine gewisse Besserung, sondern eine radikale Bekehrung fordert. Eindeutig wird gleich zu Beginn des Ökumenismusdekrets erklärt: Die Spaltung widerspricht „ganz offenbar dem Willen Christi, sie ist ein Ärgernis für die Welt und ein Schaden für die heilige Sache der Verkündigung des Evangeliums vor allen Geschöpfen" (UR 1, 1). Ein Bild der Väter-

---

[49] *E. Bertram* (Hrsg.), Worte Meister Leonardos (Wiesbaden 1957) 11.

tradition aufgreifend, wird an anderer Stelle beklagt, daß „der nahtlose Leibrock Christi", Symbol der seinem Willen und Wesen gemäßen Einheit, durch Spaltungen unterschiedlicher Art zerrissen werde (UR 13, 1). Mehr noch, schlimmer noch: Es ist, „als ob Christus selber geteilt wäre" (UR 1, 1). In „der einen und einzigen Kirche Gottes haben sich schon von den ersten Zeiten an Spaltungen gebildet, die der Apostel aufs schwerste tadelt und verurteilt; in den späteren Jahrhunderten aber sind ausgedehntere Verfeindungen entstanden, und es kam zur Trennung recht großer Gemeinschaften von der vollen Gemeinschaft der katholischen Kirche" (UR 3, 1). Das geschah „nicht ohne Schuld der Menschen auf beiden Seiten" (UR 3, 1). Weil die „Sünden gegen die Einheit" (UR 7, 2) überhandgenommen haben, ist es zur Spaltung gekommen. Das Konzil widersteht der Versuchung, solches Versagen einseitig bei den Nichtkatholiken anzuzeigen. Ausdrücklich schützt es die heute in den getrennten Gemeinschaften Lebenden vor dem Schuldvorwurf: Den Menschen, „die jetzt in solchen Gemeinschaften geboren sind und in ihnen den Glauben an Christus erlangen, darf die Schuld der Trennung nicht zur Last gelegt werden" (UR 3, 1). Was andern gegenüber nicht angebracht erscheint, wird im eigenen Bereich praktiziert: Die Katholiken werden zur Erkenntnis und zum Bekenntnis ihrer Schuld aufgerufen. Jeder Selbstgefälligkeit und Selbstsicherheit gegenüber wird daran erinnert, daß das Zeugnis des Apostels auch „von den Sünden gegen die Einheit gilt": „Wenn wir sagen, wir hätten nicht gesündigt, so machen wir ihn zum Lügner, und sein Wort ist nicht in uns" (1 Joh 1,10) (UR 7, 2). Die Konzilsväter haben es nicht beim Appell an andere belassen; sie haben selber gehandelt und nachdrücklich erklärt: „In Demut bitten wir also Gott und die getrennten Brüder um Vergebung, wie auch wir unseren Schuldigern vergeben" (UR 7, 2).

Zu den verhängnisvollen Folgen der Sünden gegen die Einheit gehört, daß die Katholizität der Kirche Schaden leidet. Das wirkt sich in allen ihren Gliedern aus. Die „Spaltungen der Christen sind für die Kirche ein Hindernis, daß sie die ihr eigene Fülle der Katholizität in jenen Söhnen wirksam werden läßt, die ihr zwar durch die Taufe zugehören, aber von ihrer völligen Gemeinschaft getrennt sind. Ja, es wird dadurch auch für die Kirche selber schwieriger, die Fülle der Katholizität unter jedem Aspekt in der Wirklichkeit des Lebens auszuprägen" (UR 4, 10). Die Kirche, „die ihrem Wesen nach ‚missionarisch' (d. h. als Gesandte) unterwegs" (AG 2, 1) ist, kann im Zustand der Spaltung nicht hinreichend missionarisch sein und wirken. Wenn sie eins sein soll, „damit die Welt glaubt" (Joh 17,21), muß sich alle Uneinigkeit negativ auf ihre Glaubwürdigkeit und Missionsfähigkeit auswirken. Konsequent hat das Dokument über die Missionstätigkeit der Kirche die diesbezüglichen Aussagen des Ökumenismusdekrets aufgegriffen, verstärkt und erweitert. Es bietet uns ein Stück eines authentischen Kommentars, wenn es erklärt: „Spaltung der Christen ‚ist ein Schaden für die heilige Sache der Verkündigung des Evangeliums vor allen Geschöpfen' (UR 1, 1) und verschließt vielen den Zugang zum Glauben. Mithin sind von der Notwendigkeit der Mission her alle Gläubigen dazu gerufen, daß sie in einer Herde vereint werden und so vor den Völkern von Christus, ihrem Herrn, einmütig Zeugnis ablegen können."[50]

Angesichts der Spaltung, ihrer Ursachen und ihrer Folgen drängt sich die Erkenntnis auf, daß die *Wiedervereinigung* der Getrennten ebenso notwendig wie schwierig ist. Die Konzilsväter gehen noch weiter. Sie sagen, daß sie ihnen, menschlich gesehen, geradezu unmöglich erscheint. Sie sind davon überzeugt, daß die „Wiederversöhnung aller Christen in der Einheit der einen und einzigen Kirche Christi die menschlichen Kräfte und Fähigkeiten übersteigt" (UR 24, 2). Gibt man damit am Ende des Dekrets den Kampf auf? Keineswegs! Man schickt sich an, ihn realistisch anzugehen. „Seid nüchtern, und setzt eure Hoffnung ganz auf die Gnade", heißt es im ersten Petrusbrief (1 Petr 1,13). Seid nüchtern, und setzt eure Hoffnung auf Christus und den dreieinen Gott, sagt das Konzil. Es schließt das Ökumenismusdekret mit den Worten: „Darum setzt es seine Hoffnung gänzlich auf das Gebet Christi für die Kirche, auf die Liebe des Vaters zu uns und auf die Kraft des Heiligen Geistes. ‚Die Hoffnung aber wird nicht zuschanden: Denn die Liebe Gottes ist ausgegossen in unseren Herzen durch den Heiligen Geist, der uns geschenkt ist' (Röm 5,5)" (UR 24, 2). Christi Gebet, daß alle eins seien, ist Inbegriff seiner Lebenssendung. Es wurde durch seinen Tod nicht abgebrochen. Sein Kreuzestod ist das Amen dieses Gebetes, stirbt er doch, „um die versprengten Kinder Gottes wieder zu sammeln" (Joh 11,52). Diesem Amen folgt das himmlische Halleluja. Der Auferstandene lebt allezeit, um für die Seinen beim Vater einzutreten (vgl. Hebr 7,25). Er ist die lebendige, unzerstörbare Hoffnung auf die volle Einheit. Er führt zum guten Ende, was er begonnen hat. Das gibt dem Konzil den Mut zu der Erklärung, daß „allmählich die Hindernisse, die sich der völligen kirchlichen Gemeinschaft entgegenstellen, überwunden und alle Christen zur selben Eucharistiefeier, zur Einheit der einen und einzigen Kirche versammelt werden" (UR 4, 3). Trotz unseres Versagens nimmt Christus das Geschenk der Einheit nicht zurück. Im Blick auf ihn wagt die Kirche zu hoffen, daß die Einheit „immer mehr wachsen wird bis zur Vollendung der Zeiten" (UR 4, 3); „er vollendet seine Gemeinschaft in der Einheit" (UR 2, 4).

---

[50] AG 6, 6; vgl. dazu *Y. M. I. Congar* in: *J. Schütte* (Hrsg.) Mission nach dem Konzil (Mainz 1967) 158–161.

2) Dynamik

Zur gelebten Hoffnung gehören *Erneuerung und Aufbruch*. Der Hoffnungslose verkrampft sich in den Status quo. Dieser erscheint ihm so gut, daß eine Änderung nicht nötig ist, oder aber so schlecht, daß sie nicht möglich ist. Wer hofft, will über den Status quo hinaus. Er setzt auf Erneuerung und Zugewinn. Der Glaube weiß, daß Christus beides schenken will: Er will das Vorhandene erneuern und zu dem hinführen, „was kein Auge gesehen und kein Ohr gehört hat, was keinem Menschen in den Sinn gekommen ist" (1 Kor 2,9). Aufs neue wird offenbar, daß „Christus Gottes Kraft und Gottes Weisheit" ist (1 Kor 1,24). Er ist und gibt die Kraft zur Erneuerung. Diese ist nicht alle Jubeljahre fällig, sie ist immerzu nötig. Christus ruft seine Kirche zu einer „dauernden Reform", „deren sie allzeit bedarf, soweit sie menschliche und irdische Einrichtung ist" (UR 6, 1). Zum Glaubensgehorsam gehört, daß die Christen, „ihrer jeweiligen Stellung entsprechend", bemüht sind, „daß die Kirche, die die Niedrigkeit und das Todesleiden Christi an ihrem Leib trägt, von Tag zu Tag geläutert und erneuert werde, bis Christus sie sich dereinst glorreich darstellt, ohne Makel und Runzeln" (UR 4, 6).

Die mit den letzten Worten angedeutete Vollendung der Einheit, das Zielbild des ökumenischen Strebens, ist keine Utopie. Sie hat ihren Ort in dieser Welt. Sie hat bereits heute ihre Wirkmöglichkeit, ihre Wirkmächtigkeit. Wenn sie auch noch nicht voll verwirklicht ist, so ist doch Wesentliches von ihr jetzt schon da. Es ist voller Dynamik, wie gesunde Wurzeln und Keime es sind. Wer diese isoliert betrachtet, kann nicht sehen, welche Pflanzen aus ihnen hervorgesprossen werden; gleichwohl ist deren Gestalt bereits im Keim gegenwärtig und wirksam. Anders gesagt: In unserer Geschichtszeit, die durch das eschatologische „jetzt schon" und „noch nicht" charakterisiert ist, wirkt Christus kraftvoll auf die Vollendung der Einheit hin. Er erfüllt sein Versprechen, als Erhöhter alles an sich zu ziehen (Joh 12,32). Das Konzil nimmt darauf Bezug und expliziert: „Zur Rechten des Vaters sitzend, wirkt er beständig in der Welt, um die Menschen zur Kirche zu führen und durch sie enger mit sich zu verbinden, um sie mit seinem eigenen Leib und Blut zu ernähren und sie seines verherrlichten Lebens teilhaftig zu machen. Die Wiederherstellung also, die uns verheißen ist und die wir erwarten, hat in Christus schon begonnen, nimmt ihren Fortgang in der Sendung des Heiligen Geistes und geht durch ihn weiter in der Kirche . . ., bis wir das vom Vater uns in dieser Welt übertragene Werk mit der Hoffnung auf die künftigen Güter zu Ende führen und unser Heil wirken (vgl. Phil 2,12). Das Ende der Zeiten ist also bereits zu uns gekommen (vgl. 1 Kor 10,11), und die Erneuerung der Welt ist unwiderruflich schon begründet und wird in dieser Weltzeit in gewisser Weise wirklich vorausgenommen" (LG 48, 2f).

All das gehört zur Konkretgestalt der christlichen Hoffnung, die wir der Welt zu vermitteln haben. Das kann und soll weithin gemeinsam geschehen. Zu einer Hoffnung berufen (vgl. Eph 4,4), sind alle Christen verpflichtet, möglichst gemeinsam Zeugnis von dieser Hoffnung zu geben. Wo auf solche Weise das Hoffnungspotential der Menschheit vermehrt wird, wächst auch die Einheitskraft der Christenheit, mehr noch: „die Einheit der Kirche wird da Wirklichkeit, wo Christen in der Vorwegnahme und in der Erwartung der Zukunft Gottes vereint sind"[51].

Konzentrieren wir uns abschließend auf das Ziel vor uns, rückt eine wesenhafte und wirksame *Antizipation* der Vollgestalt der Einheit in den Blick. Sie zu beachten ist um so wichtiger, als sie vielfach im ökumenischen Dialog außer acht bleibt.

3) Ziel

Von vielen wird die *Heiligenverehrung* als eine Hypothek gewertet, die das ökumenische Miteinander belastet. Gutwillige Katholiken meinen deshalb gelegentlich, sich aus Rücksicht auf die andern diesbezüglich ausschweigen zu sollen. Abgesehen davon, daß es ein Gebot der Redlichkeit ist, alle Überzeugungen in die Begegnung einzubringen, und daß mit dem Verschweigen wichtiger Komplexe niemandem geholfen wird, ist zu bedenken, daß eine ganze Dimension der Einheit ausfällt, wenn man von der Gemeinschaft der Heiligen absieht. Johannes XXIII. ist es zu verdanken, daß sich das Konzil der Frage der Heiligenverehrung gestellt hat. Auf seine Intervention hin erarbeitete eine Kommission unter Leitung von Kardinal Larraona einen Text, der nach etlichen Modifikationen als 7. Kapitel in die Kirchenkonstitution integriert wurde. Seine ökumenische Relevanz ist längst noch nicht hinreichend erschlossen.

Die „brüderliche Eintracht der Familie Gottes", von der das Ökumenismusdekret spricht (UR 2, 4), darf sich nicht auf die relativ wenigen augenblicklichen Zeitgenossen beschränken. Für die afrikanischen Konzilsväter, die den Ausdruck *„familia Dei"* gewünscht hatten[52], zählen die verstorbenen Angehörigen selbstverständlich zur Familie; sie sind durch den Tod nicht von ihr getrennt, werden vielmehr auf neue Weise verbunden. Dieses menschliche Urwissen, das im modernen Abendland teilweise verkümmert ist, findet im Glauben eine bewegende Bestätigung. „Die Einheit der Erdenpilger mit den Brüdern, die im Frieden Christi entschlafen sind, hört keines-

---

[51] Salamanca-Bericht der Kommission für Glauben und Kirchenverfassung A II in: *R. Groscurth* (Hrsg.), Wandernde Horizonte auf dem Weg zu kirchlicher Einheit (Frankfurt a.M. 1974) 163.
[52] *L. Jaeger*, a.a.O. 91.

wegs auf, wird vielmehr nach dem beständigen Glauben der Kirche gestärkt durch die Mitteilung geistlicher Güter" (LG 49). Das darf der einzelne Christ im Blick auf seine verstorbenen Angehörigen und Freunde wissen. Überdies hat es seine Relevanz auch für das Leben der Kirche und für ihre Einheit. „Dadurch nämlich, daß die Seligen inniger mit Christus vereint sind, festigen sie die ganze Kirche stärker in der Heiligkeit, erhöhen die Würde des Gottesdienstes, den sie auf Erden darbringt, und tragen auf vielfältige Weise zum weiteren Aufbau der Kirche bei (vgl. 1 Kor 12,12–27)" (LG 49). Näherhin gibt es drei Lebensphasen und -formen der einen Kirche Christi: Die „einen von seinen Jüngern" pilgern auf Erden, „die andern sind aus diesem Leben geschieden und werden gereinigt, wieder andere sind verherrlicht und schauen ‚klar den dreieinigen Gott selbst, wie er ist'"[53]. In „verschiedenem Grad und auf verschiedene Weise" haben alle „Gemeinschaft in derselben Gottes- und Nächstenliebe" (LG 49). In aktiver Solidarität können sie untereinander Kontakt halten, in lebendigem Austausch stehen und einander wirksam helfen. Was sich in dem von uns überschaubaren begrenzten Lebenskreis erfahrbar vollzieht, reißt nicht ab, wenn der Horizont sich weitet und unsere Orts- und Zeitdimension überschritten wird. So „wie die christliche Gemeinschaft unter den Erdenpilgern uns näher zu Christus bringt, so verbindet auch die Gemeinschaft mit den Heiligen uns mit Christus, von dem als Quelle und Haupt jegliche Gnade und das Leben des Gottesvolkes selbst ausgehen" (LG 50, 3).

Nur „zusammen mit allen Heiligen" werden wir fähig, „die Länge und Breite, die Höhe und Tiefe" des Christusmysteriums zu ermessen (Eph 3,18). Erst vom ganzen Gottesvolk her ist der ganze Christus zu erfassen. Die Heiligen sind besonders qualifizierte Zeugen seines steten Wirkens. Wie die geheiligten Menschen unter uns bezeugen, daß Christus auch in unserer Zeit am Werk ist, so lassen die Heiligen des Himmels erkennen, wie er in der Vergangenheit gewirkt hat und wie er in alle Ewigkeit Leben und Heil schenkt. Entsprechend sieht die Kirche in ihnen nicht nur Gestalten, die kraft ihrer Christusnachfolge für uns vorbildlich sein können; sie wendet sich hilfesuchend an sie in der Überzeugung, daß sie kraft ihrer jetzigen Christusgemeinschaft uns wirksam beistehen können. „Wenn wir nämlich auf das Leben der treuen Nachfolger Christi schauen, erhalten wir neuen Antrieb, die künftige Stadt zu suchen (vgl. Hebr 13,14; 11,10). Zugleich werden wir einen ganz verläßlichen Weg gewiesen, wie wir, jeder nach seinem Stand und seinen eigenen Lebensverhältnissen, durch die irdischen Wechselverhältnisse hindurch zur vollkommenen Vereinigung mit Christus, näm-

---

[53] Konzil von Florenz, Dekret für die Griechen: DS 1305.

lich zur Heiligkeit, kommen können" (LG 50, 2). Die im Vorbild zutage ge-
tretene Pro-existenz der Heiligen bewährt sich immer wieder aufs neue in
deren bleibender *Solidarität* mit uns. „Denn in die Heimat aufgenommen
und dem Herrn gegenwärtig (vgl. 2 Kor 5,8), hören sie nicht auf, durch ihn,
mit ihm und in ihm beim Vater für uns Fürbitte einzulegen, indem sie die
Verdienste darbringen, die sie durch den einen Mittler zwischen Gott und
den Menschen, Christus Jesus (vgl. 1 Tim 2,5), auf Erden erworben haben,
zur Zeit, da sie in allem dem Herrn dienten und für seinen Leib, die Kirche,
in ihrem Fleisch ergänzten, was an dem Leiden Christi noch fehlt (vgl. Kol
1,24). Durch ihre brüderliche Sorge also findet unsere Schwachheit reichste
Hilfe" (LG 49).

Über die existentielle Bedeutung für den einzelnen Glaubenden hinaus ist
die rechte Heiligenverehrung von erheblicher ekklesialer und damit auch
ökumenischer Relevanz. Sie kann nicht nur zur Erbauung des einzelnen beitragen, sie kann der *Auferbauung der einen Kirche* dienen. Das letztere wird
häufig übersehen. Um so mehr ist es dem Konzil zu danken, daß es gerade
dies besonders betont. Ausdrücklich erklärt es, daß wir „nicht bloß um des
Beispiels willen" das Gedächtnis der Heiligen begehen, „sondern mehr noch,
damit die Einheit der ganzen Kirche durch die Übung der brüderlichen Liebe im Geiste gestärkt werde (vgl. Eph 4,1–6)" (LG 50, 3).

Spezifischer Ausdruck und machtvolle Auswirkung dieser umfassenden
Einheit ist der kirchliche Gottesdienst. Er verbindet die irdische und die
himmlische Kirche, indem er sie miteinander auf den einen Herrn ausrich-
tet: „In der irdischen Liturgie nehmen wir vorauskostend an jener himmlischen Liturgie teil, die in der heiligen Stadt Jerusalem gefeiert wird, zu der
wir pilgernd unterwegs sind, wo Christus sitzt zur Rechten Gottes, der Diener des Heiligtums und des wahren Zeltes. In der irdischen Liturgie singen
wir dem Herrn mit der ganzen Schar des himmlischen Heeres den Lobge-
sang der Herrlichkeit. In ihr verehren wir das Gedächtnis der Heiligen und
erhoffen Anteil und Gemeinschaft mit ihnen. In ihr erwarten wir den Erlöser, unseren Herrn Jesus Christus, bis er erscheint als unser Leben und wir
mit ihm erscheinen in Herrlichkeit" (SC 8). Vergegenwärtigt man sich das
alles, dann kann man das Gewicht ermessen, das den Hinweisen des Ökumenismusdekrets auf die Heiligenverehrung der orientalischen Kirchen zukommt. Daß sie in ihren liturgischen Feiern „Maria, die allzeit Jungfräuli-
che", und „viele Heilige, unter ihnen Väter der gesamten Kirche", verehren
(UR 15, 2), ist mehr als ein erfreuliches Zeichen für das gemeinsame Festhalten an alter christlicher Tradition; es markiert unsere beglückende gemeinsame Verbundenheit mit der himmlischen Kirche, es kann uns stimulieren, ihr
Seite an Seite zielstrebig entgegenzugehen.

Hier meldet sich ein gewichtiger Einwand: Bedeutet das Reden von der himmlischen Kirche am Ende nicht das Festschreiben einer dubiosen Ekklesiozentrik? Diese Frage ist ernst zu nehmen. Sie macht auf eine Gefahr aufmerksam, die aller theologischen Beschäftigung mit der Kirche droht, die Gefahr, daß die Kirche theoretisch und praktisch an die Stelle Gottes tritt. Löst man einige Aussagen des Konzils aus ihrem Zusammenhang, mag man meinen, es sei tatsächlich dieser Gefahr erlegen. Es hat ja auch nicht an Kritikern gefehlt, die gerade diesen Vorwurf gegen das gesamte II. Vatikanum erhoben haben. Faßt man indes seine Aussagen über die Zukunft der Kirche zusammen, dann zeigt sich, daß sie über sie hinausweisen auf den einen Herrn, der ihr Ursprung und ihr Ziel ist. Nicht die eine Kirche, sondern *der eine Herr* ist der Punkt Omega, dem es entgegengeht. Es ist nicht so, daß die Kirche sich aus eigener Kraft auf ihre Selbstverwirklichung zubewegt. Sie kommt nur in dem Maße zu sich selbst, wie sie durch dessen Hilfe zu ihrem Herrn findet. Wenn sie, wie das Ökumenismusdekret formuliert, „in Hoffnung dem Ziel des ewigen Vaterlandes" entgegenpilgert (UR 2, 5), dann ist dieses nicht der selbstgebaute Babylonische Turm, sondern das neue Jerusalem, das der Prophet „von Gott her aus dem Himmel herabgekommen" (Offb 21,2) sieht. Unser Dekret nimmt dieses Bild auf, indem es die Gefährdung wie die Begnadung der Kirche anspricht: „Dieses Volk Gottes bleibt zwar während seiner irdischen Pilgerschaft in seinen Gliedern der Sünde ausgesetzt, aber es wächst in Christus und wird von Gott nach seinem geheimnisvollen Ratschluß sanft geleitet, bis es zur ganzen Fülle der ewigen Herrlichkeit im himmlischen Jerusalem freudig gelangt" (UR 3, 5).

Näherhin weist die vom Herrn geschenkte Vollendung der Kirche auf doppelte Weise über sich hinaus: Sie ist nicht Selbstzweck, sie dient der Verherrlichung Gottes und dem Heil der Welt. Jetzt ist sie vollauf „Zeichen und Werkzeug für die innigste Vereinigung mit Gott wie für die Einheit der ganzen Menschheit" (LG 1), unübersehbares Zeichen und unwiderstehliches Werkzeug. Wenn „die Zeit der allgemeinen Wiederherstellung kommt", „wird mit dem Menschengeschlecht auch die ganze Welt, die mit dem Menschen innigst verbunden ist und durch ihn ihrem Ziel entgegengeht, vollkommen in Christus erneuert werden" (LG 48, 1). Worte des letzten Buches der Bibel aufgreifend, läßt das Konzil sein eschatologisches Kapitel im Gotteslob münden. Die erste Aussage der Kirchenkonstitution: „Christus ist das Licht der Völker", gilt auch für die ewige Herrlichkeit: Er ist die Leuchte der himmlischen Gottesstadt: „Wenn nämlich Christus erscheint und die Toten in Herrlichkeit auferstehen, wird der Lichtglanz Gottes die himmlische Stadt erhellen, und ihre Leuchte wird das Lamm sein (vgl. Offb 21,24). Dann wird die ganze Kirche der Heiligen in der höchsten Seligkeit der Liebe

Gottes und das ‚Lamm, das geschlachtet ist‘ (Offb 5,12), anbeten und mit einer Stimme rufen: ‚Dem, der auf dem Thron sitzt, und dem Lamm: Lobpreis und Ehre und Herrlichkeit und Macht in alle Ewigkeit‘ (Offb 5,13 – 14)“ (LG 51, 2).

Selbst in ihrer letzten Vollendung weist die Kirche über sich hinaus auf Christus. Nicht einmal bei ihm endet ihre Lebensbewegung. Sie mündet dort, wo sie ihren Ausgang nahm: im Geheimnis des ewigen Vaters. So entspricht es der Heilsökonomie, die Paulus sagen ließ: „Wenn ihm dann alles unterworfen ist, wird auch er, der Sohn, sich dem unterwerfen, der ihm alles unterworfen hat, damit Gott sei alles in allem“ (1 Kor 15,28). In dieser Dynamik ist auch das Christuszeugnis des Konzils und speziell das seines Ökumenismusdekrets zu sehen. Letztlich führt es hin zum Vater. Was Jesus dem Philippus sagt, gilt allen, die ihre Augen auf ihn richten: „Wer mich gesehen hat, hat den Vater gesehen“ (Joh 14,9).

KIRCHENZUGEHÖRIGKEIT

Von der jurisdiktionell fixierten Kirchengliedschaft
zur Teilhabe am Pleroma des Leibes Christi

Zu den vielbeachteten unter den frühen Nachkriegspublikationen Karl Rahners gehört sein 1947 in der Innsbrucker „Zeitschrift für Katholische Theologie" erschienener Aufsatz „Die Zugehörigkeit zur Kirche nach der Lehre der Enzyklika Mystici corporis"[1]. Die genannte Enzyklika war mitten in den Kriegswirren am 29. 6. 1943 erschienen[2], mitveranlaßt durch überbesorgte Appellationen aus dem deutschen Episkopat, die in dem neuerwachten, liturgisch inspirierten Kirchenbewußtsein der „Corpus-Christi-mysticum-Bewegung"[3] eine Bedrohung des korporativ-gesellschaftlich geprägten Kirchenbegriffs des Kardinals Bellarmin sahen, der überdies in nachtridentinisch verschärfter Zuspitzung herrschend geworden war.

Die Enzyklika hatte jedoch den Corpus-Christi-Begriff freudig aufgenommen und weit über seinen biblischen Gebrauch hinaus entfaltet, zugleich aber seine Anwendung durch Gleichsetzung mit dem Corpus sociale der römisch-katholischen Kirche drastisch verengt. Ihr zufolge sind den Gliedern des „mystischen Leibes, der die Kirche ist, in Wahrheit nur jene zuzuzählen, die das Bad der Wiedergeburt empfingen, den wahren Glauben bekennen (veram fidem profitentur) und sich weder selbst zu ihrem Unsegen vom Zusammenhang des Leibes getrennt haben noch wegen schwerer Verstöße durch die rechtmäßige kirchliche Obrigkeit davon ausgeschlossen worden sind". „Aus diesem Grunde können die, welche im Glauben oder in der Leitung voneinander getrennt sind, nicht in diesem einen Leib und aus seinem einen göttlichen Geiste leben."[4]

---

[1] ZKTh 69 (1947) 129–188; künftig zitiert nach: Schriften II 7–94.
[2] *Pius XII.,* Enzyklika „Mystici corporis", in: AAS 35 (1943) 193–248; lat.-dt. Ausgabe (Freiburg i. Br. 1947).
[3] Nach einem von *B. Bartmann* (ThGl 28 [1963] 19ff) geprägten Ausdruck: *U. Valeske,* Votum Ecclesiae. Das Ringen um die Kirche in der neueren römisch-katholischen Theologie (München 1962) 196 (mit ausführlichem Referat über Vorgeschichte, Inhalt und Echo der Enzyklika: 196–236).
[4] AAS 202; vgl. *K. Rahner,* a.a.O. 33f.

Zwar konnten katholische Kommentatoren darauf hinweisen, daß die Enzyklika mit solchen Aussagen den außerhalb der katholischen Kirche Stehenden nicht die Erlangung göttlicher Gnade oder die Möglichkeit ewigen Heiles abspreche. So wurde erinnert an zwei Verlautbarungen Pius' IX., denen zufolge die Schuld, nicht in der Kirche als der „einzigen Arche des Heils" seine Rettung gesucht zu haben, auf dem nicht lastet, „der da lebt in unüberwindlicher Unkenntnis der wahren Religion", und an entsprechende Gedanken im Schema propositum des I. Vatikanischen Konzils[5]. In den Adnotationes zu diesem Schema taucht bereits der Gedanke einer Kirchenzugehörigkeit „in voto" auf[6].

Auch die Enzyklika selbst spricht verhalten von solchen, die durch Antrieb der göttlichen Gnade „aus einem unbewußten Sehnen und Wünschen heraus (inscio quodam disiderio ac voto) schon in einer Beziehung zum mystischen Leibe des Erlösers stehen"[7].

Jedoch wird diese Beziehung existentiell oder gar ekklesial nicht greifbar, und die Sachlogik der Enzyklika erlaubt es nicht, sie als eine Art *gradueller* Kirchenzugehörigkeit aufzufassen, wie auch die strikte Identifizierung von Corpus mysticum mit hierarchisch verfaßter Kirche es nicht zuließ, die außerhalb der Kirche als des Leibes Christi im Gnadenstand Befindlichen als doch von der *Seele* dieses Leibes belebt zu sehen[8].

1. Karl Rahners Analyse der Enzyklika „Mystici corporis"

Während nun verschiedene katholische Autoren angesichts der starken Ernüchterung, welche die Enzyklika in der Ökumene bewirkte, versuchten, deren strenge begriffliche Festlegungen mit offeneren Auslegungen des Lehramtes zu harmonisieren, scheute sich Karl Rahner nicht, die Logik der Enzyklika noch zu verschärfen, und konnte gerade so einerseits zu Postulat und Ansatz einer sachlichen Neubesinnung des „votum Ecclesiae" gelangen, andererseits die Fixierung des Begriffs „Kirchengliedschaft" durch die Enzyklika als sachliche Parallele zum Begriff der „Gültigkeit" der Sakramente (auf der Ebene des sakramentalen Zeichens als „sacramentum tantum") aufzeigen[9] und so die vom Ansatz her begrenzte Relevanz dieser Fragestellung im Rahmen der kirchlichen und sakramentalen Gesamtwirklichkeit erweisen.

---

[5] *Pius IX.*, Allocutio „Singulari quadam" (D [35]1647); ähnlich Enzyklika „Quanto conficiamur moerore" (D [35]1677; D [36]2865 ff); vgl. *K. Rahner*, a.a.O. 45 70. – Schema propositum, in: ColLac 569; vgl. *K. Rahner*, a.a.O. 69 f.
[6] ColLac 569 c – d; vgl. *U. Valeske*, a.a.O. 84.   [7] AAS 243 *(K. Rahner*, a.a.O. 61 f).
[8] *K. Rahner*, a.a.O. 74 f.   [9] Ebd. 22.

Je stärker die Enzyklika mit einer schon frühpatristischen Tradition die Heilsnotwendigkeit der Kirche als der „einzigen Arche des Heils" betont, andererseits aber am Heil der außerhalb der Kirche Stehenden nicht verzweifelt, desto konsequenter mußte gezeigt werden, daß bei letzteren „die aus einem unbewußten Sehnen und Wünschen" resultierende Beziehung zum mystischen Leibe des Erlösers als eine theologisch verifizierbare gnadenhafte Wirklichkeit von zugleich zeichenhafter Ausrichtung auf die sichtbare Kirche zu verstehen ist, da ein bloßes Wünschen, man entginge auch außerhalb der rettenden Arche der tobenden Sintflut, offenbar nicht schon als *solches* die Arche selbst als das unverzichtbare Mittel der Rettung ersetzen kann[10].

Von Rahners Einsichten sensibilisiert, kann man heute seine damaligen Ausführungen leicht auch liturgiegeschichtlich ergänzen und zeigen, wie gerade im verwandten Fragezusammenhang der Taufe die entscheidende Vorgegebenheit für jede Konzeption eines Getauftwerdens „in voto" die Bluttaufe der Märtyrer mit ihrer existentiellen und „sakramental"-zeichenhaften Wirklichkeitsstruktur ist. Der Heilsrealismus, mit dem Väter wie Hippolyt und Cyrill von Jerusalem von dieser Taufe als einem wahren „Getauftwerden im Blute" sprechen, offenbart, daß hier nicht nur die *Sehnsucht* nach der Taufgnade oder der vergebliche *Wunsch*, man würde gerne kirchlich getauft sein, diese Bluttaufe effektiv macht. Vielmehr geschieht das „Eingepflanztwerden in das Gleichbild des Todes des Herrn", als welches Paulus Röm 6,5 die Taufe bezeichnet, im Fall der Bluttaufe in einer solchen existentiellen und zeichenhaften Deutlichkeit, daß ihr gegenüber die Wassertaufe selbst „nur" als die zeichenhafte Nachbildung für die Durchschnittssituation eines Christenlebens erscheint, die an der existentiellen Wirkung der ersteren Teilhabe gibt[11].

Hinsichtlich der entsprechenden existentiell-sakramentalen Struktur beim votum Ecclesiae stellte Rahner jedenfalls die damals unerwartete Frage:

„Ist das votum Ecclesiae, faktisch und konkret gesehen, ein rein geistig-personaler Akt des Menschen in einer schlechterdings außersakramentalen, rein unsichtbar gna-

---

[10] Ebd. 45–54.

[11] Hippolyt (um 215) sagt in seiner Apostolischen Überlieferung (Text: *B. Botte,* La Tradition Apostolique de s. Hippolyte [Münster 1963] 40, künftig: Botte) von dem *vor* seinem Tauftermin sterbenden Märtyrer: „Er empfängt die Taufe in seinem Blute." – Vgl. den Parallelfall des Bekenners, der *öffentlich* und *zeichenhaft* Qualen für Christus erlitten hat und deshalb *ohne das Zeichen der Handauflegung* in das Presbyterium aufgenommen werden kann (ebd. 28) – Nach Cyrill von Jerusalem (Kat. 3,10) zielt das Mysterium des Blutes und Wassers aus der Seite Christi (Joh 19,34) darauf ab, „daß diejenigen, die in friedlicher Zeit leben, im Wasser getauft würden, die in Zeiten der Verfolgung Lebenden dagegen mit ihrem eigenen Blut" (es folgt Zitat von Mt 20,22).

denhaften Innerlichkeit, und ersetzt das votum Ecclesiae *dadurch* und auf *diese* Weise die sichtbare, gewissermaßen sakramentale Zugehörigkeit zur Kirche als dem Zeichen und der gottmenschlichen Sichtbarkeit des Heiles? Oder ist dem votum Ecclesiae selbst, wenn es adäquat gesehen wird, notwendigerweise eine gewisse ‚Sichtbarkeit‘ innerlich zu zeigen, so daß es *deshalb* die normale äußere Zugehörigkeit zur sichtbaren Kirche im Notfall ersetzen kann, ohne daß dadurch die sakramentale Struktur allen Heiles plötzlich in einem Sonderfall aufgehoben wird und ein in der Dimension der personalen Entscheidung mittelhaft Notwendiges plötzlich ein in der Dimension der sakramentalen Zeichenhaftigkeit mittelhaft Notwendiges verdrängt oder ersetzt?"[12]

Rahners Antwort lautet: Wenn die traditionelle Lehre von der Heilsnotwendigkeit der Kirche in ihrer ganzen Tragweite verstanden wird, dann impliziert dies für den Akt der Erlangung des Heils bei einem außerhalb der hierarchisch verfaßten katholischen Kirche Stehenden doch einen geistig-personalen Akt, „der insofern schon ein Stück von Kirche notwendig real in sich schließt, als er der real-ontologische Vollzug der Gliedschaft am Volke Gottes ist".

„Als Glaube und Liebe ist der Rechtfertigungsakt Tat der geistigen Person, als Akt des konkreten Menschen als eines Gliedes an der einen durch die Menschwerdung konsekrierten Menschheit hat er gleichzeitig und notwendig eine Wirklichkeit bei sich, die, obwohl Ausdruck der personalen Tat, dennoch von dieser verschieden ist und als Gliedschaft am Volke Gottes quasi-sakramentale Struktur hat. Weil der Mensch eben konkreter, leiblicher, mit Christus blutsverwandter Mensch ist, geschieht das votum Ecclesiae gar nicht in einer schlechterdings außersakramentalen, rein unsichtbar gnadenhaften Innerlichkeit, sondern ist als Akt des konkreten Menschen wesensnotwendige Übernahme der quasi-sakramentalen Struktur, die der Menschheit und somit dem einzelnen Menschenwesen als dem Volk Gottes bzw. dem Glied an diesem Volk auf Grund der Menschwerdung Gottes notwendig eignet."[13]

Indem Karl Rahner in solcher Weise die Ansätze der Enzyklika über ein votum Ecclesiae, das auch im Hinblick auf die Kirche als den sichtbaren Leib Christi relevant ist, offenlegte und konsequent durchdachte, konnte er zugleich zeigen, daß die in der terminologischen Fixierung der Kirchengliedschaft zunächst verspürte Enge doch durch die Eröffnung einer neuen Chance aufgewogen wurde, die darin besteht, daß die für ihr ewiges Heil bestimmte Menschheit nicht nur am Gnadenschatz der Kirche unsichtbar teilhaben kann, sondern sich in einem ebenbildlichen Realitätsbezug zur bekennenden, sakramental und hirtenamtlich verfaßten Kirche zu erkennen vermag.

Hinsichtlich der terminologischen Identifikation von katholischer Kirche

---

[12] *K. Rahner,* a.a.O. 56 f.
[13] Ebd. 91 f.

mit Corpus mysticum weist Rahner darauf hin, daß diese gegenüber der in der Tradition bekannten, weiter gefaßten Verwendung des letzteren Begriffs (die vor allem vom biblischen Gebrauch des Wortes Corpus Christi vorgezeichnet ist) nicht als theologisch verpflichtend aufgefaßt werden müsse, ja auch der Begriff der Kirche „als sakral rechtliche Organisation" und „als durch die Menschwerdung geweihte Menschheit" als doppelschichtiger zu konzipieren sei, sofern die mögliche und angemessene terminologische Unterscheidung an der materiellen Identität festhält und nicht getrennte Gegebenheiten postuliert[14].

Rahners Rückbeziehung der Realität des votum Ecclesiae auf die ganze inkarnatorisch konsekrierte Menschheit hat freilich seinerzeit nicht allseits Beifall gefunden und wurde teilweise gerade in der ökumenischen Diskussion scharf abgelehnt. Auch Thomas Sartory[15] gibt zu bedenken, daß „die Gnade Gottes im gutgläubigen Häretiker nicht eine *irgendwie* sakramentale Struktur", sondern die eigentliche und volle aufgrund der Taufe gegebene habe, und befürchtet als Konsequenz eine „Eliminierung der Taufwirklichkeit". Die Realität des votum Ecclesiae solle man lieber in der ökumenischen Bewegung suchen. – Erstere Befürchtung ist sicher ein Mißverständnis der Rahnerschen Position, denn die Dynamik der der Menschheit eingestifteten Sakramentalität drängt ja gerade auf die je deutlichere Verwirklichung und Manifestation hin und läßt jede ihrer Stufen innerhalb der Gesamtbeziehung zu der ihr jeweils eigenen Geltung kommen. Das letztgenannte Anliegen Sartorys besteht freilich zu Recht, kann jedoch nicht innerhalb der grundsätzlich angelegten Analyse Rahners als unberücksichtigt angemahnt werden.

Blickt man heute auf die Diskussion um „Mystici corporis" aus der Perspektive der Kirchenkonstitution des II. Vatikanischen Konzils zurück, so wird man dankbar empfinden, wie die der intendierten Wirklichkeit des paulinischen soma-mélos-Bildes kaum gerecht werdende restriktive Verwendung des Leib-Christi- und des Gliedschaftsbegriffs in der Enzyklika einem erneuerten Verständnis von Kirche als „Mysterium" und „Volk Gottes" Raum gibt und auf dieser Grundlage auch der Begriff der „Eingliederung in die Kirche" auf differenzierende Kategorien wie „Verwirklichung" von Kirche (n. 8) sowie „Zugehörigkeit" und „Zuordnung" zur Kirche (n. 13) zurückbezogen wird[16].

---

[14] Ebd. 72.
[15] *Th. Sartory,* Die ökumenische Bewegung und die Einheit der Kirche (Meitingen 1955) 146.
[16] Die Berücksichtigung gerade dieser Kategorien (über den Begriff der „Gliedschaft" hinaus) wurde von Rahner gefordert: a.a.O. 62f.

Dabei ist festzustellen, wie Gedanken und Anregungen, die Karl Rahner in seinem genannten Beitrag und an vielen anderen Stellen vorgetragen hat, zur Geltung gekommen sind und weiter zu fortschreitender Konzilsinterpretation anregen.

2. Kirche als „Mysterium" und die Konsequenz für die Frage der Kirchenzugehörigkeit

Innerhalb der weiten Thematik der ekklesiologischen Neuansätze soll nun auf die durch die Ansätze „Mysterium" und „Volk Gottes" bedingte Konsequenz für den Begriff der „Zugehörigkeit" zur Kirche hingewiesen werden. Das von daher gewonnene Verständnis dieses Begriffs möge dann in einem weiteren Abschnitt verifiziert werden und zum Tragen kommen in der Prüfung seiner Anwendbarkeit auf den ekklesialen Status der orthodoxen Kirche. Der begonnene Dialog zwischen orthodoxer und katholischer Kirche kann nur fruchtbar werden und zum Ziel der Kommuniongemeinschaft gelangen, wenn er, wie es die Panorthodoxen Konferenzen von Rhodos 1963 und 1964 formuliert haben, „auf gleicher Ebene" (ἐπὶ ἴσοις ὅροις) „par cum pari", d.h. unter Zuerkennung des gleichen ekklesialen Status, geführt wird[17].

Katholische Ökumeniker betrachten diese Bedingung als längst erfüllt und verweisen auf die symbolträchtige Form der päpstlichen Begegnungen seit Paul VI. mit höchsten Vertretern orthodoxer Kirchen[18], auf die hierbei abgegebenen theologischen Erklärungen sowie darauf, daß schon die ekklesiologisch relevanten Konzilsdokumente im Hinblick auf die Orthodoxie ausdrücklich von „Kirche" sprechen und sie nicht etwa nur unter die „kirchlichen Gemeinschaften" rechnen, speziell auf nn. 14ff des Ökumenismusdekrets.

Doch bedarf es noch einer starken interpretativen Weiterentwicklung der

---

[17] Vgl. *H.-J. Schulz*, Wiedervereinigung mit der Orthodoxie? Bedingungen und Chancen des neuen Dialogs (Münster 1980) (über die Beschlüsse von Rhodos: ebd. Anm. 2).

[18] Dokumentation des im „Dialog der Liebe" erreichten Verhältnisses zwischen Rom und Konstantinopel: *Tomos Agapis,* Vatican – Phanar 1958–1970 (franz.-griech.) (Rom – Istanbul 1971); dt. Ausgabe: *Tomos Agapis.* Dokumentation zum Dialog der Liebe zwischen dem Heiligen Stuhl und dem Ökumenischen Patriarchat 1958–1976. Deutsche Übersetzung des Dokumentationsbandes über den Austausch von Besuchen, Dokumenten und Botschaften zwischen dem Vatikan und dem Phanar samt einem Anhang über das 10-Jahre-Jubiläum der Aufhebung der Anathemata. Hrsg. im Auftrag des Stiftungsfonds Pro Oriente, Wien (Innsbruck 1978) (künftig: Tomos Agapis).

Konzilsekklesiologie und vor allem einiger Kernaussagen der Kirchenkonstitution „Lumen gentium", um auf kritische Fragen orthodoxer Theologen, ob „Lumen gentium" es zulasse, die orthodoxe Kirche als Teil der „einen, heiligen, katholischen und apostolischen Kirche" zu betrachten, bejahend zu antworten.

Als Voraussetzung einer solchen Interpretation aber sind zunächst die Tragweite des Ansatzes „Kirche als Mysterium" und die neue Situation gegenüber dem Gliedschaftsbegriff der Enzyklika „Mystici corporis" zu bedenken.

Die Enzyklika hatte den Begriff des Corpus mysticum so auf das Corpus sociale der katholischen Kirche bezogen, daß deren sichtbare Konstitutive als hierarchisch verfaßte Glaubensgemeinschaft (zusammen freilich mit der Taufwirklichkeit) selbst als das von Christus eingesetzte sakramentale Heilszeichen erschien und, im Falle einer Defizienz dieser Zeichenhaftigkeit bei einzelnen Gläubigen oder kirchlichen Gemeinschaften, die Qualifikation als „Kirche Christi" (bzw. der Zugehörigkeit zu ihr) ebenso strikt zu negieren war, wie bei einem defizient gesetzten sakramentalen Zeichen von der „Ungültigkeit" des Sakraments gesprochen wird, unbeschadet des geistlichen Nutzens, der z.B. bei einer aus Zelebrationsdefekt „ungültigen" Meßfeier für alle Teilnehmer durchaus gegeben sein kann.

Die Entscheidung über „Gültigkeit" und „Ungültigkeit" eines Sakraments von dessen sichtbarer Ebene her, die heute starr anmutet, entspricht allerdings der Sachlogik des Begriffs „Sakrament", welcher zunächst ja das „signum sacramentale" meint, wie schon bei Tertullian und vor allem bei Augustinus deutlich wird. Und eher als die theologiegeschichtliche Identifikation des „sacramentum" mit dem „signum sacramentale" ist eigentlich die Tatsache verwunderlich, daß dieses Wort in der frühlateinischen Bibelübersetzung und Theologie des 2./3. Jahrhunderts gerade als Wiedergabe des griechischen Begriffs und Wortes „mystērion" verwendet wurde[19]. Denn dieses bedeutet zunächst „das Verschlossene", „Unaussprechliche", „zu Verschweigende" und bezeichnet im Sinn der jüdischen Weisheitsbücher und Apokalyptik den von Ewigkeit her in Gott verborgenen Heilsratschluß, den Gott zur rechten Zeit offenbaren wird. Paulus konkretisiert die Offenbarung und Verwirklichung dieser Heilsabsicht im Christusgeschehen und speziell in

---

[19] Vgl. Zum Begriff „mystērion" (und seiner Wiedergabe als „sacramentum"): *G. Bornkamm,* Art. „mystērion", in: ThWNT IV 809–834 (833f); zum ältesten lateinischen sacramentum-Begriff: *A. Kolping,* Sacramentum Tertullianeum (Münster 1948); über die Bedeutung des Mysterion-Begriffs für die orthodoxe Ekklesiologie: *H.-J. Schulz,* Die sakramentale Struktur der Kirche in orthodoxer Sicht, in: *P. Bläser* (Hrsg.), Sakramentalität der Kirche (Paderborn 1983).

der Botschaft vom Gekreuzigten (1 Kor 2,7); und Eph 3,9f sowie Kol 1,26f (in Verbindung mit 2,12) signalisieren die weitere Konkretisierung des Begriffs „mystērion" als Erlösungswerk Christi, als Christusgeschehen im Leben der Kirche, ja als das vom Gläubigen grundlegend in der *Taufe* partizipierte Christusmysterium.

Von hier aus wird deutlich, daß der Mysterium-Begriff bei Anwendung auf die Kirche (die schon Eph 3,9f und Kol 1,27 sich andeutet) angesichts der universalen Heilsabsicht Gottes kein exklusives Kirchenverständnis begünstigt und ebensowenig kirchliche Vielgestaltigkeit nivelliert, wohl aber für Heilserfahrung in ausgeprägter Konkretisation kirchlichen Lebens offen ist.

Die Kirchenkonstitution tat also gut daran, vom Verständnis der „Kirche als Mysterium" (vgl. den Titel des fundamentalen 1. Kapitels!) auszugehen und nicht etwa den *Sakraments*begriff für die Kirche in den Vordergrund zu stellen. Und da, wo in n. 1 der Sakramentsbegriff auf die Kirche angewandt wird, geschieht dies doch im denkerischen Duktus vom Mysterium her: „Die Kirche ist ja in Christus gleichsam das Sakrament, das heißt Zeichen und Werkzeug für die innigste Vereinigung mit Gott wie für die Einheit der ganzen Menschheit."

Erst n. 7 widmet sich (nachdem in n. 6 die Kirche bereits durch die biblischen Bildworte „Schafstall" und „Herde", Bauwerk und Haus Gottes, Wohnsitz Gottes, Tempel und Neues Jerusalem sowie als „Braut des Lammes" gekennzeichnet wurde) dem Begriff des „Leibes Christi". Und auch hier ist es wiederum bezeichnend, daß der Leib-Christi-Begriff vom biblischen Ansatz her zunächst nicht körperschaftlich, sondern heilsdynamisch, und zwar pneumatologisch-tauftheologisch-eucharistisch, entfaltet wird. Schon in n. 3 war erstmals die ekklesiologische Aussage *„ein* Leib in Christus" von 1 Kor 10,17 und der eucharistischen Grundsymbolik dieser Stelle her verstanden worden; und von diesem Ansatz her wird in n. 7 die Corpus-Christi-Lehre weiter entfaltet.

Die Konzeption des Begriffs von 1 Kor 10,17 und 12,13 her offenbart Inspirationen durch die vor allem von orthodoxen Theologen angeregte „eucharistische Ekklesiologie"[20] und steht in Übereinstimmung mit einer in

---

[20] Vgl. zu deren Berücksichtigung durch das Konzil: *P. Plank*, Die Eucharistieversammlung als Kirche. Zur Entstehung und Entfaltung der eucharistischen Ekklesiologie Nikolaj Afanas'evs (1893–1966) (Würzburg 1980) 11ff. – Grundlegende Darstellung: *N. Afanassieff – N. Koulomzine – J. Meyendorff – A. Schmemann*, Der Primat des Petrus in der orthodoxen Kirche (Zürich 1961); Dokumentation der inzwischen erreichten Verbreitung der eucharistischen Ekklesiologie; *B. Forte*, La chiesa nell'eucaristia (Neapel 1975), sowie: Auf dem Weg zur Einheit des Glaubens. *Koinonia*. Erstes ekklesiologisches Kolloquium zwischen orthodoxen und römisch-katholischen Theologen, veranstaltet vom Stiftungsfond Pro Oriente in Zusammenarbeit mit

der exegetischen Forschung immer stärker werdenden Richtung, die in der eucharistischen Grundsymbolik von 1 Kor 10,17 (nicht aber in der antiken Metapher von der Gesellschaft als „Corpus") Ursprung und Norm des paulinischen Corpus-Christi-Begriffs sieht[21].

In n. 8 schließlich wird die Identität von mystischem Leib Christi und hierarchisch verfaßter Kirche, von Kirche als sichtbarer Versammlung und geistlicher Gemeinschaft, als Wirklichkeit aus Göttlichem und Menschlichem umschrieben. Die Verbindung beider in der einen Kirche Christi ist in die lapidaren Worte gefaßt: „Diese Kirche, in dieser Welt als Gesellschaft verfaßt und geordnet, *ist verwirklicht* in der katholischen Kirche, die vom Nachfolger Petri und von den Bischöfen in Gemeinschaft mit ihm geleitet wird. Das schließt nicht aus, daß außerhalb ihres Gefüges vielfältige Elemente der Heiligung und der Wahrheit zu finden sind, die als der Kirche Christi eigene Gaben auf die katholische Einheit hindrängen."

Dem von Karl Rahner und Herbert Vorgrimler herausgegebenen „Kleinen Konzilskompendium" ist der Hinweis zu entnehmen, daß die Formulierung „subsistit – ist verwirklicht" ein früheres „ist (die katholische Kirche)" ersetzt und daß zu der Wendung „vielfältige Elemente der Heiligung" erst nach langer Diskussion die Ergänzung „und der Wahrheit" hinzugefügt wurde[22].

Trotz dieser gegenüber den Entwürfen entscheidenden Verbesserungen ist der in den letztzitierten Worten intendierte ekklesiologisch umschriebene Heilsuniversalismus in der Formulierung der beiden Sätze allzu knapp und formal auf die „vom Nachfolger Petri geleitete" katholische Kirche bezogen, so daß, würde diese Stelle nur aus sich selbst zu interpretieren sein, der Eindruck entstehen könnte, der eigene ekklesiale Status sogar der orthodoxen Kirche sei anzuzweifeln und die „Elemente" von Kirchlichkeit in ihr seien ihr nicht wirklich eigen, sondern als eigentlicher Besitz der „vom Nachfolger Petri geleiteten Kirche" zuzurechnen.

Eine solche Aussage läge freilich jenseits aller kirchengeschichtlichen Wirklichkeit. Doch ist zu bedenken, daß die Rede von den „Elementen der Heiligung und der Wahrheit" außerhalb der katholischen Kirche nicht so

---

dem Orthodoxen Zentrum des Ökumenischen Patriachats, Chambésy, und dem Sekretariat für die Einheit der Christen, Rom, vom 1. bis 7. April 1974 in Wien (Innsbruck 1976) (künftig: Koinonia). – Liturgisch-überlieferungsgeschichtlich begründeter Entwurf einer eucharistischen Ekklesiologie in katholischer Sicht: *H.-J. Schulz*, Ökumenische Glaubenseinheit aus eucharistischer Überlieferung (Paderborn 1976).
[21] Vgl. z.B. *J. Betz*, Eucharistie als zentrales Mysterium, in: MySal IV/2 266; *ders.*, Eucharistie. In der Schrift und Patristik, in: HDG IV/4a 19; *P. Plank*, a.a.O. 223ff.
[22] *K. Rahner – H. Vorgrimler*, Kleines Konzilskompendium (Freiburg i. Br. 1966) 107. Vgl. Acta Synodalia S. Conc. Oec. Vaticani II, Pars I (Città del Vaticano 1973) 177.

sehr eine Beschreibung der ekklesialen Wirklichkeit in den einzelnen kirchlichen Traditionen und innerhalb der Ökumene sein will (eine solche bieten andere Artikel der Konstitution, insbesondere nn. 13 und 23, vor allem aber nn. 14ff des Ökumenismusdekrets) als vielmehr nur die Kehrseite der Voraussetzung, daß die katholische Kirche als „Verwirklichung" des Leibes Christi auf die „Fülle der Heiligung und Wahrheit" angelegt ist[23].

Der im 1. Teil von n. 8 gegebene Hinweis auf die Analogie des Verhältnisses zwischen Sichtbarem und Unsichtbarem, Göttlichem und Menschlichem in der Kirche „zum Mysterium des fleischgewordenen Wortes" läßt erkennen, daß solche Aussagen mehr vom Sprachgesetz einer Communicatio idiomatum als dem einer differenzierten Analyse des jeweiligen Subjekt-Prädikat-Verhältnisses (bzw. des Gnadenhaft-Göttlichen und Armselig-Kreatürlichen in der Kirche, von dem der Schlußteil des Artikels handelt) bestimmt sind. Dann aber kann der je eigene ekklesiale Status der einzelnen „Kirchen und kirchlichen Gemeinschaften" aus dieser Stelle ebensowenig entnommen werden, wie es erlaubt wäre, vom Begriff „Fülle der Heiligung und Wahrheit" her konkrete Personen, Handlungen und Zustände innerhalb der katholischen Kirche näher zu qualifizieren. Zu fragen bleibt allerdings, ob die im Text gewählte hypostasierende Art der Verbindung zwischen der Aussage über die Kirche des Glaubens und der über die als Gesellschaft verfaßte, „vom Nachfolger Petri geleitete" Kirche bei aller dogmatischen Unanfechtbarkeit nicht doch ähnlich mißverständlich und nur eingeschränkt empfehlenswert ist, wie man dies auch für den Gebrauch der christologischen Communicatio idiomatum (die übrigens primär doxologisch, nicht dogmatisch motiviert ist) wird sagen müssen. Die Grundrichtung eines vom Mysterium des Leibes Christi her bestimmten Denkens geht jedenfalls, wie n. 7 zeigt, auf die Konkretisierung der Lebensfülle dieses Leibes in den Sakramenten, woraus sich ergibt, daß im Fragezusammenhang der Verwirklichung des Leibes Christi die Bekenntnis- und Sakramentengemeinsamkeit die Kirche Christi tiefergehend qualifiziert als das Merkmal ihrer rechtlichen Verfaßtheit unter dem Nachfolger Petri.

Bevor auf die orthodoxe Kritik an n. 8 näher eingegangen wird, ist noch kurz das universalistische Prinzip und seine Konsequenz für die Kirchenzugehörigkeit zu bedenken, das vom Denkansatz der „Kirche als Volk Gottes" vorgegeben ist.

Von der allumfassenden Heilsabsicht Gottes wird in n. 9 der Blick auf das besondere Eigentumsvolk des Alten Bundes und schließlich auf die „aus

---

[23] Es schlägt hier die Ausdrucksweise von n. 7 durch, daß die Kirche Christi, „in dem die ganze Fülle der Gottheit leibhaftig wohnt" (Eph 1,22f), ihrerseits „sein Leib und seine Fülle ist", die er „mit seinen göttlichen Gaben erfüllt".

dem Wasser und dem Heiligen Geist Wiedergeborenen" als das „königliche Priestertum" des neuen Gottesvolkes gerichtet. Die Versammlung der an Christus Glaubenden aber erweist sich innerhalb der ganzen zum Heile berufenen Menschheit als das „sichtbare Sakrament der heilbringenden Einheit." – In nn. 11–14 folgen sodann verschiedene Aussagen über die Zugehörigkeit der Gläubigen zu diesem priesterlichen Gottesvolk und Sakrament der Einheit, welches die Kirche ist. Die „Eingliederung" in die Kirche wird speziell als Wirkung der Taufe gekennzeichnet (fideles per baptismum in Ecclesia incorparati), wodurch die Gläubigen „zur christlichen Gottesverehrung und zum Bekenntnis des von der Kirche empfangenen Glaubens bestellt werden". Der Firmung wird die „vollkommenere Verbindung mit der Kirche" (perfectius Ecclesiae vinculantur) zugeschrieben. Die Eucharistie bringt die Einheit des Volkes Gottes, das durch sie als Leib Christi auferbaut wird, zur Darstellung. Entsprechend wird auch die ekklesiologische Bedeutung der übrigen Sakramente erwähnt (n. 11), sodann vom heiligen Gottesvolk auch die Teilhabe am prophetischen Amt Christi ausgesagt und festgestellt, daß „die Gesamtheit der Gläubigen, welche die Salbung von dem Heiligen haben, im Glauben nicht irren kann" (n. 12).

Die Universalität des Gottesvolkes erscheint in n. 13 auch als eine *intensiv* umfassende, denn die Tatsache, daß „alle Menschen gerufen" sind, gilt nicht nur von den einzelnen, sondern auch von den Völkern als solchen, ihren Anlagen und Fähigkeiten. Ja die „Katholizität, mit der die einzelnen Teile ihre Gaben den übrigen Teilen und der ganzen Kirche" hinzubringen, ist nicht nur anthropologisch, sondern vor allem auch ekklesiologisch höchst relevant. „Darum gibt es auch in der kirchlichen Gemeinschaft zu Recht Teilkirchen, die sich eigener Überlieferungen erfreuen." Es beeinträchtigt den denkerischen und stilistischen Duktus dieser Darlegung allerdings, wenn sogleich hinzugefügt wird: „unbeschadet des Primats des Stuhles Petri", denn das Primatsverständnis ist selbst eine übernieferungsgeschichtliche Größe und kann nicht als schlechthin normierendes Kriterium der übrigen überlieferungsgeschichtlichen Entwicklung gegenübergestellt werden.

Zur Kennzeichnung des strukturellen Aufbaus der „katholischen Einheit des Gottesvolkes" wird im letzten Abschnitt von n. 13 unterschieden zwischen universeller „Berufung" sowie „Zugehörigkeit" und „Zuordnung", je „auf verschiedene Weise", wobei nach deren Intensität zuerst die katholischen Gläubigen, sodann „die anderen an Christus Glaubenden" und „schließlich alle Menschen überhaupt" genannt werden. – Die wohltuende Konsequenz des ekklesiologischen Ansatzes „Volk Gottes" (und „Mysterium") für die Frage der Kirchenzugehörigkeit gegenüber der Konzeption von Kirche und Gesellschaft bzw. gegenüber einem körperschaftlichen Leib-

Christi-Verständnis und dessen Analogie zu einer als „gültig" oder „ungültig" zu qualifizierenden sakramentalen Zeichensetzung wird hier am deutlichsten spürbar.

Dies gilt auch noch für die auf den ersten Blick sehr kontrapunktisch wirkende n. 14, wo nun der Blick auf die konkrete katholische Kirche geht und die traditionelle Lehre von der Heilsnotwendigkeit auf diese bezogen wird. Es erfolgt nämlich die ausdrückliche Einschränkung, daß damit nichts über den Verlust des Heiles bei denen ausgesagt sei, die nicht um die Notwendigkeit, die „ganze Ordnung" der katholischen Kirche anzunehmen, wissen, und daß andererseits durchaus des Heiles verlustig gehen können, die in dieser Ordnung „nur dem Leibe, aber nicht dem Herzen nach" verbleiben.

In bezug auf die Integration in die „ganze katholische Ordnung" einschließlich der Leitung durch den Papst wird von einer „vollen Eingliederung in die Gemeinschaft der Kirche" gesprochen (plene Ecclesiae societati incorporantur). Damit wird der Aussage über die Taufe als Eingliederung nicht Abbruch getan, denn es geht hier um das zusätzliche Konkretisierungsmoment einer im katholischen Kirchenverband geschehenden Taufe bzw. um die volle Einbeziehung des Getauften in die katholische Kirche (wodurch die Taufwirkung nicht gesteigert wird, aber kanonische Konsequenzen impliziert sind).

Dem „plene incorporantur" stehen in der folgenden n. 15 die verschiedenen Weisen der Verbundenheit in den übrigen christlichen „Kirchen und kirchlichen Gemeinschaften" gegenüber, welche Verbundenheit nicht nur mit einer abstrakt gedachten unsichtbaren Geistkirche, sondern mit der konkreten katholischen Kirche besteht. – Wenn dann allerdings gleich anschließend gesagt wird, der in solcher Weise in allen wirkende Geist erwecke die Sehnsucht bei ihnen, auch in sichtbarer Weise „unter dem einen Hirten geeint zu werden", dann kann die gnadenhafte und sakramental-zeichenhafte Verbindung allzu leicht als psychologisch-ethisch gemeintes Postulat im Sinne unionistischer Kirchenpolitik mißverstanden werden und alles zuvor vom ekklesialen Reichtum außerhalb der sichtbaren Communio mit Rom Gesagte wiederum den Anschein einer doch noch zugunsten Roms geschehenden gedanklichen Enteignung aller dieser Werte erwecken.

Tatsächlich hat hier – wie bei der Rede von den „Elementen der (ekklesialen) Heiligkeit und Wahrheit" in n. 8 – starke orthodoxe Kritik eingesetzt, der nachzugehen ist, bevor für die Frage nach den Dimensionen der Verbundenheit zwischen katholischer und orthodoxer Kirche neue positive Momente der Kirchenkonstitution aktiviert werden.

3. „*Lumen gentium*" und der ekklesiale Status der Orthodoxie

Unter den kritischen Stimmen zur Kirchenkonstitution innerhalb der Orthodoxie hat im Westen die des langjährigen Athener Dogmatikers Ioannis Karmiris besondere Beachtung gefunden, nicht zuletzt freilich auch wegen der hochkarätigen Herausgeberschaft des Werkes „Stimmen der Orthodoxie zu Grundfragen des II. Vatikanums" durch Metropolit Damaskinos Papandreou[24]. Karmiris erklärt im Anschluß an die ausführliche Zitation von n. 15 (mit seiner Beschwörung der „Sehnsucht" nach einer durch einen sichtbaren Hirten gekennzeichneten Einheit):

„Dies ist für die Orthodoxen unbegründet und unannehmbar, denn sie bewahren zwar nicht die Kirche und die Einigkeit unter dem Nachfolger des Petrus, weil er von der Heiligen Schrift und der echten Überlieferung der antiken Kirche ignoriert wird, aber sie bewahren den von den Aposteln überlieferten Glauben vollständig und unverfälscht sowie die apostolischen und synodischen Überlieferungen mit der apostolischen Nachfolge und der Handlungsweise der antiken Kirchen im allgemeinen. Wenn wir als Orthodoxe dem treu bleiben, was vom Heiland verkündigt, von seinen Aposteln überliefert, von den sieben Ökumenischen Synoden formuliert und von den ökumenischen Vätern entwickelt wurde, haben wir das Bewußtsein und die Überzeugung, daß wir mit diesen Bischöfen, die die ununterbrochene apostolische Nachfolge besitzen und welche nicht dem Papst unterworfen sind, wie es auch bei der ersten antiken Kirche war, die ‚eine, heilige, katholische und apostolische Kirche' Christi bilden, indem wir die späteren Neuerungen und neuen Lehren verwerfen, wie z. B. die über den Bischof von Rom des Ersten und Zweiten Vatikanischen Konzils . . ."[25]

Bezeichnenderweise ruft die Verfremdung der historisch-empirisch wahrnehmbaren ekklesialen Wirklichkeit der zitierten Aussage von n. 15 mit ihrem Postulat einer (allerdings metaempirisch zu verstehenden) Sehnsucht nach dem einen sichtbaren Hirten den Appell an eine tatsächlich geschichtlich verifizierbare Entwicklung altkirchlicher Strukturen hervor, welche nach orthodoxer Auffassung, wenn die westliche Primatsauffassung des 2. Jahrtausends eine konsequente Entfaltung der altkirchlichen wäre, auch im Glaubensbewußtsein und Verlauf der Ökumenischen Konzilien deutlicher angelegt sein müßte, als dies tatsächlich der Fall war.

Bei der Redeweise von n. 8 über die „Elemente der Heiligung und der Wahrheit" außerhalb der vom Nachfolger Petri geleiteten katholischen Kir-

---

[24] *Ioannis Karmiris*, Zur dogmatischen Konstitution über die Kirche, in: Stimmen der Orthodoxie zu Grundfragen des II. Vatikanums (Wien 1969), 54–91. – *Metropolit Damaskinos* leitet das Sekretariat für die Vorbereitung des Panorthodoxen Konzils in Genf-Chambésy.
[25] Ebd. 63.

che aber sieht Karmiris nicht von ungefähr einen Zusammenhang mit dem auf das „signum sacramentale" fixierten lateinischen sacramentum-Begriff, der die andersartige Perspektive von der Kirche als Mysterium durchkreuzt hätte[26], und macht den Anspruch geltend, daß „die orthodoxe katholische Kirche ... keineswegs glaubt, bloß ‚Elemente' (von Kirchlichkeit) zu besitzen ..."

Diesbezüglich wird freilich noch zu fragen sein, ob die bezeichnete Alternative von n. 8 überhaupt die orthodoxe Kirche betrifft. – Wenngleich Karmiris in seiner Besprechung der ersten beiden Kapitel von „Lumen gentium" die Schrift- und Überlieferungsgemäßheit der meisten ihrer Aussagen einräumt, scheint ihm doch der positive Ertrag durch die jeweilige Verknüpfung mit ekklesiologisch relevanten Primatsaussagen paralysiert zu sein und erst recht das 3. Kapitel trotz seiner Aussagen zur Kollegialität der Bischöfe (in denen jedoch keine Abwägung bischöflicher Rechte gegenüber denen des Papstes vorgenommen wird) dem synodalen Kirchenprinzip der Orthodoxie zu widerstreiten. So wendet er auch den deutlichen Ansätzen einer ortskirchlichen Ekklesiologie und den Aussagen zur Bischofsweihe als der fundamentalen Quelle der bischöflichen Amtsvollmachten keine größere Aufmerksamkeit zu. Weit positiver als Karmiris nahmen unmittelbar nach dem Konzil u.a. N. Nissiotis, N. Afanassieff und J. Meyendorff zu „Lumen gentium" Stellung[27]. Und Hamilkar Alivisatos, ein Pionier der ökumenischen Bewegung, sah sich durch „Lumen gentium" nicht gehindert, die Orthodoxie und die katholische Kirche (trotz einzelner zunächst noch unauflösbarer theologischer Gegensätze) als kulturell-geographisch unterschiedliche Verwirklichungen der einen Kirche Christi zu betrachten[28]. Besonders die Vertreter der eucharistischen Ekklesiologie, Afanassieff und Meyendorff, sahen in den diesbezüglichen Ansätzen von „Lumen gentium" entscheidende Annäherungen zur Orthodoxie hin. Ja Meyendorff sieht in einem konsequenten Durchdenken der ortskirchlichen Momente und der Kollegialität den geradlinigen Weg zur Versöhnung mit der Orthodoxie.

Doch ist auch in jüngster Zeit die Kritik von Karmiris wiederaufgenommen worden, n. 8 von „Lumen gentium" lasse für die orthodoxe Kirche nur „Elemente" von Kirchlichkeit gelten und stelle von solchen Voraussetzungen einer Papstekklesiologie her alle Aussagen über eine ortskirchlich-eucharistische Kirchenstruktur in ihrer Bedeutung für das Vgrhältnis zur Orthodoxie, ja selbst die erfreulichen Fortschritte päpstlichen Denkens und Han-

---

[26] Ebd. 59.
[27] Bericht über diese Stellungnahmen von *H. Marot*, in: Concilium 2 (1966) 299 ff 302 f 303 f.
[28] Ebd. 259–262.

delns mit ihren Aussagen über die „Schwesterkirchen" und über die „fast vollständige, wenn auch noch nicht vollkommene Gemeinschaft" zwischen katholischer und orthodoxer Seite, hinsichtlich ihrer theologischen Verbindlichkeit, wieder in Frage, so daß eine Erfüllung der Dialogvoraussetzung des „par cum pari" von den Konzilsdokumenten und der offiziellen katholischen Lehre bisher nicht gegeben sei[29].

Angesichts dessen ist jedoch zu fragen, ob die biblisch-heilsgeschichtliche Neufundierung der Ekklesiologie, von der Kirche als Mysterium und Volk Gottes her, in ihren Konsequenzen nicht doch geeignet ist, die orthodoxen Bedenken zu entkräften, insbesondere wenn man die bemängelten Konzilsaussagen im Licht der tatsächlich im Hinblick auf die Orthodoxie in der Kirchenkonstitution und im Ökumenismusdekret formulierten interpretiert[30]. Die nn. 8ff stellen zwar klar, daß die durch das fortlebende Petrusamt und die Communio mit diesem bezeichnete Kircheneinheit nicht als ein äußerliches oder beliebiges Moment gegenüber dem Wesen und den Wesensmerkmalen der „una sancta catholica et apostolica" aufgefaßt werden kann, sondern nach katholischer Auffassung dem kirchenstiftenden und -erhaltenden Willen Christi selbst entspricht.

Anders als in „Mystici corporis" wird aber gerade dieses Einheitsmoment nicht als ein Konstitutiv verstanden, welches über das In-der-Kirche- oder Außerhalb-der-Kirche-Sein entscheidet. Die Heilsdynamik der vorausgehenden ekklesiologischen Aussagen will an die Stelle des alten Verdikts „außerhalb der Kirche" nicht als neue starre Alternative das „bloße Vorhandensein von Elementen" setzen, sondern die tatsächliche Lebensgemeinsamkeit der „Kirchen und kirchlichen Gemeinschaften" betonen, deren verbleibende Defizienzen gegenüber der vollen katholischen Communio auf sehr unterschiedlichen Ebenen liegen können. Wieweit das, was speziell der orthodoxen Kirche an der vollen Ausprägung der Kirche bzw. ihrer Einheit nach katholischem Verständnis noch fehlt, dogmatisch genauer relevant ist, kann aus den zitierten Stellen nicht erschlossen werden. Es könnte sein, daß das faktische Fehlen der Communio mit Rom für die orthodoxen Kirchen von heute ihren ekklesialen Status ebensowenig oder noch weniger in Frage stellt, als der Kirchenhistoriker dies hinsichtlich jener Kirchen zu tun pflegt, die vor 379 in Communio mit Meletios von Antiochien, aber nicht mit Rom

---

[29] *A. Kallis*, Par cum pari. Eine Bedingung des Dialogs und der Einheit zwischen der katholischen und der orthodoxen Kirche, in: *A. Kallis* (Hrsg.), Dialog der Wahrheit. Perspektiven für die Einheit zwischen der katholischen und der orthodoxen Kirche (Freiburg i. Br. 1979) 11–31.
[30] Vgl. auch die Diskussionsbeiträge zu dem vorstehend genannten Referat von *E. Ch. Suttner* und *H.-J. Schulz:* ebd. 35–42.

standen und die 381 in fast der gleichen Zusammensetzung die Teilnehmer-
schaft des II. Ökumenischen Konzils stellten, zu der die größten Heiligen
dieser Zeit, wie Gregor von Nazianz, Gregor von Nyssa, Cyrill von Jerusalem und viele andere, später als heilig verehrte Bischöfe, gehörten. – Diese
erachteten freilich die Communio mit Rom nicht einfachhin für entbehr-
lich, sondern setzten, wie besonders die Briefe des hl. Basilius zeigen[31], alles
daran, sie wiederherzustellen; und Meletios selbst tolerierte hierfür sogar das
teilweise demütigende Verhalten des Papstes Damasus.

Jedenfalls wird an den Stellen, wo auf die Orthodoxen angespielt wird
oder wo sie direkt genannt werden, auch deutlich gemacht, daß ihr Kirchesein außer Frage steht, da sie weder der Sakramente noch eines wirklichen
Hirtenamtes entbehren und an ungebrochener apostolischer Überlieferung
partizipieren (n. 15; besonders Ökumenismusdekret n. 14 ff).

Insbesondere aber sind die Aussagen in n. 21 über den sakramentalen Charakter von Bischofsamt und Bischofsweihe sowie über die innere Einheit
von Hirten-, Lehr- und Priesteramt als deutlicher Beweis dafür zu werten,
daß ein jahrhundertelanges Bedenken katholischer Kanonistik und Dogmatik gegenüber der Gültigkeit und Legitimität eines ohne Communio mit
dem Papst ausgeübten Bischofsamtes in den orientalischen Kirchen – und
somit gegenüber einem konstitutiven Moment ihrer Kirchlichkeit selbst –
ausdrücklich aufgegeben wurde.

In Übereinstimmung mit der liturgischen Überlieferung des Ostens und
Westens[32] (und unter gleichzeitiger Relativierung einer bis dahin in der Kanonistik vorherrschenden Auffassung) wird in n. 21 festgestellt, daß die in
apostolischer Sukzession gespendete Bischofsweihe „mit dem Amt der Heiligung *auch* die Ämter der Lehre und der Leitung" überträgt: also auch jene
Vollmachten, welche die abendländische Kanonistik als eine aus der päpstlichen Jurisdiktionsgewalt stammende und wesensnotwendig vom Papst zu
übertragende eigene „potestas iurisdictionis" konzipiert hatte. Hinsichtlich
der Bindung der durch die Weihe umfassend übertragenen bischöflichen
Ämter und Vollmachten an die Gemeinschaft mit „Haupt und Gliedern" des

---

[31] Vgl. zu dieser Phase der Kirchengeschichte, die ein Lehrstück der Ökumene und der Besin-
nung in Fragen des Primats ist, die Dokumentation des Symposions: *A. Rauch – P. Imhof*
(Hrsg.), Basilius. Heiliger der Einen Kirche. Regensburger Ökumenisches Symposion 1979 im
Auftrag der Ökumene-Kommission der Deutschen Bischofskonferenz (München 1981); fer-
ner: *H.-J. Schulz*, Das I. Konzil von Konstantinopel (381). Wegweisung für die Ökumene und
Mahnung an die westlichen Kirchen. Sonderheft der Zeitschrift „Der Christliche Osten"
(Würzburg 1981).
[32] Vgl. *H.-J. Schulz*, Das liturgisch-sakramental übertragene Hirtenamt in seiner eucharisti-
schen Selbstverwirklichung nach dem Zeugnis der liturgischen Überlieferung, in: *P. Bläser*,
Amt und Eucharistie (Paderborn 1973) 208–255.

Bischofskollegiums sagt n. 21 nur in pragmatisch-rechtlicher Form, ohne eine solche „könne" die Vollmacht nicht ausgeübt werden. Dies aber ist, wie die Nota praevia ausdrücklich hinsichtlich des „bei den getrennten Orientalen" ausgeübten Amtes feststellt, gemäß der kanonischen Norm (nicht aber als Hinweis auf das Fehlen eines eigens vom Papst herzuleitenden Konstitutivs für das Hirtenamt bei ihnen) zu interpretieren. Desgleichen ist die Aussage, daß jemand „Glied der Körperschaft der Bischöfe durch die sakramentale Weihe *und* die hierarchische Gemeinschaft mit Haupt und Gliedern des Kollegiums wird" (der lateinische Text formuliert: „constituitur"), als lediglich *deskriptiv* für die *katholische* Rechtsordnung zu verstehen, weshalb denn auch die offizielle deutsche Übersetzung (in Interpretation des lateinischen Textes) liest: „man *wird* (Glied der Körperschaft) . . .", statt: „man wird konstituiert".

4. Die Transzendierung des rechtlich normierten Begriffs der Kirchenzugehörigkeit im Sinne der altkirchlichen Communio

Wenn nun gegenüber den Orthodoxen möglicherweise doch von den Konzilstexten her der Eindruck vermittelt werden kann, die Aussagen zur Kirchenzugehörigkeit seien in Richtung einer Gleichartigkeit und gegenseitigen Anerkennung des ekklesialen Status zu interpretieren, so wäre es gleichwohl fatal, wenn der Einwand bliebe, daß trotzdem durch das Einschärfen der Lehre über Primat und Unfehlbarkeit des Papstes jede gegenseitige kirchliche Anerkennung und Bestätigung der Kirchenzugehörigigkeit gewissermaßen immer noch unter einem Vorbehalt stände, solange die betreffenden Dogmen weder für die katholische Kirche als verzichtbar noch der orthodoxen als nachvollziehbar gelten können.

Die Diagnose mancher orthodoxer Kritiker, durch solche Aussagen über Primat und Unfehlbarkeit werde der ekklesiologische Gesamtertrag der Konzilsdokumente und deren Fortschritt auf ökumenische Einigung hin paralysiert, ist dennoch nicht zutreffend. – Das Problem der Dogmen des I. Vatikanums ist hier freilich nicht adäquat zu erörtern; doch soll wenigstens angedeutet werden, weshalb an ihnen nicht jeder Fortschritt in der Frage der Kirchenzugehörigkeit scheitern und jedes diesbezügliche Weiterdenken über die Konzilsdokumente hinaus letztlich ineffektiv bleiben muß.

Dem wäre allerdings so, wenn man Dogma mit Dogma gleichsetzen müßte und es kein inhaltliches und gnoseologisches Gefälle etwa zwischen der Lehre des I. Konzils von Nicaea und der des I. Vatikanums, ähnlich auch zwischen den eucharistisch-ekklesiologischen und den primatialen Aussagen der Dokumente des II. Vatikanums gäbe. Tatsächlich aber sind letztere Dogmen nicht von gleicher Dignität[33], noch ergeben sie sich mit gleicher Unmittelbarkeit aus der Offenbarung wie die erstgenannten. So spiegeln auch die Ökumenischen Konzilien mit ihren Kanones ein anders akzentuiertes Bewußtsein von der Kirchenstruktur wider, als es etwa Leo d. Gr. hinsichtlich seines Amtes entwickelt: mit Formulierungen, die für seine Zeit recht neu waren. Und bei aller intendierten Verbindlichkeit muß auch die Lehre des I. Vatikanischen Konzils als Artikulation einer *so* nur in der *abendländischen* Theologiegeschichte glaubensmäßig reflektierten kirchlichen Erfahrung gelten[34]. Die für jedes Dogma vorauszusetzende Verankerung im „depositum fidei" ist, da dieses depositum keine metahistorische, sondern eine überlieferungsgeschichtliche Größe ist, auch nach ihrem Manifestwerden in der Geschichte theologischer Ideen und kirchlichen Handelns gemäß Funktion und Stellenwert näher zu bestimmen. Hinsichtlich dieser aber gab es niemals Uniformität des Denkens in Ost- und Westkirche, wohl aber das überragende Schwergewicht des Gemeinsamen gegenüber dem als fremd Empfundenen. So weist auch die Frage nach den glaubens- und theologisch-erkenntnismäßigen Voraussetzungen wahrer Kirchenzugehörigkeit im Rahmen kirchlicher Communio – ebenso wie die kirchengeschichtlich-rechtliche Verwirklichung dieser selbst – auf die tatsächliche und verifizierbare kirchliche Überlieferungsgeschichte zurück.

In dieser gibt es Formen der Communio unter den großen Ortskirchen und ein Bewußtsein der Notwendigkeit solcher Communio, das zutiefst verankert ist in der sakramentalen und bekenntnishaften kirchlichen Gemeinsamkeit. Dabei ist das Bekenntnis (im engeren Sinne des Glaubenssymbols) jahrhundertelang ebenso vielfältig (bei allerdings deutlichster Konvergenz) wie sein liturgischer Kontext, aus dessen Funktion im Zusammenhang der Taufe es herauswächst – später im Symbolum Constantinopolitanum fixiert, bei jedoch zusätzlich sich entfaltender konziliarer Lehre und liturgischer Glaubensartikulation[35]. Das Bewußtsein solcher Konvergenz im Glau-

---

[33] Ökumenismusdekret n. 11 statuiert ausdrücklich das Prinzip von der „Hierarchie der Wahrheiten ... je nach der verschiedenen Art ihres Zusammenhangs mit dem Fundament des christlichen Glaubens", das selbstverständlich und gerade auch ein Strukturprinzip innerhalb der „definierten" Wahrheiten ist.

[34] Vgl. die überaus aufschlußreichen Darlegungen von *P.-Th. Camelot – Y. Congar* in: HDG III/3b–d; speziell zur Relevanz der Ostkirchengeschichte für die Auffassung vom Primat: *H.-J. Schulz,* Die Ausformung der Orthodoxie im byzantinischen Reich, in: *W. Nyssen – H.-J. Schulz – P. Wiertz* (Hrsg.), Handbuch der Ostkirchenkunde (Düsseldorf 1983) (im Druck).

[35] Vgl. z.B. *H.-J. Schulz,* Die Bedeutung der liturgischen Überlieferung für die Einheit der orthodoxen und der katholischen Kirche, in: *A. Kallis* (Hrsg.), Dialog der Wahrheit (Anm. 29) 97–118; *ders.,* Ökumenische Glaubenseinheit aus eucharistischer Überlieferung (Paderborn 1976).

ben und im sakramentalen Leben begründet die kirchliche Communio und kommt in ihrem eucharistischen Vollzug zur zugleich repräsentativsten Manifestation.

Für jede Glaubensentfaltung und jede zwischenkirchliche Praxis aber ist die perspektivische Kontinuität mit der apostolischen und nachapostolischen Zeit der alten Kirche auch das Kriterium ihrer Rechtmäßigkeit und ökumenischen Zumutbarkeit.

Im ökumenischen Dialog und vor allem zwischen der katholischen und der orthodoxen Kirche ist die Frage der Kirchenzugehörigkeit nicht mehr vor allem eine Angelegenheit begrifflicher Weiterentwicklung und der Deduktion von Kriterien aus einem theologischen System. Es geht vielmehr darum, daß beide Kirchen in ihrer genuinen Überlieferung und vor allem in ihrem sakramentalen Leben sich gegenseitig wiedererkennen und in ihrer Hinordnung aufeinander anerkennen. Der jüngste theologische Dialog zwischen der katholischen und der orthodoxen Kirche hat dieser Einsicht zum Durchbruch verholfen.

Das erste gemeinsame Dokument dieses Dialogs, das Anfang Juli 1982 in München verabschiedete Papier „Das Mysterium der Kirche und der Eucharistie im Lichte des Mysteriums der Heiligen Dreieinigkeit"[36], hat durch die tiefe Einsicht in die kirchenbegründende und -auferbauende Bedeutung der Eucharistie auch den Weg zur Bestimmung und Anerkennung von „Kirchenzugehörigkeit", besser: zur Wiedergewinnung der kirchlichen Communio zwischen katholischer und orthodoxer Kirche, aufgezeigt. „Die Identität der Kirche", die sich in der Eucharistie der jeweiligen Ortskirche manifestiert, verlangt „die gegenseitige Anerkennung in der Unversehrtheit des Mysteriums"[37]. Diese hat die Identität des Glaubens einerseits zur Voraussetzung, bringt sie andererseits aber im Blick auf die Eucharistie als Zentrum kirchlichen Lebens über die unterschiedlichen theologischen, kulturellen und verwaltungsmäßigen Systeme hinweg erst recht zum Bewußtsein und zu zwischenkirchlicher Geltung. Dieser Prozeß gegenseitiger Anerkennung, der sich in seiner kirchengeschichtlichen Dimension zunächst auf regionaler Ebene, in der alten Kirche beispielhaft innerhalb der Patriarchate, vollzog und durch kulturell gemeinsame Bedingungen erleichtert wurde, muß letztere jedoch, heute wie damals schon, zur Communio unter „Schwesterkirchen" transzendieren. Zu Recht wird diese Bezeichnung, die vom altkirchlichen Beziehungsgeflecht zwischen den Patriarchaten vorgeprägt ist, schon jetzt auch auf das derzeit bestehende Verhältnis zwischen der katholischen

---

[36] Text: KNA-Dokumentation 1982 Nr. 24 (3. Nov.).
[37] Ebd. III, 3 b.

und der orthodoxen Kirche angewandt[38]. Denn beide Kirchen sind „durch eine so tiefe Gemeinschaft vereint, daß nur wenig fehlt, um die Fülle zu erreichen, die eine gemeinsame Feier der Eucharistie des Herrn erlaubt, ‚welche die Einheit der Kirche bezeichnet und bewirkt‘[39].

Was aber an Glaubensgemeinsamkeit für die eucharistische Communio noch fehlt, scheint weniger eine Defizienz der ersteren selbst zu sein, als vielmehr auf deren mangelnde Aktivierung für das theologische Bewußtsein zu verweisen, da die unermeßliche Fülle gemeinsamen liturgisch-patristischen Glaubensgutes auf keiner Seite als einer noch wesentlichen Ergänzung bedürftig gedacht werden kann.

Im Zuge des gegenseitigen Sich-Wiederentdeckens als „Schwesterkirchen" im Verlauf des „Dialogs der Liebe" und des „theologischen Dialogs" kann denn auch das derzeitige Fehlen der Communio nicht als ein mit Sicherheit theologisch oder gar dogmatisch notwendiger Vorbehalt der Communio erachtet werden. Es handelt sich vielmehr um einen Zustand noch ruhender Communio, für deren Aktivierung sogar manche einst von der Communio selbst für nicht abtrennbar gehaltene Formen kirchlicher Beziehung schon zurückgewonnen wurden. So waren einst die gegenseitige liturgische Kommemoration der Hierarchen (das Verzeichnen ihres Namens in den „Diptychen") sowie das gemeinsame liturgische Gebet das sichere Anzeichen bestehender eucharistischer Communio, das Unterlassen dieser Zeichen aber ein ebenso eindeutiges Indiz für den Abbruch der Communio[40]. Papst Paul VI. und Patriarch Athenagoras haben diese Zeichen kirchlichen Lebensaustausches zwischen dem Alten und Neuen Rom und deren tiefe Symbolik bei ihren Treffen 1964 in Jerusalem und 1967 in Konstantinopel und Rom grundsätzlich wieder in Kraft gesetzt[41], ja die „áxios"-Rufe in Konstantinopel verwiesen symbolisch auf die Bereitschaft zu einer hierarchischen Anerkennung der Art, wie innerhalb des eigenen Kirchenverbandes[42]. Das Unterlas-

---

[38] *Tomos Agapis* (Anm. 18) passim; vgl. *Koinonia* (Anm. 20) bes. die Beiträge von *J. Meyendorff* und *E. Lanne,* beide mit dem Titel: „Schwesterkirchen – Ekklesiologische Folgerungen aus dem Tomos Agapis" (41–53 54–82).

[39] *Tomos Agapis* Nr. 288.

[40] Vgl. zur Frage nach der Unterlassung der Kommemoration in ihrer Relevanz für den Bruch im 11. Jahrhundert (*vor* 1054) *A. Michel,* Humbert und Kerullarios. Studien I (Paderborn 1923) 7–42, II (Paderborn 1930) 22–40; ferner *H.-G. Beck,* Geschichte der orthodoxen Kirche im byzantinischen Reich (Handbuch „Die Kirche in ihrer Geschichte" I D 1) (Göttingen 1980) 126ff.

[41] Vgl. *Tomos Agapis,* Anhang (Dokumentation über die Gottesdienste am 25. Juli 1967 im Phanar und am 26. Oktober 1967 in St. Peter in Rom).

[42] Vgl. zum Hergang *H.-J. Rick,* Friede zwischen Ost und West. Rom und Konstantinopel im ökumenischen Aufbruch (Münster 1969) 228f. – Die Rufe und ihre Funktion werden schon im Zeugnis des Hippolyt (um 215) für die Bischofsweihe deutlich (Botte 10f mit Anm. 6: „salutantes eum, quia dignus effectus est", was zu lesen ist: „salutantes: ‚dignus effectus est‘", und

sen der eucharistischen Communio selbst geschah orthodoxerseits mit Rücksicht auf die zum Teil in ihrem ökumenischen Aufbruch noch zögerlichen autokephalen Kirchen[43], dort wie auch katholischerseits aber auch in theologischer Unsicherheit, ob die bestehenden Unterschiede kirchlicher Lehre und Praxis vielleicht doch in Tiefendimensionen des Glaubens hineinreichen. Doch die Zeit scheint nahe zu sein, da nicht die bange Frage nach Verantwortbarkeit der Communio, sondern die Fragwürdigkeit einer immer noch fortgesetzten Verweigerung[44] trotz aller Gemeinsamkeit beiderseitig die Gewissen stärker belasten wird[45]. Der Fortschritt der dogmatischen Reflexion hinkt in dieser Entwicklung oft nach. Wenn dies auf dem Weg der Entfremdung (damals glücklicherweise) so war, braucht es auch auf dem Weg des gegenseitigen Wiederentdeckens als Schwesterkirchen (obgleich es in diesem Fall bedauerlich ist) nicht zu verwundern.

Jedenfalls hat das II. Vatikanische Konzil ein großes Stück Aufarbeitung belastender ekklesiologischer Verhärtung geleistet. Daß die Interpretation der diesbezüglich einschlägigen Konzilsaussagen ähnlich weiter voranschreiten muß wie die einst gerade auch von Karl Rahner mutig in Gang gesetzte Interpretation der Enzyklika „Mystici corporis" in Richtung auf die Theologie des II. Vatikanums, wird gerade im Blick auf die Begegnung mit der Orthodoxie und im Zeichen des „theologischen Dialogs der Liebe" heute wohl kaum ein katholischer Theologe bestreiten.

---

im griechischen Original „áxios"-Rufe voraussetzt, wie sie bis heute bei Bischofsweihen im Osten eine große psychologische Rolle spielen).

[43] Vgl. zur Vorgeschichte der Panorthodoxen Konferenzen von Rhodos 1963 und 1964 mit ihrem Dialogbeschluß: *H.-J. Rick*, a.a.O. 89–172.

[44] Das Ostkirchendekret n. 27 hatte die Möglichkeit einer (auf seelsorgliche Sonderfälle) begrenzten Communio statuiert: leider ohne vorausgehende Vereinbarung mit der orthodoxen Hierarchie und ohne auf die Voraussetzungen hinsichtlich der nötigen vollen Glaubensgemeinsamkeit hinzuweisen, weshalb unter den orthodoxen Kirchen nur das Moskauer Patriarchat (nach langem Zögern) eine gewisse Gegenseitigkeit hergestellt hat.

[45] Vgl. die Formulierung von Metropolit *Damaskinos Papandreou* (Koinonia 190): „Daher haben wir die gemeinsame Aufgabe zu prüfen, ob und inwieweit die Unterschiede zwischen Ost und West eine gegenseitige Kommunionverweigerung rechtfertigen. Wir sollen uns fragen, ob unsere Trennung im Sinne verschiedenartiger Formen der Tradition zu verstehen ist und nicht als Trennung in der einen Tradition des Glaubens selbst. Ich denke, man muß in der Tat auch von der anderen Seite her fragen, nicht nur: ‚Dürfen wir miteinander kommunizieren?', sondern auch: ‚Dürfen wir einander die Kommunion verweigern?' Denn auch dies darf doch nur geschehen, wenn wirklich das Wesentliche des Glaubens und der Kirchenordnung dazu zwingt. – Geschieht es ohne einen derartigen zwingenden Grund, machen wir uns schuldig." – Programmatisch weiterführend seine Anregung in KNA-ÖKI 12 (17. März 1982) 5–8; 13 (24. März 1982) 5–10.

WILHELM BREUNING

ZUM VERHÄLTNIS VON WORT
UND SAKRAMENT

I.

In seinem Anfang 1966 gehaltenen Vortrag „Die Herausforderung der Theologie durch das II. Vatikanische Konzil" hat Karl Rahner unter vielem anderen auch das Verhältnis von Wort und Sakrament als Thema zum Nachdenken benannt[1]. Er hat es darin unter Fragestellungen eingeordnet, die sich der „ökumenischen Theologie" als Aufgaben stellen, und zwar ausdrücklich als Anregung, katholische Theologie solle von „Fragen und Versuche(n) in der evangelischen Theologie über Gegenstände, die nicht unmittelbar und explizit kontroverstheologischer Natur, aber dennoch für die Theologie auf beiden Seiten von höchster Wichtigkeit sind", lernen.

Das Konzil hat sicher manches Bedenkenswerte gesagt, was zum Thema gehört, aber es hat kaum ausdrücklich über das Verhältnis von Wort und Sakrament reflektiert. Wenn man alles zusammennimmt, was über das Wort Gottes, über das Evangelium und seine Verkündigung in den Konzilsdokumenten steht, dann gehört dennoch die Betonung des Wortes im Dienst der Heilsvermittlung zu den immer wiederholten Kerngedanken des Konzils. Schon die Liturgiekonstitution hatte unüberhörbar diesen Akzent gesetzt und von der Gegenwart Christi in seinem Wort gesprochen, „wenn die heiligen Schriften in der Kirche gelesen werden" (n. 7). Die Wortgegenwart ist in ein Beziehungsganzes der einen Gegenwart des Herrn in und für seine Kirche verwoben, in dem sich eucharistische und andere Gegenwartsweisen nicht den Rang streitig machen, sondern um der einen Gegenwart des Herrn willen aufeinander angelegt sind. Von diesen in der Konzilsgeschichte frühen Äußerungen an steht die Theologie des Wortes Gottes in einem engen Zusammenhang mit dem ebenfalls für das Konzil charakteristischen Begriff des Mysteriums, der selbst wieder etwas von dem heilsgeschichtlichen

---

[1] In: Schriften VII 35.

418

Grundton hörbar machen will, der das Konzil zutiefst durchdringt. Die Nähe von „mysterium" zu „sacramentum", wieder einer der tragenden Gedanken des Konzils, liegt auf der Hand. Diesen inneren „Nexus" von Offenbarung, Wort, Tat und Mysterium, sacramentum, Gemeinschaft mit Gott macht ein Abschnitt wie n. 2 der Offenbarungskonstitution deutlich, und er eröffnet hier durchaus etwas wie einen systematischen Ansatz. Anknüpfend an die Epheserbriefstelle 1,9, die – nach der Vulgata – vom „Sakrament des Willens Gottes" spricht, legt der Text den Gehalt dessen aus, was hier unter „Sakrament" zu verstehen ist. Es ist die Verwirklichung der von Gott vor aller Schöpfung in freier Liebe gewollten innersten Lebensgemeinschaft mit dem Vater durch Christus im Heiligen Geist. „In dieser Offenbarung redet der unsichtbare Gott ... aus überströmender Liebe die Menschen an wie Freunde ... und verkehrt mit ihnen." „Anreden" und „Verkehren" greifen auf die Intention der nun folgenden Unterscheidung und Zuordnung von „Wort" und „Tat" voraus: „Das Offenbarungsgeschehen ereignet sich in Tat und Wort, die innerlich miteinander verknüpft sind: die Werke nämlich, die Gott im Verlauf der Heilsgeschichte wirkt, offenbaren und bekräftigen die Lehre und die durch die Worte bezeichneten Wirklichkeiten; die Worte verkünden die Werke und lassen das Geheimnis (Mysterium), das sie enthalten, ans Licht treten."[2] Zweifelsohne liegt hier eine durchdachte Verhältnisbestimmung von „Wort" und „Tat" im Blick auf die Selbstmitteilung Gottes vor. Sie bewegt sich in Grundstrukturen der Theologie von Mysterium – Sacramentum, ohne sie indessen für das im engeren Sinn sakramententheologische Problem durchzuführen. Das war an dieser Stelle auch nicht zu erwarten.

Wenn man die im Index der Konzilsdokumente angegebenen Stellen überfliegt, in denen „Wort" im Sinn von Gottes Wort vorkommt, ist eine häufigere Verbindung mit dem Begriff „Sakrament" o.ä. nicht zu übersehen. Aber die Verhältnisbestimmung beider Begriffe zueinander wird nirgendwo thematisch. Die Liturgiekonstitution kommt kurz einmal auf „Wort" und „res" als Konstituentien des Sakraments zu sprechen (n. 59). Das ist zwar eine schulmäßig geläufige Redeweise, aber nicht so geläufig ist die an der genannten Stelle zum Ausdruck kommende Sensibilität für die Aussagekraft des Wortes als pneumatisch in Dienst genommener Vermittlung auf die Sache selbst hin. Nicht uninteressant in diesem Zusammenhang ist die Beobachtung, daß in den Konzilsdokumenten Dienst am Wort und Dienst am Sakrament in einer gewissen Selbstverständlichkeit als Aufgabe und Inhalt des

---

[2] Der lateinische Text erreicht an dieser Stelle eine Konzentration und Präzision, die die Übersetzung nicht vermittelt.

amtlichen Dienstes zusammen genannt werden. Das gilt für den Dienst der Bischöfe und Priester in der Kirchenkonstitution und im Dekret über die Hirtenaufgabe der Bischöfe sowie, besonders betont, im „Dekret über Dienst und Leben der Priester". Im Rückbezug auf die Liturgiekonstitution wird im letztgenannten Dokument mit Blick auf die Meßfeier die innere unzertrennliche Verbundenheit von der Verkündigung des Todes und der Auferstehung des Herrn, der Antwort des hörenden Volkes und des Opfers selbst ausdrücklich hervorgehoben[3]. Die selbstverständliche Spannungseinheit von Wort und Sakrament als Struktur des kirchlichen Dienstes ist in unserem Zusammenhang vor allem auch deshalb interessant, weil sie der Struktur des kirchlichen Lebens entspricht, wie sie die Confessio Augustana sieht: Kirche „ist die Versammlung aller Gläubigen, bei denen das Evangelium rein gepredigt und die heiligen Sakramente dem Evangelium gemäß gereicht werden" (art. 7).

Was unmittelbare Lösungen der detailliert gestellten Frage nach dem Verhältnis von Wort und Sakrament angeht, ergeben die Konzilstexte in der Tat also nicht viel. Dennoch spricht sich in seinen Texten eine bewußte und intendierte Sensibilität für die Heilsbedeutung des Wortes Gottes aus. Ebenso wichtig ist aber in diesem Zusammenhang auch der wiedererweckte Sinn für eine heilsgeschichtliche Betrachtung von Offenbarung und Gnade als aktueller Zuwendung des einen trinitarischen Mysteriums Gottes durch Christus im Geist. Mag beides auch nicht immer bis in alle Entfaltungen hinein in letzter Konsequenz durchgeführt sein, die Grundtendenz selbst ist nicht zögernd und halbherzig zum Ausdruck gekommen, wenn man sich an Aussagen orientieren darf, wie wir sie aus der Offenbarungskonstitution (n. 2) anführen konnten. Man hat dem Konzil ja oft vorgeworfen, daß es sich in polemischen Situationen nicht klar genug entschieden und damit spätere Kontroversen vorprogrammiert habe. Wie dem immer sein möge: ganz entscheidend wichtige Aussagen des Konzils sind gerade nie polemisch formuliert und intendiert worden, sondern wollen Zeugnisse für eine neu- und wiedergefundene Aktualität und Unmittelbarkeit der Begegnung mit der Wirklichkeit des dreieinen Gottes sein. Zu ihnen rechnen die Gedanken über Gottes Wort, seine Offenbarung als Teilgeben an seinem Leben, über

---

[3] *F. Wulf* bemängelt zwar im Kommentar der LThK-Ausgabe zur Stelle – aus der späteren Sicht –, daß die Einheit von Wort und Sakrament im Dekret nur „andeutungsweise" ausgesprochen werde. Aber er stimmt mit unserer Bewertung insofern überein, als er die genannte Stelle als „ausbaufähig" ansieht. Mit Recht hebt *L. Maldonado* die Bedeutung von n. 59 der Liturgiekonstitution für unseren Zusammenhang hervor in seinem Beitrag „Wort und Sakrament in der neueren Pastoral", in: *H. Vorgrimler*, Wagnis Theologie. Erfahrungen mit der Theologie Karl Rahners (Freiburg i. Br. – Basel – Wien 1979) 393–401, hier 396.

die Sakramentalität des Christusereignisses und der Kirche[4]. Sie sind – auch das muß man ehrlich sehen – nicht erst schöpferisch vom Konzil gefunden worden. Manche Grundlinien der Kirchen- und Offenbarungskonstitution sind zwar erstaunlich treffsicher gezeichnet worden. Aber das ist die Frucht einer schon vorhergehenden vielgestaltigen Erweckungsbewegung in der Begegnung mit Schrift, Vätern, Liturgie, im Wiedererkennen gelebten Glaubens in anderen kirchlichen Traditionen und im Versuch, diese neu erfahrenen Quellen theologisch zu erschließen. So ist auch die Sensibilität für den Heilscharakter des Wortes Gottes in den Konzilstexten nicht vom Himmel gefallen. Man braucht nur die einschlägigen Bibliographien – etwa „Wort, Wort Gottes" in „Sacramentum Mundi" – zu betrachten, um handgreiflich vorgeführt zu bekommen, wie gerade auch im katholischen Bereich eine Theologie des Wortes Gottes in der Exegese, in der Systematik und in der praktischen Theologie heranwuchs. Man sollte auch nicht vergessen, mit welcher Freude und Bereitschaft die Erschließungsversuche und Reformen des Konzils aufgenommen wurden, das Wort Gottes zur geistlichen Lebenswirklichkeit der Gläubigen im Volk Gottes werden zu lassen. Der ursprüngliche Enthusiasmus ließ nicht die späteren Schwierigkeiten mit Intellektualisierung – „Verbalismus" hat man das genannt – aufgrund einer zu kopflastigen Vereinseitigung des Wortelements etwa im Gottesdienst vorausahnen[5].

Eine Folge der Neuentdeckung des Wortes Gottes als Heilswirklichkeit, das für den Christen als Nahrung unentbehrlich ist – das Konzil sprach in der Offenbarungskonstitution vom Tisch des Wortes und des Brotes[6] –, war bei den Theologen nachträglich die Verwunderung über das Fehlen einer Theologie des Wortes Gottes in der katholischen Systematik. „Wenn man dies (= den zentralen Stellenwert) bedenkt", schreibt Karl Rahner 1960, „ist

---

[4] Wir übersehen nicht, daß es bei der Offenbarungskonstitution herbe Kontroversen gegeben hat. Aber sie betreffen, wenn ich richtig sehe, gerade nicht diesen Punkt, der überhaupt erst so etwas wie Konsens für Umstrittenes bereiten helfen konnte.

[5] Vgl. dazu den in Anm. 3 genannten Beitrag von *Maldonado,* dessen Tendenz ich zustimmen kann. Die kritischen Bemerkungen zu seiner Interpretation Rahners, die *Th. Ruster* (Sakramentales Verstehen [Frankfurt a. M. – Bern – New York 1983] 254) dazu äußert, bedürfen in diesem Zusammenhang keiner Stellungnahme. Wohl sei eigens auf den Versuch einer Darstellung der Zuordnung von Wort und Sakrament in der neueren katholischen Theologie nach den typisierenden Gesichtspunkten „komparativische, additive und gegenseitige Zuordnung" bei Ruster hingewiesen (246–254). – Zur frühen nachkonziliaren Diskussion vgl. *W. Kasper,* Wort und Sakrament, in: *ders.,* Glaube und Geschichte (Mainz 1970) 285–310. Siehe darin auch die besonders in Anm. 3 (S. 286) eingegangene Literatur. – Die personaldialogische Seite, die wesentlich zum Problem gehört, hat *Th. Schneider* (Zeichen der Nähe Gottes [Mainz 1979] 54–59) besonders herausgearbeitet.

[6] Siehe n. 21. Vgl. dazu den Kommentar (mit der angegebenen Lit.) von *J. Ratzinger* in: LThK – Das Zweite Vatikanische Konzil II 572.

es eigentlich überraschend, daß in der durchschnittlichen Schultheologie bei uns Katholiken, in den lateinischen Handbüchern usw., überhaupt kein Platz, kein systematischer Ort für eine Theologie des Wortes vorgesehen ist"[7]. Überraschend in der Tat, wenn man bedenkt, daß man eigentlich über die Kirche und ihr Lehramt nicht reden kann, ohne eine ausdrückliche Reflexion auf das Wort Gottes selbst; oder wenn man beim Sakrament das Wort als das formgebende Element der gesamten Handlung ansieht, ohne dabei dieses sakramentale Wort als Kontakt mit dem Heil schenkenden Herrn selbst in den Blick zu bekommen, und dies angesichts der so im Vordergrund stehenden Bemühung, die Sakramente von Christus her zu begründen; oder wenn in der Theologie der Offenbarung das doktrinäre Wahrheitsverständnis die Wahrheit des Wortes Gottes nicht mehr als Lebensgemeinschaft mit Gott selbst sehen läßt. So hoch Gott als Wahrheitsautorität im vorkonziliaren katholischen Offenbarungsverständnis gewiß auch in den gelebten Vollzug des Glaubens hineinstrahlte, so blieb doch der Inhalt seines Wortes für die Begegnung mit ihm blaß. Es war „praktisch fast so, daß man alles Wort nur auffaßte als unvermeidliche Vorbereitung auf die Sakramente (und ein christliches Leben), die selber aber etwas ganz anderes als Wort sind, weil sie ja gewiß keine ‚Belehrung‘ sind ‚über etwas‘"[8]. Solche Urteile über die vorkonziliare Situation bleiben auch dann richtig, wenn – wie Karl Rahner selbst sehr wohl weiß und in einem späteren Aufsatz geäußert hat – „die membra disiecta einer . . . Theologie (des Wortes) schon immer zu finden sind"[9]. Gerade daß sie unbeachtet und unwirksam geblieben sind, bildet selbst schon wieder einen Hinweis. So bestätigt sich doch gegen alles Widerstreben, das sich dabei anmeldet, die sicher insgesamt zu klischeehafte Kennzeichnung der katholischen Kirche als „Kirche der Sakramente", der dann die Kirchenform der evangelischen Christen als „Kirche des Wortes" gegenübergestellt wurde – Charakterisierungen, die sich mit einer gewissen Hartnäckigkeit bis in die Gegenwart weiterbehaupten, obwohl sich längst grundsätzliche Wandlungen auf beiden Seiten gezeigt haben.

II.

Die Wiederentdeckung des Wortes Gottes als Weise, wie Gott je hier und jetzt sein Heil schenkt und verwirklicht, hat eine sozusagen typisch erscheinende katholische Aneignungsgeschichte. Wenn vom Wort gilt, daß es heils-

---

[7] Wort und Eucharistie, in: *ders.,* Schriften IV (1960 u.ö.) 315 (Erstveröffentlichung in: *M. Schmaus* [Hrsg.], Aktuelle Fragen zur Eucharistie [1960] 7 – 52).
[8] Ebd. 317. Die zuvor genannten Beispiele sind ebenfalls in dem Aufsatz ausgeführt.
[9] Was ist ein Sakrament?, in: *ders.,* Schriften X 379.

kräftiges Wort ist, „das an sich mitbringt, was es aussagt", daß es Heilsereignis ist, „das . . . anzeigt", was in ihm und unter ihm geschieht, und geschehen läßt, was es anzeigt", dann handelt es sich – wie Rahner sagt – „haargenau" um die Definition des Sakramentes[10]. Hatte man mit dem Wort nun sozusagen ein achtes Sakrament neben der kanonischen Siebenzahl? Gerade auch dem Beitrag Rahners ist es zu verdanken, daß die Heilswirklichkeit des Wortes als Realität erfaßt wurde, die der Grundsakramentalität der Kirche als solcher schon zugeordnet ist; und wie die Kirche als Wurzelsakrament nicht neben die Entfaltung in die sakramentalen Einzelvollzüge tritt, so bildet auch das Wort Gottes nicht ein Sakrament neben anderen Sakramenten[11]. Systematisch sieht es bei Rahner, wenn er explizit das Verhältnis „Wort" – „Sakrament" erörtert, auf den ersten Blick so aus, daß er das Wort Gottes als die ursprüngliche, umfassende Heilsvermittlung betrachtet. Ihr wird das Sakrament als die Höchstverwirklichung des heilschaffenden Gotteswortes eingeordnet. „Die höchste Wesensverwirklichung des wirksamen Wortes Gottes als Gegenwärtigung der Heilstat Gottes im radikalen Engagement der Kirche (d.h. als deren eigene, volle Aktualisation) bei entscheidenden Heilssituationen des einzelnen ist das Sakrament und nur es."[12] Das Sakrament als höchste Wesensverwirklichung des Wortes Gottes zu bezeichnen, kann sich darauf berufen, daß die Theologie, seit sie darüber nachgedacht hat, im Wortelement das die ganze Handlung prägende Geschehen des Sakramentes gesehen hat. So läßt z.B. das Wort von der Hingabe des Leibes und Blutes Jesu die Dinge menschlicher Nahrung das werden und sein, was diese Worte sagen. Oder: Bei Luther war es der Vorgang der Lossprechung, der ihn die Eigentümlichkeit des Sakramentsgeschehens tiefer erfassen ließ: „Die Sünden sind dir vergeben" – das ist die Aktualität des Evangeliums hier und heute „für mich"[13].

Das Sakrament als höchste Wesensverwirklichung des Wortes – dafür kann Rahner auch die leibhafte Gebärden umfassende Handlungsseite des Sakramentes selbst noch einmal einbeziehen, die sonst eher dem Wortele-

---

[10] Wort und Eucharistie 321.
[11] Außer den genannten Aufsätzen *K. Rahners* sei insbesondere noch auf die verschiedenen Beiträge im „Handbuch der Pastoraltheologie" I (Freiburg i. Br. ²1970) hingewiesen, in denen er Fragen der Wort- und Sakramententheologie behandelt. Ferner auf: Kirche und Sakramente (Quaestiones disputatae 10) (Freiburg i. Br. 1960).
[12] Wort und Eucharistie 329.
[13] Vgl. *H. Jorissen,* Die Sakramente – Taufe und Buße, in: *E. Iserloh* (Hrsg.), Confessio Augustana und Confutatio . . . (RST 118) (Münster 1980) 527f (mit Berufung auf *W. Schwab,* Entwicklung und Gestalt der Sakramentenlehre bei Martin Luther [Frankfurt a. M. – Bern 1977]). Dort auch Bemerkungen zum Einwand der terminologischen Schwankungen bei Luther, ob die Lossprechung Sakrament im eigentlichen Sinn sei.

ment gegenübergestellt wird. „Auch der sakramentale Gestus hat Wortcharakter."[14] Kein Zweifel, der Rang des Sakramentes wird nicht geschmälert, wenn es auf diese Weise als höchste Wesensverwirklichung des Wortes in Erscheinung tritt. Aber läuft diese Systematik nicht oder wieder in subtiler Weise auf die „katholische" Prävalenz des sakramentalen Geschehens gegenüber dem „einfachen" Wort hinaus? Die Feststellung, Rahner ordne das Sakrament in die „umfassendere" Heilswirklichkeit des Wortes Gottes ein, die wir oben mit der Einschränkung „auf den ersten Blick" versahen, ist erst dann sachgemäß, wenn dabei bewußt wird, daß Rahner zuvor schon den theologischen Gehalt des Sakramentes brauchte, um adäquat treffend sagen zu können, was Wort Gottes ist. Wir wiesen auf die charakteristische Stelle hin, die in vielen Variationen noch einmal zu belegen wäre: „das heilskräftige Wort, das an sich mitbringt, was es aussagt", „das anzeigt, was in ihm und unter ihm geschieht, und geschehen läßt, was es anzeigt"[15].

Dieser sakramententheologische Weg, das Wort Gottes als Heilswirklichkeit zu erschließen, hat gewiß eine Bedeutung im ökumenischen Gespräch, aber sein nächstliegender Sinn bestand weniger darin, die Protestanten auf den sakramentalen Charakter des Wortes Gottes aufmerksam zu machen, als eher darin, ein katholisches Defizit zu beheben. Es geht Rahner darum, aufzuweisen, „daß das Wort Gottes in seinem vollen, ursprünglichen Wesen nicht als satzhafte Belehrung ‚über etwas', nicht nur als intentionaler Hinweis auf einen Sachverhalt aufgefaßt werden darf, der in seinem Bestand und seiner Gegebenheit von diesem lehrhaften Hinweis völlig unabhängig ist, sondern ... exhibitives, gegenwärtiges Wort ..."[16] Kurz: das Wort Gottes redet nicht nur über die Gnade, sondern sie ereignet sich wirksam in dieser Rede[17].

III.

Die hier kurz skizzierte Verhältnisbestimmung von Wort und Sakrament wurde bereits vor dem Konzil entwickelt. Sie ist mehr als ein treffsicherer gedanklicher Versuch. Als Glaubensreflexion über etwas, das uns in der Kirche geschenkt wird und das wir selbst empfangend mittun, öffnet sie zugleich Möglichkeiten der Erfahrung dieses Tuns. Wichtig an diesem Versuch erscheint deshalb, daß er nahebringt, *wie* die Kirche aus Wort und Sakrament lebt. Verständnis für Wort und Sakrament läßt sich nur wecken, wenn

---

[14] Wort und Eucharistie 329.
[15] Ebd. 321.
[16] Ebd. 322.   [17] Vgl. ebd. 325.

der Mitvollzug tragendes Fundament wird. Zur Entfaltung gehört dann aber auch – sozusagen noch immer bestandsaufnehmend – der Blick in die Vielfalt des Umgangs mit dem Wort in der Kirche. Ähnlich wie wir begriffen haben, daß die sieben kanonischen Sakramente nicht nur als Abwandlung eines allgemeinen Sakramentenbegriffs in ihrer wahren Bedeutung für Glaube und Kirche aufgehen können, sondern daß sie aus der jeweiligen (persönlich heilsentscheidenden und der kirchlichen Gemeinschaft bedürfenden) Situation je ihre ganz spezifische Eigenart empfangen, hat auch die Zuwendung des Wortes sehr unterschiedliche, aber je unverzichtbare eigene Gestalt. Rahners Zuspitzungsformel vom Sakrament als Heilsverwirklichung stand von vorneherein in diesem größeren Bezugsfeld. Von der Schrift her entwirft er folgende Palette der Abwandlung: „prophetisch reden, lehren, mahnen, unterweisen, erbauen, trösten, überführen, verkünden, überliefern, gedenken, das (sakramentale) Wort des Lebens sagen, richten, bezeugen" . . .[18] Es ist gewiß richtig, dabei jeweils die unterschiedliche „Dichte und Intensität", den Grad des Engagements zu beachten, wie in der Kirche dieses Wort gesagt wird. Von dieser Unterscheidung lebt ja die Bestimmung des Sakraments als Höchstfall. Aber gerade vom Höchstfall des Sakraments her wird man die anderen Gestalten der Aktualisierung des Wortes nicht als „defiziente" Weisen zu bezeichnen brauchen – unbeschadet der Tatsache, daß es durchaus auch dieses Gefälle unterschiedlicher Intensität gibt, wie das Wort „trifft". Vielmehr könnte letztlich der Vorteil der Rahnerschen Zuordnung von Wort und Sakrament darin liegen, daß sie einsichtig macht, wie Sakramente im christlichen Sinn nur in einer Kirche Ereignis werden können, die vom Hören des Glaubens her hervorgerufen ist. Damit die Kirche Glaubensgemeinschaft werden kann, bedarf es aller Art von Glaubenszeugnissen. Die im „engeren" Sinn sakramentale Begehung stünde für sich allein völlig im luftleeren Raum. Zu beachten bleibt jedenfalls, daß die Klimax zur Höchstverwirklichung des Sakramentes hin die Zuwendung des Wortes Gottes in den vielfältigen übrigen Bezeugungen des Glaubens nicht bloß zur Vorbereitung der Höchstform herabsinken läßt. Es ist zwar richtig, daß jedes Glaubenswort „immer und überall auf diese Stufe hintendiert" und deshalb „überall schon inchoativ diesen Charakter eines wirksamen Wortes" hat[19]. Aber dabei behält es seinen eigenen Wert. So wirklich die Eucharistie der Leib des Herrn ist, er könnte ohne den durch die Gesamtheit des in der Kirche angenommenen Glaubenszeugnisses über den Herrn nicht als das gegessen werden, was er wirklich ist. Freilich wird so auch umgekehrt wieder deutlich, daß das Glaubenszeugnis in seinem Gesamtzusammenhang und in

---

[18] Ebd. 328 f.   [19] Ebd. 347.

der Fülle seiner Gestalten das der Kirche zugeordnete Wort ist, sofern sie selbst das Wurzelsakrament ist. Gerade dann zeigt sich aber auch die vergegenwärtigende Intention in jedem Wort der Glaubensgemeinschaft, das aus diesem Glauben heraus gesagt wird. Auch wo es auf den ersten Anschein hin nur *über* den Herrn spricht oder über etwas, das zu ihm in Beziehung zu setzen ist, wo es also legitimerweise διδαχή, Unterweisung, ist, liegt in dieser Art von Belehrenwollen die Tendenz, den Herrn in seiner sich schenkenden Wirklichkeit zu vermitteln.

Die Verhältnisbestimmung, die Rahner bietet, zeigt – rückblickend – eine Spannweite, die nicht bloß denkerisch anregend ist. Einerseits kann man mit ihrer Hilfe nicht nur den einheitlichen Duktus von Wort und Sakrament formal-begrifflich herausarbeiten, sondern ihr gegenseitiges Zusammentreffen im Geschenk der Gnade, wie wir es im Dienst der Kirche empfangen, wird einsichtig. Andererseits geht aber die Eigenart der immer miteinander auftretenden Spannungspole „Wort *und* Sakrament" nicht verloren. Der spekulative Versuch wird über seine klärende Funktion hinaus zum Schlüssel für das Tun, wenn es darum geht, in den wichtigen Diensten, durch die die Kirche auferbaut wird, das Gegenwärtigsein und Wirken des Herrn selbst zu bezeugen.

IV.

Unsere Überlegungen beschränken sich auf „Wort Gottes", sofern es um seine Heil schaffende und verwirklichende Kraft geht, sofern also seine Beziehung zum Sakrament betrachtet werden soll. „Wort Gottes" ist eine ursprüngliche, eine biblisch bezeugte Heilswirklichkeit – im Unterschied zum Begriff (nicht zur Sache selbst!) des Sakramentes, wie ihn die spätere Theologie für die Sakramentenlehre im spezifischen Sinn präpariert hat. Wir erinnern uns jedoch, daß gerade diese theologische Prägung des Sakramentenbegriffs in unserer Überlegung dazu diente, den Begriff des Wortes Gottes zu beleuchten: „wirksames Wort, das tut, was es sagt". Eine solche Formulierung setzt wichtige Vorüberlegungen und -entscheidungen schon voraus, um überhaupt bei Gott von seinem „Wort" sprechen zu können. Selbstverständlich, aber nicht überflüssig zu sagen ist der „analoge" Gebrauch von „Wort". Mit Recht wird der dialogische und kommunikative Sinn überall dort betont, wo vom Wort Gottes gesprochen wird. Durch sein Wort macht sich Gott zum Bundesherrn und -partner. Durch dieses Wort empfängt der Bund Inhalt und Gestalt. Die Aspekte von Dialogizität und Kommunikation bestimmen heute mit Recht sowohl die Theologie des Wortes Gottes wie auch die der Sakramente. Auch Karl Rahners Theologie ist davon zutiefst geprägt.

Ein besonderer Zug des dialogischen Charakters des Wortes Gottes kommt zum Vorschein in seinem Offenbarwerden als Gotteswort im Menschenwort. Gottes Wort kommt zur Sprache durch Menschen, die Gott ihrerseits die Glaubensantwort schon geben durften. Diese Einsicht verbietet alle Vorstellungen von einem wörtlichen Diktat des Gotteswortes. Aber angesichts unbestreitbarer Tendenzen, die Leibhaftigkeit und weltimmanent gewordene Wirklichkeit des Wortes Gottes aufzulockern, ist diese Art des Dialogs zwischen Gott und den Menschen als die größere und tiefere Möglichkeit erkannt worden, wie Gott überhaupt Menschen mit *seinem* „Sprechen" erreichen kann. Wörtliches Diktat wäre nicht eine direktere Form, sondern eine mechanistische Verkennung der Art, wie Gott spricht, d.h. schöpferisch den Menschen ergreift. Nicht von ungefähr schließt die Offenbarungskonstitution ihr Kapitel über „die göttliche Inspiration und die Auslegung der Heiligen Schrift" mit einem Versuch, die Analogie göttlichen Sprechens mit Hilfe der Höchstverwirklichung der Menschwerdung des „Wortes" zu erhellen: „Denn Gottes Worte, durch Menschenzunge formuliert, sind menschlicher Rede ähnlich geworden, wie einst des ewigen Vaters Wort durch die Annahme menschlich-schwachen Fleisches den Menschen ähnlich geworden ist" (n. 13). Menschliche Worte können Gottes Wort aber nur „ähnlich" werden, wenn sie ihrerseits das Grundgesetz der Analogie existentiell verwirklichen: „Vom Schöpfer und Geschöpf kann keine Ähnlichkeit ausgesagt werden, ohne daß sie eine größere Unähnlichkeit zwischen beiden ausschlösse" (NR 280). Gottes Wort „schafft" seinen Partner. Wo es weltimmanent und somit wirksam geworden ist, ist es auf diese Weise subjekthaft angenommenes Wort. Darin bleibt der ganze Unterschied zwischen Gott und dem von ihm her lebenden Geschöpf und liegt doch auch die ganze Möglichkeit, daß das Empfangen zugleich „eigene" Antwort sein kann und darf. Obwohl also beim Wort Gottes zunächst gerade nicht von einer für die Kommunikation vorgegebenen und sie tragenden Partnerschaft die Rede sein kann – im Gegensatz zu menschlicher Partnerschaft, die nach unserem Modell von Partnerschaft jedenfalls von der vorgegebenen Gemeinsamkeit lebt –, „erscheint" Gott auf seiten der Annahme nicht weniger und nur depotenziert, sondern als der je Größere, der sich nicht in sein Geheimnis zurückzieht, sondern sich – wenn sein Geheimnis seine Liebe ist – gerade mit seiner unausschöpfbaren Liebe ganz zuwendet. Das ist sein „eigentliches" Wort[20].

---

[20] In Rahners Theologie spielen Voraussetzungen dieser Art für die Theologie von Wort und Sakrament eine wichtige, durchgehende Rolle. Systematische Grundlinien des gnadentheologischen Aspektes sind konstitutiv eingebracht im Artikel „Wort Gottes" in: LThK² X

Aus diesem umfassenden Bereich soll nur noch ein Aspekt etwas weiterverfolgt werden, der pneumatologische. Wenn sich in die Bestimmung des Wortes Gottes immer sakramentale Züge notwendig eintragen und wenn man zwar jedes Sakrament als Wortgestalt interpretieren kann und doch gerade dann eine Eigenart sichtbar wird, die mit der reinen Wortgestalt noch nicht genügend erhellt ist, hängt das wohl auch damit zusammen, daß die Selbstmitteilung Gottes durch das Wort *im Pneuma* geschieht. Diese Einsicht gehört zwar weder ökumenisch noch innerkatholisch zu den Themen, die besonders wichtig erscheinen. Aber gehört der Blick auf die Oikonomia des Bundes Gottes mit uns nicht zum wichtigsten Gehalt dessen, was während des Konzils durch die breite Aufnahme des Sakramentenbegriffs ausgesagt werden sollte und was in seiner ganzen Tragweite noch nicht eingelöst ist?

Wie schon die oben zitierte Stelle aus der Offenbarungskonstitution nahelegte, ist die sakramentale Eigenart des Wortes Gottes – zu Recht – immer im letzten auf die Theologie des Johannesprologs vom „fleischgewordenen Wort" hin gelesen worden. Gerade diese Stelle bringt einerseits zum Ausdruck, daß das Wort *alles* sagt. Mehr zu sagen als dieses eine Wort vermag auch Gott nicht, weil er sich selbst dabei aussagt. Aber andererseits macht die Stelle auch wieder deutlich, daß das Wort seinen Inhalt nicht sagen kann, wenn es bloßes Wort bliebe. Das scheint nun im theologischen Zusammenhang zunächst sehr anthropomorph gedacht zu sein. Sagt nicht der heilseffiziente, also der sakramentale Charakter des Wortes Gottes, „daß Wort und Wirklichkeit, anders als bei gewöhnlichem menschlichem Reden, wesentlich aufeinander bezogen sind und eine Einheit bilden?"[21] Gewiß, sogar menschliches Wort kann „Fleisch werden", über die Tatsache hinaus, daß die gesprochene Sprache ja selbst schon vom leiblich vollzogenen Atmen und Stimmgeben her in Schwingung versetzte Luft ist. Gebärden des Leibes etwa können Liebe ebenso oder, je nachdem, noch spürbarer sagen als das gesprochene Wort – wenn freilich Gebärden ohne ein jemals gesprochenes Wort ausdrücklicher Liebe selbst wieder nicht erkennen lassen, wie tief das Verstehen geht. Aber die Fleischwerdung des Wortes geht in dieser Übersetzung – gerade auf dem anschaulichen Hintergrund menschlicher Verleiblichung betrachtet – als wirkkräftige Gebärdensprache nicht auf. Der Mensch Jesus ist eben doch mehr als die Gebärde und Äußerung Gottes mit Hilfe von

---

1232–1238. Neben vielen anderen Stellen, vor allem auch christologischen und trinitätstheologischen Inhalts, sei insbesondere noch verwiesen auf „Zur Theologie des Symbols", in: *ders.*, Schriften IV 275–311.

[21] *K. Rahner*, Wort und Eucharistie 325.

„etwas". So wirksam das Wort Gottes, als Liebe zu uns gesagt, immer gedacht werden muß und es auch ist: „Das ist mein Leib" zu sagen und ihn leibhaftig zu geben, überschreitet gerade doch auch, wenn man Gottes Tun als sein Tun ernst nehmen will, die Analogie des Wortes. Die Weise, wie das Wort gegeben wird und sich gibt, ist die Dimension des Pneumas, der Macht Gottes zur Communio. Das sakramental gedeutete Wort Gottes ist schaffendes Wort, gewiß: Es bewirkt, was es sagt. Aber als heilseffizient schaffendes Wort ist es darüber hinaus noch einmal vereinendes, communiostiftendes Wort. So entscheidend Sakramente als effizient schaffendes Wort Gottes verstanden werden müssen, so haben sie, von einer trinitarischen Ontologie her gesehen, mit ihrer Wortdimension zusammen – die gewiß auf das trinitarische „Wort", den Logos, bezogen werden soll – auch die Dimension des Pneumas. Weil Jesu Geist ihn als Gottes Wort gibt, hängen wir ihm an und werden zu einer „Existenz" mit ihm (vgl. 1 Kor 6,17). Dieses Ein-Geist-mit-dem-Herrn-Werden ist das Ziel alles sakramentalen und alles worthaften Tuns in der Kirche.

Aber das ist auch ein Hinweis darauf, daß man das Sakramentale und das Worthafte bei aller ursprünglichen Zusammengehörigkeit nicht einfach begrifflich und in der Darlegung ineinander aufgehen lassen soll. Die vielfältige und unterschiedliche Weise, auf die der Geist wirkt, bedarf der liebevollen Einzelaufmerksamkeit. Wie wir schon andeuteten, genügt es dann auch nicht, so undifferenziert vom „Sakrament" und vom „Wort" zu sprechen. Zwar ist nicht etwa die Siebenzahl an sich bei den Sakramenten interessant, wohl aber sind es die unterschiedlichen Situationen des Gläubigen in der Kirche, in denen der Geist ihn so unverwechselbar in die eine Existenz mit Christus nimmt oder in denen die Kirche so sehr des Gelingens der Dienste bedarf, das nur der Geist Jesu schenken kann.

Auch das Wort in der Kirche mit seinen verschiedenen Funktionen und Gestalten, wie es zu Herzen gehen soll, lebt von der Be„zeugung" des Geistes. Vergessen war zwar nie, daß zu diesen Arten des Wortes auch das Gebet gehört. Schon in der Johannesapokalypse betete die Gemeinde als Braut mit dem Geist: „Komm, Herr Jesus!" (Apk 22,17.20). Doch ist das uns als sakramentales Grundgeschehen vertraut? Von der Tradition des Ostens mit seiner Epiklese sollten wir deshalb aufnehmen, daß gerade das eine bevorzugte und unverzichtbare Weise des Sprechens ist, die auch im sakramentalen Geschehen nicht fehlen kann. Aber das ist nur *ein* Beispiel für eine pneumatologische Verlebendigung des Wortgebrauchs in der Kirche. Der Tisch des Wortes ist seit dem Konzil sicher in mancherlei Hinsicht reichlicher gedeckt worden. Entmutigen könnte, daß wir in der Kirche gleichzeitig das Gefühl bekamen, wir als Gläubige seien noch nie so sprachlos und unfähig zu wirklicher Gemeinschaftsbindung gewesen wie jetzt, wo so viel über das Wort und die Gemeinde gesprochen wird. Das ist gewiß nicht dem Konzil und der mit ihm dann oft in einem Atemzug genannten „neueren Theologie" zuzuschreiben. Im Gegenteil, die Besinnung auf diese Zeit des Aufbruchs in vielerlei Hinsicht kann auch in der komplizierteren Situation, in der der Aufbruch bewährt werden und oft mühsam Gestalt gewinnen muß, die epochal zutreffende Orientierung vermitteln. Der mit dieser Festschrift zu Ehrende war mit seiner Art des Sprechens ein mutiger Diener des Wortes, als es in der Kirche schwieriger war als heute, Neues und Ungewohntes zu sagen. Als dies leichter war und manchmal zur Mode degenerierte, spürte er, daß nun aller Mut anzuwenden war, um gegen umsichgreifende Resignation das rechte Wort zu sagen. Er hat auch nicht nur „über" all diese Dinge gesprochen, er hat vielen den in ihnen lebendigen Geist erschließen dürfen.

IV
MENSCH UND OFFENBARUNG

EUGEN BISER

DIE SUSPENDIERUNG DER GOTTESFRAGE

Erwägungen zu einer innovatorischen These Karl Rahners

In seiner Pastoralkonstitution „Gaudium et spes" (vom 7. Dezember 1965) unterschied das II. Vatikanum, an dessen Aussagen *Karl Rahner* vielfältigen Anteil nahm, unterschiedliche Formen des gegenwärtigen Atheismus: einen Atheismus aus resignativer Einschätzung der menschlichen Erkenntniskraft, aus exzessiver Bewertung der wissenschaftlichen Erforschbarkeit der Welt, aus menschlicher Selbstbehauptung, der die Leugnung Gottes als Vorbedingung für die Optimierung des Menschseins erscheint, und schließlich aus theologischem Fehlverhalten, weil sich die Negation in diesem Fall gegen eine dem Evangelium völlig fremde Auffassung von Gott richtet (GS 19). Eingebettet in dieses Spektrum ist eine Spielart, die nach Auffassung des Konzils auf derart kritische Weise nach Gott fragt, daß die Gottesfrage dadurch schon im Ansatz als sinnlos erscheint. So kommt es, mitten in der Bestreitung der Möglichkeit, sinnvoll nach Gott zu fragen, zu einer kritisch-skeptischen Suspendierung der Gottesfrage, in der sie sich überhaupt nicht mehr stellt.

Die innovatorische These

Es trifft sich seltsam, daß Rahner im ersten Band seiner „Schriften zur Theologie" (von 1954) in einem schon fünfzehn Jahre vor der Konzilskonstitution veröffentlichten Beitrag dieselbe Vorstellung, nur aus der diametralen Gegenposition, entwickelt hatte[1]. Unter dem Stichwort „die *Selbstverständlichkeit* des Gottesbewußtseins" bemerkt er zu Beginn des zweiten Abschnit-

---

[1] *K. Rahner,* Theos im Neuen Testament, in: Schriften I 91–167. Der Beitrag geht auf ein Referat zurück, das zunächst in einem Wiener Arbeitskreis vorgetragen und dann in der Zeitschrift Bijdragen 11 (1950) 211–236 veröffentlicht wurde, und dies in der Absicht, Anregungen „für eine bessere bibeltheologische Fundierung" des Traktats „De Deo uno" zu geben (91).

tes des mit dem Titelwort ‚Theos im Neuen Testament' überschriebenen Essays:

> Das erste, was uns auffällt, wenn wir nach dem Gottesbegriff der Männer des Neuen Testaments fragen, ist die Selbstverständlichkeit ihres Gottesbewußtseins. Eine Frage einfachhin darnach bloß, ob Gott existiere, kennen diese Männer eigentlich nicht. Eine Qual, erst nach Gott fragen zu müssen, sich erst langsam und besinnend überhaupt den Boden schaffen zu müssen, von dem aus so etwas wie ein Ahnen, Erfühlen oder Erkennen Gottes erst möglich wird, ein Gefühl, daß Gott sich dem fragenden Zugriff des Menschen eigentlich immer wieder entziehe, eine Furcht, ob nicht etwa Gott am Ende doch nichts sei als eine ungeheure Projektion der Sehnsüchte und Nöte des Menschen ins Objektive, ein Leiden an der Gottesfrage: von all diesen und ähnlichen Haltungen des modernen Gottesbewußtseins weiß das Neue Testament nichts (108).

In einer für Rahner typischen Denk- und Sprachbewegung wird hier der thematische Gesichtspunkt zunächst einmal dadurch hervorgehoben, daß das Vorverständnis, mit dem der moderne Leser an das vom Autor gestellte Problem – Gott im Neuen Testament – unwillkürlich herangeht, Zug um Zug abgebaut wird. Weder gibt es in den neutestamentlichen Schriften die Gottesfrage „einfachhin", noch ist ihnen etwas von der „Qual", nach Gott fragen und für die Ausarbeitung dieser Frage zuerst einmal „den Boden schaffen zu müssen", bekannt. Sie wissen nichts von der, mit einer Nietzsche-Metapher gesprochen, den Menschen umstellenden „Lücke", die durch den Gottesgedanken oder eines seiner Surrogate ausgefüllt werden müßte. Und schon gar nicht sind sie von dem Gefühl angefochten, daß sich der erfragte Gott dem Zugriff der menschlichen Frage entziehen könne oder daß dieser am Ende lediglich die Hand der eigenen Sehnsucht, wie es *Hölderlin* in seinem „Hyperion" ausdrückt, zu fassen bekomme. Vor diesem Hintergrund entwickelt Rahner sodann die sich aus dem Neuen Testament und der Haltung seiner Autoren ergebende Alternative:

> Gott ist zunächst einfach da. Er ist für es eigentlich bei all seiner Unbegreiflichkeit und Erhabenheit, bei all der Furcht und dem Zittern und dem erschütternden Glück, das ihnen diese Gotteswirklichkeit bereiten mag, zunächst einfach einmal als die selbstverständlichste, eines Beweises und einer Erklärung nicht bedürfende Tatsache da (ebd.).

Diese elementare „Gegebenheit" wird in der Folge zweifach kontrastiert: einmal mit dem spontanen, beim Faktum der Weltwirklichkeit einsetzenden Gang der Gottesfrage und dann mit dem religiösen Umfeld des Neuen Testaments. Was zunächst den spontanen Aufbruch der Gottesfrage anlangt, so verhält es sich für die neutestamentlichen Autoren mit ihrem „Boden" völlig anders, als sich das Problem des Ausgangspunkts etwa aus metaphysischer

Sicht darstellt. Denn für sie stellt sich keineswegs das Problem, „ob die unmittelbar für sie greifbare Wirklichkeit der Welt etwa noch über sich hinaus in das unendlich Dunkle eines ganz Andren weise", sondern lediglich die Frage, „wie dieser für sie immer schon gegebene, selbstverständliche Gott handle, damit der Mensch daraus erst wisse und erkenne, was er eigentlich an sich und der Welt habe" (ebd.). Damit ergibt sich für sie ein von der durchschnittlichen Einstellung denkbar tief verschiedenes Verhältnis zur Weltwirklichkeit. Sie ist für sie nicht das Erstgegebene, von dem aus eine argumentative Ableitung im Sinn von Gottesbeweisen geführt werden kann, sondern eine „Gegebenheit", die umgekehrt erst von Gott her Profil und Evidenz gewinnt. Er ist für sie so sehr das Ausgangsdatum ihres Bewußtseins, daß sie die Welt immer erst in seinem Licht entdecken und – als die Schöpfung dieses Gottes – verstehen lernen.

Nicht als liege dem Neuen Testament die Idee eines metaphysischen Zugangs zur Gotteswirklichkeit fern! Zwar führt es nirgendwo Gottesbeweise; doch kennt es sehr wohl „eine an sich bestehende Möglichkeit der Gotteserkenntnis aus der Welt" (109). Danach können (nach Röm 1,20) die Macht und Göttlichkeit Gottes ebenso wie (nach 1 Kor 1,21) seine Weisheit sowohl aus den Verpflichtungen des natürlichen Sittengesetzes als auch aus dem „Geschaffenheitscharakter der Welt" vom Menschengeist erkannt werden, so daß die Gottesblindheit der Heidenwelt im Grunde unentschuldbar ist. Denn ihr „Nichtkennen Gottes" ist, zumal für Paulus, „ein Nichtkennen*wollen*", dies jedoch so, daß es mit einem tatsächlichen „Doch-von-Gott-Wissen" einhergeht (110f). Daß mit dem „Geschaffenheitscharakter" der kreatürlichen Welt deren Herkunft aus dem göttlichen Schöpfungswirken und damit letztlich auch die Wirklichkeit Gottes bereits vorausgesetzt ist, wird in diesem Hinweis freilich nicht mehr reflektiert.

Und selbstverständlich nimmt das Neue Testament auch von der Gottvergessenheit in seiner heidnischen Umwelt Kenntnis. Mehr noch: es trägt entscheidend zur analytischen Erhellung dieses Zustandes bei. Weil es seiner Auffassung zufolge weder ein „sittlich neutrales Nichtwissen oder Zweifeln an Gott" noch eine „rein theoretisch bleibende religiöse Problematik" gibt, handelt es sich bei dieser gottlosen Verfassung der Heiden um die Folgen eines schuldhaften Verhaltens. Eine Verhärtung (Eph 4,18) und Verfinsterung (Röm 1,21) des Herzens muß eingetreten sein, damit der Gott dieser Welt den Sinn für die wahre Gotteswirklichkeit verschütten konnte. Letzten Endes erklärt sich, besonders nach Paulus, der Verfall des Gottesbewußtseins daraus, daß dämonische Mächte und Gewalten verdunkelnd und verstellend zwischen die Gotteswirklichkeit und das Menschenherz traten und dieses dadurch von der Verehrung des wahren Gottes abbrachten. So hat der antike „Atheismus" nach neutestamentlicher Einschätzung eher den Charakter einer Pseudoreligion; er erklärt sich daraus, daß sich die Heiden, mit einer paulinischen Wendung gesprochen, von dem lebendigen Gott „zu den stummen Götzen fortreißen ließen" (1 Kor 12,2).

Dennoch verhält sich das Neue Testament ebensowenig reaktiv zu diesem in seiner Umwelt herrschenden Atheismus, wie es sich konstruktiv auf die Möglichkeit einer auf dem Argumentationsweg gewonnenen Gotteserkenntnis bezieht. In der Selbstverständlichkeit seines Gottesbewußtseins bleibt es von beiden Positionen letztlich unberührt. Mit seiner Botschaft setzt es einen Menschen voraus, „der trotz seiner sündigen, die Welt vergötzenden Verlogenheit und Verlorenheit doch eigentlich schon etwas von Gott weiß, und umgekehrt wird dieses verdeckte Wissen um Gott erst eigentlich durch die Verhärtung des Herzens hindurchbrechend seiner selbst bewußt, wenn es erlöst wird durch das Wort des sich über alle Welt hinaus offenbarenden Gottes" (112). Damit ist aber bereits der innerste Grund der Selbstverständlichkeit des im Neuen Testament vorherrschenden Gottesbewußtseins erreicht. Er besteht, wie Rahner formuliert, in der „einfachen und zugleich gewaltigen Tatsache, daß Gott selbst *sich geoffenbart* hat", daß er also handelnd in die vom Neuen Testament beleuchtete Geschichte eingriff und sich so in seiner Wirklichkeit bezeugte. Für die neutestamentlichen Autoren besteht dieses Aktionsfeld zunächst in der Geschichte Israels, in welcher Gott (nach Hebr 1,1) „vielfach und auf vielerlei Weise" zu Wort kam, so daß man ihn mit der Stephanusrede (Apg 7,2-53) in der ganzen Erstreckung dieser Geschichte „am Werke" sehen kann. Indessen wissen sie „von Gott nicht bloß durch seine Selbsterschließung in der vergangenen Geschichte ihres Volkes, sondern erfahren seine lebendige Wirklichkeit in seinem neuen Handeln in ihrer eigenen Geschichte" (112f). Sie stehen unter dem Eindruck einer aktuell an sie ergehenden Gottesoffenbarung:

Jetzt hat Gott in seinem Sohn zu ihnen geredet (Hebr 1,2), seine rettende Gnade jetzt offenbar gemacht (Tit 2,11; 3,4; 2 Tim 1,10) durch den Sohn Gottes. Durch ihn sind sie zum Glauben an Gott gekommen (1 Petr 1,21). Er hat ihnen von Gott, den niemand gesehen, Kunde gebracht (Jo 1,18), ihn haben sie mit ihren Augen geschaut, ihn gehört und ihn mit Händen betastet (1 Jo 1,1). Im Angesicht Christi ist ihnen die Herrlichkeit Gottes aufgeleuchtet (2 Kor 4,6; Jo 12,45) (113).

Daraus leitet sich für Rahner insbesondere die „Fülle der Formeln" her, die Christus mit Gott zusammenfassen. Denn die beiden Namen bezeichnen nicht etwa zwei getrennte Wirklichkeiten des Numinosen; vielmehr sind sie für die gläubige Erfahrung so unlöslich miteinander verbunden, „daß, wer die eine aufgibt, auch die andere aufhebt" (114). Darum besteht das ewige Leben in der „Erkenntnis des allein wahren Gottes und dessen, den er gesandt

hat" (Joh 17,3), in der Abkehr von den Götzen und der durch Christus vermittelten Hinkehr zum Dienst am lebendigen und wahren Gott (1 Thess
1,9f) und in der Gemeinschaft mit dem Vater und seinem Sohn (1 Joh 1,3).
In der „lebendigen, handgreiflichen Erfahrung Christi, seiner Wirklichkeit,
seiner Wunder und seiner Auferstehung" ist den Männern des Neuen Testaments „in überwältigender Eindeutigkeit" die Gotteswirklichkeit aufgegan-
gen:

> „Aus seinem lebendigen, machtvollen Handeln in Christus ... kennen sie ihn.
> Nicht eine philosophische Bemühung, die mühsam konstruierend einen Gottesbe-
> griff sich aufbaut, ist für sie das erste, sondern das, was Gott selbst konkret in Chri-
> stus von sich ... enthüllte" (ebd.).

Der theologische Kontext

Schon das bloße Referat der zentralen Textstellen macht deutlich, daß Rahner zu Beginn seiner Abhandlung eine These vorträgt, die weit mehr als nur
eine „bessere bibeltheologische Fundierung" des Traktats „De Deo uno" bietet, wie er dies in der einstimmenden Anmerkung für sich in Anspruch
nimmt. Vielmehr kommt in diesen Sätzen eine der großen innovatorischen
Leistungen der Gegenwartstheologie zur Sprache, auch wenn die von Rahner entwickelte These in diesem Stellenwert bisher noch nicht wahrgenommen wurde. Vermutlich erklärt sich dieses rezeptionstheoretische Defizit
daraus, daß sich der Gedanke des theologischen Erkenntnisfortschritts vor
allem mit der Vorstellung von programmatischen Formeln und stichwort-
artigen Impulsen verband. Diese Einschätzung ist durchaus Rechtens. Wenn
man im Zug einer verbreiteten Auffassung davon ausgeht, daß der Erkenntnisfortschritt der Theologie primär aus seinem dialogischen Zusammenspiel
von basalem Glaubensbewußtsein und theoretischer Direktiven zu erwarten
ist, wird man sich das Zustandekommen innovatorischer Erkenntnisse vor
allem so vorstellen, daß das, was sich im Glaubensbewußtsein des Kirchen-
volkes unreflektiert anbahnt, von theologischen Sinnentwürfen aufgegriffen, durchlichtet und „auf den Begriff gebracht" wird. Dazu aber bedarf es
kompakter, griffiger und präziser Formeln, die wie ein zündender Funke in
die „Lauge" des noch unstrukturierten Glaubensbewußtseins fallen[2].

Begünstigt wurde diese Auffassung vor allem durch die Tatsache, daß „stig-
matische Formeln" der genannten Art in der neueren Geschichte der Theo-

---

[2] Dazu die abschließenden Ausführungen meines Beitrags „Intuition und Innovation. Zur Bedeutung der religiösen Intuition für den theologischen Erkenntnisfortschritt", in: MThZ 32
(1981) 169–193.

logie wiederholt Epoche machten. Dazu gehört in erster Linie das von *Rudolf Bultmann* ausgegebene Stichwort der „Entmythologisierung", auch wenn sich sein Autor von der geradezu sturmflutartig einsetzenden Rezeption inhaltlich abgrenzen mußte. Ähnlich überrascht zeigte sich *Willi Marxsen* von der Resonanz, auf die seine Formel „Die Sache Jesu geht weiter" im theologischen Disput der Gegenwart stieß[3]. Nicht zuletzt aber wirkte sich Rahners eigener Beitrag sowohl in theoretischer wie in praktisch-konkreter Hinsicht in diesem Sinne aus: theoretisch durch den von ihm in die Debatte geworfenen Begriff der „Kurzformeln" des Glaubens; praktisch durch die von ihm eingeführte und nach anfänglich heftiger Bestreitung schließlich doch durchgesetzte Formel vom „anonymen Christentum"[4].

Soviel an diesem Modell auch richtig ist, gilt doch auch für den theologischen Erkenntnisfortschritt, daß er, wie jede wissenschaftliche Weiterentwicklung, von der Gewinnung neuer Einsichten und Erkenntnisse lebt. Nicht selten sind gerade diese weiterführenden Erkenntnisse so einfach, daß ihre Plausibilität ihrer Gewinnung im Weg steht. Geradezu einen Extremfall dieses Tatbestands aber stellt die These von der „Selbstverständlichkeit" des neutestamentlichen Gottesbewußtseins dar. Denn hier bezieht sich der Kern der These auf eine schlichte Grundgegebenheit, die gerade deswegen „entdeckt" werden mußte, weil sie in ihrer Plausibilität jeder Problematisierung zuvorkommt. Schon vor jeder spekulativen Vergewisserung und unbeirrt von aller atheistischen Bestreitung ist dem Neuen Testament die Existenz Gottes in unangefochtener Fraglosigkeit gewiß. Indessen ist diese Gewißheit ganz anderer Art als etwa die des anselmischen Arguments, obwohl sie in struktureller Hinsicht durchaus an diese erinnert[4a]. Sie kommt, wie Rahner mit großem Nachdruck hervorhebt, durch die offenbarende Selbstmitteilung Gottes zustande. Sie ist also, theoretisch gesehen, nicht spekulativer, sondern dialogischer Provenienz. Nicht zuletzt besteht darin die innovatorische Bedeutung der von Rahner entwickelten These. Bevor jedoch auf diesen

---

[3] *W. Marxsen,* Die Sache Jesu geht weiter (Gütersloh 1976). Nicht zuletzt ist in diesem Zusammenhang auch an das *Guardini*-Wort vom „Erwachen der Kirche in den Seelen" zu erinnern. Näheres dazu in meiner Schrift „Interpretation und Veränderung. Werk und Wirkung Romano Guardinis" (Paderborn 1979) 123 f.

[4] *K. Rahner,* Die Forderung nach einer ‚Kurzformel' des Glaubens, in: Schriften VIII 153–164; zum Streit um Rahners Begriff des „anonymen Christentums" siehe die Ausführungen meiner Untersuchung „Religiöse Sprachbarrieren. Aufbau einer Logaporetik" (München 1980) 219 f.

[4a] Die Entsprechung wird freilich nur unter der Voraussetzung deutlich, daß man dem von der syllogistischen Fassung des Arguments im 2. Kapitel des „Proslogion" verdeckten invokatorischen Grundzug der ganzen Ableitung auf die Spur kommt. Darum bemüht sich meine Schrift „Der schwere Weg der Gottesfrage" (Düsseldorf 1982).

Fingerzeig genauer eingegangen werden kann, gilt es, zunächst die These selbst genauer zu bedenken. Denn fürs erste hebt sie das Neue Testament auf eine höchst unzeitgemäße Weise von den alttestamentlichen Schriften und dem durch sie vermittelten Gottesbewußtsein ab. Sodann mißt sie dem biblischen Zeugnis in der Frage der Herleitung und Vergewisserung des Gottesgedankens einen im Vergleich zu den Positionen der „philosophischen Theologie" *(Schleiermacher)* ganz ungewöhnlichen Stellenwert zu. Und schließlich macht sie, wenngleich nur mittelbar, eine Aussage über den Glauben, die im Blick auf die Ausarbeitung einer modernen Glaubensanalyse nicht hoch genug veranschlagt werden kann.

Mit den nivellierenden Tendenzen eines mißverstandenen Ökumenismus hängt es zusammen, daß im theologischen Disput der letzten Jahre die Differenz der beiden Testamente weitgehend eingeebnet wurde, so daß das Neue Testament weitgehend als eine bloße Akzentuierung alttestamentlicher Vorgegebenheiten erschien[5]. Das führte dazu, daß auch der tiefgreifende Unterschied in dem jeweils vermittelten Gottesbewußtsein – ebenso wie der des Gottesbilds – übersehen wurde. Aber gerade in dem von Rahner ausgearbeiteten Fragepunkt ist eine tiefgreifende Divergenz zu verzeichnen. Sie geht noch weit über die von ihm selbst aufgezeigte hinaus. Denn vom Alten Testament her bleibt es nicht nur, wie an relativ nachgeordneter Stelle gesagt wird, immer fraglich, ob „Gott mehr sein will als bloß der Herr. . ., ob er geliebter Herr oder herrlicher Geliebter sein will"; vielmehr bleibt es, im Blick auf das Gesamtpanorama der alttestamentlichen Schriften, sogar offen, ob er ist[6]. Denn es gehört zum erstaunlichen Pluralismus der in diesen Schriften eröffneten Perspektiven, daß neben Zeugnissen höchster Gottesgewißheit auch Aussagen stehen, in denen diese radikal problematisiert und in Frage gestellt wird. So liegt das Auszeichnende des Alten Testaments nicht zuletzt in seiner Weite und Toleranz. Neben den Büchern der „Weisung" und „Preisung" *(Buber)* stehen solche der Empörung und Skepsis. Das heißt keinesfalls, daß sich das Alte Testament in der Gottesfrage zuletzt auf einen relativistischen Standpunkt zurückzieht; vielmehr besteht seine unvergleichliche Größe darin, daß es ungeachtet seiner durch unerschütterliche Glaubensgewißheit gekennzeichneten Grundposition auch den Stimmen des Widerspruchs und Zweifels Raum gibt. Auf keinen Komplex trifft das so sehr zu

---

[5] Die entscheidende Weichenstellung vollzog fraglos *R. Bultmann* mit seiner Schrift „Das Urchristentum im Rahmen der antiken Religionen" (Zürich 1965), die – wie schon sein Jesusbuch (1926) – die christliche Botschaft weitgehend auf den „Glauben der Propheten" *(Buber)* zurückführt.

[6] *K. Rahner,* Theos im Neuen Testament (s. Anm. 1) 139.

wie auf den der Weisheitsbücher. Hier folgt auf die subtile Spekulation des Weisheitsbuchs das Zeugnis der Rebellion und Resignation: der Rebellion in Gestalt des Buches Ijob, in dem ein durch unerträgliche Leiderfahrung beredt Gewordener seine Anklagen gegen den Himmel schleudert; dann aber auch der Resignation im Buch des Predigers, in dem der Gottesglaube allenfalls noch die Kraft zu einer verklärten Schau eines zu Tod und Nichtigkeit verurteilten Daseins aufbringt[7].

Gemessen an diesem erstaunlichen Pluralismus, bietet das Neue Testament ein geradezu monolithisches Bild. Nirgendwo findet sich auch nur die Spur einer Bestätigung der These *Nietzsches,* daß die Jünger das Kreuz Jesu als das „schreckliche Fragezeichen" empfanden, durch das ihnen ihr ganzer religiöser Besitz aus der Hand gewunden worden sei[8]. Und auch dem Aufschrei der Hingemordeten, die im Zug der Visionen der Apokalypse bei der Öffnung des fünften Siegels unter dem himmlischen Altar sichtbar werden und mit lauter Stimme die Beschleunigung des Gottesgerichts fordern (6,9-11), fehlt, anders als im Buch Ijob, jeder Unterton der Anklage oder gar der Rebellion. Statt dessen herrscht die von Rahner beobachtete „Selbstverständlichkeit" des Gottesbewußtseins, für die Gott auch in dem Sinn der Erstgegebene und Erstgewisse ist, daß kein Schatten einer Frage auf diese Gewißheit fällt, selbst nicht der Theodizeefrage nach der Herkunft und dem Sinn des Leids in dieser vom Gottesgedanken durchleuchteten Welt. Davon macht nicht einmal das „Warum" des Gekreuzigten eine Ausnahme, da ihm im Abgrund seiner Gottverlassenheit immer noch der Gott bleibt, von dem er sich verlassen weiß und an den sich demgemäß die Klage über seine Verlassenheit richtet[9]. Da nun aber kein Ereignis der gesamten Weltgeschichte dazu angetan ist, die Existenz eines allweisen, allmächtigen und gütigen Gottes so radikal in Frage zu stellen wie das Kreuz Christi, kommt in der Tatsache, daß diese Problematisierung nicht eintritt, das Proprium des neutestamentlichen Gottesbewußtseins zum Vorschein. Es besteht, wie Rahner erstmals in der Theologiegeschichte entdeckte und aussprach, in einem Wissen um die Wirklichkeit und Nähe Gottes, das nicht durch künstliche Immuni-

---

[7] Zum Buch Ijob siehe die einfühlsamen Ausführungen *G. von Rads* in seinem Werk „Weisheit in Israel" (Neukirchen-Vluyn 1970) 267–292; dabei kann aber nicht übersehen werden, daß Ijob durch die Verfluchung des Tags seiner Geburt (3,1–26), soviel an ihm liegt, das Band zwischen sich und dem Schöpfer-Gott zerschneidet. Zum Ausklang des Buchs Kohelet siehe die Ausführungen meiner Schrift „Dasein auf Abruf. Der Tod als Schicksal, Versuchung und Aufgabe" (Düsseldorf 1981) 39 f.

[8] *F. Nietzsche,* Der Antichrist § 40; Näheres dazu in meiner Schrift „Gottsucher oder Antichrist? Nietzsches provokative Kritik des Christentums" (Salzburg 1982) 42 ff.

[9] Näheres dazu in meinem Jesusbuch „Der Helfer" (München 1973) 205–217 sowie in meiner Abhandlung „Der schwere Weg der Gottesfrage" (Düsseldorf 1982) 94–118.

sierungsstrategien, sondern durch sein primordiales Gegebensein allen Anfechtungen und Zweifeln überhoben ist. Das Neue Testament lebt, um es nun thetisch zu sagen, aus dem ebenso ungebrochenen wie unangreifbaren Wissen um die Wirklichkeit des von ihm bezeugten und verkündeten Gottes.

Was die Herleitung und Vergewisserung dieses Gottesbewußtseins anlangt, so unterscheidet es sich zutiefst von den durch Reflexion und Argumentation bezeichneten Bahnen. Sie beschreiben, wie Rahner im Blick auf die philosophische Gotteslehre deutlich macht, einen Argumentationsweg von der Welt zu Gott. Er führt, differenzierter gesprochen, „von der Welt zu einem Urgrund der Welt, von da zu einem geistigen Urgrund, von da zu einem welt-transzendenten Urgrund" und von da, wenngleich nur noch in Form einer Angrenzung, zur „Erkenntnis der Personalität Gottes" und so in letzter Konsequenz zu der Frage, „ob und wie etwa dieser personale Gott nicht bloß die Welt dauernd neu begründet, sondern auch – gleichsam neben sie tretend – mit ihr handeln wolle"[10]. Doch damit haben sich die Kompetenz'und Fassungskraft der philosophischen Gottesfrage auch schon erschöpft, weil die Antwort auf die Frage nach einem derartigen Heilshandeln nicht mehr von ihr, sondern nur von der faktischen Erfahrung eines derartigen Handelns her gegeben werden kann. Grundlegendes Dokument dieser Erfahrung ist das Alte Testament, in dessen Aussagen sich der von ihm bezeugte Bundesgott Zug um Zug enthüllt: nicht bloß als der eine Gott, auch nicht nur als der mächtige Herr in der Geschichte, sondern als *„der* Herr der Geschichte aller Völker und daher auch der Herr der Natur, der weltüberlegene, über alle irdische Begrenztheit erhabene geistige Urgrund aller Wirklichkeit, der nun aber . . . dennoch nicht in einer leeren Verschwommenheit eines ungreifbaren metaphysischen Begriffes verschwindet, sondern auch in seiner absoluten Transzendenz über alles Irdische der konkrete, eindeutige Er bleibt, so wie Er sich in seiner souveränen Freiheit gerade in dieser einmaligen Geschichte seines Bundes mit diesem Volke zeigen wollte."[11]

Das könnte den sich in seinem Heilshandeln manifestierenden Gott in den Anschein einer sublimen Heteronomie bringen. Denn zur Gewißheit über ihn kommt es, mit dem Grundgedanken Rahners gesprochen, allein durch die „einfache und zugleich gewaltige Tatsache, daß Gott selbst *sich geoffenbart* hat", daß er also von sich aus die Initiative ergriff, um die Frage seiner Existenz auf eine jeden Zweifel übergreifende Weise zu klären. Indessen ist mit dieser Explikation des Problems auch bereits seine Lösung angegeben.

---

[10] *K. Rahner*, Theos im Neuen Testament 107.
[11] Ebd.

Denn die Gottesoffenbarung bricht nicht wie ein Blitz aus heiterem Himmel in die menschliche Denkbewegung ein. Sie ist vielmehr zuinnerst auf diese Bewegung abgestimmt. Zwar kommt sie ihr, wie es bei einem geschichtlichen „Eingriff" nicht anders sein kann, bisweilen zuvor; doch zielt sie mit ihrer innersten Tendenz darauf ab, die Frage des Menschen durch sich zu Ende zu führen, so daß sie sich zu ihr wie die von Gott selbst gegebene Antwort verhält. Das unterstreicht Rahner mit dem Satz, daß das Offenbarungswort einen Menschen voraussetzt, „der trotz seiner sündigen die Welt vergötzenden Verlogenheit und Verlorenheit doch eigentlich schon etwas von Gott weiß", so daß dieses „unterschwellige" Wissen zu sich selbst durchbricht, wenn es durch das Wort des sich über alle Welt hinaus offenbarenden Gottes getroffen wird[12]. Von einer Heteronomie des aus dem Offenbarungsgeschehen erwachsenen Gottesverhältnisses kann somit nicht die Rede sein. Vielmehr knüpft das göttliche Offenbarungswort an eine kognitive Vorgegebenheit an; setzt es doch einen Menschen voraus, „der schon irgendwie von Gott etwas weiß, wenn er auch diese Wahrheit nicht wahrhaben will, wenn sie auch in ihm noch so sehr überlagert ist durch ein nur scheinbar in sich beruhigtes Nichtwissen"[13].

Nur scheinbar gerät damit das Offenbarungsgeschehen in eine wenn auch nur hermeneutische Abhängigkeit von den Vorgegebenheiten der natürlichen Gotteserkenntnis. Denn in diesem Fall müßte es bei der philosophischen Konsekution der Realitätserfahrungen und Vergewisserungsstufen bleiben, also beim Weg von der Welt über die Einsicht in ihre kreatürliche Abkünftigkeit bis hin zu dem absolut Anderen von ihr, zu Gott. Doch dabei bleibt es gerade nicht. Zwar gibt es, wie Rahner ausdrücklich vermerkt, gerade für Paulus ein Grundwissen um die Welt, dem ihr „Geschaffenheitscharakter" immer schon vor Augen steht; und insofern verweist die so gesehene Welt auch immer schon, wenn auch noch so dunkel, auf ihren göttlichen Sinn- und Werdegrund. Doch gehört es zum Proprium der biblischen und zumal der neutestamentlichen Gotteserfahrung, also der Erfahrung des sich in seinem Heilshandeln und zumal in Christus offenbarenden Gottes, daß sich dieses Verhältnis von Grund auf umpolt. Jetzt öffnet sich nicht mehr der Weg von der Welt zu Gott; vielmehr erweist sich dieser so sehr als der Grund alles Wissens um ihn, daß sich von ihm her auch das Weltwissen neu

---

[12] Ebd. 112. Der Satz erinnert unmittelbar an die Geist- und Sprachtheorie des Vicomte *De Bonald,* nach der die Ideen erst unter dem Anruf des Wortes aus dem Dunkel des Vorbewußtseins hervortreten, um wie die Sterne im Buch Ijob zu rufen: Ich bin da! Dazu *R. Spaemann,* Der Ursprung der Soziologie aus dem Geist der Restauration (München 1959) 49, sowie die Ausführungen meiner Theologischen Sprachtheorie und Hermeneutik (München 1970) 412 f.
[13] *K. Rahner,* Theos im Neuen Testament 112.

konstituiert; und das besagt: er reißt das Gesetz des Erkennens so sehr an sich, daß von ihm her nun auch klar wird, was es mit der Welt und dem Menschsein in ihr auf sich hat[14].

Mit dem idealistischen Ausgriff nach einem dem Weltsein übergeordneten Ideenkosmos, in dem sich die Weltverhältnisse in idealer Überhöhung darstellen, hat das nicht das geringste zu tun. Vielmehr steht diese durch das Offenbarungsgeschehen vermittelte Welterkenntnis im Zeichen eines ausgesprochenen und zum idealistischen Modell eher gegensinnig verlaufenden Realismus. Zwar ist in den neutestamentlichen Weltaussagen mit größter Sensibilität von der „Herrlichkeit der Lilien" die Rede, im gleichen Atemzug aber auch davon, „daß sie verdorren und in den Ofen geworfen werden"[15]. Was sich von Gott her ergibt, ist somit ein ausgesprochen „faktizistisches" Weltbild, das die dinglichen Konturen der Weltinhalte so deutlich hervortreten läßt, daß ihre Verklärung oder gar Vergöttlichung nach Art der polytheistischen Religiosität im Umfeld der Bibel schon vom Ansatz her ausgeschlossen ist. So liebevoll gerade auch die neutestamentlichen Weltaussagen auf die kreatürlichen Gegebenheiten eingehen, von denen der Sperling auf dem Dach ebenso Beachtung findet wie die Münze, die sich in der Stubenecke verlor, läßt dieses Weltwissen doch keinen Augenblick vergessen, daß es von Gott her gewährt und durch seine Selbstzusage vermittelt ist. Das aber kommt einer neuerlichen und endgültigen Bekräftigung der von Rahner bezogenen Ausgangsposition gleich. Danach unterscheidet sich das neutestamentliche Gottesbewußtsein von jedem philosophischen Zugang zur Transzendenz durch die fundamentale Tatsache, daß es im tiefsten Sinn des Wortes vor-gegeben ist: ein Bewußtseinsdatum, das schon vor jeder metaphysischen Reflexion dadurch zustande kommt, daß Gott zum Menschen spricht. Darin besteht zugleich der Grund der Umpolung. Denn wenn Gott die Initiative im menschlichen Verhältnis zu ihm ergreift, indem er zum Menschen spricht, bedarf es auf seiten des von ihm Angesprochenen keiner argumentativen Denkschritte, sondern vor jeder kognitiven Anstrengung lediglich der schlichten Hinwendung zu dem, der zu ihm redet. Dann ist das Vordringlichste dessen, was der Mensch einzubringen hat, das Gewärtigsein für den göttlichen Anruf und die Zustimmung zu dem, was ihm durch ihn gesagt wird.

Auch wenn das Stichwort „Glaube" damit noch nicht gefallen ist, wird doch bereits an dieser Stelle der Rekonstruktion klar, wie sehr die Entdeckung Rahners für eine zeitgemäße Glaubenstheorie zu Buch schlägt. Denn

---

[14] Ebd. 108f.
[15] Ebd., 121.

wenn sich etwas im Erscheinungsbild der heutigen Religiosität abzeichnet, dann eine tiefgreifende Umschichtung im Glaubensbewußtsein[16]. Nicht nur daß sich der Schwerpunkt eindeutig vom Inhalt auf den Glaubensakt verlagerte, so daß sich das Interesse weitgehend auf die durch den Glauben vermittelten Erfahrungswerte konzentrierte; auch die Mitverantwortung des Glaubenden, seine Zeugnispflicht und Verantwortung für die noch Fernstehenden traten im Zug dieses Umschichtungsprozesses stark in den Vordergrund[17]. Es liegt ganz im Zug dieser Entwicklung, daß sich auch die Frage nach dem Verhältnis des Glaubens zum religiösen Akt und insbesondere zum Gebetsakt mit neuer Dringlichkeit stellt[18]. Vor allem brachte es der von der Umschichtung ausgehende Sinndruck mit sich, daß die dem Glauben logisch vorangehende Frage nach der Vergewisserung des göttlichen Seins nicht mehr in die Zuständigkeit einer Denkoperation fällt, die ihn in solcher Weise unterbaut, daß er an ihre Ergebnisse unmittelbar anknüpfen könnte. Wer so nachdrücklich wie der moderne Mensch auf dem Erfahrungsmoment des Glaubens besteht, meint vielmehr mit „Erfahrung" zugleich auch die kognitive Vergewisserung von der Wirklichkeit des den Glauben fordernden Gottes. Das heißt dann aber auch, daß im Sinn dieses umfassenderen Glaubensverständnisses die Frage dieser Vergewisserung keiner vorgeordneten Instanz überlassen werden kann. Vielmehr muß der Glaube selbst für die Wirklichkeit des Gottes einstehen, auf dessen Anruf und Selbstmitteilung er sich mit seiner ganzen Aktgestalt bezieht. Diese Forderung macht sich Rahner in der Form zu eigen, daß sich ihm die Frage der Wirklichkeit und Identität Gottes ausschließlich aus dem Akt seiner Selbstoffenbarung beantwortet. Indem Gott redet, gibt er zugleich zu verstehen, daß er ist und daß er der geschichtlichen Menschenwelt aus der Position unendlicher Seins- und Machtfülle entgegentrat. Das läuft aber nicht etwa auf den Versuch hinaus, dem Glauben die Qualität einer metaphysischen Ableitung zuzugestehen, so daß von ihm das unausdrücklich vollzogen würde, was in reflexiver Ausdrücklichkeit durch die Gottesbeweise geschieht. Wohl aber wird dem Glauben zugute gehalten, daß er das Ziel der metaphysischen Gottesbeweise auf einem eigenen, nichtargumentativen Weg erreicht.

Im Blick auf ein umfassenderes Verständnis des religiösen Akts gesprochen, ist das der Weg des Gebets. Wenn Gott, wie Rahner in seinen Vor-

---

[16] Dazu mein Beitrag „Glaube in dürftiger Zeit", in: StdZ 201 (1983) 169–181.
[17] Dazu mein Beitrag „Die Nichtgeladenen. Zur theologischen Relevanz gescheiterter Glaubensversuche", in: StdZ 200 (1982) 627–639.
[18] Dazu mein Beitrag „Struktur und Funktion des religiösen Aktes", in: StdZ 195 (1977) 159–168, und das in meiner Schrift „Der schwere Weg der Gottesfrage" zu dieser Thematik Gesagte (125–145).

lesungen über den „Begriff des Geheimnisses" mit großem Nachdruck sagt, das den Menschen zugleich übergreifende und bedingende Geheimnis ist und wenn der Sinn des Gebets demgemäß vor jeder andern Zweckbestimmung darin besteht, daß sich der Mensch existentiell auf dieses Geheimnis einstimmt, muß im Gebet auch eine elementare Vergewisserung über seine Tatsächlichkeit erfolgen[19]. Denn das Gebet ist wie die Arbeit, das Gespräch oder die Liebe ein menschlicher Fundamentalvollzug, der auf keinerlei Vorleistung aufbaut, sondern die Elemente seiner Ermöglichung durch sich selbst erbringt. Das gilt dann vor allem auch für den Erweis der Wirklichkeit des Gottes, den es anruft und auf den es sich in der Anrufung bezieht. Es kommt, grundsätzlich gesehen, nicht zustande, weil es ein rationales Vorwissen um diese Gotteswirklichkeit gibt; vielmehr gewinnt es diese Gewißheit, indem es sich zum göttlichen Geheimnis hin vortastet. Insofern verbindet sich mit dem Gebetsakt die Zuversicht, daß es Gott als den Adressaten einer menschlichen Anrufung gibt und daß er diesen Anruf mit dem Erweis seiner Selbstzuwendung antwortet.

Das grenzt das Gebet ebenso weit von dem metaphysischen Argumentationsweg ab, wie es seinen Vollzug dem des Glaubens annähert. Denn mit der metaphysischen Vergewisserung wäre nichts gewonnen, weil mit dem Wissen um die Existenz Gottes noch nichts über seine Reaktion auf einen an ihn ergehenden Anruf gesagt wäre. Dagegen hat es der Glaube fundamental mit dem Wissen um jenen Gott zu tun, der im Akt der Offenbarung aus der Verschwiegenheit seines ewigen Geheimnisses hervortrat, um dem nach ihm fragenden Menschen Auskunft über seine Identität zu geben. Zwar geht die damit aufgenommene Dialogbeziehung weit über alles hinaus, was der Beter in seinem Anruf je von Gott erwartet. Dennoch besteht zwischen beiden Vollzügen eine derart tiefgreifende Strukturverwandtschaft, daß man das Gebet geradezu als einen impliziten Glauben und diesen als ein über sein durchschnittliches Erwartungsziel hinausgeführtes Gebet bezeichnen könnte. Im Rahmen einer modernen Glaubensanalyse müßte diese Spur vor allem deshalb weiterverfolgt werden, weil der Glaube damit in einem umfassenderen, die Religionsgrenzen übergreifenden Kontext erschiene. Er wäre dann nicht länger der Spezialfall eines religiösen Verhaltens, das lediglich im Bereich der Offenbarungsreligionen gegeben ist, sondern in seiner Grundstruktur Ausdruck jener Hingabe an Gott, die sich ansatzweise schon dann vollzieht, wenn sich der Menschengeist betend zu Gott erhebt. So gesehen, ist das Gebet die Wurzel des Glaubens und dieser die Krone des Gebets.

---

[19] *K. Rahner*, Über den Begriff des Geheimnisses in der katholischen Theologie, in: Schriften IV 51–99.

Der hermeneutische Hintergrund

Eine Entdeckung lebt zunächst ganz von dem Staunen, das sie in denen erregt, die sie zur Kenntnis nehmen. Und die Entdeckung der Selbstverständlichkeit des neutestamentlichen Gottesbewußtseins hat ein elementares Anrecht darauf, mit allen Zeichen des Erstaunens und der Bewunderung zur Kenntnis genommen zu werden. Das gilt nicht nur angesichts der Tatsache, daß sie in expliziter Klarheit erst zu einem so späten Zeitpunkt gemacht wurde, sondern nicht weniger auch im Hinblick darauf, daß sie die Tat eines Systematikers und nicht etwa, wie man doch annehmen sollte, eines mit der Erforschung der Heiligen Schriften befaßten Fachexegeten ist. Beachtenswert ist schließlich auch der Umstand, daß sie zu den spezifischen Leistungen der in der Regel eher kritisch beleuchteten Gegenwartstheologie zählt. Dennoch müßte ihr eine nur kurzfristige Lebensdauer in Aussicht gestellt werden, wenn sie in ihrer Beachtung nur vom Staunen der Rezipienten getragen und nicht durch eine ausdrückliche Begründung unterbaut würde. Denn so wichtig die Feststellung ist, daß sich das Neue Testament in der Fraglosigkeit eines vorgegebenen Gottesbewußtseins bewegt, muß doch zugleich auch gezeigt werden, wie es zur Entstehung eines derartigen Bewußtseinsdatums kommt. Sonst entstünde der Eindruck eines Vorstoßes ins Bodenlose, und es wäre nur eine Frage der Zeit, bis die These in sich zusammenbräche.

Wenn dieser Gefahr heute, dreißig Jahre nach der Erstveröffentlichung, begegnet werden soll, muß der Versuch einer wenigstens nachträglichen Rechtfertigung unternommen werden, da sich Rahner selbst, wie es sein gutes Recht war, mit der Promulgation seiner Entdeckung begnügte. Ihrer inneren Logik nach muß diese Rechtfertigung auf zwei Ebenen erfolgen. Denn die These leitet sich, wie erinnerlich, von der ebenso einfachen wie gewaltigen Tatsache her, daß sich Gott im Akt seiner Selbstoffenbarung mitgeteilt und dadurch handelnd in die Geschichte derjenigen eingegriffen hat, die mit ihrem Zeugnis für diese Tatsache einstehen. Damit ist aber in einer deutlich unterscheidbaren Weise von einem Sprachgeschehen und einem Heilsereignis die Rede. Um beiden Gesichtspunkten gerecht zu werden, wird man deshalb die heilsgeschichtliche Ebene von der sprachtheoretischen unterscheiden müssen. Und es legt sich von der Sache her nahe, bei dieser einzusetzen.

Dem Versuch einer sprachtheoretischen Verifizierung der Rahnerschen These stellen sich jedoch nicht unbeträchtliche Schwierigkeiten entgegen. Sie bestehen hauptsächlich darin, daß für die theoretische Aufhellung der religiösen Rede und Sprechakte nur die Modellvorstellungen der analytischen

Sprachphilosophie zu Gebote zu stehen scheinen[20]. Dabei hätte der dogmatische Umgang der analytischen Philosophie mit dem Phänomen der religiösen Sprache, wie er etwa in dem berühmten Schlußsatz des „Tractatus" von *Wittgenstein* – „Wovon man nicht sprechen kann, darüber muß man schweigen" (7) – zum Ausdruck kommt, von vornherein den Verdacht einer gewaltsamen Selbstabschließung erwecken müssen. Nicht umsonst führt nach *McPherson* der Versuch, das von Wittgenstein verfügte Schweigegebot zu durchbrechen und das „Mystische" auszusagen, unvermeidlich zu parabolischen, paradoxen und „unsinnigen" Ausdrucksformen[21]. Zwar hatte schon der späte Wittgenstein den analytischen Ansatz liberalisiert, so daß *John L. Austin* unter dem programmatischen Fragetitel „How to do Things with Words" in dem gewonnenen „Freiraum" seine Theorie der Sprechakte entwickeln konnte[22]. Dabei richtete er seine Aufmerksamkeit allerdings, wie schon der Titel zu verstehen gibt, in erster Linie auf die „perlokutionären" oder, wie er sie zunächst genannt hatte, „performativen" Sprechakte, bei denen die ausgesagten Handlungen, wie Taufe oder Eheversprechen, durch den Sprechakt selbst vollzogen werden. Indessen biegt er seinen Theorieansatz von einem „illokutionären" Sprachgebrauch, der noch am ehesten in die von Rahner bezeichnete Richtung ginge, dadurch vorschnell ab, daß er seine „Rolle" (force) durch Konvention geregelt sieht[23]. Es versteht sich aber von selbst, daß dem, was die These Rahners zum Ausdruck bringt, am wenigsten durch den Rückgriff auf Konventionen beizukommen ist.

Das kommt geradezu einer Nötigung gleich, den von Austin entwickelten Ansatz so auszubauen, daß dem Gedanken Rahners sprachtheoretisch Genüge geschieht. Anstatt von „Konventionen" muß dann eher von ihrem Gegenteil, also von jenen kreativen Sprachleistungen die Rede sein, die zum Aufbau einer dialogisch gelebten Mitmenschlichkeit führen. Das aber hat zur Voraussetzung, daß zunächst einmal Klarheit über die innerste Motivation menschlichen Redens geschaffen wird. Wenn nicht alles täuscht, verfällt die philosophische Sprachanalyse schon hier einem fundamentalen Irrtum, weil sie ihrer ganzen Blickrichtung zufolge den Sprechakt in erster Linie im menschlichen Informationsbedürfnis begründet sieht. Doch zeigt schon das eklatante Mißverhältnis zwischen der Menge der verwendeten Sprach-

---

[20] Dazu *D. M. High*, Sprachanalyse und religiöses Sprechen (Düsseldorf 1972).
[21] Nach *H. Peukert* (ebd. XV).
[22] *J. L. Austin*, Zur Theorie der Sprechakte (Stuttgart 1972); ferner *W.-D. Just*, Religiöse Sprache und analytische Philosophie (Stuttgart 1975) 127–134; *J. A. Martin*, Philosophische Sprachprüfung der Theologie (München 1974) 124–153; *I. U. Dalferth* (Hrsg.), Sprachlogik des Glaubens (München 1974) 27–31.
[23] *J. L. Austin*, Zur Theorie der Sprechakte 115–133.

zeichen und der der tatsächlich getauschten Informationen, daß diese Herleitung in die Irre geht. Was Menschen zum Reden bringt, ist zwar vielfach auch das Bedürfnis nach Informationsaustausch, in erster Linie jedoch das nach Gemeinsamkeit. Wir reden vor allem, um der Einsamkeit zu entgehen, und erst in nachgeordneter Hinsicht im Interesse des Informationstransfers. Wer diese Konsekution der Motive beachtet, wird von selbst dazu geführt, den „illokutionären Rollen" ungleich mehr zuzutrauen als das, was durch Konventionen geregelt wird. Doch worin besteht dieser „Mehrwert"?

Wenn man vom Aufbau einer menschlichen Gemeinschaft ausgeht, kann die Antwort nur lauten: in Signalen der Selbstmitteilung, in Impulsen der Vergewisserung und in Akten der Solidarisierung. Wie der Rahnerschüler *Georg Baudler* mit seiner grundlegenden Untersuchung zur Sprachtheorie *Johann Georg Hamanns* in Erinnerung rief, verbindet sich mit dieser in erster Linie der Gedanke an den einer unvordenklichen Tradition entstammenden Imperativ: „Rede, daß ich dich sehe!"[24] Danach erfolgt in jedem substantiell gesprochenen Wort eine sprachliche Selbstanzeige, durch die der Sprecher mit seiner ganzen Kompetenz, um nicht zu sagen: mit seiner personalen Autorität, auf den von ihm Angesprochenen „zugeht". Genauer besehen, fühlt sich dieser erst dadurch motiviert, seinerseits aus seiner individuellen Verschlossenheit hervorzutreten und den Initiator des Gesprächs als den gelten zu lassen, der ihm „etwas zu sagen hat" und auf dessen Wort er sich demgemäß einstimmt. Das gelingt ihm freilich nur deshalb, weil sich die an ihn gerichtete Anrede mit einem Impuls verbindet, den er unmittelbar als eine Bestätigung seiner selbst empfindet. Und aus beidem, dem Selbsterweis des Redenden und der Bestätigung des Angesprochenen, baut sich jene Solidarität und Gemeinsamkeit auf, die dem in Gang gekommenen Gespräch den Charakter einer „Begegnung" verleiht[25].

Schon diese wenigen Hinweise genügen, um das Sprachgeschehen in jener grundlegenden Funktion erscheinen zu lassen, die keinen Zweifel mehr an seiner konstitutiven Rolle beim Aufbau der menschlichen Elementarbeziehungen erlauben. Wenn *Nietzsche* gegen Descartes den Vorwurf erhebt, er sei mit seiner Vorsicht zu spät gekommen und im „Fallstrick der Worte" hängengeblieben, trifft er diesen Punkt[26]. Das Wort ist älter als das Denken; deswegen führt es auch früher – und radikaler – zu jener fundamentalen

---

[24] G. *Baudler*, „Im Worte sehen". Das Sprachdenken Johann Georg Hamanns (Bonn 1970).
[25] Zu diesem Begriff die Untersuchung von L. *Englert*, Über Voraussetzungen und Kriterien der Begegnung, in: Begegnung. Ein anthropologisch-pädagogisches Grundereignis (Darmstadt 1969).
[26] F. *Nietzsche*, Nachlaß (Die Unschuld des Werdens II) § 176.

Vergewisserung, auf die sich der cartesianische Ansatz bezieht. Wer mit einem anderen spricht, ist außerstande, ihn und sich aus der mit ihm aufgenommenen Gesprächsbeziehung wegzudenken. Und das heißt positiv, daß mit dem dialogisch getauschten Wort eine dreifache Gewißheitserfahrung verbunden ist: Gewißheit über das Faktum des geführten Gesprächs und damit über ein Elementarfaktum von Welt, Gewißheit über die Existenz des Dialogpartners und Gewißheit über die Tatsache des eigenen Daseins. Zumindest für die Dauer des Gesprächs ist diese dreifache Gegebenheit so evident, daß sie noch nicht einmal ansatzweise in Zweifel gezogen werden kann. Und das besagt: im Gespräch ereignet sich die fundamentale Vergewisserung, von der alles geistige Leben, aber auch alle personale und soziale Interaktion ausgeht.

Wenn die vom Neuen Testament bezeugte Grundtatsache, wie Rahner bei der Vertiefung seiner These sagt, darin besteht, „daß Gott selbst *sich geoffenbart* hat", ergibt sich die theologische Anwendung fast von selbst. Voraussetzung ist lediglich, daß die neutestamentliche Gottesoffenbarung tatsächlich als eine von Gott zur Menschheit hin aufgenommene Gesprächsbeziehung verstanden wird. Diese Voraussetzung darf deshalb nicht unerwähnt bleiben, weil Rahner seine Offenbarungstheorie in offenem Blick auf die von *Wolfhart Pannenberg* im Gegenzug zur „Theologie des Wortes" bezogene Position entwickelte[27]. Wie Rahner im „Grundkurs des Glaubens" (von 1976) zu verstehen gibt, ist zwar auch für ihn die Geschichte ein „Ereignis der Transzendenz" und Offenbarungsgeschichte insofern „koextensiv" mit Weltgeschichte; doch spitzt sich gleichzeitig sein Offenbarungsverständnis derart auf den Gedanken einer göttlichen Selbstoffenbarung zu, daß ihr substantieller Sprachcharakter eindeutig zutage tritt[28]. Dann aber ist es auch in seinem Sinn erlaubt, die menschliche Gesprächsbeziehung mitsamt ihren empirischen Implikationen auf das von Gott im Offenbarungsgeschehen aufgenommene Gespräch mit der Menschheit zu übertragen. Nur dürfte diese Beziehung nicht im Sinn der extremen Vertreter der „Worttheologie" als eine einseitig von Gott her ergehende gedacht werden; vielmehr käme es darauf an, sie als eine spezifisch dialogische zu denken, in der das an den

---

[27] Dazu der von *W. Pannenberg* hrsg. Sammelband „Offenbarung als Geschichte" (Göttingen 1965) und die Gegenschrift von *G. Klein,* Theologie des Wortes Gottes und die Hypothese der Universalgeschichte (München 1964); ferner der Sammelband „Spricht Gott in der Geschichte?" (Freiburg i. Br. 1972), die Hinweise meiner Schrift „Gott verstehen" (München – Freiburg i. Br. 1971) 36–48 sowie die Ausführungen *P. Eichers,* Offenbarung. Prinzip neuzeitlicher Theologie (München 1977) 347–478.
[28] *K. Rahner,* Grundkurs des Glaubens. Einführung in den Begriff des Christentums (Freiburg i. Br. 1976) 145–177.

Menschen ergehende Offenbarungswort von diesem wirklich auch aufgenommen und mit dem Akt seines Glaubens beantwortet wird.

Dann aber besteht keine Schwierigkeit mehr, den Befund der allgemeinen Dialoganalyse auf die mit dem Offenbarungsgeschehen gegebene Gesprächsbeziehung anzuwenden. Auch angesichts der Tatsache, daß in dieser Gott eindeutig das erste und entscheidende Wort hat, ist sie für den rezipierenden „Hörer" dieses Wortes mit einer dreifachen Vergewisserung verbunden. Indem er glaubend auf das Offenbarungswort eingeht, ist ihm auch schon evident, daß Gott in diesem Wort tatsächlich zu ihm spricht, so daß er sich im Akt seines Glaubens, besonders wenn dieser biblisch, also im Sinn des Grundworts „emuna", verstanden wird, existentiell darauf gründen kann[29]. Und selbstverständlich ist für den Glauben damit auch rückläufig eine Erfahrung des Befestigt- und Bestätigtseins verbunden, so daß er von sich die an das cartesianische „Cogito sum" heranreichende Aussage des zweiten Korintherbriefs machen kann: „Ich glaube, darum rede ich" (4,13). Vor allem aber ist mit dem Glauben ein Element fundamentaler Gottesgewißheit gegeben. Denn um sich als Akt konstituieren zu können, muß der Glaube nicht nur um die Tatsächlichkeit einer Gottesoffenbarung wissen, sondern vor allem auch darum, daß der Ursprung dieses Offenbarungsgeschehens, der ihm dialogisch und partnerschaftlich entgegentretende Gott, tatsächlich existiert. Und dieses Wissen ist für ihn so unabdingbar, daß es keiner wie immer gearteten vorgängigen Herleitung überlassen werden kann. Es muß mit der Gesprächsbeziehung, auf die sich der Mensch mit seinem Glaubensakt einstimmt, selbst gegeben sein. Und es ist mit ihr ebenso spontan und unmittelbar gegeben wie das Wissen um die Existenz eines aktuell redenden menschlichen Gesprächspartners. Wer sich glaubend in einem Dialog mit dem Offenbarungsgott begriffen sieht, weiß darum auch spontan und, vor jeder zusätzlichen Vermittlung und Abstützung dieses Wissens, um die Existenz Gottes. Sie ist das tragende Bewußtseinsdatum, das den Dialog zwischen göttlicher Selbstzusage und menschlichem Glauben überhaupt erst ermöglicht.

An Rahners These gemessen, ist damit kein neues Element eingeführt, sondern lediglich eine Komponente aufgegriffen, die bereits in seinem Ansatz mitgegeben ist. Um so wichtiger ist die Feststellung, daß sich Rahner im Wortverständnis seiner These besonders deutlich auf die Aussagen des Zweiten Vatikanums zubewegt, das in der Dogmatischen Konstitution über die

---

[29] Bekanntlich hob vor allem *M. Buber* in seiner Kampfschrift „Zwei Glaubensweisen" (von 1950) auf diese Grundbedeutung von „Glauben" im Sinn des „Sich-fest-Machens" und „Sich-Begründens" ab; dazu die Ausführungen meines Paulusbuchs „Der Zeuge" 119f.

göttliche Offenbarung („Dei verbum" vom 18. November 1965) seinerseits eine Feststellung trifft, die geeignet ist, die sprachtheoretischen Implikationen der These nachdrücklich zu bestätigen: „Denn die Worte Gottes sind, in menschlicher Sprache ausgedrückt, der menschlichen Rede so ähnlich geworden, wie einst das Wort des ewigen Vaters durch die Annahme des menschlich-schwachen Fleisches in allem dem Menschen ähnlich geworden ist" (III § 13). Im übrigen betont die Konstitution, daß in der Vielfalt der literarischen Zeugnisse das eine Wort Gottes hörbar werde (VI § 24) und daß es deshalb für die Diener des Wortes darauf ankomme, durch gründliches Studium der biblischen Schriften zu einem „inneren Hörer" des Wortes zu werden (VI § 25). Besonders groß ist die Annäherung an Rahners Position, wenn das Konzil von dem der Kirche in Schrift und Überlieferung übergebenen Evangelium erklärt:

Diese heilige Überlieferung ist, zusammen mit der Schrift der beiden Testamente, gleichsam der Spiegel, in dem die auf Erden pilgernde Kirche Gottes ansichtig wird, von dem sie alles empfängt, bis sie dazu geführt wird, ihn von Angesicht zu Angesicht zu sehen, so wie Er ist (II § 7)[30].

Die christologische Bestätigung

Rahner hat sich wiederholt vom Standpunkt seiner transzendentalen Theologie aus in einer Weise zu Fragen der Christologie geäußert, die ihm den Vorwurf eintrug, daß bei ihm die Gestalt Jesu Christi lediglich zum Exponenten des erlösten Menschseins geworden sei, ja daß sich in seiner Darstellung „die Auflösung des Besonderen ins Allgemeine" vollziehe[31]. Schon deshalb ist die Rückfrage nach Jesus Christus oder, was dasselbe besagt, der Versuch einer christologischen Rechtfertigung seiner These unumgänglich. Daß die These von der Selbstverständlichkeit des neutestamentlichen Gottesbewußtseins nach dieser Unterbauung geradezu schreit, ergibt sich schon aus dem Satz, daß für die Männer des Neuen Testament eine „unlösliche Verbindung zwischen ihrer gläubigen Erfahrung der Wirklichkeit Christi und ihrem gläubigen Wissen um Gott" bestehe[32]. Ihnen hat sich Gott da-

---

[30] Dazu auch die Äußerungen *K. Rahners* zur Konstitution „Dei verbum" in: Schriften VIII 23 ff.
[31] So etwa *J. Ratzinger* in seiner „Theologischen Prinzipienlehre" (München 1982) 174; von den Ausführungen *Rahners* seien insbesondere genannt: die Abhandlung „Probleme der Christologie von heute", in: Schriften I 169–222, der „sechste Gang" seines Werks „Grundkurs des Glaubens" (178–312) sowie seine Schrift „Was heißt Jesus lieben" (Freiburg i. Br. 1982).
[32] *K. Rahner,* Theos im Neuen Testament 113.

durch „neu" geoffenbart, daß er „in seinem Sohn zu ihnen geredet" und so „seine rettende Gnade jetzt offenbar gemacht" hat. Durch ihn, Christus, sind sie zum Gottesglauben gekommen; er hat ihnen von Gott, den niemand zu sehen vermag, Kunde gebracht; ihn haben sie mit eigenen Augen geschaut, ihn gehört und mit ihren Händen betastet; in seinem Antlitz ist ihnen die Herrlichkeit Gottes aufgeleuchtet[33]. So ist er für sie die leibhaftige, unüberbietbare Gottesoffenbarung, das in seiner Person und geschichtlichen Erscheinung an sie ergangene wesenhafte Wort Gottes. In ihm ist ihnen Gott selbst begegnet; aus seinem lebendigen, machtvollen Handeln an Christus haben sie ihn kennengelernt[34]. Durch ihren unmittelbaren Umgang mit Jesus kamen sie somit zu jenem primordialen Gottesbewußtsein, das sich in ihrem Zeugnis niederschlug und das Proprium der von ihnen hinterlassenen Schriften bildet.

Da in diesen Sätzen, so eindrucksvoll sie klingen, paulinische, johanneische und spätapostolische Zitate fast nach Art einer Collage miteinander verwoben sind, muß der Versuch einer Rechtfertigung zunächst differenzierend, gleichzeitig aber auch strukturerhellend verfahren, da es nicht nur darum zu tun ist, „Historisches" von „Kerygmatischem", also Vorösterliches von Nachösterlichem, zu unterscheiden, sondern gleichzeitig auch das die beiden Ebenen Verbindende aufzuzeigen. Geradezu programmatisch wirkt dafür die Frage, die *Wilhelm Thüsing* in einer christologischen Gemeinschaftsarbeit mit Rahner stellte:

Wenn Jesus primär auf Gott bezogen ist – empfangend und antwortend und von daher die Liebe Gottes weitergebend –, muß dann nicht auch derjenige, der in Kontakt mit Jesus kommt, in *diese* Relation zu Gott hineingezogen werden, auch abgesehen davon, ob sie von seinem Bewußtsein her naheliegt oder nicht?[35]

Denn in dieser Frage geht es zunächst um das Gottes- und Selbstverhältnis des historischen Jesus, dann aber auch um seine Heilsbedeutung „für die vielen" und schließlich um die in der Rahnerschen Ausgangsthese erfragte Konstituierung des neutestamentlichen Gottesbewußtseins, nur daß dieses jetzt bereits explizit auf Jesus zurückgeführt wird. Auf die in diesem Sinn aufgefächerte Frage antworten die neutestamentlichen Zeugnisse freilich nicht spontan; vielmehr setzen sie, historisch gelesen, mit Aussagen über die Staunen und Bestürzung, freilich auch Befremden und Ärgernis erregende Reso-

---

[33] Ebd.
[34] Ebd. 114.
[35] *K. Rahner – W. Thüsing*, Christologie – systematisch und exegetisch (Quaestiones disputatae 55) (Freiburg i. Br. 1972) 141.

nanz des öffentlichen Auftretens Jesu (Mk 1,27; Lk 4,22f; Mt 7,28) ein. Dabei bezieht sich die Erregung des Volks nach dem ältesten Bericht noch nicht einmal auf die Person, sondern auf die Sprachgewalt Jesu, der nach dem Urteil seiner Hörer eine neue, mit Vollmacht vorgetragene Lehre verkündet (Mk 1,27). Doch sieht nach der lukanischen Paralleldarstellung das von Haß geschärfte Auge des Ärgernisses klarer: „Sie staunten über seine bewegenden Worte und sagten: Ist das nicht der Sohn Josefs?" (4,22). Damit konzentriert sich aber auch schon die Reaktion von der Verkündigung auf die Person des Künders. An ihr scheiden sich die Wege des Ärgernisses und des Glaubens.

Auch das Ärgernis erkennt noch, daß die von Jesus ausgehende Suggestion letztlich darauf zurückgeht, daß er, im Verzicht auf jeden spektakulären Effekt, aus der lückenlosen Hingabe an sein Werk, ja aus der Identität von Person und Werk lebt. Die Fraglosigkeit dieser Hingabe läßt ihn in den Augen seiner Kritiker in einer derartigen Präpotenz erscheinen, daß die Gestalt Jesu für sie in den Aspekt einer beängstigenden Andersheit tritt. Ganz anders das Auge des Glaubens, das im Grund dieser „Werktreue" die Figur dessen erblickt, der sich ganz an das Geheimnis Gottes hingab und aus seinem Anruf lebt. Schon als Kind weiß er sich dem zugewiesen, was seinem Vater gehört (Lk 2,49). Und die härteste Prüfung seines Lebens besteht er, weil für ihn gilt: „Den Herrn, deinen Gott, sollst du anbeten und ihm allein dienen" (Mt 4,10). Demgemäß bezeichnet es auch der johanneische Jesus als seine „Speise", den Willen dessen zu tun, der ihn gesandt hat, und sein Werk zu Ende zu führen (Joh 4,34).

Das entspricht so sehr dem Rahnerschen Ansatz, daß dieser lediglich als eine theologische Explikation des biblischen Befunds erscheint. Und dieser Ansatz ist sogar so glücklich gewählt, daß sich durch ihn nicht nur das Gottesverhältnis Jesu erklärt, sondern ebenso auch dessen innerste Herkunft aus dem Offenbarungsgeschehen und seine operationale Konsequenz in Gestalt seines einzigartigen Umgangs mit den Menschen. Sein Gottesverhältnis zunächst; denn die aktuelle Hingabe an Gott und seinen Willen, die sich in den neutestamentlichen Stellen bekundet, ist Ausdruck einer zuständlichen Selbstübereignung an den Gott, aus dessen Anruf Jesus denkt, entscheidet, handelt und lebt. Das aber erlaubt seinerseits den für Rahners Theologie zentralen Rückschluß auf Sinn und Wesen der Gottesoffenbarung. Wie er vor allem im „Grundkurs" mit größtem Nachdruck unterstreicht, ist der Sinn des Offenbarungsgeschehens so lange nur unzulänglich erfaßt, als er nur lehrhaft, als eine von Gott gegebene Auskunft über die „jenseitigen Dinge" aufgefaßt wird. Denn auch in ihren „kategorialen" Formen geht es in der Offenbarung immer um das, was Gott der Menschheit von seinem Wesen her zu sagen hat, weil es ihr nur durch ihn allein gesagt werden kann: um das Wort seiner Selbstmitteilung. Offenbarung ist daher ihrem Wesen nach ein transzendentales Geschehen, die alle menschliche Sinnerwartung zugleich total übersteigende und zuinnerst erfüllende „Selbstoffenbarung" des sich erschließenden, verschenkenden und mitteilenden Gottes[36].

Seine zentrale Sinnspitze aber hat Rahners Ansatz, exegetisch gesehen, wenn man ihn im Gegensinn zu dieser offenbarungstheoretischen Konsequenz auf die Frage nach der menschlichen Verhaltensweise Jesu bezieht. Nicht nur daß von ihm her verständlich wird, wie sehr es den aus der zuständlichen Hinwendung zu Gott Lebenden „drängt", sich ganz dem Anruf dieses Gottes zu unterstellen und sich im Dienst an den Menschen zu verzehren. Vielmehr wird auch deutlich, warum sich Jesus mit besonderer Liebe derer annimmt, die schutz- und haltlos am Rand der etablierten Gesellschaft figurieren, daß er sich zur Empörung der „Gerechten" an den „Tisch der Sünder" setzt, um die Mahlgemeinschaft mit ihnen aufzunehmen, daß er seine schützende Hand über Frauen und Kinder hält und daß er seine „Ruhe" in erster Linie den „Bedrückten und Bedrängten" verheißt (Mt 11,28).

Es ist im Grunde nur eine Frage der Symmetrie, wenn dieser Befund nun, kontrapunktisch zu seiner offenbarungstheoretischen Auswertung, auch auf die Frage nach dem Selbstsein Jesu und nach dem Grundakt seines Heilswirkens durchgezogen wird. Was die Struktur seines Selbstseins anlangt, kann sie nur der entsprechen, die sich im göttlichen Offenbarungsgeschehen abzeichnete. Wie sich Jesus mit seinem ganzen Existenzakt darauf einstimmt, lebt er auch in einer nicht nur okkasionellen, sondern zuständlichen Hinwendung zu den Menschen, so daß sich seine Existenz zur „Proexistenz" *(Nossol)* verausgabt. Damit ist im Grunde nichts anderes gesagt als das, was schon die Evangelisten aus seinem Dasein herauslasen, als sie ihn die Große Einladung an die Unterdrückten und Erschöpften richten ließen (Mt 11,28) und ihm die Hoheitsworte „Ich bin das Brot des Lebens" (Joh 6,35.48), „Ich bin das Licht der Welt" (8,12; 9,5) und „Ich bin der Weg, die Wahrheit und das Leben" (14,6) in den Mund legten. Nicht weniger wichtig ist aber die Antwort, die sich daraus auf die Frage nach der zentralen Heilstat Jesu ergibt. Denn im Licht dieser Hoheitsaussagen gesehen, besteht diese Heilstat darin, daß Jesus der Menschheit jenseits aller intellektuellen, ethischen, sozialen und therapeutischen Hilfen, die sich mit seinem Erscheinungsbild verbinden, das gab, was vor und außer ihm kein anderer zu geben vermochte: sich selbst! Zwar gehört diese Erkenntnis schon zum Grundbestand der pa-

---

[36] Dazu die wichtigen Ausführungen *W. Kerns* zu Rahners „Grundkurs des Glaubens" in seiner Abhandlung „Disput um Jesus und um Kirche" (Innsbruck 1980) 59–72.

tristischen Christologie, die Jesus im Rückgriff auf die paulinischen Formeln, die ihn die Weisheit (1 Kor 1,30), die Hoffnung (Kol 1,27) und den Frieden (Eph 2,14) nannten, als das Wort (autologos), die Weisheit (autosophia) und das Gottesreich (autobasileia) „in Person" bezeichnete[37].

Es bedurfte jedoch des religiösen Ingeniums *Kierkegaards*, damit diese großartige Intuition der alten Kirche wiederentdeckt und für die Gegenwartstheologie fruchtbar gemacht werden konnte. Und selbst Kierkegaard gelang es erst in der letzten seiner religionsphilosophischen Schriften, der „Einübung im Christentum" (von 1850), den Satz zu bilden, der als das moderne Äquivalent zu den altchristlichen Formulierungen zu gelten hat: „Der Helfer ist die Hilfe."[38] Nicht als lasse sich diese Position mit dem von Rahner entwickelten christologischen Konzept einfach zur Deckung bringen; wohl aber ist mit ihr die Antwort auf die Ausgangsfrage *Thüsings* gefunden, wie die Menschen der Umgebung Jesu in sein Gottesbewußtsein „hineingezogen" wurden. Denn wenn seine Heilstat, konkret gesprochen: seine hilfreiche Zuwendung zu den Menschen, in jener zuständlichen Selbstübereignung an sie bestand, die ihre innerste Herkunft in der Selbstoffenbarung Gottes hatte, bedingte sie zugleich auch eine Gemeinsamkeit im Gottesbewußtsein. Dann trat im Denken der Jünger, ohne daß es dazu einer eigenen Entschließung bedurfte, aber auch ohne daß sie es zu hindern vermochten, eine Umschichtung in dem Sinn ein, daß an die Stelle ihres Nachdenkens über Gott derjenige trat, der so sehr aus dem Impuls Gottes lebte, daß sie sich im Maß ihrer Annäherung an ihn von diesem Impuls ergriffen und mitgetragen wußten. Das aber hatte zur unvermeidlichen Folge, daß sie Jesus nicht nur als den erfuhren, durch den sie für Gott gewonnen und in Anspruch genommen wurden, sondern zugleich als den, durch den sie sich von Gott berührt, ergriffen und „angesprochen" fühlten. Was er zu ihnen sagte, was er tat und mit ihnen unternahm, brachte sie Gott näher und gab ihnen die Gewißheit, ins Einvernehmen mit Gott gezogen worden zu sein. So wurde Jesus für sie zunächst in seinem Reden, in seinem Verhalten und in seiner ganzen Existenz zu einer leibhaftigen Selbstbekundung Gottes. Und es war nur eine Frage der Zeit, bis sich ihnen die ungeheure Aussage auf die Lippen legte, ihr Meister und Herr sei das leibhaftige Wort Gottes, wie es dann der Eingang des ersten Johannesbriefs in die grundlegende Aussage faßte:

[37] So die Schlüsselbegriffe der origenistischen Christologie.
[38] S. *Kierkegaard,* Einübung im Christentum (Ausgabe *Hirsch)* (Düsseldorf 1955) 11; dazu die Ausführungen meines Jesusbuchs „Der Helfer" (München 1973) 150–166 sowie die Würdigung dieses Ansatzes bei *W. Kern* unter dem Titel „Christologie ‚von innen' und die historische Jesusfrage", in: Disput um Jesus und um Kirche 73–87.

Was von Anfang an war, was wir gehört, was wir mit unseren Augen gesehen, was wir geschaut und mit unsren Händen berührt haben, das verkünden wir: das Wort des Lebens (1,1)[39].

Deutlicher kann nicht mehr gesagt werden, wie das neutestamentliche Gottesbewußtsein zustande kommt. Es ist der hörende, schauende und fühlende Umgang mit Jesus, der die Sprecher der gewaltigen Eingangsworte des Briefs zur Mitwisserschaft mit dem „Logos des Lebens" führte, und dies in einer Weise, daß sich ihnen darin das, „was von Anfang an war", enthüllte[40]. In Jesus wissen sie sich von Gott angesprochen und so, vor jeder Reflexion und Belehrung, zum Gottesbewußtsein gebracht. Gleichzeitig „klärt" sich in diesem Bewußtsein für sie endgültig, was sie an Jesus haben und was es heißt, von ihm gestützt, getragen und erfüllt zu sein. Und nicht nur dies: wie im Sinne der Eingangsbemerkung zu sagen ist, wird durch den Umgang mit Jesus überdies das unausdrückliche Gottesbewußtsein eines jeden von ihnen auf die Höhe eines reflexen Denkinhaltes gehoben. Jesus wird für sie zur existentiellen „Erinnerung" an das, was sie immer schon von Gott wissen (112). So fügt das neue Gottesbewußtsein nichts zu ihrer Lebensgemeinschaft mit Jesus hinzu; wohl aber hat diese in ihm ihre kognitive Spitze. In ihr überragt das Neue Testament jedes vergleichbare religiöse Zeugnis. Gegenüber allen gegensinnigen Stimmen, die von einer Verdunklung des Göttlichen oder doch von seiner Unerkennbarkeit sprechen, verweist es damit auf einen Weg, der jenseits aller Schattenzonen verläuft. Durch kaum ein anderes Kriterium kennzeichnet sich die Theologie Karl Rahners so klar wie dadurch, daß sie auf diesen Weg verwies; durch kaum einen anderen Beitrag erweist sie sich für das von Skepsis und Selbstzweifel erschütterte Denken der Gegenwart so hilfreich wie durch diesen. Es kommt nur darauf an, daß sich das religiöse Denken diese Entdeckung zu eigen macht und sich in dem durch sie eröffneten Horizont auch wirklich hält.

---

[39] Dazu R. *Schnackenburg*, Die Johannesbriefe (Freiburg i. Br. 1953) 42–57.
[40] Für die Konsekution Hören, Schauen, Tasten tritt nach einer wichtigen Beobachtung H. W. *Wolffs* vor allem das Zeugnis der Propheten ein.

JUAN ALFARO

DIE FRAGE NACH DEM MENSCHEN UND DIE GOTTESFRAGE

1. Die Frage nach Gott heute

Wenn im Thema dieses Beitrages zweimal das Wort „Frage" wiederkehrt, so ist das kein Zufall. Vielmehr soll damit zum Ausdruck gebracht werden, daß es hier gar nicht um eine Antwort auf die Frage gehen soll, sondern einzig und allein um ein Bedenken der Frage *als solcher,* nämlich ihres Ursprungs, ihrer Berechtigung und ihrer Bedeutung. Die kritische Grundhaltung des modernen Denkens erfordert, daß zuerst die Fragen selbst in Frage gestellt werden, denn in jeder Frage wird ihre Antwort bereits vorweggenommen und vorgezeichnet. Der Mensch kann sich in Pseudofragen verlieren, d.h. in Fragen, die über das hinausgehen, was menschlichem Wissen zugänglich ist.

„Die Frage nach dem Menschen und die Gottesfrage": damit soll besagt sein, daß wir diese beiden Fragen nicht so angehen können, als hätten sie nichts miteinander zu tun. Nein, die Frage nach Gott soll hier unter dem Blickwinkel der Frage nach dem Sinn des menschlichen Lebens gestellt werden, nämlich im Zusammenhang der Frage des Menschen nach sich selbst. So wird die Frage nach Gott bereits genau umrissen: wir werden uns zunächst einmal mit der Frage nach dem Sinn menschlicher Existenz zu beschäftigen haben, um zu erforschen, ob und wie sich (im Rahmen der Sinnfrage) die Frage nach Gott erhebt.

Bevor wir jedoch die Gottesfrage bedenken, gilt es, eine für uns grundlegendere Frage zu stellen: Kann der Christ, der seinen Glauben in dem Bekenntnis „Ich glaube an den einen Gott" zum Ausdruck bringt, überhaupt ernsthaft die Gottesfrage stellen? M. Heidegger meint, das sei schlechterdings unmöglich: *„Die Unbedingtheit des Glaubens und die Fragwürdigkeit des Denkens sind zwei abgründig verschiedene Bereiche."*[1] Dabei geht dieser große Denker freilich von einem Mißverständnis dessen aus, was christlicher Glau-

---

[1] *M. Heidegger,* Was ist Denken (Tübingen 1954) 10.

be ist. In der Tat ist christlicher Glaube nur so lange freie Antwort des Menschen auf das Angebot Gottes, als er sich nach dem „was" und „warum" seiner selbst befragt. Der Glaube selbst ist also der Ausgangspunkt des Fragens und des uneingeschränkten Verlangens, sich selbst, nämlich seinen Inhalt und den ihm zugrunde liegenden Akt, zu verstehen („Fides quaerens intellectum: Anselm von Canterbury). Der Glaube wird eigentlich erst authentisch in der aufrichtigen Suche nach Wahrheit, d.h. in der intellektuellen Redlichkeit; sonst wäre er Fanatismus.

Gleichzeitig gilt es, zu bedenken (und darüber war sich der christliche Glaube immer im klaren), daß Gott den menschlichen Verstand übersteigt (1 Joh 3,20), daß er (auch im Glauben) der Unbegreifbare bleibt, nämlich das Geheimnis, der verborgene Gott. Darum stellt der Glaube immer von neuem die unablässige Frage: Wer ist Gott? Wie und wo offenbart er sich? Ja, je tiefer der Glaube ist, desto mehr ist er sich dessen bewußt, immer auch auf der Suche nach Gott zu sein.

Die Notwendigkeit, der Gottesfrage auf den Grund zu gehen, ist freilich nicht nur ein Erfordernis des Glaubens, sondern auch der gegenwärtigen geistigen Situation, die weithin vom Einfluß der Naturwissenschaften und des modernen philosophischen Denkens bestimmt ist. Das wirklich Neue dieser Situation besteht nun nicht so sehr in der Negation der Existenz Gottes als vielmehr darin, schon *der Frage* nach Gott jegliche Berechtigung absprechen zu wollen.

Die Ursprünge dieser radikalen Form von Atheismus gehen auf Feuerbach zurück: die Gottesidee sei nichts anderes als eine Illusion, eine Vorspiegelung, in der der Mensch seine Eigenschaften, Sehnsüchte und Bedürfnisse aus sich hinausprojiziere. Der Mensch selbst habe also die Gottesfrage geschaffen und auf diese Weise den unermeßlichen Reichtum seines eigenen Wesens veräußert. So wird der Mensch denn aufgerufen, sich selbst als letzten Grund seines Wesens zu erkennen und die Entfremdung seines Wesens zu überwinden: „Der Mensch bejaht in Gott, was er an sich selbst verneint."[2]

K. Marx war der Überzeugung, die Gottesfrage sei von Feuerbach ein für allemal abgetan worden. Für ihn ist die eigentliche Entfremdung jedoch nicht im Wesen des Menschen anzusiedeln: sie liegt vielmehr in der Geschichte begründet, genauer: im kapitalistischen Wirtschaftssystem (Privateigentum der Produktionsmittel). Die mit seiner wirtschaftlichen Situation verbundene Unterdrückung und Entfremdung läßt den Menschen Zuflucht und Trost bei der Religion suchen: Religion wird so zum „Opium des Vol-

---

[2] *L. Feuerbach*, Sämtliche Werke, neu hrsg. von W. Bolin und F. Jodi (Stuttgart ²1960) Bd. II 411, Bd. VIII 29.

kes". Nur die revolutionäre Praxis, die das Zeitalter des Kommunismus heraufführen wird, vermag die Menschheit von dieser grundlegenden Entfremdung zu befreien. Ist der Mensch im Kommunismus einmal zur vollen Übereinstimmung mit sich selbst, mit den anderen und mit der Natur gelangt, dann wird sich ihm die Frage nach Gott nicht mehr stellen.

Auch für Nietzsche ist die vollständige Befreiung des Menschen (die Heraufkunft des neuen Menschen, der absolut autonom sein wird) aufs engste an das Verschwinden Gottes gebunden. Sein *„Gott ist tot"* ist die prophetische Ankündigung einer Menschheit der Zukunft, für die Gott keine Rolle mehr spielen wird. Der Glaube an Gott wird ersetzt durch den Glauben „an die absolute Wertlosigkeit", „an die absolute Sinnlosigkeit". „Alles hat keinen Sinn"; „Es fehlt das Ziel". Alles ist „Ziellosigkeit". Mit dem Verschwinden Gottes entschwindet der Sinn des Lebens.

Heidegger sah in Nietzsches *„Gott ist tot"* die logische Konsequenz der abendländischen Metaphysik und insbesondere ihrer Seinsvergessenheit (mangelnde Berücksichtigung der ontologischen Differenz zwischen dem Seienden und dem Sein), aufgrund deren sie im Grunde genommen nihilistisch und gottlos geworden ist.

Damit scheint Heidegger sagen zu wollen, daß der Mensch einzig und allein vom Sein her Zugang zu Gott finden könne. Aber noch ist das Sein verhüllt, und so lebt der Mensch denn in Erwartung der zukünftigen Enthüllung des Seins. Angesichts dessen bleibt uns heute keine andere Wahl, als von Gott zu schweigen, auch kann man nicht fragen, was das sei, das wir mit dem Namen „Gott" benennen[3]: *„Wer die Theologie, sowohl diejenige des christlichen Glaubens als auch der Philosophie, aus gewachsener Herkunft erfahren hat, zieht es heute vor, im Bereich des Denkens von Gott zu schweigen."*[4]

Heidegger leugnet weder die Existenz Gottes, noch behauptet er sie: wir seien heute nicht in der Lage, zu sagen, ob die Frage nach Gott sinnvoll ist oder nicht. Aber wird damit nicht auch jede Antwort auf die Frage nach dem Sinn des Lebens von vornherein unmöglich? Wenn wir mit Heidegger annehmen, daß der Tod der totale Schiffbruch des menschlichen Lebens ist, dann müssen wir auch mit Sartre zur Kenntnis nehmen, daß alle menschlichen Hoffnungen letztlich dem Nichts des Todes entgegenstreben und daß somit das Leben im ganzen sinnlos ist.

Wenngleich der logische Neopositivismus sich auf andere Prinzipien stützt und sich der Methode der Sprachanalyse bedient, so kommt er doch, was die Frage nach Gott anbelangt, zu ganz ähnlichen Schlüssen wie Hei-

---

[3] *M. Heidegger*, BH 1954, 102.
[4] *Ders.*, ID 1957, 513.

degger. Der bedeutendste Vertreter dieser philosophischen Richtung, Ludwig Wittgenstein, hat diese Position so ausgedrückt: „Wovon man nicht sprechen kann, darüber muß man schweigen."[5] Nur empirisch verifizierbare Aussagen, d.h. einzig und allein Aussagen der Naturwissenschaft, haben Bedeutung; alle anderen Aussagen (nämlich die, die Metaempirisches zum Inhalt haben) sind sinnlos. Darum muß man, wenn man die Frage nach Gott und die Frage nach dem Sinn des Lebens angeht, einfachhin Schweigen wahren; sie auf sinnvolle Weise zur Sprache zu bringen ist schlechthin unmöglich.

Die entscheidende Schwäche des logischen Neopositivismus ist unschwer auszumachen: das Prinzip der empirischen Verifizierbarkeit ist seinerseits nicht empirisch verifizierbar; es ist, ganz im Gegenteil, ein reines Postulat, das weder gerechtfertigt wird noch gerechtfertigt werden kann. Das ändert freilich nichts an der Tatsache, daß die so stark von den Naturwissenschaften bestimmte Denkform unserer Zeit jeder Frage nach der metaempirischen Wirklichkeit einstweilen mit wachsendem Mißtrauen begegnet.

Darüber hinaus hat auch der Fortschritt von Wissenschaft und Technik dazu beigetragen, den Säkularisierungsprozeß zu beschleunigen: der Mensch fühlt sich immer mehr fähig, die Welt zu beherrschen und das Schicksal der Geschichte selbst in die Hand zu nehmen. Und damit erfährt er die Welt und sich selbst (seine Freiheit und Autonomie) und schließlich seine Gottesbeziehung in einem neuen Horizont. Wir haben es dabei mit einem Phänomen zu tun, in dem positive und negative Aspekte eng ineinander verwoben sind. Man muß jedenfalls die Tatsache unterstreichen, daß der Horizont der Transzendenz immer mehr in die Ferne rückt und unerreichbarer wird.

Es ist also gar nicht so überraschend, daß aus diesem kulturellen Kontext vor einigen Jahren eine neue theologische Strömung hervorging, nämlich die sogenannte „Gott-ist-tot-Theologie". Sie befaßt sich in theologischer Reflexion mit dem Ausbleiben Gottes, mit dem Schweigen Gottes und beabsichtigt letztlich, die Beziehung des Menschen mit jenem „verborgenen" Gott doch aufrechtzuerhalten, auch wenn man über ihn vermittels der menschlichen Sprache weder Aussagen machen noch Fragen stellen kann. So wird die Frage nach Gott schließlich ausgeklammert.

---

[5] *L. Wittgenstein,* Tractatus logico-philosophicus n. 7, in: *ders.,* Schriften 1 (Frankfurt a.M. 1969) 83.

2. Die Sinnfrage als ursprüngliche Frage des Menschen

Wie die Philosophiegeschichte zeigt, wird die Frage nach Gott seit Kant im größeren Zusammenhang der Frage nach dem Menschen gestellt[6].

„Das Feld der Philosophie ... läßt sich auf folgende Fragen bringen: Was kann ich wissen? ... Was soll ich thun? Was darf ich hoffen? Was ist der Mensch? ... Im Grunde könnte man aber alles dieses zur Anthropologie rechnen, weil sich die drei ersten Fragen auf die letzte beziehen."[7] Das Hauptproblem, mit dem sich das menschliche Denken befaßt, ist nach Kant die Frage „Was ist der Mensch", und konkret wird dabei nach dem freien Handeln und der Hoffnung, also nach seiner Zukunft gefragt. Kant geht aus von der Frage nach dem Menschen, nach seiner Freiheit und seiner Hoffnung, und gerade so kommt er zur Frage nach Gott als letztem Fundament ethischen Sollens und menschlicher Hoffnung („regnum gratiae").

Die Frage nach Gott im Zusammenhang der Frage nach dem Menschen zu stellen ist voll und ganz gerechtfertigt. Wenn es die Frage nach Gott gibt, dann ist sie wohl nirgendwo anders als im Menschen zu finden; denn allein der Mensch ist in der Lage zu fragen. Der Mensch fragt ohne Einschränkung; alles wird ihm fragwürdig: sein Grundakt – der noch vor jeder Erkenntnis, Entscheidung oder Handlung liegt – ist eben der des Fragens.

In der ursprünglichsten Frage des Menschen geht es nun nicht zuallererst um die Welt (was die Welt sei), denn allein im Menschen wird die Welt zum Gegenstand des Fragens, und letztlich ist sie auch nur als Welt des Menschen verstehbar, d.h. in ihrer Beziehung zum Menschen; erst im Zusammenhang der Frage nach dem Menschen ist die Frage nach der Welt sinnvoll.

Aber auch die Frage nach Gott ist nicht die erste Frage, mit der der Mensch es zu tun bekommt; wir haben nämlich gar keine unmittelbare Erfahrung von Gott. Die Frage nach Gott (vorausgesetzt, daß es sie gibt) geht vielmehr von der Selbst- und Welterfahrung des Menschen und somit von der Sinnfrage aus, die mit dieser Doppelerfahrung untrennbar verbunden ist. In jener inneren Selbsterfahrung, die wir Bewußtsein nennen und die in uns jeden Akt des Denkens und Entscheidens begleitet, leben wir ständig die Frage nach uns selbst. Diese Selbstvergegenwärtigung des menschlichen Wesens, in der die gelebte Gewißheit unserer Existenz gründet, wirft nun aber die Frage auf: Was bin ich? Die Frage nach dem Sinn des Lebens ist also *apriorisch*, d.h., sie ist ein Konstitutivum der menschlichen Existenz.

---

[6] *W. Weischedel*, Der Gott der Philosophen (Darmstadt 1971).
[7] *I. Kant*, Logik, in: *ders.*, Werke (Akademieausg.) IX 25; *ders.*, Kritik der reinen Vernunft, in: ebd. III 522f.

In ihrer offenkundigsten und einfachsten Formulierung lautet die Sinnfrage so: Lohnt es sich überhaupt zu leben? Worumwillen und woraufhin leben? Es geht vor allem um die Zukunft, aber auch um den Ursprung: Woher kommen wir, und wohin gehen wir?

Insofern als das menschliche Leben im Tod zu Ende geht, ist sie Frage nach dem Leben in seiner Ganzheit. Angesichts des Todes nimmt sie die Struktur einer Frage nach dem unwiderruflichen Ganzen des Lebens an (Heidegger).

In der Sinnfrage geht es also um die Frage, ob das Leben im ganzen irgendwie verstehbar sei und ob es einen Wert für uns darstellt: erst Einsichtigkeit und Wert zusammen machen „Sinn" aus. „Einsichtigkeit und Wert", das meint „Wahrheit und Freiheit". So geht es dann um die Frage, ob das Leben in sich irgendwie von Einsichtigkeit sei (Sinn als Sinnhaftigkeit: Sinn haben), weil meine Freiheit ihm nur so Sinn verleihen kann (Sinn als Sinngabe).

Die Frage nach dem Menschen bleibt also nicht im Bereich des Theoretischen, sondern hat notwendigerweise auch eine praktische Dimension; sie richtet sich gleichzeitig und untrennbar an den Verstand und an die Freiheit des Menschen: sie ist Problem, das bedacht sein will, und Aufgabe, der man nachkommen muß. Sie verlangt nach einer Antwort, die unausweichlich auf Einsicht und Entscheidung (in gegenseitigem Einschluß) beruht. Der Sinnfrage überhaupt aus dem Weg zu gehen und keine Stellung zu beziehen ist existentiell unmöglich: sie ruft jeden Menschen in die Entscheidung. Darum darf man sich auch keine Antwort erwarten, die für den Verstand evident und somit in sich zwingend wäre; denn damit wäre der freien Entscheidung jeder Spielraum genommen.

Das also ist die besondere Situation des Menschen angesichts der Sinnfrage. Er kann sie gar nicht umgehen: unausweichlich ist er von ihr angerufen. Wo immer der Mensch existiert, da ist er auch schon auf der Suche nach dem Sinn seines Lebens. Der Mensch trägt die Frage nach dem Sinn seines Lebens in sich selbst, oder, genauer, er wird von ihr getragen: er existiert nicht anders als in Fragwürdigkeit, in radikaler Infragestellung. Eben hier zeigt sich seine Kontingenz am stärksten: immer bleibt er sich selbst eine Frage, ja *die Frage*. Darum vermag er eine Antwort (falls es sie gibt) nur jenseits seiner selbst zu finden. Die Frage, die er darstellt, reicht also über ihn selbst hinaus.

Nun zeigen aber das freie Handeln des Menschen und sein Hoffen, daß an der Wurzel des menschlichen Lebens nicht nur die Suche nach Sinn steht, sondern auch die erlebte Gewißheit, daß es diesen Sinn tatsächlich gibt. Jedermann muß im Verlauf seines Lebens konkrete Entscheidungen treffen. Diese sind in ihrer grundsätzlichen Möglichkeit jedoch an eine Bedingung geknüpft, nämlich an die gelebte Gewißheit, daß die jeweilige Entscheidung einen Sinn hat, und an eine gewisse reflexe Einsicht in diesen Sinn. Ohne das Warum der Einsichtigkeit und ohne das Wofür der Finalität wäre menschliches Entscheiden unmöglich. Dessen nicht genug. Die konkreten Entscheidungen haben nämlich nur insofern Sinn, als sie Einzelmomente der Existenz als ganzer sind, insofern sie also im Zusammenhang des umfassenden Lebensprojekts und somit des Sinns der Existenz im Ganzen stehen. So kommen wir also zu dem Schluß, daß die menschliche Freiheit in jeder ihrer konkreten Entscheidungen immer schon unter dem Einfluß des umfassenden Existenzsinns steht.

Ohne die Hoffnung, daß sein Leben einen Sinn habe, vermag der Mensch nicht zu leben. Wir haben es hier mit einer menschlichen Grundstruktur zu tun, nämlich mit dem radikalen Willen zum Leben, von dem her jegliche konkrete Freiheitsentscheidung erst möglich wird. Eben in diesem apriorischen Willen zum Leben und somit in der Hoffnung, daß das Leben einen Sinn habe und daß es sich lohne, ihn zu suchen, wurzelt auch die Sinnfrage: ohne diese Hoffnung wäre die Suche nach dem Sinn selbst ein Unsinn.

Mit dieser Analyse der Erfahrung des freien Handelns und des grundlegenden Hoffens des Menschen ist hinreichend verifiziert, daß die Sinnfrage nichts anderes ist als der reflexe Ausdruck dessen, was in der Tiefe menschlicher Existenz gelebte Wirklichkeit ist.

Mit der Legitimität der Sinnfrage ist aber auch schon nachgewiesen, daß das menschliche Fragen über den Bereich des empirisch Verifizierbaren hinausreicht. Für unser Vorhaben, den Menschen als radikal auf die Transzendenz und auf die Gottesfrage hin offenes Wesen verständlich zu machen, ist dieses Ergebnis von entscheidender Bedeutung.

Dafür, daß der Mensch auf die Sinnfrage überhaupt nicht verzichten kann, läßt sich ein überraschendes Zeugnis anführen. In seinen wissenschaftlichen Schriften behauptet der *Philosoph* Wittgenstein, man müßte sich „in Schweigen hüllen", was die Sinnfrage (und die Gottesfrage) angeht: sie seien nicht verifizierbar als Fragen. Gleichzeitig jedoch erweist sich der *Mensch* Wittgenstein in seinen Briefen zutiefst getroffen von der Frage nach dem Sinn seines Lebens.

3. Die Gottesfrage als letzte Zuspitzung der Sinnfrage

Wenn wir in der Sinnfrage das existentielle Zentrum alles menschlichen Fragens vor uns haben, dann ist klar, daß die Gottesfrage nur insofern verifizierbar ist, als sie in der Sinnfrage enthalten und von ihr her auferlegt ist. Richtig formuliert, lautet die Frage nach Gott demnach so: Steht der Mensch auf der Suche nach dem Sinn seines Lebens vor der Frage nach Gott?

Der radikalen Frage, zu der er für sich selbst wird, auf den Grund zu gehen ist eine Aufgabe, die dem Menschen aus der Treue zu sich selbst erwächst. Die alleinige Gewißheit, daß das Leben einen Sinn hat, ist keineswegs ausreichend; es gilt vielmehr, weiterzufragen, worin dieser Sinn denn besteht. Doch wo und wie nach ihm suchen? Sicher nicht in einem Teilbereich unserer Existenz, sondern im Gesamt ihrer Grunddimensionen, so wie wir sie im täglichen Leben erfahren: *der Mensch als Wesen in der Welt, als Sein zum Tode, als Mitmensch unter anderen in der menschlichen Gemeinschaft, als geschichtliches und darum zukunftsoffenes Wesen.* In der Analyse dieser vier Grunddimensionen, die einander wechselseitig einschließen (Beziehung des Menschen zur Welt, zum Tod, zu den Mitmenschen und zur Geschichte), soll die Sinnfrage nun konkrete Formen annehmen und soll fernerhin – falls sie besteht – die Frage nach Gott zum Vorschein kommen.

Falls sich im Feld der immanenten Beziehung „Menschheit – Welt – Geschichte" keine letzte Antwort auf die Sinnfrage ausmachen läßt, besteht keinerlei Berechtigung mehr, willkürlich die Frage nach einer Wirklichkeit zu boykottieren, die von ganz anderer Art und – in bezug auf das Gesamt der immanenten Wirklichkeit von „Menschheit – Welt – Geschichte" – transzendent ist: unter dieser Voraussetzung hätte sich die Frage nach Gott insofern als unumgänglich und gerechtfertigt erwiesen, als sich in ihr die Sinnfrage endgültig zuspitzt. Der Mensch kann sich aufrichtigerweise keiner Frage gegenüber verschließen, die ihm aus der inneren Notwendigkeit erwächst, sich über die Wirklichkeit und insbesondere über den letzten Sinn seines Lebens klarzuwerden.

Hier muß besagte Analyse der vier Grunddimensionen der menschlichen Existenz nur in einem raschen Abriß geschehen.

A) Die Beziehung „Mensch – Welt" ist letzten Endes paradoxal: einerseits existiert der Mensch *in der Welt* und *für die Welt* und ist darum in jeder seiner Handlungen durch die Natur konditioniert und gleichzeitig dazu bestimmt, sie zu verändern; andererseits existiert er *der Welt gegenüber,* d.h. in einer qualitativen Verschiedenheit, die ihn von der Welt abhebt und ihn in Gegensatz zu ihr bringt. Während die Natur in den Konstanten ihrer Abläufe gefangenbleibt, ist der Mensch unbegrenzt auf neue Zukunft hin offen und kann darum auch in der Natur selbst immer neue Möglichkeiten hervorbringen: sein Streben reicht über alle Naturabläufe und über jede konkrete Veränderung der Natur jeweils noch einmal hinaus. An der Wurzel dieser in bezug auf die Natur transzendenten Verfaßtheit des Menschen stehen sein Bewußtsein und – untrennbar mit diesem verbunden – seine Freiheit.

Das Bewußtsein erweist sich als der Natur gegenüber eigenständige Wirklichkeit, als *innere* Erfahrung des menschlichen Denkens, Entscheidens und Handelns und entgeht somit dem Bereich empirischer Verifizierbarkeit, wie sie den Naturabläufen zu eigen ist.

Die Freiheit zeigt sich in den menschlichen Entscheidungen, insofern sie weder durch die Naturabläufe noch durch die geschichtlichen Umstände, noch durch die vorgehenden Entscheidungen vorgegeben bzw. im voraus festgelegt sind: gegenüber all dem, was ihre Möglichkeit bestimmt, stellt die freie Entscheidung eine Neuigkeit dar (Diskontinuität). Nun ent-scheidet der Mensch aber nicht nur über dies oder jenes, sondern auch über sich selbst, über seine Zukunft. Der unauflösbare qualitative Unterschied zwischen Mensch und Natur zeigt sich hier am stärksten: allein der Mensch ist aufgrund seiner Freiheit dazu aufgerufen, sich im Hinblick auf ein Kommendes zu verwirklichen, das jedes in seiner Beziehung zur Welt schon erreichte Ziel übersteigt.

Der Mensch erfährt seine Freiheit als Gabe und Aufgabe, und als solche lebt er darum auch seine Existenz. Diese Erfahrung bringt die Frage nach Ursprung und Ziel des Lebens mit sich: Freiheit wird zur Anfrage, d. h.: Freiheit wird angerufen, ist gerufen, sich zu verantworten; sie übersteigt somit sich selbst und ist, ihrem Wesen nach, auf ein Jenseits ihrer selbst bezogen.

So wird denn die Frage nach dem Sinn konkret zur Frage nach der Verantwortlichkeit der menschlichen Freiheit, die als solche weder Grund noch Ziel in sich selbst hat: Woher kommt die verantwortliche Freiheit des Menschen, und welcher Instanz gegenüber hat sie sich zu verantworten? (Zwei Aspekte derselben Frage: Ist die Freiheit Gabe, dann richtet sich ihre Verantwortung auf eben die Wirklichkeit, in der die Gabe ihren Ursprung hat.)

Nun hat sich der Mensch aber nicht vor der unpersönlichen Wirklichkeit der Natur zu verantworten und letztlich auch nicht vor den Mitmenschen; diese sind ihrerseits mir gegenüber verantwortlich. So bleibt denn einzig und allein die Frage nach einer personalen und transzendenten Wirklichkeit, d.h. die Frage nach Gott. Die Rede vom Menschen als „freiem" und „verantwortlichem" Wesen hat nur insofern Sinn, als der Mensch in seiner Freiheit von Gott, dem personalen Grund, gesetzt und darum auch angerufen ist. Deshalb kann der Mensch Gott auch nicht anders erkennen als in der Grundentscheidung (Fundamental Option) seiner Freiheit. Im Feld der Beziehung „Mensch – Welt" erscheint die Sinnfrage also als Frage nach dem personalen Ur-Grund der menschlichen Existenz.

B) Im Feld der Beziehung „Mensch – Tod" nimmt die Sinnfrage unüberbietbare Evidenz und Dramatik an. Wir alle erfahren, daß der Tod den Sinn unseres Lebens von Grund auf in Frage stellt: Was erwartet uns nach dem Tod? Eine neue Zukunft? Oder keinerlei Zukunft? Das eben ist das unumgängliche Dilemma, an dem sich der Sinn des menschlichen Lebens entscheidet. Durch den Tod wird das Leben als ganzes fragwürdig, denn der Mensch lebt insofern, als er strebt und hofft (E. Bloch), als sein Leben von jenem radikalen Hoffen getragen ist, das für ihn die Vorbedingung jeglicher Möglichkeit freien Handelns darstellt.

Im Bereich der menschlichen Möglichkeiten in Welt und Geschichte gibt es nur eine Antwort auf die Frage nach der Wirklichkeit des Todes: absolute Vernichtung des Menschen, totaler Zusammenbruch seines radikalen Hoffens; die ganze Kette von Hoffnungen, die den Menschen im Verlauf seines Daseins in der Welt getragen haben, stürzt ins Leere und stellt sich als fatale Täuschung heraus. In Wirklichkeit strebte das ganze Leben also dem endgültigen Nichts, der absoluten Sinnlosigkeit entgegen.

Aber da diese endgültige Sinnlosigkeit so ganz und gar im Widerspruch steht zum menschlichen Hoffen (d.h. zum Herzstück menschlicher Existenz), erscheint dieses Hoffen doch eher auf ein neues Leben jenseits des Todes gerichtet, das der Mensch jedoch nicht erringen, sondern nur erhoffen und als ungeschuldete Gabe in Empfang nehmen kann.

So wird die Sinnfrage angesichts des drohenden Todes zur Frage nach einer freien und transzendenten (d.h. von jeglicher innerweltlichen Wirklichkeit verschiedenen) Macht, von der sich der Mensch das Geschenk eines neuen Lebens über die Zeitlichkeit hinaus erhoffen kann: *zur Frage nach Gott als Frage nach der letzten Hoffnung des Menschen.* Der Tod stellt den Menschen vor die Entscheidung, entweder nur innerhalb der Grenzen des Zeitlichen oder aber unbegrenzt zu hoffen, und er vermag Gott als letzte Hoffnung nicht anders zu erkennen denn in der Entscheidung, sich ihm über den Tod hinaus anzuvertrauen.

C) *Die Analyse der zwischenmenschlichen Beziehungen und der wechselseitigen Beziehung von Person und Gemeinschaft ergibt,* daß jeder Mensch aufgrund seiner Personwürde (Bewußtsein und Freiheit) für die anderen und für die Gemeinschaft als solche einen unabdingbaren Anspruch auf Achtung und Liebe darstellt, d.h. einen Wert, zu dessen Anerkennung im konkreten Verhalten alle anderen aufgerufen sind. So wird eines jeden Freiheit in der Begegnung mit dem Wert der Freiheit der anderen vor den Anspruch gebracht, von sich selbst auszugehen auf den unbedingten Wert des anderen zu.

Da nun aber der andere seinerseits dazu angehalten ist, den unbedingten Wert meines personalen Seins anzuerkennen, erweist sich menschliche Freiheit als wechselseitige Selbsttranszendenz. So erscheint die menschliche Person denn als ein Wert, der allen Menschen gemeinsam ist und sie in einer gemeinsamen Zukunft verbindet, der sich fernerhin unbedingt von sich selbst her auferlegt, der in bezug auf die Individuen und die Gemeinschaft transzendent ist; ein Wert, der die Freiheit als Freiheit in Anspruch nimmt und an dem sich die exzentrische Ausrichtung der Freiheit über sich selbst hinaus erweist, ihr Ausgerichtetsein also auf den gemeinsamen und einenden Bezugspunkt aller menschlichen Freiheiten. In den Eigenschaften der menschlichen Person zeichnet sich also die Frage nach ihrem letzten Grund ab, die Frage nach dem Sinn der Freiheit und der menschlichen Existenz überhaupt, insofern diese ja auf der Freiheit beruht.

Gemeinsamer und transzendenter Urgrund der menschlichen Freiheit und der Freiheit aller Menschen kann nichts anderes sein als der letzte Anziehungspunkt all dieser Freiheiten: die Frage nach dem transzendenten Grund und dem einenden Zentrum der zwischenmenschlichen Beziehungen ist somit die Frage nach Gott als der Ur-Quelle menschlicher Solidarität und Gemeinschaft oder, um es anders zu sagen, nach Gott als der Ur-Liebe. Diesen Gott vermag der Mensch nur zu erkennen, indem er ihn frei anerkennt in der liebenden Hingabe seiner selbst.

D) In der Analyse der Beziehung „Menschheit – Geschichte" stoßen wir auf drei Grundgegebenheiten geschichtlichen Werdens: die „hoffende Hoffnung" der Menschheit, die jede Generation der Zukunft (dem noch nicht gewordenen Neuen) entgegenstellt; die Vergegenständlichung des menschlichen Handelns in konkreten geschichtlichen Ereignissen; den unaufhebbaren Abstand zwischen „hoffender Hoffnung" und den Errungenschaften der Menschheit im Verlauf der Geschichte. Die „hoffende Hoffnung" zielt über jede konkrete Verwirklichungsform der Menschheit in der Geschichte hinaus.

Diese Analyse zeigt, daß die grundlegende Möglichkeitsbedingung des geschichtlichen Werdens in eben dieser unerschöpflichen Transzendenz des menschlichen Hoffens liegt, in eben diesem Hinauswollen also über alles Neue, das in der Geschichte real geworden ist. Die „hoffende Hoffnung" hat im geschichtlichen Werden den ontologischen Primat und übersteigt es darum auch. So erhebt sich, wie im Fall des Todes und auf ebenso offenkundige und allen zugängliche Weise, die Frage nach dem Sinn: Wohin geht die Geschichte? Worin besteht die Zukunft der Menschheit, das letzte Woraufhin des geschichtlichen Werdens?

Bekannt ist die Antwort des jungen Marx, die in unserer Zeit von E. Bloch (in seinem Werk „Das Prinzip Hoffnung") weiter ausgearbeitet wurde. Die

Menschheitsgeschichte wird in der „Heimat der Identität" zu ihrer immanenten (d.h. innerweltlichen) Vollendung gelangen: volle Identifikation des Menschen mit sich selbst, mit den anderen und mit der zu ihrem Endstadium gelangten Natur; eine innergeschichtliche endgültige Vollendung („Novum Ultimum"), in der der Unterschied zwischen den von der Menschheit in der Natur geschaffenen Objektivationen und der menschlichen Subjektivität aufgehoben wird. Erst dann wird der „neue Mensch", der „wahre Mensch" erscheinen, der durch seinen vollen Einklang mit der vollständig vermenschlichten Natur ganz er selbst geworden ist.

Doch Blochs „Heimat der Identität" führt in eine grundlegende Aporie. Wäre der Abstand zwischen menschlicher Subjektivität und Objektivation der Natur tatsächlich endgültig aufgehoben, dann könnte die Menschheit fürderhin weder hoffen noch forschen, noch irgendwie handeln: sie wäre vollkommen lahmgelegt, denn sie wäre der Möglichkeitsbedingung jeder Beziehung mit der Welt verlustig gegangen. Und so hätte sich der Mensch im Verlauf der Geschichte sein eigenes Gefängnis erbaut, in dem seine Subjektivität zur absoluten Untätigkeit verdammt wäre. Ungelöst bleibt außerdem die Frage nach dem Tod all derer, die jenes ideale Endstadium nicht mehr erleben.

Ist der Gedanke einer immanenten Vollendung der Geschichte einmal ausgeschlossen, so bleibt jene andere Interpretation, die den Sinn der Geschichte als uneingeschränkten Fortschritt, als endloses Werden konzipiert. Doch hier verabsolutiert man das Werden, macht es zum Selbstzweck und bringt so die Geschichte um jeglichen Sinn: Motor der Geschichte und der Menschheit wäre die fatale Kraft des Werdens, des Schicksals (auch hier bleibt die Frage nach dem Tod ungelöst).

Beide Interpretationen (innergeschichtliche Vollendung und Fortschritt ohne Ende) vernachlässigen genau das, wonach die Frage nach dem geschichtlichen Werden richtigerweise fragen muß, nämlich die „hoffende Hoffnung", die die Menschheit immer schon über all das hinausträgt, was der Mensch im Feld der Geschichte erreichen kann. Kraft der „hoffenden Hoffnung", die an der Wurzel des geschichtlichen Werdens steht, ist die Geschichte wirklich immer schon auf eine übergeschichtliche Vollendung hin offen, die sich die Geschichte nicht selbst verschaffen, sondern einzig und allein als Gabe empfangen kann. Aus dem unüberwindbaren Abstand zwischen dem radikalen Hoffen der Menschheit und den geschichtlichen Errungenschaften ergibt sich die Offenheit der Geschichte auf die Gnade des transzendenten „Novum Ultimum" hin, d.h. auf Gott hin. So zieht denn die Frage nach dem Sinn der Geschichte unweigerlich die Frage nach Gott als der absoluten Zukunft der Menschheit nach sich.

4. Eigentümlichkeit der Gottesfrage

Im Feld seiner allumfassenden Beziehung zur Welt, zum Tod, zu den Mitmenschen und zur Geschichte erfährt der Mensch, wie wir in der soeben
durchgeführten Analyse gesehen haben, seine Freiheit beständig als unbedingte Verantwortlichkeit und als grenzenlose „hoffende Hoffnung".

In ihrer Verantwortlichkeit erweist die menschliche Freiheit nun aber ihr
Nicht-in-sich-selbst-gegründet-Sein; und in ihrem uneingeschränkten Hoffen
offenbart sie ihre Transzendenz in bezug auf sich selbst, die Welt und die Geschichte. Die unüberwindliche Spannung zwischen Kontingenz und Transzendenz des Menschen läßt ihn sich selbst zur Frage werden. Die Frage nach
seinem Urgrund und nach seiner absoluten Zukunft (zwei Aspekte ein und
derselben Frage) erscheint so als die einfachhin letzte Frage des Menschen, die
in ihrer Letztlichkeit von selbst zur Frage nach Gott wird. Ohne den Zusammenhang mit der Sinnfrage verlöre die Frage nach Gott ihr vitales Interesse:
sie wäre eine Frage, auf die der Mensch durchaus verzichten könnte.

Wenn nun aber die Frage nach Gott als Letztform der Sinnfrage ins Blickfeld rückt, dann haben beide Fragen auch dieselbe Verifikation: nämlich die
uneingeschränkte Erfahrung des Menschen mit sich selbst, die ihn in seiner
spezifisch menschlichen Tätigkeit immer schon begleitet und ihn zwingt,
über sich selbst und über das Worumwillen und Woraufhin seines Daseins
nachzudenken. Das in jeder menschlichen Entscheidung und Handlung mit-
gegebene Vorverständnis des Menschen von sich selbst verlangt von selbst
danach, in reflexes Verstehen überzugehen. Grundlage der Verifizierbarkeit
alles menschlichen Fragens ist somit die Erfahrung mit der Wirklichkeit
(hier: die Erfahrung mit der Wirklichkeit des Menschen) und die Notwendigkeit, sie zu verstehen. Die Berechtigung der Frage nach Gott erweist sich
also erst *a posteriori*, d.h. im nachhinein zur menschlichen Erfahrung und zu
den Fragen, die diese aufwirft. Der Mensch kann gar nicht leben, ohne sich
nach dem letzten Sinn seines Lebens zu fragen; im Stellen dieser letzten Frage erhebt sich jedoch die Frage nach Gott. Natürlich braucht es dabei zum
Stellen der Frage nach Gott nicht weniger Mut zu radikaler Ehrlichkeit als
zum Stellen der Frage nach dem letzten Sinn des Lebens.

Hat man die Frage nach Gott einmal *aposteriorisch* aufgewiesen, dann muß
man freilich sagen, daß sie, ontologisch gesehen, *apriorisch* ist, nämlich daß
sie in eben jenen konstitutiven Strukturen des Menschen gründet, die den
Menschen für sich selbst zur unausweichlichen Frage werden lassen. Wäre
der Mensch nicht an sich (a priori) auf die personale Transzendenz verwiesen, sondern auf den immanenten Horizont der innerweltlichen und innergeschichtlichen Wirklichkeit beschränkt, so könnte er die Frage nach Gott

gar nicht stellen. Indes trägt der Mensch die Sinnfrage immer schon in sich und in ihr die Frage nach Gott, so daß der Mensch konstitutiv Suche und Frage nach Gott ist. Oder genauer gesagt: *Der Mensch existiert in Angefragtheit von Gott her.* Denn letztlich ist nicht er auf der Suche nach Gott, sondern Gott kommt ihm insofern entgegen, als er den Menschen in grundlegender Verwiesenheit auf Gott hin geschaffen hat. Der Mensch trägt also nicht so sehr die Gottesfrage in sich, als er vielmehr von ihr getragen wird; noch bevor sich der Mensch vor Gott einfindet, offenbart Gott sich ihm als die Frage, von der alles in seinem Leben abhängen wird.

Wie die Sinnfrage, so richtet sich auch die Frage nach Gott gleichzeitig und untrennbar an Verstand und Freiheit des Menschen. Er vermag Gott nur zu erkennen, indem er ihn in seiner Gottheit als Ur-Grund und absolute Zukunft seiner Existenz anerkennt, d.h. in einer Haltung der Anbetung und der Anrufung: ohne auch schon bereit zu sein, ihn anzubeten und anzurufen, kann der Mensch die Existenz Gottes gar nicht behaupten. So kann sich denn religiöses Sprechen nicht im Aussagenmachen erschöpfen, ohne gleichzeitig Ausdruck der Hingabe des Menschen an das Heilige Geheimnis zu sein, das jegliche Fassenskraft übersteigt.

Da jene Aspekte des menschlichen Daseins, von denen die Frage nach Gott zuallererst ihren Ausgang nimmt (Beziehung zur Welt, zum Tod, zu den Mitmenschen und zur Geschichte), sich gegenseitig einschließen, müssen sie im reflexen Nachdenken über die Selbsttranszendenz des Menschen und deren Ziel, nämlich Gott, ihrerseits irgendwie zusammengeführt werden. Demzufolge kommt die Frage nach Gott ursprünglich dorthin zu stehen, wo der Mensch ursprünglich sein Angefragtsein erfährt, d.h. in der Erfahrung seiner Freiheit als unbedingter Verantwortung, als Getragensein durch das radikale Hoffen und schließlich als Anruf, in der Liebe aus sich herauszugehen. In dieser Grunderfahrung des Menschen erweist sich Gott auf ganz ursprüngliche Weise als derjenige, der den Menschen in unbedingte Verantwortung stellt, der ihn dazu ruft, ohne Einschränkung auf Ihn zu hoffen und in der Liebe aus sich selbst herauszugehen; erweist er sich somit als Ur-Quelle menschlicher Freiheit, die die dialogale Situation, in der der Mensch immer schon Antwort ist auf den Anruf der personalen Transzendenz, eigentlich erst begründet.

Mit dem Wort „Gott" ist somit jene ganz in sich stehende Wirklichkeit gemeint, über die der Mensch auf keine Weise verfügen kann: absolute Freiheit, die weder von der Natur noch vom Menschen, noch von der Geschichte irgendwie abhängt: das Geheimnis der Gnade, das der Mensch nur anrufen und anerkennen kann, indem er sein ganzes Dasein auf ihn gründet, sich ihm in Hoffnung anvertraut und ihm in Liebe sich hingibt.

In eben dieser personalen Haltung, die für die Frage nach Gott konstitutiv ist, kommt der Mensch zur personalen Transzendenz, d.h. zu Gott.

Ein Gott, der nicht personal wäre, wäre überflüssig; wäre ein von Menschenhand geschaffener Götze (Vergötterung der Natur, nämlich des innerweltlichen und innergeschichtlichen Werdens).

Hier mag es sich lohnen, zwei über jeden Verdacht erhabene Belege heranzuziehen: *„... was den Theismus vom Pantheismus scheidet, ist einzig ... die Vorstellung Gottes als eines persönlichen Wesens.“*[8] *– „Zu diesem Gott kann der Mensch weder beten, noch kann er ihm opfern. Vor der Causa sui kann der Mensch weder aus Scheu ins Knie fallen, noch kann er vor diesem Gott musizieren und tanzen.“*[9]

Soweit also mein Versuch, die Frage nach Gott darzustellen, d.h. die Frage nach ihrem Ursprung, ihren Möglichkeitsbedingungen, ihrer Berechtigung, ihren Eigenschaften und ihrer Formulierung. Dem wäre nur noch hinzuzufügen, daß die Frage nach Gott, so formuliert, eine grundlegende Voraussetzung der Selbstoffenbarung Gottes ist.

Unsere Analyse der Beziehung des Menschen zur Welt und zu den Mitmenschen zeigte, daß er in seiner unbedingten Verantwortlichkeit von niemand anderem als Gott selber angefragt ist, daß er also vor keinem anderen als Gott selbst unabdingbar verantwortlich ist. Die Analyse der Beziehung des Menschen zum Tod und zur Geschichte zeigte, daß der Mensch immer schon unter dem Anruf einer übergeschichtlichen Zukunft steht, d.h., daß nur Gott seine absolute Zukunft ist. Die Frage nach Gott erscheint somit als Frage nach der transzendenten personalen Wirklichkeit, nach dem Geheimnis der absoluten Gnade, über das der Mensch weder in Taten noch in Berechnungen verfügen kann. Vor Gott befindet sich der Mensch in der Situation der Verantwortlichkeit und des Gerufenseins, sich dem absoluten Geschenk dieser Liebe anheimzugeben.

Die Tatsache, daß der Mensch die Frage nach Gott in sich trägt, besagt, daß er wesentlich auf Gott hin verwiesen ist: Gott ist für ihn gleichzeitig und untrennbar absolute Gnade und einzig mögliche Vollendung. So erschließt die Frage nach Gott im Menschen eine radikale Offenheit, die ihn für das Geschenk der Selbstmitteilung und Selbstoffenbarung Gottes, d.h. für das in Christus erfüllte und geoffenbarte Heil, zuallererst empfänglich macht.

In jener Entscheidung, in die hinein der Mensch von der Gottesfrage gerufen wird, zeichnen sich auch schon die Grundhaltungen christlicher Existenz ab: Glaube, Hoffnung und Liebe: aus sich herausgehen in der vertrauensvollen Erwartung Seines Kommens, jenseits des Todes und der Geschichte.

---

[8] *L. Feuerbach*, a.a.O. II 262.   [9] *M. Heidegger*, ID 1957, 70.

PIET SCHOONENBERG SJ

ZUR TRINITÄTSLEHRE KARL RAHNERS

1. Das II. Vatikanum und die Trinitätslehre

„Seit dem Florentiner Konzil ist keine lehramtliche Erklärung der Kirche mehr dazu [zum Geheimnis der Trinität] ergangen, die einen wirklichen Fortschritt in der Erkenntnis dieses Geheimnisses durch das Lehramt sanktionieren würde." Diesen Satz hat Karl Rahner 1960 geschrieben[1]. 1962 wurde das II. Vatikanische Konzil eröffnet. Ist der Satz Rahners seit diesem Konzil noch wahr, oder hat das Konzil die Lage geändert? Die Antwort muß vielschichtig sein.

Das Konzil hat sich sichtbar bemüht, alles das, was es über die Kirche in ihren Gliederungen, Funktionen und Beziehungen zur Welt aussagte, vom konkreten Gott des Heils herzuleiten, das heißt: vom Vater durch seinen Sohn Jesus Christus und im Heiligen Geist. Nehmen wir die Dogmatische Konstitution über die Kirche „Lumen gentium" als Beispiel. Während das I. Vatikanum in der Konstitution „Dei Filius" seine Lehre über Schöpfung, Offenbarung und Glaube immer auf den Deus indistinctus bezog (DS 3000 – 3045) und in „Pastor aeternus" die Institution des Primats auf Christus gründete (DS 3050 – 3075), fällt gleich am Anfang des 1. Kapitels von

---

Sigla
LG Concilium Vaticanum II, Constitutio dogmatica De Ecclesia, Lumen gentium, in: Acta Apostolicae Sedis 57 (1965) 5–75. Ich entnehme die deutschen Zitate der von den deutschen Bischöfen genehmigten Übersetzung von 1966, veröffentlicht in: LThK – Das Zweite Vatikanische Konzil. Dokumente und Kommentare, Bd. I (Freiburg i. Br. – Basel – Wien 1966). Die Nummer verweist auf den Artikel.
DS Enchiridion Symbolorum etc., erstmals hrsg. von H. Denzinger, in den von A. Schönmetzer besorgten Ausgaben (Barcelona ab 1963).
MySal Mysterium Salutis. Grundriß heilsgeschichtlicher Dogmatik, hrsg. von Johannes Feiner und Magnus Löhrer, Bd. I-V (Einsiedeln – Zürich – Köln 1965-1976).

[1] K. Rahner, Bemerkungen zum theologischen Traktat „De Trinitate", in: Schriften IV 103–133, hier 103. Dieser Aufsatz wurde erstmals veröffentlicht in: Universitas. Festschrift für Bischof A. Stohr I (Mainz 1960) 130–150.

471

„Lumen gentium" der Blick auf eine trinitarische Gliederung: die Kirche geht aus dem Heilsplan des Vaters (LG 2), aus der Sendung und Erlösung des Sohnes (LG 3) und aus der Sendung und dem Heiligungswerk des Geistes (LG 4) hervor. So erscheint die ganze Kirche als „das von der Einheit des Vaters und des Sohnes und des Heiligen Geistes her geeinte Volk" (LG 4)[2]. Im selben Anfangskapitel werden verschiedene Bilder der Kirche kurz angeführt, die sich nicht nur auf ihr Verhältnis zu Christus beziehen (wie das des Leibes Christi [LG 7], das aber leider im 2. Kapitel „Über das Volk Gottes" nicht mehr mitklingt), sondern auch auf den Gott der Bibel, d.h. den Vater: die Kirche ist dessen Pflanzung, Bauwerk und Tempel (LG 6). Das 2. Kapitel enthält die eigentliche Innovation des Konzils, die Betonung des „Volkes Gottes". Das führt schon über eine rein christologische Sicht der Kirche hinaus, weil der „Gott" dieses Volkes offensichtlich der Vater ist. Weiter fällt auf, daß in der Ausarbeitung dieses Themas der Heilige Geist öfters genannt wird: unter seiner Wirksamkeit hört die Kirche nicht auf, sich selbst zu erneuern (LG 9); seine Salbung weiht die Getauften zu einem geistigen Bau und einem heiligen Priestertum (LG 10); sogar beim Sakrament der Ehe wird der Heilige Geist herangezogen, und sei es mittels der Taufe der Kinder (LG 11). Im 3. Kapitel über die Hierarchie wird die volle Bekräftigung der Apostelsendung dem Pfingstgeist zugeschrieben (LG 19), der zuvor in die Stiftung der Kirche hineinbezogen wurde (LG 5). Im 7. Kapitel über den eschatologischen Charakter der Kirche wird die visio beatifica nicht mit Benedikt XII. als videre divinam essentiam (DS 1000) beschrieben, sondern mit dem Konzil von Florenz (DS 1305) als ein intueri clare Deum trinum et unum, sicuti est (LG 49). Aus diesen wenigen Beispielen möge die Sorge des II. Vatikanums, das Geheimnis der Trinität zur Sprache zu bringen und es den Gliedern der Kirche ins Gedächtnis zu rufen, genügend angedeutet sein.

Und doch hat Rahner recht: Eine lehramtliche Erklärung über die Trinität Gottes hat das II. Vatikanum nicht erlassen; die des Florentinums bleibt bis heute die letzte. Gemäß seiner ganzen Einstellung hat das Konzil nicht die Verneinung der Trinität von seiten der Unitarier und Zeugen Jehovas noch die Lehre der Ostkirche über den Hervorgang des Heiligen Geistes bekämpft (soweit ich sehe, betont es sogar nirgends die processio ab utroque). Es fand auch keine neue trinitarische Häresie innerhalb der katholischen Kirche – Karl Rahner würde sagen: eben weil die Trinitätslehre da im „Katechismus des Herzens" abwesend ist[3]. Die Aussagen etwa des XI. Toleta-

---

[2] Zitat aus *Cyprian*, De or. dom. 23.
[3] *K. Rahner*, Der dreifaltige Gott als transzendenter Urgrund der Heilsgeschichte, in: MySal II 317–397, hier 320. In meinem Aufsatz beziehen sich die Seitenverweise auf diesen Text Rahners.

nums (DS 525–532) oder des Florentinums (DS 1300 1330–1332) über die innergöttliche Trinität hat das II. Vatikanum nicht wiederholt, und über die Wirkungen der göttlichen Personen sprechend, hat es über die Frage, ob sie einer Person eigen oder appropriiert sind, nichts entschieden. Dennoch hat das II. Vatikanum durch sein Sprechen eine Wiederentdeckung des trinitarischen Geheimnisses und dessen Wiederbelebung in den Herzen der Gläubigen beabsichtigt. M. Philipon, der die Trinitätslehre von „Lumen gentium" zusammenfaßt, schreibt ihren Charakter zu Recht dem pastoralen und missionarischen Anliegen des Konzils zu[4]. Damit ist aber keineswegs verneint, daß das Konzil – obwohl vielleicht nicht absichtlich – auch der Trinitäts*theologie* einen Dienst geleistet hat. Es hat die Theologen erneut auf den Ursprung der Trinitätslehre im Christus-Mysterium aufmerksam gemacht und sie dadurch angespornt, immer wieder von diesem Ursprung her eine fructuosissima intelligentia dieses Mysteriums sedulo, pie et sobrie anzustreben (vgl. DS 3015). Mit andern Worten: Das II. Vatikanum ermahnt die Theologen, die immanente Trinität Gottes aus der heilsökonomischen Trinität abzulesen. Und damit begegnet es einem Streben Karl Rahners.

2. Das Grundaxiom der Trinitätslehre Rahners

Karl Rahner hat der Trinitätstheologie einige wenige, doch überaus wichtige Beiträge gewidmet, unter denen sein Kapitel im 2. Band von „Mysterium Salutis" eigentlich alle anderen einschließt[5]. Dieser Aufsatz „Der dreifaltige Gott als transzendenter Urgrund der Heilsgeschichte" wird hier besprochen werden. Meines Erachtens gibt es darin zwei hervorragende Thesen: eine, das „Grundaxiom", über die Identität ökonomischer und immanenter Trinität und eine über die Äquivalenz der Begriffe „Person" und „Subsistenzweise". Die erste These: „Die ‚ökonomische' Trinität ist die ‚immanente' Trinität und umgekehrt" (328), bildet gerade den Punkt, wo sich Rahner mit dem II. Vatikanum berührt. Man könnte über dieses „Grundaxiom" vieles

[4] *M. Philipon*, Die Heiligste Dreifaltigkeit und die Kirche, in: *G. Baraúna* (Hrsg.), De Ecclesia I (Freiburg i. Br. 1966) 252–275, hier 254.
[5] Siehe Anm. 3. Zuvor hatte *Rahner* den in Anm. 1 erwähnten Aufsatz veröffentlicht, der in „Der Dreifaltige Gott" überarbeitet und erweitert wurde. Weitere Veröffentlichungen, in denen Karl Rahner mehr beiläufig auf das Mysterium der Trinität reflektiert, sind nach meinem Wissen die folgenden Art. „Trinität", in: SM IV 1005–1021; Art. „Trinitätstheologie", in: ebd. 1022–1031; Um das Geheimnis der Dreifaltigkeit, in: Schriften XII 320–325; Einzigkeit und Dreifaltigkeit Gottes im Gespräch mit dem Islam, in: Schriften XIII 129–147; Grundkurs des Glaubens (Freiburg i. Br. – Basel – Wien ⁸1977) 139–147.

sagen. Weil ich aber mehr über Rahners zweite These sagen will, werde ich mich hier auf einige schlichte Bemerkungen beschränken.

2.1 Zur Formulierung selbst kann gefragt werden, ob das „ist" in beiden Teilen der These die gleiche Bedeutung hat. Im ersten Teil wird eine schlechthinnige Identität ausgedrückt: Wenn man den Vater, den Sohn und den Heiligen Geist in der Heilsökonomie anerkennt, dann erkennt man eben dieselben drei Personen, die sich im göttlichen Wesen selbst als Vater, Sohn und Geist verhalten. Sagt man aber umgekehrt: „Die immanente Trinität *ist* die heilsökonomische Trinität", dann wird hier – gerade nach der Auffassung von Rahner selbst – nicht eine schlichte Identität ausgedrückt: die Begriffe und die damit angedeuteten Realitäten fallen nicht zusammen. Sagt Rahner doch selbst, daß das Wort als Gott-immanent „der Selbstaussage des Vaters nach außen . . . als die Bedingung ihrer Möglichkeit *vorausliegen"* muß (358f; Hervorhebung von mir), daß diese immanente Möglichkeit freier Selbstmitteilung „in Gott von Ewigkeit gegeben ist, somit notwendig und ‚wesentlich' zu ihm gehört" (365, siehe auch 367). Somit liegt die immanente Trinität nach Rahners eigenen Worten der ökonomischen Trinität als deren Bedingung voraus, und es verhalten sich beide als notwendige innere zur freien äußeren Selbstmitteilung Gottes[6]. Nach dieser Auffassung ist die immanente Trinität nicht nur mit der ökonomischen identisch, sondern sie transzendiert diese auch.

2.2 Eine zweite und letzte Bemerkung angesichts Rahners Grundaxiom gilt dessen gnoseologischer Implikation, die aber von Rahner selbst nicht eigens ausgeführt wird. Wir kennen die immanente Trinität Gottes, indem wir sie als ökonomische Trinität kennen (oder: indem sie sich als ökonomi-

---

[6] Eine (metaphysische) Priorität der *nur* immanenten Trinität Gottes bezüglich seiner Selbstmitteilung nach außen (also bezüglich seiner ökonomischen *und* immanenten Trinität) wird meistens angenommen, ruft jedoch einige Fragen auf, die ein tieferes Nachdenken fordern: 1. Wenn in Gott ein „Selbst" seiner Selbstgabe vorausliegt, muß dieses Selbst dann mit der Trinität identifiziert werden – oder mit dem Vater, der die reine Aseität Gottes ist? (Vgl. meinen Aufsatz unter 4.2.) 2. *Muß* Gott zuerst in sich Trinität sein, damit er sich *frei* seinen Geschöpfen mitteilen kann? Die Auffassung, daß Gott durch die Andersheit der Welt hindurch zum trinitarischen Selbstbesitz kommen *muß* (die gängige Interpretation der Hegelschen Trinitätslehre), wird zu Recht abgelehnt. Gott braucht die Welt nicht, um trinitarisch zu werden. Aber *braucht* Gott überhaupt trinitarisch zu sein? Wenn die Trinität in Gott notwendig ist, dann nur aus höchster Freiheit. 3. *Muß* ein Selbst*besitz* Gottes (in seiner nur immanenten Trinität) seiner Selbst*gabe* (in der immanent-ökonomischen Trinität), eine Liebe zum Gleichen seiner Liebe zum Ungleichen (so deutlich bei Richard von St. Viktor, De Trin. III 2) *vorausliegen*? Schreibt man dann Gott nicht eine menschliche Geborgenheit zu, aus der heraus er erst zu andern ausgehen könne? Ist das in Einklang mit der johanneischen Ansicht, daß „Gott" (= der Vater) Liebe (zu uns!) *ist* (und nicht nachträglich diese Liebe hat)? (Vgl. 1 Joh 4,8f.)

sche Trinität offenbart). Rein affirmativ aufgefaßt, wird dieser Satz wohl von jedem bejaht werden. Rahner selbst setzt ihn voraus, so scheint mir, wenn er (in einer unausgesprochenen Korrektur der „psychologischen" Trinitätslehre) eine systematische Theologie der Trinität vom Begriff der Selbstmitteilung Gottes *nach außen* her entwirft (369–384) und dabei *gnoseologisch* den „Übergang vom systematischen Begriff der ‚ökonomischen' zur ‚immanenten' Trinität" vollzieht (382f). Aber gilt dieser Übergang auch exklusiv? Ist die immanente Trinität *nur* aus der ökonomischen zu erkennen? Hier muß auf die Struktur unseres Erkennens reflektiert werden. Jede Erkenntnis, auch (und vor allem) die Glaubenserkenntnis, enthält ein Moment der Intuition, der ganzheitlichen überbegrifflichen Fassung der Wirklichkeit, das eben der Grund des Urteils ist, in dem ein Begriff dieser Wirklichkeit zu- oder abgesprochen wird. In dieser impliziten Intuition bedingen die Sicht Gottes und die der endlichen Realität einander: wir werden von der endlichen Wirklichkeit auf Gott verwiesen, aber zugleich erkennen wir die Endlichkeit der uns umgebenden und der eigenen Wirklichkeit dadurch, daß wir auf den Unendlichen hin erkennen. So erkennen wir auch die ökonomische Trinität als Trinität *Gottes* dadurch, daß wir uns bereits von diesem Gott selbst in seiner immanenten Trinität zugesprochen wissen (im testimonium internum). In dieser Hinsicht kennen wir die immanente Trinität von der ökonomischen her und umgekehrt. Aber – Achtung – das gilt nur von unserer Glaubenserkenntnis, insoweit sie mit der eben beschriebenen Intuition zusammenfällt. Auf der *begrifflichen* Ebene kennen wir die immanente Trinität *nur* durch die ökonomische, *nicht* umgekehrt. Unsere Begriffe sind ja immer aus der uns umgebenden Welt gebildet, in unserem Fall aus dem, was in dieser Welt mit dem Gott*menschen* Jesus geschehen ist. Aus diesem Grund und mit dieser Einschränkung plädiere ich für eine Trinitätstheologie „von unten", so wie ich auch eine Christologie „von unten" befürworte (wobei ich, wie schon angedeutet, nicht „unten" bleibe)[7]. Es scheint mir dann auch fraglich, wie ich Rahners Aussage verstehen muß, daß die Menschwerdung gerade des Wortes „von der Eigenart gerade der zweiten göttlichen Person" (331) her als „passend" verstanden wird. Wissen wir etwas von dieser zweiten Person, gerade *als* Person, wenn nicht aus dem *fleischgewordenen* Wort?

---

[7] *P. Schoonenberg*, Alternativen der heutigen Christologie, in: ThPQ 128 (1980) 349–357, hier 352–354.

3. „Person" und „Subsistenzweise"

Soweit über Rahners Grundaxiom. Es wird wieder zur Sprache kommen, wenn ich mich jetzt Rahners Auffassung über den trinitarischen Personbegriff zuwende. Damit hat er das meiste Aufsehen erregt und den meisten Widerspruch erweckt. Soweit ich weiß, war Rahner der erste katholische Theologe, der den trinitarischen Personbegriff derart kritisierte, daß er einen nach seiner Meinung weniger mißverständlichen Begriff vorschlug. Als Mitglied der römisch-katholischen Kirche tat Rahner das aber – anders als der Protestant Karl Barth – mit einem Vorbehalt: Der vorgeschlagene Begriff „Subsistenzweise" soll zuerst als Verdeutlichung des Begriffes „Person" gelten und kann nur mit Genehmigung des kirchlichen Lehramtes als dessen Substitut gebraucht werden (387–392). Es liegen Rahners Vorschlag zwei Thesen zugrunde: 1. Die Anwendung des Personbegriffes auf Vater, Sohn und Heiligen Geist suggeriert, daß wir von drei Göttern sprechen. 2. Der Begriff „Subsistenzweise" ist für das, was mittels des Personbegriffes über Gottes Trinität ausgesagt wird, äquivalent und überdies besser, weil er der Gefahr des Tritheismus vorbeugt. Wir werden beide Thesen jetzt besprechen.

3.1 Rahner spricht ausführlich über die Gefahr des Tritheismus, die in der scholastischen Trinitätslehre anwesend sei und nur durch nachträgliche (und halb vergessene) Korrekturen beschwichtigt werde. Ich meine, daß diese Gefahr schon seit dem Anfang unserer Trinitätslehre in der „jungnizänischen" Formel „drei Hypostasen und eine ousia" anwesend ist. Die kappadokischen Väter, die diese Lehre mit dem aristotelischen Unterschied zwischen dem „Individuell-Eigenen" (τὸ ἴδιον) und dem „Allgemeinen" (τὸ κοινόν) unterbauten, haben zwar die durch den Arianismus akut gewordene Gefahr des Subordinatianismus beschworen, aber die des Tritheismus auf den Plan gerufen. Die Kappadokier selbst hatten sich gegen den Vorwurf des Tritheismus zu verteidigen, und im 6. Jahrhundert gab es unverhüllte tritheistische Theorien wie die des Johannes Philoponos. Rahner sieht diese Gefahr hauptsächlich aus dem seit der Aufklärung im Westen entstandenen Personbegriff hervorgehen, der Bewußtsein und Freiheit miteinschließt. Ich meine, daß diese von der kirchlichen „Sprachregelung" abweichende Entwicklung die Situation zwar bedeutend verschärft hat (drei Personen mit *einem einzigen* Bewußtsein sind für den modernen Menschen kaum verständlich), aber sie doch nicht wesentlich geändert hat. Schon die Tatsache, daß der dem Menschen entnommene Personbegriff eine multiplizierte und nur spezifisch eine Natur oder Wesenheit voraussetzt, ruft das tritheistische Verstehen unmittelbar auf. Der Ausdruck „drei göttliche Personen" ist eine in sich mißverständliche Redeweise, weil es keine Spezies „Gott" gibt und deshalb die Drei nicht „in ihrem ‚Wesen' multipliziert gedacht werden dürfen" (386) oder weil es in Gott keine „mengenhafte Multiplikation des Wesens" (ebd.) gibt. Man kann dieser Schwierigkeit nicht entkommen, indem man – mit vielen heutigen Anhängern einer „sozialen" Trinitätslehre[8] – das Schwergewicht des Personbegriffes in die Beziehungen, in das Ich-Du-Verhältnis verlegt. Denn eine interpersonale Beziehung schließt die eigene Individualität der Person und namentlich ihr eigenes Bewußtsein und ihre eigene Freiheit nicht aus; sie schließt diese vielmehr ein. Ein Subjekt wird nicht nur dadurch Person, daß es sich auf eine andere Person bezieht, sondern auch das Umgekehrte ist der Fall: das Subjekt kann sich nur interpersonal verhalten in dem Maß, daß es selbst Person ist. Deshalb schließt sowohl der klassische (ontologische) als auch der moderne (psychologische oder relationale) Personbegriff immer eine Individuation der Natur oder des spezifischen Wesens ein, so daß mit der Multiplikation von Person auch die Natur multipliziert wird. Weil das eben in Gottes Trinität nicht der Fall sein kann, ist der bisher entwickelte Personbegriff für die Trinitätslehre unbrauchbar. Wird er nachträg-

---

[8] Ein deutlicher Ursprung dieser Sicht liegt bei *Richard von St. Viktor* im 3. Buch von De Trinitate vor. In der Neuzeit hat Georg Wilhelm Friedrich Hegel in seiner Philosophie der Religion Anregungen gegeben, die von *W. Pannenberg* weitergeführt werden: Grundzüge der Christologie (Gütersloh 1964) 183–185. Im englischen Sprachraum gibt es viele, besonders anglikanische Anhänger einer „sozialen" Trinitätslehre. Darüber berichtet *C. Welch,* The Trinity in Contemporary Theology (London 1953). (Welch selbst folgt aber der Ansicht Karl Barths.) Betreffs einer Argumentation dieser Ansicht siehe *L. Hodgson,* The Doctrine of the Trinity (London 1943) bes. 85–112. Auch verschiedene katholische Theologen haben dieser Ansicht beigepflichtet. So spricht *M. Schmaus* klar von der „Begegnung zwischen Ich und Du . . . innerhalb des weltüberlegenen personalen göttlichen Selbst": Katholische Dogmatik I (6., erweiterte Aufl., München 1960) 344. Besonders ist hier *H. Mühlen* zu erwähnen, der, von einem Ich-Du-Verhältnis zwischen Vater und Sohn ausgehend, das Personsein des Heiligen Geistes zu bestimmen versucht. In „Der Heilige Geist als Peron" (2., erweiterte Aufl., Münster 1963) 156–169 beschreibt er ihn als das „Wir-in-Person" beider. In Mühlens Buch „Una persona mystica" (2., wesentlich erweiterte Aufl., München 1967) wird der Geist nicht nur als „eine Person in zwei Personen" vorgestellt, sondern auch (gemäß dem langen Titel des Buches) als „eine Person in vielen Personen" und „die Kirche als das Mysterium der Identität des Heiligen Geistes in Christus und den Christen". Merkwürdig ist aber, daß Mühlen im selben Buch (wenigstens in der 2. Aufl.), auf kritische Einwände antwortend, „die notwendigen Unvollkommenheiten der Formel ‚eine Person in vielen Personen'" (567) bespricht. Dabei sagt er: „Bei dem zweimaligen Gebrauch des Wortes ‚Person' in unserer Formel ist deshalb unbedingt daran festzuhalten, daß die Anwendung dieses Wortes auf den Geist Christi nur in einem sehr *analogen* Sinne möglich ist und daß es sogar seinen Analogie-Charakter hier fast völlig verliert" (578). Schließlich nähert sich Mühlen der Auffassung Rahners an, „daß die drei göttlichen Personen in unvorstellbarer Intensität nur ein einziges ‚Selbst' (göttliches Aktzentrum = actus purus) bzw. eine einzige ‚Natur' gemeinsam haben. Das Wort ‚Person' im trinitätstheologischen Sinn bezeichnet dann eigentlich nichts anderes als die in dreifach unvorstellbarer Unterschiedenheit existierende *Existenzweise* dieses einen göttlichen Selbst" (ebd.). Über die Analogie des trinitarischen Personbegriffes werde ich unter 4 sprechen.

lich korrigiert, dann ist er nicht mehr der Personbegriff, von dem man ausgegangen ist.

Ist also der Personbegriff für die Trinitätslehre schlechthin unbrauchbar? Er ist insoweit unbrauchbar, als er dem menschlichen Personsein entnommen wird, das immer die individuelle Multiplikation der spezifischen Natur enthält. Unter den Menschen existieren Personen *nebeneinander,* in Gott gibt es so etwas bestimmt nicht. Ob vielleicht der Personbegriff noch auf andere Weise in der Trinitätslehre angewandt werden kann und sogar angewandt werden muß, kann erst festgestellt werden, nachdem wir uns Rahners Substitut angesehen haben.

3.2 Der Ausdruck „drei Subsistenzweisen" hat natürlich den Vorteil, daß er das mißverständliche „drei Personen" vermeidet. Bevor wir aber den Begriff „Subsistenzweise" aus diesem Grund bevorzugen, muß gefragt werden, ob er wirklich ein Äquivalent des Personbegriffes sei. Wird mit „Subsistenzweise" alles gesagt, was die Theologie mittels des trinitarischen Personbegriffes zu sagen beabsichtigt, oder wird ein Substanzverlust introduziert? Rahner legt eine „konkrete Bewährung" der von ihm vorgeschlagenen Begrifflichkeit vor, indem er die klassischen Thesen, die mit Hilfe des trinitarischen Personbegriffes formuliert werden, in Thesen mit „Subsistenzweise" übersetzt (392). Dabei beschränkt er sich auf Aussagen über die immanente Trinität, und insoweit hat er recht. Ich meine aber, daß die Sache anders aussieht, wenn wir die ökonomische Trinität mitheranziehen.

Zuerst einmal: wenn wir Gott personal gegenüberstehen, wer ist dann die Gott-Person, zu der wir uns wenden? Ich sehe nicht, wie Rahner, trotz Vermeidung des Wortes „*Seins*weise", der These Karl Barths entkommt, daß der dreifaltige Gott *eine* Person, ein Ich ist. Rahner kritisiert zwar die Auffassung, daß wir das Vaterunser unterschiedslos an die heilige Dreifaltigkeit richten (321). Will er sich aber im Gebet des Herrn an Gott den Vater wenden, dann betet er zu einer Subsistenzweise der Gottheit und sieht sich vor die Frage gestellt, ob man zu einer Subsistenzweise beten kann[9]. Er kann darauf antworten, daß man zu „Gott" betet, aber eben in und gemäß einer Subsistenzweise. Die Frage wird aber schwieriger, wenn der Beter selbst zur Trinität gehört, wie das bei Jesus der Fall ist. Rahner sagt – mit Lonergan, Gal-

---

[9] Diese Frage wird von *E. Gutwenger* nahegelegt, wenn er über die von Rahner vorgeschlagene Terminologie sagt: „Drittens wirft sie für die Verkündigung und Frömmigkeit, die sich lieber auf personaler Ebene bewegen, nichts ab" (Zur Trinitätslehre von „Mysterium Salutis" II, in: ZKTh 90 [1968] 325–328, hier 328). Bei dieser Bemerkung ist doch zu beachten, 1. daß der Terminus „Person" selbst bedenkliche Früchte abwerfen kann, 2. daß *alle* Termini reflexiver Theologie (wie „Person", „Natur" usw.) von der Sprache der Verkündigung und des Gebetes möglichst ferngehalten werden müssen, da diese von den Namen und den symbolischen Andeutungen („Vater", „Sohn", „lebendiges Wasser") genährt werden.

tier und andern[10]: „Es gibt . . . ,innertrinitarisch' nicht ein gegenseitiges Du" (366 Anm. 20). Nachdem er behauptet hat, daß das Wort gesagt und nicht sagend, der Geist gegeben und nicht gebend ist – eine Behauptung, die ich teilweise unterschreibe –, fährt er fort: „Jo 17,21; Gal 4,6; Röm 8,13 setzen einen *geschöpflichen* Ausgangspunkt des Du zum Vater hin voraus" (ebd). Das ist wahr, aber es hat eine innertrinitarische Konsequenz. In einem bekannten christologischen Aufsatz hat Rahner ausführlich – und m. E. überzeugend – nachgewiesen, daß der Logos in Jesus leidet: im angenommenen Fleisch, sicher, aber darin der göttliche Logos selbst[11]. Muß man nun nicht mit ebensoviel Recht sagen, daß der göttliche Logos, er selbst, zum Vater betet, wenn Jesus betet? Dasselbe wäre auch über ein Beten des Geistes in Jesus zu sagen und sicher über das Rufen und Seufzen des Geistes in uns, zumal da Rahner diese Wirkung des Geistes als eine ihm eigene und nicht nur als eine appropriierte versteht (336–340). Der Dialog, der aus dem Menschen Jesus und aus uns heraus mit dem Vater geführt wird, ist auch innertrinitarisch. Das scheint mir eine Anwendung des Rahnerschen Grundaxioms zu sein, daß die ökonomische Trinität die immanente Trinität *ist*.

So zeigen sich doch göttliche Personen, es zeigt sich sogar ein „gegenseitiges Du" in der ökonomischen und *deshalb* in der immanenten Trinität. Während einerseits der Personbegriff, so wie er dem Nebeneinander menschlicher Personen entnommen ist, für die Trinitätslehre unbrauchbar ist, können wir andererseits nicht auf irgendwelchen Begriff trinitarischer Personen verzichten. Wie wir dann das trinitarische Personsein zu denken haben, werde ich weiter versuchen klarzumachen.

4. Die innertrinitarische Analogie des Personseins

Es hat den Anschein, daß ich jetzt Rahner verlasse und anfange, eigene Gedanken zu entwickeln. Das ist aber nur teilweise der Fall, denn im folgenden werden noch viele Denkanstöße Rahners weitergeführt werden. Zugleich mit seiner oben besprochenen Kritik des Personbegriffs macht er noch eine

---

[10] B. *Lonergan*, De Deo Trino II (Rom ²1964) 196; P. *Galtier*, La religion du Fils, in: RAM 19 (1938) 337–375. In den thomistischen Trinitätstraktaten kommt ein Ich-Du-Verhältnis, soweit ich sehe, nicht zur Sprache. Die personalistische oder „soziale" Trinitätslehre ist, wenigstens im katholischen Raum, eine Innovation dieses Jahrhunderts. 1938 lenkt G. *Salet* die Aufmerksamkeit auf Richard von St. Viktor in: Le mystère de la charité divine, in: RSR 28 (1938) 5–30. Man beachte, mit wieviel Mühe man ein interpersonales Verhältnis in die thomistische Trinitätslehre zu integrieren versucht: F. *Bourassa*, Personne et conscience en théologie trinitaire, in: Gregorianum 55 (1974) 471–492 677–719; É. *Bailleux*, La réciprocité dans la Trinité, in: RThom 84 (1974) 357–390.

[11] K. *Rahner*, Probleme der Christologie von heute, in: Schriften I 169–222, hier 197–200.

wichtige Bemerkung über dessen Anwendung auf Vater, Sohn und Heiligen Geist. Er verneint, „daß ... ‚Hypostase' in Gott ein univoker Begriff hinsichtlich der göttlichen Personen sei" (333). Im Gegenteil ist „die auf jeden Fall gegebene Verschiedenheit des jeweiligen Personseins der drei göttlichen Personen in Wahrheit so groß, daß sie nur ganz locker analog einen Personbegriff, gleichmäßig angewandt auf die ‚drei' Personen, erlaubt" (ebd.). Franz Xaver Bantle erkennt dieser Behauptung zu Recht eine „Schlüsselrolle" im trinitarischen Denken Rahners zu – um sie dann zu bestreiten. Dagegen möchte ich sie verteidigen und weiter ausführen. Vielleicht wird der Gedanke uns helfen, einer besseren Anwendung – oder einer Korrektur der Anwendung – des Personbegriffs auf Vater, Sohn und Geist auf die Spur zu kommen.

4.1 Bantle argumentiert gegen Rahners innertrinitarische Analogie aus dem Glaubenssatz, daß Vater, Sohn und Heiliger Geist die *ganze* göttliche Natur innehaben:

Personsein heißt im Besitze der einen göttlichen Natur sein. Person ist man dadurch, daß man Träger der einen göttlichen Natur ist; und zwar kommt die eine göttliche Natur jeder der drei Personen, die sich als Vater, Sohn und Heiliger Geist real voneinander unterscheiden, ganz zu. Von daher zeigt sich: Da man Person ist, weil man Träger der göttlichen Natur ist, kann es nur eine gleichsinnige, das heißt univoke Anwendung des Begriffes „Person" auf Vater, Sohn und Heiligen Geist geben. Insofern die „Drei" Personen sind, sind sie einander völlig gleich, sosehr sie sich als Vater, Sohn und Heiliger Geist voneinander unterscheiden[12].

Dagegen möchte ich bemerken, daß der Besitz der *ganzen* göttlichen Natur noch nicht einschließt, daß jeder der „Drei" dieselbe auch auf gleiche Weise besitzt. Gerade der reale Unterschied zwischen Vater, Sohn und Geist macht es notwendig, eine je andere Besitzweise der einen Natur für jede der drei Personen anzunehmen, da sie sonst auf keine Weise voneinander verschieden wären. Der Vater unterscheidet sich vom Sohn und vom Heiligen Geist durch den väterlichen Besitz der Natur usw. Das wird Bantle wohl annehmen, aber dennoch prädiziert er den Personbegriff univok von den „Drei". Ich denke, daß er dabei einen rein formalen, logischen Personbegriff anwendet, der auch meistens (z.B. in einer juridischen Betrachtung) auf Menschen angewandt wird und *als* logischer Begriff berechtigt ist. Rahner dagegen arbeitet mit einem *ontologischen* Personbegriff, und darin möchte ich ihm folgen. Darin ist Personsein eine Form des Seins, die sich ebenso wie das Sein selbst in jeder Konkretisierung analog verwirklicht (sogar unter menschlichen Personen). Es liegt wohl nahe, gerade in der Betrachtung der Trinität diesen ontologischen Personbegriff zu verwenden. Der Vater, der

---

[12] *F. X. Bantle,* Person und Personbegriff in der Trinitätslehre Karl Rahners, in: MThZ 30/2 (1979) 11–24, hier 12.

sich *als* Vater, als väterlicher Inhaber der göttlichen Natur von den andern Personen unterscheidet, wird dann im Personsein den andern Personen nicht nur gleich sein, sondern sich auch im selben Personsein von den andern unterscheiden. Mit andern Worten: Ontologisch betrachtet, verwirklicht sich das Personsein in den „Drei" *analog*.

Man kann dasselbe auch so sagen: Jede göttliche Person steht in Wirklichkeit nicht der ihr eigenen göttlichen Natur als Subjekt oder Träger gegenüber, sondern ist mit dieser Natur identisch. Der Vater *ist* die göttliche Natur als zeugend, der Sohn *ist* dieselbe als gezeugt usw. Dabei ist zu bedenken, daß die *ewige* Zeugung und Hauchung nicht etwa in einem „Anfang" geschehen sind, sondern ewig geschehen. Der Vater ist also der ewig die andern Personen aus sich hervorgehen lassende, ihr ewiges Prinzip, und Wort und Geist sind die ewig aus dem Vater Hervorgehenden. Der Vater ist mit dem Prinzipsein, Wort und Geist sind mit ihrem ewigen Hervorgang identisch. Der Vater ist Person als dem Sohn und dem Geist das Personsein gebend, während diese Personen sind als das Personsein empfangend.

4.2 Reflektiert man auf diese innertrinitarische Analogie, dann wird es noch klarer, daß der Personbegriff gerade deshalb und insoweit unbrauchbar ist, als er dem Nebeneinander menschlicher Personen entnommen ist. Der Mensch ist letzten Endes Person nebst andern Personen und niemals schlechthinnig und endgültig aus andern. Demgegenüber sind in der Trinität der Sohn oder das Wort und der Heilige Geist ganz *vom* Vater. Sie sind „Gott von Gott", auch in ihrem Personsein; man könnte jede eine Person-von-Person nennen. Der Ausgangspunkt, von dem aus ein analogisches Verständnis des trinitarischen Personenverhältnisses gewonnen werden kann, ist nicht die menschliche Welt der Personen, sondern das Verhältnis zwischen Schöpfer und Geschöpf. Man spürt einen Vergleich mit diesem Verhältnis bei jenen vornizänischen Autoren, denen man heute Subordinatianismus vorwirft, z.B. bei Origenes, aber die Arianer und Pneumatomachen haben diesem Vergleich seinen analogischen Charakter genommen, indem sie den Sohn und den Geist als Geschöpfe auffaßten. Die Kappadokier haben mit dem arianischen Ausläufer den Subordinatianismus ganz eliminiert. Sie hätten weniger Mühe mit dem Tritheismus gehabt, hätten sie den Subordinatianismus sublimiert. Denn es gibt eine innertrinitarische Subordination oder Postordination, die wir heute noch mit dem Begriff posterioritas originis zum Ausdruck bringen. Rahner hat früher behauptet, daß der *schlechthinnige* Ursprung *aller* Wirklichkeit nicht die unterschiedslose Gottheit ist, sondern der Vater[13]. Ihm gehört die Aseität, auch den andern Personen gegen-

---

[13] *K. Rahner,* Theos im Neuen Testament, in: Schriften I 91–167, hier 156f.

über, weshalb er in der klassischen Trinitätslehre ursprungsloser Ursprung (principium sine principio) heißt und weshalb Origenes ihm den Titel Autotheos gibt. Dem Sohn und dem Geist dagegen kommt ein esse ab alio zu, aber ein göttliches. Sie sind sogar mehr ab alio als das Geschöpf, weil das esse ab alio ihnen so sehr zu eigen ist, daß sie es nicht wie das Geschöpf leugnen können. So kann auch die μετοχή oder μεθέξις des Origenes orthodox verstanden werden: als Mit-Habe des Seins vom Vater her, die nicht Teil-Habe (Partizipation) ist, sondern Ganz-Habe (ich möchte sagen: Totizipation)[14].

4.3 Im vorigen Absatz schrieb ich die Worte „Person-von-Person" nieder, die ich aber doch nicht unbedingt verwenden will. Wir dürfen „Gott" Person nennen, natürlich analog im Vergleich mit der menschlichen Person. Tiefer gesehen, kommt das Personsein, das wir Gott zuerkennen, dem Vater zu, so wie ihm auch zutiefst die Aseität zukommt. Können wir auch das Wort oder den Sohn und den Heiligen Geist Personen nennen? Der Gefahr, mit den Personen auch die göttliche Natur selbst zu multiplizieren, ist durch den neuen Ausgangspunkt unseres analogischen Denkens vorgebeugt worden. Jetzt werden Vater, Sohn und Geist nicht mehr als Personen „nebeneinander" auf eine gemeinsame spezifische Natur bezogen, wie es bei den Menschen der Fall ist. Der Sohn und der Geist werden jetzt ausschließlich auf die Person des Vaters und die in ihm als in ihrem Ursprung existierende Natur bezogen, die sie aus ihm her mit-haben. Obwohl so der Weg zur Rede von drei göttlichen Personen frei ist, bleibt doch die Frage, ob der Personbegriff dann nicht über seine Wiedererkennbarkeit hinaus ausgedehnt werde. Sind Wort und Geist nicht viel mehr Ausstrahlungen der Person des Vaters als selbst Personen? Sind sie nicht gerade sein tatkräftiges Wort und sein belebender Atem? Ist das von Eirenaios gebrauchte Bild der beiden Hände Gottes nicht mehr geeignet als der Ausdruck „zwei Personen"?[15] Ich sympathisiere, wie gesagt, mit der Bemerkung Rahners, daß das Wort nur gesagtes Wort ist und der Geist nur gegebener Geist, ohne daß das Wort nochmals spricht oder der Geist schenkt, ohne daß sie deshalb ein persönliches Gegenüber zum Vater sind. Andererseits bleibe ich doch bei meiner schon ausgesprochenen Meinung, daß der Dialog, der vom fleischgewordenen Wort und im ausgegossenen Geist mit dem Vater geführt wird, *auch* in der immanenten Trinität geführt wird, so daß sich auch dort ein Dialog von Personen ereignet. Wie kommt man aus dieser Verlegenheit heraus? Es scheint mir,

---

[14] Für *Origenes* siehe u.a. In Joannem II 2, 16. Ein ausgeglichenes Urteil über dessen Subordinatianismus gibt *G. L. Prestige,* God in Patristic Thought (London 1964) 131–138.
[15] *Eirenaios,* Adv. haer. IV praef.; 20,1; V 5,1; 6,1; 28,3. Daneben hat er auch Texte, in denen nur der Logos als Hand Gottes vorgestellt wird. Vgl. *J. Lebreton,* Histoire du dogme de la Trinité II (Paris 1928) 576–589.

daß ich in diesem 4. Abschnitt zu ausschließlich über die immanente Trinität nachgedacht habe, während doch nur die ökonomische Trinität uns den begrifflichen Zugang zu ihr eröffnet. Deshalb werde ich jetzt, das ursprungslose und quellenhafte Personsein des Vaters voraussetzend, die Frage nach dem Personsein des Wortes und des Geistes noch einmal von der ökonomischen Trinität her zu bedenken versuchen.

5. „Der in sich unveränderliche Gott ändert sich am andern"

5.1 Dazu gehe ich wieder von einer Rahnerschen These aus, von der über Gottes Unveränderlichkeit *und* Veränderlichkeit. Man beachte, daß Rahner beides ins Spiel bringt. Er widerspricht der kirchlichen Lehre der Unveränderlichkeit Gottes nicht, sondern er erweitert sie. Gott bleibt die incommutabilis substantia spiritualis (I. Vatikanum: DS 3001), er bleibt sogar motor immobilis, aber zugleich und in seiner selben göttlichen Wirklichkeit ändert er *sich* „am andern", in seiner Selbstbeziehung zum Geschöpf. So bleibt Gott auch ganz er selbst in seiner Ewigkeit, ohne Verlust des Vergangenen oder Bedürfnis des Zukünftigen, und zugleich macht er sich zeitbezogen, indem er sich in unsere Geschichte engagiert. Rahner hat diese Ansicht in zwei christologischen Aufsätzen ausgeführt, in denen er vom Leiden und allgemeiner vom Werden des göttlichen Logos spricht[16]. Dabei befürwortet er eine Veränderung des mensch*gewordenen* Logos, redet aber weniger ausdrücklich von dessen Veränderung im Mensch*werden* selbst. Dennoch muß eine solche angenommen werden und wird auch tatsächlich von einigen Theologen angenommen[17]. Ich werde bald die Gründe dafür anführen.

Zuvor aber noch zwei Bemerkungen. Die erste bezieht sich auf die Terminologie. Wer meint, „Veränderlichkeit Gottes" könne mißverstanden werden (was, nebenbei gesagt, mit „Unveränderlichkeit Gottes" auch der Fall ist!), der kann vom „Werden Gottes" sprechen, was für die bleibende Identi-

---

[16] *K. Rahner,* Probleme der Christologie (s. Anm. 11) 196 Anm. 1 202 Anm. 2; *ders.,* Zur Theologie der Menschwerdung, in: Schriften IV 137–155, hier 145–149, bes. 147 Anm. 3. Rahner gebraucht sowohl die Formel *„im* andern" als auch *„am* andern".

[17] *J. Galot,* Vers une nouvelle christologie (Gembloux 1971) 57f: „À partir de l'Incarnation, le Verbe n'est pas purement et simplement identique à ce qu'il était auparavant, car s'il devient réellement quelque chose, il ne l'était pas avant de le devenir." *H. U. v. Balthasar,* Mysterium Paschale, in: MySal III/2 113–319, auf S. 149: „Nimmt man das Gesagte [über die Kenosis] ernst, dann läßt die Ereignis der Fleischwerdung der zweiten Person Gottes die Beziehung der göttlichen Personen nicht unaffiziert. Menschliche Sprache und menschliches Denken versagen vor diesem Mysterium: daß die ewigen Beziehungen zwischen Vater und Sohn in der ‚Zeit' des Erdenwandels Christi in einem ernst zu nehmenden Sinn ihren Brennpunkt in den Beziehungen zwischen dem Menschen Jesus und seinem himmlischen Vater haben, daß der Heilige Geist zwischen ihnen lebt und, sofern er vom Sohn ausgeht, von dessen Menschsein mitaffiziert sein muß."

tät Gottes mehr Raum offenläßt. So wie wir bleibt Gott er selbst und wird er er selbst – aber radikal anders als wir, wird Gott *nur* durch seine aktive Beziehung auf uns. Zweite Bemerkung: Dieses Sein und Werden durchwalten *beide* das ganze Wesen Gottes. Gerade aufgrund der Ungeteiltheit seines Wesens gibt es in Gott nicht eine innere Sphäre, von der die Änderungen Gottes ausgeschlossen sind[18], auch nicht die seines trinitarischen Lebens. Deshalb können wir die These Rahners so präzisieren: Die unveränderliche und ewige Trinität Gottes ändert sich in Gottes Selbstgabe, zumal im Christusereignis. Ich werde jetzt versuchen, dieser allgemeinen Formel für die göttliche Drei einen konkreten Inhalt zu geben.

5.2 Fangen wir dazu noch einmal an, vom Menschen her analogisierend auf Gott hin zu denken. Jedesmal, wenn der Mensch in Freiheit handelt, bestimmt er auch seine eigene Person. Wenn ich ein Buch schreibe oder einen Mitmenschen liebe, besteht meine Tätigkeit nicht nur im Verfassen des Buches oder im Wohltun am andern, sondern auch in einer Selbstbestimmung, die mir so sehr inhärent ist, daß ich danach beurteilt werde. Eine solche Personalisierung muß auch im Handeln Gottes anwesend sein, natürlich in analoger Weise. Im Christusereignis bestimmt Gott sich für ewig, der Gott des neuen und ewigen Bundes zu sein. Während unsere Selbstbestimmung uns als Geschöpfen immer auch gegeben wird, bestimmt und erneuert Gott sich rein aus sich selbst heraus. Uns schenkend, uns selbst zu personalisieren, personalisiert Gott auch sich selbst.

Das muß zuerst von der ursprungslosen Gott-Person gesagt werden, die in Christus sich als dessen und unseren Vater zeigt. Er ist ja immer Person, was sich aus seiner Schöpfungsaktivität ergibt. Er, der ursprungslose Ursprung, wird immer, was er ist. Er wird dasselbe auch auf uns hin, aber er wird es immer mehr, ganz besonders im Christusereignis. Dabei personalisiert er auch sein ewiges Wort und seinen ewigen Geist, indem er ihnen gibt, sich selbst zu personalisieren. Betrachten wir diese Personalisierung des Wortes und des Geistes jetzt noch genauer.

---

[18] Ich meine, dies sei ganz die Ansicht Rahners. *W. Pannenberg*, Grundzüge (s. Anm. 8) 331, sagt: „Es dürfte kaum genügen, nur von einem Werden ‚am andern' zu sprechen, als ob davon ein inneres Wesen Gottes zu unterscheiden wäre, das von solchem Werden ganz unberührt bliebe", und schreibt (ebd. Anm. 91) eine solche Ansicht Rahner zu. Pannenberg sagt glücklicherweise, daß Rahner dies *„scheint* zu meinen" (Hervorhebung von mir), denn aus dem von Pannenberg zitierten Satz geht es nicht hervor. In der auch von mir (oben Anm. 16) erwähnten Fußnote Schriften IV 147 Anm. 3 schreibt Rahner: „... dann müssen wir (weil Gott in sich unveränderlich ist) sagen, daß der in sich unveränderliche Gott am andern sich ändern könne". Das *könnte* zwar von zwei Sphären in Gott verstanden werden, aber das Denken Rahners als ganzes gibt dazu keinen Anlaß. Weiter im selben Text sagt Rahner noch, „daß *er* (Gott) in und trotz seiner Unveränderlichkeit wahrhaft etwas werden kann. Er selber, er in der Zeit".

5.3 Wort und Geist personalisieren sich im Christusereignis, indem sie kreatürliche Wirklichkeit personalisieren. Das Wort personalisiert die Menschheit Jesu, die aber zuvor nicht existiert und in der Inkarnation selbst ins Dasein gerufen wird (ipsa assumptione creatur). Es personalisiert diese Menschheit, indem es sie in sich aufnimmt, was durch die klassische Lehre der Enhypostasie der Menschheit im Logos ausgedrückt wird. Zugleich aber, in einem selben Akt, personalisiert sich das Wort in der Menschheit, die es annimmt – die es „wird" –, so daß man von einer *gegenseitigen* Enhypostasie reden kann[19]. Ähnliches kann vom Heiligen Geist gesagt werden. Auch er personalisiert die Menschheit Jesu, indem diese von ihm gesalbt und geleitet, ja sogar empfangen wird. Und auch hier gibt es ein gegenseitiges Verhältnis, denn in der Vollendung des Christusereignisses personalisiert sich der Geist, indem er vom Sohne „nimmt" (Joh 16,14f) und so „Geist des Sohnes" wird (Gal 4,6; Röm 8,9).

Wort und Geist personalisieren sich uns gegenüber. Das Wort wird Gottes Sprecher, die Vollendung des prophetischen Sprechens (Hebr 1,1f) und das Telos des Gesetzes (Röm 10,4). Der Geist als Geist Christi ist der „Welt" gegenüber der Paraklet und innerhalb der Kirche der Geist der Wahrheit (Joh 16,7-15); in der Apostelgeschichte wird er häufig als führend und sogar als sprechend (21,11) erfahren. Vor allem aber personalisieren sich Wort und Geist in bezug auf den Gott, von dem sie beide hervorgehen. In Jesus wird das Wort die Antwort, der, der zum Vater betet und zurückkehrt (Joh 17). Der Logos ist Sohn Gottes geworden in der ursprünglich biblischen Bedeutung dieses Wortes: der Bundespartner Gottes. Diese Bedeutung begegnet uns im Alten Testament, wo Israel oder der König als Sohn Gottes bezeichnet wird (z.B. Hos 11,1; Ps 2,7). Im Neuen Testament ist Jesus ein solcher Sohn, wo diese Texte auf ihn angewendet werden (Mt 2,15; Apg 13,33 und Lk 3,22 in der westlichen Lesung), und die synoptische Taufgeschichte spricht wohl von solcher Sohnschaft (Mk 1,11 parr)[20]. Nicht nur das Wort wird Antwort, auch der Geist wird Beter zum Vater, der jubelnde Beter in

---

[19] Diese gegenseitige Enhypostasie ist natürlich nicht schlechthin symmetrisch, da die Menschheit Jesu in keiner Weise das göttliche Wort personalisiert, sondern nur von ihm personalisiert *wird*. Ich darf wohl betonen, daß das immer meine Ansicht gewesen ist, obwohl man mich in diesem Punkt oft falsch interpretiert hat. Das Wort personalisiert die Menschheit Jesu *und* sich selbst. Effectus formalis dieser gegenseitigen Enhypostasie ist die eine theandrische Person Jesu Christi, die mit der Perichorese der Naturen zusammenfällt. Göttliches und menschliches Personsein oder personales Wort-sein und personales Mensch-sein kommen zusammen in die eine gottmenschliche Person Jesus Christus.

[20] Daß das Wort erst als Mensch vollkommener Sohn geworden ist, ist noch die Ansicht des *Hippolytos*, Contra Noetum 15: Gott sandte „den Logos, den er Sohn nannte, weil er es werden sollte (oder: weil er geboren werden sollte – διὰ τὸ μέλλειν αὐτὸν γενέσθαι ... Denn ohne Fleisch und (nur) auf sich (existierend), war der Logos noch nicht vollkommener Sohn,

Jesus (Lk 10,21), der seufzende Beter in uns (Röm 8,26), der, der in uns „Abba" ruft (Gal 4,6; Röm 8,15). In und seit der Verherrlichung Jesu sind Wort und Geist auch dem jeweils andern gegenüber personalisiert. Der Sohn ist der Sender des Geistes geworden (Joh 15,26; 16,7), und der Geist fleht sein Kommen herab (Apk 22,17).

In alldem personalisiert sich selbst auch der Gott, von dem Wort und Geist ausgehen, uns und ihnen gegenüber. Er wird der Vater Jesu und unser Vater in ihm, der Gott des Geistes, der uns als dessen Kinder leitet (Röm 8,14). Es sei hier noch einmal betont, daß dieser „Gott und Vater" derjenige ist, der seinem Sohn und seinem Geist gibt, sich zu personalisieren, der letzten Endes sein Wort zum Sohn und seinen Geist zum Geist seines Sohnes macht. Die erste göttliche Person, die göttliche Ur-Person, personalisiert sich selbst aus seiner eigenen, rein ursprungslosen Fülle heraus, Wort und Geist aber aus der von ihm geschenkten Fülle des Personseins. Der Vater ist das Sein, aus dem alles Werden in Gott sich herleitet, sowohl in ihm selbst als in seinem Wort und seinem Geist.

5.4 Der in den obigen Absätzen gebrauchte Terminus „Personalisierung" kann in einer doppelten Weise verstanden werden. Entweder können Wort und Geist in ihrer Präexistenz zum Christusereignis als noch nicht Person seiend aufgefaßt werden, so daß sie in diesem Geschehen schlechthin Person werden – oder ihr Personsein kann in der Präexistenz als weniger profiliert angesehen, werden, wobei sie dann im Christusereignis schärfer als Person hervortreten, namentlich in ihrem Verhältnis zueinander und zum Vater. Will man, gemäß dem kirchlichen Sprachgebrauch, den Terminus „Person" auch für die Präexistenz anwenden, dann könnte man das präexistente Wort und den präexistenten Geist durch Anwendung des viktorinischen Personbegriffes Person nennen. Sie sind es dann gemäß ihrer Ek-sistenz, ihres ewigen Hervorgangs aus dem Vater[21], während dann im Christusereignis eine distinkte Sub-sistenz hinzukommt. Man kann dabei die These Rahners aufgreifen, daß es in der immanenten Trinität als solcher noch kein Ich-Du-Verhältnis gibt, und diese auf die präexistente Trinität anwenden. In dieser Sicht tritt ein innertrinitarischer Dialog (Trialog!) erst durch das Christusereignis auf. Über dies alles läßt sich reden. Es gibt Argumente pro und contra, was noch einmal deutlich macht, daß die Trinität als präexistent nur eine sekun-

---

obwohl er vollkommener Logos war, der Einzige (oder: Eingeborene – μονογενής) (oder: obwohl er, Logos seiend, der vollkommene μονογενής war).
[21] Für die Definition der Person als intellectualis naturae incommunicabilis existentia siehe *Richard von St. Viktor*, De Trin. IV 11 u. 12. Vgl. *H. Mühlen*, Der Heilige Geist (s. Anm. 8) 37–40. Richard findet übrigens das *Ek*-sistieren auch im Vater, der ja aus sich selbst heraus besteht: De Trin. V 4.

däre Gegebenheit unseres Glaubens ist; primär ist die Trinität in Christo. Deshalb werde ich hier nicht auf die angedeuteten Möglichkeiten weiter eingehen. Ich will nur vor einem Mißverständnis des Personseins in der präexistenten Trinität warnen, das uns in der Christologie unnötige Schwierigkeiten bereitet. Das Wort und der Geist müssen auf jeden Fall nicht derartig personal aufgefaßt werden, daß ihr schon vollendetes und unbewegliches Personsein ein menschliches Personsein in Jesus eliminiert, oder so, daß der personale Einfluß des Wortes und des Geistes miteinander in Konflikt geraten. Darüber noch einige Worte.

Eine statische Auffassung des trinitarischen Personseins ergibt in der Christologie zwei Dilemmata. Das erste bezieht sich auf Jesu Person und seine Menschheit. Wenn das göttliche Wort schon im voraus ganz Person ist, ist entweder die Menschheit Jesu selbst auch Person, und zwar menschliche Person, oder sie ist in sich selbst nicht personal. Im ersten Fall geraten wir in die Schwierigkeiten der antiochenischen Christologie, die schließlich zur nestorianischen These führen, daß es in Christus zwei Hypostasen gibt, vereint im „prosopon der Einheit". Das will ich vermeiden. Ich kann aber auch der spätscholastischen These nicht beipflichten, daß die Menschheit Jesu zwar im Logos enhypostatisch ist, daß sie aber in sich selbst ein menschliches Personsein und deshalb ein personalisierendes Prinzip (principium suppositalitatis) vermißt. Diese seit Skotus in die Scholastik eingeführte und in vielen Formen ausgearbeitete These (je nachdem man das principium suppositalitatis als modus, als actus essendi oder als beides zusammen auffaßt) halte ich für eine Leugnung der völligen Menschheit Christi, so wie diese im Neuen Testament beschrieben und von Chalcedon betont gelehrt wird. Mich auf den zweiten Teil dieses Dilemmas beschränkend, kann ich kurz sagen: Das Wort muß in der Präexistenz auf jeden Fall nicht derartig Person sein, daß es in der Inkarnation ein menschliches Personsein Jesu eliminiert[22].

---

[22] Ich bin deshalb mit jenen Theologen einverstanden, die Jesu Menschheit eine Seinsweise zuschreiben, die mit Personsein identisch ist, obwohl sie den Terminus „menschliche Person" vermeiden. So spricht z.B. K. *Rahner* (Probleme der Christologie [s. Anm. 11] 176–184) vom einen menschlichen „Aktzentrum" in Christus. Ich bin aber wohl der einzige, der daraus auf eine Modifikation des göttlichen Personseins des Logos schließt. E. *Schillebeeckx* kritisiert implizit meine Konklusion, indem er suggeriert, sie beruhe auf der Auffassung von Logos und Mensch als zwei *endlichen* Personen, die miteinander konkurrieren und niemals eine Person werden können. „Eine Identität zwischen zwei *endlichen* personalen Seinsweisen (zwei Personen in eins) ist in der Tat ein innerer Widerspruch; die Identität aber einer endlichen personalmenschlichen Seinsweise und einer göttlichen, unendlichen (und somit *analogen*) Weise von Personsein ist kein Widerspruch, da der Grund des Unterschieds zwischen Geschöpf und Gott nicht in der geschöpflichen Vollkommenheit liegt, sondern in dessen Endlichkeit, während all das, was daran positiv ist, doch schon vollkommen von Gott ‚entlehnt‘ ist. Geschöpf und Gott können nie zueinander addiert werden" (Jesus. Die Geschichte von einem Lebenden [Freiburg

Das zweite von mir angedeutete Dilemma bezieht sich auf das Verhalten des Wortes *und des Geistes* zur Menschheit Jesu. Ist nämlich nicht nur das Wort, sondern auch der Heilige Geist schon in der Präexistenz ganz und völlig Person, dann muß der in der Schrift (besonders bei Lukas) und in einigen Traditionsbahnen betonte Einfluß des Geistes auf Jesus mit der Inkarnation des Wortes so zusammengedacht werden, daß sowohl eine doppelte unio hypostatica als auch eine Einschränkung des Einflusses des Geistes auf Jesus ausgeschlossen ist, welche diesen nur nachträglich und akzidentell macht. Eine doppelte unio hypostatica wird zwar von Thomas für möglich gehalten (STh III q. 3, a. 6), aber nach meinem Wissen von keinem Theologen als Tatsache angenommen. Auch ich nehme sie nicht an, halte sie sogar für unmöglich. Dann bleibt für die Theologen (insoweit sie sich in der Christologie überhaupt für den Heiligen Geist interessieren) nichts anderes übrig, als dem Geist eine nachträgliche Heiligung der schon hypostatisch mit dem Wort vereinten Menschheit Jesu zuzuerkennen. Heribert Mühlen, der von den heutigen Theologen ganz besonders für eine mit Christus und der Kirche verbundene Pneumatologie gearbeitet hat, erkennt doch dem Heiligen Geist keinen anderen Einfluß auf Jesus zu als das Mitteilen der gratia habitualis, die sich zur gratia unionis akzidentell verhält[23]. Ich meine, daß so etwas doch der neutestamentlichen und frühchristlichen Geistchristologie nicht genügend entspricht. Ich sehe es deshalb als meine Aufgabe an, die Geistchristologie (Jesus ist der Sohn Gottes als empfangen[d] vom Heiligen Geist) *ohne Abstrich* mit der Wortchristologie (Jesus ist der Sohn Gottes als fleischgewordenes Wort) zu vereinen. Deshalb muß das Wort in der Präexistenz nicht so Person sein, daß es in der Inkarnation den personalisierenden Einfluß des Geistes eliminieren würde, noch auch so, daß es das menschliche Personsein Jesu zurückdrängen würde.

5.5 Bisher wurde gesagt, was Wort und Geist in der Präexistenz *nicht* sind. Es ist aber besser, positiv darzustellen, was sie *wohl* sind. Das geschieht leichter durch eine Reflexion auf die biblischen Bilder als durch eine weitere Präzision des Personbegriffes. Das Wort ist ja – Wort. Wort in der Beziehung

---

i. Br. – Basel – Wien 1975] 592). Bezüglich dieses allgemeinen Prinzips bin ich vollkommen mit Schillebeeckx einverstanden. Es muß aber in bezug auf die unterschiedenen göttlichen Personen unterschiedlich artikuliert werden! Der Vater ist mit Jesus eins (vgl. Joh 10,30: ἕν, unum); sie verhalten sich aber doch dialogisch, wie von Person zu Person. Demgegenüber sind der Logos und Jesus ein*er*, eine einzige Person. Das bedeutet, daß einerseits der Logos (wie der Vater) nicht wie eine endliche Wirklichkeit etwas verlieren muß, um mit Jesus eins zu werden. Andererseits aber muß das göttliche Wort (wie m.E. auch der göttliche Geist) doch *in seiner Gottheit* derartig gestaltet sein, daß es nicht (wie der Vater) Jesus personal gegenübersteht, sondern mit seiner Menschheit (in der assumptio creativa) eine einzige Person bilden kann.
[23] Der Heilige Geist (s. Anm. 8) 209–214, unter Berufung auf STh. III q. 7 a. 3.

zwischen Gott und Mensch ist niemals reine Information, es ist vielmehr Gemeinschaft stiftende Zusage. Das Wort im Johannesprolog ist Gottes ganzheitliche Aussage und Zusage, so daß es selbst Gott ist, „Gott aus Gott", um es gleich nizänisch zu sagen. Überdies hat dieser griechische Logos das hebräische *dabar* im Hintergrund, er ist Gottes schöpferisches Sprechen und Handeln. Und der Geist ist zuerst Atem, Gottes Atem, der seiner Schöpfung Leben mitteilt. Wie das Wort sich im Alten Bund im Gesetz konkretisiert, so treibt der Geist in den Propheten zu erneuernden Worten und ist das Werkzeug der Erneuerung des Bundesvolkes in den letzten Tagen (Ez 36,27; 37,14; 39,29). Was Wort und Geist bedeuten, fließt in die Weisheit der sapientiellen Theologie zusammen, die gesprochenes und geschriebenes Wort ist (sogar Gesetz: Sir 24,23-29; Bar 4,1-4), aber auch rufendes Wort auf den Straßen (Spr 8,1-3; Sir 24,1) und zugleich Geist, der das Weltall durchdringt und in heilige Seelen eintritt (Weish 1,7; 7,22-27). Die schöpferische und führende Wirkung des Wortes und des Geistes wird von Eirenaios noch einmal verbildlicht, indem er sie als die beiden Hände Gottes darstellt.

Um doch noch einmal in die Nähe des Personbegriffes zu geraten, möchte ich Wort und Geist Gottes *personalisierende Prinzipien* nennen. Sie sind ja Gottes schöpferische Prinzipien, aber Erschaffen ist Personalisieren. Gottes fortwährende und forttreibende Schöpfungsaktivität setzt eine Evolution in Bewegung, die in menschliche Personen ausmündet, sie schenkt uns immer, selbst mehr Person zu werden, sie vollendet sich im Bunde – und in alldem personalisiert Gott sich selbst. Wort und Geist sind die im göttlichen Wesen immanenten Prinzipien dieser (Selbst-)Personalisierung Gottes. Sie sind Gottes Instrumente, aber so sehr immanente Werkzeuge, daß sie Hände genannt werden können. Sie sind auch Gottes innere Wege zur Vollendung unserer und seiner Personalisierung im Christusereignis. Denn Gott bereitet immer die Wege seines Eingeborenen, und von Ewigkeit und in seiner Ewigkeit ist er selber auf dem Wege durch sein Verbum incarnandum und seinen Spiritus effundendus.

5.6 Vieles habe ich über die „vorchristliche" Trinität geschrieben, aber die „christliche" Trinität bleibt das eigentliche Thema unseres Glaubens und unserer Theologie. Ich habe es schon gesagt: Im Christusereignis wird das Wort der Sohn, wird der Geist der Sohnesgeist und wird der Gott, der beider Ursprung ist, der Vater. Und seitdem hält das Wort in Christus alles zusammen, treibt der Geist aus Christus heraus alles zur Vollendung und ist dabei der Vater auf dem Weg, „alles in allem" zu werden (1 Kor 15,28). Man könnte es auch so sagen: Das Ineinander von Gott, Wort und Geist hat sich zu einem Gegenüber von Vater, Sohn und Geist verschärft, zu einem Gegenüber, das das Ineinander nicht durchbricht, sondern verinnerlicht, zu einer wirklichen „Perichorese". Darüber wäre noch viel zu sagen, aber ich möchte mit einigen kurzen Bemerkungen schließen.

Die Trinität seit Christus ist die Trinität der interpersonalen Beziehungen. Daß Karl Rahners Vorschlag des Begriffs „Subsistenzweise" ziemlich viel Kritik hervorgerufen hat, ist auch Folge einer wachsenden personalistischen Auffassung der Dreieinigkeit Gottes. Dabei gilt es, zu hören, was der Geist zu den Kirchen spricht, und deshalb die Geister zu unterscheiden. Rahner hat durch seine Kritik des trinitarischen Personbegriffes dazu beigetragen, und vielleicht ist meine eigene Zurückhaltung bezüglich präexistenter Personen auch nicht umsonst. Ich denke, daß es schwierig ist, ein interpersonales Verhältnis rein in der immanenten Trinität aufzuzeigen: darin haben Rahner und andere recht. Aber in und seit Christus ist ein solches in der ökonomischen *und* immanenten Trinität anwesend. Heribert Mühlen findet es dort zu Recht, auch ohne daß er dieses Verhältnis zuerst aus einer Spekulation über die immanente Trinität zu deduzieren braucht. Die Trinität Gottes zeigt sich am Jordan und im ganzen Leben Jesu, sie verwirklicht sich dort zutiefst. Dieses Leben ist auf unserer Erde der Brennpunkt der ewigen trinitarischen Verhältnisse. Weil Gottes Ewigkeit zeitbezogen ist und sich in den Mysteria Christi ereignet, brauchen diese nicht in eine Präexistenz zurückprojiziert zu werden. Nach Sergej Bulgakow gab es in Gottes Himmel schon ein Golgota; ist es aber nicht richtiger und geheimnisvoller, daß der Himmel der Liebe Gottes sich auf dem Golgota unserer Erde konzentriert?[24]

Es ist Zeit, mit einem Gruß an meinen verehrten und lieben Mitbruder, P. Karl Rahner, zu schließen. Er möge diesen Ehren- und Freundschaftsbeweis auch dort schätzen, wo ich mich von seinen Ansichten entferne. Schließlich ist damit ein Beweis seiner These gegeben, daß heutige Theologie nicht anders als pluriform sein kann! Was aber mehr sagt: auch dort, wo ich andere Wege gehe, weiß ich mich von ihm angeregt, zumal in diesem Aufsatz. Deshalb schließe ich mit einem Zitat aus einem der früheren Werke Rahners, das seine Theologie – und ein wenig auch die meinige – charakterisiert:

---

[24] Daß die ewigen trinitarischen Beziehungen im Erdenleben Jesu ihren Brennpunkt haben, ist ein Gedanke *H. U. v. Balthasars:* siehe das Zitat aus „Mysterium Paschale" in Anm. 17. Ebenda 153 Anm. 39 sagt v. Balthasar: „Gnostisch ist der Gedanke, daß das historische Kreuz nur die phänomenale Übersetzung eines metaphysischen Golgotha ist", mit Verweis auf *S. Bulgakow,* Du Verbe incarné: Agnus Dei (Paris 1943) 113 ff. 121 ff.

Man darf der Meinung sein, daß es auch in der Theologie den Versuch, das vorläufige Experiment, den Vorschlag, die Hypothese geben kann, die man einmal bringt mit dem Vorbehalt, es stelle sich dann doch heraus, daß die Hypothese sich als undurchführbar erweise – auch nach dem Urteil ihres Urhebers –, sobald sie vor dem kritisch prüfenden Blick der Freunde und Mitarbeiter gestellt wird, die in der gleichen heiligen Theologie arbeiten. Diese ist ja alles andere als eine mumienhafte Angelegenheit; es kann in ihr vielmehr immer Abenteuer des Geistes und des Herzens geben, wenn man nur Mut hat, sie zu unternehmen, und auch den Mut und die Demut, den Weg zurückzugehen, wenn man bemerkt, man habe sich verstiegen[25].

---

[25] *K. Rahner*, Über die Schriftinspiration (Freiburg i. Br. 1958) 16.

LEO J. O'DONOVAN

DE MYSTERIO MORTIS

Seit langem schon werden die Träume der Menschheit durch die Aussicht auf den Tod gestört. In den letzten vier Jahrzehnten jedoch ist ein neuer Alptraum entfesselt worden, der immer mehr Menschen, vor allem Jugendliche, heimsucht. Denn aus den geheimen Winkeln der Materie hat der menschliche Erfindungsgeist unvorstellbare Energien freigesetzt und sie verwendet zur Herstellung der Bombe. Aufgrund dieser Erfindung, so argumentiert Jonathan Schell beredt, ist eine noch nie dagewesene Situation entstanden, insofern als die Menschheit sich nicht nur dem schmerzlichen Verlust vieler einzelner Mitglieder gegenübersieht, sondern auch mit ihrer eigenen *Ausrottung* konfrontiert ist. „Das Gespenst der Ausrottung schwebt über unserer Welt", schreibt Schell, „und prägt mit seinem unsichtbaren, aber schrecklichen Druck unser Leben."[1] Die von einem Atominferno ausgehende Vernichtung läßt sich mit unseren früheren Erwartungen in bezug auf Leben und Tod nicht vereinbaren; sie stellt jede Logik in Frage, wonach wir bisher den Wert des Lebens und unsere Sorge darum gemessen haben. Wenn es tatsächlich in unserer Macht steht, das Menschengeschlecht zu vernichten, wie die amerikanischen Bischöfe uns vor kurzem in ihrem Hirtenbrief[2] warnten, so müssen Sprache und Denken vor dem neuen Gesicht des Todes zwangsläufig versagen. Wie können wir darüber reden? Es ist „der zweite Tod", so schreibt Schell, der totale Verlust unserer gemeinsamen menschlichen Welt. Es bedeutet „den Tod der Geburt", „den Mord an der Zukunft". Und „mit so viel Tod in der Luft wird jedes Sterben schwieriger"[3].

---

[1] *J. Schell,* The Fate of the Earth (New York 1982) 169, dt. Übers.: Das Schicksal der Erde. Gefahr und Folgen eines Atomkriegs (München ²1982).
[2] The Challenge of Peace: God's Promise and Our Response, in: Origins Bd.13 Nr. 1 (19. Mai 1983) 1–32. Die Bischöfe zitieren mehrere kräftige Aussagen Papst Johannes Pauls II. Sie bemerken selbst: „Heute bedroht das zerstörerische Potential der Atommächte die menschliche Person, die von uns langsam aufgebaute Zivilisation und sogar die geschaffene Ordnung selbst" (S. 13). Und wieder: „Wir sind die erste Generation seit der Genesis, in deren Macht es steht, die Schöpfung Gottes praktisch zu zerstören" (S. 30).
[3] *J. Schell,* a.a.O. (s. Anm. 1) 166.

Zweifellos haben andere Generationen im Westen ihre Zeit als eine dem Untergang geweihte betrachtet und das Ende der Welt vorausgesehen[4], aber solche Voraussagen des Weltuntergangs waren bislang immer mit einer traditionellen christlichen Eschatologie verwoben, worin das Heilsgericht Gottes eine zentrale Bedeutung behielt. „Das Ende der Geschichte, womit wir im späten 20. Jahrhundert rechnen müssen – ein von einem Atominferno verursachtes Ende –, wird jedoch nicht als von Gott, sondern als von den Menschen herbeigeführt vorgestellt. Es ist außerdem nicht Teil eines großen Heilsplans für die Menschheit, sondern vielmehr eine Ausrottung, ein vollständiges Auslöschen des Menschengeschlechts."[5] Manche Merkmale der neuen Situation sind in der Tat unverkennbar religiös, aber als eine Umkehrung der Religion. Robert Jay Lifton hat die neue Situation „Nuklearismus" genannt, „eine säkulare Religion, eine umfassende Ideologie, wo ‚Gnade' und sogar ‚Heil' – die Herrschaft über den Tod und das Böse – durch die Macht einer neuen technologischen Gottheit erlangt werden"[6]. Mit den Atomwaffen beginnt die Ära einer neuen göttlichen Macht, die sowohl zerstören als auch erschaffen kann. In bezug auf diese Waffen verwendet man eine Sprache, die auffallend an die zur Beschreibung von Bekehrungserlebnissen gebrauchte erinnert: sie fängt mit großer Angst an und geht in die Hochstimmung einer Wiedergeburt über. Eine neue Heilsmacht ist in die Welt eingetreten, eine neue Gottheit sorgt für unsere Sicherheit. Zusammenfassend sagt Lifton, daß zum Nuklearismus „eine Suche nach Gnade und Herrlichkeit gehört, wo technisch-wissenschaftliche Transzendenz, apokalyptische Vernichtung, nationale Macht, persönliches Heil und engagierte individuelle Identität alle mit der Bombe psychisch eng verknüpft werden. Die Waffe selbst beherrscht allmählich die Wege zu einer symbolischen Unsterblichkeit."[7]

Viele andere Merkmale unseres Atomzeitalters verdienten es, in diesem Zusammenhang erörtert zu werden, nicht zuletzt die „psychische Betäubung", die das öffentliche Bewußtsein der Gefahr eines Atomkriegs abstumpft und einen solchen Krieg sogar unvermeidlich erscheinen läßt[8]. In diesem Aufsatz möchte ich jedoch diese große, überaus wichtige Frage aus-

---

[4] Siehe z. B. *B. W. Tuchman*, A Distant Mirror: The Calamitous 14th Century (New York 1978), Kap. 5: This is the End of the World: The Black Death, dt. Übers.: Der ferne Spiegel. Das dramatische 14. Jahrhundert (Düsseldorf 1980).

[5] *G. D. Kaufman*, Nuclear Eschatology and the Study of Religion, in: Journal of the American Academy of Religion 51 (1983) 3–14, hier 4.

[6] *R. J. Lifton*, The Broken Connection. On Death and the Continuity of Life (New York 1979) 369.

[7] Ebd. 376.

[8] Siehe *R. J. Lifton*, a.a.O. (s. Anm. 6), passim; The Challenge of Peace (s. Anm. 2) 13 f 30.

klammern und ein viel bescheideneres und eingeschränkteres Thema vorschlagen. Ich werde versuchen, einige der Perspektiven über den Tod wieder aufzunehmen, die das II. Vatikanische Konzil uns anbietet und die für die christliche Lehre weiterhin von Bedeutung bleiben, auch wenn die Ausarbeitung einer Theologie des Friedens, um der Gefahr eines Atomkriegs zu begegnen, unvergleichlich wichtiger wäre. Das Konzil war sich natürlich dieser Gefahr durchaus bewußt und erwies sich in dieser Hinsicht als bemerkenswert weitsichtig[9]. Dennoch sei es mir hier gestattet, mich auf ein Thema aus der traditionellen Eschatologie zu konzentrieren. Ich hoffe dabei, daß dieser Beitrag eine bescheidene Huldigung gegenüber jenem Manne ist, dessen 80. Geburtstag wir in diesem Band feiern und der selber so viele weitaus profundere Aufsätze über die Theologie des Todes verfaßt hat.

Das Geheimnis des Todes

Trotz seiner Beschäftigung mit der Beziehung zwischen Kirche und profaner Gesellschaft hat das II. Vatikanische Konzil auch eine stark eschatologische Perspektive. Am auffallendsten ist vielleicht die Vorstellung der Kirche als pilgerndes Volk[10]. Oder man könnte auch argumentieren, daß ein noch entscheidenderer Leitgedanke aufklingt, wenn das Konzil von Christus als dem Zweiten Adam, dem „novus homo" spricht. Die bemerkenswerteste Einzelaussage über eine eschatologische Frage steht in der Pastoralkonstitution über die Kirche in der Welt von heute n. 18, „De mysterio mortis". In diesem Dokument über den Dialog der Kirche mit der Welt über ihre fundamentalsten Freuden und Hoffnungen, Sorgen und Ängste beschäftigt sich Teil I vorwiegend mit der Lehre, während der zweite Hauptteil im Licht der in Teil I umrissenen Lehre spezielle Probleme der heutigen Gesellschaft bespricht. Die grundlegende Lehre in Teil I der Konstitution behandelt der Reihe nach folgende Themen: die Würde der menschlichen Person, die menschliche Gemeinschaft, den Wert des menschlichen Schaffens in der

---

[9] GS 4 spricht von der „Gefahr eines Krieges [. . .], der alles bis zum letzten zerstören würde"; die Konstitution behandelt die Frage ausführlicher im zweiten Hauptteil, Kap. 5, nn. 77–82. Die englische Originalfassung des Aufsatzes zitiert die Dokumente des II. Vatikanums hauptsächlich nach *W. M. Abbott* (Hrsg.), The Documents of Vatican II (New York 1966), aber einige Anmerkungen beziehen sich auch auf *A. P. Flannery* (Hrsg.), Documents of Vatican II (Grand Rapids [Mich.] 1975), wobei Korrekturen vorgeschlagen werden, wenn es angebracht erscheint, vor allem wenn die Sprache der Übersetzung exklusiv ist.

[10] LG Kap. 7. Die Übersetzung Abbotts bringt leider nicht klar zum Ausdruck, daß das Konzil als allererstes Bild für die Kirche das Bild des Pilgers (SC 2) verwendet; hier übersetzt Flannery genauer.

Welt und die Aufgabe der Kirche in der Welt von heute[11]. Im ersten dieser vier Kapitel, das vom transzendenten Wert der menschlichen Person handelt, wird das Geheimnis des Todes erörtert, und zwar in einem Stil, der sich von dem aller früheren kirchlichen Dokumente über eschatologische Fragen völlig unterscheidet[12].

Der ganze in „Gaudium et spes" initiierte Dialog läßt sich in dem einen Fragenkomplex zusammenfassen: „Was ist der Mensch? Was ist der Sinn des Schmerzes, des Bösen, des Todes – alles Dinge, die trotz allen Fortschrittes noch immer weiterbestehen. Wozu diese Siege, wenn sie so teuer erkauft werden mußten? Was kann der Mensch der Gesellschaft geben, was von ihr erwarten? Was kommt nach diesem irdischen Leben?" (GS 10). Dieser *status quaestionis* ist in verschiedenen Hinsichten bemerkenswert. Erstens: In seinem Interesse für den Sinn des Menschseins spiegelt sich die dringende Notwendigkeit eines echten Humanismus in der heutigen Situation wider. Zweitens: Die Probleme des Todes und des menschlichen Schicksals werden betont in den Vordergrund gestellt – anscheinend aus Gründen sowohl der Apologetik als auch der Lehre. Drittens: Die Art der Fragestellung bereitet den Weg für ein allmählich sich entwickelndes Verständnis des menschlichen Zustands als Mysterium; wie in der Dogmatischen Konstitution über die Kirche werden die Tiefe und Breite der vorliegenden Frage dadurch angedeutet, daß sie nicht bloß als ein zu lösendes Problem gesehen wird, sondern als eine Wirklichkeit, die in bezug auf Reflexion und Engagement eine unerschöpfliche Aufgabe darstellt[13]. Viertens: In n. 12 implizite und in n. 13 explizite kommt zum Ausdruck, daß die Frage des Geheimnisses des Menschen so gedeutet wird, daß sie eine dramatische Spannung zwischen der Größe und dem Elend unseres Zustandes einschließt[14]. Fünftens: Im weiteren Verlauf des Kapitels finden wir eine zunehmend klare Korrelation zwischen dem Geheimnis des Menschen und dem Geheimnis Christi. (Einige Kritiker haben bedauert, daß die christologische Dimension nicht noch frü-

---

[11] Vgl. *Paul VI.*, Enzyklika „Ecclesiam suam" III, in: AAS 56 (1964) 637–659.

[12] Den relativ wenigen Dokumenten, die normalerweise in den Sammlungen der offiziellen kirchlichen Lehrschreiben zu finden sind, sollte man „De quibusdam quaestionibus ad eschatologiam spectantibus" (17. Mai 1979) der Kongregation für die Glaubenslehre hinzufügen.

[13] Obwohl die Worte „De mysterio mortis" als Überschrift des Artikels erscheinen, kommen sie im Text selber nicht vor. Sowohl Abbott als auch Flannery fügen „mystery of death" als Übersetzung von „coram morte" in den zweiten Absatz ein. GS 18,1 spricht vom „aenigma condicionis humanae". Auch n. 21,3 enthält den Ausdruck „vitae et mortis, culpa et doloris aenigmata", und n. 21,4 sieht jeden Menschen als eine „quaestio insoluta" für sich; n. 22,6 spricht vom „hominis mysterium" und vom „aenigma doloris et mortis". Der Text benutzt also nicht den Wortschatz des „Problems", sondern zieht Wörter wie „Geheimnis", „Enigma" und „Frage" vor.

[14] GS 13,3: „sublimis vocatio et profunda miseria".

her hervorgehoben wird.) Schließlich gibt es, wie wir später näher erörtern
werden, eine gewisse Ambiguität in der Art der Fragestellung, so daß das erste Kapitel der Konstitution von der Einzelperson her, das zweite jedoch
von der Gemeinschaft her eine Antwort bietet. Es wäre nicht unberechtigt,
zu fragen, welche Vorteile eine umgekehrte Reihenfolge bei der Behandlung
gehabt hätte.

Wir können die in n. 18 enthaltene Reflexion über den Tod besser würdigen, wenn wir uns an den unmittelbaren Kontext sowie an einige darin vor-
kommende Hauptpunkte erinnern. So beginnt n. 12 zum Beispiel mit einer
relativ beschränkten Sicht des Menschen als nach dem Bild Gottes geschaffen. Hier herrscht eine Schöpfungstheologie vor, die jedoch wenig von der
Eschatologie spüren läßt, die eine echt biblische Protologie zulassen würde.
In n. 13, wo von der menschlichen Sünde als Mißbrauch der Freiheit gehandelt wird, wird die Sündhaftigkeit des Menschen ganz allgemein besprochen;
mit Absicht wird der im Buche Genesis enthaltene Bericht über Adam und
den „Fall" nicht erwähnt. (Diese Absätze wurden den ursprünglichen Entwürfen der Konstitution hinzugefügt und bieten eine realistische Aussage
über den dem menschlichen Herzen innewohnenden Zwiespalt; sie bestätigen aber auch die Möglichkeit einer heilenden Vollendung.) Frühere Entwürfe des darauffolgenden Textes hatten zuerst die Würde des menschlichen Leibes und dann die Würde der Seele und des Intellekts des Menschen besprochen. Nach einer Überarbeitung, um etwaige Andeutungen eines Dualismus
zu verringern, betont die jetzige Fassung des Textes die Einheit von Leib
und Seele des Menschen (n. 14) sowie die Tatsache, daß unsere geistige Würde in der Suche des Geistes nach Weisheit (n. 14), in der Treue zum Gewissen (n. 16) und in unserer Freiheit (n. 17) zum Ausdruck kommt. Was die
Frage des Todes anbelangt, ist es bemerkenswert, daß n. 14 zwar von der
Auferweckung des Leibes am Jüngsten Tag (Abs. 1) und von der Geistigkeit
und Unsterblichkeit unserer Seele (Abs. 2, „anima spiritualis et immortalis")
spricht, aber keinerlei Interpretation hinsichtlich dieser beiden Punkte anbietet. Der Artikel will vielmehr in erster Linie die Würde und die Bestimmung des ganzen Menschen betonen, der wahrhaft leiblich, aber nie auf die
bloße Materie zurückzuführen ist.

So kommen wir zu der Reflexion der Konstitution über den Tod selbst,
die Kardinal Ratzinger „ein Stück Existenzanalyse"[15] genannt hat. Ratzinger
sagt, daß der Text drei Ebenen hat, auf denen er sich bewegt: eine existentielle, eine ontologische und eine theologische. Man könnte m. E. mit gleicher
Plausibilität davon sprechen, daß der Text die Todesfrage angesichts der

---

[15] LThK – Das Zweite Vatikanische Konzil III 333.

Lehre und der Erfahrung der Offenbarung stellt – allerdings in einem Sinn, den ich später zu präzisieren versuchen werde. Diese Frage ist es, die das Dasein des Menschen am rätselhaftesten macht[16]. Vor diese Frage gestellt, urteilt das menschliche Herz richtig, wenn es den endgültigen Untergang der Person ablehnt[17]. Der „Keim der Ewigkeit" in uns lehnt sich gegen den Tod auf, und kein Fortschritt der Technik kann die Angst, die wir bezüglich unseres Schicksals verspüren, völlig beschwichtigen. Denn das Verlangen nach einem weiteren Leben (ulterioris vitae) ist in der Tiefe des menschlichen Herzens lebendig. Worauf können wir also hoffen?

Die Offenbarung Gottes, vermittelt durch die Kirche, antwortet, daß wir für ein dauerndes Glück geschaffen sind. Dieser „beatus finis" liegt jenseits des irdischen Elends. Wenn wir uns vom Erlöser dafür zu einer neuen Schöpfung machen lassen, so werden wir sogar jenen leiblichen Tod überwinden, der – ohne die Sünde – als der natürliche Übergang von der Zeit in die Ewigkeit erscheinen könnte. „Gott rief und ruft nämlich den Menschen, daß er ihm in der ewigen Gemeinschaft unzerstörbaren göttlichen Lebens mit seinem ganzen Wesen anhange" (GS 18,2). Der befreiende Tod und die siegreiche Auferstehung Christi sind uns das Unterpfand dieser Berufung. Jedem nachdenkenden Menschen kann der Glaube mit stichhaltiger Begründung eine Antwort auf seine Angst bieten und ihm in Christus die Gemeinschaft mit allen geliebten Brüdern zusichern, die, so dürfen wir hoffen, „das wahre Leben bei Gott erlangt haben".

Das Geheimnis Christi, das hier zum ersten Mal in der Konstitution voll zum Vorschein kommt, verleiht der Reflexion des Artikels ihre wahre Tiefe und ihren spezifisch christlichen Ton. Dieses Thema wird auch in den darauffolgenden Artikeln über den Atheismus nicht vergessen, wo das Enigmatische an Leben und Tod erneut angesprochen und der Mensch als eine für sich selber unlösbare Frage dargestellt wird[18]. In n. 22 taucht das Thema des Ostergeheimnisses als Zusammenfassung des ganzen Kapitels wieder auf und bietet eine vollständige Aussage über das Wesen eines echten Humanismus und dessen Antwort auf die Einwände des Atheismus. Hier werden Anthropologie und Christologie ausdrücklich korreliert: „Tatsächlich klärt sich nur im Geheimnis des fleischgewordenen Wortes das Geheimnis der Menschen wahrhaft auf" (22,1). In einer bemerkenswert kräftigen und befreienden

---

[16] Während Abbott „aenigma" mit „riddle" („Rätsel") übersetzt (was einigermaßen, aber nicht vollkommen annehmbar ist), benutzt Flannery die irreführende Übersetzung „shrouded in doubt" („in Zweifel gehüllt"). – Die deutsche Übersetzung verwendet „Rätsel".

[17] Beide englischen Übersetzungen geben „judicat" zu schwach wieder. Deutsch „urteilt" ist wohl treffend. Vgl. nn. 14,2 und 16 für frühere Andeutungen einer starken „Philosophie des Herzens".

[18] Vgl. o. Anm. 13.

Weise darf man nun Theologie als Anthropologie sehen, *vorausgesetzt, daß* man in Christus die Erfüllung dessen sieht, was das Menschsein bedeutet. Denn in seiner Offenbarung der Absichten der göttlichen Liebe macht der letzte Adam „dem Menschen den Menschen voll kund und erschließt ihm seine höchste Berufung" (ebd.). Diese Offenbarung schreitet selbstverständlich historisch fort. Durch seine Menschwerdung vereinigt sich der vollkommene Mensch „gewissermaßen" *(quodammodo)* mit jedem Menschen (22,2). Durch sein Kreuz heiligt er Leben und Tod und verleiht ihnen neue Bedeutung (22,3). Durch seine Auferstehung bietet er allen Menschen den innewohnenden Geist der Liebe und der Erneuerung an (22,4). Durch die Gesamtheit dieser Geheimnisse erhält das christliche Dasein, „durch die Hoffnung gestärkt", seine neue Gestalt (ebd.). Diese Lebensgestalt in der Einheit mit dem Ostergeheimnis gilt eigentlich für alle Menschen guten Willens, wie die Konstitution zu sagen wagt, denn der Tod Christi besitzt eine universelle Heilsbedeutung, und sein Geist wirkt in jedem menschlichen Herzen (22,5). Ich komme später auf diesen Punkt zurück, aber hier ist zu beachten, welchen bedeutenden Fortschritt dieser Absatz darstellt gegenüber der Aussage in „Lumen gentium" 16 über den universellen Heilsplan Gottes und seine Hinordnung auf das Gottesvolk. GS 22,5 führt nicht nur die österliche und pneumatologische Tiefe der Heilsökonomie an, sondern legt auch viel nuancierter dar, daß die Heilsinitiative von Gott ausgeht und fest bei ihm bleibt. Diese nuanciertere Ausdrucksweise ermöglicht dem abschließenden Absatz des Artikels ein letztes, fein ausgedachtes Wort über das Rätsel des Todes und seine neue Bedeutung in Christus, der uns eine solche Fülle des Lebens erworben hat, daß „wir, (als) Söhne im Sohn, im Geist rufen: Abba, Vater!" (22,6). Ein Kapitel, das am Anfang fragt, was das Menschsein bedeutet, schließt mit einer Aufforderung zur Anbetung, wo wir am besten sowohl in die Gegenwart Gottes als auch unseres eigenen Herzens treten können.

Theologische Entwicklung

Die christologische Dimension des ersten Kapitels wird in den drei darauffolgenden des ersten Teils, besonders in den jeweils letzten Artikeln, vertieft. So erinnert n. 32 mit biblischen Belegen daran, daß die Solidarität unter den Menschen „im Werk Jesu Christi vollendet und erfüllt" wird. Und n. 38, wo der Wert des menschlichen Schaffens in der Welt behandelt wird, sagt, daß der auferstandene Christus „nicht nur das Verlangen nach der zukünftigen Welt in ihnen [den Herzen der Menschen] weckt, sondern eben dadurch auch jene selbstlosen Bestrebungen belebt, reinigt und stärkt, durch die die Menschheitsfamilie sich bemüht, ihr eigenes Leben humaner zu gestalten und die ganze Erde diesem Ziel dienstbar zu machen". Hier muß zwischen irdischem Fortschritt und dem Wachsen des Reiches Gottes sorgfältig unterschieden werden. Trotzdem hat Gott ein vitales Interesse an der Entwicklung des Potentials der Welt, und wir hoffen mit Recht, beim Kommen des Reiches die volle Wahrheit und Güte dieses Potentials, in Christus und seinem Geist verklärt, zu entdecken. „Dennoch darf die Erwartung der neuen Erde die Sorge für die Gestaltung dieser Erde nicht abschwächen, auf der uns der wachsende Leib der neuen Menschenfamilie eine umrißhafte Vorstellung von der künftigen Welt geben kann, sondern muß sie im Gegenteil ermutigen" (GS 39,2)[19]. Auf geheimnisvolle Weise hat diese neue Erde bereits begonnen. Wenn der Leib Christi vollständig ist, wird sie ganz anwesend sein. Und nach diesem einen Ziel strebt die Kirche, „nach der Ankunft des Reiches Gottes und der Verwirklichung des Heiles der ganzen Menschheit" (GS 45,1). In der Hoffnung, daß alles in Christus erneuert werde, schreitet die Kirche der Vollendung der Geschichte entgegen, bestrebt, ihrer Berufung als „allumfassendes Sakrament des Heiles" (GS 45, LG 48 zitierend) treu zu bleiben. Mit Christus als Ziel bekennt sie ihn als Interpreten der Herzen aller Menschen und der ihnen verheißenen Freude. Während das erste Kapitel in einer allgemeinen, von der Schöpfung her gesehenen Weise zunächst vom Menschen als Ebenbild Gottes gesprochen hatte, zitieren nun seine abschließenden Zeilen Offb 22,13 und lassen somit den Herrn selbst unsere Zeit für uns neu interpretieren: „Ich bin das Alpha und das Omega, der Erste und der Letzte, Anfang und Ende."

Wie aus diesen Texten ersichtlich, sind Christologie und Eschatologie zwar zu unterscheiden, aber in ihrer Beziehung zu der in „Gaudium et spes" umrissenen Anthropologie ebenso untrennbar. In der bekannten Formulierung Karl Rahners ist Christologie die wahre Bedeutung von Anthropologie und Eschatologie ihre Erfüllung. Die eschatologische Dimension der Konstitution wird in Kap. 1 kumulativ entwickelt. Im allerersten Artikel wird die

---

[19] Ein Hinweis auf den von solchen Texten geförderten christlichen Realismus ist in der Frage zu finden, die in G. J. Dyer (Hrsg.), An American Catholic Catechism (New York 1975), gestellt wird. Die Frage lautet: „Kann das verheißene Reich mit dem Himmel gleichgestellt werden?" Die Antwort des Katechismus heißt: „Nein. Jesus verkündete das Kommen des Reiches als etwas die Spaltung zwischen Himmel und Erde Übersteigendes. [. . .] Der künftige Sieg Gottes über das Böse wird innerhalb der Geschichte stattfinden und dennoch die Geschichte übersteigen. Indem sie das Reich Gottes auf den Himmel beschränkten, neigten die Christen dazu, zu vergessen, daß die Erde und ihre Geschichte der Ort sind, wo Gott den Menschen begegnet und persönliches und gesellschaftliches Leben neu schafft. Das führte zu einer gewissen Spiritualisierung der Verheißungen Gottes an die Menschen" (S. 90).

Kirche gesehen als eine Jüngergemeinschaft, „in Christus geeint, vom Heiligen Geist in ihrer Pilgerschaft zum Reich des Vaters geleitet", die eine Heilsbotschaft bewahrt, die für alle Menschen bestimmt ist[20], und n. 2 spricht von einer Befreiung der Welt durch Christus, damit sie umgestaltet werde und zur Vollendung komme („transformetur et ad consummationem perveniat"). In n. 3 wird beteuert, daß trotz der beachtlichen Entdeckungen des menschlichen Erfindungsgeistes noch ängstliche Fragen bestehen, worunter die Frage nach dem letzten Ziel der Dinge und der Menschen („de ultimo rerum hominumque fine") eine vorrangige Stellung einnimmt. In ihren frühesten Artikeln erinnert die Konstitution wiederholt an die uns angebotene hohe Berufung[21]. Sie spricht auch von der gegenseitigen Beziehung zwischen dem gegenwärtigen und dem künftigen Leben[22]. So bereitet sie die umfassendere Perspektive der späteren Kapitel vor.

Diese Eschatologie erinnert an viele in „Lumen gentium", Kap. 7, gesetzte Akzente. Dort schilderte das Konzil ausführlich den Pilgerstatus der Kirche, die an den Bedingungen dieser vergänglichen Welt teilhat, obwohl die den Menschen verheißene Wiederherstellung in Christus bereits begonnen hat und durch ihn in der Kirche weitergeht (LG 48). Während ihrer Pilgerschaft sieht die Kirche der Ankunft des Herrn in seiner Majestät entgegen, wenn „nach der Vernichtung des Todes ihm alles unterworfen sein wird" (49). Sie betrachtet sich als auch mit den in Christus Entschlafenen vereint und erkennt eine noch engere Einheit unter den Heiligen im Himmel an (ebd.). Die pilgernde Kirche betet für ihre Verstorbenen, verehrt die Apostel und Märtyrer, läßt sich vom Leben der Heiligen inspirieren und leiten und verläßt sich auf ihre Fürbitte – alles in der Absicht, das Lob der göttlichen Majestät angemessener zu feiern (50). Unser Vertrauen in die Gemeinschaft der Heiligen soll nicht zu einer Vielfalt äußerer Rituale führen, sondern vielmehr zu einer Stärkung unserer tätigen Liebe, zu einer Vertiefung der Bande der menschlichen Solidarität zum Lob Gottes und somit zu einem „Anteil [im voraus] an der Liturgie der vollendeten Herrlichkeit" (51). Von dieser angestrebten Vollkommenheit besitzen wir in der Jungfrau Maria ein überragendes und völlig einzigartiges Beispiel (Kap. 8 n. 53).

Trotz aller Übereinstimmungen, die zugegebenermaßen zwischen den beiden Dokumenten bestehen, sind auch die Unterschiede zu beachten. Denn

---

[20] Vgl. A. *Dulles*, A Church To Believe In. Discipleship and the Dynamics of Freedom (New York 1982) Kap. 1.
[21] GS 3,2: „altissima vocatio"; 10,1: „ad superiorem vitam vocatum"; 10,2: „summa vocatio" (eine Berufung zur „vita aeterna", wie die Relatio deutlich macht); 11,1: „de integra hominis vocatione".
[22] GS 4,1: „vitae praesentis et futurae".

die Eschatologie in „Gaudium et spes" ist in ihrer Beziehung zum Ostergeheimnis deutlich vertieft, in ihrer Bezugnahme auf das ganze Menschengeschlecht erweitert und hinsichtlich der weltlichen Realitätsbereiche, die
ihre Verheißung umfaßt, verdichtet worden. Vor allem wirkt sich die wei-
terentwickelte dialogische Methode der Pastoralkonstitution nicht nur auf
die Darstellungsweise, sondern auch auf die grundlegende Perspektive ihrer
Eschatologie aus. Beim Entwerfen des Dokumentes tauchten mit notori-
scher Regelmäßigkeit Schwierigkeiten auf, wenn der Ausgangspunkt für die
verschiedenen Kapitel und sogar Artikel festgelegt werden sollte. Im Falle
des Artikels „De mysterio mortis" zum Beispiel, dem unser Hauptinteresse
in diesem Aufsatz gilt, könnte man den Eindruck gewinnen, als werde eine
existentielle Frage zunächst in einer in erster Linie philosophischen Weise
gestellt, um dann aus der Offenbarung eine theologische Antwort darauf zu
geben, was der von Paul Tillich durchwegs und von Karl Rahner bis zu
einem gewissen Grad befürworteten Korrelationsmethode weitgehend ent-
spräche. Heute sagt man wohl eher, daß keiner von diesen beiden Ausgangs-
punkten ein für allemal empfehlenswert sein dürfte. Anstatt den Text als
eine Ausarbeitung zunächst einer Frage auf der ontologischen Ebene und
dann einer Antwort auf der historischen Ebene zu interpretieren, tun wir
besser daran, ihn als eine historisch ausgedrückte Überzeugung über die
Tiefe und Breite der Erfahrung des Todes in einer von der österlichen Gnade
erfüllten Welt zu sehen. Diese Überzeugung strahlt dann auf andere menschliche Vorstellungen des Todes und der Sprache, die für ein Reden darüber
nützlich sein kann, zurück. Demnach gibt es eine Wechselwirkung zwischen
der historischen Erfahrung und der Sprache, die dazu entwickelt wird, diese
Erfahrung auszudrücken. Jede Frage wird hervorgerufen und manchmal sogar herausgefordert durch die Kundgabe, daß es darauf eine Antwort gibt[23].
Die Struktur von n. 18 beruht weniger auf einer Teilung in eine ontische und
eine historische Wirklichkeitsebene als auf der Erkenntnis einer radikal historischen Welt, deren wirkliche Strukturen wiederholt interpretiert, analysiert
und sprachlich neu ausgedrückt werden müssen[24]. In Rahnerschen Begriffen
würde das heißen: Wir haben es nicht mit einem philosophischen Unterbau
zu tun, worauf ein theologischer Überbau errichtet ist. In einer Welt, die
durch Christus immer auf eine tiefere Vereinigung mit Gott orientiert ist,
sind wir vielmehr durch deren Geist ermächtigt, in die Wirklichkeit – aber

---

[23] Vgl. *K. Rahner,* Grundkurs des Glaubens. Einführung in den Begriff des Christentums
(Freiburg i. Br. 1976) 35 f.
[24] Vgl. *E. Schillebeeckx,* Christus und die Christen: die Geschichte einer neuen Lebenspraxis
(Freiburg i. Br. 1977) Teil I.

dann auch in das Kreuz – dieser Welt tiefer einzudringen. Immer wieder müssen wir einen angemesseneren Ausdruck und eine adäquatere Praxis von der Gnade suchen, die dabei ist, die Natur zu verwandeln oder, besser gesagt, von der Herrschaft Gottes, die nach und nach seine Schöpfung für uns umschließt[25]. Kurzum, eine historische Erfahrung legt eine Reflexion über ihr eigenes Zustandekommen und ihre mögliche Zukunft nahe. In der geläufigeren Terminologie kann man sagen, daß der Ausdruck unseres Glaubens und unserer Hoffnung eine fundamental narrative Struktur besitzt. Diese kann allerdings nur mit Hilfe einer begleitenden kritischen Analyse geklärt, bekräftigt und voll angeeignet werden. Im Grunde erzählen wir Geschichten über die Weltgeschichte und das Geheimnis des Todes, dem sich diese gegenübersieht, aber wir müssen wiederholt innehalten, um vernünftige Diskussionen über die von diesen Geschichten benötigten Begriffe, Zusammenhänge und Urteile zu ermöglichen.

Es ist nun klar, daß der Text von „Gaudium et spes" uns nicht nur diese Sicht von Geschichte, Erfahrung und Sprache bietet. Während aller Sitzungen des Konzils achtete man sorgfältig darauf, eine extrinsezistische, autoritäre, statische Sicht der Welt Gottes zu überwinden. Mehr biblische, personalistische und dynamische Kategorien wurden angenommen und in einen heilsgeschichtlichen Bezugsrahmen gestellt[26]. Wir können jedoch nicht erwarten, daß eine vollkommen kohärente Theologie gleichbleibend vorhanden gewesen wäre. Und dennoch können wir bei einem nochmaligen Durchlesen der Texte legitimerweise eine neue Sicht der menschlichen Wirklichkeit und der christlichen Berufung darin erkennen. Wir werden in der Tat vielleicht erkennen, daß die kreative Treue der Kirche gegenüber dem Wort Gottes und der katholischen Tradition uns die Möglichkeit einer neuen Sprache eröffnet hat. Mit dieser neuen Sprechweise kommt ein ganz neuer Zugang zu Gnade und Geschichte, eine neue Kommunikationsmöglichkeit zwischen Gott und seiner sich im Erlösungsprozeß befindenden Welt. Daher müssen wir das Gleichgewicht halten zwischen unserer Kenntnis der Intention der Verfasser der Dokumente und der Einsicht in die umfassendere theologische Wirklichkeit, die sie durch ihre Methode, ihre Themenwahl und ihre Offenheit für die „Zeichen der Zeit" zugänglich gemacht haben. Wo Positionen sorgfältig im Gleichgewicht gehalten werden, um sich gegenseitig nicht auszuschließen, darf man mit Recht annehmen, daß weder

---

[25] Vgl. *L. J. O'Donovan*, Orthopraxis and Theological Method in Karl Rahner, in: Proceedings of the Catholic Theological Society of America 35 (1980) 47–65.
[26] *L. J. O'Donovan*, Was Vatican II Evolutionary? A Note on Conciliar Language, in: ThSt 36 (1975) 493–502.

die eine noch die andere sich letztlich durchsetzen wird; eine andere, noch umfassendere Sicht dürfte beiden eher gerecht werden. Kurzum, ein historisch orientiertes Konzil soll historisch verstanden werden, wobei seine eigene Geschichte neue Interpretationen jener Wirklichkeit erzeugt, der es treu zu sein suchte. An seiner Erneuerung unserer religiösen Sprache können wir am sichersten ermessen, in welch profunder Weise uns das II. Vatikanum Ausdrucksweisen des Wortes Gottes und Zugänge seines Geistes erschlossen hat.

Wie läßt sich diese Sicht der historischen und theologischen Entwicklung in der Reflexion über das Geheimnis des Todes in der Pastoralkonstitution verifizieren? Wie hat die Konstitution dazu beigetragen, daß wir dem Tod besser begegnen können, indem sie uns neue Möglichkeiten vorgeschlagen hat, angemessener darüber zu sprechen? Wir beantworten diese Fragen am besten, wenn wir uns zunächst der großen Bedeutung der Erkenntnis des Todes als Mysterium bewußt werden. Das Sprechen über den Tod als Mysterium erinnert uns daran, daß er keine bloße Tatsache des Lebens ist, nicht einfach ein Ende, vor dem wir verstummen, oder eine Chiffre, worüber nur eine esoterische Offenbarung Sinnvolles aussagen kann. Historische und literarische Studien haben uns in den letzten beiden Jahrzehnten zu der Erkenntnis verholfen, daß es eine unerschöpfliche Vielfalt von Erfahrungsweisen des Todes gibt, aber auch daß eben dieser Tod weiterhin unentrinnbar zur grundlegenden Frage des menschlichen Daseins gehört[27]. Immer wieder wird er, wenn auch in unzähligen Masken, dem Leben als Spiegel entgegengehalten. So neu und dennoch so unveränderlich wie die Geschichte der Menschheit selbst stellt uns die Aussicht auf den Tod in besonderer Weise vor die Frage unseres Verständnisses des Kerns – bzw. der Leere – der Wirklichkeit. In jedem Augenblick des Lebens axiologisch gegenwärtig, wie Karl Rahner so gut erkannte[28], Gegenstand unserer Gedanken und Wünsche, Taten und Prüfungen, ist er ein Geheimnis, das wie wenig andere eine Endgültigkeit in sich trägt.

Vielleicht hat GS 18 auch dazu beigetragen, daß wir – paradoxerweise – den Tod aus einer echteren eschatologischen Sicht betrachten können, und

---

[27] Siehe *Ph. Ariès*, The Hour of Our Death (New York 1981); *ders.*, Western Attitudes toward Death: From the Middle Ages to the Present (Baltimore 1974); *R. Huntington* – *P. Metcalf*, Celebrations of Death: The Anthropology of Mortuary Ritual (Cambridge 1979); *R. F. Weir* (Hrsg.), Death in Literature (New York 1980).
[28] *K. Rahner*, Zur Theologie des Todes (Quaestiones disputatae 2) (Freiburg i. Br. 1958). Für die persönlichen Reflexionen Rahners über das Buch und über seine Theologie des Todes allgemein siehe *P. Imhof* – *H. Biallowons* (Hrsg.), Karl Rahner Im Gespräch, II: 1978–1982 (München 1983) bes. 126–136.

zwar nicht nur von unserem Sterben her, sondern auch – und noch viel mehr – im Hinblick auf das kommende Gottesreich[29]. Der Artikel beginnt zwar mit einer Erwähnung des Zurückschreckens des Menschen vor dem Tod, aber er spricht hier ganz allgemein, so daß man wohl nicht berechtigt ist, daraus eine universelle Angst vor dem Tod als Hauptmotiv der menschlichen Erfahrung herauszulesen. Es kann nämlich sein, wie verschiedene Autoren argumentiert haben, daß der Versuch, eine universelle Angst vor dem Tod zu beweisen, die Logik der Frage selbst übersteigt[30]. In dieser Hinsicht scheint die zentrale Aussage der Pastoralkonstitution vielmehr das starke Verlangen nach dem Leben zu sein, das im menschlichen Herzen mit dem sicheren Wissen um den Tod ringt. In einer eingehenden Untersuchung der engen Beziehung zwischen Unsterblichkeiṭsmythen und gesellschaftlichen Strukturen hat John Dunne die Frage folgendermaßen zusammengefaßt: „Wenn ich sterben muß, was kann ich tun, um meinen Lebenswillen zu befriedigen?"[31] Letzten Endes gründet die christliche Botschaft in der Verheißung einer noch nie vorgestellten Fülle des Lebens, nicht in einer ängstlichen apologetischen Antwort auf den drohenden Tod. Angst und Mut begleiten einander in der menschlichen Geschichte, wobei das eine Gefühl das andere erhöht. Als Erhellung dieser permanenten Spannung bietet das Kreuz Christi eine radikale Offenbarung dessen, was bei beiden auf dem Spiel steht[32].

Wenn unser Text uns für eine eher historische und pluralistische Sicht des Geheimnisses des Todes aufschließt, so spiegelt er trotzdem das ganze Kapitel hindurch weiterhin einen existentiellen Sinn für die Kombination von Größe und Elend im menschlichen Zustand wider. Von diesem Schwerpunkt lasse ich mich leiten bei meiner Interpretation der Aussage des Textes über die „stichhaltige Begründung", die mit dem Glauben einhergeht und eine Antwort auf die Angst des Menschen in bezug auf die Zukunft gibt[33].

---

[29] Siehe *E. Jüngel*, Tod (Stuttgart 1971) bes. Kap. 6; *J. Ratzinger*, Eschatologie – Tod und ewiges Leben (Regensburg 1977) Kap. 1.

[30] Siehe *E. Becker*, The Denial of Death (New York 1973) Kap. 2.

[31] *J. Dunne*, The City of the Gods. A Study in Myth and Mortality (New York 1965).

[32] Vgl. *L. J. O'Donovan*, The Pasch of Christ: Our Courage in Time, in: ThSt 42 (1981) 353–372.

[33] Abbotts Übersetzung geht hier etwas zu weit: „Hence to every thoughtful man a *solidly established* faith provides *the answer* to his *anxiety* about what the future holds for him." Bei Flannery steht: „Faith, therefore, with its *solidly based teaching*, provides every thoughtful man with *an answer* to his *anxious queries* about his future lot" (Hervorhebungen d. Übers.). (Im Text selbst gibt O'Donovan „solidis argumentis" mit „sound arguments", „anxietate" mit „anxiety" und „responsum" mit „response" wieder. Die deutsche Fassung lautet: „Jedem also, der ernsthaft nachdenkt, bietet daher der Glaube, mit stichhaltiger Begründung vorgelegt, eine Antwort auf seine Angst vor der Zukunft an.")

Ohne die Sprache von n. 14 über die „anima spiritualis et immortalis" zu benutzen, enthält n. 18 ein zwar implizites, jedoch unverhülltes Argument für die Transzendenz des Todes – ein Argument, das sich am besten als dialektisch charakterisieren läßt. Einerseits spricht der Artikel den „Keim der Ewigkeit" („semen aeternitatis") in uns sowie unser Verlangen nach einem weiteren Leben („ulterioris vitae desiderio") an. Andererseits jedoch zeigt er deutlich, daß allein das Wort Gottes uns belehrt, wie dieser Keim genährt und zur vollen Entfaltung gebracht werden kann, nämlich durch das österliche Geheimnis. Der Text drängt auf einen echten Dialog und zeigt sich bereit, sein Verständnis des Glaubens zu diskutieren, wobei er zugleich – in seiner Hoffnung zuversichtlich – die Erfahrung bekennt, die zu diesem Verständnis führte.

Auf diese Weise deutet n. 18 eine Möglichkeit der Überwindung der sterilen Debatte an, die den Glauben an die Auferstehung des Leibes den Argumenten für die Unsterblichkeit der Seele gegenüberstellt[34]. Selbstverständlich bietet der Artikel keine neue Korrelation der Themen. Er eröffnet jedoch die Möglichkeit, Argumente für die Unsterblichkeit als Mitteilungen der vollen Verheißung des Lebens zu sehen, die in einer Welt wirksam ist, die die Gnade Gottes von Anfang an umfangen hat und eines Tages ganz umschließen will. Anstatt die Radikalität unserer Hoffnung auf Auferstehung zu schmälern, kann jedes Gefühl für die Transzendenz des Todes, ganz gleich, in welcher Form diese vorgestellt wird, uns auf die Sorgfalt aufmerksam machen, mit der Gott die Prozesse der Welt gestaltet, um sie zum ewigen Leben zu führen. Paul Tillich zum Beispiel mißversteht einfach das Verhältnis zwischen religiöser Symbolik und philosophischer Analyse, wenn er Platons Argumente im „Phaidon" für die Unsterblichkeit verwirft zugunsten des Bildes vom sterbenden Sokrates mit seinem Mut[35]. Eine nachkritische, realistische Theologie dagegen vermag in den in der Symbolik enthaltenen subjektiven Beziehungen eine objektive Wahrheit zu erkennen[36]. Allgemeine Transzendenzstrukturen sind also in dem historischen Prozeß, den freilich Gott allein schließlich zum ewigen Leben führen kann, realistisch zu erkennen. Ebenso sind wir jetzt eher in der Lage, zu erkennen, daß das Gefühl für die Transzendenz des Todes auf viele Weisen, biblische wie auch außerbiblische, ausgedrückt worden ist. Die Auferstehung, mag sie kano-

---

[34] Vgl. *E. Schillebeeckx,* Jesus. Die Geschichte von einem Lebenden (Freiburg i. Br. 1977) Teil 3, 2. Abschnitt; *J. Ratzinger,* a.a.O. 91–135; *L. J. O'Donovan,* Immortality in Judaeo-Christian Perspective, in: *William C. Bier* (Hrsg.), Human Life: Problems of Birth, of Living, and of Dying (New York 1977) 276–295.
[35] *P. Tillich,* The Courage To Be (New Haven 1952) 42 110 168 f 181 189.
[36] Siehe *A. Dulles,* Models of Revelation (Garden City 1983) bes. Kap. IX.

nisch noch so sehr vorherrschen, ist keineswegs das einzige Modell, womit der Sieg Christi über den Tod ausgedrückt werden kann. „Wir müssen", schreibt Claude Geffré, „auch die anderen Sprachen des Neuen Testaments, jene des *Lebens* und der *Erhöhung*, berücksichtigen, deren Aufgabe gerade in der Korrektur und Ergänzung des Vokabulars der Auferstehung liegt."[37]

Der „leibliche Tod", wovon n. 18 spricht, ist daher zu verstehen als der Verlust des Lebens und unserer Welt von Beziehungen, der sich aus der Ablehnung der göttlichen Verheißung von Leben und Gnade ergibt. Wo Solidarität und gegenseitige Abhängigkeit unter den Menschen bedroht sind, nimmt der Tod die Gestalt nackten Zerfalls und völliger Vernichtung an. Aber wo menschliche Gemeinschaft und Beziehungen gepflegt werden, wird der Tod wieder leichter vorstellbar als ein − wenn auch noch so geheimnisvoller − Übergang in die Ewigkeit. Im ersten Fall weist er auf eine materielle Störung, auf die Sünde Adams hin, wobei unsere leibliche Existenz in Entfremdung und Leid abläuft. Aber im zweiten Fall kann der Tod ein Hereinbrechen des Geistes sein, ein Begleiten Christi im Ablauf seines gehorsamen Lebens, wobei unsere niedrige materielle Welt sich in einem Umwandlungsprozeß befindet, der sie dem Leib seiner Herrlichkeit gleichgestalten wird (Phil 3,21)[38]. Wenn Sokrates „die Praxis des Sterbens" seinen Anhängern einschärfen konnte, so wäre es für die Jünger Christi noch angemessener, eine Praxis der Auferstehung zu suchen, indem sie ihr Leben der Verwandlung ihrer sozialen Umwelt in ein Reich der Gerechtigkeit und des Friedens widmen, das der Geist Gottes eines Tages zur Vollendung bringen kann. Wenn wir in unserem Text „Sünde" als eine radikale Entstellung der menschlichen Gemeinschaft in ihrer Beziehung zu Gott verstehen, so dürfen wir den „leiblichen Tod" als den Zerfall sowohl des sozialen als auch des persönlichen Leibes als Folge dieser Sünde auffassen. Unser Text ist also nicht so weit entfernt, wie es den Anschein haben könnte, von dem gesteigerten sozialen Bewußtsein in der Eschatologie, das seit dem Konzil in verschiedenen politischen und Befreiungstheologien entstanden ist. Meines Erachtens bekräftigt n. 21 diese Interpretation mit ihrer starken − und typischen − Aussage: „Dieser Glaube muß seine Fruchtbarkeit bekunden, indem er das gesamte Leben der Gläubigen, auch das profane, durchdringt und sie zu Gerechtigkeit und Liebe, vor allem gegenüber den Armen, bewegt. Dazu, daß Gott in seiner Gegenwärtigkeit offenbar werde, trägt schließlich besonders die Bru-

---

[37] *C. Geffré*, Où en est la théologie de la résurrection?, in: Lumière et vie 21 (1972) 17–30, hier 21, dt. Übers.: Die Auferstehung Christi: Zentrum der christlichen Theologie, in: *ders.*, Die neuen Wege der Theologie (Freiburg i. Br. 1973) 137–154, hier 142.
[38] Vgl. *K. Rahner*, Die Sünde Adams, in: Schriften IX 259–275; *ders.*, Das Sterben vom Tod her gesehen, in: MySal V 473–492.

derliebe der Gläubigen bei, wenn sie in einmütiger Gesinnung zusammenarbeiten für den Glauben an das Evangelium und sich als Zeichen der Einheit erweisen."[39]

Weitere Fragen

Die gegenwärtige Reflexion über das Geheimnis des Todes kann gerade durch das gesteigerte Verständnis für die soziale Dimension der Eschatologie zusammen mit der sich daraus als notwendig ergebenden „Praxis der Auferstehung" zu weiteren Einsichten gelangen. Zu lange schon haben wir das Alleinsein jedes Menschen beim Sterben betont. Dies ist jedoch nur ein Teil der dialektischen Wahrheit. Es ist notwendig, daß wir auch einsehen, in welchem Maße jeder einzelne vom Tod des anderen betroffen ist, was wir durch den Tod anderer empfangen und welche Verantwortung wir für die unmenschlichen Verhältnisse tragen, in denen viele unserer Mitmenschen leben und sterben müssen[40]. GS 18 bahnt den Weg für eine solche Reflexion mit seiner wohlüberlegten Formulierung der Verheißung der Gemeinschaft in Christus mit geliebten Verstorbenen. Indem er die Hoffnung erweckt, „daß sie das wahre Leben bei Gott erlangt haben", führt uns der Glaube über jede individualistische Auffassung des Todes und der christlichen Bestimmung hinaus zu einer Erkenntnis der geheimnisvollen gemeinsamen Bande, die uns verbinden, während wir uns dem Tod nähern und, noch mehr, während sich das Reich Gottes uns nähert[41]. Auch in seiner zurückhaltenden Sprache stellt der Text eine Verbesserung gegenüber LG 49 dar, wo noch etwas zu ideal formuliert wird: „Die Einheit der Erdenpilger mit den Brüdern, die im Frieden Christi entschlafen sind, hört keineswegs auf."

Die heutige Theologie darf die Hoffnung hegen, auf verschiedenerlei Weise ein sozialeres Verständnis des Todes und der allgemeinen Eschatologie entwickeln zu können. Die kräftige Aussage des Konzils über die Lehre der Gemeinschaft der Heiligen kann noch weitergeführt werden, insbesondere im Hinblick auf die Gemeinschaft der lebenden Gläubigen mit den verstorbenen Mitgliedern ihrer engeren Gemeinschaften. Wenn die Ortskirche tatsächlich die Kirche Christi repräsentiert, so kann die Gemeinschaft der Heiligen trotz ihrer Einheit in Christus radikal partikulär im Heiligen Geist

---

[39] Über die Praxis des Auferstehungsglaubens siehe auch u.a. LG 48,1–2 und DV 8,2 und 10,1.

[40] Vgl. *M. Lamb*, Solidarity with Victims: Toward a Theology of Social Transformation (New York 1982).

[41] Siehe *R. P. McBrien*, Catholicism. Study Edition (Minneapolis 1981) 1141–50; *G. Baum*, Religion and Alienation. A Theological Reading of Sociology (New York 1975) 266–294.

sein. Das sakramentale Leben der Kirche soll auch zu unserem Sinn für den sozialen Aspekt der Eschatologie beitragen. Durch die Eucharistie im allgemeinen und durch die Krankensalbung insbesondere können wir vielleicht in dem Gefeierten zu einem Verständnis des radikal gemeinschaftlichen Charakters unserer Hoffnung gelangen. Hinsichtlich des gottesdienstlichen Lebens der Gemeinschaft können wir auch von der Theologie der orthodoxen Kirchen, die eine enge Verbindung zwischen der Eschatologie und der Sakramentenlehre herstellt, viel lernen. In der ökumenischen Diskussion können wir außerdem Nutzen ziehen aus der protestantischen Theologie, die in unserem Jahrhundert so oft die dialektische Beziehung zwischen historischer Gerechtigkeit und der Liebe zum Reich Gottes hervorgehoben hat[42]. Schließlich und vielleicht als wichtigste Überlegung muß uns der Alptraum der Gefahr eines Atomkriegs – wie wir anfangs bereits gesehen haben – zu einer neuen Sicht unserer gegenseitigen Abhängigkeit in bezug auf die Zukunft der Menschheit führen – bzw. zu der Zukunftsvision einer Endkatastrophe.

Weitere Fragen bezüglich unseres Verständnisses des Todes entspringen neueren Studien über die Weltreligionen. Auf den Dialog zwischen den Religionen kann nicht verzichtet werden, wenn eine realistische Theologie der universellen Heilsbedeutung des österlichen Geheimnisses zustande kommen soll. Aber dieser Dialog wird natürlich auch die Themen Tod und Eschatologie betreffen. Für Katholiken stellt die „Erklärung über das Verhältnis der Kirche zu den nichtchristlichen Religionen" des II. Vatikanums in dieser Hinsicht eine Art Charta dar. In ihrem ersten Artikel nimmt diese Erklärung die Frage „Was ist der Mensch?" aus „Gaudium et spes" wieder auf und fragt dann weiter: „Was ist der Tod, das Gericht und die Vergeltung nach dem Tode?" Bei solchen Fragen können wir kaum die reiche Symbolik und die tiefe menschliche Erfahrung ignorieren, die in den Traditionen der großen Religionen aufbewahrt sind. In einer neueren Untersuchung des islamischen Denkens erfahren wir zum Beispiel, daß „trotz gewisser Interpretationsunterschiede zwischen Modernisten und Traditionalisten die von allen heutigen Muslimen bezeugte Grundbotschaft lehrt, daß Gott die Menschheit zu einem Zweck, zur Weiterführung des Lebens und zur letzten Verantwortung geschaffen hat. In der nächsten Welt werden Ungerechtigkeiten behoben, und Gott wird uns zu einem vollendeten Dasein führen."[43] Zu dem Beitrag, den solche Studien zu unserer Kenntnis der vergleichenden Eschato-

---

[42] Für den amerikanischen Kontext siehe bes. *R. Niebuhr,* The Nature and Destiny of Man II (New York 1943).

[43] *J. I. Smith – Y. Y. Haddad,* The Islamic Understanding of Death and Resurrection (Albany 1981) IX. Es ist von Interesse, daß die Verfasserinnen darauf hinweisen, daß der moderne Islam

logie leisten, könnte eine größere gegenseitige Verständigung auf dem Gebiet des öffentlichen Dialogs hinzukommen, was angesichts der gegenwärtigen Spannungen im Nahen Osten ohne Zweifel ein wünschenswertes Ergebnis wäre.

Die von „Nostra aetate" empfohlene Intensivierung des Dialogs zwischen Christen und Juden wirkt sich auch auf unsere Haltung gegenüber dem Geheimnis des Todes aus. Die beiden zentralen Themen bei diesem Dialog sind der Holocaust und der Staat Israel, wovon das erste einen allzu unmittelbaren Bezug zur Todesfrage besitzt. Ähnlich wie durch den Nuklearismus werden wir durch das Entsetzen über den Holocaust gezwungen, uns zu fragen, ob wir jemals wirklich vor der gähnenden Leere des gemeinschaftlichen Todes gestanden haben. „In Auschwitz", sagte einmal Elie Wiesel, „starb nicht nur der Mensch, sondern auch die Idee des Menschen."[44] Manche sehen in diesem „doppelten Sterben" eines der entsetzlichsten und entstellendsten Ereignisse der Menschheitsgeschichte. Für andere jedoch ist es etwas absolut Einmaliges, ein schändender Angriff auf das auserwählte Volk, dessen Gott ihm die Treue gelobt hatte. Was war diese Erfahrung wirklich? Das müssen wir immer wieder fragen – falls es überhaupt angebracht ist, dafür die Bezeichnung „Erfahrung" zu verwenden. Was sind die historischen Implikationen, was ist die bleibende Bedeutung? Es ist sogar umstritten, ob Literatur und Kunst uns zu einer Vorstellung davon verhelfen können, ob es uns nicht eher vor eine Geschichte stellt, die nicht erzählt werden kann bzw. vielleicht nur den Überlebenden vorbehalten bleibt. Hier müssen Christen jeder Konfession aufmerksam lauschen und ihre Menschlichkeit mit Herz und Hand austeilen, indem sie ein neues Erbarmen mit den Nachkommen Abrahams und dem Gott, der mit ihnen einen Bund schloß, üben. Wie Leander E. Keck in einem anderen Zusammenhang geschrieben hat, „liegt der Ausgangspunkt für eine Theologie des Todes und der Auferstehung in der moralischen Entrüstung über die Welt, wo es keine Gerechtigkeit zu geben scheint, worauf sich die Schwachen verlassen können, und wo Säuglinge durch Bomben umkommen, Rabbiner vergast werden (. . .). Letzten Endes

---

etwas, was der Koran letztlich als eine Glaubenssache behandelt hatte, nunmehr als etwas völlig Vernünftiges sieht. – Für das indische Denken siehe *W. D. O'Flaherty* (Hrsg.), Karma and Rebirth in Classical Indian Traditions (Berkeley 1980).

[44] *A. H. Rosenfeld,* A Double Dying: Reflections on Holocaust Literature (Bloomington 1980). Das breite Spektrum der von den Schriften Wiesels hervorgerufenen Reaktionen ist bei *A. H. Rosenfeld – I. Greenberg* (Hrsg.), Confronting the Holocaust: The Impact of Elie Wiesel (Bloomington 1979), und *M. Berenbaum,* The Vision of the Void: Theological Reflections on the Works of Elie Wiesel (Middletown 1979), zu sehen.

ist die theologische Kernfrage beim Tod des Menschen die des Wesens Gottes."⁴⁵

Fortschritte in der medizinischen Technologie im Verlauf der letzten drei Jahrzehnte sind eine weitere, dritte Quelle neuer Erfahrungen und Fragen hinsichtlich der Bedeutung des Todes. Mit dem wissenschaftlichen Fortschritt ging die Entwicklung einer hochdifferenzierten Bioethik einher. Diese wird von Warren T. Reich, dem Herausgeber der „Encyclopedia of Bioethics", folgendermaßen definiert: Sie ist „die systematische Untersuchung des menschlichen Verhaltens auf dem Gebiet der Biowissenschaften und der Gesundheitspflege, sofern dieses Verhalten im Licht moralischer Werte und Prinzipien betrachtet wird"⁴⁶. Die traditionelle medizinische Ethik ist zwar darin enthalten, aber die Bioethik geht darüber hinaus und muß sich mit den Beziehungen befassen, die unter den Biowissenschaften, der Medizin, dem Recht und der staatlichen Politik, der Philosophie und der religiösen Kultur im Entstehen begriffen sind. Bedeutsamerweise widmet die Enzyklopädie (auf ihrem Gebiet ein Meilenstein) 86 zweispaltige Seiten verschiedenen Aspekten des Todes und des Sterbens – was als selbständige Veröffentlichung ein größeres Buch ergeben hätte⁴⁷.

Durch die medizinische Technologie kann jetzt zum Beispiel nach einer teilweisen oder sogar vollständigen Zerstörung des Gehirns das Funktionieren von Herz und Lungen eines Menschen über längere Zeiträume hinweg aufrechterhalten werden. Andererseits sind besondere Techniken ausgedacht worden, um bei Eingriffen am offenen Herzen das vollständige Funktionieren des Gehirns zu gewährleisten, während die Tätigkeit von Herz und Lungen unterbrochen wird. Lebenswichtige Funktionen des Menschen, die einst eng miteinander verknüpft und voneinander abhängig waren, können also jetzt zumindest vorübergehend voneinander getrennt werden, was dazu führt, daß die Kriterien für die Feststellung des Todes eines Patienten neu überdacht werden müssen. Trotzdem legt die Diskussion um diese Fragen die Überzeugung nahe, daß wir jetzt nicht weniger, sondern mehr Anlaß haben zu der Behauptung, weder unser Leben noch unser Tod lasse sich auf rein phänomenalistische, natürliche Weise erklären. Wie Dallas

---

⁴⁵ *L. E. Keck,* New Testament Views of Death, in: *L. Mills* (Hrsg.), Perspectives on Death (Nashville 1966) 33–98, hier 97f.
⁴⁶ *W. T. Reich,* Encyclopedia of Bioethics, 4 Bde. (New York 1978), 1933 Seiten. Für einen Überblick über die neuere Diskussion siehe *R. A. McCormick,* How Brave a New World? Dilemmas in Bioethics (Garden City 1981).
⁴⁷ S. 221–307. Verwandte Informationen sind unter den Stichwörtern „Infanticide" (Kindesmord), „Life-support systems" (Lebenserhaltungssystem), „Suicide" (Selbstmord) usw. zu finden, was weitere 50 Seiten über Fragen, die mit dem Tod und dem Sterben zu tun haben, hinzufügen würde.

M. High darauf hinweist, hat die Vorstellung der Person als Ganzes angefangen, bei unserem Verständnis des Todes wieder ihren zentralen Wert zu erlangen. Ebenso wird heute allgemein zwischen Definitionen bzw. Vorstellungen des Todes und den bei seiner amtlichen Feststellung anzuwendenden Kriterien streng unterschieden. „Der Mensch des 20. Jahrhunderts ist nicht einem neuartigen Tod oder – der Umgangssprache zum Trotze – der Notwendigkeit einer Modernisierung des Todes begegnet; er hat eher vielleicht eine Sensibilität für die Sterblichkeit wiedergewonnen."[48]

Zum Schluß sollten wir vielleicht sagen, daß jede menschliche Haltung gegenüber dem Tod altbekannt und völlig neu zugleich ist. Wie das Geheimnis Gottes in unseren Herzen ist der Tod gleichzeitig das, was wir am besten kennen, und das, was wir fortfahren müssen kennenzulernen. Hier stehen wir voll Faszination und Angst zugleich vor der endgültigen Lösung oder Auflösung unseres Lebens – im Geheimnis des Todes für unsere gemeinsame Zeit als Menschen wie auch für das Einzelleben; in seinen verschiedenen Aspekten, wie sie in den Religionen der Welt zum Ausdruck gebracht werden; in der permanenten Frage, die er an die Errungenschaften der Wissenschaft sowie an die ethische Reflexion richtet. Der Tod ist in einem doppelten Sinn die letzte Tiefe des Daseins: als das äußerste menschliche Erleiden und als letzter Prüfstein der Erlösungsmacht Gottes. In diese Tiefe ist Jesus von Nazaret, seiner Ankündigung der Herrschaft Gottes in der Welt getreu, hinabgestiegen, und aus dieser Tiefe erhöhte ihn Gott, dem in Christus bereits angebrochenen Reich getreu. Nur durch den Geist Gottes können wir jedoch mit Zuversicht sagen, daß dieses Geheimnis des Todes ein wahres Passah ist. Vor allem: nur im Geist Gottes können wir es als österlich leben.

In einzigartiger Weise hat Karl Rahner wiederholt für uns über die dunkle Verbindung von Aktivität und Passivität im Tode meditiert. Im Tod hört unsere Existenz bei der Begegnung mit der Ewigkeit auf; Leere und Fülle treffen zusammen, die Gewißheit der Zerstörung steht der Hoffnung auf Vollendung gegenüber. Einige Kritiker betrachten die Auffassung Rahners als übermäßig spekulativ, dennoch wirft sie weithin Licht auf weite Bereiche der menschlichen Erfahrung und auf viele Fragen der christlichen Lehre. Indem sie in das echt Persönliche beim Eintritt des Todes eindringt, zeigt sie an, wie das Sterben das ganze Leben hindurch anwesend ist, wie es ein Ausdruck der Schuld ist und warum es sowohl bei Christus als auch bei uns wahrhaft erlösend wirken kann. In einer auffallend kräftigen Weise konkretisiert diese Auffassung erneut die Interdependenz zwischen Anthropologie, Christologie und Eschatologie.

---

[48] *W. D. High* in: Encyclopedia of Bioethics 307.

Heute, unter der neuen atomaren Bedrohung[49], ist es notwendig geworden, die Einsicht Rahners auf eine weitere Probe zu stellen. Mit der neuen Symbolik der Leere, die von der Gefahr eines atomaren Infernos geliefert wird, sind wir zunehmend angewiesen auf die Symbolik der Fülle, die mit dem Reich Gottes zusammenhängt. Mit außergewöhnlicher Besonnenheit bewahrt der Hirtenbrief der amerikanischen Bischöfe die Spannung zwischen diesen beiden. Die Geduld, die Gewissenhaftigkeit und der Mut, womit der Hirtenbrief seine Analyse vornimmt, sind wahrhaft typische Zeichen für die Fruchtbarkeit des Geistes. Bemerkenswert frei von der Verwendung apokalyptischer Bilder und selbst im Gebrauch einer prophetischen Sprache zurückhaltend, legt der Brief seine Überlegungen als einen sorgfältig durchdachten Beitrag zur moralischen Diskussion in Kirche und Gesellschaft vor. Mit erneuter Inspiration aus der Verheißung des Gottesreichs und mit einer neu belebten Hoffnung darauf erinnern uns die Bischöfe, daß „der Friede auf der Grundlage der Gerechtigkeit aufgebaut werden muß in einer Welt, wo die persönlichen und sozialen Folgen der Sünde augenfällig sind"[50]. Mit entschiedener Gelassenheit formulieren sie das zentrale Thema aus „Gaudium et spes" um: „Die Christen sind aufgerufen, die Spannung zwischen der Vision der Gottesherrschaft und ihrer konkreten Realisierung in der Geschichte zu leben."[51]

Vielleicht wird die furchtbare Verantwortung der heutigen Zeit uns auch lehren, was es ist, das im Menschen imstande ist, das Paradoxon der Verbindung von Leere und Fülle zu ertragen. Oder vielleicht könnte man etwas genauer sagen, daß wir dabei sind, genau das zu lernen, was wir nicht ganz ertragen können, nämlich die letzte Verantwortung für unser gemeinsames Leben. In diesem kritischen Augenblick der Menschheitsgeschichte müssen wir selbstverständlich sofort und praktisch auf den Aufruf zum Friedenstiften antworten. Aber die Erfahrung kann im Begriff sein, uns zu zeigen, wie radikal die Abhängigkeit von Gott im Herzen der menschlichen Gemeinschaft verankert ist, aus welcher Tiefe unser Schrei nach einer Prüfung unserer Herzen und einer Lenkung unserer Hände bei der Sorge für die uns geschenkte Schöpfung aufsteigt. Wenn wir das Kreuz Jesu als Weg zu Gott annehmen, so geschieht dies nicht, weil wir das Leiden in der Welt suchen oder gutheißen, sondern weil das Kreuz uns lehrt, wieviel die Liebe für die Hoffnung der Welt zu leiden bereit ist. Wenn wir uns in unserer Friedens-

---

[49] Siehe „The Challenge of Peace" 13f (vgl. o. Anm. 2).

[50] Ebd. 7. Ich will damit natürlich nicht sagen, daß der Hirtenbrief im Sinn des Terminus technicus „inspiriert" ist, sondern nur, daß man die Fruchtbarkeit des Geistes darin sehen kann, wie der Brief „die Zeichen der Zeit" interpretiert.

[51] Ebd.

suche von der Lehre und dem Beispiel Jesu leiten lassen, so ist es nicht, weil wir uns mit der Sinnlosigkeit der Welt abgefunden haben, sondern weil wir ihre Erfüllung vor Augen haben. Wie kommt es, daß wir als Gemeinschaft und auch als Einzelne diesen Gegensatz zwischen Kreuz und Herrlichkeit, Sinnlosigkeit und Erfüllung ertragen können? Ich meine, daß nur der Geist, der aus dem gebrochenen Leib Jesu herausströmte und nun inmitten unseres Ringens, echte Glieder des Leibes Christi zu sein, hereinbricht, uns befähigen kann, die Prüfung durchzustehen.

Die Fülle der Liebe Gottes und die Selbstentleerung des Lebens Jesu sind in dem einen Geist miteinander verbunden, der für uns zum jetzigen Zeitpunkt das besonders Benötigte und das besondere Geschenk, *donum Dei,* ist. Als Glaubensgemeinschaft, die so verschiedenartige und reiche Kenntnisse beizutragen hat, sind wir dazu aufgerufen, jetzt auf die Herausforderung des Friedens zu antworten. Das Engagement wird zweifellos hohe Anforderungen stellen. Wie können wir leben, wie können wir die leidende Liebe *werden,* die von uns verlangt werden wird? Wir werden ein erneutes Ausgießen des Geistes brauchen, der unsere Taten und unsere Leidenschaft, unsere Erfolge und unsere Opfer, die unaufhörlich angefochtene Kontinuität unserer geistigen Endlichkeit durch die Zeit hindurch auf die Ewigkeit hin zusammenhält. In dem Heiligen Geist sind die Fülle und Selbstaussage Gottes eine liebende Einheit. Durch eben diesen Geist kann die Welt Gottes, der Leib Christi, heute zu einer gehorsamen Vorbereitung auf ihre volle Reife hingeführt werden, indem sie sich von der Vernichtung durch einen Atomkrieg abwendet und der Förderung einer friedlicheren und humaneren Erde zuwendet.

„Laßt uns den Mut haben, an eine helle Zukunft und an einen Gott zu glauben, dessen Wille eine solche Zukunft für uns ist – nicht an eine vollkommene Welt, sondern an eine bessere. Die vollkommene Welt, so glauben wir Christen, liegt jenseits des Horizonts in einer endlosen Ewigkeit, wo Gott alles in allem sein wird. Aber eine bessere Welt ist hier für menschliche Herzen und Hände zu schaffen."[52] Oder um Karl Rahner das letzte Wort zu geben: „Der Mensch ist so zwischen Heilssorge und Heilshoffnung ausgespannt, und diese Ausgespanntheit ist die letzte Triebfeder seiner Geschichte."[53]

Aus dem Englischen von Susan Johnson

---

[52] Ebd. 30.
[53] *P. Imhof – H. Biallowons,* Karl Rahner Im Gespräch 124 (s. Anm. 28).

HANJO SAUER

VON DEN „QUELLEN DER OFFENBARUNG" ZUR „OFFENBARUNG SELBST"[1]

Zum theologischen Hintergrund der Auseinandersetzung um das Schema „Über die göttliche Offenbarung" beim II. Vatikanischen Konzil

Die Wirkungsgeschichte des II. Vatikanischen Konzils droht, kaum daß sie sich im Bewußtsein der Gemeinden verwurzeln konnte, eine Richtung einzuschlagen, die nicht mehr den Intentionen der Konzilsväter, nicht mehr der schöpferischen Absicht Papst Johannes' XXIII., der mit der Einberufung dieses Konzils eine neue Ära der katholischen Kirche und ihres Selbstverständnisses eröffnet hat, entspricht. Die Texte des Konzils werden beliebig, zum Teil widersprüchlich, zur Legitimation der eigenen Praxis herangezogen. Gerade weil sie – bedingt durch ihre Entstehungsgeschichte und ihre bewußt gewollte theologisch-integrative Funktion – in Terminologie, Argumentation und den in ihnen zur Sprache kommenden theologischen Denkformen nicht einheitlich sind, fällt es vielen leicht, sich in den Texten des II. Vatikanums wiederzufinden, wobei jedoch dezisionistisch gerade die Aussagen ausgewählt werden, die dem eigenen vorgefaßten theologischen Standpunkt konform sind, alle anderen Aussagen des Konzils jedoch, die dem eigenen Standpunkt zuwiderlaufen, als irrelevant heruntergespielt und als zeitgeschichtlich bedingte Modernismen (oder Traditionalismen) interpretiert werden.

Gerade diese Vorgehensweise der (meist weniger als mehr reflexen) Interpretation der Konzilsaussagen sabotiert jedoch die eigentliche theologische Leistung des Konzils selbst; sie degradiert die Konzilstexte zu Kompromißpapieren, die hinter mehr oder weniger geschickten Formulierungen gegensätzliche theologische Positionen verschleiern, kurz: sie nimmt die eigene theologische Position des Konzils nicht ernst.

Eine sachgerechte Interpretation der Konzilsaussagen ist daher auf ein kri-

---

[1] Mit dem Titel ist Bezug genommen auf das von der Vorbereitenden Theologischen Kommission unter der Leitung von Kardinal Ottaviani und dem Sekretär P. Tromp während des Jahres 1961 erstellte Offenbarungsschema, das den Titel trägt „De Fontibus Revelationis", sowie auf den Titel des 1. Kapitels der Konzilskonstitution über die Offenbarung „De ipsa revelatione".

tisches Quellenstudium, das eine verstehende Rekonstruktion der Konzilstexte möglich macht, angewiesen. Nur aus dem Verlauf der Textgeschichte
heraus kann die Aussageabsicht der Konzilsväter hinreichend verdeutlicht
werden. Was mit dieser Forderung gemeint ist, soll anhand des ersten Kapitels der Dogmatischen Konstitution über die göttliche Offenbarung verdeutlicht werden. Art und Umfang dieses Artikels verbieten es, die Entstehung
des endgültigen Textes der Konstitution in allen seinen Phasen nachzuzeichnen[2], vielmehr soll im einzelnen auf drei Texte Bezug genommen und deren
theologischer Hintergrund im Vergleich miteinander erhellt werden:

1. das den Konzilsvätern als erstes vorgelegte und vom 14. bis 20. November 1962 diskutierte Schema „De Fontibus Revelationis"[3],

2. den von Karl Rahner und Joseph Ratzinger gemeinsam erarbeiteten
Entwurf „De revelatione Dei et hominis in Jesu Christo facta", den sich die
Vorsitzenden der Bischofskonferenzen von Österreich, Belgien, Frankreich,
Deutschland und Holland zu eigen machten[4], und

3. den endgültigen Text des Konzils, vorliegend in der „Constitutio dogmatica de Divina Revelatione"[5].

I.

Der Offenbarungsbegriff, der „De Fontibus Revelationis" zugrunde liegt,
muß vom Hintergrund der neuscholastischen Theologie her verstanden werden. Offenbarung hat den doppelten Aspekt a) der von Gott her geschehenden Vermittlung und b) des sachhaften Inhalts jener Vermittlung, nämlich
der geoffenbarten Wahrheit. Dieser Wahrheitsbegriff ist weitgehend unge-
schichtlich und „abstrakt" konzipiert (abstrakt im Sinn einer maximalen Eliminierung konkret-geschichtlicher Existenz, die als solche den geschöpflichen Gegenpol zur Aseität Gottes darstellt). Im Rahmen der Christologie
entspricht diesem Wahrheitsbegriff eine monophysitische Tendenz, die Inkarnation nur okkasionell ernst nimmt: als Geschehen der Übermittlung

---

[2] Vgl. dazu die genaue Chronik der Textgeschichte bei *U. Betti,* Commento alla costituzione
dogmatica sulla rivelazione (Mailand 1966), weiterhin die mit vielen Quellen angereicherte
Textgeschichte bei *E. Stakemeier,* Die Konzilskonstitution über die göttliche Offenbarung (Paderborn ²1967), außerdem die Zusammenfassung in: LThK – Das Zweite Vatikanische Konzil
II 497 ff.
[3] In deutscher Sprache ist dieses Schema auszugsweise veröffentlicht in: Zweites Vatikanisches
Konzil. Erste Sitzungsperiode. Dokumente – Texte – Kommentare (Osnabrück 1963)
120–132.
[4] Vgl. die Edition und Übersetzung dieses Textes auf S. 33 ff dieses Bandes.
[5] Die Texte des Konzils werden im folgenden zitiert nach: LThK – Das Zweite Vatikanische
Konzil II.

der Wahrheit Gottes an den Menschen. (Okkasionell deshalb, weil das Geschehen in und mit Jesus Christus den vorgegebenen Wahrheitsbegriff nicht um- oder neu prägt, sondern nur inhaltlich auffüllt.)

Das Erkenntnisinteresse dieses Offenbarungsdenkens gilt daher der Konsistenz und begrifflichen Präzision des objektiven Wahrheitsgehalts, den sich der einzelne Gläubige im subjektiven Glaubensgehorsam anzueignen hat. Der Kirche, genauer dem hierarchisch vorgestellten kirchlichen Lehramt, kommt dabei die entscheidend vermittelnde Funktion zu: den objektiven Glaubensinhalt in authentisch-unverfälschter Lehrverkündigung dem einzelnen Gläubigen zur Annahme vorzulegen. Heil wird vermittelt durch eine begrifflich abgesicherte, objektive Wahrheit, die göttlichen Ursprungs ist. Die Legitimation des kirchlichen Lehramts und seiner irrtumsfreien Autorität geschieht im – historische Gültigkeit beanspruchenden und fundamentaltheologisch abgesicherten – Rekurs auf die Faktizität der in Jesus Christus überbrachten und an die Apostel als den Repräsentanten der von ihm eingesetzten Kirche übergebenen Offenbarung Gottes. Die Göttlichkeit der Offenbarung Jesu Christi ihrerseits wird erwiesen durch eine positivistische, einzelfaktenbezogene Abstützung auf Wunder als mirakulöse Durchbrechung naturwissenschaftlicher Kausalität; die Legitimation der Kirche aber erweist sich durch biblizistisch festgemachte, juridisch greifbare Stiftungsakte Jesu. Der lückenlose wissenschaftliche Nachweis dieses Sachverhalts kommt der Fundamentaltheologie zu[6].

„De Fontibus Revelationis" hat zum Gegenstand der Darlegung eben jenes Vermittlungsgeschehen der Offenbarung Gottes – im Sinn einer sachhaften Mitteilung göttlicher Wahrheit – an die Kirche, die ihrerseits diese Wahrheit an die Gläubigen weitergibt. Der Ansatz dieses Schemas von der „doppelten Quelle der Offenbarung" her geschieht mit theologischem System: Kirche soll – in gegenreformatorischer Abwehrhaltung – nicht „nur" als Interpretin der Schrift gesehen werden, vielmehr verfügt sie über die Schrift hinaus noch über eine eigene materiale Quelle der Absicherung ihrer Praxis: die Tradition. Ruft man sich das über die Ungeschichtlichkeit des Wahrheitsbegriffs Gesagte in Erinnerung, wird das massive Interesse an dem „materialen Plus" der Tradition evident: Wie anders – wenn die Denkweise einer geschichtlich legitimen Entwicklung ausfällt – kann kirchliche Praxis, die sich nicht schlüssig aus der Schrift ableiten läßt – etwa eine differenzierte Sakramentenliturgie –, als authentische Entfaltung der göttlichen Wahr-

---

[6] Seit Tertullian spielt beim theologischen Umgang mit „Offenbarung" der juridische Aspekt eine entscheidende Rolle: Das Interesse am formalen Nachweis der Rechtmäßigkeit des „Besitzes der Wahrheit" überwiegt gegenüber der theologischen Binnenarbeit: dem Durchdringen und Verstehen eben dieser Wahrheit selbst.

heit aufgezeigt werden? Grundsätzlich haftet dieser göttlichen Wahrheit ein supranaturalistischer Zug an. Die in der neuscholastischen Theologie nicht wirklich gelöste Inbeziehungsetzung von Natur und Gnade zueinander (in der „Gnade" immer in Gefahr ist, als äußerlich aufgesetzte „Übernatur" statt als innerstes Konstituens der Natur als begnadeter und so zu sich selbst geführter begriffen zu werden) macht sich auch hier nochmals bemerkbar in der Begrifflichkeit des „Wortes Gottes" und seiner Inbeziehungsetzung zu „Welt".

Die Gefahr der Beliebigkeit einer solchen Fassung des Traditionsbegriffs, in dem sich ja zeitgeschichtlich bedingte „Traditionen" einerseits und göttlich-apostolische Tradition andererseits aufs engste verflechten, schließen die Verfechter dieser theologischen Denkweise aus. Ihr Kriterium der Unterscheidung ist das unter der Führung des Heiligen Geistes hierarchisch strukturierte Lehramt, das insbesondere – im Sinn der Definition des I. Vatikanums – der obersten Autorität des Papstes zukommt. Dieses Kriterium freilich kann nicht nochmals aus theologischen Sachgegebenheiten, die mit Kirche selbst zusammenhängen, einsichtig gemacht werden, sondern muß sich zu seiner Begründung auf ein Dekret des Stifters der Kirche berufen, das freilich nur dem einsichtig ist, dem es zukommt.

Die Väter des II. Vatikanischen Konzils haben diese begründungstheoretische Sackgasse erkannt; es ist ihnen deswegen ein Anliegen, die Funktion der Schrift als norma normans non normata ausdrücklich zu machen[7]. Im Kriterium der Schrift sehen sie die entscheidende Möglichkeit, einer zirkulären und daher grundsätzlich ideologieverdächtigen Argumentation zu entkommen.

Entsprechend seiner supranaturalistischen Denkform gelingt es dem Schema nicht überzeugend, die Frage nach den Autoren der Schrift so zu behandeln, daß einerseits die Hagiographen im uneingeschränkten Sinn als Verfasser verstanden werden können, andererseits jedoch von der Schrift als „Wort

---

[7] Sehr gut kommt dies in dem von einigen Konzilstheologen als Kritik an „De Fontibus Revelationis" entworfenen Dokument „Disquisitio brevis de Schemate ‚De Fontibus Revelationis'" zum Ausdruck: „Attamen in traditione orali (praesertim circa ea, quae reduplicative *qua* divinitus revelata non semper explicite et clare exhibebantur et exhibentur in ea) saepe traditio humana et divino-apostolica simul et permixtim prostant, nec semper facile cognoscitur, quid ad hanc, quid ad illam traditionem spectet. (Ita per saecula videri potuit immediata creatio corporis humani ex materia anorganica spectare ad traditionem divinam.) Iamvero in Scriptura prostat fons, qui spectata eius inspiratione non exhibet nec exhibere potest nisi ‚traditionem' divinam. Hinc Scriptura vera aliqua praeeminentia prae traditione ‚orali' gaudet. Si Magisterium ex hoc fonte haurit, a priori ei constat, agi de genuina doctrina apostolica infallibili; dum, si se ad traditionem de facto existentem convertit, discretione opus habet, quam quidem per divinam assistentiam praestare potest, sed praecise ope illorum mediorum, quae divina providentia magisterio suppeditavit, inter quae praecise eminet Sacra Scriptura."

Gottes" im Vollsinn des Wortes gesprochen werden kann[8]. Überdies wird der Inspirationsbegriff aufs höchste durch den vorgegebenen ungeschichtlichen Wahrheitsbegriff belastet. Diese Sichtweise machte es unmöglich, von dem zeitbezogenen Weltbild und den gesellschaftlich-geschichtlichen Denkformen eine Heilswahrheit abzuheben, die sich zwar gerade in diesem vorgegebenen kategorialen Kontext artikuliert, ohne jedoch damit schon identisch zu sein. Der Syllogismus verläuft vielmehr einlinig und scheinbar zwingend: Gott ist der Verfasser der Schrift in all ihren Teilen[9]. Gott kann nicht irren, also ist die Schrift in allen ihren Teilen – auch hinsichtlich Dingen profaner Art – irrtumsfrei[10].

Die unüberwindlichen Schwierigkeiten und unaufhebbaren Widersprüche dieses theologischen Denkens mit naturwissenschaftlicher Forschung einerseits und allen erreichten Ergebnissen exegetischer Arbeit andererseits sind bekannt. Bezeichnend für das Offenbarungsdenken von „De Fontibus Revelationis" ist es, daß ganz im Mittelpunkt der Darlegungen das Problem der unverfälschten Weitergabe der Offenbarung steht: so wird im 1. Kapitel die Ausbreitung der Offenbarung in der apostolischen Predigt behandelt, sodann wird eingegangen auf die Weitergabe dieses Offenbarungsgehalts an die nachapostolische Kirche, um in Schrift und Tradition die material nebeneinanderstehenden Quellen der Offenbarung zu orten. Die übrigen vier Kapitel gehen auf Qualität und Eigenart der Schrift (insbesondere die Frage ihrer Inspiration und Irrtumslosigkeit – so das 2. Kapitel), die Eigenart des Alten Testaments (3. Kapitel), des Neuen Testaments (4. Kapitel) und die Bedeu-

---

[8] In n. 9 formuliert „De Fontibus Revelationis": „Qui omnes, iuxta Ecclesiae doctrinam, habendi sunt tanquam ministri divini verbi scribendi, a Spiritu Sancto assumpti." Auch im zweiten Konzilsschema „De Divina Revelatione" gelingt die Darstellung des Sachverhalts der Inspiration nicht überzeugend mit der Formulierung: „Deus (hagiographis) tamquam vivis instrumentis, omnibus nempe facultatibus humanis praeditis, usus est." E. *Stakemeier* (a.a.O. 119) berichtet auch von Bedenken der Väter gegen die Formulierung im 1. Kap. des zweiten Schemas, wo davon die Rede ist, daß die Apostel überlieferten, was sie aus dem Mund Christi „vel a Spiritu Sancto dictante acceperant".

[9] Vgl. n. 11: „Pariter, cum Deus ipse divino suo afflante Spiritu totius Scripturae sacrae sit Auctor, omniumque per hagiographi manum in ea exaratorum veluti scriptor, consequitur omnes et singulas sacrorum librorum partes, etiam exiguas, esse inspiratas. Itaque omnia quae ab hagiographo enuntiantur, a Spiritu Sancto enuntiata retineri debent."

[10] Vgl. n. 12: „Ex hac divinae Inspirationis extensione ad omnia, directe et necessario sequitur immunitas absoluta ab errore totius Sacrae Scripturae. Antiqua enim et constanti Ecclesiae fide edocemur nefas omnino esse concedere sacrum ipsum erasse scriptorem, cum divina Inspiratio per se ipsam tam necessario excludat et respuat errorem omnem in qualibet re religiosa vel profana, quam necessarium est Deum, summam Veritatem, nullius omnino erroris auctorem esse." Die Korrektur, die sich der Bamberger Erzbischof Schneider in sein Manuskript schrieb, mag bezeichnend sein für das Denken vieler Konzilsväter: statt „in qualibet re religiosa vel profana" die Verbesserung „in qualibet re vere enuntiata".

tung der Heiligen Schrift für die Kirche (5. Kapitel) ein. Stillschweigend vorausgesetzt werden jedoch im ganzen Schema Verständnis und Wesen der Offenbarung selbst.

Dieser Sachverhalt hängt aufs engste mit der Aussageabsicht des Schemas zusammen: Es ist konzipiert – wenn auch in einem formal positiven Ton – in apologetischer Absicht, nämlich gegenüber dem protestantischen „Sola-scriptura-Prinzip" Wert und Bedeutung der Tradition als Spezifikum katholischen Glaubensverständnisses zur Geltung zu bringen und dem Vordringen der historisch-kritischen Methode, die als relativierend und die historischen Grundlagen des Glaubens erschütternd empfunden wird, Einhalt zu gebieten[11]. In diesem Bestreben glaubte die Vorbereitende Kommission ihrem ursprünglichen Arbeitsauftrag vom 2. Juli 1960 durch den Papst gerecht geworden zu sein, nämlich die katholische Lehre über die Heilige Schrift, die Bedeutung der Tradition und das kirchliche Lehramt gegen Irrtümer abzugrenzen, die allenthalben aufgetreten waren. Die in der römischen Schultheologie gängige Redeweise von der doppelten Quelle der Offenbarung schien zur Darlegung des erwähnten Sachverhaltes vorzüglich geeignet zu sein. Was jedoch bei dieser Arbeitsweise nicht in den Blick kam, war die Frage nach der Offenbarung selbst; sie wird im Grunde ausgeklammert oder als bekannt vorausgesetzt. In der Auseinandersetzung damit rang das Konzil um einen von den früheren Konzilien sich absetzenden Argumentationsstil: nicht obrigkeitlich unvermittelt bestimmte Wahrheiten zu statuieren, sondern aus dem Ganzen des Glaubens heraus einsichtig zu machen. Dahinter stehen nochmals zwei verschiedene theologische Denkweisen: die eine, die sich auf prinzipiell dem Menschen uneinsichtige Dekrete Gottes beruft und ihre Hauptaufgabe in der getreuen Ableitung dieser „aeterna voluntatis suae

---

[11] Dies läßt sich eindeutig erweisen am Versuch von n. 19, die namentlich genannten Einzelautoren der vier kanonischen Evangelien festzuschreiben: „Quattuor Evangelia apostolicam originem habere Ecclesia Dei semper et ubique sine dubitatione credidit et credit constanterque tenuit ac tenet humanos habere illos quorum nomina in Sacrorum Librorum canone gerunt: Matthaeum nempe, Marcum, Lucam et Ioannem, quem dilegebat Iesus." – Ebenso erweisen sich n. 20 und n. 21 in keiner Weise sensibel für die Fragestellung einer literarischen Eigenart, sondern deklarieren undifferenziert die durchgängige Historizität der Evangelien im Sinne einer „veritas historica et obiectiva": „Quapropter, haec Sacrosancta Vaticana Synodus illos damnat errores, quibus denegatur vel extenuatur quovis modo et quavis causa germana veritas historica et obiectiva factorum vitae Domini nostri Iesu Christi, prout in Sanctis illis Evangeliis narratur. Qui errores adhuc perniciosiores evadunt, si in dubium revocent facta v.g. infantiae Christi, Redemptoris signa et miracula eiusque mirabilem a mortuis ressurrectionem et ad Patrem gloriosam ascensionem, quae ipsam fidem afficiunt." – Die Einschränkung, die n. 20 macht: „Quamvis enim cum historicae compositionis rationibus, quae apud nostrae aetatis peritos in usu sunt, Evangelia non in omnibus conveniant . . .", greift die Differenz von verkündendem Jesus und verkündigtem Christus nicht auf, geschweige denn, daß sie in der weiteren Argumentation zum Tragen käme.

decreta"[12] sieht, die andere, die aus einem ursprünglichen Glaubensverständnis heraus das in der Offenbarung als dem entscheidenden Vermittlungsgeschehen zwischen Gott und Welt gnadenhaft dem Menschen Geschenkte so darzulegen sucht, daß es in einer inneren Beziehung zum sich in der Offenbarung eröffnenden Gott selbst steht. Dieser theologische Anspruch kann nur deswegen nicht als sich selbst übersteigende Anmaßung menschlicher Vernunft zurückgewiesen werden, weil er sich der Priorität des in der Offenbarung sich selbst erschließenden und mitteilenden Gottes bewußt bleibt.

Wissenssoziologisch reflektiert, spiegeln sich in beiden theologischen Denkweisen Gesellschaftsformen, die das mehr oder weniger reflex eingeholte Gottesbild prägen: im einen Fall steht der obrigkeitliche Souverän im Hintergrund, der in seinen Entscheidungen niemandem – außer seinem eigenen Gewissen – Rechenschaft schuldet (solange er legitim Souverän ist, besitzen seine Entscheidungen Rechtskraft auch ohne vernunftgemäße Begründung), im anderen Fall das in der Aufklärung geprägte mündige Subjekt, das mittels seiner Vernunft Anteil hat und Anteil gibt am Allgemeinen. Solange der Vernunft transzendentaler Charakter eignet, d.h. das Vermögen, sich selbst zu übersteigen, kann die Vermittlung zwischen einzelnen und Allgemeinem geleistet werden. Gerade diese Eigenart läßt den Menschen zum Modellfall von Offenbarung überhaupt werden. (Dies ist der theologische Hintergrund, wie er in dem zweiten Dokument zutage tritt, das Gegenstand unserer Überlegungen sein soll: „Über die Offenbarung Gottes und des Menschen in Jesus Christus".)

Die Diskussion von „De Fontibus Revelationis" in der Konzilsaula vom 14. bis 20. November 1962 brachte den Verfassern des Schemas in einem Maß Kritik ein, wie sie diese nicht erwartet hatten. Eine von Konzilstheologen unter den Konzilsvätern verteilte „Disquisitio brevis de Schemate ‚De fontibus revelationis'" faßt die Hauptkritik in vier Punkten zusammen: 1. Das Schema ist zu lang, 2. es mangelt ihm der pastorale Stil, 3. es entbehrt des ökumenischen Geistes, und 4. es fehlt die Angabe der theologischen Qualifikation der Aussagen[13]. Im einzelnen werden dann angeführt:

---

[12] So die Formulierung in n. 6 der Offenbarungskonstitution, die noch einen Widerhall dieses theologischen Denkens erkennen läßt, es freilich aufwiegt durch den wesentlichen Vordersatz, nach dem Offenbarung zuerst bestimmt wird als Kundgabe Gottes seiner selbst: „Divina revelatione Deus Seipsum . . . manifestare ac communicare voluit."

[13] Im „Conspectus" der „Disquisitio" ist die Kritik so formuliert:
„I. *Generalia* de isto schemate
1. Schema est nimis longum
2. Schema non habet indolem pastoralem
3. Schema caret spiritu oecumenico
4. Deest indicatio qualificationis theologicae assertorum

1. das Fehlen einer Erörterung der Offenbarung im allgemeinen,
2. die unglückliche Ausdrucksweise von den „zwei Quellen der Offenbarung",
3. die Lehre des Schemas über den materialen Unterschied „zweier" solcher „Quellen",
4. die Lehre des Schemas über das persönliche Charisma eines Hagiographen, bezogen auf die Kirche,
5. die Lehre des Schemas über die Irrtumslosigkeit der Heiligen Schrift,
6. die Lehre des Schemas über die Historizität der Erzählungen der Heiligen Schrift,
7. die fehlende Erwähnung einer Heilsgeschichte vor der Heilsökonomie des Alten Testaments,
8. die Nichtberücksichtigung des Schemas „De verbo Dei" des Sekretariats zur Förderung der Einheit[14].

Aus ökumenischer Perspektive ging Bischof De Smedt von Brügge, der im Auftrag des Sekretariats zur Förderung der Einheit sprach, am 19. November 1962 mit dem Schema „De Fontibus Revelationis" hart ins Gericht. Seine Kritik richtete sich insbesondere auch an die Vorbereitende Theologische Kommission, die das Schema ohne Kontaktnahme mit dem Sekretariat zur Förderung der Einheit erarbeitet habe: „Der Papst hat unserem Sekretariat den Auftrag erteilt, die anderen Kommissionen in Hinsicht auf die ökumenische Fassung ihrer Entwürfe zu beraten. Die Theologische Kommission hat aber unsere Mitarbeit abgelehnt. Das Ergebnis ihrer Arbeit leistet dem ökumenischen Dialog keinen Dienst. Das Schema bedeutet einen Rückschritt, ein Hindernis, einen Schaden. Die Veröffentlichung der theologischen Schemata in der Form der vorliegenden Entwürfe würde die Hoffnung vernich-

---

II. *Particularia* de isto schemate
1. Deest expositio de revelatione in genere
2. Infelix locutio de ‚duobus fontibus revelationis'
3. Doctrina schematis de materiali distinctione inter ‚duos' istos ‚fontes'
4. Doctrina schematis de charismate personali Hagiographi relate ad Ecclesiam
5. Doctrina schematis de inerrantia S. Scripturae
6. Doctrina schematis de historicitate narrationum S. Scripturae
7. De ommissa mentione historiae salutis ante Oeconomiam Veteris Testamenti
8. De non adhibito Schemate ‚De verbo Dei' Secretariatus ad unionem fovendam".
[14] Die „Disquisitio" kommt insgesamt zu dem kritischen Schlußergebnis: „Si defectus generales, quibus laborat hoc schema, serio perpenduntur, si recte aestimantur ea, quae in specie huic schemati opponi possunt et debent, nullatenus videtur correspondere intentioni, quam Concilium in tali schemate conficiendo prosequitur, nec desideriis et normis Summi Pontificis.
Optandum igitur summopere est, ut hoc schema seponatur. Aliud schema confici poterit de hac materia, si Patribus videtur thema tale non simpliciter ommitti posse. Quapropter censetur Patres Conciliares et posset debere voto „Non placet" suffragium de hoc schemate ferre."

ten, daß das Konzil zur Wiederannäherung unter den getrennten Brüdern führen könnte."[15]

II.

Aus der Feder von Karl Rahner und Joseph Ratzinger entstand im November 1962 während der 1. Konzilsperiode der Entwurf „Über die Offenbarung Gottes und des Menschen in Jesus Christus"[16]. Dieser Entwurf versucht gerade jene Desiderata aufzuarbeiten, die dem ersten Schema „De Fontibus Revelationis" anhafteten: in „einem mehr positiven und pastoralen" Ton einen Gesamtentwurf christlichen Offenbarungsverständnisses zu geben, von dem her die Einzelthemen der Stellung der Heiligen Schrift, der Tradition und des Lehramtes in der Kirche verständlich gemacht werden können. Bezeichnend für dieses Unternehmen ist bereits der Titel „De revelatione Dei et hominis in Jesu Christo facta". Dieser Titel markiert eine „anthropologische Wende", theologische Gehalte nicht in einem banalen Sinn auf Anthropologie zu reduzieren, wohl aber den Ansatz jedes theologischen Denkens vom Hier und Heute des konkreten lebendigen Menschen, seinem Selbstverständnis und seinem Lebensvollzug her zu suchen.

Daher sind die Genitivformen „Gottes und des Menschen" sowohl im Sinn eines Genitivus obiectivus wie subiectivus interpretierbar: Im Geschehen der Offenbarung macht sich Gott selbst zum Gegenstand menschlicher Erkenntnis, gleichzeitig wird in dieser Erkenntnis der Mensch aber auch seiner selbst gewahr, insofern ihm „Gott" kein fremdes, sachhaft-gegenständliches Erkenntnisobjekt ist, sondern Grund und Horizont aller Erkenntnis überhaupt, somit also vorzüglich der Erkenntnis seiner selbst, seines Bewußtseins. Das Geschehen der Offenbarung ist dem Menschen daher Erkenntnis und geistiger Vollzug im eminenten Sinn: insofern dieser geistige Vollzug nicht intellektualistisch-abstrakt von allen anderen menschlichen Lebensbezügen abtrennbar ist, sondern sie in der Weise integriert, daß der Mensch zu sich selbst kommt. In der Erfahrung Gottes erfährt sich der Mensch selbst; die Gotteserfahrung ist ihm der hermeneutische Schlüssel seiner Selbsterfahrung. Im Sinn des Genitivus subiectivus liegt die Deutung insofern nahe, als Gott in diesem Offenbarungsgeschehen der Handelnde ist und in Jesus Christus – dem Inbegriff des Offenbarungsgeschehens überhaupt – auch der Mensch zum Handelnden wird. Diese Aussage mag überzogen erscheinen – auch wenn sie im Sinn der Idiomenkommunikation un-

---

[15] Herder-Korrespondenz 17 (1962/63) 197.
[16] Vgl. die Veröffentlichung dieses Entwurfs auf S. 33ff dieses Bandes, im folgenden abgekürzt mit RDh.

bestreitbar ist –, doch hat sie einen entscheidenden Sinn: Offenbarung hat erst dort ihr Ziel erreicht, wo sie von Gott her gnadenhaft geschehend den Menschen zum Mithandelnden macht, der Gott, seinem geschichtlichen Handeln am Menschen und seinem Wort als der Deutung dieses Handelns glaubt, also auf den Anruf Gottes antwortet und so seinerseits sich offenbart als der, der er ist: der von Gott her angerufene und sich in ihn hinein aussprechende Mensch, der dort, wo er sich transzendiert, sein Heil findet als die innerste Bestimmung seiner selbst.

Entsprechend diesem dialogisch-heilsgeschichtlichen Offenbarungsverständnis ist der gesamte Entwurf konzipiert: Die drei Kapitel (Die göttliche Berufung des Menschen, Die verborgene Gegenwart Gottes in der Geschichte des Menschengeschlechts, Die geoffenbarte Gegenwart Gottes in der Verkündigung der Kirche) suchen den konkreten Menschen, wie er in seinen gesellschaftlichen und geschichtlichen Bezügen lebt, als Ausgangspunkt jeder theologischen Rede von „Gott". Der Mensch wird interpretiert als Berufener, seine Welt und Geschichte als der Ort der Präsenz Gottes, die in der Kirche ausdrücklich wird in ihrer Verkündigung, die nicht nur worthaft ist, sondern symbolhaft (d.h. die Welt- und Leibhaftigkeit jeder Erfahrung Gottes ernst nimmt).

Erste und grundlegende theologische Aussage über den Menschen ist seine Erschaffung durch Gott: in ihr ist das Grunddatum christlicher Anthropologie ausgesagt, daß er seine Existenz nicht sich selbst, sondern Gott verdankt. So bestimmt der Ursprung auch das Ziel. Das protologische „woher" gibt das eschatologische „wohin" an. Dieser Grundgedanke, der die christliche Anthropologie umreißt, wird im ersten Abschnitt so formuliert: Der Mensch ist derjenige, der „die Liebe Gottes, mit der er uns zuerst geliebt hat (1 Joh 4,19), empfängt, daß er mit Gott eins wird und daß die Welt durch ihn auf Gott zurückgeführt wird, so daß gilt: ‚Gott alles in allem' (1 Kor 15,28)". Der „Reich-Gottes"-Begriff schließt dabei jede individual-soteriologische Engführung aus[17] und bestimmt die Welt als ganze zum Ort, Träger und Ereignis der Heilsgeschichte. Die „gratia gratis data" (so der 2. Abschnitt) setzt Gott und Welt in eine ontologische Differenz einerseits (sonst könnte sie nicht wahrhaft „gratis" sein), wie sie doch beide – von Gott her – aufs engste miteinander verknüpft (was das Wesen der Gnade als der Selbstmitteilung Gottes ausmacht). Was oben zur Offenbarung gesagt wurde, gilt auch hier: Gottes Gnade erreicht ihr Ziel erst dort, wo sie zum „Bewußtsein" kommt, wo der Mensch in das gnadenhafte Handeln Gottes so einbezogen ist, daß sein eigenes Handeln mit dem Gottes identisch wird. Den Vorgang

---

[17] Vgl. in Abschnitt 2 die Aussage über die soziale Natur des Menschen (RDh I 2).

der Bewußtwerdung dieses Sachverhalts sucht der Text mit den Termini „implizit" und „explizit" zu umschreiben.

Daß der Mensch als „essentiell von allen Lebewesen unterschieden" bestimmt wird, hat seinen Grund in der Geisthaftigkeit und Personalität[18], die ihn am vorzüglichsten in der Schöpfung die Ebenbildlichkeit Gottes darstellen läßt. Diese Aussage kann deswegen nicht idealistisch mißdeutet werden, weil sie wiederum durch den Reich-Gottes-Begriff rückgebunden ist an die Gesamtheit der Schöpfung, die vom „Menschengeschlecht" nach biblischem Befund repräsentiert wird, sowie das „Reich Gottes" die Einheit des Menschengeschlechts dadurch ausmacht, daß in ihm alle gemeinsam geschaffen, gerufen, begnadet und des Heils teilhaftig sind[19].

„Reich Gottes" wird zudem nicht nur im Sinn seiner Ausständigkeit als Glaubenspostulat verstanden, sondern als in Jesus Christus gegebene und in der Heilsökonomie des Alten Testament vorbereitete heilsgeschichtliche Erfahrungstatsache. Alle futurischen Glaubensaussagen sind daher durch ein heilsgeschichtlich gedeutetes Verständnis der Vergangenheit belegt. Dieses Vergangenheitsverständnis bezieht sich auf die jüdisch-christliche Glaubensgeschichte, beschränkt sich jedoch nicht darauf. Wie in der Gestalt Jesu Christi modellhaft der Anbruch des Reiches Gottes aufleuchtet, so steht die mit Abraham beginnende jüdisch-christliche Glaubenstradition modellhaft für die Heilsgeschichte der gesamten Menschheit. Die oben mit „implizit" – „explizit" angedeuteten Grade des Bewußtwerdungsprozesses gelten auch hier: Gottes Volk glaubt und bekennt in Ausdrücklichkeit, was in verborgener Gestalt sich in der ganzen Menschheitsgeschichte findet. Offenbarung im eigentlichen Sinn ereignet sich dort, wo Gottes „Wort" nicht besessen (oder verwaltet), sondern glaubend verstanden und beantwortet wird. Gerade dies macht die Gestalt Jesu aus. Deswegen kann er, weil er aus dem glaubenden Hören vom Vater spricht, als „der Offenbarer" schlechthin bezeichnet werden, oder als Gottes „innerstes Wort selbst, in dem er ewig sich selbst ausspricht und von Ewigkeit alle seine Werke erkennt, ein äußeres Wort

---

[18] Vgl. RDh I 2: „hominem esse personam intellectus et voluntatis dono praeditam."

[19] Das schwerwiegende theologische Problem, wie diese heilsoptimistische Aussage zusammenzudenken ist mit der realen Möglichkeit des definitiven, selbstverschuldeten Ausschlusses vom Heil, so, daß einerseits die sittliche Entscheidungsfreiheit des Menschen keine fiktive ist, andererseits jedoch begründet darauf vertraut werden darf, daß sich das in Jesus Christus begonnene Heilswerk in der Geschichte als siegreich durchsetzt, wird im Text angesprochen, jedoch nicht erörtert. Dies hängt einerseits zusammen mit dem heilsoptimistisch-positiven Grundtenor des Textes, andererseits mit der thematischen Beschränkung. Der Entscheidungscharakter, der aus der gnadenhaft-freien Offenbarung folgt, ist am Ende des Abschnitts 1 von Kap. 2 hinreichend deutlich gemacht.

geworden: sein Wort, das den Menschen ruft, ist Mensch geworden (vgl. Joh 1,14)"[20].

Die Christologie erscheint hier als das theologische Modell der Anthropologie; verstanden wird sie nur, wo sie sich nicht in der Aufzählung der Vorzüge und Privilegien Christi erschöpft, sondern ihn zum Maß des Menschen überhaupt macht: Zusammenfassung der Schöpfung, Offenbarung Gottes am und im Menschen, Erlösungstat, die „zum wahren Leben, das Gott selbst ist", zurückführt, sind deswegen, weil sie Bestimmungen Jesu Christi sind, Bestimmungen des Menschen überhaupt[21]. Die Formel von Chalcedon hat platzhaltenden Charakter: jede begriffliche Trennung oder Vermischung des „Gott"- und „Mensch"-Seins strikt so lange zu unterbinden, als das Ziel der Vergöttlichung der Welt, des definitiven Angekommenseins der universalen Gnade Gottes, die unbeschränkt teilhaben läßt an der Lebensfülle Gottes selbst, nicht erreicht ist.

Begründet durch die Christologie, kann sich der Entwurf daher mit Recht unter dem Titel „Offenbarung Gottes und des Menschen in Jesus Christus" verstehen. In ihm werden Gott und Mensch offenbar, nicht verflüchtigt in einem doketistischen Sinn, daß sich Gott der Maske des Menschen bedienen würde, um auch sich selbst zu verschlüsseln, sondern in einem so grundsätzlichen Sinn, daß in Jesus Christus erst deutlich wird, was Menschsein heißen kann: das, wozu Gott werden kann, wohinein er sich inkarnieren, sich aussprechen kann, so, daß er auch in der äußersten Kenosis er selbst bleibt als der, der er ist. In dieser Kenosis Gottes wird freilich auch klar, wie es um den Menschen in seiner unerlösten Situation steht: „Er ist ein Verblendeter geworden, der sich selbst genügen will, der Gott verneint und so gegen seine Wahrheit lebt und elend existiert." In eins mit dieser Erkenntnis offenbart sich jedoch auch – nicht abstrakt-verbal, sondern konkret erfahrbar im Handeln Jesu – das Wesen Gottes: „Er ist der Vater, der uns erzeugt hat; er ist das Wort, das uns sucht; er ist die Liebe, die uns liebt, obwohl wir zu uns selbst fliehen, weil wir selbst so sein wollen wie Gott (vgl. Gen 3,5 – 10)."[22]

Der Grund alles Bösen liegt jedoch darin, daß sich dieses Sein-wollen-wie-Gott eben nicht am wirklichen Wesen Gottes selbst orientiert (vgl. Mt 5,48), sondern an der götzenhaften Fiktion eines Gottes, der dem Menschen das Beste (sich selbst!) vorenthält. Gerade vom Gegenteil dieser Fiktion sucht

---

[20] „... ipsum suum Verbum internum, in quo aeternaliter se seipsum loquitur et aeternaliter omnia opera sua cognoscit, verbum factum est externum: Verbum suum vocans hominem factus est homo (cf Jo 1,14)" (RDh I 3).
[21] In der Pastoralkonstitution (n. 22) kommt dieser Gedanke zu Beginn klassisch zum Ausdruck: „Tatsächlich klärt sich nur im Geheimnis des fleischgewordenen Wortes das Geheimnis des Menschen wahrhaft auf." [22] RDh I 3.

die Reich-Gottes-Verkündigung Jesu zu überzeugen: von der gnadenhaften Selbstmitteilung Gottes, der den Menschen nicht nur nichts vorenthält, sondern sich in der Kenosis Christi total und radikal an den Menschen wegschenkt. Damit ist christliche Offenbarung ganz und gar christologisch konzipiert, auch begrifflich unablösbar von der Gestalt Jesu: „weil er selbst ist, was er sagt"[23].

Das Wort als „Wort Gottes" hat seinen tiefsten Sinn gefunden: es ist wirksames, lebendiges, geschehendes Wort geworden (vgl. Hebr 4,12). Von diesem theologischen Tatbestand her kann deutlich gemacht werden, daß Verkündigung als Gegenwärtigsetzung des Wortes Gottes – wenn auch neu und auf andere Weise sich inkarnierend – immer performativen Charakter haben muß: es geschieht Heil, wo es verstanden, ergriffen und angenommen wird; es geschieht Unheil, wo es in hermeneutischer Perversion zum Wort des Menschen gemacht (genauer: des Menschen, der im unerlösten Sinn „sich selbst genügen will"), verworfen und abgelehnt wird. Wo dies geschieht, ist Offenbarung nicht an ihr Ziel gekommen, denn sie ist nur als Gnadengeschehen interpretierbar: „Derselbe, der die Offenbarung ist, ist auch die Gnade Gottes für uns"[24], Gnade, in der sich Gott nicht nur mitteilt, sondern selbst noch einmal beim Menschen die Voraussetzung solcher Mitteilung schafft[25]. Wird diese Gnadenzuwendung Gottes ernst genommen – nicht in einem supranaturalistischen Sinn verflüchtigt –, so ist das Leben des einzelnen Menschen wie des ganzen Menschengeschlechts „zutiefst davon betroffen", d.h., in dieser Gnadenzuwendung Gottes wird erst der Sinn des individuellen Menschenlebens ebenso wie der Geschichte des Menschengeschlechts als ganzen konstituiert[26].

Das schwerwiegende Problem der Zuordnung von Natur und Gnade artikuliert der Entwurf mit Vorsicht: „Diese Teilhabe (am Leben Gottes)[27], wel-

---

[23] RDh I 3.   [24] RDh I 3.
[25] In seinem Votum vom 30. September 1964 bei der 91. Generalkongregation macht Kardinal Döpfner, Erzbischof von München-Freising, darauf aufmerksam, daß das Wesen der Offenbarung erst im Glauben selbst erfüllt wird und dieser Glaube die Überantwortung des ganzen Menschen an Gott bedeutet, der sich in vollem Gehorsam mit Verstand und Willen dem offenbarenden Gott hingibt. Denselben Gedanken unterstreicht nochmals Weihbischof Reuss von Mainz, wenn er in seinem Votum bei der 92. Generalkongregation vom 1. Oktober 1964 den Glaubensakt als personalen Akt des ganzen Menschen verdeutlicht, der dem offenbarenden Gott antwortet. Vgl. *E. Stakemeier*, a.a.O. 303 309.
[26] Daß beides, das einzelne Menschenleben wie die gesamte Geschichte der Menschheit, nicht aufeinander rückführbare Größen sind, d.h. die Universalgeschichte mehr ist als die Summe von Individualgeschichten, ebenso wie die Individualgeschichte nicht kollektivistisch in der Universalgeschichte aufgehoben ist, macht die klassische Unterscheidung zwischen individueller und allgemeiner Eschatologie deutlich.
[27] Klammerbemerkung vom Verfasser.

che Mitteilung Gottes selbst ist, überschreitet auf der einen Seite so sehr die Natur, die Kräfte und Ansprüche des Menschen, daß sie vom Ursprung und Ziel her ganz ungeschuldet ist, auf der anderen Seite betrifft sie den Menschen immer als verpflichtendes Ziel und durchdringt seine ganze Natur, so daß er als ganzer ohne sie in unserer geschichtlichen Ordnung nicht auf angemessene Weise erfaßt werden kann. Ja weil nichts eine größere Bedeutung haben kann, als von Gott so berufen und geliebt zu werden, kann der Mensch schließlich nicht mehr anders betrachtet werden als einer, den Gott zu einer geheimnisvollen und völlig freien Gemeinschaft mit sich selbst bestimmt hat."[28]

Die Darstellung dieses Sachverhaltes des in der Offenbarung sich ereignenden Gnadengeschehens macht in eins Grenzen von Sprach- und Begriffsvermögen deutlich. Wie kann sich Gott den Menschen mit-teilen, da doch jede Form der Partikularität seiner Wesensbestimmung zuwiderläuft? Metaphysisch gesprochen: da der Mensch nicht kontingenter Mensch, sondern Gott sein müßte, um aufnahmefähig für das Absolute zu sein, jede Teilhabe an Gott also gerade nicht im Sinn einer gegenständlich-satzhaften Wahrheit als Mit-teilung zu denken wäre, sondern nur in der Form einer heilsgeschichtlichen Antizipation des Ganzen. Dies ist so zu verstehen, daß einerseits in jedem Offenbarungsgeschehen Gottes niemals nur ein Teil (eine Teilwahrheit), sondern immer schon das Ganze anwesend ist, wie andererseits der Sinn dieses Offenbarungsgeschehens nur dort an sein Ziel gekommen ist, wo die eschatologische Fülle uneingeschränkter Teilhabe des Menschen am göttlichen Leben realisiert ist. Davon, daß die Offenbarung abgeschlossen ist, kann mit Recht nur im Hinblick auf die Realisierung dieses eschatologischen Heilsgeschehens in Jesus Christus gesprochen werden[29].

Das Verstehen dieses Offenbarungsgeschehens macht auch Kontinuität und Diskontinuität der Heilsgeschichte deutlich. Kontinuität insofern, als es sich um den einen Menschen – die eine Menschheit – handelt, der er selbst bleibt, der seine Natur behält (damit nicht von einer Wesensbestimmung in eine andere übergeht) und so die Geschichte als *seine* erfährt; Diskontinuität insofern, als Gott am Menschen handelt und in seiner Selbstmitteilung dessen Natur so übersteigt, daß dieser in der Heilsgeschichte wirklich unableitbar Neues erfährt, und zwar nicht als radikal Fremdes, sondern – und dies

---

[28] RDh I 4.
[29] Das theologische Bewußtsein um die Abgeschlossenheit der Offenbarung in Jesus Christus einerseits wie ihre lebendige Aktualität im Sinne eines sich im Heiligen Geist noch real ereignenden Offenbarungsgeschehens andererseits kommen in der Wortmeldung von Erzbischof Jaeger von Paderborn bei der 92. Generalkongregation vom 1. Oktober 1964 deutlich zum Ausdruck. Vgl. *E. Stakemeier*, a.a.O. 307.

macht das Eigentliche der Gnade aus – als ureigenste Bestimmung seiner selbst. Jeder Versuch, den Menschen als in sich abgeschlossenes Wesen zu bestimmen – unter Außerachtlassung seiner gnadenhaften Berufung, die nicht noch hinzukommt, sondern letztlich erst *der* hermeneutische Schlüssel seiner selbst ist –, bedeutet notwendig eine anthropologische Verkürzung derart, daß der Mensch der Willkür seiner selbst überantwortet bleibt. Letzteres macht seine Sündhaftigkeit aus, ersteres die „Erhabenheit seiner Berufung" zur „geheimnisvollen und völlig freien Gemeinschaft"[30] mit Gott. Der Kontrast beider bestimmt seine reale heilsgeschichtliche Entscheidungssituation, die keine neutral-wertfreie ist, sondern durch die Hypothek einer sich durch die Menschheit fortpflanzenden Schuldgeschichte und ihrer Auswirkungen belastet ist. Theologisch wird dieser Sachverhalt unter dem Stichwort „Erbsünde" reflektiert, wobei freilich der „analoge Charakter" des Sündenbegriffs betont wird, d.h. die begrenzte Vergleichbarkeit des „Erbsünden"-Begriffs mit dem der persönlichen Sünde des Menschen. Vergleichbar also ist Erbsünde nicht hinsichtlich persönlicher Verantwortlichkeit des einzelnen Menschen, wohl jedoch hinsichtlich ihrer heilszerstörenden Auswirkungen[31].

Diese Folgen der Erbsünde zentrieren und isolieren den Menschen derart auf sich selbst, daß er de facto die Offenheit seines Wesens leugnet, „nur das Seine sucht" und so „dem Elend der Sünde" ausgeliefert ist. Nur von diesem faktischen heilsgeschichtlichen Hintergrund her kann Gottes Offenbarung am Menschen recht verstanden werden.

Die Argumentationsabsicht des 1. Kapitels des Entwurfes war es, den theologischen Ansatz des Verständnisses von Offenbarung vom konkreten Menschen und seinem Selbstverständnis her zu entwickeln; es schließt damit, daß die Wertschätzung menschlicher Arbeit von der Mitwirkung am Erlösungswerk Gottes her verdeutlicht wird.

Das 2. Kapitel des Entwurfs entwickelt die Offenbarungstheologie in einer heilsgeschichtlich-universalen Schau: Der Ort der Gegenwart und Erfahrbarkeit Gottes ist die Geschichte. Verborgen ist diese Gegenwart Gottes, weil er in der Welt als der von ihm gesetzten – und daher real von ihm verschiedenen – Schöpfung sich immer vermittelt offenbart, auch dort, wo seine Gegenwart nicht nur fragmentarisch-spurenhaft zu entschlüsseln ist, sondern in greifbarer Personalität dem Menschen begegnet: in der Gestalt Jesu Christi. Diese Gestalt ver- und entbirgt das Mysterium Gottes in einem.

---

[30] RDh I 4.
[31] Deswegen kann davon gesprochen werden, daß die Erbsünde „veram . . . rationem peccati in singulis habet" (RDh I 4).

Weil sich Gott in Jesus Christus in unüberbietbarer Weise den Menschen erschließt – indem er nämlich selbst Mensch wird –, liegt in der Christologie der entscheidende hermeneutische Schlüssel der gesamten Heilsgeschichte: „Jedes göttliche Tun und Sprechen, das diese Geschichte durchläuft, handelt verborgen von ihm, strebt auf ihn zu, wird in ihm vollendet."[32] In ihm wird deutlich, daß der Mensch nicht nur von Gott geschaffen ist, sondern auch in Gott sein Ziel, seine Zukunft, seine Bestimmung, seine Freiheit hat. Anthropologie ist hinfort nicht mehr ohne Christologie denkbar. Weil aber die ganze Heilsgeschichte von allem Anfang an auf Christus zustrebt, steht jeder heilshafte Akt des Menschen bereits unter der erlösenden Gnade Christi, die dort Heil bewirkt, wo sich ihm der Mensch nicht ausdrücklich verweigert.

Das vom Glauben her begründete Wissen um den allgemeinen Heilswillen Gottes ist mit einem unüberbietbaren Optimismus formuliert, der seinerseits nochmals für die Kirche und ihr Selbstverständnis Konsequenzen nach sich zieht (die „Lumen gentium" einzuholen sucht): „Deswegen weiß die Kirche, immer eingedenk des universalen rettenden göttlichen Willens, daß niemand, der zum Gebrauch der Vernunft gelangt ist, zugrunde gehen kann, außer durch seine eigene formelle Schuld, und daß niemand gerettet werden kann, außer durch die Gnade und den Glauben an Gott (vgl. Hebr 11,6)."[33]

Wird die Universalität des Heilswillens Gottes so gefaßt, wird einerseits unzweideutig das Mißverständnis ausgeräumt, daß Kirche in ihrer konkretverfaßten, gesellschaftlichen Form als Synonym exklusiver Heilsvermittlung auftritt, jedoch umgekehrt jede Erfahrbarkeit des Heils (als gnadenhafter Selbstmitteilung Gottes) geschöpflich, d.h. geschichtlich-gesellschaftlich vermittelt ist und somit (im weitesten, wenn auch legitimen Sinn des Wortes) kirchlichen Charakter hat, weil sich solche Heilserfahrung immer bezieht auf das Potential von Glaube, Hoffnung und Liebe einer Gemeinschaft der Glaubenden, auch wenn sich diese nicht – oder noch nicht – ausdrücklich als „Kirche" weiß oder versteht.

Aus dieser universalen Perspektive betrachtet, ist die Position des I. Vatikanums (daß „Gott, der Ursprung und das Ziel aller Dinge, durch das Licht der natürlichen Vernunft aus den geschaffenen Dingen mit Sicherheit erkannt werden kann"[34]) keine rationalistische Verirrung, sondern das heilsoptimistische Festhalten an einem Vernunftbegriff, der konform mit der thomistischen Tradition eine letzte, unzerstörbare Bindung von Schöpfer und Geschöpf aussagt, das auch noch unter dem Gesetz der Sünde um seine unaufhebbare Herkunft weiß.

---

[32] RDh II 1.   [33] RDh II 1.
[34] Vgl. DS 3004.

Die faktische Verdunkelung dieses Herkunftswissens steht auch für das I. Vatikanum ganz außer Frage; heilshaften Charakter kann dieses Wissen ohne die Zuwendung der Gnade Gottes nicht haben. Erkenntnisleitendes Interesse dieser Konzilsaussagen ist eine erkenntnistheoretisch formulierte Anthropologie, die den Menschen als Ansprechpartner Gottes zu konzipieren sucht, ohne jedoch dieses Angesprochensein von seiten Gottes her zum notwendigen Bestandteil dieser Anthropologie zu machen, und auf dem geschenkhaft-freien Charakter von Offenbarung besteht. Gottes gnadenhafte Zuwendung zum Menschen aber setzt nicht mit Jesus Christus ein, sondern findet in ihm seinen Höhepunkt; Gottes Gnade wirkt durch die Geschichte hindurch immer schon am Menschen.

Die theologische Konsequenz eines solchen heilsgeschichtlichen Verständnisses ermöglicht eine neue, positive Beziehung zu den „verschiedenen Religionen und religiösen Philosophien des Menschengeschlechts"[35]. Sie gelten nicht als radikaler Ausdruck des Unglaubens, als menschlich selbst geschaffener Götzenkult, denen der Mensch erst total und endgültig widersagen müßte, um zum einzig wahren Glauben zu gelangen, sondern als mögliche „Erzieher auf Christus hin". Was modellhaft in der Kontinuität von alttestamentlich-jüdischer Religion zum Christentum hin und in der theologischen Verflechtung von griechisch-hellenistischer Philosophie und christlichen Glaubensgehalten geschehen ist, ist prinzipiell auch denkbar für Religionen und Denkformen, die mit christlichem Glauben noch nicht innerlich in Berührung gekommen sind. Die Begründung einer solchen positiven Sicht nichtchristlicher Religionen basiert nicht auf einer didaktisch-psychologisch neu entworfenen Missionsstrategie, sondern auf der Glaubensüberzeugung von der Wirksamkeit und Präsenz der Offenbarung und Gnade Gottes auch vor, neben und außerhalb des sich dezidiert als solchen bekennenden alten und neuen Gottesvolkes.

Solch göttliches Gnadenwirken schlichtweg zu leugnen heißt auch, im christlichen Verkündigungsauftrag untreu zu sein, dessen Fülle ja erst dort aufscheinen kann, wo nicht ein partikuläres kulturelles Erbe verabsolutiert und mit dem Gehalt christlichen Glaubens derart gleichgesetzt wird, daß andere mögliche Zugangsformen von vornherein ausgeschlossen sind und sich die offenbarende Kraft des inkarnierten Wortes Gottes an ihm gar nicht erweisen kann. Analog zu dem von der Theologie gelehrten Gnadenwirken Gottes, das selbst noch einmal die Bedingungen zu seiner Aufnahme beim Menschen schafft, hat kirchliche Verkündigung des Evangeliums als real befreiende und erlösende Heilsbotschaft Gottes nicht nur unvermittelte

---

[35] RDh II 3.

„Wahrheiten" auszurichten, sondern auch die Voraussetzungen für den Verstehensprozeß selbst zu schaffen. Gerade im Hinblick auf das positiv von den Religionen der Menschheit Gesagte eröffnen sich für die Theologie unabsehbare Aufgaben.

Die Umsetzung der Frohbotschaft in einen vom jüdisch-hellenistisch-abendländischen Kulturkreis verschiedenen kann sich niemals nur mit einer verbalen Übersetzungsarbeit begnügen, sondern hat sich den Verstehenshorizont in einer reflexen Rekonstruktion der kulturgeprägten, erfahrungserschließenden Sinnstrukturen zu erarbeiten. Geschieht dies nicht, so muß die ihrerseits kulturspezifisch geformte und interpretierte Frohbotschaft Christi notwendig überfremden und entfremden, d.h., sie kann im fremden Gewand nicht wirklich Evangelium sein. Das Kriterium der Unterscheidung zwischen dem Guten, das „hinsichtlich der Gotteserkenntnis gefunden wird" und das „die kirchliche Verkündigung des Evangeliums als ein von Gott gegebenes Licht" erachtet, und dem „Falschen, Verkehrten und Abergläubischen"[36] darf keineswegs vorschnell in einer Art Kompatibilität mit den eigenen kulturellen Glaubensaussagen und -vorstellungen gesucht werden; einziges lebendiges Kriterium der Unterscheidung ist der Geist Jesu, der jenen Glaubenden innewohnt, die bisheriger Tradition fremde kulturelle Kategorien ihr eigen nennen und sich in ihnen und durch sie zu Jesus Christus als ihrem Herrn bekennen.

Während nun die gesamte Menschheitsgeschichte vom gnadenhaften Heilshandeln Gottes betroffen ist, hat dieses offenbarende Heilshandeln Grade der Ausdrücklichkeit. Im Entwurf wird die Bedeutung des Alten Testaments behutsam in den Blick genommen: „Die Sache, die durch die ganze Geschichte hindurch im Verborgenen behandelt wird, nämlich die Berufung des Menschengeschlechts zur mystischen Hochzeit des Lammes (vgl. Offb 19,7ff; 21,9; Lk 13,29), das heißt zur Gemeinschaft Gottes mit den Menschen, wird auf ganz besondere Weise in der Heilsgeschichte des Alten Testaments behandelt. . ."[37].

Die konkrete geschichtliche Angabe des Heilshandelns Gottes weist bereits insofern auf die Fülle der Zeit in Jesus Christus hin, als das in der Inkarnation Geschehene – die Identifikation des Logos Gottes mit einem konkreten geschichtlichen Menschen – sich bereits in der geschichtlichen Greifbarkeit des Alten Bundes andeutet: die Vermittlung des Wortes Gottes und damit das sich offenbarende Wesen seiner selbst an der konkreten Erfahrbarkeit menschlicher Geschichte. Damit aber ist das Handeln Gottes

---

[36] RDh II 3.
[37] RDh II 4.

an der menschlichen Geschichte und am Menschen überhaupt deutlich gemacht. Die Ausdrücklichkeit der Deutung erfährt dieses Geschichtsverständnis in der Verkündigung der Kirche.

Davon handelt das 3. Kapitel des Entwurfs: „Die geoffenbarte Gegenwart Gottes in der Verkündigung der Kirche". Im biblischen Sinn wird der Wahrheitsbegriff nicht intellektualistisch verengt, sondern mit der Person Christi selbst identifiziert, wobei das Wahrheitselement in ihm das ausmacht, was die Schrift den „Logos" nennt (Joh 1,1ff). Wahrheit wird so nicht ungeschichtlich-abstrakt bestimmt, sondern als jenes lebendige Prinzip, das in der Geschichte wirksam wird und so das Menschengeschlecht auf seinem Weg begleitet. „Diese lebende Wahrheit, durch die er selbst das ist, was er offenbart, ist in der Kirche gegenwärtig . . .", denn die Kirche wird ja bestimmt als „der durch seinen Geist lebende Leib Christi"[38]. (Dieses Bildwort beleuchtet gleichsam die geistgewirkte Innenseite des anderen vom „pilgernden Gottesvolk", das zu einem Leitmotiv von „Lumen gentium" wird.)

Die Inbeziehungsetzung von Kirche und Offenbarung Gottes macht deutlich, daß jene nicht über diese ihr anvertraute Wahrheit sachhaft-gegenständlich „verfügt", sondern daß diese lebende Wahrheit ihr Wesensprinzip schlechthin ist: ohne sie wäre sie nichts, hätte sie weder Sinn noch Existenzberechtigung. Abstrahiert von diesem Wesensprinzip, bliebe nur mehr die Dürftigkeit selbstentworfener Institutions- und Repräsentationsformen, die nichts mehr zu vermitteln, nichts mehr darzustellen hätten. So ist die theologische Reflexion der Offenbarung Gottes die logische Voraussetzung jedes Selbstverständnisses von Kirche, und man kann die Entscheidung Papst Pauls VI., der in seiner Abschlußansprache zur 2. Konzilsperiode am 4. Dezember 1963[39] die Arbeit an einem eigenen Schema „De Divina Revelatione" als Aufgabe der nächsten Konzilsperiode ankündigte und sich damit gegen den Vorschlag wandte, den Entwurf über die Offenbarung in die Konstitution über die Kirche zu integrieren, als wahrhaft providentiell bezeichnen. Im gleichen Maß aber, wie Kirche bestimmt ist als jenes geschichtliche Prinzip, das die lebendige Wahrheit des menschgewordenen, leidenden, gekreuzigten und auferstandenen Gottessohnes so vermittelt, daß sie sie lebt und verkündigt, im gleichen Maß werden auch die „Offenbarungswahrheiten" als Formen begrifflich-symbolischer Konkretisation des einen als solchen unaussagbaren Heilsgeheimnisses der Erlösung in Jesus Christus verständlich. In diesem Verständnis sind also die „Einzelwahrheiten" der Offenbarung auch hinsichtlich ihrer konkreten Sprachgestalt (als Dogmen, Bekennt-

---

[38] RDh III 1.
[39] Vgl. *E. Stakemeier*, a.a.O. 122 363; LThK – Das Zweite Vatikanische Konzil II 501.

nisformen usw.) relativiert, weil sie zwar für das Heilsgeheimnis Gottes stehen, dieses jedoch nicht selbst sind einerseits, wie auch andererseits ihre unübergehbare Bedeutsamkeit deutlich wird: daß dieses in Jesus Christus geoffenbarte Heilsgeheimnis Gottes nie unvermittelt dem Menschen begegnen kann, sondern notwendig eine Glaubens-, Bekenntnis-, Denk- und Sprachform braucht, die niemals beliebig sein kann, sondern an der geschichtlich-gesellschaftlichen Praxis verifiziert werden muß. Auch diese Verifikation kann nie Sache des einzelnen sein, sondern nur Sache der Kirche als dem gesellschaftlichen Raum, der Gottes Handeln, am Menschen in Jesus Christus zur Sprache bringt.

Entsprechendes, was von den einzelnen Offenbarungswahrheiten gesagt werden kann, gilt auch von den konkreten geschichtlichen Trägern von Kirche: in symbolischer Konkretisation stellen sie die soziologisch faßbare und historisch greifbare Kirche dar, die jedoch unabtrennbar von ihrer äußeren Gestalt (und darum symbolisch!) Verkündigung der offenbaren Wahrheit ist. Der komplexe geschichtliche Prozeß, der bestimmt ist von der Identität der lebendigen Wahrheit des Geistes Jesu Christi, der das Wesensprinzip der Kirche ausmacht, einerseits wie durch die Differenz der Glaubenden, ihrer verschiedenen Bekenntnis-, Denk- und Sprachformen andererseits, artikuliert sich in dem Begriff „Tradition". Sie ist „eine Weise der aktuellen Gegenwart des geoffenbarten Christus in der Kirche"[40]. Der Begriff „Tradition" meint – entgegen den Assoziationen der Umgangssprache – gerade nicht die gewohnheitsmäßig-unreflexe Übernahme unkritisierter und tabuisierter Denk- und Verhaltensweisen (ein solcher Traditionsbegriff wäre des entscheidenden Elements einer echten Aneignung des Glaubensgutes gerade beraubt), sondern die je neue, lebendige Umsetzung des in der Tradition zur Sprache Gebrachten in die Lebenswirklichkeit des Menschen. Der Traditionsbegriff wird deswegen nicht illegitim erweitert, wenn er als der umfassende Inbegriff all dessen angesetzt wird, was zum Selbstvollzug der Kirche gehört. Weil die Untrennbarkeit von Form und Inhalt das Wesen symbolischer Vollzüge ausmacht, kann nie adäquat geschieden werden zwischen einem geschichtstranszendenten Wesenskern christlicher Offenbarung und ihrer je zeitlich bedingten Ausprägung. Ein solcher Versuch würde die Grundgestalt des christlichen Glaubens selbst in Frage stellen; vielmehr offenbart sich ja eben an dem geschichtlich-kontingenten Einzelnen der alle und alles umfassende Heilswille Gottes.

So verstanden, meint „Tradition" immer göttliche Wahrheit und „irdene Gefäße" (vgl. 2 Kor 4,7) in einem, und mit der theologischen Eliminierung

---

[40] RDh III 1.

der „irdenen Gefäße" wird notwendig auch deren Inhalt verschüttet. Dieses Prinzip der unaufhebbaren Einheit göttlicher Offenbarung am und im Menschen betrifft sachgemäß auch das Verständnis der Heiligen Schrift. Dieser Sachverhalt wird im 2. Abschnitt des 3. Kapitels erläutert. Das theologische Stichwort der „Inspiration" umgreift den Sachverhalt, daß Gott und Mensch je auf ihre Weise als wahre Verfasser dieser Heiligen Schriften bezeichnet werden können: „Gott selbst ist also der Verfasser dieser Schriften, und dennoch sind auch die Menschen, die er selbst auf verborgene Weise zum Schreiben bewegt hat, damit sie die apostolische Verkündigung schriftlich verbürgten und sie auf verschiedene Weise für die jeweils gegebene Situation unverfälscht darlegten, auf ihre Weise Verfasser. So müssen diese Schriften wahrhaftig als göttlich und nicht weniger wahrhaftig als menschlich gelten, so wie der Herr Jesus zugleich wahrer Gott und wahrer Mensch ist, unvermischt und ungeteilt die Gottheit und die Menschheit besitzt."[41]

Die christologische Struktur betrifft also gerade auch die Heilige Schrift als den authentischen Niederschlag der Verkündigung Jesu und den Niederschlag von deren Verkündigung in der Gemeinde. Die Beschreibung des gnadenhaften Einwirkens Gottes auf den menschlichen Verfasser derart, daß dieser in der Tat – mit Geist und Herz – wahrer Verfasser der Schrift bleibt (also nicht – in einem die menschliche Natur degradierenden Sinn – zum willenlosen Werkzeug gemacht wird, das ohne Verstand und Bewußtsein das ihm Diktierte niederschreibt), läßt der Entwurf als unaufklärbares Geheimnis Gottes, der in seinem gnadenhaften Wirken menschliche Freiheit nicht aufhebt, sondern erfüllt, stehen, wenn er von der „verborgenen Weise"[42] dieses Geschehens spricht.

Grundaxiom dieses – christologisch gefaßten – Zusammenwirkens von Gott und Mensch ist die Glaubensannahme, daß Gnade Gottes und Freiheit des Menschen in gleicher Weise miteinander wachsen und nicht als miteinander konkurrierende Größen in reziprokem Verhältnis zueinander stehen. Nur so kann die Vermittlung der Offenbarung Gottes in einem in jeder Weise beschränkten geschichtlichen, literarischen und kulturellen Horizont gedacht werden, ohne daß dieser Horizont schon mit der geoffenbarten Wahrheit selbst identisch wäre. Interpretation der Schrift kann sich daher niemals nur auf die historische Rekonstruktion des Schriftwerdungsprozesses selbst beschränken, sondern sieht sich immer mit dem Problem konfrontiert, das Gesagte so in die gegenwärtige Situation des Glaubenden zu übersetzen, daß geschieht, was die Schrift selbst sein will: die Offenbarung des befreienden und erlösenden Heilswortes Gottes an die Menschen, d.h. „Evangelium".

---

[41] RDh III 2. [42] RDh III 2.

Auf seine Weise hat daher der Verkünder der Schrift Anteil am Heilshandeln Gottes selbst: er verkündet, was er gehört (und verstanden) hat; er vermittelt das Wort Gottes als lebendiger Interpret so, daß adäquat zwischen einem Wort Gottes „an sich" und seiner konkreten Ausdrucksform nicht unterschieden werden kann. Den Sachverhalt, daß in den heiligen Schriften, „wie sehr sie auch menschliches Aussehen darbieten", „das untrügliche Wort Gottes selbst" zur Sprache kommt, faßt der Entwurf ausdrücklich ins Auge: „Bei der Auslegung der Schriften ist also am meisten darauf zu achten, daß deren Worte zugleich wahrhaft Worte Gottes und wahrhaft Worte bestimmter Menschen sind, die zu ihren Zeiten und auf ihre Weise gesprochen und gedacht haben, so daß deren menschliche Sprache gleichsam das Fleisch des Wortes Gottes ist."[43]

Das Ernstnehmen des menschlichen Wortes schließt die Erforschung seines literarischen Sinnes mit ein; sie ist ein „wahrer und notwendiger Teil des Dienstes am Wort, das der Kirche von Christus übergeben worden ist". Daß am Ende des zweiten Abschnitts dieses 3. Kapitels des Entwurfs der „lebendigmachende Geist" Jesu Christi als Garant authentischer Interpretation der Heiligen Schrift zusammengedacht wird mit Kirche, heißt nicht, den Geist Gottes illegitimerweise gesellschaftlich festzumachen, sondern vielmehr umgekehrt die Kirche als geistgewirkt zu fassen: sie selbst ist „gleichsam das Fleisch Christi, des Wortes Gottes", und als solche „genährt vom Heiligen Geist"[44]. Im dritten und letzten Abschnitt des 3. Kapitels wird die Beziehung von Kirche und Heiliger Schrift erläutert. Die enge Wechselbeziehung ist so angegeben, daß Kirche einerseits „als eine Gemeinschaft von Menschen" beschrieben wird, „die das Wort Gottes hören und es bewahren (Mt 11,28)" (wobei dieses „Wort Gottes" im ersten Ansatz nicht das schriftlich fixierte ist, sondern das ursprünglich in Jesus Christus erfahrene, das für spätere Generationen freilich nirgends authentischer greifbar ist als in der Heiligen Schrift), „andererseits besteht auch die Heilige Schrift nicht ohne die Kirche"[45].

Die Kirche als der Raum des Geistes Christi ist auch der Raum der Heiligen Schrift nicht nur hinsichtlich ihrer Entstehung, sondern ebenso hinsichtlich ihrer Interpretation und Geltung. Weil sich aber das neutestamentliche Gottesvolk als Kontinuität, Entfaltung und Vollendung des von Gott mit Israel eingegangenen Bundes versteht, versteht es sich auch – unter der Führung des Geistes Gottes – als authentische Interpretin der Heiligen Schrift des Alten und des Neuen Bundes sowie als letzte Instanz des Entscheids über die Kanonizität seiner einzelnen Schriften. Die Darstellung der

---

[43] RDh III 2. [44] RDh III 2. [45] RDh III 3.

Wechselbeziehung von Schrift und Kirche schließt die Schrift als isolierte Größe aus: „Niemals also hat die Schrift sich allein genügt, sondern nur in der lebendigen Tradition der Kirche entsteht für uns jenes lebendige Wort Gottes, das aus der Verstreutheit zum einen neuen Menschen zusammenruft (vgl. Eph 2,15)." Prägnant wird die Wechselbeziehung dann so formuliert: „Einerseits ist die Kirche an die Worte der Heiligen Schrift gebunden: sie ist nicht die Herrin des Wortes, sondern seine Magd (vgl. 2 Kor 1,24) . . . Sie hat keine andere Botschaft, eine andere kann sie nicht vortragen, sondern diese Schrift ist das Buch, das ihr von Gott gegeben wurde, von dem sie lebt und das sie den Menschen reicht. Andererseits aber braucht die Schrift die Kirche, die jene verkündet und sie, kraft der ihr vom Herrn gegebenen Vollmacht, erklärt."[46]

Die Heilige Schrift ist zu verstehen – und dies macht ihre Heiligkeit, ihre Lebendigkeit und besondere Eigenart aus – als Symbol Christi, der Personifikation des Wortes Gottes selbst, das dort, wo es verkündet, gehört, verstanden und geglaubt wird, Heil wirkt und neues Leben schafft. So kann der in seiner Kirche lebendige Christus selbst als „der Schlüssel zu den Schriften" bezeichnet werden, wie dies das Neue Testament selbst tut (vgl. Lk 24,32; Joh 5,36). Die Schrift ist so nicht verstanden als Dokument der Vergangenheit; Aufgabe der Kirche ist es daher nicht nur, die Worte des Herrn „als vergangene zu bewahren, sondern heute von neuem zu hören, zu verkünden und zu erklären, was die Kirche kraft der Vollmacht des in ihr lebenden Christus tut"[47].

War „De Fontibus Revelationis" von den zwei einander unvermittelt und isoliert gegenüberstehenden Quellen der Offenbarung – Schrift und Tradition – ausgegangen, blieb das Verhältnis beider zueinander sowie zur Kirche nicht zufriedenstellend geklärt, blieb insbesondere der Offenbarungsbegriff unreflex vorausgesetzt sowie das dahinterstehende Gottesbild in einem nur äußerlich postulierten Zusammenhang mit dem in der Schrift als Erfahrung und Verkündigung Jesu greifbaren, so sucht der Entwurf „De revelatione Dei et hominis in Jesu Christo facta" aus einem umfassenden Glaubensverständnis heraus die in Jesus Christus geschehene Offenbarung Gottes (und des Menschen) auch in ihrer konkreten Greifbarkeit der Heiligen Schrift deutlich zu machen. Die Schrift aber führt keine Eigenexistenz, sondern ist auf die Kirche bezogen. „Diese doppelte Beziehung, die die Kirche und die Heilige Schrift so verbindet, daß die Kirche nichts anderes verkünden kann als die Schrift und die Schrift nicht anders lebt als durch die Verkündigung und die Treue der Kirche, die sie erklärt und ihren wahren Sinn mit Voll-

---

[46] RDh III 3.   [47] RDh III 3.

macht bestimmt, umschreibt in Wahrheit ein ungeteiltes und unteilbares Leben, welches das geoffenbarte Wort führt, indem es Gott offenbart und im göttlichen Licht den Menschen, auf daß es ihn rette und ihn zum himmlischen Mahl führe, welches das Reich Gottes und das Ziel der Welt ist, in dem alles vollendet wird."[48]

Soweit der Entwurf „De revelatione Dei et hominis in Jesu Christo facta". Absicht dieser Darstellung und Interpretation war es, nicht auf Beschränkungen und Defizite dieses Entwurfs einzugehen (seine stark personalistische Sichtweise, seine traditionelle Terminologie, die Tendenz, eher in Bildworten zu sprechen als in präzisen, theologisch abgeklärten Fachtermini, die Außerachtlassung soziologischer, historischer und psychologischer Sichtweisen usw.), sondern diese Vorlage als vorzügliches Beispiel eines eigenständigen Textentwurfs der Konzilstheologen und Konzilsväter selbst zu sehen und seine positiven, weiterführenden Implikate deutlich zu machen.

III.

Was hat sich von diesem Neuansatz, der die ursprüngliche Vorlage „De Fontibus Revelationis" weit hinter sich läßt, im endgültigen Text der Konzilskonstitution „Dei verbum" niedergeschlagen? Drei hermeneutische Vorbemerkungen zum Textverständnis seien vorausgeschickt:

1. Im Ringen um das Selbstverständnis von Kirche und ihrer Ausprägung im Amt als „Dienst am Wort"[49] wird ein neuer Kommunikationsstil sichtbar: im Interesse des Konzils liegt nicht die exakte Abgrenzung eines semantisch genau umschriebenen Raumes (der sich in den Formulierungen des „anathema sit" früherer Konzilien niederschlägt), sondern die Eröffnung eines Dialogs mit der Welt. Die Begründung dieser Absicht geschieht nicht pastoral-strategisch, sondern im eigentlichen Sinn theologisch: indem sie die Offenbarung Gottes selbst als Dialog darstellt, unter dessen Gesetz sie steht.

2. Das Konzil bezieht sich als Adressat seiner Botschaft auf das gesamte Menschengeschlecht (DV 1). Dies kann nicht als hybride Überschätzung des eigenen „Zuständigkeitsbereichs" gedeutet werden, sondern ist Konsequenz einer Neuerfahrung der Offenbarung Gottes, die auszurichten ist und die prinzipiell alle partikulären gesellschaftlichen, sozialen und ethischen Schranken übersteigt.

3. Das Konzil wehrt von vornherein jeden Versuch ab, direkt oder indirekt auf seine Adressaten (seien sie in der Kirche oder außerhalb) psychologi-

---

[48] RDh III 3.
[49] Die Dogmatische Konstitution über die göttliche Offenbarung wird im folgenden abgekürzt mit DV („Dei verbum"). – DV 10.

schen Druck auszuüben. Die Form der Anrede ist die der Einladung. Dieser Stil entspringt nicht dem Bewußtsein einer geschwundenen gesellschaftspolitischen Macht, sondern ist Folge der Besinnung auf die biblischen Grundlagen der Offenbarung.

Diese hermeneutischen Vorbemerkungen sind nicht willkürlich aufgestellt, sondern prägen mehr oder weniger alle Texte des Konzils. Ohne dieses grundlegende Selbstverständnis der Aussageabsicht des Konzils können auch seine Texte nicht sachgerecht verstanden und interpretiert werden.

Im Sinn der Argumentationsabsicht dieses Artikels geht es uns um das 1. Kapitel von „Dei verbum", das überschrieben ist „De ipsa revelatione". Genauerhin ist es uns nicht um eine Einzelexegese zu tun, sondern um eine Erhebung des Offenbarungsbegriffs, der diesem Konzilstext zugrunde liegt.

Das Vorwort ist deswegen interessant, weil es bereits den theologischen Ansatz der gesamten Konstitution erkennen läßt: Das Thema der Offenbarung ist die logische Voraussetzung zum Thema der Kirche, die zweifelsohne im Mittelpunkt der Reflexion des II. Vatikanums steht. Zu dieser Offenbarung Gottes setzt sich Kirche in Beziehung: sie verkündet, was sie hört[50]. Primär bestimmt sie sich damit als die hörende, beschenkte, die ihren Ursprung und ihr Dasein nicht sich selbst verdankt, sondern dem sie erschaffenden „Wort Gottes".

Zwei Bemerkungen müssen diesen Sachverhalt noch verdeutlichen.

1. „Wort Gottes" ist – wie die theologische Tradition weiß – streng im analogen Sinn zu verstehen, d.h., der Begriff des menschlichen „Wortes" kann nur höchst unangemessen (bei überwiegender Unähnlichkeit der Vergleichspunkte) die gemeinte Sache, nämlich das Wort „Gottes", wiedergeben. Am angemessensten kann wohl noch von einer Symbolik als tragfähiger Inbeziehungsetzung gesprochen werden: das menschliche Wort ist Symbol des göttlichen. (Obwohl diese Bemerkung im Grunde eine theologische Binsenwahrheit ist, erscheint sie nur deswegen nicht grundlos, weil dieses Analogiebewußtsein oft genug in den Hintergrund zu treten scheint!)

2. „Wort" muß aufgrund seines biblischen Sinnes entscheidend weiter gefaßt werden, als dies die Alltagssprache nahelegt. Wird die Bedeutung des „Wortes" intellektualistisch verengt, d.h. abgehoben von der konkret-erfahrbaren Wirklichkeit (deren Deute- und Reflexionselement das Wort ist, deren Erlebbarkeit es also erst ausmacht) auf die situationsenthobene, abstrakte und allgemeingültige Ebene einer „Idee", dann ist bereits das Spezifische des christlichen Offenbarungsverständnisses verfremdet, nämlich daß sich im geschichtlichen Tun Gottes am Menschen Einmaligkeit und Gültigkeit, Parti-

---

[50] DV 1: „Dei verbum religiose audiens et fidenter proclamans..."

kularität und Universalität, Geschichte und Wahrheit miteinander vermitteln. Wird der primäre semantische Gehalt des „Wortes" also in einem abstrakten „Begriff" gesucht, dann muß der Gedanke der Heilsgeschichte notwendig zu etwas sachlich Fremdem und Äußerlichem werden.

Bestimmt sich Kirche vom Empfang der göttlichen Offenbarung in Jesus Christus her, dann auch als geschichtliche Größe, die unter der Führung des Geistes Jesu in das Verständnis ihres Glaubens hineinwächst. Diese Aussage impliziert nicht notwendig eine bestimmte Geschichtstheorie (etwa im Sinn einer geradlinig evolutiven Weiterentwicklung des Glaubensverständnisses, die ausschließt, daß bestimmte Aspekte der Glaubenswahrheit zeitweise verdunkelt in den Hintergrund treten), doch hält sie streng an der Einheit dieser Geschichte der Kirche fest. Die Kontinuität dieser Geschichte betont „Dei verbum" in der oft zitierten Formel des „inhaerens vestigiis"[51], mit der das II. Vatikanum bewußt und ausdrücklich die Tradition des Konzils von Trient und das I. Vatikanum aufgreift; die Tatsache der Entstehung der Offenbarungskonstitution selbst macht deutlich, daß lebendige Tradition von Weiterführung und Kritik in einem lebt.

Das Sprachgenus, dessen sich die Offenbarungskonstitution bedient, bleibt unreflektiert und offen[52]. Eine Differenzierung zwischen der Artikulation des Glaubensbewußtseins auf umgangssprachlicher Ebene und deren Reflexion auf metasprachlicher Ebene wird nicht durchgeführt. Der begründende Nachsatz des Vorworts ordnet der Lehre des Konzils (nämlich der „doctrina de divina revelatione") ein eindeutiges Verifikationskriterium zu: das der christlichen Glaubenspraxis, wie sie im Augustinuszitat zur Sprache kommt. Das Subjekt dieser Glaubenspraxis ist eine eschatologische Größe: nämlich der „mundus universus", im strengen Sinn also die Totalität der Schöpfung überhaupt, die Empfänger und – in der erreichten Verwirklichung der göttlichen Tugenden Glaube, Hoffnung und Liebe – gewirktes Ziel der Offenbarung selbst ist, in der sich Gott mitteilt und so die Welt zu ihrer Vergöttlichung heimholt.

Damit ist die Frage nach dem Wesen der Offenbarung unmittelbar erreicht: ihr stellt sich das 1. Kapitel „De ipsa revelatione". Zunächst wird die Offenbarung Gottes als eine heilsgeschichtliche Erfahrungstatsache angesprochen. (Warum Gott sich überhaupt offenbart, bleibt schlechthin unzugänglich und liegt im „Geheimnis seines Willens" verborgen.) Offenbarung

---

[51] DV 1. Vgl. dazu P. *Eicher,* Offenbarung (München 1977) 492 ff.
[52] Dieses ungeklärte Sprachgenus macht sich u.a. in dem im Vorwort aufscheinenden „Dilemma von kerygmatischer und doktrineller Intention" bemerkbar, auf das Ratzinger in seinem Kommentar aufmerksam macht (LThK – Das Zweite Vatikanische Konzil II 505).

selbst aber meint Teilhabe des Menschen an der göttlichen Natur gemäß ihrer trinitarischen Verfaßtheit: „durch Christus", das „fleischgewordene Wort", „im Heiligen Geist Zugang zum Vater haben" (DV 2).

So konstituiert Offenbarung die Gottesbeziehung des Menschen (insofern dieser nur durch die gnadenhafte Selbsterschließung Gottes Zugang zu ihm gewinnen kann) und – weil diese Gottesbeziehung für den Menschen schlechthin elementar ist – sein gnadenhaft aufgenommenes Menschsein überhaupt. Dabei wird freilich die abstrakt-formalisierende Redeweise von „Offenbarung" ihrem lebendigen geschichtlichen Ereignis- und Widerfahrnischarakter kaum gerecht, wenn erwartet würde, daß auf dieser Sprachebene adäquat das dargestellt und beschrieben würde, was „Offenbarung" meint. Vielmehr geht es in der Fassung des Begriffs darum, verschiedene, zunächst disparat erscheinende Erfahrungsqualitäten, die durch divergierende geschichtliche und gesellschaftliche Faktoren bedingt sind, sinnvollerweise einander zuzuordnen und so eine Gemeinsamkeit derart zu konstituieren, daß als perspektivischer Fluchtpunkt all dieser Erfahrungsqualitäten das Geheimnis des in der Geschichte sichtbar und erfahrbar wirkenden und sich in Jesus von Nazaret leibhaftig personifizierenden Gottes erscheint.

Jeder Versuch, Wesen und Erscheinungsweise dieser Offenbarung „an sich" zu bestimmen, stößt notwendigerweise an die Grenze sprachlicher Aussagefähigkeit überhaupt und steht vor dem unüberbrückbaren Dilemma, in mystischer Erfahrungsdichte sprachlos oder in begrifflich-formaler Prägnanz inhaltsleer (und das heißt auf keine konkrete Erfahrungsqualität beziehbar) zu bleiben. Die biblische Redeweise von Offenbarung geschieht symbolisch so, daß der Begriff „Offenbarung" niemals von seinem konkreten geschichtlichen Hintergrund (niemals also von Jesus Christus als dem Inbegriff der Offenbarung Gottes) abgelöst wird. Das im Vorwort angeführte Zitat aus dem ersten Johannesbrief, das – wenngleich ziemlich unvermittelt – das Selbstverständnis eines biblischen Autors zur Sprache kommen läßt, macht dies deutlich: „Wir künden euch das ewige Leben, das beim Vater war und uns erschien. Was wir gesehen und gehört haben, künden wir euch, damit auch ihr Gemeinschaft habt mit uns und unsere Gemeinschaft Gemeinschaft sei mit dem Vater und mit seinem Sohn Jesus Christus" (1 Joh 1,2-3).

Die hermeneutischen Probleme, die aufs neue dadurch entstehen, daß es sich um geschriebenes – und das heißt wieder aus seinem ursprünglichen Kommunikationskontext gelöstes – Wort handelt, werden im 3. Kapitel der Konstitution angesprochen (wenn auch nicht im eigentlichen Sinn behandelt). Der Nachdruck, den das Konzil auf die Bedeutung der lebendigen Tradition legt (jedoch nicht als eine eigene, von der Schrift material unabhängige Offenbarungsquelle!), macht das Bewußtsein von jener ursprünglichen

Kommunikationssituation, die sich eben nicht adäquat verobjektivieren läßt, sondern lebendigen geschichtlichen Ereignischarakter hat, deutlich. Der Begriff „Offenbarung" signiert in analoger Redeweise jene Kommunikationssituation zwischen Gott und Mensch, die der Text in schlichter, biblisch orientierter Redeweise so ausdrückt: „In jener Offenbarung redet der unsichtbare Gott (vgl. Kol 1,15; 1 Tim 1,17) aus überströmender Liebe die Menschen an wie Freunde (vgl. Ex 33,11; Joh 15,14 – 15) und verkehrt mit ihnen (vgl. Bar 3,38), um sie in seine Gemeinschaft einzuladen und aufzunehmen" (DV 2).

Im Sinn des oben bereits über das Wort und seine Funktion im Gesamt des menschlichen Lebenskontexts Gesagten betont die Konstitution die innere Verknüpfung von „Tat und Wort", um damit jedes intellektualistische Mißverständnis a limine auszuschließen. Wort und Tat gehen in gleicher Weise auf den sich offenbarenden Gott selbst zurück, so daß Offenbarung letztlich als das Urmodell jeder Mit-teilung verstanden werden kann. Wie die Theologie den hermeneutischen Schlüssel zur Anthropologie darstellt, so kann die Offenbarungstheologie als der hermeneutische Schlüssel jeder menschlichen Selbstmit-teilung, in der der Mensch nicht nur sachhaft gegenständliche Informationen vermittelt, sondern im eigentlichen Sinn sich selbst, verstanden werden. Diese Selbstmitteilung im so verstandenen Sinn kann sachgerecht als Form der Selbst-Transzendenz beschrieben werden, die dem Menschen nicht „aus sich selbst heraus" (d.h. unter Absehung seines gottbezogenen Ursprungs, seiner gnadenhaften Teilhabe an der göttlichen Natur und seiner eschatologischen Verwiesenheit auf Gott hin) möglich ist, sondern nur in der Form der Teilhabe an dem sich offenbarenden Gott, der durch die Priorität seines Handelns dem Menschen ein analog antwortendes Handeln möglich macht. Diese Wort-Tat-Einheit findet ihre unentflechtbare Verwirklichung in Jesus Christus; darauf nimmt der Schlußsatz des zweiten Artikels Bezug. Jesus Christus ist „zugleich der Mittler und die Fülle der ganzen Offenbarung" (DV 2). Diese Aussage ist nicht als Nebeneinanderstellung christologischer Hoheitstitel zu interpretieren, sondern erschließt das Offenbarungsgeschehen, das in Jesus Christus seine unüberbietbare Konkretisation erreicht. Die „Fülle der ganzen Offenbarung" vermittelt sich selbst, sie schafft im Menschen die Bedingungen ihrer Aufnahme, indem sie dem Menschen nicht als Fremdes begegnet, sondern als sein Ureigenstes. Jesus Christus kann deswegen „Mittler" und „Fülle" in einem sein, weil er selbst – im Sinn der Formel von Chalcedon – an beidem teilhat, weil sich in ihm die Fülle Gottes ins Menschsein hineinvermittelt und das Menschsein seine höchste Bestimmung erreicht hat in der uneingeschränkten Transzendenz auf das Geheimnis Gottes hin.

Die christologische Verknüpfung von göttlicher und menschlicher Natur macht in gut biblischem Sinn (vgl. Eph 1,10) die fundamentale Verknüpfung von Schöpfung und Schöpfer aus, die – im Gegensatz zu jeder deistischen Konzeption – Welt immer als die eine, gottgesetzte, gottgetragene und gottbezogene bestimmt, d.h. jede Theorie der Wirklichkeit ablehnt, die beansprucht, das Gesamt der Wirklichkeit „aus sich selbst" erklären zu können. Werden die Dinge aber erst als nicht selbstgegeben, sondern „geschaffen" qualifiziert, haben sie mit dieser Qualifikation auch Zeugnischarakter (so n. 3 der Konstitution). Negativ ausgedrückt: sie verweisen auf die Unmöglichkeit, die Hypothese „Gott" zu eliminieren. Das Stichwort des „übernatürlichen Heiles", das die alte scholastische Terminologie aufgreift (die mit ihrer Unterscheidung von „Natur" und „Übernatur" einen Weg sucht, „Gnade" überhaupt zur Sprache zu bringen), leitet die kategoriale Verknüpfung des Geschicks Gottes mit dem der Welt ein, die Heilsgeschichte ausmacht. Diese Verknüpfung datiert nicht von einem historisch angegebenen Zeitpunkt an (etwa ab Abraham): sie ist Bestandteil des – durch die Offenbarung Gottes eröffneten – menschlichen Selbstverständnisses von Anfang an.

Hier in n. 3 findet der Glaubensgrundsatz des universalen Heilswillens Gottes (der sich dann auch in den anderen Konzilstexten fortsetzt) seinen Niederschlag. Es ist besonders von Karl Rahner kritisiert worden[53], daß der Konzilstext, stilistisch nur notdürftig durch „suo autem tempore" verbunden, einen heilsgeschichtlichen Sprung über Jahrmillionen von den Stammeltern des Menschengeschlechts zu Abraham unternimmt, ohne all diese Generationen dazwischen auch nur in einem Nebensatz zu erwähnen. Das mag vom Bewußtseinsstand des Textes her bedauerlich sein, ändert jedoch sachlich nichts an der grundsätzlichen Aussage des uneingegrenzten Heilswillens Gottes, der auch alle diese Generationen vor (und neben!) Abraham umfaßt.

Im Sinn einer rudimentär gefaßten Heilsgeschichte mit Grobstruktur wird im vorletzten Satz von n. 3 Gottes Offenbarungswirken im Alten Bund an den Stichworten „Abraham", „Patriarchen", „Moses und die Propheten" festgemacht[54]. Sinn dieser Perspektive ist die in n. 4 erschlossene christologische Konzeption der Offenbarung. Damit sucht auch die Gliederung des Textes die trinitarische Struktur der Offenbarung, wie sie – zu Beginn von n. 2 als Teilhabe des Menschen an der göttlichen Natur („durch Christus . . .

---

[53] So in einem dem Verf. am 8. 1. 1982 gegebenen unveröffentlichten Interview.
[54] Auch das 4. Kap. der Konstitution bietet keine eigentliche Theologie des Alten Testaments, sondern eine heilsgeschichtlich orientierte Skizze, die mehr von ihren Intentionen aus dem Ganzen des Textes als von den einzelnen materialen Aussagen her interpretiert werden muß.

im Heiligen Geist Zugang zum Vater haben") – beschrieben wurde, aufzugreifen: das gnadenhafte Handeln des Vaters von Anfang an (n. 3), das in seinem Sohn, dem fleischgewordenen Wort, vollendet wird (n. 4) und durch „den inneren Beistand des Heiligen Geistes" die Geschichte zur Vollendung führt (n. 5).

Das Heilsereignis in Jesus Christus ist mit dem Zitat aus dem Hebräerbrief als eschatologisches beschrieben. Dieses Ereignis ist „Fülle der Zeit" (vgl. Gal 4,4) und deren Vermittlung in die gesamte Heilsgeschichte hinein (als erlösendes Geschehen rückgreifend bis in den Ursprung und vorausgreifend bis in die ausstehende Vollendung des Reiches Gottes, des neuen Himmels und der neuen Erde). „Er hat seinen Sohn, das ewige Wort, das Licht aller Menschen, gesandt, damit er unter den Menschen wohne und ihnen vom Inneren Gottes Kunde bringe (vgl. Joh 1,1–18)" (DV 4). Teilhabe und Gemeinsamkeit des Menschen an und mit Gott ist die finale Bestimmung seiner Sendung – oder besser: geschieht in dieser seiner Sendung selbst. Der trinitarische Ursprung hebt die reale Differenz von Sendendem und Gesandtem, dem Sprechenden und seinem Wort, dem Offenbarer und der geschichtlichen Erscheinungsform dieser Offenbarung in Jesus Christus auf, so daß nicht nur in einem allegorischen Sinn, sondern eigentlich und höchst real (d.h. wirklichkeitsbestimmend) „Gott mit uns ist" (DV 4).

Wer Gott ist, legt sich aus durch Jesu „ganzes Dasein und seine ganze Erscheinung, durch Worte und Werke, durch Zeichen und Wunder, vor allem aber durch seinen Tod und seine herrliche Auferstehung von den Toten, schließlich durch die Sendung des Geistes der Wahrheit" (DV 4). Der Tod Jesu als Höhe- und Endpunkt seines Lebens offenbart zweierlei: die äußerste Kenosis Gottes, das rückhaltlose Hinabsteigen in den tiefsten Punkt menschlichen Geschicks, der als Folge der Schuldverfallenheit des Menschengeschlechts die Infragestellung des Sinnes menschlichen Lebens überhaupt darstellt, wie die vergebende, todbrechende und lebenschaffende Macht Gottes, die sich in der Auferstehung des Sohnes – und mit ihm potentiell des gesamten Menschengeschlechts – in die Herrlichkeit des neuen göttlichen Lebens hinein erweist.

Die Sendung des Geistes macht das geschichtlich partikuläre Heilsgeschehen in Jesus Christus universal. Erweist sich Jesus gegenüber dem Bundesgott als der „Sohn", der nicht nur legitim die Kontinuität der alttestamentlichen Heilsgeschichte weiterführt, sondern diese erfüllt und vollendet, so ist der Geist Jesu die Weise seiner geschichtlichen Präsenz, daß Gott in Jesus Christus nicht nur „mit uns" war, sondern „ist".

Den letzten beiden Artikeln des Kapitels „De ipsa revelatione" kommt insofern eine bedeutende Funktion zu, als sie deutlich machen, daß Offenbarung keine Rede und Mitteilung Gottes ins Leere hinein meint, sondern auch noch ihr Angekommensein beim Menschen als dem Bundespartner und hörenden Adressaten und dessen Antwort im Glauben mit umfaßt. Dieser Glaube ist Tun des Menschen derart, daß doch die Bedingung der Möglichkeit dieses Tuns in der geistgewirkten Gabe, dem göttlichen Geschenk besteht, wie dies bereits beim Zusammenspiel der Aussagen von Gnade Gottes und Freiheit des Menschen zur Sprache kam. Im Glauben „überantwortet sich der Mensch Gott als ganzer in Freiheit" (DV 5). Indem ausdrücklich auf die Dogmatische Konstitution über den katholischen Glauben des I. Vatikanums Bezug genommen ist, versteht sich der Text des II. Vatikanums als Fortschreibung dieser Glaubenslehre im Bewußtsein, daß „das Verständnis der Offenbarung" durch den Geist Jesu mehr und mehr vertieft wird, daß es also Verrat an der Wirksamkeit des Geistes Jesu wäre, einmal gefundene Formulierungen der Reflexion des Glaubens nur mehr zu wiederholen statt je neu zu verstehen und zu interpretieren.

Die zusammenfassende Sicht von n. 6 stellt der erkenntnistheoretischen Problematik, die Gegenstand der Fragestellung des I. Vatikanums war, das Gesamtkonzept von Offenbarung als einem dialogischen Geschehen voran, dessen Ziel „das Heil der Menschen", also die Teilhabe des Menschen an der göttlichen Natur, ist. Bezeichnend für dieses Offenbarungsverständnis ist die Wortverwendung von „manifestare ac communicare", die den Heilsdialog Gottes mit den Menschen darzustellen sucht, gegenüber der Erhebung „objektiver Offenbarungswahrheiten". Dennoch bleibt die Gültigkeit der Aussagen des I. Vatikanums gewahrt, ohne daß dessen perspektivische Sicht von Offenbarung und Glaube schon mit übernommen wäre. Die veränderte Perspektive charakterisiert Ratzinger in seinem Kommentar: „Mit dieser Umwandlung von den revelata zur revelatio ist eine Neusicht eröffnet, die wiederum keineswegs die intellektuelle Komponente des Glaubens aufhebt, aber sie eben als Komponente in einem umfassenderen Ganzen versteht."[55]

Die Reflexion der Offenbarung als der Bedingung und Voraussetzung menschlichen Glaubens und so menschlichen Selbstverständnisses hat eminente Bedeutung für die Theologie. Die Ansätze, die das II. Vatikanum mit seinem Offenbarungsverständnis für eine Theologie bietet, die sich als erhellendes (befreiendes, erlösendes) Moment konkreten Lebensvollzugs versteht, sind nicht annähernd aufgegriffen oder ausgeschöpft. Offenbarung muß als „Prinzip der Theologie"[56] insofern gelten, als sie Modell von Erkennen, Verstehen, Mitteilen und Glauben überhaupt ist. Das II. Vatikanische

---

[55] LThK – Das Zweite Vatikanische Konzil II 513.
[56] So der Untertitel und Leitgedanke bei *P. Eicher*, a.a.O.

Konzil hat dieser Bedeutung des Offenbarungsbegriffs in seiner Konstitution „Dei verbum" nachzukommen versucht. Ob dieser Ansatz ohne theologische und glaubenspraktische Wirkungsgeschichte bleibt oder zum Ausgangspunkt eines kommunikablen Selbstverständnisses gläubiger Existenz wird, ist noch nicht abzusehen.

Wenn der Lern- und Entscheidungsprozeß des II. Vatikanums in der Kritik der Kommentatoren als „Kompromiß der reziproken Unehrlichkeit" und hinsichtlich der theologischen Sachfragen als Niederschlag „des unvermittelten kontradiktorischen Pluralismus" hingestellt wird, in dem die Devise galt: „Nimmst du meinen Text in Kauf, dann nehme ich deinen"[57], dann fragt sich, von welchen utopischen ekklesiologischen und soziologischen Vorstellungen her dieser Entscheidungsprozeß des Konzils beurteilt wird. Zweifellos trifft es zu, daß auch noch im Endtext „verschiedene Theologoumena unvermittelt aufeinanderprallen"[58], doch war vielen Konzilsvätern sehr wohl diese Unausgeglichenheit des Textes bewußt. Welche Möglichkeiten wären ihnen zur Verfügung gestanden, a) einen theologisch nahtlos konsistenten Text zu erstellen, in dem sich jedoch ein Großteil der Konzilsväter nicht wiederfindet, ihn innerlich ablehnt und nur durch die formale Abstimmungsarithmetik gezwungen wird, ihn als Glaubensausdruck der Gesamtkirche zu akzeptieren, b) in einem aussichtslosen, nicht endenden Prozeß sich weiter um eine Klärung der Standpunkte zu bemühen mit dem Risiko (wie die Erfahrung in bestimmten Einzelfragen der Debatte, z.B. zum Problem der Tradition, der Inspiration usw., gezeigt hat), daß sich die Standpunkte nur noch weiter verfestigen, gerade dort, wo sich eine Minderheit in die Defensive gedrängt sieht, oder c) einen „Sachkompromiß" zu suchen, der wohl evidente Widersprüche aus dem Text eliminiert, jedoch erhebliche theologische Unschärfen und Divergenzen hinsichtlich der Sprach- und Denkformen, der Interpretation traditioneller Aussagen usw. toleriert (oder, was der Transparenz eines solchen Dokuments sicher förderlich wäre, die divergierenden Standpunkte namhaft macht) im Vertrauen darauf, daß mit diesem „Sachkompromiß" zwar keine Einheit gefunden, der Weg dazu jedoch beschritten sei (und sich auf diesem Weg die verschiedenen Positionen nicht gegenseitig als häretisch verketzern, sondern einander Heimatrecht gewähren). Mit etwas Wagemut kann wohl behauptet werden, daß gerade diese Absicht von keinem vorhergehenden Konzil der Kirchengeschichte so erfolgreich verwirklicht wurde wie vom II. Vatikanischen.

---

[57] *M. Seckler,* Über den Kompromiß in Sachen der Lehre, in: Begegnung. Beiträge zu einer Hermeneutik des theologischen Gesprächs, hrsg. von M. Seckler, H. O. Pesch, J. Brosseder, W. Pannenberg (Graz – Wien – Köln 1972) 56f.
[58] *P. Eicher,* a.a.O. 484.

AVERY DULLES SJ

DAS II. VATIKANUM UND DIE
WIEDERGEWINNUNG DER TRADITION

Wohl kein Dokument des II. Vatikanischen Konzils wurde einer gründlicheren Revision unterzogen als die Dogmatische Konstitution über die göttliche Offenbarung. Einige der Änderungen in diesem Text betreffen das Thema der Tradition. Das im Jahre 1962 von der Theologischen Vorbereitungskommission vorgelegte Schema „De Fontibus Revelationis" betonte die Insuffizienz der Heiligen Schrift sowie die Unerläßlichkeit einer autoritativen apostolischen Überlieferung für die Erkenntnis des vollen Inhalts der göttlichen Offenbarung. Als dieses Schema dann zur Erörterung kam, lagen vielen Konzilsvätern mehrere Alternativtexte vor, darunter auch diejenigen aus der Feder Karl Rahners und Yves Congars. Rahners „De revelatione Dei et hominis in Jesu Christo facta" betitelter Entwurf wurde, obwohl kurzfristig verfaßt, von den Vorsitzenden der Bischofskonferenzen Österreichs, Belgiens, Frankreichs, Deutschlands und Hollands als Grundlage für die Konzilsdebatten empfohlen[1]. Congars im Oktober 1962 gemeinsam mit einer Gruppe von etwa 12 Bischöfen verfaßter Entwurf mit dem Titel „De traditione et scriptura" kam im November in Umlauf[2]. Teilweise wegen der günstigen Aufnahme, die diese beiden Alternativentwürfe fanden, wurde das offizielle Schema sehr kritisch diskutiert und mußte nach seiner am 20. November erfolgten Ablehnung im Plenum zurückgezogen werden.

Ein neues Schema, das von der Gemischten Kommission im Winter 1963/64 ausgearbeitet und im Frühjahr 1964 vorgelegt wurde, widmete dem Thema der Tradition nur geringe Aufmerksamkeit und hob vor allem die Untrennbarkeit von Schrift und Überlieferung hervor. Die Konzilsväter zeigten sich in ihren schriftlichen Stellungnahmen recht unzufrieden mit diesem Schema. „Der Mangel, den sie vor allem beklagten und als wirklichen

---

[1] Dieser Text ist nun in diesem Band S. 33–50 auch lateinisch und deutsch zugänglich. In französischer Übersetzung bereits früher veröffentlicht in: B.-D. Dupuy (Hrsg.), La révélation divine II: Unam Sanctam 70b (Paris 1968) 577–587.
[2] Französische und lateinische Fassung siehe B.-D. Dupuy (Hrsg.), a.a.O. 589–598.

Rückschritt in der Lehre bezeichneten, war das Fehlen einer eingehenden Behandlung der Tradition. Um diesem Mangel abzuhelfen, forderten sie, daß ein besonderes Kapitel oder etwas Gleichwertiges der Tradition gewidmet werden müsse, die in dem Schema ein Aschenbrödeldasein führe."[3] Das Schema wurde dann vom Konzil gar nicht diskutiert und praktisch abgelehnt. Am 7. März 1964 setzte die Theologische Kommission eine neue Unterkommission ein, die das Schema gemäß den Weisungen des Papstes und der Koordinierungskommission unter Berücksichtigung der schriftlichen Kritiken umarbeiten sollte. Unter den der neuen Unterkommission angehörenden Periti ragten vor allem Umberto Betti (Sekretär), Yves Congar und Karl Rahner hervor. Congar und Rahner wurden beauftragt, Entwürfe über die Tradition für diese Unterkommission auszuarbeiten. Sodann brachte Betti einen unter Benutzung dieser und anderer Entwürfe abgefaßten eigenen Text in Vorschlag, der von der Unterkommission als Grundlage für ihre Arbeiten angenommen wurde. Auf diese Weise fanden viele der Ideen Rahners und Congars in das neue Schema über die göttliche Offenbarung Eingang, das dem Konzil im September 1964 vorgelegt werden konnte. Nach weiteren Debatten in den Generalkongregationen Ende September und Anfang Oktober wurde dieses Schema abermals beträchtlich revidiert, um dann offiziell verabschiedet und in die Dogmatische Konstitution über die göttliche Offenbarung eingebracht zu werden.

Die Behandlung der Tradition in „Dei verbum" hat aus mehreren Gründen Aufmerksamkeit erregt. Viele haben auf die ökumenische Bedeutung der Aussagen über das Verhältnis von Schrift und Tradition hingewiesen[4]. Da ein anderer Beitrag zum vorliegenden Band dem Thema der Insuffizienz der Schrift gewidmet ist[5], möchte ich mich hier in der Hauptsache mit der Bedeutung des in „Dei verbum" vorgelegten Traditionsbegriffs befassen. In Abwendung von einer übermäßig starren, begrifflichen und autoritären Traditionsauffassung unterstrich das Konzil, daß die Tradition aus einer wirklichen, lebendigen Selbstbezeugung Gottes in Gnade und Offenbarung erwächst, daß sie im Leben der Gläubigen verwurzelt ist und sich im Wechsel der Zeiten anpaßt und entwickelt.

---

[3] *U. Betti,* La Rivelazione divina nella Chiesa (Rom 1970) 80.
[4] Ökumenischer Rat der Kirchen, Kommission für Glauben und Kirchenverfassung (Hrsg.): 4. Weltkonferenz für Glauben und Kirchenverfassung Montreal 1963, Heft 2: Tradition und Traditionen (Zürich 1963).
[5] *H. Schauf,* Auf dem Wege zu der Aussage der dogmatischen Konstitution über die göttliche Offenbarung „Dei Verbum" Art. 9 „quo fit ut Ecclesia certitudinem suam de omnibus revelatis non per solam Sacram Scripturam hauriat", in diesem Band S. 66 ff. Schauf gehörte der Unterkommission über die göttliche Offenbarung als Peritus an.

Bewunderern des II. Vatikanums ist der besondere Wert seiner Lehre über die Tradition nicht entgangen. Der amerikanische Kirchenhistoriker James Hennesey SJ hebt rühmend hervor, daß das II. Vatikanum die Tradition als „die stete Weitergabe, die ständige Fortsetzung und Vergegenwärtigung alles dessen, was die Kirche ist und glaubt, bezeichnet hat"[6]. In den Konzilstexten konstatiert er eine „unzweideutige Bestätigung der Rolle der Tradition im katholischen Verständnis des Christentums"[7].

Zwanzig Jahre nach dem Abschluß des II. Vatikanums schreibt der amerikanische Priester und Theologieprofessor Robert Imbelli in einer Würdigung seiner Ergebnisse mit unverhohlenem Enthusiasmus:

„Wenn man mich aufforderte, mit kurzen Worten die wichtigste theologische Leistung des II. Vatikanums zu umreißen, so würde ich ohne Zögern antworten: die Wiedergewinnung der *Tradition*. Diese weist zwei wechselseitig miteinander verflochtene Aspekte auf. Auf der einen Seite kam es dank den in den 1940er und 1950er Jahren geleisteten sorgfältigen Vorarbeiten zur Wiederentdeckung einer Fülle von liturgischen und kirchlichen Traditionen aus der dem ‚Traditionskatholizismus‘ der nachreformatorischen Kirche vorausgehenden Zeit. Auf der anderen Seite wurde man sich in noch grundlegenderer Weise der Tatsache bewußt, daß die Tradition in gleichem Maße Prozeß wie Inhalt ist (*traditio* sowohl wie *tradita*) und daß es sich dabei um einen lebendigen, schöpferischen, Gemeinschaftscharakter tragenden Prozeß handelt."[8]

Die Behandlung, die die Tradition auf dem Konzil erfuhr, hat jedoch nicht überall Zustimmung gefunden. Viele Kritiker halten dafür, das II. Vatikanum habe in dem eifrigen Bemühen um Offenheit, Modernisierung und Anpassung den katholischen Sinn für Tradition zersetzt. In dem auf das Konzil folgenden Jahrzehnt traten in vielen westeuropäischen und nordamerikanischen Ländern traditionalistische Bewegungen ins Dasein. Erzbischof Marcel Lefebvre, der Führer einer solchen Bewegung, veröffentlichte im Jahre 1974 ein Manifest, in dem er erklärte:

„Wir halten an all dem fest, was von der Kirche aller Zeiten und vor dem modernistischen Einfluß des Konzils geglaubt und im Glauben praktiziert wurde: in der Sittenlehre, im Kult, im Katechismusunterricht, in der Priesterausbildung, in den kirchlichen Institutionen und in allem, was in den Büchern kodifiziert niedergelegt wurde; indes warten wir darauf, daß das

---

[6] *J. Hennesey*, All That the Church Is and Believes, in: America Bd. 147 Nr. 10 (New York 1982) 193.
[7] Ebd.
[8] *R. P. Imbelli*, Vatican II – Twenty Years Later, in: Commonweal Bd. 109 Nr. 17 (New York 1982) 524.

wahre Licht der Tradition die Finsternis zerstreue, welche den Himmel des Ewigen Rom verdunkelt."[9]

Die Diktion dieser Passage mit ihrer wehmütigen Anrufung der Kirche „aller Zeiten" und des „Himmels des Ewigen Rom" ist typisch für den zeitgenössischen Traditionalismus. Typisch ist ferner die Gleichsetzung der Tradition mit den in der Vergangenheit im Kult, im Katechismusunterricht und in der Priesterausbildung praktizierten Formen. Der Traditionalismus neigt dazu, alle überkommenen Lehren und Gespräche einander gleichzusetzen und so zu tun, als ob die Gepflogenheiten des 19. und frühen 20. Jahrhunderts seit dem Beginn des Christentums existiert hätten. Jeder Versuch, die bestehenden Gebräuche und Lehren neu zu formulieren oder kritisch der gewandelten Umwelt anzupassen, wird als modernistisch verworfen.

Es zeigt sich also, daß die einander widerstreitenden Beurteilungen des II. Vatikanums von verschiedenen Traditionsbegriffen ausgehen. Für Imbelli ist die Tradition nicht so sehr Inhalt wie Prozeß – ein, wie er sagt, lebendiger, schöpferischer und Gemeinschaftscharakter tragender Prozeß. Was Lefebvre als „modernistischen Einfluß" verwirft, stellt für Imbelli daher eine Wiederentdeckung alten und kostbaren Erbgutes dar. Indem er den „Traditionskatholizismus" als ein Produkt der Moderne hinstellt, gibt Imbelli den Traditionalisten deren Vorwurf modernistischer Tendenzen zurück.

Wie Imbelli betont, war der traditionalistische Traditionsgedanke im nachreformatorischen Katholizismus vorherrschend. In scharfem Gegensatz zu den Vorboten des Neuerungs- und Fortschrittsgedankens tendierte die katholische Theologie damals dazu, den Inhalt der christlichen Offenbarung als für immer in zwei verschiedenen Quellen, der Bibel und der Tradition, aufbewahrt zu beschreiben. Die Tradition galt somit neben der Heiligen Schrift als zweite Offenbarungsquelle, die bestimmte, nicht in der Bibel aufgezeichnete Lehren und Anordnungen enthielt. Da die derart aufgefaßte Tradition göttlichen Ursprungs ist und den Aposteln mitgeteilt wurde, kam ihr die gleiche Autorität zu wie der Bibel selbst, womit sie jedweder innerkirchlichen Kritik entzogen war.

Dieser objektivistische, autoritäre Traditionsbegriff, der im zeitgenössischen Traditionalismus nach wie vor dominiert, stößt heutzutage weithin auf Kritik. Nachstehend seien fünf geläufige Einwände dagegen aufgeführt, an denen zweifellos etwas Wahres ist, wenngleich sie, wie noch zu zeigen sein wird, ihrerseits kritisch hinterfragt werden müssen.

1. Die Tradition ist ihrem Wesen nach vage, ungenau und erleidet im Lau-

---

[9] Text in: *Y. Congar,* Der Fall Lefebvre. Schisma in der Kirche? Mit einer Einführung von K. Lehmann (Freiburg i. Br. 1977) 100f.

fe der Zeit oft Entstellungen. Eine mündliche Überlieferung, die über Generationen oder Jahrhunderte hin weitergegeben wurde, ist notorisch unzuverlässig. Volkserzählungen über Jesus und seine Familie mit historisch beglaubigtem Wissen gleichsetzen hieße sich dem Aberglauben und dem Irrtum ausliefern. Die heutigen Bibelwissenschaftler räumen im allgemeinen ein, daß die vier kanonischen Evangelien nicht völlig frei von Mythen und Legenden sind, doch betonen viele von ihnen, daß sie eine im wesentlichen verläßliche Darstellung Jesu geben, während die späteren apokryphen Bücher des Neuen Testaments, die in stärkerem Maße aus mündlicher Überlieferung schöpfen, die wahre Eigenart der Person und Botschaft Jesu verunklaren. Die Tradition gilt mithin als unzuverlässig[10].

2. Die Unzulänglichkeit der Tradition als Kriterium tritt noch deutlicher zutage, wenn man die Vielzahl einander widerstreitender Traditionen in Betracht zieht, die sämtlich auf Gültigkeit Anspruch erheben. Wir sehen uns alle mit den Forderungen rivalisierender Traditionen konfrontiert, sowohl religiöser wie religionsfeindlicher. Wer seine Überzeugungen auf die Tradition gründet, stützt sich auf einen Beweisgrund, der sich gegen ihn kehren läßt, berufen sich doch die Religionen und Ideologien, die man verwirft, selbst auf Tradition. Die Tradition liefert uns keine zureichende Norm für die Wahl unter verschiedenen Traditionen. Verzichten wir darauf, unsere eigenen Traditionen kritisch zu überprüfen, so schließen wir uns in ein geistiges Getto ein und schneiden uns ab von der Kommunikation mit der übrigen Welt.

3. Wie die Geschichte zeigt, folgt auf jeden größeren Fortschritt im Denken oder in der kulturellen Entwicklung der Menschheit eine Periode der schwächlichen Nachahmung und Auslegung. Jesus selbst warf den Pharisäern vor, sie schafften durch ihre Menschenüberlieferung das Wort Gottes ab, wie es durch die Segens- und Bundesverheißungen an Abraham und durch den Bund am Sinai empfangen worden sei. Von jeher haben sich kirchliche Erneuerer gedrängt gefühlt, den Wildwuchs zu beseitigen, der die Botschaft des Evangeliums überlagert. Um die Frische der ursprünglichen, von Gott inspirierten Einsichten wiederzugewinnen, erweist es sich oft als notwendig, die zweitrangigen Geister zu übergehen, die sie zu erklären und auszulegen versucht haben. Martin Heidegger hat diese Gefahr klar zum Ausdruck gebracht: „Die Tradition überantwortet das Überkommene der Selbstverständlichkeit und verlegt den Zugang zu den ursprünglichen ‚Quellen‘, dar-

---

[10] Über diese allgemeine Wirkung der Tradition siehe O. *Cullman*, The Early Church (Philadelphia 1956) 55–99.

aus die überlieferten Kategorien und Begriffe zum Teil in echter Weise geschöpft wurden."[11]

4. Ein weiterer Einwand wird von Immanuel Kant und den Wortführern der Aufklärung erhoben[12]. Das Denken, fordern sie, soll persönlich und frei sein. Indem die Tradition uns auffordert, das Urteil anderer an die Stelle unseres eigenen zu setzen, hält sie uns im Stadium der Unreife fest. Der Autoritätsanspruch der überlieferten Denkweise führt zu unechtem Wissen, bei dem wir Dinge lediglich aufgrund der Aussagen von anderen für wahr oder falsch halten. Diese Denkungsart entfremdet den Menschen von sich selbst, sie erstickt seinen Geist und entwürdigt ihn.

5. Schließlich und endlich wird eingewandt, daß uns die Tradition an die Vergangenheit kette und davon abhalte, den Herausforderungen der Gegenwart gerecht zu werden. Auch die größten Denker seien Kinder ihrer Zeit und außerstande gewesen, sich deren geschichtlichen und kulturellen Triebkräften zu entziehen. Ihr Gedankengut könne folglich unmöglich zur Norm für unser Denken gemacht werden. Angesichts der kulturellen Kluft, die uns von unseren Vorfahren trenne, seien wir gezwungen, entweder selbständig zu denken oder in Unwissenheit zu verharren. In ihrem Buch „Between Past and Future" (1961) behauptete Hannah Arendt, alle religiösen, philosophischen und politischen Traditionen hätten sich in unserer Zeit verflüchtigt. Sie hielt dafür, daß dieses Verschwinden „weder von irgend jemand absichtlich gewollt noch weiterhin von irgendwelchen Entscheidungen abhängig" sei[13].

Diese gegen den Traditionsbegriff als solchen gerichteten kritischen Einwände stellen insbesondere die oben von mir dargelegte traditionalistische Traditionsvorstellung in Frage. Um sie zu entkräften, haben eine Anzahl Denker des 20. Jahrhunderts – so zuerst die Modernisten zu Beginn des Säkulums – den Traditionsbegriff neu zu formulieren versucht, damit diese Einwände ihn nicht mehr zu treffen vermögen. Im Hinblick auf diese Bestrebungen könnte man von einem modernistischen Traditionsbegriff sprechen, doch wäre dieser eine bloße gedanklich-abstrakte Konstruktion, die sich nur schwer an den Schriften irgendeines einzelnen Autors verifizieren ließe. Obwohl man ihr nur selten in reiner Form begegnet, handelt es sich bei dieser modernistischen Vorstellung doch um eine Einstellung oder Anschauung,

---

[11] *M. Heidegger,* Sein und Zeit (Tübingen ⁹1960) 21.
[12] Siehe *I. Kant,* „Was ist Aufklärung?", zuerst veröffentlicht 1784, wieder abgedruckt in: Ausgewählte kleine Schriften (Hamburg 1965) 1–9.
[13] *H. Arendt,* Between Past and Future (New York 1961) 26.

die sich hin und wieder bemerkbar gemacht hat und dem Zeitgeist noch immer sehr entgegenkommt.

Nach Auffassung der Modernisten darf man die Tradition nicht im Hinblick auf ihren Inhalt definieren, denn dieser ist veränderlich. Die Tradition ist eine Tätigkeit, ein Prozeß, durch den neue Generationen mit den vorausgegangenen Entwicklungsphasen vertraut gemacht und instand gesetzt werden, den gleichen Prozeß fortzuführen. Die Traditionsempfänger sind nicht verpflichtet, genau das zu glauben oder zu sagen, was ihre Vorfahren geglaubt und gesagt haben, sondern sie sollen sich vielmehr die Methode zu eigen machen, die zur Wissensvermehrung dient, und die Fragen in dem Stadium aufnehmen, das sie vorfinden. Weit davon entfernt, das persönliche Denken zu ersticken, fördert die Tradition, so wie die Modernisten sie verstehen, Originalität und Kreativität.

Einige Theologen rechtfertigen diese ihre progressistische Traditionsvorstellung mit einem Hinweis auf die Geschichte der Naturwissenschaften. Ein angehender Naturwissenschaftler muß sozusagen zuerst bei der Gemeinschaft der Naturwissenschaftler in die Lehre gehen und sich dort einer Ausbildung unterziehen. Nur wer sich die naturwissenschaftlichen Methoden aneignet, kann hoffen, daß er einmal von seinen Kollegen anerkannte Neuentdeckungen machen wird. Selbst bei einem wissenschaftlichen Meinungsstreit sind, wie Michael Polanyi hervorhebt, vernünftige Erörterungen nur deswegen möglich, weil sämtliche Teilnehmer sich derselben Tradition verpflichtet wissen. Er fährt fort:

„Wir begegnen hier jenem übergreifenden Bezugssystem, das der Erhaltung und Weitergabe der Prämissen der wissenschaftlichen Methode dient und u.a. das Lehrer-Schüler-Verhältnis umfaßt. Es besteht darin, daß die gesamte wissenschaftliche Welt in einer gemeinsamen Tradition verwurzelt ist. Es ist dies das Fundament, auf dem ihre Prämissen ruhen. Diese sind einer Tradition eingegliedert, der Tradition der Wissenschaft."[14]

Alfred North Whitehead fiel die unterschiedliche Einstellung der meisten Menschen zu Wissensfortschritten auf dem Gebiet der Naturwissenschaften und der Religionen auf[15]. Wenn eine religiöse Glaubensvorstellung als falsch erwiesen wird, bemerkte er, so gilt dies allgemein als ein Rückschlag für die Religion, doch wenn sich ein naturwissenschaftliches Theorem als irrig erweist, so sieht jederman darin einen Triumph der Naturwissenschaften. Whitehead hielt dafür, daß, wenn sich die Religion den wissenschaftlichen Begriff der im Fluß befindlichen Traditionen zu eigen mache, die Religion

[14] *M. Polanyi*, Science, Faith and Society (Chicago 1964) 52.
[15] *A. N. Whitehead*, Science and the modern world (New York 1925) 270.

genauso fortschrittlich wie die Naturwissenschaften sein könne und sich nicht ständig gegen neue Ideen würde zur Wehr setzen müssen, wie dies gewöhnlich der Fall zu sein scheine.

Alfred Loisy und die Modernisten seiner Zeit faßten den Katholizismus als eine solche im Fluß befindliche Tradition auf. Sie glaubten, daß die katholische Kirche zwar ihren Ursprung in Jesus und den Aposteln habe, die heutige Kirche aber nicht auf das von Jesus und den Aposteln vertretene Gedankengut festgelegt sei. Nach ihrer Auffassung ist das Christentum eine Bewegung, die von Jesus ins Dasein gerufen worden, aber in keiner Weise verpflichtet ist, seine Gedanken und Worte zu wiederholen. Sie hielten dafür, daß das kirchliche Lehramt die Aufgabe habe, das christliche Bewußtsein auf der Höhe der Zeit zu halten; um mit der Dialektik der menschlichen und geistigen Entwicklung Schritt zu halten, könne das Lehramt der Kirche seine Lehre ändern und nötigenfalls völlig umstellen.

So interessant die modernistische Betrachtungsweise auch als Antwort auf vielerlei Einwände gegen die Lehre der Kirche erscheinen mag, vermag ihr Traditionsbegriff doch vom Standpunkt des christlichen und katholischen Glaubens aus nicht zu befriedigen. Die Wissenschaft ist nicht durch irgendwelche Glaubensinhalte, sondern durch ihre Methode bestimmt. Die Wissenschaftstradition ist daher in erster Linie eher eine methodologische denn eine substantielle. Wäre die Religion eine rein menschliche Angelegenheit, so könnte sie sich mit derartigen methodologischen Traditionen zufriedengeben. Doch eine Religion wie das Christentum bekennt, eine göttliche Offenbarung mit einem bestimmten Inhalt zu sein – nämlich Gottes gnädige Selbstoffenbarung in Christus, durch die er sein Sein und seinen Heilswillen bekundet hat.

Ein Christ zu sein bedeutet daher mehr, als in Jesus und den Aposteln lediglich den Beginn einer Bewegung zu sehen, die über sie hinausweist. Für den Katholiken ist die Tradition mehr als ein Anpassungs- und Entdeckungsprozeß. Sie weist einen Inhalt auf, dem ihre Anhänger Zustimmung und Ehrfurcht schulden. Ist die Wissenschaft wesentlich durch ihre Methode bestimmt, so gilt von der Religion das genaue Gegenteil. Der Inhalt ist das entscheidende Element, durch das sich die einzelnen Religionen voneinander unterscheiden. Anders ausgedrückt: Die religiöse Tradition ist in erster Linie eine substantielle. Sie ist unauflöslich auf das Gedankengut und die Werte bezogen, die sie vermittelt.

Befinden wir uns also in einem Dilemma zwischen dem Objektivismus der Traditionalisten und dem Subjektivismus der Modernisten, zwischen der statischen Betrachtungsweise der ersteren und der Beweglichkeit der letzteren? Mit diesem Problem beschäftigte sich der französische Religionsphilosoph Maurice Blondel, ein Zeitgenosse Loisys. In seinem Werk „Histoire et Dogme" (1904; dt. „Geschichte und Dogma", 1963) versucht Blondel, einen Mittelweg aufzuzeigen zwischen dem Dogmatismus der Schulscholastiker, den er als Prokrustesbett bezeichnet, und dem Historismus der Modernisten, den er einen Proteus nennt. Die Schuldogmatik macht nach seiner Auffassung die Geschichte in kritikloser Weise dem Dogma dienstbar mit dem Ergebnis, daß der Historie nur das zu bestätigen erlaubt ist, was das dogmatische Lehrgebäude zu untermauern vermag. Der Historismus dagegen behandelt das Dogma als Funktion der Geschichte und fällt damit einem historischen Relativismus zum Opfer.

Blondel versucht, den Widerspruch zwischen Historismus und Dogmatismus mit seinem Traditionsbegriff aufzulösen[16]. Die Modernisten übersehen nach seiner Auffassung die Kontinuität in der Lehre der Kirche, die Schuldogmatiker dagegen ihre Anpassungsfähigkeit. Der beiden Denkrichtungen gemeinsame Irrtum besteht darin, daß sie die Erkenntnis zu sehr mit dem begrifflich-rationalen Denken und rein formal aufgefaßten Aussagen gleichsetzen. Da der Inhalt des christlichen Glaubens ein Mysterium ist, kann er nie ganz auf explizite Aussagen reduziert werden: er bleibt immer bis zu einem gewissen Grad unbestimmbar. Das Christentum läßt sich daher nicht völlig und nicht in erster Linie als explizite Lehre und als System darstellen und lehren. Die Tradition ist nach Blondel in der Lage, die gelebte Wirklichkeit der Vergangenheit zu vermitteln.

Die Tradition ist demnach der Träger des unausgesprochen Gewußten und mithin dessen, was nicht in klarer, unzweideutiger Sprache ausdrückbar ist. Hätte die Tradition lediglich die Aufgabe, das zu überliefern, was schriftlich ausgesagt ist, so stellte sie nur eine sehr untergeordnete Wissensquelle über Jesus und die biblische Offenbarung dar. Wichtiger als die Frage, wie Gottes Worte in der Erinnerung bewahrt worden sind, ist die, auf welche Art und Weise Jesus uns in den Stand gesetzt hat, all das legitim zu ergänzen, was er nicht gesagt hat. Die Tradition ist für Blondel die fortdauernde Fähigkeit der Kirche zu deuten, zu unterscheiden, zu durchdringen. Weit entfernt davon, eine beengende oder rückschrittliche Kraft darzustellen, ist sie nach Blondels Auffassung in hervorragendem Maße eine Kraft zur Entwicklung und Ausbreitung des Glaubens.

Kernstück des Blondelschen Systems ist der Gedanke des unausgesprochenen Wissens. Mag dieser Ausdruck auch seltsam erscheinen, so ist das damit Gemeinte uns allen doch durchaus vertraut. Ein klassisches Beispiel ist das „Know-how", das Wissen, wie man eine Sache praktisch verwirklicht – wie

---

[16] *M. Blondel,* Geschichte und Dogma (Mainz 1963) bes. 65–100.

man zum Beispiel schwimmt, radfährt, mit der Maschine schreibt usw. In keinem von diesen Fällen vermag ich eine eindeutige Beschreibung zu liefern, die mich instand setzen würde, die betreffende Fähigkeit anderen mit Worten zu vermitteln. Wenn ich nicht hinblicke, kann ich niemandem sagen, wo sich auf einer Schreibmaschinentastatur der Buchstabe „k" befindet, doch wenn ich schreibe, vermag ich, ohne hinzusehen, die richtige Taste zu drücken. Anders ausgedrückt: Ich weiß mehr, als ich mit Worten sagen kann, sogar mir selber. Um mein Wissen zu aktualisieren, muß ich handeln, und im Vollzug kann ich mein Wissen, wie es im Handeln gegeben ist, erfassen.

Schon in der Antike erkannte Aristoteles die, wie man sie nennen könnte, unausgesprochene Dimension im Bereich des moralischen Wissens. Um konkret festzustellen, was gerecht oder klug, tapfer oder keusch ist, ist es nach ihm gänzlich nutzlos, sich der deduktiven Methode zu bedienen. Ich muß jemanden befragen, der die in Rede stehende Tugend besitzt. Dieser ist zur Erkenntnis befähigt, indem er seine Strebungen analysiert. Es gibt somit zwei verschiedene Arten von Wissen: objektives Wissen, das sich auf formale Folgerungen aus der Anschauung von Gegenständen gründet, und Wissen aufgrund von Gespür und innerer Verwandtschaft, das aus dem Befragen der eigenen Neigungen oder Handlungen resultiert. Ich weiß, wie man mit der Maschine schreibt, weil ich mir die entsprechende Übung und Gewandtheit erworben habe; dieses Wissen existiert nicht bloß in meinem Kopf, sondern auch in meinem ganzen Sein einschließlich meines Körpers. Ich kann wissen, wie man Mut und Tollkühnheit voneinander unterscheidet, wenn ich ein eher mutiger denn ein tollkühner Mensch bin oder wenn ich jemanden befrage, der mir als mutig bekannt ist. Ein solcher Mensch verdankt sein Wissen nicht einer Theorie, sondern bezieht es aus seinen Strebungen und Handlungen.

Ganz ähnlich verhält es sich vielen Theologen zufolge mit dem Wissen des Gläubigen um die Glaubensdinge. Die Kirche und ihre Glieder wissen um die Göttlichkeit Jesu Christi aufgrund einer Art persönlicher Vertrautheit, durch ihr Leben im Glauben. Glaubenswissen ist zunächst wortlos. Es ist eine Art Instinkt oder zweite Natur, die uns zur Gottesverehrung und zu einem gläubigen Verhalten drängt. Allein im praktischen Gehorsam der Liebe, lehrt Blondel, wird das Wort Gottes bewahrt und in seiner Ganzheit weitergegeben: „Das gläubige Handeln ist die Bundeslade, in der die Verheißungen Gottes ruhen; es ist das Tabernakel, in dem er seine Gegenwart und seine Weisungen stets anwesend sein läßt."[17]

---

[17] Ebd. 79.

Das Glaubenswissen ist, obschon in der Hauptsache unausgesprochen, bis zu einem gewissen Grade ausdrückbar, genauso wie künstlerische Fertigkeiten oder die Prinzipien der Tugend es sind. Die Kirche kann Neubekehrte in gewissem Ausmaß erziehen, indem sie ihnen die Glaubensdokumente, wie die Heilige Schrift, die Glaubensbekenntnisse und die Erklärungen der Päpste und der Konzilien, zugänglich macht. Diese Aussagen lassen der richtigen oder falschen Auslegung jedoch weiten Spielraum, so daß es zur Vermittlung der Fähigkeit, Gott in den Texten zu finden, weiterer Unterweisung bedarf. Diese Fähigkeit ähnelt der Aneignung einer Fremdsprache oder dem Singen eines neuen Liedes. Der Lehrer kann nicht mit genauen Worten angeben, wie man Gott in der Bibel findet, aber die Fähigkeit kann durch das Erlebnis der Zugehörigkeit zu einer Glaubensgemeinschaft vermittelt werden. Das Wissen des Neulings, der eine Kunst erlernt hat, gründet eher in einer Art existentieller, geistiger Verwandtschaft denn in ausdrücklichen oder festumschriebenen Kenntnissen. Der christliche Glaube wird gewöhnlich durch das Leben im Schoß der Kirche und durch die Teilnahme an ihrem Gemeinschaftsleben erworben.

Im Lichte dieses Exkurses wollen wir uns nunmehr wiederum dem Thema der Tradition zuwenden. Die christliche Tradition besteht in der Weitergabe des von der Gemeinschaft der Christen unausgesprochen Gewußten von Generation zu Generation. Diese Weitergabe erfolgt innerhalb der Gemeinschaft der Gläubigen und unter der Leitung ihrer Hirten. Neubekehrte werden schrittweise unter der Aufsicht derjenigen, die die Tradition vollkommen beherrschen, in dieselbe eingeführt. Gebet, Kult und Empfang der Sakramente sind grundlegende Elemente der fortdauernden Erziehung, durch die der Christ in dem in Worte gefaßten Bewußtsein fortschreitet, das wir Glauben nennen. Um der Tradition teilhaftig zu werden, muß der Neubekehrte sich wie ein kleines Kind willig der Autorität reifer Gläubiger unterwerfen. Der Tradition selbst wird man nicht durch objektives Erkennen – d.h. durch Anschauung – teilhaftig, sondern durch teilnehmendes Erkennen – d.h., indem man darin lebt. Die Tradition übt den stärksten Einfluß auf uns aus, wenn wir uns ihrer gar nicht besonders bewußt sind. Indem sie unser Empfindungsvermögen formt, befähigt uns die Tradition, in den christlichen Symbolen das zu erkennen, was die Kirche selber darin erkennt.

Aus alledem wird klar, daß die wesentliche und vorrangige Aufgabe der christlichen Tradition nicht in der Weitergabe ausdrücklicher Glaubensinhalte besteht, die schriftliche Zeugnisse sehr viel besser zu leisten vermögen, noch auch in der Bereitstellung einer Erkenntnismethode, sondern darin, ein unausgesprochenes, gelebtes Bewußtsein des Gottes zu vermitteln, auf den die Heilige Schrift und die christlichen Symbole weisen. Die christliche Tradition ist durch eine tiefe Ehrfurcht vor ihrem eigenen Inhalt gekennzeichnet, den sie vor jedweder Verwässerung oder Entstellung zu bewahren trachtet. Die Tradition ist keine bloße Untersuchungs- und Forschungsmethode.

Die Religionen fordern, insoweit sie sich anheischig machen, Zugang zum Göttlichen zu vermitteln, ungewöhnlich starke Bindungen und verfügen infolgedessen über eine unvergleichliche Widerstandskraft. Es ist kein Zufall, daß die großen Weltreligionen – Hinduismus, Buddhismus, Judentum, Christentum und Islam – sämtlich älter sind als alle existierenden politischen Institutionen, Bildungsanstalten oder sonstigen weltlichen Einrichtungen. Trotz des starken Drucks, dem die Tradition in der mobilen, pluralistischen Kultur unserer Zeit ausgesetzt ist, deutet nichts auf ein Absterben der überlieferten religiösen Traditionen hin. In vielen Teilen der Welt ist die überlieferte Religion heute stärker als Jahrhunderte zuvor.

In der Theorie könnte eine Religion, wie Whitehead es sich wünschte, individualistisch und fortschrittlich sein. Doch in Wirklichkeit sind die meisten Religionen überwiegend durch Gemeinschaftlichkeit und Beständigkeit gekennzeichnet. Überzeugt, entweder im Besitz einer göttlichen Offenbarung oder wenigstens einiger ihnen vorbehaltener Einsichten in das Göttliche zu sein, setzen die Religionen alles daran, ihre Inhalte für immer unversehrt und lebendig zu bewahren. Tradition, hierarchische Ordnung und heilige Schriften sind einige der Mittel, deren sie sich dabei bedienen.

Die Tradition ist eine bewahrende Kraft, denn indem sie das Auffassungsvermögen ihrer Träger formt, befähigt sie diese, zu sehen, was die Gemeinschaft der Gläubigen bereits sieht. Die Tradition bestätigt sich selbst, denn das Vertrauen, das man ihr entgegenbringt, wird durch neue Fähigkeiten zum Sehen belohnt.

Die meisten Religionsgemeinschaften sind von einer Hierarchie gelenkte soziale Organismen. Die Tradition wird durch anerkannte Führer, denen die Bewahrung des gesamten ererbten Glaubens anvertraut ist, von oben überwacht. Eine vorhandene Volksfrömmigkeit mag amtliche Förderung genießen, doch jede Neuerung auf dem Gebiet der Lehre und der Liturgie bedarf zu ihrer formellen Anerkennung der zumindest stillschweigenden Billigung durch die hierarchische Leitung. In der römisch-katholischen Kirche ist das hierarchische Element besonders ausgeprägt, doch lassen sich in anderen christlichen Konfessionen, ja faktisch in allen Religionen annähernde Entsprechungen aufweisen.

Die meisten der sogenannten Hochreligionen (d.h. Religionen von Völkern mit einer schriftlichen Kultur) gewinnen durch die Annahme bestimmter Bücher als heiliger Schriften Dauerhaftigkeit. In diesen in der Frühphase der Glaubensgemeinschaft verfaßten kanonischen Schriften schlägt sich die Überlieferung jener Zeit nieder; man kann sie daher nicht in scharfen Gegensatz zur Tradition stellen. Sie dienen als Normen für die spätere Tradition, die sich in teilweiser Abhängigkeit von ihnen entwickelt. Die Kirche benennt durch ihre lebendige Tradition die Bücher, die ihre heiligen Schriften darstellen sollen, und bestimmt weitgehend, wie dieselben auszulegen sind.

Es hieße jedoch diesen bewahrenden Aspekt der Tradition mißverstehen, zöge man nicht auch einen anderen Aspekt in Betracht, den man ihren innovatorischen oder zumindest erneuernden nennen könnte. Die Tradition, behaupte ich, bestätigt sich nicht nur selbst, sondern sie erneuert sich auch selbst.

In der von mir vorgetragenen (und dem Traditionalismus gegenübergestellten) Theorie ist die Tradition nicht Selbstzweck; sie wird nicht um ihrer selbst willen für immer unversehrt und lebendig erhalten. Sie ist ein Weg zu einem Ziel. Gläubige Menschen „leben in" der Tradition, um persönliche Einsichten in die Wirklichkeit zu gewinnen, auf die sie die Tradition hinweist. In einer naturwissenschaftlichen Tradition ist der Forschungsgegenstand das physikalische Universum; in der Religion ist das Ziel der Erkenntnis Gott.

Dieser Sachverhalt liefert uns einen Prüfstein für die Bewertung und Bereicherung von Traditionen. Durch seine Verwendung als Kriterium können wir eine verantwortliche Entscheidung zwischen verschiedenen Traditionen treffen. Eine Tradition wird zunächst danach beurteilt, inwieweit sie dem menschlichen Geist eine ihn zufriedenstellende Heimstatt zu bieten vermag. Eine Tradition, die sich als unbewohnbar erweist, ist außerstande, eine Gemeinschaft um sich zu scharen und zu erhalten; sie zerfällt einfach. Sodann beurteilen wir eine religiöse Tradition danach, ob ihre Glieder imstande sind, Gott darin zu begegnen. Wenn dies gelingt, führt dies zu persönlicher Erfahrung des Göttlichen. Wie Friedrich von Hügel feststellte, wohnt allen Religionen ein mystisches Element inne. Begegnungen mit dem Göttlichen im Kult und in der Kontemplation bezeugen den Wert der Tradition, die solche Begegnungen ermöglicht, und weisen doch gleichzeitig ihre Grenzen auf, denn das Göttliche ist ungleich größer als alle geschaffenen Zugänge zu ihm. In der Erkenntnis, daß alle menschliche Sprache und Symbolik unvermeidlicherweise unzureichend ist, ist der Mystiker dankbar für die Hilfe, die ihm die religiöse Tradition gewährt, und verlangt von ihr nichts Unmögliches. Die Gültigkeit der Tradition erweist sich in dem Maße, wie sie die in ihr Lebenden befähigt, über sie hinauszugehen und sozusagen aus ihr auszubrechen[18].

Die jüdische und die christliche Religion pflegen bewußt das prophetische und mystische Erleben als Mittel zur Bereicherung und Erneuerung ihrer Tradition. Jesaja und Jeremia, Paulus und Johannes, von Jesus selbst ganz zu schweigen, wußten sich der von ihnen ererbten Tradition zutiefst verpflichtet. Dank ihr wurden sie einer persönlichen Begegnung mit Gott teilhaftig und dadurch instand gesetzt, ihre eigene Tradition zu kräftigen und neu zu gestalten. Die ganzen Jahrhunderte hindurch ist die christliche Tradition überdies durch alle die Heiligen bereichert worden, die den in den Symbolen der Tradition vergegenwärtigten Gott erfahren haben und seinem Anruf folgten. Wir, ihre Nachfolger, finden Gott nicht nur in den grundlegenden Symbolen, die unseren Vorfahren zur Verfügung standen, sondern auch in den Antworten der Heiligen, die durch ihr lebendiges Beispiel den ganzen Reichtum des Evangeliums entfalten. „Die Heiligen sind", wie Hans Urs von Balthasar sagt, „die lebendige Tradition"[19].

Das Verhältnis von Tradition und Neuerung in der Religion ist somit ein dialektisches, das durch eine wechselseitige Priorität und Abhängigkeit gekennzeichnet ist. Stellt die Tradition, wie oben ausgeführt, ein Leben im bereits Vorgegebenen dar, so läßt sich die Innovation als ein Prozeß des Ausbruchs aus demselben auffassen. Paradoxerweise erwerben wir gerade durch das Leben in der Tradition die Kraft und die Einsicht, die uns befähigt, aus ihr auszubrechen und sozusagen „mit eigenen Augen zu sehen". Doch was wir mit Hilfe der Tradition sehen, bieten wir dann als Bereicherung der Tradition dar. Im Sinne dieser Dialektik ist die Tradition eine unaufhörliche Wiederholung des bereits Vorgegebenen. Sie fordert und umschließt in gewissem Sinne ihr eigenes Gegenteil, die Innovation, ein.

Es könnte scheinen, daß jede Neuerung die Tradition in ihrer Substanz bedroht. Diese Gefahr besteht in der Tat, und die Glaubensgemeinschaft muß daher ständig gegen Änderungen auf der Hut sein, die eine schädigende, zerstörende Wirkung ausüben. Eine der verantwortungsvollsten Aufgaben der hierarchischen Führung ist es, neue Vorschläge nach ihren voraussichtlichen Auswirkungen auf den Glauben der Gemeinschaft zu beurteilen. Hin und wieder mag es vorkommen, daß eine hervorragende Neuerung zu Recht oder zu Unrecht als der wahren Überlieferung widerstreitend verworfen wird. In solchen Fällen kommt es dann meistens zu tragischen Schismen

---

[18] Über die Dialektik des In-Lebens und Ausbrechens siehe *M. Polanyi*, Personal Knowledge (New York 1964) 195–202.
[19] *H. U. v. Balthasar*, Theologie der Geschichte (Einsiedeln ²1959) 62.

zwischen einander bekämpfenden Parteien. Solche Schismen müssen bisweilen in Kauf genommen werden, um das noch größere Unglück einer möglichen Verfälschung der Tradition abzuwenden.

Der christliche Glaube setzt Neuerungen eine bestimmte Grenze. Der wahre Inhalt der christlichen Überlieferung ist niemand anders als Christus, der derselbe gestern und heute und in Ewigkeit ist (Hebr 13,8). Wenn sich die Tradition dergestalt auswirkt, daß eine persönliche Begegnung zustande kommt, so wird die Rückwirkung der Begegnung auf die Überlieferung im allgemeinen keinen zerstörerischen, sondern im Gegenteil einen klärenden und bereichernden Charakter tragen. Da das Christentum in Christus die absolute Wahrheit besitzt, bedarf es keiner grundstürzenden Umformung, doch ist es immer offen für ein Fortschreiten vom eingeschlossenen zum ausdrücklichen Glauben, vom gelebten Engagement zur reflektierten Vergegenwärtigung. In Anerkenntnis dieser Dynamik konnte Blondel schreiben: „Nichts kann die Tradition verändern, was sich nicht mit Sicherheit als mit ihr vereinbar und für ihren Fortgang günstig nachweisen läßt."[20] Wenig später fügte er hinzu: „Da die Tradition daran festhält, das Talent, das einzugraben sie sich wohl hütet, Frucht bringen zu lassen, ist sie nicht so sehr bewahrend als vielmehr stets neu erfassend: Sie wird das Alpha erst beim Omega erreichen."[21]

Dieses Blondelsche Traditionsverständnis, das ich hier mit meinen eigenen Worten wiederzugeben versucht habe, fördert jene menschlichen und religiösen Werte, die der Traditionalismus oftmals hemmt: persönliches Urteil, unmittelbare Erfahrung, Anpassung, verantwortliche Entscheidung und Innovation. Diejenigen Innovationen jedoch, die aus der Erfahrung eben der von der Tradition überlieferten Wirklichkeit erwachsen, zersetzen die Tradition nicht, sondern untermauern sie vielmehr und geben ihr frische Lebenskraft.

Blondels dynamische, personalistische Traditionslehre wurde seinerzeit sowohl von den Modernisten wie von der Schuldogmatik kühl aufgenommen. In den 1940er und 1950er Jahren wurde sie jedoch vom französischen Katholizismus rezipiert. Zum Teil dank den Arbeiten von Periti wie Yves Congar fand Blondels Betrachtungsweise Eingang in die Lehre des II. Vatikanums[22]. In Blondels Werk „Geschichte und Dogma" besitzen wir, obwohl es

---

[20] *M. Blondel,* Geschichte und Dogma 80; vgl. 273f.
[21] Ebd. 82.
[22] Dieser Einfluß läßt sich m. E. nachweisen anhand eines Vergleichs der Ausführungen über Blondel in Congars „La tradition et les traditions" II (Paris 1963) mit Congars eigenen Formulierungen in seinem Schema aus dem Jahre 1962 (s.o. Anm. 2) und dem endgültigen Text von „Dei Verbum" Kap. 2.

60 Jahre zuvor verfaßt wurde, vielleicht den hilfreichsten Kommentar zum 2. Kapitel der Dogmatischen Konstitution über die göttliche Offenbarung des II. Vatikanums.

Vor allem drei Bestandteile des Konzilskapitels über die Tradition stehen mit Blondels Theorie im Einklang. Erstens wird die Überlieferung nicht als Selbstzweck aufgefaßt, sondern als Mittel, das die Kirche und ihre Glieder zu einer persönlichen Begegnung mit Gott befähigt. Durch die Überlieferung, erklärt das Konzil, werden die heiligen Schriften in der Kirche „tiefer verstanden und unaufhörlich wirksam gemacht", und „so ist Gott, der einst gesprochen hat, ohne Unterlaß im Gespräch mit der Braut seines geliebten Sohnes, und der Heilige Geist . . . läßt das Wort Christi in Überfülle unter den Gläubigen wohnen" (DV 8).

Zweitens wird die Tradition nicht in erster Linie als eine Sache von Worten oder von wahren Urteilssätzen verstanden; sie wird vielmehr als etwas aufgefaßt, das durch Handeln, Beispiel und Kult weitergegeben wird. Nach dem Konzilstext wurden die Apostel in die Tradition eingeführt, indem sie sie „aus Christi Mund empfingen, im Umgang mit ihm und durch seine Werke oder was sie unter der Eingebung des Heiligen Geistes gelernt hatten" (DV 7). Die apostolische Überlieferung *(quod ab Apostolis traditum est)* ist keine bloße Sammlung von Lehren; sie „umfaßt alles, was dem Volk Gottes hilft, ein heiliges Leben zu führen und den Glauben zu mehren. So führt die Kirche in Lehre, Leben und Kult durch die Zeiten weiter und übermittelt allen Geschlechtern alles, was sie selber ist, was sie glaubt" (DV 8).

Schließlich wird die Tradition eher als fortschreitend und dynamisch denn als nur bewahrend und statisch aufgefaßt. „Diese apostolische Tradition", so führt die Konstitution aus, „kennt in der Kirche unter dem Beistand des Heiligen Geistes einen Fortschritt *(proficit)*" (DV 8). Der Fortschritt, heißt es dort weiter, erfolgt durch das Gebet, das Nachsinnen und die geistige Erfahrung der Gläubigen unter der Leitung ihrer Hirten. Auf diese Weise strebt die Kirche – der Konstitution zufolge – „ständig der Fülle der göttlichen Wahrheit entgegen, bis an ihr sich Gottes Worte erfüllen" (DV 8).

Der vom II. Vatikanum herausgestellte lebendige, wirklichkeitsgefüllte und vorwärtsschauende Traditionsbegriff mag Erzbischof Lefebvre und seinen traditionalistischen Anhängern als Kapitulation vor dem Modernismus erscheinen. Er ist jedoch in Wirklichkeit dem Modernismus genauso diametral entgegengesetzt wie die Lehre Blondels, der an Loisy und den Modernisten seiner Zeit scharfe Kritik übte. Wie Yves Congar in seiner Antwort auf Lefebvre ausführt, kann die Weitergabe der Tradition nicht darin bestehen, ohne Rücksicht auf die Notwendigkeiten und Gelegenheiten der Gegenwart sklavisch die Formeln der Vergangenheit zu wiederholen. Dank der immerwährenden Gegenwart des Heiligen Geistes im Gottesvolk ist die Tradition eine lebendige Wirklichkeit. Kein Katholik hat das Recht, zu bezweifeln, daß die für die Entscheidungen des II. Vatikanums gemeinsam verantwortlichen 2500 Bischöfe unter der Eingebung des Heiligen Geistes handelten[23].

Die knappen Ausführungen der Dogmatischen Konstitution „Dei verbum" über die Tradition mögen manchem im Vergleich zu dem Gesamtergebnis des Konzils fast belanglos erscheinen. Das II. Vatikanum ist nicht in erster Linie durch seine Aussagen über die Tradition bekannt geworden, sondern durch seine Forderung nach Anpassungsfähigkeit, Modernisierung und Dialog. Diese anderen Themen würden die Kirche jedoch nur dann schwächen können, wenn die Kirche nicht die Fähigkeit besäße, im Prozeß des Übergangs ihre Identität zu bewahren. In unserer in raschem Wechsel begriffenen Welt möchten viele Christen die Gewißheit haben, daß ihr Glaube nicht wie die Religionen des antiken Griechenland und Rom zum Untergang verurteilt ist. Es ist daher für Katholiken dringend erforderlich, zu würdigen, wie die Konstitution über die göttliche Offenbarung Mittel und Wege gefunden hat, das Bleibende und die Universalität der Gabe Gottes in Christus sicherzustellen und gleichzeitig in den Formulierungen, Bräuchen und in der Praxis, durch die diese Gabe vermittelt wird, weiten Spielraum zu lassen.

Indem ich mich in der Hauptsache mit den Blondelschen Elementen der Lehre des II. Vatikanums über die Tradition befaßt habe, mußte ich unvermeidlicherweise viele andere Aspekte übergehen. Eine angemessenere Behandlung ihrer Quellen hätte auch auf Johann Adam Möhler und die Tübinger Schule, Giovanni Perrone und die Römische Schule sowie John Henry Newman und seine britischen Schüler eingehen müssen. Anderen, die mit der inneren Geschichte des Konzils besser vertraut sind, wird es obliegen, den Einfluß Karl Rahners genauer darzulegen. Nach allem, was uns berichtet wird, spielte er eine wichtige Rolle bei der Verbesserung der aufeinanderfolgenden Entwürfe zum 2. Kapitel von „Dei verbum" und somit bei der Wiedergewinnung des wahren Begriffs der Tradition.

Aus dem Englischen von Gerhard Raabe

---

[23] Y. *Congar*, Der Fall Lefebvre 63–65.

PIERRE GRELOT

ZEHN ÜBERLEGUNGEN
ZUR SCHRIFTINSPIRATION

Mit der Vorlage dieser „zehn Überlegungen zur Schriftinspiration" beab-
sichtige ich nicht, eine neue Untersuchung des Themas vorzunehmen. Ich
möchte nur Elemente zusammenfassen, die in den innerhalb der letzten 25
Jahre veröffentlichten Arbeiten an verschiedenen Stellen verstreut sind.
Wenn ich als Ausgangspunkt das Jahr 1958 wähle, so deshalb, weil es das Er-
scheinungsjahr der ersten Auflage des Buches „Über die Schriftinspiration"[1]
von Karl Rahner ist. Es mag nur billig sein, demjenigen, dem der vorliegende
Band gewidmet ist, eine Überlegung zum Thema dieses Buches verehrungs-
voll vorzulegen. Eine vollständige Bibliographie der seither erschienenen
Veröffentlichungen würde den begrenzten Rahmen meiner Überlegungen
sprengen. Die Konzilskonstitution „Dei verbum" hat die Frage nur flüchtig
berührt (Kapitel 3 n. 11) und eine bereits wohlfundierte Grundlehre bestätigt. Von den zuvor und danach veröffentlichten theologischen Untersuchungen möchte ich aus dem Gedächtnis nur die von J. L. McKenzie, P. Benoit, L. Alonso-Schökel, H. Haag, B. Vawter, P. J. Achtemeier, T. A. Hoffman erwähnen[2]. Es ist dies indes eine sehr begrenzte Anführung. Die aus-

---

[1] *K. Rahner*, Über die Schriftinspiration (Quaestiones disputatae 1) (Freiburg i. Br. 1958,
[2]1959). Der Inhalt dieser Abhandlung ist kurzgefaßt auch im „Handbuch Theologischer
Grundbegriffe" I, hrsg. von H. Fries (München 1962) 715–725 (mit Bibliographie), wiedergegeben. K. Rahner brachte hier eine Neuerung, indem er sich der Soziologie der Inspiration an-
schließt und die inspirierten Bücher als ein „konstituierendes Element" der Kirche darstellt.
[2] *J. L. McKenzie*, The Social Character of Inspiration, in: CBQ 24 (1962) 115–124; *P. Benoit*,
Révélation et inspiration: selon la Bible, chez saint Thomas et dans les discussions modernes,
in: Exégèse et théologie III (Paris 1968) 90–142 (der Verfasser greift hier mehrere frühere Artikel auf und stellt sie in der von P. Lagrange und seiner Schule begonnenen Linie klar); *L. Alonso-Schökel*, La Palabra inspirada, franz. Übers.: La Parole inspirée (Lectio Divina 64) (Paris
1971); *H. Haag*, Die Bibel als Wort Gottes, in: MySal I 335–356; *B. Vawter*, Biblical Inspiration (New York – Philadelphia 1972); *P. J. Achtemeier*, The Inspiration of Scripture: Problems
and Proposals (Philadelphia – Westminster 1980); *T. A. Hoffman*, Inspiration, Normativeness,
Canonicity and the Unique Sacred Character of the Bible, in: CBQ 44 (1982) 447–469. Eine
vollständige Bibliographie wäre endlos.

führlich in den Artikeln der *Nachschlagewerke* behandelte Geschichte dieses Problems ist 1968 durch J. Beumer vorgelegt worden[3]. Ich selbst habe das Thema in einem kurz vor der letzten Session des Konzils erschienenen Werk berührt und dann nochmals in der Kommentierung des 3. Kapitels der Konstitution „Dei verbum"[4]. Wenn ich heute darauf zurückkomme, so nicht um ganz neue Thesen aufzustellen, sondern nur um zu versuchen, den Begriff der Schriftinspiration einerseits mit den Lehren, die sich aus dem Begriff der Tradition, den kirchlichen Strukturen und dem Kanon der heiligen Schriften ergeben, und zum anderen mit den durch die Bibelkritik und die Praxis der Hermeneutik aufgeworfenen Fragen enger zu verbinden. In erster Linie interessiert mich also die Verkoppelung dieser Probleme.

Überlegung Nr. 1

Die Schriftinspiration darf nicht als ein durch Schrift, Überlieferung und Dokumente des Lehramtes bewiesener, aber für sich bestehender Lehrgegenstand gesondert untersucht werden. Wie der Begriff anzeigt, muß man diese Lehre in Verbindung sehen mit *der vielfältigen Wirkweise des Heiligen Geistes im Heilsplan.* Doch ist diese die besondere Rolle der Heiligen Schrift in der Kirche begründende Tatsache nur ein Ansatzpunkt. Gewiß kann man dabei verweilen, ihn gesondert zu untersuchen, um daraus die Grundgegebenheiten zu erhellen und so die Konsequenzen in der Weitergabe der Offenbarung zu unterscheiden. Doch zunächst muß man ihn in das Gesamt einordnen, dem er zugehört.

Dieses Gesamt umfaßt drei Elemente, die die Entstehung einer „heiligen Schrift" (1 Clem 53,1) erklären und ermöglichen: a) als erstes *das Vorhandensein einer zum Heil berufenen Gemeinschaft:* Israel zur Zeit des Alten Bundes und die Kirche zur Zeit des Neuen Bundes; b) ferner *die geschichtliche Erfahrung dieser Gemeinschaft,* die sich in den beiden Testamenten unterschiedlich darstellt, die aber innerhalb der Menschheitsgeschichte eine wesentliche Rolle für die Einprägung der Zeichen des göttlichen Heilsplans spielt; c) schließlich *den je eigenen, an bestimmte Menschen ergangenen Ruf,* Schlüsselstellungen einzunehmen und aktive Funktionen im historischen Kommen des Heiles Gottes zu erfüllen. Geht man das Problem der Inspiration

---

[3] *J. Beumer,* Die Inspiration der Heiligen Schrift: HDG I/3 b.
[4] *P. Grelot,* La Bible, Parole de Dieu (Tournai – Paris 1965) 33–96 (greift den unter dem Titel „L'inspiration scripturaire" veröffentlichten Artikel auf: RSR 51 [1963] 337–382). – Artikel in: La révélation divine: Constitution dogmatique „Dei verbum", avec commentaires, in: Unam Sanctam 70b (Paris 1968) 347–380 (Vergleich des Schlußtextes der Konstitution mit dem ersten Schema, das übersetzt und analysiert ist auf den Seiten 348–359).

mit diesem Rekurs an, so gelingt es leichter, es in Verbindung zu sehen zu dem allgemeinen Wirken des Heiligen Geistes, der einst Israel rettete, um es zum Volke Gottes zu machen (vgl. Jes 63,14), und der in der Kirche die Glaubenden rettet, indem er sie Christus eingliedert (vgl. Eph 4,4). Nachdem nun der Standpunkt bestimmt ist, lassen sich die Grundgegebenheiten mit größerer Genauigkeit analysieren.

Überlegung Nr. 2

Ein Problem drängt sich jetzt unmittelbar auf: *Hat man von inspirierten Büchern oder von inspirierten Verfassern zu sprechen?*

a) Die seit dem 16. Jahrhundert in der klassischen Theologie geführten Diskussionen haben den Schwerpunkt auf die inspirierten *Verfasser* gelegt und sogar eine „Psychologie der Inspiration" erarbeitet. Diese Betrachtungsweise hatte auch schon unter den Theologen des Mittelalters Vorläufer. In ihrer am weitesten angepaßten Form verallgemeinerte sie das Verständnis der Prophetie aus der „Summa theologiae" des hl. Thomas (II–II q. 171–178) mit seinem Rekurs auf den Begriff der „causa principalis" (= Gott) und der „causa instrumentalis" (= die heiligen Verfasser). Seitdem hat sich eine gewisse Wandlung vollzogen unter dem Einfluß einer philosophischen Betrachtungsweise, die mehr die Theorie der Sprache und den Unterschied zwischen gesprochener („verba volant ...") und geschriebener Sprache („scripta manent": der Leser ist vor einem Text-„Objekt") in den Vordergrund rückte. Wenn der Projektor so einseitig auf die biblischen *Texte* ausgerichtet ist, mögen manche es für unnütz halten, sich nach deren „ursprünglichem" Sinn zu fragen, der nie wiederherzustellen ist: die aktuelle Lektüre der Texte würde zum „Sinn-Geber". Spräche man von „inspirierten Verfassern", wäre dies ein Zurückgreifen auf einen „Extra-Text", einen historischen Bezug, den man nur durch die Betrachtung der Texte selbst herstellen kann. Doch wozu sollte dies nützen? Die Texte selbst muß man befragen. Ihnen erkennt man zudem einen eigenen Wert für die Begründung des Glaubens zu; denn man nimmt am Leben der Kirche teil, in der „Leser-Gruppe", die die Texte bewahrt. Doch ist es nicht sinnlos, Fragen zur Psychologie der Verfasser zu stellen, deren „Intention" sich nicht mehr erfassen läßt?

b) Diese Umkehrung der Situation endet in einer anderen Sackgasse: Warum die hohe Bewertung der Autorität der biblischen Texte vor anderen heiligen Büchern und der Kirche als „Leser-Gruppe"? *Ist dies möglich ohne historischen Bezug auf die „begründende Tradition"*, die *sowohl* die Kirche *als auch* die heiligen Texte aufgestellt hat, auf die sie sich selbst zur Sicherung ihrer Grundlagen beruft? Aber die Texte selbst sind nicht fertig geschrieben vom Himmel gefallen: die biblische Offenbarung läßt sich hier nicht mit dem Koran vergleichen; und die für sie zeugenden Texte können nicht von der Gemeinschaft getrennt gesehen werden, in der sie in einem bestimmten Augenblick ihrer Geschichte ihren Platz gefunden haben. Man sollte wirklich nicht zu sehr über die *subjektive Intention* ihrer Verfasser nachdenken, um sich irgendwie an deren Stelle zu versetzen (vgl. die Hermeneutik von Dilthey). Dagegen sollte man, ausgehend von ihrem Inhalt und ihrer „Form", die *Funktion* hervorheben, die sie in der Gemeinschaft eingenommen haben, für die sie geschrieben worden sind: Dies ist ein *objektives* Element, das in direkter Verbindung zur „Soziologie der Texte" steht. Damit stellt man indirekt den Bezug zur didaktischen Intention der Verfasser her, selbst wenn deren Persönlichkeit sich dem Zugriff der Fragenden entzieht. So sind Texte und Verfasser untrennbar miteinander verbunden: der Text ist kein vorgefertigtes „Objekt", mit dem der Leser irgendeine Bedeutung verknüpfen könnte, deren „Urheber" er wäre; er bleibt ein vom Verfasser an den Leser über Zeiten und Entfernungen hin gerichtetes „Wort". Der *Leser* muß sich in die Haltung des aufmerksam *Hörenden* versetzen, um dieses Wort aufzunehmen und es in sich widerklingen zu lassen: In dieser Richtung liegt die echte Hermeneutik, mit einbezogen in das, was man als das „Lesen" bezeichnet.

c) Die wenigen biblischen Texte, die die Tatsache der Inspiration unmittelbar erwähnen, *trennen die heiligen Texte eben nicht von den Autoren, die sie verfaßt haben;* wie sich auch nicht die von den Inspirierten in mündlicher Form überlieferte Botschaft und der Akt, durch den sie diese in schriftlicher Form weitergegeben haben, voneinander trennen lassen. In 2 Tim 3,16 heißt es in der Tat: „jede von Gott eingegebene Schrift" (θεόπνευστος). Doch die mögliche und richtige Anwendung dieses Begriffes ergibt sich aus der 2 Petr 1,21 erwähnten Situation: „denn nie wurde eine prophetische Aussage durch menschlichen Willen hervorgebracht", sondern „vom Heiligen Geist getrieben, haben von Gott her Menschen gesprochen". Von der Inspiriertheit der Texte wird man so zur Inspiriertheit ihrer Verfasser geführt. Der verwendete Ausdruck ist im übrigen umfassend, denn er unterstellt, daß alle heiligen Texte, die von Christus zeugen, unter der Gabe der „Prophetie" stehen; und alle lassen sie sich als – niedergeschriebene oder gesprochene – „Worte Gottes" unter dem Gattungsbegriff „Prophetie" zusammenfassen. So steht auch Hebr 1,1–2: „Nachdem auf mannigfache Art und Weise dereinst Gott zu unseren Vätern gesprochen hatte in den Propheten, sprach er am Ende dieser Tage zu uns durch seinen Sohn, den er zum Erben über alles gesetzt."

Die alten Worte Gottes sind nicht zu trennen von der geschichtlichen Zeit, da sie gesagt wurden; *von den Propheten* (im umfassenden Sinn dieses Wortes), die sie ausgesprochen haben; *von den Texten,* in denen sie gesammelt sind und die sie bis in unsere Zeit bewahren konnten; *von der Finalität,* die sie implizit auf den kommenden Christus bezog, den selbst am Ende der Tage durch seine Botschaft und durch seine Existenz als Wort Gottes Gekommenen. Die ursprüngliche Funktion dieser Texte, der mündlichen und der schriftlichen, war mit der Funktion der Verfasser verbunden, die im Auftrag Gottes sprachen. Sie bereitete so die Funktion des Zeugnisses vor, die der Verfasser des Hebräerbriefes ihr zuerkennt und die heute durch die Gemeinschaft der Glaubenden weiterhin erfüllt wird. Geht man die Frage unter diesem Blickwinkel an, so muß die Theologie der Inspiration zugleich die heiligen Bücher und deren Verfasser in Dienst nehmen mit all den historischen und kulturellen Gegebenheiten, welche die Formulierung der göttlichen Botschaft in einer bestimmten Zeit und an einem bestimmten Ort, *innerhalb einer Tradition,* die sich im Laufe des geschichtlichen Heilsplans entfaltet, bedingt haben.

Überlegung Nr. 3

Nachdem wir nun von den Texten auf deren Verfasser gekommen sind, müssen wir *den Stand und die Situation der Verfasser in der zum Heil berufenen Gemeinschaft* genauer bestimmen. Diese beiden Punkte berühren die Frage *der Dienste am Wort* im Alten und im Neuen Testament.

a) Der Hebräerbrief und der zweite Petrusbrief ordnen alle heiligen Verfasser dem Gattungsbegriff „Propheten" zu. Untersucht man indes die biblischen Texte, so erscheint es zweckmäßig, die *Verschiedenheit der Autoren,* als Träger des Wortes Gottes und als implizite oder explizite Zeugen Christi, durch den Hinweis auf die *Verschiedenheit der „Dienste am Wort"* genauer zu kennzeichnen. Eine wesentliche Aufgabe ist allen gemeinsam: Gott hat durch ihre Vermittlung zu den Menschen gesprochen. Doch um den Ausdruck des Hebräerbriefes selbst aufzugreifen, ist diese Aufgabe von ihnen „auf mannigfache Weise" (πολυτρόπως: Hebr 1,1) erfüllt worden. Obgleich dieser Text sich auf die Verfasser des Alten Testaments bezieht, dürfte es klar sein, daß hier auch die des Neuen Testaments mitgemeint sind. Es gibt dabei keinen spezifischen Unterschied zwischen den mündlich in einer durch ihren poetischen Rhythmus festgelegten oder in einer freien Prosaform wiedergegebenen, den in schriftlicher Ausfertigung gesammelten oder den unmittelbar schriftlich niedergelegten Texten. Gesprochenes und Geschriebenes lassen verschiedene Möglichkeiten für die Übertragung, Festlegung und Weitergabe der Botschaft von einer Generation zur anderen zu, wobei jeder Autor als Träger dieser Botschaft – bewußt oder unbewußt – unter dem Antrieb der göttlichen Inspiration steht. Doch das Wesentliche liegt nicht hierin, sondern vielmehr in der *Kommunikation*, die zwischen dem „Sprechenden" (mündlich oder schriftlich) und der Gemeinschaft entsteht, an die er sich „auf mannigfache Weise" wendet. Diese „Weise" hängt von der Stellung des „Sprechenden" und von der Funktion der durch ihn verfaßten Texte ab.

b) *Im Alten Testament* lassen sich die augenscheinlichsten dieser sozialen, auf die Texte bezogenen Ämter unterscheiden, deren Formen und Funktionen eine große Vielfalt aufweisen: die Priester, die Propheten, die Sänger, die Schriftgelehrten, die Verteidiger der praktischen „Weisheit" bilden allgemeine Kategorien, denen man die meisten Bücher zuordnen kann. Innerhalb dieser Kategorien sind viele verschiedengestaltige Literaturarten zu unterscheiden. Doch welcher Verfasserkategorie soll man Bücher wie Rut, Ester, Daniel, Judit und das Hohelied zuordnen? Hier schwanken die Kritiker. In einem solchen Fall dürfte es leichter sein, die Funktion der Bücher als die ihrer Verfasser zu bestimmen. *Im Neuen Testament* findet man gleicherweise Fachausdrücke, welche die verschiedenen Dienste am Wort kennzeichnen: „Apostel, Propheten und Lehrer" (1 Kor 12,28), denen in Eph 4,11 noch die „Evangelisten" hinzugefügt werden, und bei Mt 23,34 „die Weisen und die Schriftgelehrten" (geläufige Bezeichnungen im Judentum jener Zeit). Doch es gibt auch allgemeinere Hinweise auf das Lehramt (Röm 12,7), auf die Katechese (Gal 6,6), von manchen Presbytern kaum als Dienst am Wort aufgefaßt (1 Tim 5,17). Die Dienste am Wort werden vielfältiger und unterschiedlicher. Jeder von ihnen wird normalerweise unter gegebenen Umständen und an bestimmten Orten zum *Schöpfer von Texten*, die im Leben der Ortsgemeinden und besonders bei den „Versammlungen in der Kirche" bestimmte *Funktionen* zu erfüllen haben.

c) Weitgehend spricht das Neue Testament bei diesen Diensten von *Gnadengaben des Heiligen Geistes* oder Charismen. Aufgaben und Charismen des Dienstes sind nicht voneinander zu trennen: Alle besonderen Charismen führen nicht zur Schaffung bleibender Funktionen (zum Beispiel die „Sprachengabe" oder die „Gabe des Heilens"); dagegen gibt es keine bleibende Funktion und insbesondere nicht die des Dienstes am Wort, die nicht „charismatisch" ist. *Die Schriftinspiration ist nichts anderes als eine besondere Anwendung dieser „funktionellen" Art von Charismen,* denn die für den Dienst am Wort geschaffenen Texte sind durch die Niederschrift entstanden und dann als ein „Gut der Kirche" bewahrt. Unter diesen Aspekt muß man die theologische Frage der Schriftinspiration stellen, um sie richtig zu erfassen. Sie hat *ein spezifisches Ziel,* insofern sie auf die *schriftliche Fixierung* des Gotteswortes abzielt, zugleich aber ist sie, was seine Verkündigung betrifft, eng mit den funktionellen Charismen verbunden. Ebenso wie die Dienstfunktionen eines der Strukturfundamente der Kirche bilden (vgl. Eph 2,20, wo der Dienst am Evangelium in der Funktion der „Apostel und Propheten" zusammengefaßt ist), wird das praktische Ergebnis, zu dem diese Funktionen bei der schriftlichen Fixierung des Wortes Gottes gelangen, zu einem notwendigen Teil dieser gleichen bleibenden Fundamente (vgl. Karl Rahner).

Überlegung Nr. 4

In Verbindung mit diesem „Aufbau der Kirche", bei dem den Heiligen Schriften mit der Sicherung der normativen Permanenz des Gotteswortes durch alle Zeiten eine Hauptrolle zukommt, *steht Jesus Christus in einer besonderen Situation.*

a) Hätte Jesus geschrieben, wäre die von ihm ausgegangene Religion von der Art des Korans: der als vom Himmel kommend erkannte heilige Text hätte niemals nur als solcher, verpflichtend als Norm für Glaube und „Praxis", durch die Jahrhunderte der Geschichte bewahrt werden können. Die endgültige Offenbarung aber ist in Jesus und durch seine Mittlerschaft in anderer Form zu uns gekommen: er hat gesprochen, gehandelt und ein menschliches Leben geführt – als Prophet, Lehrer, Weiser, apokalyptisch, messianisch –, in einem anderen Sinne, als es sich seine Zeitgenossen vorgestellt hatten, bis hin zu dem Schlußdrama durch seinen Tod am Kreuz. Danach hat „Gott ihn auferweckt" (Apg 2,32; 3,15; 4,10 usw.), damit auf ihn die „neue Welt" gegründet werde, in der alle Menschen durch ihn zum Heil gelangen, „Gott hat ihn hocherhoben und ihm den Namen verliehen, der über allen Namen ist" (Phil 2,9). *Es ist dies das globale Ereignis, das ihn in Beziehung setzt zu den Texten der beiden Testamente.* Durch all dies – und nicht nur durch sein Kreuz – hat Gott „in ihm sein letztes Wort zu uns gesprochen", nach dem Ausdruck von Karl Rahner, der Bultmann die Frage nach dem von ihm im Kreuz erkannten Sinn stellte.

b) Was das Alte Testament angeht, *so übernimmt Jesus durch seine jüdische Herkunft alle in seinen bestimmenden Elementen enthaltenen positiven Werte* in dynamischer Sicht: die historische Erfahrung, die Israel „geprägt" hat; das Gesetz, das sein „Zuchtmeister" war (Gal 3,24); die Botschaft der Propheten mit ihrem doppelten Aspekt des Anrufs zur Buße, um im Gericht zu bestehen, und des Heilsversprechens als Einladung zur Hoffnung; das auf das Wort Gottes und sein der Geschichte eingeprägtes Handeln antwortende Gebet; die praktische Weisheit als Lebensmeisterin usw. *All dies hat in Jesus seine „Vollendung" gefunden,* das heißt eine endgültige Fülle, die in seinem Leben aufschien. Damit wurden auch die alten Schriften „vollendet" durch einen *„Sinnzuwachs",* der fortan zum Schlüssel für ein „Leben im Heiligen

Geist" wurde. Dieser Sinnzuwachs hat ihren ursprünglichen, stufenweise und Schritt für Schritt entfalteten Sinnhorizont der göttlichen „Pädagogik" nicht ausgelöscht. Doch er brachte über den „Buchstaben" hinaus die Dynamik zum Aufscheinen, die der Heilige Geist im Hinblick auf die Heilsverwirklichung durch den kommenden Christus ihm eingegeben hatte.

c) Durch die Übernahme des Alten Testamentes in einer Weise, die dessen vorhersehbare Grenzen überschritt, hat Jesus zugleich den ersten Anstoß zur „Veränderung der Schriften", für eine „Umwandlung in das Evangelium" (Origenes) gegeben. Und durch die geschichtliche Vollendung des „Mysteriums", dessen Krönung seine Auferstehung war, *ist er zum Objekt dieses Evangeliums geworden, nachdem er dessen Verkünder gewesen war.* Deshalb sind seine Worte, die Erinnerung an sein Wirken, die „Anamnese" seines Todes und seiner Auferstehung dem lebendigen Gedächtnis seiner Zeugen anvertraut, damit jene, denen er diese Sorge übertragen hatte, ein Zweifaches verwirklichen: einmal die Gründung der Kirche, um in der zum Heil berufenen Gemeinschaft die an ihn Glaubenden zu versammeln, zum anderen die Weitergabe *des Evangeliums* durch Texte, die die „funktionelle" Literatur dieser Kirche bilden. Wenn Jesus nicht selbst Schriften verfaßt hatte, so deshalb, um seinen Zeugen die Sorge dafür zu übertragen, das Evangelium, dessen Bewahrer sie von nun an waren, *mit aktiver, aber vielgestaltiger Treue* in literarische „Form zu bringen". Doch wie Jesus unter der Führung des Heiligen Geistes gesprochen und gehandelt hat (vgl. Mk 1,10ff), so wurde auch das Tun seiner Zeugen durch den von ihm versprochenen Geist vollendet.

Überlegung Nr. 5

Das Dienstamt der unmittelbaren Zeugen Jesu, seiner „Apostel", *hat eine normale Verlängerung in den verschiedenen Diensten am Wort gefunden,* die sie selbst ausübten, oder in der Ausstrahlung ihrer Aktion bei der Verkündigung des Evangeliums und des Lebens kirchlicher Gemeinden. Die so realisierte Aufgabe führte zu einer *Erstellung von Texten,* die von dem Gemeindeleben nicht zu trennen sind. Der Übergang vom Gesprochenen zum Geschriebenen bezeichnet einen wichtigen Augenblick in der Entwicklung einer solchen Produktion, weil er zu einer Auswahl und einer Festlegung für das Gemeindeleben zusammengestellter Texte abzielt, das wiederum selbst unter der Führung des Heiligen Geistes steht.

a) Die Auswahl und die Festlegung der Texte sind nie auf systematische Weise unter der Form einer allgemeinen Synthese erfolgt: sie waren vielmehr abhängig von den konkreten Umständen, die bestimmte „Diener des

Wortes" – Apostel oder Bewahrer der apostolischen Tradition – dazu geführt haben, aus der Sicht ihrer Unterweisung und des Voranschreitens im Glauben und in der „Praxis" des Evangeliums, *durch dieses Mittel auf die praktischen Bedürfnisse der Ortsgemeinden zu antworten.* Da es sich hier um Aufgaben des Amtes gehandelt hat, kann man diese Aktivität literarischer Schöpfung nicht getrennt sehen vom allgemeinen Wirken des Heiligen Geistes, der die Jünger Jesu zu seinen „Zeugen" machte (Lk 24,48; Apg 1,8; 2,32 usw.) und der sie „in die Wahrheit einführte" (Joh 16,13). *Alle Texte, die gesprochenen und die aufgeschriebenen, die der Zusammenstellung der heiligen Bücher vorausgingen und sie vorbereiteten,* sei es zur Verkündigung des Evangeliums Jesu Christi, sei es als Interpretation der Schriften im Hinblick auf sein Gesamtmysterium, *standen also unter den den „Dienern des Wortes" vorbehaltenen Charismen.* Dies ergibt sich logisch aus den zuvor aufgestellten Prinzipien.

b) Ebenso muß *die interpretierende Lektüre der Texte des Alten Testamentes* – in der mündlichen Predigt, vor der Festlegung zu bestimmten geschriebenen Texten – als *charismatische Umgestaltung* gesehen werden, nicht was ihren verbalen Inhalt angeht (außer in Ausnahmefällen, wie z.B. der Umwandlung von Mi 5,1 LXX zu Mt 2,6), sondern durch die Reichweite der Überarbeitung des Jüdischen, anders ausgedrückt: als *eine echte Neuschöpfung ihres Sinngehaltes,* zur Integrierung in die Verkündigung des Evangeliums: Damit sind die Texte zu einer *christlichen* Heiligen Schrift geworden. Die Zahl der explizit ins Neue Testament aufgenommenen Texte bleibt beschränkt. Doch vermag man von ihnen her *die Grundprinzipien* dieser „Überarbeitung im Heiligen Geist" herauszufinden, um so besser zu begreifen, wie die Texte des Alten Testamentes – durch die Mittlerschaft Jesu Christi in der Fülle seines Mysteriums betrachtet und durch das Zutun charismatischer Dienste am Wort – jetzt eine „vollendete" Heilige Schrift darstellen.

c) *Bei den Büchern des Neuen Testamentes* steht die literarische Vielfalt der Texte in unmittelbarer Verbindung zu den von ihren Verfassern wahrgenommenen Funktionen, den konkreten Umständen ihrer Entstehung, zur mündlichen oder schriftlichen Verarbeitung der Materialien, die in der Elementarkatechese, der Liturgie, der christologischen Lektüre der alten Schriften usw. ihre Letztfassung vorbereitet haben. Da all diese Unternehmungen das Wirken der Dienste erkennen lassen, die vom Beistand des Heiligen Geistes begleitet waren, *standen sie von Anfang an unter der göttlichen Inspiration,* denn die exakte Adaptation der (schließlich übriggebliebenen) Texte an die Funktionen, die sie im kirchlichen Leben einzunehmen hatten, ging vom Heiligen Geist aus, der ihre Verfasser im Hinblick auf das Gemeinwohl der Kirche leitete (vgl. 1 Kor 12,7).

Überlegung Nr. 6

Das gleiche Prinzip kann auf die *Texte des Alten Testamentes* übertragen werden.

a) Die Inspiration dieser Texte darf man nicht abstrakt auffassen als eine nur den Verfassern, den Redaktoren oder *den für die Letztfassung Verantwortlichen* vorbehaltene „gratia gratis data", um den als Wort Gottes anerkannten materiellen Inhalt in der nachapostolischen Kirche oder schon im Judentum, zu dessen Erbin die Kirche hierin wurde, zu qualifizieren. In der Schriftinspiration hat man vielmehr *einen umfassenden Prozeß* zu sehen, der durch die Zeiten hindurch alle mündlich oder schriftlich zur Festlegung *der sich vom authentischen Wort Gottes her entfaltenden Regel für Glaube und „Praxis"* in einer den Bedürfnissen jeder Epoche angepaßten literarischen Form verarbeiteten Texte umfaßt hat.

b) Man muß also *die Vorgeschichte der Texte, die eine aufmerksame Forschung als zusammengesetzte erkennt,* ebenso wie die Überarbeitungen, die Neufassungen, die Neuinterpretationen, die Ergänzungen eines alten Kerns, der sich im Laufe der Jahrhunderte objektiviert hat, in diesem Zusammenhang betrachten. Die Untersuchungen der internen Kritik, einige Hypothesen als deren Resultate *operieren solcherart auf dem Gebiet der Schriftinspiration,* wenn auch die von den Forschern vorgelegten Ergebnisse immer nur sie selbst binden und die Forschungen offenlassen. Das Wesentliche ist, daß *die Funktion* der ersten öder der weitervermittelten Texte, die damit Bedeutung erlangten, *in unmittelbarer Beziehung zur Bekanntgabe des Wortes Gottes* in Israel, der zum Heil berufenen Gemeinschaft, stand. Die Mannigfaltigkeit der „Inspirierten", deren Mitwirkung man in der fortlaufenden Gestaltung mancher Bücher annimmt, läßt nur jene der „Diener des Wortes" bedenken, die die Geschichte des Gottesvolkes begleiteten, um darin die Entfaltung der Offenbarung zu sichern.

c) Unter dieser Perspektive läßt sich die Möglichkeit *einer Pluralität von Formen bei den gleichen inspirierten Texten,* die gleicherweise in der biblischen Überlieferung erhalten geblieben sind und ebenso als Regulatoren für Glaube und „Praxis" angesehen werden, nicht beiseite schieben. Es gibt schon solche Beispiele in bestimmten – parallelen, aber unterschiedlichen – Passagen, die die biblischen Synthesen selbst gesammelt (vgl. Jer 23,6; 33,15–16) oder manchmal eingeflochten haben, um darauf zusammengesetzte Texte zu gründen (vgl. die eingeflochtenen Berichte von der Berufung des Mose in Ex 3,1 – 4,17). Es ist also nicht ausgeschlossen, daß die verschiedenen kritischen Ausgaben eines gleichen Textes für gleichermaßen inspiriert gelten können, wenn sie effektiv als Wort Gottes in der zum Heil berufenen Gemeinde gelesen werden (vgl. die kritischen Ausgaben der Bücher Samuel oder Tobit). *Die Arbeit der Textkritik* erhält nun einen anderen Sinn als den der Forschung nach einem sogenannten „Urtext", der kaum mit voller Sicherheit wiederherstellbar ist und der allein als „inspirierter" Text zu gelten hat. Es wäre paradox, wenn das Wirken des Heiligen Geistes, der über die Bewahrung des Gotteswortes wachte, in bestimmten Fällen diesen von ihm inspirierten Text so hätte verschwinden lassen, daß davon nur noch zweitrangige Wiedergaben mehr oder weniger zufälliger Einzelheiten ihres Inhalts geblieben wären. Vielmehr ist es ganz normal, daß dieses Gotteswort zur Bestimmung seines verschiedenartigen Nutzens in der es authentisch bewahrenden Tradition ausgerüstet war.

Überlegung Nr. 7

Die Frage nach einer oder mehreren griechischen Versionen der dem Neuen Testament *vorangegangenen Bibel,* die von deren Verfassern und, ihnen folgend, in der frühen Kirche benutzt wurde, taucht hier auf.

a) Es handelt sich weder darum, diese Version(en) als literarische Übertragung(en) der Texte wiederzugeben, noch darum, die literarische Qualität ihrer Sprache zu werten, sondern darum, *ihre eigene Funktion in der Tradition zu verstehen.* Hier wurden die Texte – hebräische oder, in bescheidenerer Zahl, aramäische – aus einer Kulturwelt in eine andere übertragen. Dazu mußten diese in gewisser Weise neu geschaffen werden, manchmal unter Verkürzung des Inhalts (Ijob), manchmal unter Ausschmückung mit neuen Elementen (Daniel, in seinen *beiden* Übersetzungen vor dem Neuen Testament), manchmal durch eine vollständige Neufassung (Ester). Die griechischen Texte als solche verdienen es also, untersucht zu werden als Werke *verantwortlicher Autoren,* die zum Guten der Glaubensgemeinde geschrieben haben. Diese Autoren, so unbekannt sie auch sein mögen, haben einen wesentlichen *Dienst* geleistet, dessen Resultat die authentische Weitergabe des Wortes Gottes in jenem Stadium war, das die Entfaltung der Offenbarung zur Zeit ihrer Arbeit erreicht hatte. Daraus ergibt sich die logische Folgerung, daß *ihr Tun nicht dem Wirken des Heiligen Geistes entgangen ist,* der über die Glaubensgemeinde wachte und sie in ihrer Heilserwartung führte, von ferne vorbereitend durch die Übertragung der Texte ins Griechische, die „spezifische" Sprache, die dann das Neue Testament benutzte.

b) Aus diesem Grunde haben die Inhaber der „charismatischen" Dienste im Neuen Testament als Zeugen des Wortes Gottes *die Texte der hebräischen und der griechischen Bibel* nebeneinander benutzt. Also ist dieser der frühen Kirche als eine apostolische Tradition praktischer Ordnung weitergegebene

Pierre Grelot

Brauch der einzige Hinweis, der es gestattet, mit Sicherheit gleich den „regulatorischen" Wert der Texte (oder die aktive „Kanonizität") und zugleich ihren inspirierten, diese Kanonizität begründenden Charakter zu erkennen.

c) Der Rekurs auf die hebräische wie auf die griechische Bibel war begleitet von ihrer *christologischen Neuinterpretation*, die selbst unter der Leitung des Heiligen Geistes (vgl. oben) bewirkt wurde. Dieses Wirken verleiht den *hermeneutischen Verfahren*, die angewandt werden, um den an den Buchstaben der Texte gebundenen „Sinnzuwachs" deutlich zu machen, insoweit keinen „geoffenbarten" Charakter, als sie aus dem Judentum (vgl. rabbinische Exegese) oder aus dem Hellenismus (vgl. Allegorie) stammen. Es ist klar, daß *diese Verfahren in sich kulturelle Besonderheiten wiederaufnehmen*, die die Verfasser kennzeichnen, ebenso wie auch die Vielfalt literarischer Formen und stilistischer Eigenarten, die sich in den beiden Testamenten unterscheiden lassen. Doch dieser „humane" Aspekt aller Schrifttexte ist in seiner Eigenfunktion durch den authentischen Ausdruck des Wortes Gottes *finalisiert* gewesen, für das jeder Text zum Träger wurde. In dieser Eigenschaft entfaltete das Wirken des Heiligen Geistes alle zur Gestaltung der heiligen Texte erforderlichen Akte innerhalb des durch die Verfasser ausgeübten Dienstes am Wort.

Überlegung Nr. 8

Für die Bücher des Neuen Testamentes stellt sich das Problem theoretisch in einfacherer Form, der ziemlich kurzen Zeit wegen, die für seine Vorbereitung, Ausarbeitung und endgültige Fassung ausgereicht hat. Doch hier sind drei Bemerkungen anzubringen:

a) Da diese Vorbereitung, diese Ausarbeitung und diese Schlußfassung sich eng mit dem amtlichen Tun der „Diener des Wortes" verbinden, dessen letztes Resultat von der Kirche als authentischer Zeuge der Offenbarung und der funktionellen, diese Dienste begleitenden Charismen anerkannt worden ist, *gelangen auch sie in das Aktionsfeld dieser Charismen*: in ihrem Fall führen diese Charismen zur Schaffung der inspirierten Texte. Man hat also die Schriftinspiration als ein *umfassendes Charisma* zu betrachten, das über der gesamten Vorgeschichte – der mündlichen oder schriftlichen – der im Neuen Testament bewahrten Texte steht, vorausgesetzt, daß die in diesem Zielpunkt endenden Verfahren zum Ergebnis die authentische Verkündigung des Evangeliums im Hinblick auf christliches Glaubensleben, Gebet und „Praxis" in den Kirchen apostolischen Ursprungs hatten.

b) Es wäre Willkür, wollte man *die Schriftinspiration nur auf die uns überkommenen Schlußfassungen der Texte beschränken*, gleich, wer deren unmittelbare Verfasser waren, ohne zu berücksichtigen, daß sie diese mündlichen oder schriftlichen Materialien, die sie schon als „Regulatoren" des Glaubens und des praktischen Lebens ansahen, kollationiert, vervollständigt und umgearbeitet haben. Ihre Treue gegenüber dem so erhaltenen „Depositum" bestand nicht in dessen schlichter mechanischer Wiedergabe, sondern in seiner Aktualisierung als Antwort auf die genau bestimmten Erfordernisse der Dienste, die sie zu erfüllen hatten. *Die kritischen Untersuchungen* über die Vorgeschichte bestimmter Bücher, je nachdem ihre buchstabengetreue Wiedergabe es nahelegt oder erfordert, *zielen folglich ins Innere des Bereichs, wo die Schriftinspiration sich vollzieht,* denn jeder Abschnitt ihrer „Formgebung" ist mit der Ausübung der Dienstfunktionen, durch welche die Kirche sich nun artikuliert hatte, und mit dem den Inhabern der Funktionen beistehenden Heiligen Geist verknüpft. Dennoch muß man sich hüten, den – stets hypothetischen – Resultaten der kritischen Untersuchungen die Autorität des Wortes Gottes selbst beizumessen. Keine Wiederherstellung kann in dieser Beziehung den Anspruch erheben, neben den von der Kirche als kanonisch anerkannten Synthesen zum inspirierten Text zu gehören, vor allem nicht, wenn sie zu diesen im Widerspruch steht.

c) Noch weniger kann man *nur jene Texte, die die Kritik als „Urtexte" angesehen haben möchte,* für „Regulatoren" des Glaubens halten. Dieser Grundsatz taucht in zwei Fällen auf. Zunächst bei der Untersuchung der Evangelien, wo die *ipsissima verba* und die *ipsissima facta* Jesu allein zählen sollen, gegenüber den Schlußfassungen, die sie manchmal umgeformt haben, um ihren Sinn herauszuarbeiten. Ferner betrifft dies die anderen „apostolischen" Bücher, von denen den „frühesten" eine größere Autorität zukäme als den später entstandenen, die zweitrangige Entwicklungen darstellten. Die „norma normans" des christlichen Glaubens und der christlichen „Praxis" ist, nach dem Zeugnis des hl. Irenäus, durch die *„apostolische Überlieferung" in ihrer Gesamtheit* begründet. Folglich sind alle Texte des Neuen Testamentes deren „qualifizierte" Zeugen. Das Charisma der Schriftinspiration umspannt also in gleicher Weise und ohne Unterschied des „Grades" die „frühen" oder „Urtexte" und die später entstandenen (bis zum zweiten Petrusbrief und der langen Schlußpassage des Markusevangeliums). Ihre direkte oder indirekte Verbindung – über eine mehr oder weniger lange Kette von Vermittlern – mit der Person der Apostel ändert nichts hieran. Tatsächlich *hat die Schriftinspiration die Arbeit aller Verfasser begleitet, die am Aufbau der Bücher des Neuen Testamentes mitgewirkt haben,* von den Aposteln selbst bis hin zu den schlichten „Dienern des Wortes", und zwar während der ganzen Zeit, die nötig war, um die „begründende Überlieferung" schriftlich festzulegen zur Weitergabe des apostolischen „Depositums" für alle Zeiten.

Überlegung Nr. 9

Die Tatsache der Schriftinspiration geht nicht direkt aus den Büchern hervor, die sie erfahren haben. Sie läßt sich voraussetzen, wenn die Verfasser sich ihrer Sendung bewußte Propheten, Apostel oder Lehrer der Weisheit sind. Aber selbst hier muß man die Berechtigung des erhaltenen Sendungsauftrags prüfen, will man *eine vernünftige Unterscheidung treffen.* In den anderen Fällen liefern weder die in den Büchern enthaltenen literarischen Attribute noch deren Inhalt ausreichende Kriterien für diese Prüfung der Echtheit.

a) Einzige, letztlich entscheidende Kriterien sind *die Anerkennung und der Gebrauch der Bücher als durch das Wort Gottes „Autorität gebend"* innerhalb der Gemeinde, der Hüterin des wahren Glaubens, und artikuliert durch die Dienste, die sie lebendig machen und die darüber wachen. Diese Gemeinschaft hatte zwei aufeinanderfolgende Formen. Zuerst war sie das Volk Israel im Laufe seiner Geschichte bis zur Zeit des Judentums hebräischer (oder aramäischer) *und* griechischer Sprache, dessen Erbe die Kirche antrat. Dann war es – nach der „radikalen", in Jesus Christus gekommenen „Umwandlung", die apostolische und nachapostolische Kirche, deren *„praktische Überlieferung"* sich hier ohne Unterbrechung in den Ortsgemeinden fortgesetzt hat, trotz kleinerer Divergenzen über einige Bücher des Alten und sogar des Neuen Testamentes, deren genaue Liste schwer festzulegen war. In allen Fällen hat die kirchliche Überlieferung die Autorität all dieser Bücher *aus der bereits etablierten apostolischen Tradition heraus* anerkannt, nicht um hinter dieser zurückzutreten, *sondern um sie ihren Grundstrukturen zu integrieren* als Erbe der „Begründungs-Überlieferung", die als Wort Gottes zu lesen sie einlud.

b) Im Prozeß dieser Anerkennung, woraus die offizielle Liste heiliger Bücher (oder der „Kanon") entstand, hat die kirchliche Gemeinschaft nicht als indifferenzierte Masse gehandelt. Tatsächlich hat die Gnade des Heiligen Geistes keinem ihrer Glieder gefehlt. Doch die Festlegung dieser sie zu einem Teil bestimmenden Grundstruktur hat sie nicht einer auftauchenden „Durchschnittsauffassung" überlassen. Die andere Grundstruktur, *die durch ihre „apostolische Sukzession" eingesetzten Dienste,* hat unter dem Beistand des Heiligen Geistes eine bestimmende Rolle eingenommen. Dieses erwähnt der hl. Irenäus als Kriterium für die authentische apostolische Überlieferung (Adv. haer. III). Er führt die sie darstellenden Bücher genau nach dem Zeugnis der Kirche an, die die „apostolische Überlieferung" mit den Aposteln verbindet. Die schematisierte Darstellung seiner Angabe des Ursprungs dieser Bücher nach den Überlieferungen, die er selbst erhalten hat, verpflichtet gewiß nicht zum Glauben. Die Literatur- und die Geschichtskritik können sich legitimerweise der durch ihn gesammelten Tatsachen durch Prüfung ihrer Details annehmen. Doch als Reaktion auf die schnelle Zunahme von Werken, in denen die Überlieferung der Apostel gefälscht war, zeigt sein Zeugnis, daß das bestimmende Zeichen für die Erkennung der Inspiriertheit der Bücher *in deren permanentem Gebrauch und in der Bestätigung ihrer normativen Autorität* in den „apostolischen" Kirchen, wo die Amtsnachfolge ohne Bruch gesichert war, lag. Die letzten in der kirchlichen Überlieferung getroffenen Entscheidungen haben stets nur *diesen Gebrauch* als eine wohlbegründete Tatsache *bestätigt.*

Überlegung Nr. 10

So erscheinen die Fragen nach der Schriftinspiration, nach der Kanonizität der heiligen Bücher (zunächst im aktiven Sinn des Wortes verstanden), nach den Dienststrukturen, in denen sich die Heilsgemeinde artikulierte, nach den an die Ämter als Dienste am Wort gebundenen Charismen als *eng ineinander übergreifend* bis zu dem Augenblick, da die „begründende Überlieferung" so gesichert war, daß die „aufnehmende Überlieferung" ihr Erbe sammeln konnte. Die Verwurzelung der Texte in der Gemeindegeschichte, in Israel, dann in der Urkirche, *läßt uns diese theologischen Fragen nicht mehr von den kritischen Problemen* über die Entstehung, die Abfassung und die Übermittlung der heiligen Bücher im gleichen Zeitraum voneinander *trennen.*

a) Hinsichtlich *der theologischen Fragen* bleibt es weiterhin möglich, jede von ihnen zur Klärung der Einzelheiten gesondert zu untersuchen. Ihre Entstehung in der Bibel selbst und dann ihre Ausarbeitung in der kirchlichen Tradition vermögen das Objekt für äußerst genaue Untersuchungen zu bilden. Unter diesem Aspekt sind sie am häufigsten seit dem Mittelalter behandelt worden, wo der hl. Thomas einen Traktat seiner „Summa theologiae" der „Prophetie" gewidmet hat, und seit dem 16. Jahrhundert, als das Tridentinum die offiziell anerkannte Liste heiliger Schriften (oder den Kanon) definierte, was nicht ohne Erinnerung daran geschah, daß die letztgültige Glaubensregel das von Christus verkündete und durch seine Apostel weitergegebene *„Evangelium"* ist (DS 1501–1505). Die so festgelegte Richtlinie hätte zum Ausgangspunkt einer ausgedehnten Problematik dienen können, doch die Schulübersichten folgten jetzt einer anderen Orientierung, die an eine atomistische Auffassung der „Wahrheiten" des Glaubens gebunden war. Nun aber darf das gesonderte Studium der in Frage kommenden Probleme niemals ihre gegenseitige Abhängigkeit und ihre Wechselbeziehung aus dem Auge verlieren. Man leistet also gleich zwei verschiedenen Ansuchen Folge: 1) dem der „klassischen" Studien, die auf *dem individuellen Charakter der Inspiration* als dem heiligen Autoren gegebenen „Charisma" bestehen, bis zur Spekulation über die „Psychologie" der Inspiration als „gratia gratis data", die Gott im eigentlichen Sinn zum „Autor" der heiligen Bücher macht, unter Respektierung des vollen menschlichen Tuns der handelnden Schreiber als „causa instrumentalis" Gottes (vgl. P. Benoit); 2) dem jener, die später dann versucht haben, die *sozialen Aspekte der Inspiration* zu präzisieren, um aufzuzeigen, daß die Kirche nicht den heiligen Schriften wie einem „Objekt" gegenübersteht, das ihr zugehört, sondern daß diese vielmehr ein integrierender Teil ihrer Grundstrukturen sind (K. Rahner). Die Verbindung dieser beiden Aspekte ist organisch in den vorausgegangenen Untersuchungen behandelt worden.

b) Ebenso schlägt man eine Brücke zwischen der Tatsache der Schriftinspiration, der Rolle der Dienste am Wort in Israel und dann in der Kirche und der Entfaltung der Offenbarung selbst in einer historischen Erfahrung, von der man keines dieser Dinge trennen kann. Zugleich *erscheinen alle kritischen Untersuchungen,* die diese Geschichte erhellen möchten und sich, im Zusammenhang damit, um die Entdeckung der Vorgeschichte einiger zusammengesetzter Bücher bemühen, *eng mit den bereits erwähnten theologischen Fragen verbunden.* Kritik und Theologie handeln nicht unabhängig voneinander: sie sind stets ineinander verschlungen und erhellen sich gegenseitig, wenn auch ihre Methoden unterschiedlich sind und der bei jeder kritischen Forschung hypothetische Teil bleibt.

Wenn es zutrifft, daß die „Form" der fundamentalen Elemente in den Büchern und ihrer Komposition erkennbar ist, dann waren die *Textzusammenstellung,* die Texte selber und schließlich die *Bearbeitung für ihre Weitergabe* bis zur Anerkenntnis als „Wort Gottes" in der Kirche *von dem globalen Prozeß der „Inspiration" getragen und umfaßt,* der diese verschiedenen „Dienste am Wort" begleitete. Ihre theologische Untersuchung kann sich nicht damit begnügen, sie oberflächlich zu analysieren und den „Text" durch irgendeine Methode hervorzuheben, ohne zugleich die Geschichte ihrer Entstehung zu beachten, selbst wenn die hier erforderlichen Arbeiten sich als schwierig und langwierig erweisen. *Diese Arbeiten sind ein Auftrag derTheologie selbst:* Die Geschichte der Texte ist ein Teil der *Heilsgeschichte,* da sie mit der Geschichte der Offenbarung verbunden war, deren Entfaltung zu folgen sie – in gewissem Maße – ermöglicht. Diese beiden Gesichtspunkte einander gegenüberzustellen oder gar den zweiten nicht in Abhängigkeit vom ersten sehen zu wollen wäre töricht.

Andererseits *können* die semiologischen, literarischen, soziologischen, historischen usw. Untersuchungen der Kritik nicht – wenigstens bei dem, der sie im Lichte seines eigenen Glaubens vornimmt – *ohne den Blick auf das globale Geschehen der Offenbarung erfolgen,* der die biblischen Texte im Innersten zugehörig sind. Die *Autonomie der angewandten Methoden* bleibt für jede der zu unternehmenden Arbeiten voll gewährleistet. Doch ihr *Zielpunkt* liegt nicht auf dem oberflächlichen Gebiet, woran sich die Religionswissenschaft, die Religionsgeschichte und die Religionsphänomenologie halten müssen: Er richtet sich auf die Vereinigung der Akte literarischer Komposition, die seit Beginn und auch noch heute die signifikanten „Spuren" des Wortes Gottes in der Menschheitsgeschichte ausmachen. Die Bibelkritik wird somit selbst zu einem „potentiellen Teil" der Theologie (um einen klassischen scholastischen Ausdruck aufzugreifen). Folglich: „Haec oportuit facere, et illa non omittere . . ."

Aus dem Französischen von Anneliese Lubinsky

LEO SCHEFFCZYK

DIE ANTHROPOGENESE
IN THEOLOGISCHER SICHT

Das II. Vatikanische Konzil hat zu der zwischen Theologie und Naturwissenschaft stehenden Frage nach der „Anthropogenese" oder „Hominisation" nicht ausdrücklich Stellung genommen. Trotzdem bieten seine Aussagen über die einzigartige Hochstellung der Menschenschöpfung einerseits[1] und über die gegenseitige Verwiesenheit von Schöpfungswahrheit und Naturwissen andererseits bedeutsame Ansatzpunkte zu einer Abstimmung der theologischen mit der naturwissenschaftlichen Anthropologie. Das beweist u.a. die mit einem gewissen Forderungscharakter an die Theologie verbundene Feststellung: „Denn die neuen Forschungen und Ergebnisse der Naturwissenschaften ... stellen neue Fragen, die sogar für das Leben Konsequenzen haben und auch von den Theologen neue Untersuchungen verlangen" (GS 62). Damit sind gleichsam die zwei Widerlager genannt, zwischen denen die Anthropologie insgesamt heute eingespannt ist, oder die zwei (gewiß nicht gleich starken) Stützpunkte angegeben, auf denen das Gewicht der theologischen Argumentation ruhen muß. K. Rahner hat in seinem Werk der Erfassung und Harmonisierung dieser Spannung große Aufmerksamkeit gewidmet und die Problemlösung in einer Vielzahl von Beiträgen gefördert[2], deren Ergebnisse hier vorausgesetzt werden.

Im folgenden geht es darum, die Eigenständigkeit des theologischen Ansatzes herauszuarbeiten und dabei seine Andersartigkeit gegenüber dem naturwissenschaftlichen Denken nicht zu verschweigen, ohne damit eine recht verstandene Einheit zu leugnen. Auch diese Aufgabenstellung liegt in der Intention des Konzils, welches nämlich in dem oben genannten Zusammenhang auch davon spricht, daß die Glaubenswissenschaft gehalten sei, solche Untersuchungen „immer unter Wahrung der der Theologie eigenen Metho-

---

[1] Dazu zählen vor allem die Aussagen über die Gottebenbildlichkeit des Menschen (GS 12 24) und über die Menschenwürde (NA 5).
[2] Vgl. den jüngsten Beitrag K. Rahners zum Thema „Naturwissenschaft und vernünftiger Glaube". Wissenschaft und christlicher Glaube, in: Schriften XV 24—62.

den und Erfordernisse ... vorzunehmen und die Lehre des Glaubens den Menschen ihrer Zeit zu vermitteln" (GS 62). Dies darf als Hinweis darauf genommen werden, daß die Theologie das Spezifische ihrer Wahrheit und Erkenntnis nicht in einer neuen Art von Konkordismus der Naturwissenschaft unterwerfen darf, sondern auch auf Abgrenzung und Überhöhung der natürlichen Erkenntnis bedacht sein muß.

Die Frage nach der „Hominisation" oder „Anthropogenese", nach dem Entstehen des neuen Seins des Menschen, ist eigentlich für den Glauben von der Offenbarung her beantwortet. Die Antwort verweist auf die göttliche Schöpfung, auf die Erschaffung des Menschen durch Gott. Sie wird gelegentlich in kirchlichen Lehraussagen sogar als „peculiaris creatio" (DS 3514) bestimmt, d.h. als „eigene" oder „besondere" Schöpfung. So eindeutig die Glaubensaussage auch ist, so dispensiert sie die Theologie als Denken des Glaubens doch nicht von der Aufgabe, die Offenbarungswahrheit der Vernunft nahezubringen, sie dem Menschen zu erschließen und in ein gewisses Verständnis zu erheben; denn auch bei der Erschaffung des Menschen handelt es sich, wie immer bei Anwendung des Schöpfungsbegriffes, um ein Geheimnis, das der Mensch seinem Verstand niemals unterwerfen kann, das er wohl aber mit der gläubigen Vernunft lichten und im Geist verehren und lobpreisen kann.

Angesichts dieses Geheimnisses des Geschaffenseins, mit dem der Mensch als höchstes irdisches Schöpfungswerk, als Bild Gottes, in besonderer Weise verknüpft, in das er auf einmalige Art eingebunden ist, stellt sich dem denkenden Glauben eine Fülle von Fragen, deren Beantwortung nicht nur die Höhe des Menschseins anzeigen kann, sondern auch die Tiefe des Weltgrundes und die unvergleichliche Größe des Schöpfers. In der Beantwortung der Frage nach der Menschenschöpfung kann also auch die Größe des Gott- und Weltgeheimnisses in neues Licht erhoben werden. Das ist in einer geistesgeschichtlichen Situation bedeutsam, die in der Gottesfrage vom Atheismus angefochten ist, die in der Frage nach dem Weltverständnis dem Immanentismus zuneigt, der jede eigentliche Transzendenz verneint, und die in der Frage nach dem Wesen des Menschen einen unbegrenzten Autonomismus vertritt, d.h. die vollkommene Selbstgesetzlichkeit und Unabhängigkeit des Menschen annimmt[3]. In dieser Situation vermag die Theologie, genauer: die „theologische Anthropologie", das Geheimnis der Wirklichkeit im ganzen zu erhellen und seinen tiefen Sinn aufzudecken.

Dabei handelt es sich, wie die kurze Charakterisierung der Probleme be-

---

[3] Zur Situationserhellung im Zusammenhang mit der Schöpfungsfrage vgl. *J. Auer,* Die Welt als Schöpfung feiern?, in: MThZ 27 (1976) 142—165.

reits erkennen läßt, um eine wesentlich theologische Fragestellung, die auf einer anderen Ebene steht und in einer anderen Dimension verläuft als die naturwissenschaftliche Erörterung der Anthropogenese. Das gläubige Denken oder die Theologie muß eine solche Fragestellung letztlich aus eigenen Prinzipien, mit eigenen Mitteln und Verfahren angehen und beantworten, auch ohne ausführliche Bezugnahme auf vorausgehende naturwissenschaftliche Erkenntnisse. Aber angesichts des heutigen Dialogs mit den Naturwissenschaften und unter Berücksichtigung mancher ähnlich erscheinender Antworten der Naturforschung erscheint es doch angemessen, in einem ersten Gedanken auf das Eigentümliche, das Besondere der theologischen Fragestellung nach dem Ursprung des Menschen einzugehen und es mit der naturwissenschaftlichen Einstellung zu vergleichen, selbst wenn dieser Vergleich nicht im Sinne einer gefälligen Harmonisierung der beiden Erkenntnisbemühungen ausfallen sollte. Das Problematische einer vollkommenen Harmonisierung wird am besten gekennzeichnet, wenn man die zentralen Begriffe voneinander abhebt und von dem Verhältnis zwischen theologisch verstandener Erschaffung des Menschen und naturwissenschaftlich beschriebener Hominisation oder Anthropogenese spricht.

1. Menschenschöpfung und naturwissenschaftliche Anthropogenese

Gegenüber einer allzu vereinfachenden Auffassung von der Zusammengehörigkeit oder gar von der Gleichheit beider Begriffe, Perspektiven und Aussagen ist schon am Beginn festzuhalten, daß die theologische Aussage über die Erschaffung des Menschen etwas anderes meint als die ähnlich lautende, aber eben doch nur ähnliche Aussage der Naturwissenschaft, die von der Hominisation oder von der Anthropogenese spricht; denn das Wort Anthropogenese besagt seiner Wurzel nach ein Werden des Menschen, eine Entfaltung aus Vorausgehendem und ein prozessuales Geschehen. „Schöpfung" dagegen ist im theologischen und d. h. in einem von Gott her bestimmten Verständnis niemals ein Werden, ein Prozeß oder eine Veränderung eines vorhergehenden Zustandes. Deshalb kann der hl. Thomas treffend sagen: „Gott schafft ohne Veränderung."[4]

Tatsächlich muß man, wenn man den Schöpfungsbegriff nicht als fromme Überhöhung eines rein empirischen, naturgegebenen Vorgangs mißdeuten will, anerkennen, daß Schöpfung ein überzeitlicher Akt Gottes ist. Er geht nicht auf die Veränderung oder Vervollkommnung eines Dinges, er meint

---

[4] STh I q. 45 a. 3.

kein zeitliches Werden, er betrifft nicht die Erscheinung und Gestaltung der Dinge, er zielt vielmehr auf die allen Erscheinungen, aller Veränderung und allem Werden zugrundeliegende Wirklichkeit selbst, d.h. auf ihr tiefstes, überempirisches Sein. Dieses kann von Gott nur in einem zeitlosen Akt aus dem Nichts zum Sein gerufen oder eben geschaffen werden.

Wenn man diese ganz andere Sinnbestimmung des Schöpfungs- und des Werdensbegriffes bezüglich des Menschen gleich zu Beginn eines Dialogs zwischen den Disziplinen berücksichtigt, kann sich sogleich die problematische und ins Negative weisende Frage ergeben, ob diese beiden Begriffe und Sachverhalte überhaupt miteinander in Verbindung gebracht werden können und ob sie nicht gar gänzlich gegeneinanderstehen. Wenn das zuträfe, wäre hier der Gegensatz von Glaube und Naturwissen festgestellt, um dessen Überwindung es gerade dem II. Vatikanum geht. Damit ist der Unterschied zwischen theologischer und naturwissenschaftlicher Fragestellung aber nicht aufgehoben.

Bei genauerer Betrachtung läßt sich freilich ersehen, daß die hier getroffene sachliche Unterscheidung ihre große und positive Bedeutung hat. Sie legt nämlich den Grund dafür, daß die naturwissenschaftliche und die theologische Erkenntnisordnung von ihrem Ansatz her nicht gegeneinanderstehen, weil sie letztlich einen verschiedenen Wirklichkeitsbereich meinen. Deshalb können sie einander auch nicht widersprechen. Aber indem man diese Nichtwidersprüchlichkeit feststellt, könnte man dem Mißverständnis Vorschub leisten, als ob hier ein schiedlich-friedliches Nebeneinander der Bereiche und der Disziplinen intendiert sei. Das würde nicht nur der Einheit der Wirklichkeit widersprechen, sondern besonders auch dem theologischen Interesse an dem Ganzen, dem Universalen, zu dem auch das Naturwissen als Moment der natürlichen Gottesoffenbarung hinzugehört. Man kann sich also von seiten der Theologie mit einer schiedlich-friedlichen Trennung zwischen theologisch verstandener Menschenschöpfung und naturwissenschaftlicher Anthropogenese nicht zufriedengeben. Von der entscheidenden Erkenntnisquelle der Theologie herkommend, d.h. von der Offenbarung Gottes ausgehend, wird man sagen müssen, daß die theologische Aussage aus einer höheren Dimension kommt und auch auf diese höhere Dimension weist, welche die naturwissenschaftliche Ebene gleichsam umwölbt, aber sie an keiner Stelle stört oder verletzt und mit keinen ihrer Daten in Konflikt gerät. Das ist die grundlegende theologische Sicht der Unterschiedenheit wie auch der Zusammengehörigkeit der beiden Bereiche. Sie erweist sich freilich in der Praxis als nicht so problemlos wie in der Theorie, vor allem nicht in der Praxis heutiger Erkenntnisbemühungen in der Abstammungslehre, in der Biologie und in der Verhaltensforschung.

Bei einer Vielzahl von Naturforschern wird nämlich (ob gewollt oder un-
gewollt, sei hier dahingestellt) der Eindruck erweckt, daß mit der stammes-
geschichtlichen Erklärung des Werdens des Menschen die Aussagen über
den Menschen schon erschöpft seien. Es ist das eine von J. Monod[5] angeregte, von K. Lorenz weitergeführte sogenannte „biologisch denkende Philosophie"[6], welche die Anthropogenese gänzlich aus den Bewegungsgesetzen bio-
logischer Mechanismen unter Heranziehung zusätzlicher Erkenntnisse der
Kybernetik und der Systemtheorie[7] ableiten möchte. Dabei kommt es nicht
nur zu einer Ablehnung jeder geisteswissenschaftlich-philosophischen Anthropologie, die das Wesen des Menschen in seiner unableitbaren Sonderart
wahren möchte[8], sondern auch zu einer (wenn auch verhaltenen) Kritik am
theologischen Schöpfungsbegriff. Der Gedanke an die Schöpfung und an die
Transzendenz wird als idealistisch und platonisch abgetan. An einer Stelle,
an der die Grenzüberschreitung des Verhaltensforschers, aber auch das geringe philosophische Problembewußtsein besonders auffällig in Erscheinung
tritt, spricht z.B. Lorenz eine Vermutung über das Entstehen der religiösen,
theistischen Schöpfungsvorstellung aus und erklärt, sie sei aus dem subjektiven menschlichen Eindruck des künstlerisch Schaffenden entstanden, daß
der von seinen sterblichen Händen hergestellte Gegenstand ihn überlebe,
daß der Gegenstand eine Art Unsterblichkeit gewinne[9], ein „Gleichnis des
Unvergänglichen"[10] sei. Zur Verbindung des Unvergänglichen mit dem Vergänglichen müßte dann ein Schöpfungsvorgang postuliert werden. Das aber
sei eine idealistische, anthropomorphistische Erfindung, die der Objektivität
naturwissenschaftlichen Denkens widerspreche und die genauso abzulehnen
sei wie der Donnerkeil des Zeus in der antiken Sage[11]. Wörtlich heißt es in
Ablehnung des in der christlichen Schöpfungswahrheit immer auch eingeschlossenen Ebenbildgedankens: „Das Lebewesen ist nicht Gleichnis von irgend etwas, es ist selbst die wissende Wirklichkeit."[12] Dahinter steht der
noch grundsätzlichere Gedanke, daß es nur diese eine empirische Wirklichkeit gibt, die aus einer außersubjektiven Welt und unserem sich dieser Welt
anpassenden Erkenntnisapparat, dem Spiegel dieser Welt, besteht. Das Stu-

---

[5] *J. Monod*, Zufall und Notwendigkeit. Philosophische Fragen der modernen Biologie (München ²1971).
[6] *K. Lorenz*, Die Rückseite des Spiegels. Versuch einer Naturgeschichte menschlichen Erkennens (München 1975) 12.
[7] Ebd. 50.
[8] Ebd. 32 u. ö.
[9] Ebd. 286.
[10] Ebd. 326.
[11] Ebd. 48.
[12] Ebd. 326.

dium der Gesetze, nach denen diese Welt und der Spiegel aufeinander abgestimmt sind, macht das Wesen der Lehre vom Menschen aus, der doch hier in der Eindimensionalität des Empirischen, Biologischen gefangenbleibt. Daran ändert auch nichts die Tatsache, daß hier, wohl um diese Lehre nicht gar so undifferenziert erscheinen zu lassen, bemerkenswerterweise ein „Wesensunterschied" zwischen Tier und Mensch zugegeben wird. Aber dieser „Wesensunterschied" wird auch wieder nur biologisch oder morphologisch verstanden. Es ist nach Lorenz ein ähnlicher Unterschied, wie er zwischen dem Warmblütler und seinem wechselwarmen Vorfahren bestand[13], also, philosophisch geurteilt, gerade kein Wesensunterschied, sondern ein solcher in den Eigenschaften, in den Funktionen und in den Leistungen, was danach von Lorenz immer wieder gesagt wird.

Es ist nicht leicht, angesichts solcher von einer rein biologischen Anthropologie herkommenden Aussagen die Glaubenswahrheit von der Erschaffung des Menschen zur Geltung zu bringen. Tatsächlich kann man — und das ist für unsere Situation charakteristisch — innerhalb des Glaubensdenkens und der Theologie Anzeichen erkennen, die dafür sprechen, daß man bereit ist, zugunsten der naturwissenschaftlichen Objektivität auf eine Geltendmachung der Schöpfungswahrheit, besonders hinsichtlich des Menschen, zu verzichten. Man hat jedenfalls Schwierigkeiten, sie als inhaltliche Wahrheit, als gegenüber der Naturwissenschaft neue Realität und höhere Sinngebung festzuhalten. So flüchtet man in existentielle Aussagen über die Begrenztheit des Menschen, über seine Endlichkeit und über sein Gefühl schlechthinniger Abhängigkeit, womit schon im vergangenen Jahrhundert der evangelische Theologe D. F. Schleiermacher († 1834) die christliche Schöpfungswahrheit ersetzen wollte[14]. Der hier viel schärfer denkende G.W. F. Hegel († 1831) kritisierte diesen Gedanken Schleiermachers mit der nicht gerade respektvollen Bemerkung, daß ein Abhängigkeitsgefühl schließlich jeder Hund besitzen könne. Obgleich diese launige Bemerkung natürlich kein Argument darstellt, bietet sie doch einen Ansatzpunkt dafür, ein solches Argument zu gewinnen. Es liegt nicht darin, daß man diesem philosophischen Biologismus einfach den viel reicheren Glaubensstandpunkt entgegensetzt, auch nicht darin, daß man ihn auf seine dauernden Konzessionen des Rätselhaften, des Wunderbaren und Irrationalen in der Phylogenese hinweist, um an diesen ungeklärten Punkten gleichsam die Schöpfungswahrheit „einrasten" zu lassen. So kann man die christliche Wahrheit weder verkündigungsmäßig noch auch wissenschaftlich vermitteln. Man kann einen solchen

---

13 Ebd. 65.
14 *D. F. Schleiermacher,* Der christliche Glaube I, hrsg. von M. Redeker (Berlin 1960) 307 ff.

wissenschaftlichen Entwurf, wie er im philosophischen Biologismus vorliegt, nur auf seinem eigenen Felde stellen und ihm so z.b. zuallererst nachweisen, daß er die Wirklichkeit insgesamt reduziert und daß er insbesondere die Wirklichkeit des Menschen unzulässig verkürzt. Was hier generell geschieht, ist die Rückführung der Wirklichkeit auf die Grenzen einer einzigen wissenschaftlichen Methode unter Verkennung der Tatsache, daß sich in jeder wissenschaftlichen Disziplin Fragen stellen, die mit den Mitteln dieser Disziplin nicht zu beantworten sind.

Das zeigt sich in der sogenannten biologischen Philosophie an der Unbeantwortbarkeit der Sinnfrage in bezug auf den gewaltigen biogenetischen Prozeß. Sie stellt sich dem Betrachter dauernd, sie wird aber weder vom Ursprung noch vom Ziel her aufgenommen. Dieser Ausfall hängt aber innerlich mit der Reduzierung des menschlichen Seins und des menschlichen Denkens zusammen. Der Mensch wird hier aufgrund der Tatsache, daß er tief in die biologische Wirklichkeit eingesenkt ist, in die Immanenz des Biologischen geradezu eingeschlossen. Nach J. Monod[15] ist das menschliche Denken ein bloßes Simulationsvermögen zur Darstellung der empirischen Erfahrung und zu ihrer Vorwegnahme. Ähnlich versteht Lorenz den Geist als einen kognitiven Apparat zur Abspiegelung der äußeren Wirklichkeit. Menschlicher Geist ist demnach eine rein operative, technologische Rationalität, deren höchste Leistung darin besteht, auf kausal-analytischem Wege den Mechanismus seiner Entstehung zu rekonstruieren. Damit verkürzt der philosophische Biologismus den Menschen und den menschlichen Geist gleich in zwei Richtungen und Erstreckungen, nämlich in Richtung auf seine tiefe Innerlichkeit wie auch in Richtung auf die Weite seines Strebens, das ins Unbegrenzte, Unendliche geht[16]. Um nämlich die objektive Natur entziffern oder entschlüsseln zu können, bedarf es nicht nur eines reflektierenden Spiegels, sondern eines Entschlüsselungssystems, eines apriorischen Vorwissens etwa um Ordnung, um Gestalt, um Wechselwirkung und um Wahrheit. Hier werden alle schon in der menschlichen Selbsterkenntnis vorfindlichen transzendenten Elemente der Vernunft unterdrückt, die sich bei diesen Erklärungen ständig melden, z.B. die Erkenntnis, daß das Erklären der Natur eine ganze Reihe von apriorischen Prinzipien voraussetzt, wie etwa Kausalität, Einheit, Ordnung, Gestalt und Wahrheit. Der angebliche Spiegel, mit dem der Geist gleichgesetzt wird, könnte z.B. die rechte von der falschen

---

[15] *J. Monod*, a.a.O. 191 f.
[16] Vgl. *K. Rahners* wohl ausführlichste Darstellung von der Weltoffenheit der Materie und dem Transzendenzbezug der Evolution: Die Hominisation als theologische Frage, in: *ders.* — *P. Overhage*, Das Problem der Hominisation (Quaestiones disputatae 12/13) (Freiburg i. Br. — Basel — Wien 1961) 13—90.

Spiegelung gar nicht unterscheiden, wenn ihm nicht die Idee der Wahrheit vorgegeben wäre. So kommt auch C. F. v. Weizsäcker bei Erwägungen im Umkreis der Kybernetik und der Biologie zu der beinahe metaphysischen Annahme, daß man so etwas wie die Idee des Gesunden und Kranken, des Guten und Bösen, des Wahren und Falschen annehmen müsse, wenn man erklären wolle, wie der Mensch die Natur entschlüsselt[17].

Die biologische Philosophie kann, wie sie ja überhaupt die Wesensfragen vermeidet oder sie unter der Hand zu Fragen nach Eigenschaften und Funktionen umdeutet, vor allem die Unabschließbarkeit des menschlichen Denkens nicht wahrnehmen und anerkennen. Konkreter gefaßt, besagt dies, daß sie den geistigen Menschen als fragendes Wesen nicht ernst nimmt, welches im immer neuen Fragen nach dem Warum der Welt, nach ihrem Wozu, nach dem Sinn des Ganzen ausgreift und so eine Erstreckung nach dem Grenzenlosen und Unendlichen zeigt[18]. Dieser Ausrichtung ist mit einer Erklärung des Erkenntnismechanismus nicht Genüge getan. Hier fallen solche Züge des geistigen Lebens wie Hoffnung, wie Sehnsucht nach einer überempirischen Vollendung, wie Heilserwartung, wie absolute ethische Verpflichtung aus. Indirekt gibt Lorenz das an einer Stelle selbst zu, wo er erklärt: „Wir sind, was unsere Hoffnung betrifft, den Sinn und die letzten Werte der Welt zu verstehen, sehr bescheiden."[19] Damit gibt er zu, daß die Sinn- und die Wertfrage in diesem System nicht beantwortet werden können, aber daß sie doch offenbar nicht abzuweisen sind. Das deutet auf eine Vielschichtigkeit und Mehrdimensionalität der Wirklichkeit hin und auf eine Offenheit des Menschen, die jedes weltimmanente System übersteigt, die über das Biologische auf das Geistige, auf das Transzendente, auf das Absolute, ja sogar auf etwas Übernatürliches zielt[20].

Wenn eine solche Offenheit des Menschen zugegeben ist, darf die Frage nach einem Absoluten, das für ihn Ursprung und Ziel ist, tatsächlich nicht mehr unterbunden werden. Ihre Antwort besteht nun gerade in dem, was die Theologie die Erschaffung des Menschen nennt.

Hier stellt sich dann die neue Frage, was unter diesem Schöpfungsgeschehen zu verstehen sei, zumal wenn es naturwissenschaftliche Erkenntnisse nicht antasten, sondern sie in eine höhere Dimension erheben soll.

---

[17] *C. F. v. Weizsäcker*, Die Einheit der Natur (München 1971) 390f.
[18] Vgl. dazu *R. Spaemann — R. Loew*, Die Frage Wozu? Geschichte und Wiederentdeckung des teleologischen Denkens (München 1981) 213—238.
[19] *K. Lorenz*, a.a.O. 16.
[20] Daß der heutigen Naturwissenschaft ein solches Offensein für das Absolute möglich ist, zeigt *P. Lüth*, Der Mensch ist kein Zufall. Umrisse einer modernen Anthropologie (Stuttgart ²1981) 469f.

2. Schöpfung als Wortgeschehen

Die Theologie ist gehalten, hier wie in allen Fragen die Offenbarungszeugnisse ernst zu nehmen. Sie bezeichnen nun an entscheidenden Stellen, so schon im ersten priesterschriftlichen Schöpfungsbericht (Gen 1, 1 — 2, 4a), die Erschaffung als ein Wortgeschehen, als ein Rufen und Befehlen Gottes. Jahwe erschafft die Dinge und auch den Menschen durch sein Wort und in seinem Wort. Nach dem Propheten Jesaja ist es Gott, „der all dies plant und vollbringt". Er „ruft die Geschicke seit jeher". Er ist „der Erste und der Letzte" (Jes 41,4).

Im Neuen Testament ist der Gedanke der Schöpfung durch das Wort weitergeführt, insofern dieses Wort, der Logos, der Sohn des Vaters ist. Nach dem Johannesevangelium ist „alles durch das Wort geworden" (Joh 1, 3), nach dem Hebräerbrief „trägt" der Sohn „das All durch sein machtvolles Wort" (Hebr 1, 3). Diese Aussagen erlauben der Theologie eine weitere Entfaltung. Sie kann die Erkenntnis zutage fördern, daß der Mensch sein Dasein einem Wort oder Rufe Gottes verdankt, daß er ein von Gott ins Sein Gerufener ist. Die Schöpfung des Menschen darf daraufhin als ein besonderes Rufgeschehen gedeutet werden. Wie der Vater sich innertrinitarisch in einem wesentlichen Lebensakt in seinem Logos, dem Sohne, ausspricht, so spricht er sich nach außen in freier Zuwendung in seinem Geschöpf aus.

Der Mensch darf daraufhin auch als eine worthafte Existenz bezeichnet werden, als ein geschaffenes Wort Gottes. In diesem seinem Wortcharakter liegen schon wesentliche Momente seiner Konstitution angelegt, so etwa seine innere Sinnhaftigkeit oder Logizität, seine innere Güte, Ordnung und Schönheit.

Die Schöpfung im Wort oder durch das Wort besagt inhaltlich mehr als der dem Glaubensdenken vertrautere Gedanke von der „Schöpfung aus dem Nichts". Dieser Gedanke ist dem christlichen Schöpfungsglauben freilich auch wesentlich, insofern er die völlige Unabhängigkeit und Souveränität Gottes gegenüber dem Geschöpf aussagt, das dann in seinem ganzen Sein und Wesen, in seiner Fortexistenz wie in seiner Entfaltung auf Gott zurückgeht und von ihm getragen wird. Aber der Gedanke der „Schöpfung aus dem Nichts" besagt an sich nur die Setzung und Entgegensetzung des Geschöpfes durch eine göttliche Tat; die Wahrheit von der „Wortschöpfung" dagegen bringt den relativ neuen Gedanken ein, daß Gott vermittels des Wortes auch eine Verbindung mit seinem Geschöpf eingeht, daß hier eine Beziehung und ein unauflösliches Band zwischen dem Sprechenden und dem Ausgesprochenen geschaffen wird. Schöpfung, zumal die Menschenschöpfung, wird so auch als Stiftung eines bleibenden Verhältnisses des Menschen zu Gott verstehbar.

Freilich könnte bei dieser Erklärung eine gewisse Schwierigkeit entstehen, die aus dem anschaulichen Denken kommt und die meint, daß ein Rufen oder Sprechen doch schon einen Hörenden voraussetzt und ihn nicht erst schafft. Aber dieser Einwand ist zu beheben, wenn man an den kraftgeladenen, energetischen und tathaften Charakter des Wortes Gottes denkt. Es ist nach biblischem Denken keine bloß theoretische Mitteilung, sondern eine Setzung von Wirklichkeit, eine Berufung zum Sein im Gegenüber zu Gott.

Das hat Ferdinand Ebner in seiner Philosophie des Wortes gut umschrieben, wenn er sagt: „Gott schuf den Menschen, heißt nichts anderes, als er sprach zu ihm. Er sprach ihn schaffend zu ihm: Ich bin und durch mich bist Du."[21] Aufgrund des kraftgeladenen, seinserfüllten Wortes Gottes darf man sagen: Für den Menschen ist das Angerufenwerden und das Einsetzen ins Sein ein und dasselbe.

Damit ist aber die Wahrheit von der Erschaffung des Menschen im Wort noch nicht völlig ausgelotet. Eigentlich könnte das bisher Gesagte auch auf alle Schöpfungsdinge angewendet werden, weil alle ihren Ursprung dem schöpferischen Wort Gottes verdanken. So wäre das Eigentümliche und Spezifische des zwischen Gott und dem Menschen spielenden Wortgeschehens noch nicht in den Blick gebracht. Das geschieht erst, wenn man das in dem Zitat von Ferdinand Ebner ausgedrückte „Ich — Du" mit allem Gewicht ausstattet. Hier ist nämlich gesagt, daß sich Gott als Ich an das Geschöpf wendet, sich diesem ichhaft und personal mitteilt. Aufgrund dieses Ichs des rufenden Gottes kann sich sozusagen erst ein Geschöpf ergeben, das ein Du und damit eine Person Gott gegenüber ist. Indem Gott als Ich zu einem Geschöpf spricht, macht er dieses zu seinem Du. Was aber für Gott ein wahres Du ist, muß in sich selbst auch ein Ich, d.h. eine Person, sein.

Die Hingabe des Ichs Gottes an ein anderes Wesen hat deshalb, wie man sagen darf, personierende, personbildende Kraft. Die geschaffene Person des Menschen entsteht dann dadurch, daß Gottes Ich ein Wesen als Du anruft, woraus sich sofort auch der Ich-Charakter, die Personalität dieses Wesens ergibt.

Indem Gott aber einem Wesen sein Ich zuspricht, gibt er ihm auch Anteil an dem, was zu einem Ich gehört: das ist Selbstbesitz, Selbstbewußtsein, Selbstbestimmung, Selbsterkenntnis und damit auch Erkenntnis aller Wahr-

---

[21] *F. Ebner,* Das Wort und die geistigen Realitäten. Pneumatologische Fragmente (Wien ²1952) 39.

heit. In der Aussprache des göttlichen Ichs an ein geschöpfliches Du liegt darum auch das eingeschlossen, was wir den Geist nennen: das ist das immaterielle, alles durchdringende und innerlich erfassende Leben eines Selbsts.

So kommt in diesem Ich-Du-Anruf der einzigartige, eben personale Charakter der Menschenschöpfung zum Vorschein, der sich von der Erschaffung aller anderen Wesen abhebt. Im Hinblick auf diese Wesen läßt sich sagen, daß Gott sie zwar ebenfalls mit seinem Schöpferwort anruft, so daß auch sie worthaft gebildet sind (man erinnert sich hier unwillkürlich an das Dichterwort „Schläft ein Wort in allen Dingen"), daß er sich ihnen aber nicht „ichhaft" hingibt, sondern ihnen nur sein Sein leiht, und zwar in endlicher, begrenzter Weise.

Von einer so verstandenen Menschenschöpfung, die als personales Ergehen des Wortes erkannt wird, ist in einem weiteren Schritt zu ersehen, daß ein solches Wortgeschehen sofort auch eine Entsprechung oder eine Antwort auslösen muß. Ein Rufgeschehen hat ja erst dann sein Ziel und seine Vollgestalt erreicht, wenn ihm auch eine Antwort zukommt. Wenn man deshalb von der Menschenschöpfung durch das Wort Gottes ausgeht, muß man folgerichtig reziprok von der Seite des Menschen her sagen: Der Mensch ist zum Antwortgeben auf Gottes Wort berufen, er ist auf ein Antwortsein Gott gegenüber angelegt, er ist als eine responsoriale Existenz konstituiert.

In allgemeiner Weise gilt für alle Geschöpfe, daß sie von Gott ins Sein gerufen werden, näherhin in ein eigenes, ihnen zugehöriges Sein, um mit diesem ihrem eigenen Sein in relativer Autonomie auf das Tun Gottes zu reagieren, dieser Tat Gottes zu entsprechen. Sie leisten dies, indem sie mit ihren Kräften in der Schöpfung wirken und durch ihr objektives Dasein Gott die Ehre geben, ihm durch ihr materielles Sein antworten. Der Mensch allein kann und soll in der irdischen Schöpfung diese Antwort bewußt, personal und verantwortlich geben. Er allein verwirklicht die Responsorialität in eigentlicher, förmlicher und geistiger Weise. Man darf daraufhin seine Existenz auch als dialogische bezeichnen, als Dasein vor Gott und zu Gott hin. Die Gottbeziehung kommt ihm deshalb nicht erst im nachhinein zu. Sie gehört vielmehr zu seinem Wesen als Person. Personalität wird in dieser Sicht dann dem Mißverständnis des alleinigen „In-sich-selbst-Stehens" entzogen. Sie ist Selbstsein im Gegenübersein zu Gott, eine Erklärung, die natürlich auch ihre erheblichen Konsequenzen für seine Beziehung zum mitmenschlichen Du hat[22].

---

[22] Vgl. dazu *A. Brunner*, Dreifaltigkeit. Personale Zugänge zum Geheimnis (Einsiedeln 1976) 27 ff; *J. Auer*, Person. Ein Schlüssel zum christlichen Mysterium (Regensburg 1979) 42 ff.

Was hier über die Schöpfung des Menschen durch das göttliche Wort entfaltet wurde, ist in den Offenbarungszeugnissen der Heiligen Schrift nicht so ausführlich dargeboten. Es ist aber dort in einem Ausdruck und Begriff zusammenfassend und komprimiert gesagt, nämlich in dem Begriff des „Ebenbildes Gottes".

So darf dann die Betrachtung auf den Kernbegriff der biblischen Anthropologie eingehen, auf den Ausdruck von der „Gottebenbildlichkeit" des Menschen, der sich im ersten Schöpfungsbericht (Gen 1, 26) findet.

3. Das Wesen der Gottebenbildlichkeit

Die Bezeichnung des Menschen als Bild Gottes (in der biblischen Doppelung: Bild und Gleichnis) ist eigentlich die Höchstaussage über das theologische Menschenbild. Es verwundert deshalb nicht, wenn sie schon im biblischen Schöpfungsbericht mit einer gewissen Feierlichkeit eingeführt wird und von einer archaischen Gravität umgeben ist, die wir heute als so „sakral" und so hoch angesetzt empfinden, daß wir sie außerhalb der Liturgie kaum noch gebrauchen. Die Einzigartigkeit dieser Formel macht auch verständlich, warum die Deutung ihres Inhaltes in der Exegese lange Zeit strittig war, zumal der engste Zusammenhang, in dem die Formel Gen 1,26 steht, auch keine direkte Erklärung über das Wesen der Gottebenbildlichkeit gibt oder über das, worin sie besteht, als vielmehr über die Art und Weise ihrer Auswirkung, nämlich in der Herrscherstellung des Menschen innerhalb der Schöpfung. So kam es in der Interpretationsgeschichte zu den verschiedensten Erklärungen, die manchmal wenig tief gingen, so wenn man gelegentlich das Bildsein mit der aufrechten Gestalt des Menschen identifizierte[23]. Die scholastische Theologie neigte zu einer Verbindung der Gottebenbildlichkeit mit der Geistseele des Menschen[24], was insofern nicht befriedigt, als nach dem ganzheitlichen Denken der Heiligen Schrift das Gottebenbildsein den ganzen Menschen bestimmen und auszeichnen muß. Aufgrund dieser Einsicht kam die moderne Exegese dazu, die Personalität des Menschen als solche als die Gottebenbildlichkeit zu deuten[25]. An diese Interpretation hat sich unsere vorhergehende Erklärung am Leitfaden der Begriffe „Ich—Du", Geistigkeit, Personalität und Responsorialität gehalten.

Aber bei genauerer Fixierung des biblischen Begriffes und seines Umfeldes

---

[23] Vgl. *O. Loretz*, Die Gottebenbildlichkeit des Menschen (München 1967).
[24] Ebd. 23ff.
[25] Ebd. 34f.

läßt sich die Interpretation doch noch um zwei Momente vertiefen. Im priesterschriftlichen Schöpfungsbericht (Gen 1, 1 — 2, 4a) ist zwar nicht die philosophische Begrifflichkeit von Personalität und Responsorialität gebraucht, aber eine Darstellung geboten, die den Gehalt von „Gottebenbildlichkeit" noch einmal nach einer neuen Seite hin entfalten kann. Der Bericht läßt nämlich deutlich erkennen, daß der Mensch das einzige Wesen ist, das unmittelbar zu Gott steht, dem also „Gottunmittelbarkeit" zukommt. Während alle anderen Geschöpfe in einer deutlichen Stufenfolge und im Abstand zu Gott loziert werden, steht der Mensch allein Gott direkt und unmittelbar gegenüber.

Wenn man diesen biblischen Befund mit den zuvor gemachten theologischen Aussagen verbindet, so ergibt sich hier nochmals eine für das Denken bedeutsame Steigerung. „Gottebenbildlichkeit" resultiert dann sozusagen aus der „Gottunmittelbarkeit". Alles, was zuvor über die Momente der Ebenbildlichkeit gesagt wurde, kann jetzt auch von daher begründet werden, daß der Mensch in unmittelbarer Nähe Gottes steht, daß er Gott geradezu berührt.

Damit wächst der Mensch zu einer Größe auf, die seinsmäßig nicht mehr zu steigern ist; denn Gottunmittelbarkeit läßt sich ontologisch tatsächlich nicht mehr steigern. Sie ist ein höchstes qualitatives Verhältnis, das nicht mehr überhoben werden kann. Von hier aus fällt auch, in Abzweckung auf die Gegenwart, ein Licht auf die evolutionstheoretische Frage, ob der Mensch nicht durch die Autoevolution zu einem noch höheren Seinsstand, zum sogenannten „Übermenschen", erhoben werden könnte[26]. Die biblisch-theologische Antwort auf diese Frage ist so gehalten, daß an ihr wiederum die Unterschiedenheit der beiden Dimensionen bei grundsätzlicher Zuordnung erkannt werden kann: die Theologie hat keine Einwände zu machen, wenn der Paläontologe und der Humanbiologe, dem Gang der bisherigen Entwicklung des Menschen folgend, in den Bereichen des Organischen, der zentralnervösen Einrichtungen und des Bewußtseins eine Intensivierung und Optimierung voraussagen. Nur wird die Theologie der Übertreibung entgegentreten, die in der Annahme besteht, daß daraus das gottgeschaffene Humanum als solches, d.h. die gottebenbildliche, gottunmittelbare Person, zu etwas wesentlich anderem oder Höherem werden könnte. Es gibt nichts Höheres als die in Gottunmittelbarkeit geschaffene Person. Auch diese ist freilich eines inneren Wachstums fähig, das aber nicht den Gesetzen der Evolution folgt, sondern den Gesetzen der Heiligung und der Gnade.

In diesem biblischen Zusammenhang und in seinem Umfeld liegt noch ein

---

[26] Vgl. dazu *P. Lüth*, a.a.O. 453ff.

neues Moment verborgen, das als letztes in die Gottebenbildlichkeit eingebracht werden kann. In Einzelfällen deutet die Exegese die von der Heiligen
Schrift ausgesprochene Gottebenbildlichkeit auch als „Verwandtschaft" des
Menschen mit Gott[27]. Diese zu sehr an die naturalistischen heidnischen Vorstellungen vom Verhältnis der Menschen zu den Göttern erinnernde Interpretation erscheint zwar theologisch nicht angemessen. Aber das in ihr enthaltene Anliegen kann in einem anderen Sinne aufgenommen werden, wenn
man nämlich am Ende auch die von der göttlichen Gnade erfüllte, die sogenannte „übernatürliche" Gottebenbildlichkeit in die Bestimmung dieser Wesensstruktur des Menschen mit hineinnimmt. Der biblische Befund ergibt
zwar kein Indiz für die Unterscheidung zwischen „natürlicher" und „übernatürlicher" Gottebenbildlichkeit. Im ersten Schöpfungsbericht ist auch die
Vereinigung beider Arten von Gottebenbildlichkeit nicht förmlich ausgedrückt. Aber man kann aufgrund des ganzheitlich-konkreten Denkens des
Alten Testamentes schließen, daß hier die totale natürliche und gnadenhafte
Gottbeziehung des Menschen mitgemeint ist. Es ist nicht anzunehmen, daß
die Schöpfung im Wort nicht auch die gnadenhafte Lebensverbindung des
Menschen mit Gott meint, so daß auch das Antwortsein des Menschen das
Geschehen der übernatürlichen Liebe, der Verehrung und Anbetung Gottes
meint, in dem sich die Gottebenbildlichkeit des Menschen eigentlich als
„homo orans" erst erfüllt.

Im Hinblick auf diese von der Gnade erfüllte Wesensstruktur des Menschen kann man dann auch mit dem zweiten Petrusbrief von einem „Anteil
an der göttlichen Natur" (2 Petr 1, 4) sprechen, den die Ebenbildlichkeit gewährt, und von einer Verwandtschaft, die aufgrund der Erfülltheit der Gottebenbildlichkeit mit dem innersten Leben der Liebe Gottes zustande
kommt. Hier wird der Mensch in das Geschehen zwischen Vater, Sohn und
Heiligem Geist hereingenommen.

Ebenso bedeutsam wie dieser Gedanke aber ist die neutestamentliche
Wahrheit, daß das eigentliche und vollkommene Ebenbild Gottes allein im
Gottmenschen Jesus Christus verwirklicht wurde (2 Kor 4, 4; Kol 1, 15; Phil
2, 6). Von dieser neutestamentlichen Wahrheit her empfängt die Gottebenbildlichkeit des Menschen noch einmal ein neues Licht. Von dieser Höhe
her betrachtet, besagt sie die Christusgleichgestaltung des Begnadeten, aber
auch sein immer tieferes dynamisches Einwachsen in Christus, wozu lebens-
mäßig auch die Ausbildung des Urbildes Christi in der Nachfolge Christi gehört.

So gesehen, bedeutet die Bestimmung des Menschen als Bild Gottes die

---

[27] *O. Loretz,* a.a.O. 63.

höchste und großartigste Wahrheit über das Gottgeheimnis des Menschen wie auch umgekehrt über die „Menschlichkeit" Gottes. Der Christ darf daraufhin mit allen darin eingeschlossenen Konsequenzen sagen, daß der Mensch ein „theomorphes" Wesen ist. Gerade von dieser anspruchsvollsten Feststellung her kann noch einmal ein Rückblick auf die am Anfang stehende Beziehung zur naturwissenschaftlichen Bestimmung des Menschen gesagt werden.

4. Glaubensaussage und Naturerkenntnis

Der Gläubige braucht, wenn er das alles erwägt, nicht mit der Überzeugung hinterm Berg zu halten, daß die Glaubensaussage die Auskunft der Naturwissenschaft überragt und über ihr steht wie der Himmel über der Erde. Aber nach dem über die Offenheit des Menschen Gesagten wird er ersehen können, daß auch der von der Naturwissenschaft her Denkende zu dieser Glaubenshöhe gelangen kann, daß jedenfalls der Weg zu ihr vom naturwissenschaftlichen Denken nicht blockiert wird, weil nirgends ein Datum der Naturwissenschaft alteriert ist. Das läßt sich zuletzt noch an dem nicht uninteressanten Einzelpunkt zeigen, an dem zur Diskussion steht, wie denn der Schöpfungsakt selbst theologisch zu deuten ist, den die Naturwissenschaft als Übergang, als Fulguration von einer Art zur neuen höheren Art des Menschseins bezeichnet.

Die Frage, was eigentlich von Gott her bei der Erschaffung des Menschen geschah und auch heute noch beim Entstehen des Menschen geschieht, wird besonders dringlich, wenn man an der „Erschaffung aus Nichts" festhält; denn hier ist von der Naturwissenschaft her das Vorhandensein eines vorgegebenen Substrats gefordert. Diese Glaubenswahrheit könnte hier gefährdet erscheinen, was aber eine nur vordergründige Ansicht wäre[28], denn das schöpferische Handeln Gottes bleibt auch gewahrt, wenn Gott etwa an ein tierisches Substrat anknüpft. Sein schöpferisches Handeln bedeutet dann, daß er dieses in eine neue Beziehung erhebt, zu seinem Du erhebt, was eine völlige Umprägung des Ganzen tierischen Substrats bedingt, so wenn etwa aus einem vorbereiteten Holzstoß durch einen Funken plötzlich eine lodernde Flamme entsteht. Ohne Bild ausgesprochen, ergibt sich daraus die Erkenntnis: durch eine neue Relation, die dem Substrat neues geistiges Sein, neuen Sinn und ein neues Wesen verleiht, hebt der Schöpfer ein Geschöpf

---

[28] So spricht auch *P. Lüth* von „Schüben von Schöpfungskraft", welche eine ganzheitliche Schau der Evolution postulieren muß: a.a.O. 262.

unter einer gleichzeitigen Umprägung zu sich empor, in eine einmalige Ich-Du-Beziehung, erhebt es so zur personalen Responsorialität, d.h. zum Menschsein. Daß Gott hier an einem vorgegebenen Substrat ansetzt, beeinträchtigt die Wahrheit der Schöpfung aus dem Nichts keineswegs; denn es ist ja zu bedenken, daß sich auch dieses alte Sein zuletzt auf die im ganzen aus dem Nichts erschaffene Welt zurückführt. Nun gibt es aber für Gott zwischen diesem ursprünglichen Schöpfungsakt und dem neuen schöpferischen Ansatz, der ein niederes Sein zum Menschsein emporruft, keine Zeit. Gottes schöpferisches Tun ist immer überzeitlich. Wenn wir hier einen zeitlichen Zwischenraum ansetzen, so liegt das an unserer zeithaften Erkenntnisweise, die sich das, was in Gott eins ist, in zeitlicher Ausdehnung vorstellen muß. Damit ist auch der Einwand hinfällig, daß Gott hier neu und momenthaft in das Weltgeschehen eingreifen müßte. Als der Schöpfer, der vom Uranfang an allem Geschaffenen gegenwärtig ist, braucht er in seine Schöpfung nicht einzugreifen. Er ist ihr zuinnerst nah und läßt an sie einen Ruf ergehen, der für sie zeithaft ausfällt, der für ihn aber einen überzeitlichen Akt bedeutet.

Bedeutsam an diesem Zusammenhang ist vor allem auch der Umstand, daß dieses schöpferische Wortgeschehen auf keinen Fall von unten her, d.h. von einer Möglichkeit oder einer Aktion eines vormenschlichen Substrates, ausgehen kann. Wenn Menschsein, Personsein aus einem göttlichen Wort kommt, dann ist festgestellt, daß dieses Wort nicht von einem apersonalen Geschöpf gesprochen werden kann. Nie kann eine geschöpfliche Kraft einen Ruf Gottes von sich aus ergehen lassen und Personalität setzen. Das bleibt das Vorrecht des Schöpfers und seines transzendentalen Wirkens, das die immanenten Gesetzlichkeiten der Welt nicht aufhebt, aber sie überzeitlich zu neuem Sein erhebt und unterfängt[29]. Das ist und bleibt der göttliche, geheimnisvolle Grund der Menschenschöpfung, der die einzigartige Würde des Menschen ausmacht.

Dieser Grund ist ein Geheimnis, aber wegen seiner Lichthaftigkeit durchaus auch anziehend, den Menschen erhebend und ihn zum Lob des Schöpfers führend, in einer Welt, die ohne dieses Geheimnis tatsächlich der Monodschen Sinnlosigkeit ausgeliefert werden müßte[30]. Aber diese resultiert

---

[29] Man wird wohl weder dem Anliegen des Schöpfungsglaubens noch dem des weltanschaulichen Evolutionismus gerecht, wenn man die göttliche Wirkursächlichkeit „von oben" und die aus immanenten Gründen erfolgende Entwicklung „von unten" schlicht und postulatorisch gleichsetzt, wie das etwa bei Teilhard de Chardin nahezuliegen scheint. Auch K. Rahner scheint sich der Auffassung Teilhards nicht gänzlich anschließen zu wollen: vgl. *K. Rahner,* Die Christologie innerhalb einer evolutiven Weltanschauung, in: Schriften V 186.
[30] Bei *J. Monod* liegt der interessante Fall vor, daß ein Naturwissenschaftler (gewiß in der Weise einer deutlichen Grenzüberschreitung) die personale Sinnfrage aufgreift, sie aber mit den Argumenten einer philosophischen Biologie gänzlich negativ beantwortet: a.a.O. 211.

doch nur aus einem naturwissenschaftlichen Denken, das mit begrenzten Mitteln die Unbegrenztheit des Menschen als Person erklären möchte. In gewisser Weise muß die Naturwissenschaft mit ihren mechanischen Instrumenten den Menschen einer nichtpersonalen Betrachtungsweise unterwerfen, was ihr die Theologie nicht zum Vorwurf machen kann. Sie darf aber diesen ihren eingeschränkten Aspekt nicht als Totalansicht ausgeben. Solange sie das nicht tut, wird ihr die Theologie nicht widersprechen, wohl aber ihren Anspruch anmelden, der auf das Grenzenlose, das Absolute zielt, dessen tiefster Grund in der Schöpfungswahrheit gelegen ist. Er besagt, daß der Mensch in seiner Ganzheit nicht aus der Kosmogenese zu erklären ist, sondern aus einem Grund, der aller Kosmologie und Biologie vorausliegt und doch auch in allen Bewegungen geheim anwesend ist. Dieser Grund kann nur im Glauben erfaßt und theologisch ausgelegt werden.

DAS II. VATIKANUM –
EINE HERAUSFORDERUNG
AN DIE FUNDAMENTALTHEOLOGIE

Zweifellos hat die Konstitution „Dei Filius" des I. Vatikanums im 19. Jahrhundert ein wichtiges Moment in der Geschichte der traditionellen Apologetik dargestellt. Sie ist jedoch in ihrer Bedeutung bei weitem nicht vergleichbar mit der Neuerung, ja Revolution, die das II. Vatikanische Konzil bewirkt hat. Hier sind nachhaltige Einflüsse wirksam geworden, die geradezu als Herausforderung an die Fundamentaltheologie bezeichnet werden können; eine Herausforderung, die nicht allein durch ein Dokument wie etwa „Dei verbum", sondern durch die Konzilsarbeit insgesamt ausgelöst wurde. Mit den von ihm festgestellten Veränderungen in den Einstellungen und Ansätzen wie auch mit den von ihm eingeführten lehramtlichen Erweiterungen fordert das II. Vatikanum die Fundamentaltheologie auf, verschiedene ihrer Standpunkte zu überprüfen und einige ihrer Hauptthemen neu zu behandeln.

1. Veränderte Auffassungen

Gewisse Veränderungen in den Einstellungen, die die vom Konzil gewollte und bewirkte *metanoia* oder Umkehr zum Ausdruck bringen, berühren die Fundamentaltheologie unmittelbar. Ich nenne hier einige von ihnen:

a) Die *Dialog*bereitschaft

Dialog bezeichnet hier mehr als nur einen Austausch von Worten. Damit ist vielmehr eine umfassende Einstellung des Offenseins für den anderen, der Aufgeschlossenheit, des gegenseitigen Gebens und Nehmens gemeint, wie z.B. von seiten Gottes selbst, der als erster herausgetreten ist aus seinem Geheimnis, um den Dialog mit der Welt zu eröffnen. Das Konzil hat den Dialog nicht nur mit den anderen, orientalischen (OE 24–29; UR 14–18) und protestantischen (UR 19–23), christlichen Gemeinschaften aufgenommen, sondern auch mit den nichtchristlichen Religionen, insbesondere mit dem Hinduismus und dem Buddhismus (NA 2), mit dem Islam (NA 3) und dem Judentum (NA 4), und darüber hinaus auch mit den verschiedenen Formen des von Marx, Freud, Hegel, Feuerbach und Nietzsche inspirierten modernen Unglaubens (GS 21) und den von der säkularisierten Welt hervorgerufenen weiten Bereichen religiöser Indifferenz. Diese Dialoghaltung hat ihren Ausdruck nicht nur auf textlicher Ebene gefunden, sondern auch im Bereich neuer, von Paul VI. und Johannes Paul II. geschaffener Strukturen: des Sekretariats für die Einheit der Christen, des Sekretariats für die Nichtglaubenden (Dialogsekretariat), der Kommission für die Beziehungen zum Islam, der Kommission „Justitia et Pax" und des Päpstlichen Rates für Kultur. Bedenkt man, daß es noch gar nicht so lange her ist, daß die Bezeichnung „Protestant" in vielen Ländern als höchste Beleidigung galt, weil sie gleichbedeutend mit „Häretiker" gebraucht wurde, dann weiß man den bisher gemachten Fortschritt zu würdigen.

Diese Dialoghaltung übt einen direkten Einfluß auf die Fundamentaltheologie aus. Bis weit in das 20. Jahrhundert hinein hat die Apologetik gegen ihre protestantischen, deistischen und rationalistischen Widersacher mit dem Säbel gerasselt. Seit dem Dekret über den Ökumenismus aber ist eine solche Einstellung nicht mehr vertretbar. Es geht jetzt nicht mehr in erster Linie um Widerlegung, sondern darum, ein Klima der Annäherung und der Hörbereitschaft zu schaffen. In ihrer Abwehr- und Verteidigungshaltung hat sich die frühere Apologetik in sich selbst verschlossen und gegen andere abgeschottet. Glücklicherweise hat sie inzwischen den polemischen und schneidenden Ton abgelegt, der sie so sehr in Mißkredit gebracht hatte. Ihre Formulierungen bringen heute Positionen und Vorschläge zum Ausdruck und sind nicht mehr von Opposition geprägt. Im übrigen ist der Kontrahent von heute im Herzen des Gläubigen nicht weniger als in dem des erklärten Ungläubigen anzutreffen; denn das, was das Denken des Ungläubigen nährt, ist dasselbe, was auch bei vielen Christen Unsicherheit und Zweifel erzeugt. Der nachkonziliare Mensch verlangt vor allem eine Berücksichtigung seiner Probleme in klaren und positiven Darlegungen, die ihm helfen, diese Probleme und sich selbst besser zu verstehen.

In einer seiner intensivsten Formen ist der aktuelle Dialog neu aufgenommen und vertieft worden mit der Kultur unserer Zeit (GS 53–63) und mit den Humanwissenschaften, insbesondere der Geschichte, der Philosophie, der Psychologie, der Soziologie und den Sprachwissenschaften (GS 62; DV 12).

b) Die Einstellung des *Dienens*

An die Dialoghaltung schließt sich die des Dienstes an. Das Konzil hat von Papst und Bischöfen ein neues Bild gezeichnet, dessen vorherrschender Zug der des Hirten ist. Das Magisterium charakterisiert sich selbst als Dienst am Wort Gottes: „Das Lehramt ist nicht über dem Wort Gottes, sondern dient ihm" (DV 10,3). In Erfüllung ihrer Aufgabe sollen die Bischöfe „den Menschen die Frohbotschaft Christi verkünden; das hat den Vorrang unter (ihren) hauptsächlichen Aufgaben" (CD 12). Auf die Ebene der Fundamentaltheologie übertragen, bedeutet das, daß diese darauf verzichten muß, Kategorien des Christentums, wie etwa Offenbarung, Tradition, Wunder, auf den engen Grundlagen einer rein nominalen Definition auszuarbeiten (wie es die frühere Apologetik getan hat) oder ungerechtfertigterweise das voneinander zu trennen, was die Bibel als ein Ganzes sieht (z.B. Offenbarung und Auferstehung als Mysterium und Ereignis zugleich), oder im Namen einer verfehlten Methodologie illegitime Dichotomien herbeizuführen, indem beispielsweise Jesus als bloßer göttlicher Legat gesehen wird, während ihn die Schrift als Messias, als Menschensohn und Sohn des Vaters zugleich darstellt. Das bedeutet faktisch, daß sich die Fundamentaltheologie dem Text und der Realität unterwirft, deren Träger sie ist. Daraus ergibt sich, daß die historischen und hermeneutischen Instanzen vorrangig werden.

c) Die *Suche nach dem Sinn*

Die Konzilstexte erscheinen praktisch wie breitangelegte Darlegungen, die dazu bestimmt sind, das vor allem nach Sinngebung und innerer Klarheit suchende Volk Gottes zu erleuchten. Das Konzil ist der Auffassung, daß die christliche Botschaft genug Licht auf die Tiefenbereiche des Menschen wirft und daß sie die Probleme des menschlichen Daseins hinreichend genug entschlüsselt, um aus sich selbst die Frage entstehen zu lassen: „Liegt sie nicht in dieser Richtung, die Wahrheit über den Menschen und über Gott?"

Wenn die vom Konzil bewirkten veränderten Einstellungen für eine erneuerte Fundamentaltheologie von Bedeutung sind, so sind die lehramtlichen Erweiterungen nicht weniger entscheidend. Sie betreffen die sakramentale Struktur der Offenbarung, die zentrale Stellung Christi, die Theologie der Zeichen, das Christentum als Exegese des Menschseins, die Fundamentaltheologie als bevorzugten Ort der Begegnung zwischen Christentum und Kultur.

2. Die Offenbarung und ihre sakramentale Struktur

Die Konstitution „Dei Filius" des I. Vatikanums richtete sich weniger auf die Offenbarung als auf den Glauben. Im Grunde ist die Konstitution „Dei verbum" das erste nicht nur über die Offenbarung, sondern auch über die ersten und grundlegenden Kategorien des Christentums ausgearbeitete Dokument, d.h. über die Kategorien der Offenbarung, der Tradition und der Inspiration. Allgegenwärtig im Christentum und einbegriffen in jedes theologische Vorgehen, sind sie zugleich die am schwierigsten zu definierenden Kategorien, eben deswegen, weil es sich um Grundbegriffe handelt.

Infolge ihrer umfassenden, weiten Sicht ist die Konstitution „Dei verbum" gewissermaßen die Charta der Fundamentaltheologie geworden. Sie übersieht in der Tat keinen der wesentlichen Aspekte der Realität, die der Kern dieser Disziplin ist, nämlich das freie Eingreifen Gottes in Jesus Christus, die Selbstoffenbarung und die Selbstmitteilung Gottes, die dem Christentum sein Spezifikum verleiht. Die Konstitution stellt zunächst das Geheimnis der Offenbarung dar (Natur, Gegenstand, Zweck, Ökonomie, Mittler). Sodann betrachtet sie die Offenbarung im Prozeß ihres Geschichtlichwerdens: Verheißung und Vorbereitung im Alten Testament; des weiteren das Erscheinen Gottes in Jesus Christus mit den Zeichen dieser Epiphanie; schließlich seitens des Menschen die Annahme im Glauben (DV 2–6). Sie behandelt die Übermittlung der Offenbarung durch die Tradition und die inspirierte Schrift, die beide das Volk Gottes beleben wie auch von ihm verlebendigt werden; beide werden erklärt und gedeutet vom Magisterium, das zugleich Hörer und Diener des Wortes ist (DV 7–13). Im Kapitel über die Inspiration werden die Funktion Gottes als des Urhebers und die des heiligen Schriftstellers besser definiert und in ihrer Beziehung zueinander besser eingeordnet. Für die Schriftauslegung anerkennt die Konstitution die Bedeutung der literarischen Gattungen, betont jedoch andererseits die Notwendigkeit einer soliden literarischen und historischen Forschung als Grundlage des Lesens und Deutens der Heiligen Schrift (DV 11–13). Der historische Wert des Evangeliums wird mit Nachdruck bestätigt (DV 19). Gewiß, in diesem Dokument ist nicht alles gesagt. Einige Aspekte sind unberücksichtigt geblieben oder werden kaum betont; so z.B. die soziale Dimension der Offenbarung und vor allem ihr Erlebnischarakter. Auf jeden Fall aber bringt diese Konstitution einen spürbaren Zustrom frischer Luft in eine Disziplin, die jahrzehntelang an Sauerstoffmangel litt.

Nicht alle Punkte der Konstitution haben sich gleich stark auf die Fundamentaltheologie ausgewirkt. Wir wollen hier drei herausgreifen, die tiefgreifende Veränderungen eingeleitet haben.

1. Der erste Punkt betrifft die *Struktur* der Offenbarungsökonomie. Die traditionelle Apologetik hatte den unwiderstehlichen Hang, in der Offenbarung die *dicta,* die *verba* zu bevorzugen, zum Nachteil der *gesta,* der *opera,* sowie die *Offenbarung des Wortes* mit der Offenbarung *durch das Wort* zu vermischen. Infolgedessen studierte man mit großer Aufmerksamkeit die *verba* Jesu, seine formale Lehre, maß jedoch seinen Beispielen, seinen Werken und seinem Verhalten eine eher sekundäre Bedeutung bei; dies war ein Material, das vorwiegend der Frömmigkeit als Nahrung diente. Wenn man von den Wundern sprach, dann mehr um ihren Beweis- und Legitimationswert in bezug auf die Botschaft Jesu als ihren Offenbarungswert zu betonen.

An der Wurzel dieser Position liegt das praktische Vergessen oder In-Klammern-Setzen zweier spezifischer Merkmale der christlichen Botschaft, und zwar des Prinzips der historischen Wahrheit und des Prinzips der Inkarnation.

Das I. Vatikanum seinerseits stellt die Offenbarung als ein göttliches Handeln dar, durch das uns die offenbarte Lehre oder das Vermächtnis des Glaubens mitgeteilt wird. Es zitiert Hebr 1,1, jedoch treten die Implikationen dieses Textes in der Beschreibung der Offenbarung nicht signifikant in Erscheinung: die Offenbarung stellt sich dar als ein vertikales Handeln, dessen Endpunkt eine Lehre über Gott ist; dieses Handeln aber berührt die Geschichte kaum. „Dei verbum" hat den *historischen* Charakter der Offenbarung erneut und mit Entschiedenheit bekräftigt, stellt aber zugleich klar, daß die Offenbarung nicht mit dem undurchsichtigen Gewebe der geschichtlichen Ereignisse identisch ist. Die Konstitution bestätigt, daß es sich um eine Geschichte und ihre authentische Interpretation handelt, wobei die Horizontalität des Faktums ebenso eingeschlossen wird wie die Vertikalität der von Gott gewollten und von seinen autorisierten Zeugen – von den Propheten, von Christus und den Aposteln – mitgeteilten Heilsbedeutung. Die Offenbarung, sagt das Konzil, vollzieht sich in inniger Verbindung von Gesten und Worten, die beide wesentliche Elemente der Offenbarung sind. Diese ist zugleich Ereignis und Kommentar.

Indem das Konzil nachdrücklich auf die Ereignisse und die Worte als grundlegende Elemente der Offenbarung verweist, betont es deren historischen und sakramentalen Charakter: *historisch,* weil es sich um eine Offenbarung in der Geschichte handelt; *sakramental,* weil das Ereignis seinen vollen Sinn durch die Vermittlung des Wortes enthüllt. Diese Struktur unterscheidet bereits die christliche Offenbarung von jeder anderen Form von Offenbarung wie auch von jeder Form bzw. jedem Anschein von Gnosis oder Ideologie. Unserer Ansicht nach bildet diese Bestätigung der *sakramentalen* Struktur der Offenbarung die bedeutendste Revolution, die von „Dei verbum" herbeigeführt worden ist, eine Revolution, deren Auswirkungen auf allen Ebenen spürbar werden, die wiederum eine ganze Reihe von Kettenreaktionen auslösen.

2. Wenn sich die höchste Offenbarung, die Christus-Offenbarung, durch die *verba* und *opera* Christi vollzieht, d.h. nicht nur durch seine formale Lehre, sondern auch durch sein gesamtes Tun als fleischgewordenes Wort, so folgt daraus, daß die Übermittlung dieser Offenbarung nicht auf die Mitteilung eines Corpus an Lehrsätzen reduziert werden kann. Damit würde die Offenbarung zu einem Reden über Gott und das Heil, zu einer erhabenen Ideologie, bliebe jedoch ohne wirkliche Auswirkungen auf das Leben. Tatsächlich aber, erklärt „Dei verbum", ist es so, daß die Apostel durch das mit ihrer Lehre und ihrem Leben eine Einheit bildende Zeugnis das weitergegeben haben, „was sie aus Christi Mund, im Umgang mit ihm und durch seine Werke empfangen . . . hatten" (DV 7). „So führt die Kirche in Lehre, Leben und Kult durch alle Zeiten weiter und übermittelt allen Geschlechtern alles, was sie selber ist, alles, was sie glaubt" (DV 8). Das ganze christliche Volk ist aufgefordert zum „Festhalten am überlieferten Glauben, (so daß) in seiner Verwirklichung und seinem Bekenntnis ein einzigartiger Einklang herrscht zwischen Vorstehern und Gläubigen" (DV 10). So wie das Zeugnis für Christus auf unlösbare Weise mit der *Lehre* und dem *Leben* verbunden worden ist, so muß auch die Weitergabe des Evangeliums durch die Jahrhunderte, d.h. die Evangelisation, eine Form annehmen, in der sich das Engagement eines christlichen Lebens mit der Verkündigung des Glaubens verbindet.

3. Daraus folgt auch, daß die *Kommunikation* des Evangeliums in der heutigen Welt nicht reduzierbar ist auf ein bloßes Informationsverfahren durch die Techniken der Massenmedien, und seien diese auch noch so ausgeklügelt. Das Evangelium mitteilen heißt, daß derjenige, der das Heil „mitteilt" oder es „verkündet", zugleich der lebendige Zeuge eines Glaubens ist, der zunächst sein eigenes Leben erleuchtet und verwandelt hat. Man verkündet das Evangelium nicht so, wie man etwa ein pharmazeutisches Produkt ankündigt. Die Menschen werden sich Christus nur dann zuwenden, wenn seine Botschaft vor ihren Augen Gestalt annimmt, zu einem Wesen von Fleisch und Blut wird wie etwa in der Person eines Franz von Assisi, eines Maximilian Kolbe, einer Mutter Teresa. Die Offenbarung ist wesenhaft *Zeugnis:* Zeugnis des Sohnes für die Liebe des Vaters, Zeugnis der Apostel, Zeugnis der Heiligen für Christus. Die Offenbarung ist wie eine sich fortpflanzende Kaskade von Zeugnissen, gerade weil sie sich in Gesten und in Worten vollzieht.

Die Fundamentaltheologie steht daher einer neuen Herausforderung gegenüber. In ihrer Reflexion über die geschichtlichen Grundlagen des Christentums muß sie den Werken, dem Tun und den Gesten Jesu das gleiche Interesse entgegenbringen wie seinem Predigen, denn beide Ausdrucksformen bilden das eigentliche Wesen der Offenbarung. Das bedeutet auch, daß die Fundamentaltheologie über die christliche Praxis nicht weniger reflektieren muß als über die christliche Botschaft selbst.

3. Die zentrale Stellung Christi

So paradox, so ungeheuerlich diese Feststellung auch klingen mag: das II. Vatikanum hat Christus, selbst in den Augen der Christen, gewissermaßen „rehabilitieren" müssen.

In ihrem Traktat „De Christo legato" sah die traditionelle Apologetik in Jesus einen göttlichen Legaten, einen Propheten, dessen Botschaft, beglaubigt von Zeichen wie Wundern und Weissagungen, des Glaubens würdig, weil göttlichen Ursprungs war. Diese Dichotomie zwischen Jesus, dem göttlichen Gesandten, und dem Sohn des Vaters entspricht in keiner Weise der Darstellung des Evangeliums und noch viel weniger der Realität des Phänomens Jesus. Im übrigen macht eine solche Dichotomie das absolut einzigartige Ereignis der glorreichen Auferstehung Jesu unverständlich. Die Position Bultmanns ist noch radikaler, denn sie reduziert Christus auf den Menschen Jesus, den letzten der Propheten des Alten Testamentes, von der Urkirche mit den Hüllen griechischer Gottheit umkleidet und von ihr mit Attributen wie Wundertäter, Herr, Erlöser, Sohn Gottes ausgestattet[1]. „Person und Werk Jesu sind mit Hilfe von Begriffen gedeutet worden, die dem gnostischen Erlösungsmythos entlehnt wurden."[2] Für die nach-christlichen Menschen unserer Zeit schließlich stellen Christus und das Christentum zwar noch ein wichtiges Moment der Menschheitsgeschichte dar, ein Moment jedoch, das inzwischen der Vergangenheit angehört. Wie zur Zeit seines Wandelns auf Erden wird Christus auch heute bestritten und abgelehnt.

Es ist dieser Jesus, den das II. Vatikanum nicht nur in den Augen der Atheisten, sondern auch der Christen, der nachchristlichen Christen, ja auch vieler Katholiken hat rehabilitieren müssen. Einige haben dem II. Vatikanischen Konzil vorgeworfen, daß es keine ausgesprochene Konstitution über Christus enthalte, wohl aber zwei über die Kirche: „Lumen gentium" und „Ad gentes". Im Grunde aber ist es mehr als nur eine Konstitution, es ist das gesamte Konzil, das sich auf Christus aufbaut. Das II. Vatikanum hat seinen

---

[1] *R. Bultmann,* Das Urchristentum im Rahmen der antiken Religionen (Zürich 1949), franz. Ausg.: Le christianisme primitif dans le cadre des religions antiques (Paris 1940) 144.
[2] Ebd. (franz. Ausg.) 161.

Glauben an Christus, den Sohn Gottes und Herrn der Menschen und des Universums, dessen Liebe sich auf unendliche Weise in alle Richtungen ausbreitet, erneut bestätigt und kraftvoll verkündet. Die Gegenwart Christi inspiriert und beherrscht sämtliche Konstitutionen und Dekrete. In „Dei verbum" wird Christus dargestellt als „der Mittler und die Fülle der ganzen Offenbarung" (DV 2). In „Lumen gentium" ist Christus „das Licht der Völker", während die Kirche „in Christus gleichsam das Sakrament, das heißt Zeichen und Werkzeug, für die innigste Vereinigung mit Gott wie für die Einheit der ganzen Menschheit (ist)" (LG 1). „Sacrosanctum Concilium" richtet das Augenmerk auf die Liturgie, insbesondere die Eucharistie, als den bevorzugten Ort, wo „das Leben der Gläubigen Ausdruck und Offenbarung des Mysteriums Christi und des eigentlichen Wesens der wahren Kirche wird" (SC 2). Nach „Gaudium et spes" „klärt sich nur im Geheimnis des fleischgewordenen Wortes das Geheimnis des Menschen wahrhaft auf" (GS 22). Im Einflußbereich des Konzils stellt die Enzyklika „Redemptor hominis" gleichsam als Charta des Neuen Menschen in Christus diesen als den „Mittelpunkt des Kosmos und der Geschichte" dar[3], als den Erlöser des Menschen und der Welt[4].

Diese absolute Zentralität Christi kommt in „Dei verbum" in einem Text von seltener Dichte zum Ausdruck. „Jesus Christus, das fleischgewordene Wort, ... vollendet das Heilswerk, dessen Durchführung der Vater ihm aufgetragen hat (vgl. Joh 5,36; 17,4). Wer ihn sieht, sieht auch den Vater (vgl. Joh 14,9). Er ist es, der durch sein ganzes Dasein und seine ganze Erscheinung, durch Worte und Werke, durch Zeichen und Wunder, vor allem aber durch seinen Tod und seine herrliche Auferstehung von den Toten, schließlich durch die Sendung des Geistes der Wahrheit die Offenbarung erfüllt und abschließt und durch göttliches Zeugnis bekräftigt, daß Gott mit uns ist, um uns aus der Finsternis von Sünde und Tod zu befreien und zu ewigem Leben zu erwecken" (DV 4).

Mit anderen Worten: das Konzil stellt die Inkarnation des Sohnes, konkret genommen, als die Epiphanie Gottes im Fleisch und in der Sprache des Menschen dar. Das ist das Paradoxe an der Offenbarung: um sich zu offenbaren, bedient sich Gott des Unähnlichsten, das es in bezug auf ihn gibt, nämlich des Fleisches. Und doch wird diese Niedrigkeit des Fleisches zur privilegierten Sprache, durch die Gott sich kundtun will, und in endgültiger Weise zur Offenbarung, der keine weitere folgen wird (DV 4).

Dieses Inkarnationsprinzip der Offenbarung hat eine Reihe von Konse-

---

[3] *Johannes Paul II.*, Antrittsenzyklika „Redemptor hominis" n. 1.
[4] Ebd. n. 7.

quenzen für das Verständnis der Offenbarung im Diskurs einer Fundamentaltheologie.

1. Offenbarung und Inkarnation gehören zum gleichen Mysterium der Erhöhung der menschlichen Natur und der menschlichen Sprache. Die Inkarnation betont das Fleisch-Annehmen des Sohnes durch die hypostatische Vereinigung, während die Offenbarung die Manifestation Gottes auf dem Wege des Fleisches und der Sprache hervorhebt. Inkarnation wie Offenbarung aber sind zugleich Selbstmitteilung und Selbstgeschenk Gottes. Indem er sich offenbart, gibt sich Gott; und indem er sich durch die Fleischwerdung gibt, offenbart sich Gott.

2. Wenn es durch die Inkarnation wirkliche „In-Humanisation" Gottes gibt, so folgt daraus, daß alle Dimensionen des Menschen angenommen und eingesetzt werden, um der absoluten Person als Ausdruck zu dienen. Nicht nur Christi Wort, seine Predigt, sondern auch seine Taten, seine Beispiele, seine Einstellungen und sein Verhalten gegenüber all denen, die von den Menschen nicht zur Kenntnis genommen, die verachtet und verworfen werden, wie auch sein Leiden und sein Tod: seine ganze Existenz ist ein einziges Zusammenwirken, um uns sowohl sein eigenes Geheimnis zu offenbaren, das Geheimnis des trinitarischen Lebens, wie auch das Geheimnis unserer Gotteskindschaft. Christus gibt sich ganz und gar hinein in die Offenbarung des Vaters und seiner Liebe. Man muß daher sagen, daß die Liebe Christi die Liebe Gottes in ihrer Sichtbarkeit ist und daß das Handeln Christi das menschliche Reden Gottes ist.

3. Wir verstehen den Sinn dieser Inkarnationsökonomie besser, wenn wir uns bewußt machen, daß das, was Christus den Menschen offenbart, nämlich ihre Gotteskindschaft, eine neue *Lebensweise,* eine *Praxis* ist. Die Offenbarung dieser neuen Lebensweise wäre jedoch, hätte sie sich nur durch mündliche Belehrung vollzogen, recht wenig wirksam und ohne wirkliche Resonanz geblieben. Diese neue Lebensweise mußte „exemplifiziert", vorgelebt werden. Deshalb ist Christus, der Sohn des Vaters im Schoß der Dreifaltigkeit, unter den Menschen erschienen, um ihnen ihre Gotteskindschaft zu offenbaren, indem er selbst ein Leben als Sohn des Vaters führte. Indem wir auf Christus hören und ihn meditieren, indem wir ihn handeln sehen, wird uns unser Zustand der Gotteskindschaft geoffenbart, lernen wir, mit welcher Liebe der Vater den Sohn und die Menschen, seine angenommenen Kinder, liebt.

4. Da Christus zugleich das offenbarende und das geoffenbarte Geheimnis, der Mittler und die Fülle der Offenbarung ist (DV 2 u. 4), nimmt er folglich im christlichen Glauben eine absolut einzigartige Stellung ein, die diesen christlichen Glauben von allen anderen Religionen unterscheidet. Das Chri-

stentum ist die einzige Religion, deren Offenbarung sich inkarniert in einer Person, die sich als die lebendige und absolute Wahrheit darstellt. Andere Religionen haben ihre Gründer gehabt (Buddha, Konfuzius, Zarathustra, Mohammed), von denen sich jedoch keiner seinen Anhängern als Objekt des Glaubens dargestellt hat. Ganz anders im Christentum: Christus begegnen heißt Gott begegnen; an Christus glauben heißt an Gott glauben. Christus ist nicht bloß ein Religionsgründer: er ist in der Geschichte immanent und zugleich der absolut Transzendente.

5. Wenn Christus die Fülle der Offenbarung ist, *Archè* und *Telos* in einer Person, so folgt daraus auch, daß Christus in seinem historischen Kommen der Interpretationsschlüssel aller Heilsformen, der früheren, der gegenwärtigen und der kommenden, ist. Die Heilsreligionen stehen in einer positiven Beziehung zur christlichen Offenbarung, die Beschaffenheit ihres Inhalts bedarf jedoch der Präzision und der Interpretation. Allein Christus aber ist „die Fülle des religiösen Lebens" (NA 2). Selbst das Alte Testament verfügt über keine absolute und unfehlbare Deutung aus seiner eigenen Offenbarung heraus, denn es kennt noch nicht das endgültige Wort, das seine Mehrdeutigkeiten klärt, seine Gestalten deutet und seine Schatten auflöst. Erst Christus macht das vollkommene Verstehen des Alten Testamentes wie auch aller anderen religiösen Formen der Menschheit möglich. Allein das von der Kirche verkündete Evangelium Jesu Christi bildet ein Ereignis, das sich vollständig und unfehlbar selbst interpretiert; denn hier ist Gott selbst in Jesus Christus das Interpretationsprinzip. Christus erleuchtet jedoch den Christen und den Nichtchristen auf unterschiedliche Weise. Die verschiedenen Religionen sind wie „Strahlen jener Wahrheit . . ., die alle Menschen erleuchtet" (NA 2); man kann in bezug auf sie von „Erleuchtung" sprechen oder von „Manifestationen", in denen Gott sich den Menschen durch den Kosmos, durch Erkenntnis oder auf andere Weise offenbart (Röm 1,19; Joh 1,9), um solchermaßen das Wirken des Wortes auf die Menschheit zu verdeutlichen. Nichts entgeht dieser erleuchtenden Einwirkung, die Quelle und Norm jeder Wahrheit ist.

6. Diese vom II. Vatikanum verkündete und geforderte absolute Zentralität Christi sollte die Fundamentaltheologie zu einer christozentrischen Betrachtung und Strukturierung aller ihrer wesentlichen Themen führen. Dies um so mehr, als die gegenwärtige Fundamentaltheologie mehr als die frühere Apologetik mit der Einheit und Totalität befaßt ist. Eine theologische Reflexion, die die „Vermittlung" Christi als Zugangsweg zum Vater ernst nimmt, muß in ihrer Methode und Strukturierung notwendigerweise christozentrisch sein. Alle grundlegenden Themen der Fundamentaltheologie – Offenbarung, Glaube, Zeichen der Glaubwürdigkeit – verweisen auf Christus,

das absolute Zeichen der Einheit. In ihm findet alles seine Erklärung, sein Strahlungszentrum und seinen konvergierenden Mittelpunkt. Dies nun führt uns dazu, aufzuzeigen, wie die vom II. Vatikanum herausgestellte sakramentale und christozentrische Struktur der Offenbarung sich in besonderer Weise auf eine erneuerte Theologie der Zeichen der Glaubwürdigkeit auswirkt.

4. Die Frage nach den Zeichen der Offenbarung

1. Ein erstes Augenmerk richtet sich auf die eigentliche Realität dieser Zeichen. Ansatzpunkt der Apologetik der vergangenen Jahrhunderte war die Untersuchung der besonderen Zeichen der Offenbarung, d.h. der Wunder und der Weissagungen. Dieses Verfahren übersah oder überging zumindest stillschweigend die Tatsache, daß die Zeichen, die die Identifizierung Jesu ermöglichen, nicht außerhalb von ihm angesiedelt sind, sondern aus eben diesem personalen Ausstrahlungszentrum hervorgehen, das Christus ist. Bevor man daher überhaupt von Zeichen spricht, muß man zunächst von *dem Zeichen,* jenem ersten und höchsten der Zeichen sprechen, das alle anderen in sich schließt und begründet, nämlich Jesus selbst.

In der Perspektive des I. Vatikanums werden Wunder und Weissagungen primär und direkt mit der christlichen Botschaft und sekundär mit Christus als ihrem Urheber in Zusammenhang gebracht. Die Zeichen haben eine beglaubigende Rolle: sie gestatten es, mit Sicherheit den göttlichen Ursprung der Heilslehre nachzuweisen. Damit ist der unmißverständliche Zusammenhang hergestellt zwischen zwei Bereichen des Wissens: der christlichen Botschaft und ihrem göttlichen Ursprung.

Das II. Vatikanum hingegen geht ganz entschieden von einer sachbezogenen zu einer personbezogenen Perspektive über. So wie es die Offenbarung personalisiert hat, so personalisiert das Konzil auch die Darstellung der Zeichen. Die Zeichen der Offenbarung sind keine losgelösten Einzelteile, die die Botschaft Christi begleiten wie etwa ein Zertifikat, das die Authentizität einer Sache garantiert. Im Gegenteil, Christus ist die Fülle der Offenbarung, der offenbarende Gott; er ist in Person das Zeichen der Authentizität seiner eigenen Offenbarung (DV 4). Und alle die besonderen Zeichen sind die vielgestaltige Ausstrahlung seiner Epiphanie als Sohn unter den Menschen.

Weil er als Person und im Innersten seines Wesens Licht und Quelle allen Lichtes ist, sind die Werke Jesu, die Botschaft, die er der Welt verkündet, und das Leben und die Liebe, die er ihr bringt, von einer Art, wie sie noch kein Mensch zuvor gesehen und erlebt und keines Menschen Geist sie sich jemals vorgestellt hätte, so daß sich unweigerlich die Frage nach seiner wirklichen Identität stellt. In der Tat sind das Werk, die Botschaft und das Verhalten Jesu von einer völlig anderen Natur: sie offenbaren in unserer Welt jenen Ganz-Anderen. Der so Nahe ist in Wirklichkeit der Transzendente; der eine unter Milliarden ist der Alleinige; der umherziehende Prediger, der keinen Stein hat, um sein Haupt daraufzulegen, ist der All-Mächtige; der zum Tode Verurteilte ist der Dreimal-Heilige; der Gekreuzigte ist das Leben. Jesus ist unter uns wie unseresgleichen und doch als der Ganz-Andere. Diese gleichzeitige Präsenz gibt uns einen deutlichen Hinweis. Wir entdecken in Jesus Zeichen der Schwachheit und zugleich der Herrlichkeit, die uns helfen, zum Mysterium seiner wirklichen Identität vorzudringen. Jesus selbst ist das Zeichen, das es zu entschlüsseln gilt, während alle übrigen Zeichen von ihm sprechen, auf ihn hinweisen, auf ihn hinorientieren wie ein Strahlenbündel auf seinen Mittelpunkt. Eine Theologie der Zeichen muß daher beginnen mit dem Studium des ersten und grundlegenden Zeichens, das Christus selber ist, um sich sodann jenem Zeichen zuzuwenden, das von ihm untrennbar ist, nämlich der Kirche, seinem Leib und seiner Braut.

2. Der gleiche Prozeß der Personalisation, der alle Zeichen der Offenbarung in Beziehung zu diesem personalen Mittelpunkt gesetzt hat, der Christus ist, hat sich auch auf das Zeichen der Kirche ausgewirkt: es sind die Christen selbst, die durch ihr heiligmäßiges Leben, und die christlichen Gemeinschaften, die durch ihr Leben in Eintracht und Liebe zum Zeichen der Kirche werden. Durch das beredte Beispiel eines Lebens, das in vollkommener Weise ihrem Stand als Kinder des Vaters entspricht, die von Christus erlöst und vom Geist geheiligt wurden, geben die Christen auch anderen Menschen zu verstehen, daß das von Christus verkündete und erworbene Heil wahrhaftig unter uns ist, denn siehe: das rebellische und störrische Herz des Menschen wurde umgewandelt in ein gehorsames und kindlich ergebenes Herz. Und der Geist Gottes ist wahrhaft ausgegossen über den Menschen, denn siehe: der neue Mensch lebt und handelt unter der Einwirkung dieses heiligen Geistes. Diese vom II. Vatikanum bewirkte Konzentration und Personalisation finden ihren Niederschlag auch in der häufigen Verwendung eines neuen Ausdrucks: Zeugnis. Was das I. Vatikanum unter dem Zeichen der Kirche verstand, ist hinfort unter der Kategorie des Zeugnisses zu suchen. Hat man diese Umsetzung erst einmal vollzogen, dann wird deutlich sichtbar, daß das Zeichen der Kirche dadurch alles andere als verarmt, vielmehr in nie zuvor gekannter Weise aufgewertet wurde. Das Thema des Zeugnisses ist in der Tat eines der bevorzugten Hauptthemen des II. Vatikanums. Wie ein Leitmotiv taucht es in allen Konstitutionen und Dekreten immer wieder auf. Die Ausdrücke „Zeugnis", „Zeugnis geben" und „Zeuge

sein" finden sich in den Konzilstexten mehr als hundertmal[5]. Das Zeichen der Kirche sieht sich praktisch zurückgeführt auf das Zeichen der Einheit und der Liebe.

3. Aus der Feststellung von „Dei verbum", daß sich die Offenbarung durch Werke und Worte, durch Zeichen und Wunder vollzieht (DV 2 u. 4), ergibt sich eine Neuorientierung mit nicht unerheblichen Konsequenzen auch für die Theologie der Wunder. Die Wunder sind nicht nur als Begründung der Glaubwürdigkeit aufzufassen, sondern darüber hinaus als *konstitutive* Elemente der Offenbarung. Außer ihrer beglaubigenden Funktion besitzen sie auch einen Offenbarungswert.

Das II. Vatikanum stellt die Beweisfunktion des Wunders, die „Dei verbum" (n. 4) unmißverständlich zum Ausdruck bringt, nicht in Abrede, fügt jedoch hinzu, daß das Wunder eine Offenbarungsfunktion hat. Wunder und Werke teilen sich in ihrer Bedeutung als strukturelle Elemente der Offenbarung. Die Botschaft verkündet, daß Christus gekommen ist, den Menschen zu befreien, zu reinigen, zu erlösen. Das Wunder aber zeigt das Heilswort in der Praxis: es bewirkt vor unseren Augen die Befreiung und die Wiederherstellung des Leibes. Es ist das handelnde Wort, das beredte Tun. Auch das Wunder ist auf seine Weise Evangelium, Botschaft, Wort. Ohne das Wunder, das den Leib belebt und befreit, hätten wir schwerlich begriffen, daß Christus das Heil für den ganzen Menschen gebracht hat. Das Wunder ist ein Element des Gottesreiches, d.h., es ist von einer dynamischen Realität, die die Dinge und den Menschen verändert: Wenn die Dinge sich verändern, so um darauf hinzuweisen, daß sich das Herz des Menschen verändern muß.

Diese neue Hervorhebung der Werke, der Wunder Christi als konstitutive Elemente der Offenbarung bedeutet zugleich ein Ernstnehmen der historischen Forschung, um die Wunder Christi in ihrer Realität als bedeutendes Faktum zu erkennen. Der Zugang zu den Wundern Jesu ist nicht weniger wichtig als der Zugang zu seinen Worten, seiner formalen Lehre, auch wenn die Forschung sich als schwierig erweist. Wenn wir das Christentum nicht auf eine Gnosis, eine Ideologie reduzieren wollen, dann müssen wir der Kenntnis der *gesta*, der *opera* Jesu eine ebenso große Bedeutung beimessen wie seinen *dicta*, seinen *verba*. Diese Bedeutung ist vor dem II. Vatikanum nicht in ganzer Schärfe gesehen worden, da die *locutio Dei*-Offenbarung praktisch auf die *dicta Jesu*-Offenbarung reduziert war. Hier öffnet sich der Exegese und der Fundamentaltheologie ein neues, weites Feld der Forschung.

---

[5] LG 12 35 38–42; AG 6 11 15 21 24 37; GS 43; PO 3; PC 25.

5. Die Frage nach dem Sinn der Offenbarung

Eine an die Adresse der klassischen Apologetik gerichtete schwerwiegende Kritik betraf die Frage des Sinns. Die traditionelle Apologetik war nach der auf der Grundlage externer Argumente erfolgten Feststellung, daß Jesus der von Gott Gesandte war und daß er eine Kirche gegründet hat, zu dem Schluß gekommen, daß alles, was wir glauben sollen, von dieser Kirche empfangen werden müsse. Sie verkannte dabei (zumindest praktisch), daß die christliche Botschaft in höchstem Maße verständlich ist und daß diese Sinnfülle bereits eine gewichtige Begründung der Glaubwürdigkeit darstellt. Die Offenbarung ist „glaub-bar", und zwar nicht nur wegen der sie begleitenden äußeren Zeichen, sondern auch weil sie dem Menschen sein Selbst offenbart: sie ist der einzige Schlüssel zur Verständlichkeit des Mysteriums Mensch. Man kann daher die auf Fakten beruhende Realität und den Sinn der Offenbarung nicht losgelöst voneinander betrachten. Die traditionelle Apologetik hat es nicht gewagt, an diese Frage heranzugehen, zweifellos deswegen, um nicht den Anschein des Übergriffs auf ein der Dogmatik vorbehaltenes Gebiet zu erwecken. Fest steht, daß sie auf diese Weise eine Kluft geschaffen hat zwischen dem Faktum und dem Inhalt der Offenbarung.

Tatsächlich ist eine Hermeneutik vom einzigen Ursprung des Christentums ungenügend, denn Jesus ist nicht nur ein Einbruch Gottes in die Geschichte des Menschen: dieser Einbruch offenbart vielmehr dem Menschen den Menschen, er entschlüsselt und verklärt ihn. Es genügt nicht, aufzuzeigen, daß wir durch das Evangelium Zugang zu Jesus von Nazaret haben: man muß ebenso darauf hinweisen, daß die christliche Botschaft den Menschen betrifft und die grundlegenden Fragen, die er sich stellt.

Eben diese Perspektive eröffnet die Konstitution „Gaudium et spes". Eine Grundfrage wird von ihr wie folgt formuliert: „Was ist aber der Mensch? Viele verschiedene und auch gegensätzliche Auffassungen über sich selbst hat er vorgetragen und trägt er vor, in denen er sich oft entweder selbst zum höchsten Maßstab macht oder bis zur Hoffnungslosigkeit abwertet, und ist so unschlüssig und voll Angst" (GS 12). Die Konstitution stellt Christus, den Neuen Menschen, als die wahre Antwort auf das Geheimnis des Menschen vor. Der wesentliche Satz ist der folgende: „Tatsächlich klärt sich nur im Geheimnis des fleischgewordenen Wortes das Geheimnis des Menschen wahrhaft auf" (GS 22). Christus erscheint als der Schlüssel zum menschlichen Rätsel. Er ist der Neuansatz aller Anthropologie, derjenige, der ihr den eigentlichen Sinn gibt, ist er doch der Neue Mensch, der neue Adam der neuen Schöpfung und des neuen Status der Menschheit. „Christus . . . macht eben in der Offenbarung des Geheimnisses des Vaters und seiner Liebe dem

Menschen den Menschen selbst voll kund und erschließt ihm seine höchste Berufung" (ebd.). Der Schlüssel zum Geheimnis des Menschen ist, daß Gott in und durch Jesus Christus in jedem Menschen einen Sohn wiederentstehen lassen will, um ihn zu inspirieren, ihm seinen Geist einzuhauchen, der ein Geist der Kindschaft ist. Es ist das Geheimnis Christi, das letztlich dem Menschen den Menschen offenbart. Weit davon entfernt, dem Menschen fremd zu sein, ist die Offenbarung seinem Geheimnis so tief verbunden, daß der Mensch sich ohne sie nicht identifizieren kann.

Wenn andererseits Christus durch sein Leben und seine Botschaft Sinnvermittler und einziger Erklärer des Menschen und seiner Probleme ist, wenn es letztlich nur in ihm allein dem Menschen gelingt, sich einzuordnen, sich zu verstehen, sich zu verwirklichen und zu vollenden, ja über sich hinauszuwachsen, so folgt daraus, daß diese von Christus auf den Menschen und seine Grundprobleme (Einsamkeit, Anderssein, Arbeit, Suche, Fortschritt, Befreiung, Freiheit, Sünde, Leiden, Tod, Heil) übertragene Sinnfülle eine Art „Signalwirkung" hat, die das Augenmerk der Menschen guten Willens hinlenkt auf das Christentum und sie zugleich fragen läßt nach der Identität dessen, der hier zur Glaubensentscheidung auffordert.

So wird vom II. Vatikanum, insbesondere in „Gaudium et spes", ein Motiv der Glaubwürdigkeit herausgestellt und aufgewertet, das von der früheren Apologetik allzuoft vernachlässigt wurde, nämlich die Fähigkeit des Christentums, die Probleme des Menschen zu *entschlüsseln*. Natürlich kann dieser anthropologische Ansatz, der darin besteht, die christliche Botschaft als Hermeneutik des Menschen und seiner Grundprobleme darzustellen, gigantisch, ja utopisch erscheinen, insofern er einer Darlegung der Dogmatik in ihrer Gesamtheit gleichkommt. Wir glauben jedoch, daß es einen Mittelweg gibt zwischen einer erschöpfenden Behandlung, so wie sie die Dogmatik leisten kann, und der einfachen Auslassung dieses Themas. Die Fundamentaltheologie kann das, was die Dogmatik anschließend entwickelt, *kurzgefaßt* behandeln, so wie die Dogmatik ihrerseits der Fundamentaltheologie das Thema der Offenbarung überläßt. Es ist durchaus möglich, in einer knappen Darlegung aufzuzeigen, wie die christliche Botschaft die menschlichen Grundprobleme erhellt: die Beziehungen des Menschen zur Welt (Arbeit und Fortschritt), zu den Mitmenschen (Gerechtigkeit, Gemeinschaft, Liebe), zu sich selbst (Identität, Vereinsamung, Leiden, Tod), zu Gott (das authentische Bild Gottes und seiner Beziehungen zum Menschen; Treue und Untreue des Menschen)[6]. Es kann keinen Zweifel daran geben, daß das II. Vati-

---

[6] Vgl. *R. Latourelle*, L'homme et ses problèmes dans la lumière du Christ (Paris – Tournai – Montréal 1981).

kanum die Fundamentaltheologie zur Erforschung eines Weges von größter Fruchtbarkeit im Hinblick auf die Glaubwürdigkeit auffordert.

6. *Die Fundamentaltheologie als Ort der Begegnung zwischen Christentum und Kultur*

Die Konstitution „Gaudium et spes" widmet ein ganzes Kapitel der Kultur (GS 53–62); sie unterstreicht deren Bedeutung für die Entwicklung des Menschen mit all seinen spezifischen Fähigkeiten; sie verweist auf die Verflochtenheit der Kultur, die die Entwicklung des Menschen fördert, mit dem Evangelium, das der Entwicklung des Neuen Menschen dient; sie anerkennt, daß Kirche und Kultur sich gegenseitig bereichern und dienen; sie drängt die Theologen, nach den für die Menschen unserer Zeit geeignetsten Weisen der Übermittlung des Evangeliums zu suchen (GS 62).

Das II. Vatikanum hat festgestellt, daß sich zwischen Kirche und Kultur allmählich eine immer tiefere Kluft aufgetan hat: das Drama der Kirche des 19. Jahrhunderts war es, daß sie es nicht vermochte, sich einer Evolution anzupassen, die die menschliche Gesellschaft in radikaler Weise verändert hat. Die Kirche hat sich immer mehr aus der Welt zurückgezogen, immer mehr isoliert, immer weniger Einfluß auf die Welt ausgeübt.

Nach dieser langen Zeit der Protesthaltung gegenüber der modernen Welt und hernach der Isolation hat die Kirche des II. Vatikanums eine wirkliche *metanoia* in ihrer Einstellung gegenüber der Welt vollzogen. Sie anerkennt diese nunmehr als freien Partner in einem offenen Dialog. Sie anerkennt, daß sie aus der Vielfalt der Kulturen viele Reichtümer empfängt. Im Laufe der Jahrhunderte hat sich die Kirche der Errungenschaften der verschiedenen Kulturen bedient, um das Evangelium zu verbreiten und die dafür angemessene Sprache zu finden (GS 58). Einerseits vertieft und reinigt das Evangelium die kulturellen Werte des Menschen. Die Kulturen müssen gewissermaßen evangelisiert werden; das Evangelium muß die lebenden Kulturen bis in ihre Tiefenschicht hinein durchdringen und sie zu ihrer vollen Entfaltung treiben. Andererseits ist ein Glaube, der nicht zur Kultur und zur Quelle der Kultur wird, kein lebendiger Glaube: er ist ernstlich in Gefahr. Zur Förderung eben dieser Beziehungen zwischen Kirche, Glaube und Kulturen hat Johannes Paul II. den Päpstlichen Rat für Kultur[7] geschaffen.

Die konkrete Vermittlung zwischen Kultur und Glaube aber ist angesiedelt auf der Ebene der Theologie, der methodologischen Reflexion über den

---

[7] L'Osservatore Romano, vom 21./22. Mai 1982.

gelebten und übermittelten Glauben. Theologie ist in der Tat nicht einfach Kontemplation von Glaubensgeheimnissen: sie muß vielmehr das Evangelium als für die Menschen von heute „bedeutungsvoll" darlegen (GS 62). Theologie und Kultur tendieren beide auf die Entfaltung des Menschen hin; beide bemühen sich um ein tieferes Verstehen des Menschen und seiner Existenz; und beide streben eine für den Menschen unserer Zeit bedeutsame Anthropologie an. In dieser Hinsicht muß die Fundamentaltheologie, um die neuen Kulturen unserer Zeit zu evangelisieren, die prophetische und schöpferische Kraft der ersten christlichen Generationen wiederfinden.

Auf dem Hintergrund des hier Gesagten scheint uns die Fundamentaltheologie der *bevorzugte Ort* für die notwendige Begegnung zwischen Glaube und heutiger Kultur zu sein. Die tiefgreifendsten Umwandlungen der heutigen Gesellschaft vollziehen sich zweifellos auf dem Gebiet der Technik, jedoch auch im Bereich der Humanwissenschaften, insbesondere der Geschichte, der Philosophie, der Sprachwissenschaften, der Psychologie, der Soziologie und der Ethnologie. Die Fundamentaltheologie jedoch, die sich mit dem Studium der Offenbarung als Geheimnis wie auch als in der Geschichte und Sprache der Menschen fleischgewordener Realität befaßt, kann den Fragen der Humanwissenschaften nicht ausweichen, zum Beispiel: a) Das Verhältnis des Christentums zur Geschichte stellt die Fundamentaltheologie vor eine ganze Reihe von Problemen, die gleichsam kaskadenförmig einander folgen (Einzigartigkeit der christlichen Offenbarung, Situation der Menschen vor dem Neuen Testament, Beziehung der Heilsreligionen innerhalb der Offenbarungsökonomie); b) Probleme der Sprache und Hermeneutik: Eingeschlossensein der Offenbarung in Denk- und Ausdrucksformen einer Epoche und daher die nicht nur zeitliche, sondern vor allem hermeneutische Distanz zwischen dem aktuellen Text und der vergangenen Realität, zwischen dem symbolischen und dem begrifflichen Ausdruck; die Möglichkeit, durch die Vielfalt der Interpretationen hindurch bis zu der ursprünglichen Realität Jesus vorzudringen; c) die Möglichkeit der Übermittlung des gleichen Glaubens, der gleichen Botschaft, des gleichen Geheimnisses, ausgehend von verschiedenartigen kulturellen und philosophischen Horizonten. Wie kann die Verschiedenheit der Ausdrucksweisen die unveränderliche Einheit der Botschaft unversehrt lassen? Die zeitgenössische Philosophie ist pluralistisch geworden, gleichzeitig haben sich die Naturwissenschaften von der Philosophie emanzipiert. Als Folge davon stehen die Theologien selbst einander nicht gegenüber, sondern nebeneinander, uneinheitlich, ohne gemeinsamen Denkhorizont. Wir sind mit Theologien konfrontiert, die sich zwar alle christlich nennen, die aber – gleichsam wie aneinander vorüberziehende Galaxien – jeweils Welten für sich bilden.

Diese Verschiedenheiten des philosophischen und kulturellen Horizontes schaffen unvermeidliche Spannungen und stellen uns vor das Problem der inmitten einer legitimen kulturellen Vielfalt zu bewahrenden Einheit des Glaubens.

Schlußfolgerungen

Dies sind, ausgehend von zwei Grundprinzipien: der sakramentalen Struktur der Offenbarungsökonomie und der absoluten Zentralität Christi, die Hauptprobleme, vor die das II. Vatikanum die Fundamentaltheologie stellt, und damit vor eine Herausforderung, die es anzunehmen gilt. Die beiden genannten Prinzipien sind sozusagen der Leitfaden hin zu den übrigen Problemen, insbesondere zur Theologie der Zeichen. Die Erforschung des Sinns des Menschen und der verschiedenen menschlichen Kulturen hängt ebenfalls mit dem Prinzip der Zentralität Christi als dem Interpretationsschlüssel des individuellen wie des gesellschaftlichen Menschen zusammen.

Aus dem Französischen von Ursula Faymonville

ELMAR KLINGER

DER GLAUBE DES KONZILS

Ein dogmatischer Fortschritt

Steht die Theologie nach dem II. Vatikanum vor einer neuen Situation? In einem Gespräch mit Eberhard Simons hat sich Karl Rahner zu dieser Frage geäußert. Es ist, sagt er, „von der Pastoralkonstitution ‚Gaudium et spes' einmal abgesehen, auf den ersten Blick eine neue Situation in der Theologie und ihrer Thematik so deutlich nicht gegeben"[1].

Die Situation der Theologie ist nach Rahner folglich bestimmt durch ihr Verhältnis zur Pastoralkonstitution. Wenn man von ihr absieht, bleibt alles unverändert. Aber was ist, wenn man nicht von ihr absieht? Sind dann nicht die Grundlagen der Theologie verändert?

Die pastorale Situation der Kirche, ihre Einstellung zum Menschen der heutigen Welt, ist das wichtigste Anliegen des Konzils. Es ist sein zentrales Thema und die Mitte seiner Verlautbarungen. In ihm durchdringen sich kirchliche, menschliche und weltliche Probleme. Der Glaube des Konzils ist die Botschaft von der Berufung des Menschen durch Gott. Er prägt alle Dokumente, die es verabschiedet. Er wird jedoch in der Pastoralkonstitution als Tatsache von welthaftem Ausmaß entfaltet. Die Theologie nach dem Konzil hat nicht abgesehen von diesem Glauben. Sie hat sich vielmehr durch ihn erneuert; denn eine Theologie des Glaubens an diese Botschaft ist eine Theologie der Befreiung. Sie wird auf dem Boden der Pastoralkonstitution entfaltet. Die Theologie der Befreiung, sagt daher Leonardo Boff, „wird in Übereinstimmung mit einem Methodenschema erarbeitet, das in ‚Gaudium et spes' erstmals benutzt und in Medellín offiziell anerkannt wurde. Gleichsam wie ein Ritual kehrt dieses Schema paradigmatisch in jeder Art von lateinamerikanischer theologischer Reflexion wieder: Analyse der Wirklichkeit – theologische Reflexion – Perspektiven für die pastorale Arbeit."[2]

---

[1] K. Rahner antwortet E. *Simons,* Zur Lage der Theologie. Probleme nach dem Konzil (Düsseldorf ³1969).
[2] L. *Boff,* Theologie der Befreiung – die hermeneutischen Voraussetzungen, in: *K. Rahner* u.a. (Hrsg.), Befreiende Theologie (Stuttgart 1977) 46.

Sie ist eine Theologie nach dem II. Vatikanum, eine Theologie im „Horizont des als Praxis verstandenen Glaubens"[3].

Ich befasse mich im folgenden mit einem Aspekt dieses Glaubens, nämlich der Lehre von ihm, und behaupte, sie ist ein dogmatischer Fortschritt. Der Glaube des Konzils ist bestimmt durch seinen Fortschritt in der Lehre. Denn ihre Inhalte sind durch ihn besser zu erkennen und tiefer zu verstehen. Er macht sie zu einem Inhalt der menschlichen Existenz. Dieser Fortschritt will daher nicht im Sinne des sogenannten Fortschrittsglaubens[4] verstanden sein. Er betrifft das Wissen um die Sache des Glaubens selbst; denn er besagt, daß es auf dem Konzil Inhalte gibt, die zum Glauben selber gehören und dennoch etwas Neues sind. Es hat sie bisher nicht so in ihm gegeben. Aber sie gehören dennoch zum Glauben selber und müssen von ihm festgehalten werden. Sie haben dogmatischen Wert. Sie erfüllen den Tatbestand einer neuen Lehre. Durch sie kann man ihn vertiefen und den Horizont des Umgangs mit ihm erweitern. Sie bilden daher einen Fortschritt für ihn. Man hat durch sie eine bessere Auskunft über ihn[5].

---

[3] Ebd. 50.

[4] Vgl. dazu *M. Seckler,* Der Fortschrittsgedanke in der Theologie, in: Theologie im Wandel, hrsg. von der Katholisch-Theologischen Fakultät an der Universität Tübingen (München 1967) 41–67.

Fortschritt ist in der Tat ein relativer Begriff. Sein Wert steht und fällt mit der Abgrenzbarkeit seiner Bezugspunkte. Für den einen kann Fortschritt sein, was der andere als Rückschritt empfindet. Eine generalisierende Anwendung dieser Kategorie im Sinne einer zunehmenden Verbesserung der Lebensverhältnisse durch Entscheidungen des Menschen ist daher in der Tat abzulehnen.

Eine solche Einschränkung betrifft aber keineswegs den kontrollierten Gebrauch. Er findet sich im institutionellen und wissenschaftlichen Raum – auch der Kirche. Man kann daher von einem ökumenischen Fortschritt sprechen oder von einem Fortschritt in der Erkenntnis von Glaubenszusammenhängen. Oder ist etwa die Abschaffung des Kannibalismus kein Fortschritt in der kulturellen und religiösen Entwicklung des Menschen?

Seckler klammert den institutionellen ebenso wie den Lehrbereich aus der Glaubensfrage aus und verliert damit auch diese Kategorie. – Aber es gibt eben nun einmal dogmatische Aussagen. Es wäre ein großer Fortschritt, wenn man sie besser verstünde.

[5] Ein solcher Fortschritt ist nicht kumulativ zu verstehen im Sinne einer Aufnahme von neuen Aussagen in das Pantheon definierter Sätze. In diesem Sinn hat das II. Vatikanum überhaupt keinen Fortschritt gebracht. Denn es hat keine Sätze definiert. Ein Fortschritt kann aber auch in der Vereinfachung und Konzentration von Problemen bestehen. Er ist im Bereich von Glaube und Wissen besonders wichtig. Das Konzil spricht in diesem Zusammenhang von einem Fortschritt in der Überlieferung:

DV 8. Dort heißt es: „Diese apostolische Überlieferung kennt in der Kirche unter dem Beistand des Heiligen Geistes einen Fortschritt: es wächst das Verständnis der überlieferten Dinge und Worte durch das Nachsinnen und Studium der Gläubigen, die sie in ihrem Herzen erwägen (vgl. Lk 2,19.51), durch innere Einsicht, die aus geistlicher Erfahrung stammt, durch die Verkündigung derer, die mit der Nachfolge im Bischofsamt das sichere Charisma der Wahrheit empfangen haben; denn die Kirche strebt im Gang der Jahrhunderte ständig der Fülle der göttlichen Wahrheit entgegen, bis an ihr sich Gottes Worte erfüllen."

Der zentrale Inhalt des Glaubens auf dem II. Vatikanum ist die Lehre von ihm als einer Praxis der Existenz. Sie ist geradezu ein Paradigma dogmatischen Fortschritts[6].

Ohne seine ausdrückliche Anerkennung kann man den Glauben des Konzils nicht ausdrücklich vertreten.

1. Dogmen als pastorale Tatsachen

Dogmen sind Existenzbegriffe[7]. Durch sie läßt sich feststellen, auf was sich der Glaube bezieht und wie er sich versteht. Sie enthalten Tatsachen (der Offenbarung in Schrift und Tradition) und Meinungen bzw. Lehren (der Kirche über sie).

Man kann Dogmen daher doppelt verstehen: als Inbegriff des im Glauben Festgehaltenen und als Inbegriff von Aussagen, die man über dieses von ihm Festgehaltene macht. Beide Verständnisansätze betreffen die Existenz des Glaubens; denn er ist etwas Vorhandenes (in der Überlieferung) und zugleich etwas Aufgegebenes (für die Kirche, die sich mit dieser Überlieferung und ihrer Weitergabe befaßt)[8]. Er ist Tatsache und Entwurf. Man kann ihn aus der Perspektive des Lehrers, der ihn weitergibt, und des Hörers, der ihn annimmt, verstehen.

---

[6] Vgl. *K. Rahner,* Zur Frage der Dogmenentwicklung, in: Schriften I 49–90; *ders.,* Überlegungen zur Dogmenentwicklung, in: Schriften IV 11–50. Er sagt, daß es eine Entwicklung der Lehre nicht nur gibt, sondern auch geben muß, weil Annahme und Weitergabe ihres Inhalts noch einmal zu diesem selbst gehört (ebd. I 57); denn er selbst hat durch sie eine Geschichte. Der Fortschritt des Umgangs mit ihm ist daher durch ihn selbst und nicht durch eine Theorie des Fortschritts zu bestimmen: „Der Versuch, eine Formel adaequater Art zu konstruieren und damit den Ablauf dieser Geschichte eindeutig kontrollieren und eventuelle ‚Abweichungen' als Fehlentwicklung behaupten zu wollen, erweist sich a priori als verfehlt" (ebd. I 51).

Auch der Fortschritt in der Lehrentwicklung auf dem II. Vatikanum ist an ihm selbst und nicht an irgendeiner Auffassung über ihn zu messen. Diese kann ein (neuestes) Paradigma für eine solche allgemeinere Auffassung bilden.

K. Rahner selbst hat jedoch die Lehre des II. Vatikanums nicht mit dem Gedanken eines dogmatischen Fortschritts verknüpft.

[7] Die Kategorie der Existenz ist besonders geeignet, um Dogmen formal zu charakterisieren; denn sie umfaßt etwas, das der Fall ist und wozu man sich in einem bestimmten Sinne verhält. Sie umfaßt Sein und Wesen.

Zur sprachlichen Charakterisierung dieses Begriffs vgl. *G. Frege,* Dialog mit Pünjer über Existenz, in: Schriften zur Logik und Sprachphilosophie (Hamburg 1971) 1–22. Zur ontologischen Charakterisierung: *M. Heidegger,* Sein und Zeit (Tübingen 1972) 11ff.

[8] Zum Begriff Dogma vgl. *K. Rahner,* Art. „Dogma", in: LThK III (Freiburg i.Br. 1969) 443–446. Dort heißt es: „Der Mensch hat von daher wesentlich eine ‚dogmatische Existenz'." K. Rahner nennt Dogmen auch eine Sprachregelung des Glaubens. Vgl. Schriften IX 11–33, bes. 24. – Auf Dogmatismusprobleme besonders im philosophischen Sinn des Wortes kann ich hier nicht eingehen.

Zu den Grundlagen des II. Vatikanums gehört die Erkenntnis der Gleichgewichtigkeit beider Formen seiner Existenz. Denn man kann ihn nicht lehren, wenn man ihn nicht selber angenommen hat, und niemand hat ihn jemals angenommen, der nicht fähig ist, ihn auch selber zu vertreten. Daher
waren auf dem Konzil die Lehrer des Glaubens auch Hörer der Theologie
und die Theologen wirkliche Lehrer des Glaubens. Es gibt eine wechselseitige Durchdringung – eine Perichorese – von Annahme und Weitergabe in
Annahme und Weitergabe. Die Lehre des Glaubens auf dem Konzil ist die
Lehre dieser Durchdringung. Sie verkörpert seine Existenz. Zu dem, was
man über ihn behauptet, kann man sich auch selbst verhalten, und über das,
wozu man sich verhält, kann man auch etwas behaupten. Es gibt eine Übereinstimmung von Leben und Lehre in seiner Existenz.

Diese Gleichgewichtigkeit ist der Kern des Konzils. Sie ist sein dogmatischer Grundgedanke. Sie ist der Schlüssel zu einer Hermeneutik seiner Verlautbarungen.

Lehren des Glaubens sind daher eine pastorale Tatsache. Sie sind er selbst
als ein Entwurf des Lebens. Man kann sie daher als Inbegriff dieses Entwurfs
verstehen. Sie begründen seine Existenz. Indem sich das Konzil mit der Lehre als einem praktischen Problem befaßt, steht es vor der Frage, wie man
sich zu ihr selber verhält. Ist sie Inbegriff der menschlichen Existenz, und ist
diese Existenz überhaupt ein möglicher Gegenstand von Lehre? Die Einheit
von beidem ist das Grundproblem der Lehre vom Glauben als einer Tatsache der Existenz, der Existenz als einer Tatsache der Befreiung.

Das Praxisthema erschöpft sich nicht in privaten Freundlichkeiten und ju-
ristischen Erleichterungen. Es betrifft die Lehre selber; denn es ist die Lehre
vom Glauben, sofern man ihn als Umriß des Lebens begreifen kann und sich
zu ihm als Inbegriff der Existenz verhält[9].

---

[9] Zum Begriff der Pastoral auf dem Konzil vgl. man die Anmerkung zum Vorwort der Pastoralkonstitution in: *K. Rahner – H. Vorgrimler*, Kleines Konzilskompendium (Freiburg i.Br.
[3]1966) 449. Dort heißt es von dieser Konstitution: „Sie wird ‚pastoral‘ genannt, weil sie, gestützt auf Prinzipien der Lehre, das Verhältnis der Kirche zur Welt und zu den Menschen von
heute darzustellen beabsichtigt. So fehlt weder im ersten Teil die pastorale Zielsetzung noch
im zweiten Teil die lehrhafte Zielsetzung."
Man hat folglich das Verhältnis der Pastoral zum Dogma nicht vom Theorie-Praxis-Gegen-
satz her zu bestimmen, wie das häufig geschieht; denn beide sind eine Tatsache der Existenz:
die Lehre, sofern sie Praxis entwirft, und die Praxis, sofern sie Lehre vollzieht und damit ihre
Wirklichkeit ist.
Als grundlegend für diese Auffassung von Praxis hat sachlich, aber wohl auch historisch die
„Action" im Sinne Blondels zu gelten. Sie ist ein Gesamtvollzug der Wirklichkeit von Exi-
stenz. Der aufklärerische Gegensatz von Theorie und Praxis wird in ihr existenzhaft überwunden.
Die Unterscheidung K. Rahners zwischen Wesen und Existenz bzw. dogmatischer (= We-

Johannes XXIII. hat in seiner Eröffnungsrede 1962 den Gedanken der Praxis daher nicht instrumentalistisch, sondern lehrhaft eingeführt. Er sagt: „Praecipuum concilii munus ‚est' doctrina tuenda et promovenda."[10] Sie umfaßt den ganzen Menschen. Sie erstreckt sich auf den Leib und auf die Seele, auf die Erde, die er bewohnt, und auf den Himmel, nach dem er strebt. Daher sagt Christus: „Suchet zuerst das Reich Gottes und seine Gerechtigkeit" (Mt 6,33). Aber er fügt zu dieser Aufforderung hinzu, daß sie eine Verheißung enthält, die man nicht vergessen darf: Alles andere wird euch geschenkt. Die Lehre des Glaubens muß daher möglichst viele Bereiche des Lebens durchdringen. Niemals darf sich die Kirche von ihr abwenden, denn sie ist das Erbe der Wahrheit, das sie von Christus empfängt. Zugleich muß sie jedoch auf das Leben des heutigen Menschen schauen; denn es zeigt ihr neue Wege des Apostolats. Man schützt die Lehre, indem man sie fördert, und fördert sie nicht, indem man sie nur schützt.

Ihre Förderung ist das zentrale Anliegen des Papstes. Das Konzil hat nicht die Aufgabe, sie nur zu schützen (custodire) oder nur zu wiederholen (repetere). Dazu hat er es nicht einberufen. Es hat vielmehr die Aufgabe, die Lehre selber tiefer und umfassender zu erkennen, damit sie das Herz der Menschen besser erreicht und tiefer durchdringt (eadem doctrina amplius et altius cognoscatur). „Denn etwas anderes ist das depositum fidei selber, die Wahrheit, die unsere verehrungswürdige Lehre enthält, und etwas anderes die Form, in der man sie verkündet, wenngleich sie immer den gleichen Sinn behält. Dieser Form gilt es sich zu widmen und an ihr geduldig zu arbeiten: An der Sache, um die es geht, sind jene Elemente herauszuarbeiten, die am meisten dem Lehramt angemessen sind, dessen Aufgabe vor allem eine pastorale ist."[11]

Die Pastoral des Glaubens ist der Glaube selbst als Inhalt der Praxis des Lebens. Die Lehre von diesem Inhalt ist die pastorale Form der Lehre. Sie erschließt Sinn und Bedeutung der Handlungen des Menschen und ist daher eine Lehre von seiner Existenz. Diesen Inhalt ihrer selbst tiefer und umfassender zu erkennen ist nach Johannes XXIII. die Aufgabe der Konzils. Er will ihr die Form einer Lehre von der Herkunft und Zukunft des Menschen im Glauben selber geben, einer Lehre vom Glauben als dem Festhalten an der menschlichen Existenz in Christus und Gott.

---

sens-) und existentieller (= praktischer) Ekklesiologie ist daher nicht weiterführend. Vgl. *K. Rahner*, Ekklesiologische Grundlegung ‚der Pastoraltheologie', in: Handbuch der Pastoraltheologie I, hrsg. v. K. Rahner u.a. (Freiburg i.Br. ²1970) 95–96.
10 Vgl. AAS 54 (1962) 790ff.
11 Ebd. 792.

Die Praxis dieses Glaubens ist ein Vollzug solchen Festhaltens. Sie ist eine Handlung, durch die man zu ihm findet und sich selbst erst überhaupt in ihm entdeckt. Sie ist ein Prinzip der Personwerdung des Menschen.

Dieser Prozeß erfaßt den einzelnen Christen ebenso wie die Kirche insgesamt. Er vollzieht sich auf dem Konzil selber; denn es hätte nicht den Glauben als ein Festhalten an der Existenz des Menschen entwickeln können, wenn es nicht zu seiner eigenen Existenz in diesem Glauben gefunden hätte. Daher gehört zu den entscheidenden Begebenheiten in seinem Vorfeld eine Abstimmung des Kardinalskollegiums, in der mit der Mehrheit von einer Stimme beschlossen wurde, daß man selber Fragen stellt und Initiativen ergreift. Dadurch hat das Konzil zu sich und seiner Linie gefunden[12]. Die ecclesia ad intra et ad extra, die Kirche in ihrer Verantwortung gegenüber sich selbst und die Kirche in ihrer Verantwortung gegenüber der Menschheit insgesamt, ist der ihm eigene Schwerpunkt der Lehre. Das Konzil versteht die Kirche als Prinzip des Handelns in der Welt und das Leben in der Welt als ein Prinzip des Handelns in der Kirche. Diese gegenseitige Durchdringung beider Existenzbereiche des menschlichen Lebens ist der Glaube des Konzils. Er ist seine Entdeckung. An ihm hat es sich orientiert. Er ist das Prinzip der Koordinierung und Korrektur aller Vorbereitungsschemata geworden. Keines von ihnen wurde übernommen. Er ist der Leitgedanke aller Dokumente, die es verabschiedet hat. Als Antwort auf die Frage „Kirche, was sagst du von dir selbst?" wurde der Konzilstext „Lumen gentium" und als Antwort auf die Frage „Kirche, was ist deine Stellung in der Welt?" die Pastoralkonstitution „Gaudium et spes" erarbeitet[13]. Beide verdanken sich den Initiativen von Kardinal Suenens.

Die Lehre des Konzils vom Glauben ist daher die Lehre, daß er ein Inbegriff der Existenz des Menschen ist. Diese umfaßt das Leben in der Kirche, der er angehört, und das Leben in der Welt, die er gestaltet. Sie ist sein Dogma.

Der Entwurf des Lebens und die Praxis seiner Verwirklichung sind in ihr selbst verankert; denn sie bezieht sich nicht nur äußerlich auf den Menschen, sondern ist auch das Prinzip der Verbundenheit mit ihm. Sie ist ein Prinzip der Selbstfindung des Menschen, ein Prinzip seiner Existenz; denn sie ist Lehre von Christus als dem Inbegriff dieser Existenz. Von ihm sagt Paul VI. in seiner Eröffnungsansprache 1963, er sei das Prinzip, der Weg und das Ziel des Konzils[14].

---

[12] Vgl. *K. H. Fleckenstein*, Für die Kirche von morgen. Im Gespräch mit Kardinal Suenens (München 1979) 45–48 (hier zitiert nach der erw. franz. Ausgabe [Paris 1979] 52–54).
[13] Ebd.   [14] AAS 55 (1963) 345.

Er hat paradigmatischen Charakter sowohl für den Menschen selber als auch für die Lehre von ihm; denn Christus ist der vollkommene Mensch. Diese Lehre wird in der Pastoralkonstitution n. 22 ausdrücklich verkündet. Er ist aber auch das Grundprinzip aller Aussagen über ihn und damit die Basis der Lehre in allen anderen Dokumenten. Er ist das Fundament der Lehre des Konzils von der Kirche – sie ist das Volk Gottes in Christus (LG 9); seiner Lehre von der Offenbarung – sie ist die Selbstmitteilung Gottes in Christus (DV 2 15); seiner Lehre von der Zukunft des Menschen – denn Christus ist das Alpha und Omega der Welt (GS 45).

Man kann daher nicht an Christus glauben und am Menschen verzweifeln. Denn er ist das Prinzip der Selbstfindung des Menschen und Inbegriff seiner Existenz in der Welt.

2. Die Evangelisierung – eine dogmatische Kategorie

Der Glaube des Konzils ist die Lehre von der Existenz des Menschen in Christus. Die Praxis dieses Glaubens ist die Annahme und Weitergabe dieser Lehre; denn sie ist ein Inbegriff dessen, was man selber vertritt, ein Entwurf der eigenen Existenz. Daher besteht zwischen der Lehre des Glaubens und einem selbst als ihrem Träger und Adressaten ein prinzipieller Zusammenhang. Sie ist eine Form der Existenz.

Das Konzil nennt die Verkündigung des Glaubens in dieser Form Evangelisation.

Dieser Begriff spielt in seinem Glaubensverständnis daher eine Schlüsselrolle[15]. Er ist in der lehramtlichen Theologie bislang überhaupt nicht vorgekommen und in der anderen nur am Rande. In der säkularen Praxis einer personalen Verkündigung besitzt er jedoch dogmatisches Gewicht; denn er bezieht sich auf den Glauben selbst als eine personale und säkulare Größe. Evangelisation meint die Weitergabe seiner Lehre in ihrem Existenzgehalt und ihrer identitätsbildenden Funktion. Sie kann sich daher überhaupt nur auf der Basis eines Entwurfs von Menschsein entwickeln. Sie ist eine Tätigkeit aus dem Glauben als Perspektive des Zusammenhangs von geistlichem Leben, theologischer Lehre und säkularer Welt. Diese Tätigkeit ist Aufgabe des Volkes Gottes insgesamt, also der ganzen Kirche. Sie entspringt dem Prophetenamt Christi und ist eine Tätigkeit auf dem Gebiet der Lehre. Dieses Amt bekleidet auch der Laie. Von seiner Glaubensverkündigung heißt es:

---

[15] Vgl. dazu die Aufsätze in Concilium 14 (1979) sowie E. *Klinger,* Politik und Theologie. Eine deutsche Stellungnahme zu Puebla, in: ThGl 71 (1981) 194–207.

„Diese Evangelisierung, d.h. die Verkündigung der Botschaft Christi durch das Zeugnis des Lebens und das Wort, bekommt eine eigentümliche Prägung und besondere Wirksamkeit, daß sie in den gewöhnlichen Lebensverhältnissen der Welt erfüllt wird" (LG 35).

Der grundsätzliche Charakter und allgemeine Sinn der Lehrverkündigung hindert das Konzil jedoch nicht, dem Bischof eine besondere Verantwortung für sie zu bescheinigen. Er ist der authentische, mit der Autorität Christi ausgestattete Lehrer (LG 25). Er soll jedoch die Lehre schützen, indem er die Gläubigen lehrt, sie zu verteidigen und auszubreiten. Sie muß den Erfordernissen der Zeit angepaßt werden und die Schwierigkeiten und Fragen des Menschen berücksichtigen (CD 13). Die Evangelisierung ist daher eines seiner hauptsächlichsten Ämter. Sie ist aber zugleich der innerste Kern der Identität von Kirche selber, ihre eigentliche Bestimmung. Sie ist die Praxis der Existenz des Menschen in Christus, des Menschen als Träger und als Adressat des Glaubens des Menschen als Bringer einer säkularen Verheißung.

Den ganzheitlichen Charakter dieses Begriffs hat Paul VI. in seiner Enzyklika „Evangelii nuntiandi" unterstrichen. Er betrachtet ihn als die Zusammenfassung der Lehre des Konzils[16].

Seine Rezeption jedoch ist ein Problem des Fortschritts, des theologischen Fortschritts, sofern man den Glauben als Lehre von der Existenz des Menschen erst zu lernen hat; des persönlichen Fortschritts, sofern man sich zu ihm bekehren und bekennen muß; des säkularen Fortschritts, sofern er ein Glaube an die Zukunft des Menschen ist und damit Prinzip des Kampfes gegen seine Unterdrückung.

Die Evangelisierung der Kirche selbst, von der Paul VI. spricht, ist nach dem Konzil eines ihrer ureigensten Probleme[17].

3. Weichenstellungen und Schwerpunkte der Lehre selbst

Die Lehre des Glaubens von der Existenz des Menschen in Christus hat den Charakter eines Entwurfs; denn Existenz ist das Worumwillen des Lebens. Sie ist seine Herkunft und Zukunft in dem, was man tut, wofür man sich entscheidet und wozu man sich entschließt.

Das Konzil arbeitet den Entwurfcharakter des Glaubens in seiner Lehre von der Berufung des Menschen heraus. Das Festhalten an dieser Berufung

---

[16] Vergleiche: Über die Evangelisierung in der Welt von heute, in: Verlautbarungen des Apostolischen Stuhls 2 (1975) 4 14.
[17] Ebd. 12.

– der Glaube an sie – ist geradezu seine Existenz; denn sie ist Wort Gottes und Antwort des Menschen. Der Entschluß, sie durchzuführen, ist die Grundlage seiner Vollendung.

Der Vorschlag, die Berufung des Menschen als zentrale Lehre des Konzils herauszustellen, findet sich in dem von Rahner und Ratzinger erarbeiteten Entwurf zur Änderung der Offenbarungskonstitution: De revelatione Dei et hominis in Jesu Christo facta[18]. Kapitel 1 dieses Entwurfs ist überschrieben mit „De vocatione hominis". Er wurde jedoch nicht direkt in der Offenbarungskonstitution aufgegriffen, sondern ist die Grundlage der Pastoralkonstitution geworden. Deren erster Hauptteil hat den Titel „Die Kirche und die Berufung des Menschen" (GS 11 ff).

In der Einleitung heißt es dazu lapidar: „Als Zeuge und Künder *des Glaubens* des *gesamten in Christus geeinten Volkes Gottes* kann daher das Konzil dessen Verbundenheit, Achtung und Liebe gegenüber der ganzen Menschheitsfamilie, *der dieses ja selbst eingefügt ist,* nicht beredter bekunden als dadurch, daß es mit ihr in einen Dialog eintritt über all diese verschiedenen Probleme; daß es das Licht des Evangeliums bringt und daß es dem Menschengeschlecht jene Heilskräfte bietet, die die Kirche selbst, vom Heiligen Geist geleitet, von ihrem Gründer empfängt. Es geht um die Rettung der menschlichen Person, es geht um den rechten Aufbau der menschlichen Gesellschaft. *Der Mensch also, der eine und ganze Mensch* mit Leib und Seele, Herz und Gewissen, Kraft und Willen, steht *im Mittelpunkt unserer Ausführungen.* Die Heilige Synode *bekennt darum die hohe Berufung des Menschen,* sie erklärt, daß etwas wie ein göttlicher Same in ihn eingesenkt ist, und bietet der Menschheit die aufrichtige Mitarbeit der Kirche an zur Errichtung jener brüderlichen Gemeinschaft aller, die dieser Berufung entspricht" (GS 3). Das Konzil glaubt an die Berufung des Menschen und bekennt sich auch zu ihr. Sie ist sein Dogma.

Sie gehört unbestreitbar zum depositum fidei. Sie bildet einen seiner zentralen Inhalte. Sie wird vom Konzil jedoch nicht nur positiv festgehalten, sondern prinzipiell aufgegriffen. Sie wird zu einem grundlegenden Thema und auf den Glauben überhaupt bezogen. Man kann ihn durch sie verteidigen und begründen. Wegen dieser generellen Funktion ist sie als ein dogmatischer Fortschritt zu bezeichnen.

Das Konzil hat die ihm von Johannes XXIII. gestellte Aufgabe damit erfüllt; denn mit seiner Lehre von der Berufung des Menschen und dem Glauben an sie als Inbegriff seiner Existenz stellt es die ganze „doctrina tuenda et promovenda" in einen neuen Horizont. Durch sie wird diese neu erklärt

---

[18] Vgl. in diesem Band S. 33 ff.

und neu verstanden, neu begründet und neu entwickelt. Sie wird gefördert und geschützt.

Und in der Tat ist dieser neue Inhalt eine echte Verteidigungsposition des Glaubens, ein Prinzip der Apologetik. Denn Existenz bedeutet Entwurf. Was immer der Glaube sagt, ist daher als Entwurf des Menschseins zu verstehen. Er selbst und seine Inhalte sind ein Prinzip seiner Entwicklung und Vollendung. Das Konzil geht daher neue Wege in der Auseinandersetzung mit dem Atheismus. Der Glaube an Gott steht nicht im Widerspruch zur Menschenwürde, sondern ist seine Begründung (GS 21). Er ist ein Prinzip der menschlichen Existenz. Man kann ihn daher als generelle Tatsache verstehen. Er ist Inbegriff der Herkunft und Zukunft des Menschen, der Übernatur selbst als Prinzip der Existenz. Die Gläubigen können an der Entstehung des Atheismus durch Vernachlässigung der Glaubenserziehung, durch mißverständliche Darstellung der Lehre sowie durch die Mängel ihres religiösen, sittlichen und gesellschaftlichen Lebens einen großen Anteil haben, da sie durch nichtexistenzhafte Auffassungen „das wahre Antlitz Gottes und der Religion eher verhüllen als offenbaren" (GS 19). Eine situationsgerechte Darlegung der eigenen Lehre, der ihr selber angemessene Begriff, ist ein Heilmittel gegen den Unglauben (GS 21); denn dieser gefährdet die menschliche Existenz.

Auf dieser Grundlage verteidigt das Konzil den Glauben neu. Es entwickelt ihn auf ihr jedoch auch weiter; denn es erörtert seine übernatürlichsten Inhalte im Horizont der menschlichen Existenz und kann sie daher als deren Prinzipien verstehen. Zu einem solchen gehört die Lehre vom Menschen – er ist eine um ihrer selbst willen geschaffene Kreatur – und von der Trinität – sie ist ein alles umfassendes Prinzip der Identitätsfindung des Menschen: „Wenn Jesus zum Vater betet: ‚daß alle eins seien, wie auch wir eins ... sind' (Joh 17,20–22), und damit Horizonte umreißt, die der menschlichen Vernunft unerreichbar sind, legt er eine gewisse Ähnlichkeit nahe zwischen der Einheit der göttlichen Personen und der Einheit der Kinder Gottes in der Wahrheit und Liebe. Dieser Vergleich macht offenbar, daß der Mensch, der auf Erden die einzige von Gott um ihrer selbst willen gewollte Kreatur ist, sich selbst nur durch die aufrichtige Hingabe seiner selbst vollkommen finden kann" (GS 24).

Dazu gehört auch die Lehre des Konzils von der Offenbarung; denn es heißt: „Zur Abfassung der Heiligen Bücher hat Gott Menschen erwählt, die ihm durch den Gebrauch ihrer eigenen Fähigkeiten und Kräfte dazu dienen sollten, all das, und nur das, was er – in ihnen und durch sie wirksam – geschrieben haben wollte, als echte Verfasser schriftlich zu überliefern" (DV 11). Diese Bücher sind folglich ein Entwurf der Existenz.

Diese prinzipielle Auffassung liegt auch im Begriff der Kirche vor. Denn sie ist das messianische Volk Gottes, das Volk Gottes in Christus. Gott hat sie „zusammengerufen und gestiftet, damit sie allen und jedem das sichtbare Sakrament dieser heilbringenden Einheit sei" (LG 9). Sie ist die Existenz des Menschen als Gemeinschaft in Christus. Sie muß daher auch selber erst noch zu sich finden. Sie ist nicht nur Institution, sondern Perspektive des Menschseins überhaupt, seine Perspektive in Christus. Die Volk-Gottes-Lehre durchzieht ebenso wie die Lehre von der Berufung des Menschen oder von Christus als dem vollkommenen Menschen alle Dokumente des Konzils. Sie gehört zu ihrem Ursprung und ist der Grund ihrer Einheit. Von ihr sagt daher Kardinal Suenens: „Würde man mich fragen, welches der an Auswirkungen reichste ‚Lebenskeim' ist, den wir dem Konzil verdanken, so würde ich ohne Zögern antworten: die Neuentdeckung des Gottesvolkes als Ganzes, als umfassende Einheit und – als Folge davon – die Mitverantwortung, die sich für jedes seiner Mitglieder daraus ergibt."[19] – Es ist ein Grundbegriff der Kirche als Tatsache der Existenz.

4. Die Botschaft des Glaubens – ein Dogma des Lebens

Das Konzil entdeckt am Glauben einen neuen Gegenstand, nämlich den Menschen und seine Existenz[20]. Diese Entdeckung ist als dogmatischer Fortschritt zu bezeichnen; denn sie betrifft den Begriff des Glaubens selber wie den Begriff der Lehre. Der Horizont beider wird durch sie erweitert und die Erkenntnis ihrer Inhalte vertieft.

Denn Glaube ist auf dem Konzil Prinzip des Lebens, Durchführung seiner Existenz, Einsatz für das, was er beinhaltet, Vorwegnahme endgültigen Daseins im Kampf um eine befreite Welt, die Zukunft des Menschen in Christus und Gott. Er hat identitätsbildende Funktion. Er verhilft dem Menschen dazu, er selbst zu sein, der Mittelpunkt eines Lebens, das er gestalten muß und für das er Verantwortung trägt. Die Kirche ist ein Ort dieser Praxis. Sie hat die Aufgabe, ein Prinzip ihrer Durchführung und damit der Erneuerung des geistlichen und säkularen Lebens zu sein.

Die Auffassung vom Glauben als pastoraler Tatsache stand am Anfang des

---

[19] *L. Suenens,* Die Mitverantwortung in der Kirche (Salzburg 1968) 23.
[20] Das Konzil gebraucht diesen Begriff selber. Es spricht vom „unsagbaren Geheimnis unserer Existenz" (NA 1), von der weitverbreiteten „Überzeugung einer absoluten Bedeutungslosigkeit der menschlichen Existenz" (GS 10). „Da es der Kirche anvertraut ist, das Geheimnis Gottes, das letzte Ziel der Menschen, offenkundig zu machen, erschließt sich dem Menschen gleichzeitig das Verständnis seiner eigenen Existenz, das heißt die letzte Wahrheit über den Menschen" (GS 41).

Konzils. Sie ist sein unmittelbarer religiöser Impuls und die Basis, auf der es verstanden und angenommen wurde, besonders in Lateinamerika: die Praxis des Glaubens als Kampf um die Befreiung der Armen, die Vorwegnahme der Zukunft Gottes durch Handeln des Menschen in der Welt.

Diese Antizipation liegt aber nicht nur in einer solchen Praxis vor, sondern auch in der Lehre selber. Sie ist formal eine Botschaft und material eine Tatsache der Existenz.

Beides ist ein Durchbruch in der Auffassung von dem, was Dogma heißt. Denn er besagt, Lehre ist eine Botschaft, eine abgekürzte Erzählung von einem Leben, an das man glaubt. Sie ist ein Kerygma. Sie besitzt von ihrem Wesen her einen evangelisatorischen Gehalt. Sie ist die Lehre vom Glauben an die Hoffnung. – Fragen nach ihrer Form sind daher nicht nur Probleme des Stils; denn sie betreffen in dem Wie der Aussage deren Inhalt als Tatsache der Existenz.

Ein materialer Fortschritt des Konzils ist seine Lehre von der Berufung des Menschen im Sinne eines Glaubens an die Existenz. Sie kann die Basis für eine neue, umfassende Erörterung aller Glaubensinhalte bilden. Sie ist das Fundament einer Kurzformel des Glaubens ebenso wie einer ganzen Dogmatik.

Daher befindet sich die Theologie nach dem Konzil in der Tat vor einer neuen Situation. Sie hat die Aufgabe, ihren Standort im Praxisfeld der Kirche auf dieser Grundlage zu bestimmen. Diese betrifft Fragen der Parteinahme, aber auch des Wissens und der Existenz.

Denn Lehre ist Wissen. Ihre Grundlage ist der Begriff dessen, was man sagt. Sie liegt vor, aber wird auch noch gebildet. Sie ist die Basis, auf der man Glaube denkt. Ohne umfassende Rezeption wissenschaftstheoretischer Grunderkenntnisse kann man die formalen Schwierigkeiten der Frage nach seinem Lehrgehalt nicht lösen.

Er ist ein Existenzproblem. Er kann sich nicht im Verlangen nach Anpassung an gegenwärtige Erfordernisse erschöpfen. Er ist eine Frage nach dem Menschen selbst und seines Glaubens an Gott. – Im nizänischen Bekenntnis sind Gott und Christus wesensgleich. Gilt diese Gleichheit auch zwischen Gott und Mensch in Christus? Kann man etwa sagen: Die Botschaft von Gott in Christus ist wesensgleich mit der Botschaft vom Menschen als Existenz in Gott? Ist diese Zuordnung nicht der Glaube an Nicaea auf dem II. Vatikanum?

V
WELTPERSPEKTIVEN
DES CHRISTENTUMS

LEONARDO BOFF

EINE KREATIVE REZEPTION
DES II. VATIKANUMS AUS DER SICHT DER ARMEN:
DIE THEOLOGIE DER BEFREIUNG

Das II. Vatikanische Konzil kann nach der lateinamerikanischen Erfahrung mit der Kirche unter zwei Gesichtspunkten betrachtet werden: einmal als Abschluß einer Entwicklung und dann als Beginn eines neuen Weges. Beide Gesichtspunkte sind von beträchtlicher Bedeutung für das konkrete Leben der Kirche[1].

1. Konzil als Abschluß

Das Konzil kann gewiß als Abschluß eines langen und mühsamen Prozesses der Anpassung der Kirche an die moderne Kultur gesehen werden, wie diese mit der bürgerlichen Revolution in ihren ökonomischen, wissenschaftlichen, technischen, gesellschaftlichen und politischen Erscheinungen sich darstellte[2]. Die bürgerliche Kultur formte sich neben der Kirche — fast immer ohne den Beitrag der Kirche und oft genug gegen die Kirche. Gleichwohl entstanden verschiedene christliche Bewegungen, die sich bemühten, in diesem modernen Lebensgefühl ihrem Glauben Ausdruck und Form zu geben, die als Antworten auf die Herausforderung der Zeit gelten könnten. Darin liegt sicher der tiefe Sinn des christlichen Liberalismus, der religiösen Sozialismen, des Modernismus und der sogenannten „Nouvelle théologie". Wir brauchen hier das Drama der kirchlichen Repressionen nicht in Erinnerung zu bringen, wie sie über solche Bewegungen niedergingen; sie haben das unausweichliche Eingehen auf die Probleme der Zeit und die zeitgemäßen Antworten wohl verzögert, aber dieselben nicht dauernd verschweigen

---

[1] Vgl. die verschiedenen Aufsätze über das Post-Vatikanum: Il Concilio tra continuità e involuzione, Internazionale IDOC 10, 11, 12 (1982).
[2] Vgl. *E. J. Hobsbawn*, Industry and Empire (Baltimore 1969); *ders.*, The Age of Revolution, Europe 1789—1848 (London 1962); für die hintergründigen Probleme vgl. *J. Ladrière*, Les enjeux de la rationalité. Le défi de la science et de la technologie aux cultures (Paris 1977).

können[3]. Zu dringend stellte sich der Kirchenleitung die Aufgabe, in der jeweiligen Zeit zu stehen und zu verhindern, daß die Kirche zum Asyl von Reaktionären aller Schattierungen und zum Reliquiar einer endgültig entschwundenen Welt sich abklassifizierte und dadurch die Glaubwürdigkeit des Evangeliums verdecken würde.

Das II. Vatikanische Konzil stellte sich die Aufgabe, welche Papst Johannes XXIII. in seiner Eröffnungsansprache am 11. Oktober 1962 vortrug: die christliche Botschaft zu bedenken und darzustellen „mittels der Formen der Forschung und literarischen Formulierung des modernen Denkens". Damit wollte das II. Vatikanische Konzil sich als Pastoralkonzil verstanden wissen. Pastoral aber läßt zuerst an die Sendung denken. Im Blick auf ihre Mission in der Welt muß sich also die Kirche in ihrem Inneren gestalten und bewegen.

Infolge ihres Auftrags nimmt also die Kirche des II. Vatikanums die moderne Welt mit ihren Errungenschaften an, die vordem so heftig umstritten waren: der Freiheit des Gewissens, des Gedankens, der Religion, der Autonomie der irdischen Wirklichkeit (später Säkularisation genannt), der demokratischen Gesinnung; sie achtet die menschliche Person in ihrer geheiligten Subjektivität, ihre Geschichtlichkeit, ihren umgestaltenden Dynamismus; sie pflegt das Bewußtsein der Einheit der Menschheitsgeschichte, welche sie in einer heilsgeschichtlichen Perspektive sieht und deutet; sie entdeckt die anderen christlichen Kirchen als Kirchen, in denen sich, wenngleich in unvollständiger Form, die Kirche Christi verwirklicht (hier liegt die Wurzel des Ökumenismus); sie nimmt die Herausforderung der Religionen und ihre heilsgeschichtliche Bedeutung an; sie nimmt den Dialog nach innen und nach außen hin ernst und sieht in ihm eine Form, die Einheit im beiderseitigen Dienen, in beiderseitiger Bereicherung und beiderseitiger Achtung trotz aller Vielfalt zu finden.

Die Kirche des II. Vatikanischen Konzils will sich als eine Kirche der modernen Welt verstehen, dieser jetzigen, modernen, säkularen, pragmatischen Welt, die auf ihre Autonomie eifrig bedacht ist; einer Welt emanzipatorischer Geisteshaltung; einer Welt im Zeichen der Produktion und der schwindelerregenden Entwicklung. Innerhalb (und nicht am Rande oder außerhalb) dieser Welt will die Kirche das Sakrament der Einheit der Menschen unter sich und der gesamten Menschheit mit Gott sein. Wo in den Konzilstexten vom konkreten Menschen die Rede ist, ist der Mensch fortge-

---

[3] Vgl. *P. Scoppola*, Crisi modernista e rinnovamento cattolico (Bologna 1969) 261—326; *E. Poulat*, Histoire, dogme et critique dans la crise moderniste (Casterman 1962); *J. Steinmann*, Friedrich von Hügel (Paris 1962) 319—454.

schrittener Kulturen im Blick, der Bürger fortschrittlicher Gesellschaften[4]. Während des Konzils gab es eine Entwicklung des kirchlichen Bewußtseins betreffs seiner Verwurzelung in der modernen Welt. Die Pastoralkonstitution „Gaudium et spes" stellt die reifste Frucht des neuen Standortes der Kirche dar. Vom ekklesiozentrischen Ort her rückt sie langsam auf einen weltweiten, weltzentrischen Schauplatz. Schon der erste Satz dieses bedeutsamen Dokuments kennzeichnet den neuen Geist der Solidarität der *neuen* Christen mit den Menschen heute, besonders mit den Armen und mit allen Bedrängten.

Das Konzil schafft eine Atmosphäre des Optimismus, öffnet sich nach allen Richtungen, versöhnt sich mit den besten Anliegen der Moderne, insbesondere mit dem Geist der Arbeit, der Wissenschaft und der Technik, des Dialogs mit den verschiedenen Kulturen; die Kirche bietet ihre Dienste an zum Aufbau des Friedens und zur Förderung der Gemeinschaft unter den Völkern. Sie ist empfindsam für das Drama des Leidens und des Elends der Armen. Indes, eine sorgfältige Untersuchung führt zu dem Befund, daß diese Fragen mehr im Zusammenhang und unter dem Zeichen der großen, modernen und reichen Gesellschaft gestellt sind. Es wird vermerkt, daß Überfluß und Elend gleichzeitig existieren (GS 63), und es werden tiefgreifende Reformen auf ökonomischem und sozialem Gebiet und eine Bekehrung der Gesinnung und der Art des Seins (GS 63) gefordert. Indessen finden wir dort kaum ein klares Bewußtsein des kausal-strukturellen Zusammenhanges zwischen dem Luxus und dem Elend, noch wird die Natur der geforderten Reformen behandelt, ob sie innerhalb des herrschenden Systems verbleiben (Reformismus) oder ob eine neue Form der Gesellschaft gefordert wird (Befreiung).

Dabei bleibt bestehen, daß auf dem II. Vatikanischen Konzil die Kirche bedeutende Anstrengungen gemacht hat, um ihren Platz und ihren Auftrag in der modernen Welt zu bestimmen. Es war ein notwendiger Endpunkt und zugleich Ausgangspunkt für jeglichen weiteren Fortschritt.

Die kirchlichen Machtinstanzen neigen in den letzten Jahren dazu, das Konzil lediglich als Endpunkt der Entwicklung zu betrachten. Diese Tendenz findet heute ihre Stütze und ihren rechtlichen Ausdruck durch den neuen Codex des Kirchenrechts. Die Texte des Konzils finden im Stil einer neuen Neu-Scholastik ihre Form als autoritative Texte, bei denen man die

---

[4] Vgl. *J. Ratzinger*, Kirche und Welt. Zur Frage nach der Rezeption des II. Vatikanischen Konzils, in: Theologische Prinzipienlehre (München 1982) 397: „Unter Welt sind anscheinend die gesamte wissenschaftlich-technische Realität der Gegenwart und alle Menschen verstanden, die sie tragen bzw. in ihrer Mentalität beheimatet sind."

ursprünglich pastorale Natur, die sie auf die Praxis ausrichtete, verkümmern läßt. Dergestalt zeigt sich die Absicht, gewisse Entwicklungen zu blockieren und eine neue Homogenität des Denkens und Lehrens in der Kirche zu schaffen und zu sichern. Es scheint, daß in diesem Sinne auch die häufigen Hinweise des Lehramtes auf das Erbe des II. Vatikanischen Konzils zu verstehen sind[5].

In Anbetracht dieser offizialistischen Tendenz seien die Worte Papst Pauls VI. in Erinnerung gebracht, die er in einem Schreiben an den Kongreß über postkonziliare Theologie (21. September 1966) richtete: „Die Aufgabe des ökumenischen Konzils ist nicht vollständig an ihr Ziel gelangt durch die Verkündigung seiner Dokumente. Wie die Geschichte der Konzilien lehrt, stellen sie eher einen Startpunkt als ein erreichtes Ziel dar. Es ist noch notwendig, daß das gesamte Leben der Kirche von der Kraft und dem Geist des Konzils durchdrungen und erneuert werde; es ist notwendig, daß die Saat des Lebens, die vom Konzil auf das Feld, welches die Kirche ist, gestreut wurde, zur vollen Reife gelange."

Hier zeigt sich das klare Bewußtsein von der Notwendigkeit, die christliche Botschaft über den vom II. Vatikanum erreichten Ort hinaus im Dienste einer neuen Erörterung des Glaubensverständnisses im Kontext der modernen Welt zu überdenken. Das Konzil hat die Richtung gewiesen; nun muß der neue Weg beschritten werden. Es genügt nicht, dort stehenzubleiben und sich lediglich einer exegetischen Arbeit dessen hinzugeben, was in den Konzilsdokumenten gesagt und geschrieben wurde.

Entsprechend dieser Forderung wurden in den wichtigsten Ländern verschiedene theologische Tendenzen entwickelt, die ihren Hintergrund bzw. ihre Stütze im Geist des II. Vatikanums finden. Die erste von ihnen ist die sogenannte Theologie der Säkularisation[6]. Sie stellt sich dar als eine Forderung nach Autonomie, eine Forderung, die die Moderne stellt in bezug auf die Gesetze der politischen, wissenschaftlichen, ökonomischen, anthropologischen Rationalität. Diese Theologie bringt einen dauernden Wert zum Einsatz: Der theologische Wert (der Wille Gottes, die Gnade und Erlösung oder die Sünde) verwirklicht sich nicht nur dort, wo sich das theologische Bewußtsein regt (christliche Gemeinschaft), sondern ist eine Dimension der gesamten Wirklichkeit und jeglicher menschlichen Tätigkeit. Entweder ist die Wirklichkeit auf den Aufbau des Gottesreiches hingeordnet, oder sie ver-

---

[5] Vgl. *L. Boff,* La fe en la periferia del mundo. El caminar de la Iglesia con los oprimidos (Santander 1981) bes. 145ff.

[6] Siehe *J. Comblin,* Säkularisierung. Mythen, Realitäten und Probleme, in: Concilium 5 (1969) 547—557; *B. Kloppenburg,* O cristão secularizado (Petrópolis 1970); *verschiedene Autoren,* Les deux visages de la théologie de la sécularisation (Casterman 1970).

schließt sich ihm. Die Kirche im engen Sinne wird nicht mehr als die einzige Mittlerin der Gnade und des göttlichen Entwurfs der Geschichte gesehen. Sie setzt die theologische Gesamtorientierung voraus: den Lauf der Heilsgeschichte; sie versteht sich als ihr sakramentales Zeichen und als theologisches Instrument ihrer ausdrücklichen geschichtlichen Verwirklichung.

Sodann die Theologie des Politischen[7]: eine der Bestrebungen, die am besten die Intuitionen des II. Vatikanums weiterführte. Sie greift die Herausforderungen des Illuminismus auf wie auch die des weiten Horizontes unserer gegenwärtigen Kultur, den politischen Horizont. Sie müht sich, die christliche Gemeinschaft herauszuholen aus der intimistischen und privatistischen Enge der Form, die der Botschaft Jesu Christi zeitweilig anzuhaften drohte. Sie versucht, das gefährliche Christusbild zurückzugewinnen, also ein Bild dessen, der in der Öffentlichkeit aller Welt in einem Konflikt verschiedener Mächte starb. Die politische Theologie erscheint, wie J.B. Metz eindrucksvoll formulierte, „als ein Versuch, die eschatologische Botschaft des Christentums in ihrer Beziehung zur modernen Zeit in einer kritisch-praktischen Form darzustellen". Weit mehr als um eine Verbesserung des religiösen Ausdrucks geht es im Christentum darum, bei der Formung des neuen Menschen mitzuwirken.

Schließlich ist da die Theologie der Hoffnung[8], die zunächst protestantischen Ursprungs ist, der sich aber viele römisch-katholische Christen und auch Christen anderer Bekenntnisse zuwandten. Sie ist in gewisser Weise im Feld der politischen Theologie angesiedelt und sucht die eschatologische Hoffnung in ein Prinzip historischer Veränderung, in Utopien, Projekte und Revolutionen zu übersetzen, die auf geschichtlicher, sozialer Ebene verwirklichen sollen, was für die Vollendung der Zeit verheißen ist.

Zu guter Letzt könnte es scheinen, daß eine Theologie der Revolution[9] die Handlungen der Christen in einer im argen liegenden Welt in Gang setzen könnte, einer Welt, in welcher der Zustand der Gewalt notwendigerweise eine revolutionäre Gegengewalt auslösen muß – gleichsam als eine Form der Strukturveränderung der Gesellschaft. Diese Theologie entstand nicht, wie man meinte, in Lateinamerika. Es handelt sich vielmehr um Überlegun-

---

[7] Gute Orientierung über die verschiedenen Strömungen der politischen Theologie bietet *S. Wiedenhofer,* Politische Theologie (Stuttgart 1976).
[8] *J. Moltmann,* Theologie der Hoffnung (München 1966); *ders.,* Hacia una hermenéutica política del evangelio, in: Cristianismo y sociedad 24—25 (1970) 6—22; vgl. *G. Sauter,* Zukunft und Verheißung (Zürich–Stuttgart 1965) bes. 277ff.
[9] Vgl. *T. Rendtorff – H. Tödt,* Theologie der Revolution (Frankfurt a.M. 1968); *H. Assmann,* Caracterização de uma teologia da revolução, in: Ponto Homem 4 (1968) 6—58; *O. Maduro,* Revelación y revolución (Mérida [Venezuela] 1970); ausgiebige Literatur bietet *E. Freil – R. Weth,* Diskussion zur „Theologie der Revolution" (München–Mainz 1969) 365—376.

gen im Milieu der reichen Gesellschaften, gleichsam um „eine Art Ausfüllung der Leere an historischer Funktion, die Christen überkommen mag"[10]. Die ernsten Versuche, den Geist des II. Vatikanums weiterzutreiben, wurzeln in der Tat im Horizont der Modernität. Der Adressat dieser Strömungen ist der moderne, gebildete und kritische Mensch. Seine Fragen begegnen im Umfeld der Bezogenheiten Wissenschaft-Glauben, privat-öffentlich, gegenwärtig-künftig, Theismus-Atheismus. Die Armen und Entrechteten treten in den Blickpunkt, wie aus den Überlegungen von J. B. Metz und J. Moltmann deutlich wird; doch immer wieder als ein Thema, das in die weitergespannte Problematik der Modernität eingeordnet ist[11]. Wenn nun aber das Konzil für diese Strömungen des christlichen Gedankens mehr war als ein Abschluß und Endpunkt, dann ist zu sagen, daß – unter dem Gesichtspunkt des Horizontes und der Untersuchung und Lösung dieser wichtigen Fragen – der Endpunkt nicht überschritten wurde. Damit wollen wir keineswegs diesen Strömungen das große Verdienst mindern, aktuelle Fragen mutig aufgegriffen zu haben und in Kategorien und in der Sprache, die dem modernen Denken eigen sind, durchdacht zu haben[12]. Das Moment der Abwürgung dieser theologischen Tendenzen wurde sichtbar bei ihren Bezügen zu kirchlichen Praxis. Selten ist es von der Theologie her zu einer alternativen Praxis innerhalb des Gottesvolkes gekommen. Ihre konkrete Einwirkung in Form der Ermutigung kirchlichen Lebens, des Ertrags an neuen Bewegungen und eines neuen Stils, den Glauben auszudrücken und zu bekennen, blieb in den Keimen stecken. Diese Tatsache ist weniger den Theologien oder dem Willen der Theologen und ihrer Schüler als vielmehr der Last der kirchlichen Traditionen und der Kontrolle der Machtinstanzen in der Kirche anzukreiden. Neue Gedanken führten zu anderen neuen Gedanken. Kein bedeutsamer Bruch in Richtung auf eine neue Form des Christseins und des Kircheseins war im Zusammenhang mit Taten und Übungen, die eine Veränderung der Gesellschaft und der Kirche hätten bringen können, zu erkennen.

---

[10] *H. Assmann*, Teología desde la praxis de la liberación (Salamanca 1973) 78.

[11] Vgl. *J. B. Metz*, Erlösung und Emanzipation (im Buch mit demselben Titel) (Quaestiones disputatae 61) (Freiburg i. Br. 1973) 120—140; vgl. auch *R. Alves*, Il Figlio del domani. Immaginazione, creatività e rinascità della cultura (Brescia 1974).

[12] Siehe die Überlegungen von *G. Gutiérrez*, A partir do reverso da História, in: A força histórica dos pobres (Petrópolis 1981) 258—269 314—328.

2. Das Konzil als Ausgangspunkt

Die Teilnahme der lateinamerikanischen Bischöfe am Konzil war für die Theologie des Konzils nicht bedeutungsvoll. Es war sogar von einer *Kirche des Schweigens* die Rede. Gleichwohl vermittelten die lateinischen Episkopate einen Reichtum anderer Ordnung: den der Pastoral; sie brachten die Not und Unruhe der Armen zum Sprechen; sie förderten das Bewußtsein der Gesamtkirche in bezug auf die soziale Gerechtigkeit[13]. Schon im Jahre 1952 war in Brasilien die Conferência Nacional dos Bispos do Brasil (CNBB), die Bischofskonferenz ganz Brasiliens, gegründet worden. Es gab also bereits Erfahrungen einer Gesamtpastoral, welche das ganze Land umfaßte und eine ausgezeichnete Einübung in die bischöfliche Kollegialität war. Im Jahre 1955 wurde in Rio de Janeiro die CELAM, die Lateinamerikanische Bischofskonferenz, ins Leben gerufen. Schon waren Pastoralentwürfe für den gesamten Kontinent erprobt worden. Prophetische Minderheiten, an deren Spitze Dom Helder Câmara (Brasilien) und Dom Manuel Larraín (Chile) genannt werden müssen, verstanden es, die hauptsächlichsten Tendenzen der gegenwärtigen Wirklichkeit und der Aufgaben der Kirche in ihnen zu erfassen und zu deuten (sie sind nicht zu verwechseln mit jenen prophetischen Minoritäten, die stets mit der kirchlichen Wirklichkeit, ihrer Gesamtheit und Geschichte gegeben und verbunden sind, gleichsam als Elite und Vordermänner, meistens aber ohne besonderes Verwurzelt- und Getragensein von und im Volk). Diese und solche Männer nun beeinflußten den Gang der Sitzungen und die Festlegung der thematischen Prioritäten. Dom Helder Câmara und Dom M. Larraín waren die Hauptverantwortlichen für das Entstehen von zwei informellen Gruppen, Ort der Begegnung von Bischöfen aus aller Welt, besonders aus der Dritten Welt und jener Bischöfe, die für die sozialhistorischen Probleme besonders aufgeschlossen waren: Le Christ et l'Église servante et pauvre und die Gruppe L'Église et l'aide aux pays en voie de développement: conditions d'une action efficace". Die Gespräche und Diskussionen in der Domus Mariae, wo die Bischöfe Brasiliens während des Konzils wohnten, vereinten beste Theologen, die in Rom anwesend waren (K. Rahner, E. Schillebeeckx, Y. Congar, J. Daniélou) und trugen dazu bei, den pastoralen Geist des II. Vatikanums zu formen.

Das II. Vatikanum mit seiner Geisteshaltung und im Gesamt seiner offiziellen Dokumente wirkte wie ein mächtiger Anstoß auf die lateinamerika-

---

[13] Siehe die 5 Bände von *B. Kloppenburg*, Concilio Vaticano II (Petrópolis 1962—1965); siehe den ausführlichen Bericht von *M. Bandeira*, Dom Helder Câmara e o Vaticano II, in: Vozes 72 (1978) 793—796.

nische Kirche. Es hatte hauptsächlich zwei entscheidende Funktionen: die bereits im Gang befindliche Erneuerung der Kirche zu legitimieren und eine kreative Annahme des Konzils zu ermöglichen – von einem Standort aus, der von jenem, der gedacht, erarbeitet und bewerkstelligt war, verschieden war, also aus der Sicht der Armen! Diese zwei Komplexe sollen nun weiter erörtert werden.

In den sechziger Jahren begann sich in fast ganz Lateinamerika eine Krise der ökonomischen, politischen, soziologischen und ideologischen Systeme abzuzeichnen. Das herrschende Modell war das des abhängigen Kapitalismus bei einem beschleunigten Prozeß der Industrialisierung und Verstädterung[14]. Große ausländische Unternehmen ließen sich in den verschiedenen Ländern nieder; statt weiterhin zu importieren, erzeugten sie – mit Genehmigung – die Produkte in den Ländern selbst, die reich an Rohstoffen sind, billige Arbeitskräfte und große stimulierende Steuervergünstigungen anboten. Man lebte in einer Euphorie der Entwicklung und des Fortschritts, zumal in der Zeit des Präsidenten J. F. Kennedy mit seiner „Allianz für den Fortschritt" (1961–1969). Gleichzeitig mit der Beschleunigung des Produktionsprozesses setzte ein Erwachen des Bewußtseins der Arbeiterschaft bezüglich des Ausmaßes ihrer Ausbeutung und der Randexistenz ein, in denen zu leben sie sich gezwungen sahen. Der Fortschritt ging also auf Kosten des Volkes, zugunsten der traditionellen reichen Elite der lateinamerikanischen Länder, die im Bunde mit ihren ausländischen Partnern standen. Doch es wuchsen auch die Gewerkschaften und die verschiedenen Organisationen des Volkes. Ihre Forderungen bedrohten bereits die Hegemonie der bürgerlichen Klasse und den durch sie kontrollierten Staat. In diesem Zusammenhang ist eine große Mobilisation von Studenten und Intellektuellen festzustellen, die sich den Kämpfen des Volkes beigesellten. Es entwickelte sich eine ernste analytische Literatur der unterentwickelten lateinamerikanischen Verhältnisse aus der Sicht der Unterentwickelten. Die Analyse ließ erkennen, daß die Beziehungen zwischen dem Zentrum und der Peripherie des Systems keineswegs die der Interdependenz sind, sondern die wahrer Abhängigkeiten, die in Krisenzeiten sich als Unterdrückung offenbaren und die notwendigen sozialen Veränderungen verhindern. In Anbetracht der traditionellen Unterdrückung des lateinamerikanischen Kontinents mußte also ein Prozeß der Befreiung ausgelöst werden.

An der politischen Mobilisation des Volkes nahmen viele Christen aktiv in den verschiedenen Bewegungen teil, die mit der Pastoral der Arbeiter und

---

[14] Siehe die gute Zusammenfassung von *H. Zwiefelhofer*, Zum Begriff der Dependenz, in: Befreiende Theologie, hrsg. von Karl Rahner (Stuttgart–Berlin–Köln–Mainz 1977) 34–45.

der Pastoral der Universitätsstudenten verbunden sind. Es wurde immer deutlicher, daß die Unterentwicklung nicht zunächst eine technische Angelegenheit (technologische Rückständigkeit), sondern ein politisches Problem ist: Politisch handelt es sich darum, alle Länder, die sich im kapitalistischen Wirkungsfeld befinden, unter der gewohnten politisch-ökonomischen Regierungsform samt ihrer formellen Demokratie zu bewahren; unter der Hegemonie der reichen Eliten, jener des Staates des well-fare, mit effizienter Kontrolle des Volkes und seiner Organisationen. In dieser Globalstrategie erscheint also der abhängige, periphere Kapitalismus, der dem Kapitalismus der reichen Länder der nördlichen Halbkugel (Europa-Nordamerika) verbunden ist, als der Hauptverantwortliche für das Elend des Volkes und für die Schwierigkeiten (politische und militärische Repression) und Hindernisse, die sich jeder Veränderung entgegenstellen. So übernahm der Episkopat selber, wie im Falle Brasiliens, die Führung in der Arbeit der Bewußtseinsweckung und in der Arbeit unter dem Volk.

Schon 1955 wurden die ersten kirchlichen Basisgemeinschaften errichtet, die „Bewegung für eine Erziehung an der Basis" (MEB) gegründet und eine religiöse Erziehungsmethode für die Unterdrückten geschaffen, die sich auf die pädagogischen Intuitionen eines Paulo Freire stützt. Mehr und mehr beginnen die Christen auf dem ganzen Kontinent in Organisationen des Volkes oder in Parteien der Linken zu kämpfen und alternative Entwürfe gegenüber jenen anzubieten, die in den verschiedenen Ländern dominieren. Gleichzeitig mit diesem Aufbruch erfolgte auch eine Glaubensreflexion. Es ist die Zeit, in der man über Christentum und Entwicklung, Glaube und Revolution nachzusinnen beginnt. Da zeigte sich, daß das Volk fast in seiner Gesamtheit christlich ist; da ist es wenig sinnvoll, vom „Tod Gottes" zu sprechen, aber wirkungsvoll, von einem sozialen System zu reden, das den „Tod des Menschen" bewirkt und ihn dauernd zu einem Untermenschen reduziert. Die Frage, die sich damals in den sechziger Jahren stellte, ist auch heute die große Frage des christlichen Gewissens in Lateinamerika: Was heißt Christsein in einer Welt von Unterdrückten? Langsam drängte sich die einzig gültige Antwort auf: Wir können nur Christen sein in einer befreienden Form. Wir bilden nicht nur unterentwickelte Länder; wir sind unterentwickelt gehaltene Länder; die Armut ist eine durch ökonomische und soziale Mechanismen der Ausnutzung erzwungene Armut.

In den mobilisierten Gruppen der Gesellschaft war bereits das Schlüsselwort „Libertação" (Befreiung) als Symbolbegriff aufgekommen. Es ist das gegensätzliche Korrelat zur „Opressão" (Unterdrückung). Das Wort „Befreiung" besitzt einen historisch festen Sinn und ist mit den revolutionären Prozessen des Kontinents in Mexiko (1911), Bolivien (1952), Guatemala

(1952), Cuba (1959), mit dem Widerstand gegen die nordamerikanische Invasion in Santo Domingo (1965), mit zahllosen Guerrilla-Bewegungen in verschiedenen Ländern, wie Kolumbien, Perú, Brasilien, Argentinien, Uruguay, verbunden. Befreiung beinhaltet einen Schritt über das liberalistische und kapitalistische, evolutionistische Fortschrittsdenken und sein Schema hinaus, da diese doch stets nur die herrschenden exklusiven und elitären sozialen Schichten stärken und fördern.

Befreiung setzt einen Bruch in der Art des Lebens und Handelns in der Gesellschaft und in der Kirche voraus. Es wird Standpunkt bezogen von den Armen her und gegen ihre Unterdrücker, für die Armen und gegen ihre Verarmung. Zwei geschichtliche Gestalten stellen die Ideale der Befreiung dar und fahren fort, mächtig auf die Gruppen, die sich für qualitative Veränderungen der Gesellschaft zu kämpfen verpflichtet fühlen, zu wirken: Ernesto „Che" Guevara (gefallen am 8. Oktober 1967) und der kolumbianische Priester Camilo Torres (gefallen am 15. Februar 1966)[15]. Beide hatten für die Revolution optiert, die sich die Befreiung der Vergessenen innerhalb unserer lateinamerikanischen Gesellschaft zum Ziele setzte: der Landarbeiter, der Proletarier, der Armen. Sie fielen im Kampf für deren Sache!

Die Perspektive der Befreiung indessen gewann mehr und mehr Zustimmung in dem Maße, in dem der kapitalistische Staat sich gegen das organisierte Volk zur Wehr setzte, sich militarisierte und konsequent die politisch-militaristische Repression gegen alle Bewegungen, Parteien, Gruppen und Syndikate koordinierte, die substantielle Veränderungen in der Gesellschaft verlangten.

In diesem Kontext werden nun auch die Dokumente des II. Vatikanums gelesen. Sie wurden vor einem Hintergrund vernommen, der den Geist und die entsprechenden Themen des Konzils für sein Anliegen bedeutsam und wirkungsträchtig erscheinen ließ. Das Konzil schien den Weg dieser Kirche mit ihrer Öffnung zur Welt der Armen und zur sozialen Gerechtigkeit zu bestätigen und zu ermuntern. Obwohl die Mentalität des Konzils diesseits solcher kritisch-sozialen Bewußtseinslage, welche die ihr verpflichteten Christen kennzeichnete, verblieb, so war sie doch „institutionelle Stütze" von unschätzbarer Bedeutung. Sie billigte eine Kirche, die sich der sozialen Gerechtigkeit und den Enterbten dieser Welt verpflichtet weiß. Man konnte den Eindruck gewinnen, daß das Konzil schon in der Praxis gelebt und erprobt war, bevor es in Rom seine schriftliche Formulierung fand. Die Kon-

---

[15] Vgl. eine gute Einführung in diese Problematik von *O. Noggler,* Das erste Entwicklungsjahrzehnt. Vom II. Vatikanischen Konzil bis Medellín, in: *H.-J. Prien* (Hrsg.), Lateinamerika: Gesellschaft, Kirche, Theologie (Göttingen 1981) 19–70.

zilstexte erschienen da als Ermutigung und feierliche, offizielle Bestätigung des zurückgelegten Weges.

Dieses Klima ermöglichte es, die theologischen Überlegungen und Lehrmeinungen mit Mut weiterzuführen. Auf der 10. Vollversammlung der CELAM in Mar del Plata (1966) konnte Dom Helder Câmara, Prophet und Vorläufer vieler neuer Perspektiven und Wege, sagen: „Das Ziel, das erreicht werden muß, ist der freie und wache Mensch, mittels einer progressiven Befreiung von tausend Sklavereien, auf daß seine fundamentale Freiheit wachse: frei zu sein bis hin zum Freiwerden von sich selbst und zur Hingabe an die anderen." Der wirklich qualitative Sprung dieser Philosophie gelang im Juli 1968 in Chimbote (Perú) in der berühmten Rede von Gustavo Gutiérrez: *Für eine Theologie der Befreiung.*

3. Die kreative Rezeption des Konzils in der Sicht der Armen

Die Theologie der Befreiung formte sich im Schoße der Praxis von Christen (Priester, Ordensleute, Laien), die sich der Veränderung der Gesellschaft der Armut verpflichtet wußten[16]. Die Besonderheit und Originalität dieser Art Theologie beruht nicht auf der Tatsache, daß sie das Thema der Unterdrückung und Befreiung zum Gegenstand theologischer Studien macht. So etwas ist immer möglich und war in gewisser Weise niemals in den verschiedenen theologischen Richtungen unberücksichtigt geblieben.

Doch forderte dieser Fragenkomplex keine methodologischen Änderungen oder eine andere Struktur. Mit denselben Methoden, mit denen man die Göttlichkeit Christi, die göttliche Vaterschaft, Gnade oder Sünde behandelte, ging man auch an das Thema „Befreiung". Nach solcher Art entwickelten sich in den letzten Jahrzehnten die verschiedenen Genitiv-Theologien (der Arbeit, des Geschlechts, der Säkularisation, der Stadt usw.). Die Neuheit der Theologie der Befreiung aber liegt darin, daß sie als eine Reflexion des Glaubens sich im Innern der Praxis der Befreiung vollzieht und von ihr ebenfalls ausgeht. Man beachte also: Es geht nicht darum, über das Thema „Befreiung" zu theoretisieren, sondern es geht um die konkrete Praxis der Freiheit,

---

[16] Für die Geschichte dieser Theologie vgl. *R. Oliveros,* Liberación y Teología. Génesis y crecimiento de una reflexión 1966—1977 (Lima 1977); *A. G. Rubio,* Teologia da libertação: política ou profetismo (São Paulo 1977); *verschiedene Autoren,* História da teologia na América Latina (São Paulo 1981) bes. 139—164; *J. Comblin,* Kurze Geschichte der Theologie der Befreiung, in: *H.-J. Prien* (Hrsg.), Lateinamerika 13—38; *L. Boff,* Theologie der Befreiung. Der artikulierte Schrei des Unterdrückten, in: Aus dem Tal der Tränen ins gelobte Land. Der Weg der Kirche mit den Unterdrückten (Düsseldorf 1982) 178—199.

die durch die Armen geleistet werden muß. Christen haben sich zum Zweck der Veränderung der Gesellschaft aus ihrem Glauben heraus auf die Seite der Armen geschlagen, damit es mehr Güter des Reiches Gottes gebe, wie Gerechtigkeit, Wahrhaftigkeit, Partizipation, menschliche Würde und Brüderlichkeit. Von dieser auf die Praxis bezogenen Haltung her suchen sie den Inhalt des christlichen Glaubens zu überdenken. So entsteht eine neue Art, Theologie zu betreiben: aus der Sicht der politischen Praxis, aus der Sicht ihrer Solidarität mit den Bedrückten und mit dem Ziel ihrer Befreiung. Das erste Wort hat die Handlung in prägender Kraft, die erleuchtete, klare, bewußte Handlung, Trägerin eines wahrhaft historischen Projektes.

Die Praxis, von der in der Theologie der Befreiung die Rede ist, geschieht auf verschiedenen Ebenen[17]. Auf *pastoraler* Ebene lautet das Thema: Welche kirchliche Praxis hilft der Menge der Armen, sich der Sünde, die in der Ausbeutung des Menschen liegt, bewußt zu werden und in die Gnade der Solidarität und der Vermittlung der Gerechtigkeit einzutreten? Wie müssen die Katechese, die Liturgie, die Predigt, die Feier der Sakramente speziell in der Perspektive der Unterdrückten gestaltet sein? Läßt das alles die Christen angesichts der Unterdrückung gleichgültig? Hilft es ihnen, sich einer Praxis zuzuwenden, die durch den Glauben erleuchtet und durch die Sakramente gestärkt ist, auf daß sie Änderungen in Richtung Gerechtigkeit bewirken? Auf *kirchenpolitischer* Ebene lautet das Thema: Welche soziale Praxis entwickeln die Christen? Unterstützt der Kampf der Christen die Lage, die als unmenschlich und daher als gottlos entlarvt ist, oder schließt der Christ sich den Bewegungen für soziale Veränderungen an mit dem Ziel einer Gesellschaft der Teilnahme, in der die Armen besser zu ihrem Recht kommen? Hier nun tritt eine tiefe Spaltung ein: Es gibt Christen (Laien, Bischöfe, Pastoralassistenten), die theoretisch und praktisch den Status quo stützen, sie entwickeln keinerlei prophetischen Geist und pflegen ihre Beziehungen zu den Armen lediglich in paternalistischer und assistenzialistischer Form; andere aber verbünden sich mit den niedrigen Schichten, greifen die Sache der Armen auf, liefern aus ihrer Glaubenssicht heraus ihren Beitrag zur Veränderung des sozialen Gewissens und der vorhandenen Strukturen. Schließlich auf der im engen Sinne *politischen* Ebene: Die Praxis legt hier das ganze Gewicht auf die Veränderung der Strukturen der Gesellschaft: ihre Veränderung im Interesse der Verfluchten dieser Erde. Im Falle Lateinamerikas sind es die niederen Volksschichten, die am meisten an einer qualitativen Verän-

---

[17] Vgl. *C. Boff*, A dimensão teologal da política: da fé e daquilo que lhe pertence, in: REB 38 (1978) 244—268; *ders.*, Comunidade eclesia — comunidade política. Ensaios de eclesiologia política (Petrópolis 1978) bes. 64—84.

derung der Gesellschaft interessiert sind, und nicht nur die Christen. Diese Praxis der Befreiung gibt in dem Maße, in dem sie wirklich befreit, dem Unterdrückten das Recht auf seine Würde und auf alles Vorenthaltene zurück. Er wird zum Subjekt und Gestalter seiner eigenen Geschichte, und in der von ihm ausgelösten Entwicklung verwirklicht er den Plan Gottes und vermittelt die Güter des Gottesreiches.

Die Theologie der Befreiung schafft sich Bahn von dieser befreienden Praxis her. Im Interesse der Befreiung sieht sie sich angehalten, die soziale, konfliktive Wirklichkeit zu analysieren, und zwar aus der Sicht der Armen. Doch dabei kann sie nicht einfach selbstzufrieden stehenbleiben. Sie ist auf die Veränderung dieser Wirklichkeit hingeordnet. Es genügt also nicht, die soziale Wirklichkeit angemessen zu beschreiben und zu deuten und über diese Deutung eine technologische Erörterung anzustellen; solches ist natürlich immer möglich und wird oft genug geübt; aber darin kommt die methodologische Eigenart der Theologie der Befreiung noch nicht in Sicht; man bliebe immer noch auf dem Feld der Deutungen (zunächst der analytischen und schließlich der theologischen). Das entscheidende, formende Element dieser Theologie ist die umgestaltende Handlung (Praxis), die aktive Hingabe und Verbundenheit mit den Gruppen der „Deutung-Handlung". Von dieser aktiven Verbundenheit her erarbeitet die theologische Reflexion die verschiedenen Themen[18]. Der Theologe hört also auf, lediglich Lehrer oder Spezialist in Fragen der Religion zu sein; er ist einbezogen in die kämpferischen Reihen.

Theologie der Befreiung heißt also: kritische Reflexion über die menschliche Praxis (der Menschen allgemein und besonders der Christen) im Licht der Praxis Jesu und der Forderungen des Glaubens. Das Verhalten, die Praxis Jesu privilegierte zweifelsohne die Armen; für ihn war nicht alles recht. Daher der Konflikt mit den verschiedenen Machtinstanzen, der bis zu seiner physischen Vernichtung führte. Das Reich beginnt zunächst von den Armen her sich zu verwirklichen, um schließlich alle Menschen zu umfassen.

a) Was ist eine kreative Rezeption?

Diese Art, Theologie zu betreiben, hat sich der Geist des II. Vatikanums in konsequenter und kreativer Weise angeeignet. Es vollzog sich eine Annahme des Konzilsgeistes im Raum der religiösen und politischen Interessen der Armen. Das ist der Hauptgrund, weshalb wir sagten, daß das Konzil ein Aus-

---

[18] Vgl. *S. Galilea*, Teologia da libertação. Ensaio de síntese (São Paulo 1978) 13ff; *J. L. Segundo*, Libertação da teologia (São Paulo 1978) 9—43.

gangspunkt für weitere Entwicklungen in der Kirche innerhalb der lateinamerikanischen Gesellschaft ist. Dieser Prozeß kann technisch als Theologie
der Rezeption qualifiziert werden[19]. Gewöhnlich nennt man Rezeption den
Prozeß, in dem ein kirchlicher Organismus sich eine Verfügung zu eigen
macht, die nicht von ihm selbst herrührt; Annahme einer Regel in dem
Maße, in dem sie verbindlich veröffentlicht wurde und sich auf ihr Leben bezieht[20]. Nach diesem Verständnis bedeutet echte Rezeption etwas als Eigenes
anzunehmen, was von oben (Konzilsdefinitionen, Bestimmungen von nationalen oder kontinentalen Konferenzen) oder von außen (Orthodoxe, die
katholische Bestimmungen übernehmen, Katholiken, die einen eventuellen
Konsens des Weltrates der Kirchen übernehmen) auferlegt wird. In der alten
Kirche war es ein Begriff, der das vorherrschende Verständnis der Kirche als
Gemeinschaft hervorhob. Infolge der Beziehungen zwischen den verschiedenen Kirchen kam es zur Übernahme von Glaubensinhalten, Disziplinar-
ordnungen, liturgischen Gepflogenheiten. Zumal im Rahmen der großen
Konzilien fand diese Art Rezeption ihre Verwirklichung[21]. So proklamierte
das Konzil von Konstantinopel (381) die Rezeption von Nicaea (325), das
Konzil von Chalcedon jene von Konstantinopel usw. Im Rahmen des Kirchenrechts sprach man seit den alten Dekretalisten von einer approbativen
und exekutiven Rezeption des Gesetzes[22]. In der neuen Zeit beobachten wir
die Rolle der Rezeption bei der Dogmenentwicklung, und neuerdings treffen wir auf sie im Felde der ökumenischen Bewegung bei ihrem Versuch, die

---

[19] Für dieses Thema siehe die wichtigste Bibliographie: *Y. Congar,* La „réception" comme réalité ecclésiologique, in: RSPhTh 56 (1972) 369—403; *ders.,* Quod omnes tangit ab omnibus trac-
tari et approbari debet, in: Rev. hist. franç. et étr. 36 (1958) 210—259; *A. Grillmeier,* Konzil
und Rezeption. Bemerkungen zu einem Thema der ökumenischen Diskussion, in: TheolPhil
45 (1970) 321—352; *H. Bacht,* Vom Lehramt der Kirche und in der Kirche, in: Cath 25 (1971)
144—167; *B. Sesboué,* Autorité et Magistère et vie de foi ecclésiale, in: NRTh 93 (1971)
337—362, bes. 350 ff.
[20] *Y. Congar,* La „réception" 370.
[21] Vgl. *L. Stan,* Über die Rezeption der Beschlüsse der ökumenischen Synoden seitens der Kirche, in: Theologica 40 (1969) 158—168 oder in: Konzile und die ökumenische Bewegung (Genf
1968) 77—80; die ganze Nummer von ER 22 (1970) ist diesem Thema gewidmet; *P. Fransen,*
L'autorité des Conciles, in: Problèmes de l'autorité (Paris 1962) 59—100, bes. 83 ff; *H. Müller,*
Rezeption und Konsens in der Kirche. Eine Anfrage an die Kanonistik, in: ÖAKR 27 (1976)
3—21; *W. Hryniewicz,* Die ekklesiale Rezeption in der Sicht der orthodoxen Theologie, in:
ThGl 65 (1975) 250—266; *G. Denzler,* Autorität und Rezeption der Konzilsbeschlüsse in der
Christenheit, in: Concilium 19 (1983); *J. Ratzinger,* Kirche und Welt. Zur Frage nach der Rezeption des II. Vatikanischen Konzils, in: Theologische Prinzipienlehre (München 1982)
395—411.
[22] *F. Regatillo,* Institutiones iuris canonici I (Santander 1951) 35 ff; *H. Dombois,* Das Recht der
Gnade, ökumenisches Kirchenrecht (Witten 1961) 825—836; *L. De Luca,* L'acetazione popo-
lare della legge canonica nel pensiero di Graziano e dei suoi interpreti, in: StG 3 (1955)
193—276.

Ekklesialität der Kirchen wieder anzuerkennen und eine Gemeinschaft zwischen den Kirchen zu bilden, die seit Jahrhunderten getrennt waren und keinen Dialog miteinander pflegten. Gewöhnlich bedeutet Rezeption des Inhaltes einen passiven Prozeß: man nimmt an. Das heißt, man nimmt positiv einen Inhalt entgegen, der von anderen erarbeitet wurde. Der Papst rezipiert die Texte des II. Vatikanischen Konzils, die von Bischöfen und Gläubigen erarbeitet worden waren; die Gläubigen ihrerseits rezipieren das II. Vatikanum, das vom Papst mit den Konzilsvätern verkündet wurde. Es läuft und vollzieht sich also ein Prozeß der Aneignung der Regel oder der Bestimmung, weil sie nützlich ist und den Glauben der Gemeinden aufbaut. Gewiß, die Glaubens- oder Sittenlehre erhält nicht ihre Wahrheit von der Annahme. Die Autorität des Konzils mit dem Papst begründet die Legitimität und Gültigkeit der Gesetze, aber es hängt von der Annahme des Gesetzes ab, daß es *wirksam* werde. Es ist wirksam, wenn sein Inhalt (es genügt also nicht die juridisch-formale Qualität) opportun ist, den Erfordernissen des Glaubenslebens sowie dem Gemeinwohl der Gläubigen entspricht. Annahme in diesem Sinne ist also nicht einfach gleichbedeutend mit Gehorsam (Unterwerfung unter fremden Willen aus Liebe zu Gott oder aus Liebe zur kirchlichen Einheit). Die Annahme wird, ekklesiologisch gesehen, zum Statut, wenn sich eine vitale Inkorporation des von der kirchlichen Autorität vertretenen Inhalts vollzieht; es wird eine Übereinstimmung und ein Wachstum des christlichen Lebens festgestellt. Die Nichtannahme seitens der Gemeinschaft ist also nicht eo ipso Ungehorsam; sie ist eher ein Indiz dafür, daß die Bestimmung entweder nicht zum depositum fidei gehört oder etwas festlegen will, das dem Gemeinwohl nicht dienlich ist oder auch nicht der Opportunität der Zeit und den religiösen Bedürfnissen des Volkes Gottes entspricht. Ein typischer Fall ist die päpstliche Konstitution „Veterum sapientia" (1960) unter Papst Johannes XXIII. Sie wurde mit allen Symbolen der kirchlichen Gewalt feierlich proklamiert und blieb doch großartig unwirksam, da sie reinster voluntaristischer Eigenmächtigkeit entstammte, ohne das Gemeinwohl der Gläubigen zu bedenken, wie es in unserer modernen, pluralistischen Gesellschaft not tut[23].

Die Rezeption indessen beschränkt sich keineswegs auf die gewissenhafte Annahme dessen, was der Gemeinschaft von ihren Lehrern im Glauben vorgelegt wird. Sie ist eben auch aktiv. Das soll hier besonders nachdrücklich betont werden. Von einem erarbeiteten Sinn her werden andere Perspektiven vertieft und andere Sinn- und Tatgehalte als Entfaltungen des Ursprünglichen erkennbar. Nur so ist eine Rezeption wirklich lebendig. Das Volk

---

[23] Vgl. *H. Bacht*, Vom Lehramt 161; *Y. Congar*, La „réception" 385 399.

Gottes hat das Recht, nicht nur die vollständige Wahrheit des Glaubens zu empfangen, sondern ihn auch in einer zeitgemäßen Kodifikation zu erarbeiten und auszubreiten; es setzt Akzente, es unterscheidet, welche Perspektiven für die verschiedenen historischen Lagen, denen es begegnet, bedeutsam sind. Das päpstliche Lehramt hat in Anbetracht der Verschiedenheit der Lebensverhältnisse der Christen in der Welt von heute anerkannt, „daß es schwierig ist, sowohl ein allgültiges Wort zu sagen als auch eine Lösung vorzutragen, die universale Geltung hätte". „Aber solches" – sagt Papst Paul VI. – „ist weder unser Vorhaben noch unsere Aufgabe. Den christlichen Gemeinschaften fällt die Aufgabe zu, mit Objektivität zu untersuchen, welches die Lage in ihren Ländern ist, und sich zu bemühen, sie im Lichte der unveränderlichen Worte des Evangeliums zu durchleuchten."[24] Die Theologie der Befreiung versteht sich selber gewissermaßen als die Soziallehre der Kirche, speziell für die Lage der Dritten Welt. Sie ergibt sich aus dem Konflikt zwischen der geschichtlichen Wirklichkeit und der Botschaft des Evangeliums, wie sie in der durch die Tradition erstellten christlichen Soziallehre enthalten ist.

Die kreative Rezeption findet ihre Rechtfertigung von einer korrekten Erkenntnis- bzw. Wissenschaftslehre her, die auch für den Akt des Glaubens und für die pastorale Praxis ihre Gültigkeit hat[25]. Ihr zufolge ist der Sinn eines Textes (einer Regel oder Bestimmung) nicht nur durch die Autoren des Textes (mens patrum) und durch die verwendeten Worte (Literalsinn) bestimmt. Es sind eben auch die Empfänger Mitautoren in dem Maße, in dem sie die Botschaft in den lebendigen Kontext, in dem sie sich befinden, einpflanzen, Akzente setzen, die Bedeutung gewisser Sichten erkennen, die ihre Lage beleuchten, enthüllen und eventuell geschichtliche Zustände verurteilen. Der ursprüngliche (buchstäbliche) Sinn erhält neue Resonanz, wenn er in einer bestimmten geschichtlichen Lage lebendig erfaßt wird (und seinen geistigen Gehalt und seine Kraft bezeugt). Lesen ist dann immer „neu lesen", und verstehen ist immer auch deuten. Das ist nicht deshalb so, weil wir es so wollen oder nicht wollen, sondern weil es der Struktur unseres Geistes entspricht und wenn schließlich das Wort zum lebendigen Wort werden soll.

---

[24] „Octogesima adveniens" n.4.
[25] Vgl. *R. Avila*, Profecia, interpretación, reinterpretación, in: Teología, evangelización y liberación (Bogotá 1973) 61–70; *C. Boff*, Circulo hermeneutico: criaçăo de sentido-acolhida de sentido, in: Teologia e prática (Petrópolis 1978) 245–255 (ins Deutsche übersetzt bei Grünewald 1983); *S. Croatta*, Befreiung und Freiheit. Biblische Hermeneutik für die „Theologie der Befreiung", in: *H.-J. Prien* (Hrsg.), Lateinamerika II 40–59; für die hintergründige Problematik vgl. *P. Ricœur*, Sciences humaines et conditionnement de la foi (Paris 1969) 147–156; *ders.*, Histoire et Vérité (Paris 1964); *ders.*, Le conflit des interprétations (Paris 1969); *J. Ladrière*, La théologie et le langage de l'interprétation, in: Revue Théologique de Louvain 1 (1970) 241 bis 267; *ders.*, L'articulation du sens (Paris 1970).

Die ursprüngliche Botschaft ist also nicht einer Zisterne mit stillem, totem Wasser gleich, sondern ist wie eine Quelle, aus der lebendiges Wasser sprudelt, sie ist fähig, in Fortsetzung und Verwirklichung des Ursprünglichen neue Inhalte zu schaffen. Der ursprüngliche Sinn dient also gleichsam als Konduktor neuen Lebens mittels neuer, konkreter Bedeutungen.

b) Wie vollzog sich in Lateinamerika die kreative Rezeption
   in der Perspektive der Armen?

Im Licht des beschriebenen Verständnisses wird sichtbar, daß das Konzil noch andauert und seine Wirkungsgeschichte nicht abgeschlossen ist[26]. Wie die Konzilsväter ihr II. Vatikanisches Konzil hielten, so hält das lateinamerikanische Volk sein II. Vatikanisches Konzil. Es lohnt sich, einige Grundperspektiven des Konzils zu nehmen und zu sehen, wie sie kreativ von den christlichen Gemeinschaften und von der theologischen Reflexion aufgenommen wurden.

Das Konzil ist sich deutlich bewußt, daß nicht die Welt in der Kirche ist, sondern die Kirche in dieser Welt eingepflanzt wurde als sakramentales Zeichen des Heiles und der Einheit. In Lateinamerika stellte sich die Kirche die Frage: Welches ist die „Welt", in der sie vorzüglich gegenwärtig sein muß als Sakrament des Heiles? Es ist die Welt der Armen, die „Unter-Welt", zu der die große Mehrheit unserer Völker gehört. Das Konzil spricht sehr häufig vom Geheimnis des Heiles; hier dachte es konkret an das Heil als integralen Befreiungsprozeß, der dann verschiedene Vermittlungen kennt: die ökonomische (Befreiung vom Hunger), die politische (Befreiung aus der Randexistenz), die kulturelle (Befreiung von Analphabetismus und Unwissenheit), die erzieherische (Befreiung von entpersönlichender Abhängigkeit), die religiöse (Befreiung von Sünde als Ablehnung Gottes und seines Geschichtsentwurfes). Das Konzil spricht von der Förderung des Menschen; hier in Lateinamerika wurde das konkret mit Befreiung der Unterdrückten übersetzt. Das Konzil spricht von der Armut in der Welt und von den Armen; hier in Lateinamerika wurde der Armut ein politischer Inhalt gegeben: Die Armut hier ist weder unschuldig noch natürlich; sie wird durch ökonomische und sozio-politische Mechanismen geschaffen; es genügt nicht, sie moralisch zu verurteilen; es stellt sich vielmehr die dringende Aufgabe, sie politisch zu überwinden mittels einer anderen Art, die Gesellschaft zu orga-

---

[26] Siehe *J. Ratzinger,* Kirche und Welt 408—409: „Die wirkliche Rezeption des Konzils hat noch gar nicht begonnen. Was die Kirche des letzten Jahrzehnts verwüstete, war nicht das Konzil, sondern die Verweigerung seiner Aufnahme."

nisieren, mit weniger Ungleichheit und sozialer Ungerechtigkeit. Wo das Konzil von der Heilsgeschichte spricht, nimmt es auch auf die Unheilsgeschichte und die Sünde der Welt Bezug. In Lateinamerika stellt sich diese Sünde speziell als soziale und strukturbedingte Sünde dar: als System, Strukturen, soziale Gewohnheiten, die Haltungen, Übungen und Folgen zeitigen, die dem Willen Gottes widersprechen und die Brüder beleidigen. Das Konzil hat das Geheimnis der Kirche vertieft; es versteht sie hauptsächlich als Volk Gottes unterwegs. In Lateinamerika ist das Volk zugleich christlich und arm. Konkret gesprochen: das Volk Gottes besteht in seiner großen Mehrheit aus Armen. Kirche als Volk Gottes heißt also: Kirche der Armen, im direkten und konkreten Sinne verstanden. Die übrigen Christen, die nicht arm sind, haben die Pflicht, mit den Armen solidarisch zu sein und sich so ins hier und jetzt anwesende Gottesvolk einzugliedern, das jetzt das Geheimnis des leidenden Gottesknechtes lebt. Das Konzil hat die Aufgabe der Kirche mächtig betont; in gewisser Weise denkt es das ganze Geheimnis der Kirche vom Sohne und vom Heiligen Geist her, deren Aufgabe sich im Auftrag, der der Kirche gegeben ist, weiterzieht durch die Zeit, nämlich Zeichen und Instrument des Heiles zu sein, das Gott überall allen anbietet. In Lateinamerika ist also die Aufgabe der Kirche speziell als Einsatz für die Befreiung der Armen festgelegt; nur dadurch, daß sie die traurige Wirklichkeit in gute und frohe verwandelt, kann sie die gute Nachricht Jesu Christi in sich tragen und vermitteln.

Im Jahre 1968 fand in Medellín (Kolumbien) die II. Generalkonferenz der Bischöfe Lateinamerikas statt. Alle Arbeiten standen unter dem Stichwort: „Die Kirche in der gegenwärtigen Veränderung Lateinamerikas, im Lichte des Konzils gesehen". Die Sorgen der Christen, die sich der Veränderung der Gesellschaft verpflichtet wissen, und die ernsten Überlegungen, die sie begleiten, fanden starken Widerhall in den Arbeiten der Bischöfe in Medellín. Man muß sagen, daß die beherrschende Theologie dieser berühmten Konferenz jene war, die sich Theologie der Befreiung nennt. Medellín übernahm die Methodologie dieser Theologie, eine Methodologie, die im Schoße der JOC entstanden war und in den wichtigsten Dokumenten der verschiedenen lateinamerikanischen Episkopate geradezu die klassische wurde: Dabei wird immer von der Erhebung der Praxis der Christen ausgegangen, von einer kritischen Analyse der Wirklichkeit (das ist der Moment des Sehens); dann wird versucht, die Praxis in das Licht der Offenbarung und der theologischen Reflexion zu stellen (das ist der Moment des Urteils); schließlich werden die Richtungen des pastoralen Handelns bestimmt (das ist der Moment des Handelns).

Die Überlegungen dieser Bischofsversammlung kehrten die Perspektive

um: „Die Kirche des Konzils im Lichte der Veränderung Lateinamerikas".
Mit anderen Worten: es handelt sich nicht einfach darum, die Lehren des
Konzils auf die lateinamerikanische Wirklichkeit anzuwenden, sondern darum, wie die Lehre bereichert werden könnte bzw. hier bereichert werden
muß durch die Provokation der Wirklichkeit der Armen und Unterdrückten des Kontinents[27]. Die Bischöfe und ihre Assessoren dachten nicht daran,
die Perspektive zu wechseln. Das ergab sich einfach in dem Augenblick, in
dem sie dem Volk in seiner leidvollen Lage die Treue zu wahren sich ebenso
mühten, wie sie dem Evangelium treu sein wollten. In den Texten von Medellín wird die Perspektive der Befreiung des ganzen Menschen und aller
Menschen angezielt (Jugend 15). Es wird die Tatsache betont, daß das göttliche Werk der Befreiung auf das Ganze gerichtet ist (Gerechtigkeit 4). Christus selbst konzentrierte seine Aufgabe auf die Verkündigung der Befreiung
der Armen (Armut der Kirche 7); die Katechese muß deshalb durchaus eine
freiheitstiftende sein (Katechese 6); die Erziehung muß die Fähigkeit besitzen, unsere Leute von der kulturellen, ökonomischen und politischen
Knechtschaft zu befreien (Erziehung 7).

Nach der Bischofsversammlung in Medellín blühte in fast allen Ländern
die Theologie der Befreiung. Ihre theoretische Erstformulierung fand sie im
Dezember 1971 in dem Buch „Teología de la Liberación, Perspectivas"[28] von
Gustavo Gutiérrez. Im Mai desselben Jahres erscheint das Buch „Opresión-
Liberación. Desafío a los cristianos" von Hugo Assmann[29]. Im Juli 1972
kommt in Brasilien das Buch „Jesus Cristo Libertador" heraus[30]. Es ist hier
nicht der Ort, die Theologie der Befreiung in ihrer Entwicklung der Anstöße, die sie vom II. Vatikanischen Konzil erhält, und in ihrer Geschichte zu
verfolgen. Die folgenden Jahre waren gekennzeichnet durch ein folgerichti-
ges und stets wachsendes Abrücken der gesamten Kirche „vom Zentrum auf
die Peripherie"[31]. Allenthalben entstanden die nach Tausenden zählenden
kirchlichen Basisgemeinschaften (Comunidades eclesiais de base); das Volk
eroberte sich die Bibel, und es entstanden Tausende von Bibelzirkeln (Círcu-
los bíblicos). Seit 1968 hatten in fast allen lateinamerikanischen Ländern
hochrepressive Militärregierungen die Macht an sich gerissen. Die christlichen Gemeinschaften haben die Repressionen (Gefangennahmen, Folte-

---

[27] Vgl. *P. Richard*, A conferência de Medellín. Contexto histórico de seu nascimento, disfu-
são e interpretação, in: A Igreja latino-americana entre o temor e a esperança (São Paulo
1982) 52—62.
[28] Das Buch wurde im Dezember 1971 in Lima (Perú) veröffentlicht.
[29] Montevideo 1971.
[30] Petrópolis 1972.
[31] Das ist der Titel des Buches des Erzbischofs *José Maria Pires* (Petrópolis 1980).

rungen und Tod) in ihren eigenen Wirkungsfeldern erfahren müssen. Hunderte von Laien, Ordensleuten, viele Priester wurden vertrieben, andere gefoltert und sogar ermordet; auch Bischöfe blieben nicht verschont.

In diesem Zusammenhang stellte man Überlegungen an, die von dem theologischen Ort der Gefangenschaft inspiriert waren. Die Theologie der Gefangenschaft bedeutet nicht, wie irrtümlicherweise ihre Kritiker meinen, eine Alternative zur Theologie der Befreiung. Letztere wird ja immer auf dem Hintergrund der Bedrückung und der Gefangenschaft entwickelt[32]. Theologie der Gefangenschaft will lediglich der Veränderung der politischen Verhältnisse, die nun durch die systematische Unterdrückung jeglicher alternativen Bewegung gekennzeichnet sind, den ihr gemäßen Namen geben, sei es, daß diese Bewegungen vom Volk, von der Kirche oder von anderen Organen in der Zivilgesellschaft getragen werden. In diesem Zusammenhang ertönt auch die äußerst kritische Stimme der Kirche bezüglich der Lehre von der nationalen Sicherheit (Doutrina da Segurança Nacional). Diese Lehre versteht die Politik als eine Form des totalen Krieges, der keine Friedenszeiten kennt. Mit ihr bemäntelt der internationale Kapitalismus seine Strategie angeblicher Verteidigung gegen ungerechte Angreifer, wo es in Wahrheit darum geht, sich der Zwangs- und Militärgewalt des Staates und seiner Informations- und Repressionsorgane zu bedienen, um das erwachende und sich zusammenschließende Volk, das strukturelle Änderungen in der Gesellschaft fordert, zu sprengen und zum Schweigen zu bringen. Da übernimmt nun die Kirche die Funktion des Sprechers im Namen aller behinderten Zivilorganisationen, besonders solcher, die aufgelöst wurden, wie auch des Volkes, das seiner Möglichkeit, mitzureden, beraubt wurde. Es sind in dieser Lage die Bischofskonferenzen (besonders von Brasilien und Chile), die eine effiziente Pastoral der Verteidigung und Förderung der Menschenrechte übernehmen, indem sie vor der internationalen Presse die Folterung politischer Gefangener wie auch die Verschleppungen und das Verschwinden Tausender militanter Mitglieder der politischen Parteien des einfachen Volkes, der Gewerkschaften und anderer Personen anprangern, die mit den Kräften des Widerstandes gegen die Mechanismen der Unterdrückung seitens der militaristischen und autoritären Regierungen verbunden sind[33].

In einer politischen Welt, in der das gesamte öffentliche Leben der Kontrolle unterworfen wird, erhalten die kirchlichen Basisgemeinden besondere

---

[32] Vgl. „Teología desde el cautiverio" (verschiedene Verf.) (Mexiko 1976).

[33] Kardinal Paulo Evaristo Arns von São Paulo hat sich der Sache besonders angenommen, siehe: Desaparecidos en la Argentina (Disappeared in Argentina), CLAMOR (São Paulo 1982).

soziale und politische Bedeutung[34]. Sie bilden den einzigen freien Raum, wo — unter dem Schutz der Hierarchie — das Volk sich zusammenfinden kann. Es versammelt sich um das Wort Gottes; aber im Lichte dieses Wortes bespricht es seine Probleme; es wendet eine prophetische, demütige und doch mutige Kritik am System der Beherrschung an. Die Kirche tätigt eine unschätzbare politische Diakonie: Viele, die nicht einmal mehr Glauben hatten, fühlten sich bewogen, an den Basisgemeinschaften teilzunehmen, um ein Minimum an Kontakt mit dem Volk zu halten, bei Achtung freilich der religiösen und kirchlichen Natur solcher Gemeinschaften.

c) Fünf pastoraltheologische Leitlinien der Kirche in bezug auf die Armen

In den Jahren, die auf Medellín bis zur Versammlung in Puebla (1979)[35] folgten, wurden in der lateinamerikanischen Kirche, ganz besonders im numerisch größten Episkopat Brasiliens, fünf große Pastoralleitlinien festgelegt. Es sind Kristallisierungen einer Praxis und einer Reflexion, die sich im Schoße der Theologie der Befreiung festigten.

Die erste ist *die vorrangige Option für die Armen, gegen ihre Armut*[36]. Das bedeutet einen Wechsel des sozialen Platzes, von wo aus die Kirche sich zuallererst aufbauen will. Es sind die Armen, die große Mehrheit des Volkes (70—80%), und es sind Christen! Die Kirche war sicherlich *für* die Armen da; sie hat durch die Jahrhunderte immense Werke sozialen Beistands geschaffen; aber sie sorgte sich nicht darum, die geschichtliche Kraft der Armen selbst zu nutzen. Sie gehörte zum historischen Block der Großen, der in sehr elitärer Weise die lateinamerikanische Gesellschaft führte. Mit der Mobilisierung der Volksschichten seit den dreißiger Jahren begann die Kirche infolge einer hingebenden Pastoral bedeutender kirchlicher Kreise eine Kirche *mit* den Armen zu werden. Nun will sie, infolge ihrer vorzüglichen Entscheidung für die Armen, eine Kirche *der* Armen sein. Diese Entscheidung muß recht verstanden werden. Erstens ist es die Hierarchie, die diese Wahl getroffen hat; damit sucht sie sich in die Welt der Armen einzugliedern; der Priester, der Bischof, die in der Pastoral Tätigen werden einfacher, schlichter, selbstloser, entäußerter und evangelischer. Infolgedessen begin-

---

[34] Vgl. *L. Boff*, Die Neuentdeckung der Kirche. Basisgemeinden in Lateinamerika (Mainz 1980); *A. R. Guimarães*, Comunidades de base no Brasil (Petrópolis 1978), wo zum ersten Male versucht wird, eine umfassende Darstellung zu bieten.

[35] Vgl. *J. S. Jorge*, Puebla, libertação do homem pobre (São Paulo 1981); *G. Gutiérrez*, La fuerza histórica de los pobres (Lima 1979).

[36] Siehe *L. Boff — C. Boff*, Da libertação. O teológico das libertaçães sócio-históricas (Petrópolis 1980).

nen die Armen unmittelbarer am kirchlichen Leben teilzunehmen; sie übernehmen pastorale Dienste, helfen die Wege der Volkspastoral festzulegen und einen anderen Stil zu schaffen, Laien in der Kirche zu sein. Langsam entsteht aus alldem eine neue Gestalt der Kirche. Sie erscheint mehr als Gemeinschaft und Diakonie denn als Gesellschaft und Hierarchie.

Der Arme, von dem in dieser vorzüglichen Entscheidung die Rede ist, steht für die unterdrückten Volksschichten. Die Armut ist ein Nebenprodukt gewisser Sachverhältnisse ökonomischer, sozialer und politischer Strukturen (Puebla n. 30), die sich als soziale und strukturelle Sünde entlarven. So darf sich denn niemand von dieser Option dispensieren: alle müssen sie wählen, Kardinäle, Reiche und Arme. Für die Reichen heißt das, sich das Streben der Armen, das auf die Verwirklichung der sozialen Gerechtigkeit mittels tiefgreifender struktureller Veränderungen der Gesellschaft zielt, zu eigen zu machen, für die Armen aber impliziert die Option für die Armen: Einsatz für die Ärmsten und Einheit mit den anderen Armen, um gemeinsam zu erreichen, was ihnen am meisten nottut: ein würdiges Leben in Gerechtigkeit und Brüderlichkeit. Diese Option ist *vorrangig*. Mit ihr soll auch die Katholizität des Glaubens seine Bestätigung erfahren. Die Option für die Armen soll nichts Sektiererisches an sich haben (die Armen, unter Ausschluß der übrigen), sondern allen sozialen Schichten offenstehen. „Vorrangig" darf kein Synonym von „mehr" oder „speziell" werden, so wie eine Mutter alle ihre Kinder liebt, aber in besonderer Hingabe und Liebe das kranke Kind. Der Sinn ist hier radikaler und wird sichtbar, wenn die Ursachen der sozialen Not untersucht werden. Der Arme ist nicht allein; er ist auf den Reichen bezogen, der ihn ausnützt, wie auch auf die Verbündeten aus anderen Klassen, die seinen Kampf unterstützen. Es besteht eine Kausalbeziehung zwischen Reichtum und Armut. Eine vorzügliche Option für die Armen heißt dann: Zuerst die Armen lieben, wie Christus es getan hat; von den Armen her alle anderen lieben und sie auffordern, sich auf der einen Seite von den Produktionsmechanismen des Reichtums zu befreien wie auf der anderen Seite von der Armut. Der Arzt liebt den Kranken, wenn er die Ursache der Krankheit bekämpft. So liebt die Kirche die Armen, indem sie zwar nicht die Person des Reichen, wohl aber den Mechanismus bekämpft, der ihn über die Not der Armen hinweg reich macht.

Die zweite pastorale Linie ist mit der ersten eng verbunden. Es ist die *der integralen Befreiung*[36]. Die Option gilt den Personen in Armut, richtet sich aber gegen ihre Armut. Wie wir schon früher sahen, schließt Befreiung praktische, soziale und politische Aktion ein, um den Freiheitsraum der Armen zu erweitern. Sie will integrale Freiheit, d.h. ökonomische, politische, pädagogische und nicht nur geistige Freiheit von Sünden, Haß- und Racheinstinkten. Ein solcher Befreiungsprozeß des Volkes wird als eine Form der Vorwegnahme und Verwirklichung der Güter des Gottesreiches gesehen, die da sind: die brüderliche Einheit der Armen, das Teilhaben mit dem Nächsten, die soziale Gerechtigkeit und die brüderlichen Beziehungen. Praktisch kreisen die Bemühungen und Unterweisungen vieler Bischofskonferenzen um die befreiende Evangelisierung und kirchliche Aktion, welche die Befreiung vorantreibt und ihr eine transzendentale Dimension verleiht, indem sie dieselbe mit der Verwirklichung des Planes Gottes in der Geschichte verbindet (Reich Gottes).

Die dritte Linie wird durch die *kirchlichen Basisgemeinschaften* vertreten. Sie sind nicht einfach Arbeitsinstrumente der Pfarreien oder einer Pastoralstrategie, die das II. Vatikanische Konzil erneuern wollte. Sie übersetzen einfach konkret in die Tat, was Evangelisation der Kirche heute inmitten der Armen bedeutet. Sie sind die Kirche an der Basis. Basis kann in diesem Zusammenhang dreierlei beinhalten: 1) Basis, das sind die Menschen der untersten Klasse der Gesellschaft, die Armen, die Arbeiter, die an den Rand Gedrückten; 2) Basis, das kann auch eine kleine Gruppe bedeuten, in der primäre und persönliche Beziehungen bestehen; 3) endlich kann Basis einen pädagogischen Prozeß von unten nach oben meinen: die Autoritäten hören das Volk, diskutieren mit ihm die Wege der Kirche und lassen die Entscheidungen von unten her reifen; von den Geringeren her kommen sie an die Adresse der Träger der kirchlichen Gewalt. Die kirchlichen Basisgemeinschaften verhelfen zu einer wahren Ekklesiogenese und stellen sie dar, d.h. sie sind die Geburt der Kirche von der Gläubigkeit des armen Volkes her. Sie schaffen Kirche als ein Ereignis des Geistes, welches stattfindet, wo die Gläubigen sich als Gemeinschaft unter einem Baum zusammenfinden, um über das Wort Gottes nachzudenken, um in seinem Lichte den Problemen der Gruppe zu begegnen. In ihr tauchen verschiedene Ministerien und Dienste auf, verschiedene Arten, den Glauben zu feiern und das konkrete Leben mit dem Evangelium zu durchdringen. Die kirchlichen Basisgemeinschaften definieren die Gestalt des Bischofs, des Priesters, des Ordensmannes, des Laien und besonders der Frau neu. Es ist die Basisgemeinschaft, in der das Volk seine Form, frei zu sein, einübt und in der es sich zur Befreiung von seinen sehr konkreten Bedrückungen organisiert und mit evangelischer Parrhesie eine demütige Prophetie gegen das soziale System und seine Agenten, die es bedrücken, übt. Die Basisgemeinschaften, einmal evangelisiert, evangelisieren ihrerseits die gesamte Kirche. Sie sind die hauptsächlich Verantwortlichen für die Evangelisierung der Bischöfe und sogar für wahre Bekehrungen von Kardinälen, Bischöfen, Theologen und Priestern.

Eine *vierte theologisch-pastorale Linie* konzentriert sich auf die Thematik der Menschenrechte. Die Bischofskonferenzen der verschiedenen Länder wurden zu Sprechern der aus politischen Gründen Gefolterten. Es wurden in den letzten Jahren auf verschiedenen Ebenen entsprechende Organe zur Verteidigung der Menschenrechte oder auch Kommissionen für Gerechtigkeit und Frieden geschaffen (allein in Brasilien gibt es über 100 solcher Zentren auf der Ebene des einfachen Volkes). Es kristallisierte sich eine nicht bürgerliche Version ihres Anliegens heraus. Es wurde von den Rechten der Armen als Rechten Gottes selbst gesprochen (Puebla n. 1217 und 1228). Die Rechte wurden nach ihren Prioritäten geordnet. Allen anderen voran steht das Recht auf Leben und auf Mittel zum Leben (Nahrung, Gesundheit, Wohnung, Arbeit, Schule). Dann folgen die klassischen Rechte, wie sie in den letzten zwei Jahrhunderten erarbeitet wurden (Freiheit der Meinung, des Gewissens, der Religion usw.). Bei allen pastoralen Tätigkeiten der Kirche ist immer die Förderung des Friedens und der Rechte das Ziel, das durch die wachsende aktive Teilnahme der Armen selbst auf allen Ebenen der Gesellschaft und der Kirche angestrebt wird.

Schließlich wurde eine klare *Option für die jungen Menschen* getroffen. Mehr als die Hälfte der lateinamerikanischen Bevölkerung ist unter 18 Jahren alt. Die große Mehrheit davon ist dazu verurteilt, ihre Jugend nicht wirklich zu leben; sie wird sofort in den Produktionsprozeß hineingeholt, und zwar unter den Bedingungen der billigen Ausnutzung, eben weil sie jung sind. Die Pastoral der jungen Menschen zielt grundsätzlich darauf hin, sie zur aktiven Arbeit an der sozialen Veränderung zu rüsten, nicht freilich mittels gewaltsamen Umsturzes, sondern durch den Prozeß der Befreiung, indem sie mit dem organisierten Volk solidarisch sind.

d) Die Theologie der Befreiung als Ausdruck der Dritten Welt

Diese gesamte Praxis wurde von einer kohärenten theologischen Überlegung im Rahmen der Theologie der Befreiung begleitet. Zwischen Medellín (1968) und Puebla (1979) entwickelte sich eine Spiritualität der Befreiung; man erkannte die Wichtigkeit einer Befreiungspädagogik; die dann auch in der Katechese weitgehend assimiliert wurde; es kam zu einer relecture der Geschichte der Kirche von Lateinamerika aus der Perspektive derer, welche die kolonisatorische Evangelisierung erleiden mußten: die Indianer, die Schwarzen und die Mischlinge; wenn es einerseits eine Theologie der Herrschenden gab, so fehlten doch auch nie Elemente einer prophetisch-befreienden Theologie — zuerst in der Zeit der Eroberung, besonders bei Montesinos, Las Casas und Vieira, dann in den Zeiten der nationalen Unabhängigkeit der verschiedenen Länder (Morelos und Frei Caneca) und schließlich während der Krise der Entwicklungsmuster nach 1960[37]. Die Theologie der Befreiung selbst vertiefte ihre methodologischen Elemente und integrierte ihre Sicht in die Christologie und Ekklesiologie. In den letzten Jahren wurde die Thematik der Befreiung durch Überlegungen über konkretes Verhalten und Handeln der Christen bereichert. So werden beispielsweise der Volks-katholizismus und seine Widerstandskraft und Fähigkeit zur Befreiung der Armen Gegenstand der Reflexion; Theologie des Lebens in Konfrontation zu den Mechanismen des kapitalistischen Systems, welches mit dem Tod von Millionen Menschen belastet ist, die den schweren Formen der Ausnut-zung und des Verschleißes unterworfen waren. Theologie der Erde, weil nun einmal Millionen von Lateinamerikanern von Grund und Boden ver-trieben werden und ein Stück Land wollen, um zu leben und zu arbeiten; Theologie der Kulturen und Rassen, die sich selbst entfremdet werden, wie die der Eingeborenen und Schwarzen, die doch das unveräußerliche Recht auf eine echte Assimilierung des Evangeliums im Rahmen ihrer Sicht der Welt besitzen.

Zweifellos hat dieses pastorale Brodeln an der Basis und in der Kuppel der Kirche bei gewissen Gruppen der Hierarchie und bei den Inhabern der Macht in der Gesellschaft Befürchtungen geweckt. Es fehlt nicht an solchen, die diese Theologie offen bekämpfen, sie als marxistenfreundlich bezeichnen und ihr den Vorwurf einer Politisierung des Glaubens zugunsten einer Än-derung der Gesellschaft machen. In einigen Fällen zeigt die Verbindung kon-servativer Kreise Lateinamerikas mit ähnlich gesinnten Kreisen Europas Ele-mente einer Verschwörung gegen die aufgezeigte pastorale Tendenz und ihre theologische Reflexion. Trotzdem: die Theologie in der Perspektive der Be-freiung konsolidierte sich auf internationalen Kongressen und zeitigte Früchte auch in Afrika und Asien[38]. Die Theologie der Befreiung ist heute, in verschiedenen Formen, die Theologie der armen, peripheren Kirchen der Dritten Welt. Sie alle sind Vertreter einer kreativen Rezeption des II. Vatika-nischen Konzils.

In Afrika bezieht sich die Theologie der Befreiung auch auf die alten Kul-turen, die durch die herrschenden Kulturen der bisherigen Kolonialmächte oder ihrer nationalen Verbündeten gefangengehalten werden. In Asien ste-hen die großen Religionen in der Arena der Diskussionen. Die Frage ist, wie sie so gesehen und gedeutet werden können, daß sie unter Achtung ihrer re-

---

[37] Vgl. *E. Dussel,* Hipóteses para uma História da Teologia na América Latina (1492—1980), in: História da teologia na América Latina (São Paulo 1981) 165—196.
[38] Siehe: Teología desde el Tercer Mundo (San José de Costa Rica 1982): Documentos de los cinco congresos internacionales de la asociación ecuménica de teólogos del Tercer Mundo.

ligiösen Natur zu Faktoren der Befreiung der Armen und der Kulturen des Schweigens werden. In Lateinamerika liegt die Herausforderung in der sozialen Ungerechtigkeit, die die verarmte und gewiß religiöse Mehrheit erleidet. Alle die verschiedenen Eigentümlichkeiten der Theologie der Befreiung sind je dem Umfeld entsprechende theologische Klärungen und Bemühungen um dasselbe Ziel: mehr Raum für die Freiheit zu schaffen, die größte Gabe des Gottesreiches[39].

Puebla (1979), III. Generalkonferenz des lateinamerikanischen Episkopats. Kein einziges Mal wird von der Theologie der Befreiung gesprochen. Der Druck auf die Väter der Synode war sehr stark im Sinne der Vermeidung dieses Themas. Dennoch: die fundamentale Sicht der Theologie der Befreiung und selbst das Thema Befreiung durchziehen das ganze Dokument. Sehen wir uns zunächst das verabschiedete Dokument an: Das ganze ausführliche Dokument ist in der methodologischen Art, wie es die Theologie der Befreiung verwendet, strukturiert; man geht aus von der christlichen und sozialen Praxis der Menschen (sehen) in der Gesellschaft, die in ihren Konflikten und Hoffnungen untersucht wird; es folgt die theologische Reflexion über diese pastorale Lektüre der Wirklichkeit; in diesem Zusammenhang werden die Christologie, die Anthropologie und die Ekklesiologie dargelegt (urteilen); schließlich werden die praktikablen Wege für die Aktionen in der Kirche und in der Gesellschaft aufgezeigt, die die Befreiung der Menschen von Bedrückung anzielen (handeln). Puebla hat also das zentrale Thema und Anliegen der Theologie der Befreiung übernommen: die bevorzugte Option für die Armen „als Solidarität mit dem Armen und Verwerfung der Lage, in der er zu leben gezwungen ist" (n. 1156). Darüber hinaus gehört die Befreiung „zur innersten Natur der Evangelisierung" (n. 480); sie ist integrierender, unentbehrlicher und wesentlicher Teil der Mission der Kirche (355, 476, 480, 1254, 1283, 1302). Es ist eine Befreiung, „die sich in der Geschichte verwirklicht" (n. 483), aber sich auch ganz auf die transzendentalen Dimensionen des Menschen hin öffnet (n. 475). Die Bischöfe erkennen lobend an, daß „der beste Dienst am Bruder die Evangelisierung ist, die ihn von Ungerechtigkeiten befreit, ihn ganzheitlich fördert und ihn befähigt, sich als Kind Gottes zu verwirklichen" (n. 1145).

---

[39] Siehe ausführlicher *L. Boff*, Die Anliegen der Befreiungstheologie, in: Theologische Berichte 8 (Einsiedeln 1979) 71—103, bes. 78 ff.

4. Konklusion: Die Aussichten für ein Christentum der Armen

Die Rezeption des II. Vatikanischen Konzils, wie sie von den Ängsten und Wünschen der Armen her geschieht, verleiht der Botschaft des Konzils eine evangelische Dichte. Es eröffnen sich die Möglichkeit und Aussicht für das gesamte Christentum, sich von den Verdammten dieser Erde her zu verstehen und zu strukturieren. Die Armen haben zwar immer einen Ort des Erbarmens in der Kirche gefunden, doch kamen sie nie dahin, in kollektiver Form die hauptsächlichen historischen Agenten der Verwirklichung des Projektes des Armen von Nazareth zu werden. Nun aber brechen sie in der Geschichte hervor, um tiefe Veränderungen zu fordern, und brechen innerhalb der Kirche hervor, um allen die frohe Botschaft zu bringen, damit sie den Platz einnehmen, den Gott im Alten Testament groß gemacht hat — den Platz der Sklaven von Ägypten und der Gefangenen von Babylon —, und den Ort, den im Neuen Testament Jesus anwies, als er die gute Nachricht verkündete, den Ort der Armen. Die Fraktion der Armen verwirklicht konkret die Universalität des Evangeliums. Niemand kann angesichts der Armen gleichgültig bleiben: die Armen übernehmen die Sache ihrer armen Brüder und die Reichen die Sache der Gerechtigkeit und der Partizipation der Unterdrückten. So wissen sich alle einbezogen, und es eröffnet sich die reale Möglichkeit einer katholischen Konkretion des christlichen Glaubens.

Die Theologie, die in diesem Prozeß der Ausarbeitung eines neuen Profils des Christen geschaffen wird, stellt ein neues Muster dar: es ist eine Betrachtung über die soziale Wirklichkeit besonders aus der Sicht der Armen, im Lichte der Offenbarung, des Verhaltens des Jesus von Nazareth und der Apostel. Der Theologe — weniger Professor und Lehrer — ist eher ein militanter und intellektueller Christ, der organisch mit der Bewegung und Geschichte der Armen verbunden ist; er inkorporiert sich in seinem Denken, Reden, Schreiben und Handeln in den messianischen Kampf jener, „die aus großer Drangsal kommen" (Apk 7,14). Er wird sich glücklich fühlen, wenn sein Diskurs (der das Wort Gottes erfassen und fassen will) mit der Geschichte der Unterdrückten einen Sinn, Lebensfreude und apostolische Parrhesie ergibt, um das Leben und seine intellektuellen Energien einsetzen zu können — zum Nutzen jener, die uns die Leiden des Gottesknechtes gegenwärtigsetzen in dieser unserer Geschichte hin zum Reiche[40].

---

[40] Vgl. *L. Boff,* Theologie hört aufs Volk (Düsseldorf 1982) 101—120.

GREGORY BAUM

DIE OPTION FÜR DIE ARMEN:
BETRACHTUNGEN AUS KANADA

Dieser Beitrag zur Festschrift für den von mir und von Theologen in Kanada sehr verehrten Karl Rahner sollte sich eigentlich mit dem II. Vatikanum und dem Einfluß der Theologie Karl Rahners auf das Konzil und dessen Deutung beschäftigen. Da dieser Beitrag von Kanada kommt, möchte ich aber nicht an einem wichtigen kirchlichen Ereignis, das vom Konzil herkommt und es doch übersteigt, vorübergehen. Es handelt sich hier um die Verlautbarung der kanadischen Bischöfe vom 1. Januar 1983 über die Wirtschaftskrise, die im ganzen Lande eine weitschweifige öffentliche Debatte in allen Kreisen hervorrief, für die es wohl in der kanadischen Kirchengeschichte kaum eine Parallele gibt. Diese kirchliche Erklärung, die die sichtbaren Züge der katholischen Kirche in Kanada von einem Tage zum anderen verwandelte, beruft sich auf ein theologisches Prinzip von großer Tragweite, das erst kürzlich, jedenfalls in dem heutigen Sinn, von der Kirche anerkannt wurde. In den Dokumenten des Vatikanischen Konzils ist es noch nicht zu finden. Es heißt: „Die vorrangige Option für die Armen."

In diesem Aufsatz möchte ich zeigen, daß dieses Prinzip, das über das II. Vatikanum hinausgeht, eine theologische Frage aufwirft, die im Anklang an Karl Rahners Theologie zu neuen und wichtigen Folgen führt.

Zuerst einmal: Was ist diese „Option für die Armen"? Eine längere Besprechung dieses Prinzips findet sich in einem Kapitel des von der Lateinamerikanischen Bischofskonferenz zu Puebla (1979) verfaßten Dokuments[1]. Dort erfahren wir, daß die „Option für die Armen" ein Akt der Solidarität mit den Armen, den Hilflosen, den Marginalisierten, also mit der großen Masse in Lateinamerika ist und daher zu einer Bewußtseinsveränderung wie auch zu einem Engagement, zum Handeln führt. Die epistemologische Dimension der „Option für die Armen" besteht in der neuen Perspektive, und zwar der von unten, vom Standpunkt der Unterdrückten aus, in der man seine eigene Gesellschaft verstehen will. Für Christen, die gewohnt sind, ihr Land

---

[1] Puebla-Dokument nn. 1134—1140.

von der Sicht des Bürgertums anzuschauen, ist diese „Option" ein schwerer und bedeutungsvoller Schritt. Die aktivistische Dimension der „Option für die Armen" besteht in der Bereitschaft, öffentlich in Solidarität mit den Unterdrückten zu handeln und so seinen Standort in der Gesellschaft neu zu definieren. Die Bischofskonferenz von Puebla behauptet daher, daß diese Option „eine Bekehrung der ganzen Kirche" verlange, eine Bekehrung, die die integrale Befreiung des ganzen Volkes anstrebt.

Man muß nun sagen, daß es in der Kirche immer eine „Option für die Armen" gegeben hat. Durch die Jahrhunderte wurde diese Option im Sinne der Barmherzigkeit verstanden. Sich der Armen erbarmen, ihnen beistehen, sie unterstützen, ihre Würde als Menschen und Christen verteidigen, dies ist alte kirchliche Praxis. Eine zweite Deutung dieser „Option", man könnte sie die asketische nennen, ist auch in der katholischen Tradition zu Hause. Viele waren davon überzeugt, daß ein einfaches Leben, ein Leben der Armut, notwendige Voraussetzung für eine leidenschaftliche Nachfolge Jesu ist. Diese Überzeugung belebte vor allem die Ordensgemeinschaften. Diese asketische Deutung der „Option" erhielt einen besonderen missionarischen Zug im 20. Jahrhundert, gerade in den Kirchen, die sich um die Wiedergewinnung der Arbeiter und der unteren Schichten einsetzten. Vor allem in Frankreich, in den pastoralen und theologischen Kreisen um die „Mission de France", glaubte man, daß Priester und auch Bischöfe sich durch Armutsaskese mit den Arbeitern identifizieren sollten, um so glaubwürdiger über das Evangelium sprechen zu können.

In der Debatte um die „Mission de France" wurde dann schon hin und wieder eine dritte Deutung der „Option für die Armen" genannt, jene, die heute von Puebla für die ganze Kirche Lateinamerikas gefordert wird[2]. Für einige Arbeiterpriester der „Mission de France" bedeutete die „Option für die Armen" Eintritt in eine neue politische Perspektive. Sie wollten Frankreich von unten her verstehen, vom Standpunkt der Arbeiter aus, und sich solidarisch mit den Arbeitern und ihrer politischen Partei erklären. Papst Pius XII. hatte mit dieser Deutung Schwierigkeiten.

Auf dem Konzil wurde viel über „die Kirche der Armen" gesprochen. Dies hatte, so meine ich, einen asketisch-missionarischen Sinn. Viele Bischöfe entschlossen sich, ihre goldenen Ringe mit aus Messing geschmiedeten zu vertauschen. Sie sahen das einfache Leben und die Armut als asketische Geste, die die christliche Predigt glaubhafter machen sollte.

Die „Option für die Armen", so wie sie in Puebla definiert wurde, findet

---

[2] *Oscar Arnal*, Beyond the Walls of Christendom. Mission de France, 1941—1954, in: Contemporary French Civilization VII (Fall 1982) 41—62.

sich in den Konzilsdokumenten noch nicht. Das II. Vatikanum spricht feierlich von Solidarität der Kirche mit der Menschheit, einem Begriff, der damals neu und radikal erschien, da er ja eine neue Richtung definierte, eine Überwindung des vorkonziliaren Abstands der Kirche von der Menschheit. „Gaudium et spes", die ersten Worte der Pastoralkonstitution über die Kirche heute, ist der Anfang eines Satzes, in dem sich die katholische Kirche solidarisch erklärt mit den Freuden und Hoffnungen wie auch dem Kummer und Leiden der ganzen Menschheitsfamilie. Was hier verkündet wird, ist die universale Solidarität der Kirche.

Was nun neu an der Lehre der lateinamerikanischen Kirche ist — die Richtung ist schon ganz klar in der Bischofskonferenz von Medellín (1968) gewiesen worden —, ist dies, daß die universale Solidarität der Kirche zwar als Endziel verkündet wird, daß aber ganz eindeutig behauptet wird, diese universale Solidarität könne gar nicht realisiert werden, wenn sie nicht mit Hilfe einer begrenzteren, einer bevorzugenden Solidarität mit den Unterdrückten historisch vorbereitet wird. Solange die Gesellschaft aus Armen und Reichen, aus Machtlosen und Herrschenden besteht, bezieht sich die Solidarität, die nach Gerechtigkeit strebt, in erster Linie auf die Armen und Machtlosen. Solidarität mit der Menschheit erstreckt sich nicht unmittelbar auf die Militärregierungen Lateinamerikas und die sie unterstützende Klasse. Solidarität ist eine „Option für die Armen", und erst wenn die Strukturen der Unterdrückung überwunden sind, bekommt diese Solidarität einen universalen Charakter. Solidarität mit der Menschheit bleibt Endziel.

Wenn man nach Medellín und Puebla in Lateinamerika weiterhin von einer im unmittelbaren Sinne universalen Solidarität sprechen wollte, dann wäre dies eine Ideologie, der es darum geht, die Unterdrückung der großen Massen als ein Problem von zweitrangiger Wichtigkeit hinzustellen. Andererseits wird man aber den mittelbaren Bezug der bevorzugenden Solidarität auf die universale Menschenfreundlichkeit nicht vergessen wollen. Denn die Feindesliebe verlangt doch mindestens, daß man seine Feinde nach ihrer Umkehr als Brüder und Schwestern zu umarmen bereit ist.

Bezieht sich diese „Option für die Armen" nur auf die Länder der Dritten Welt, wie z. B. Lateinamerika, oder ist sie auch Zeichen und Ausdruck der christlichen Nachfolge in den entwickelten Ländern? In der Enzyklika „Laborem exercens" stellt sich Papst Johannes Paul II. ganz auf die Seite der „Option für die Armen". Er schafft sich ein eigenes Vokabular dafür. Er ruft auf zu einer „Solidarität der Arbeiter und mit den Arbeitern" und später, im selben Absatz, zur „Solidarität der Armen und mit den Armen"[3]. In „Labo-

---

[3] Laborem exercens n. 8.

rem exercens" sieht der Papst die um Gerechtigkeit kämpfende Arbeiterbewegung als das dynamische Prinzip der heutigen Gesellschaft an. Er verlangt daher Solidarität unter den Arbeitern und unter allen, die Ausbeutung und Unterdrückung erleiden, begleitet und unterstützt von der Solidarität aller jener, die zwar unter günstigeren Bedingungen leben, die aber doch die Gerechtigkeit lieben. Nach der päpstlichen Lehre muß die Kirche selbst sich dieser partikulären, bevorzugenden Solidarität anschließen. Dies ist aber die „Option für die Armen".

Was heißt das in den entwickelten Ländern? Das wichtige kirchliche Ereignis, auf das ich schon am Anfang dieses Aufsatzes hinwies, ist die Verlautbarung der kanadischen Bischöfe vom 1. Januar 1983, in der sie klären, was „Option für die Armen" und daher Nachfolge Christi in Kanada heißt. Diese Verlautbarung ist das Resultat einer Richtung, die die kanadischen Bischöfe schon seit zwölf Jahren verfolgen. Sie ist zugleich Antwort der Kirche auf die heutige Wirtschaftskrise, gerade auch in Kanada, die Millionen von Arbeitslosen geschaffen hat, deren Leben und deren Menschenwürde durch die neue Entwicklung gefährdet sind. In der Verlautbarung sehen die Bischöfe Kanada von unten her an: sie stellen sich auf den Standort der Arbeitslosen und aller Unterdrückten. Die sozialwissenschaftlichen Arbeiten über die kanadische Gesellschaft, deren rein positiv-wissenschaftliche Sozialanalysen den Anspruch auf Wertfreiheit erheben, konnten daher von den Bischöfen nicht benutzt werden. Denn sie meinen ja gerade, daß auch für Wissenschaftler die kanadische Gesellschaft ganz anders aussieht, wenn sie sie eben von unten her anschauen, vom Standpunkt der Menschen in den unteren Schichten. Die Verlautbarung behauptet, daß die Arbeitslosigkeit ein so großes Maß erreicht hat, daß es sich dabei nicht nur mehr um ein technisch-politisches Problem handelt, sondern vor allem um eine moralische Unordnung, um eine Sünde der Gesellschaft. Sich so einer Gesellschaft mit wertfreier, objektivistischer Forschung zu nähern, wäre daher Ungerechtigkeit. Die kanadischen Bischöfe sind in ihrer Verlautbarung ausführlich mit Sozialwissenschaftlern im Gespräch, aber nur mit solchen, die auf ihre Weise eine „Option für die Armen" gemacht haben, wenn auch nicht notwendigerweise auf religiöser Grundlage.

Da es mir in diesem Artikel um eine theologische Frage geht, möchte ich nur ganz kurz andeuten, warum die Regierungskreise und die Vertreter der Industrie- und Geschäftswelt mit soviel Entrüstung auf die bischöfliche Verlautbarung reagiert haben. In ihrem Bemühen, Kanada von unten her zu erfassen und vor allem die geschichtlichen Ursachen für die heutige Wirtschaftskrise recht zu verstehen, kamen die Bischöfe zu der Folgerung, daß der Weltkapitalismus als solcher heute in einer Krise stehe. Die sich jetzt bildende neue Phase dieses Weltsystems, wenn man von dem Strukturwandel des Kapitals im letzten Jahrzehnt Schlüsse ziehen darf, wird Millionen von Menschen nicht nur in der Dritten Welt, sondern auch in den westlichen Industrieländern — wie gerade Kanada — in Armut, Machtlosigkeit und menschenunwürdige Lebensbedingungen stoßen — es sei denn, sie wehren sich dagegen. Die kanadischen Bischöfe stimmen hier mit Papst Johannes Paul II. überein, der die These vorträgt, daß der Kapitalismus bis jetzt zwei Phasen hinter sich hat, den Frühkapitalismus der freien Unternehmer, getragen von einer liberalen, individualistischen Ideologie, und den späteren Kapitalismus der großen Industriegesellschaften, geleitet von einer gemäßigten, auf Zusammenarbeit bedachten und mit dem Wohlfahrtsstaat versöhnten neoliberalen Ideologie. Der Papst meint nun, daß der Kapitalismus heute in eine neue Phase tritt, die sich qualitativ von der vorhergehenden unterscheidet, eine neue Brutalität und Rücksichtslosigkeit an den Tag legt und Kummer und Schmerzen in der Welt hervorrufen wird, die das Leiden der Arbeiter in der ersten Phase, also im 19. Jahrhundert, übersteigen werden[4], es sei denn, die Unterdrückten wehren sich dagegen in einem solidarischen Kampf.

Während der Papst diese These nur ganz kurz, wenn auch sehr heftig vorträgt, bieten die kanadischen Bischöfe eine ausführliche Analyse des Strukturwandels des Kapitals in Kanada und eine ins einzelne gehende Beschreibung der Folgen dieser Entwicklung für die Arbeiter und die Armen dieses Landes. Die bischöfliche Verlautbarung enthält eine regelrechte Kapitalismuskritik. Für den Leser, der die kanadische Gesellschaft nicht kennt, muß man erklärend hinzufügen, daß in Kanada der Kapitalismus gerne als eine Realität angesehen wird, die man öffentlich nicht kritisieren darf, wenn man nicht bereit ist, dafür als linker Außenseiter übergangen zu werden. Ja für viele Kanadier hat die kritiklose Treue zum Kapitalismus beinahe einen ins Religiöse gesteigerten Zug, der von unseren Bischöfen etwas streng mit Idolatrie verglichen wird.

Mein besonderes Interesse geht nun dahin, darzulegen, auf welcher Grundlage die Kirche die „Option für die Armen" fordert. In den Dokumenten der Bischofskonferenzen von Medellín und Puebla wird die Option im Hinblick auf das Evangelium verteidigt. Sie hat mit der Nachfolge Christi zu tun. Es handelt sich bei dieser Option nicht einfach um ein neues Tun aus der Liebe, sondern um eine Dimension des Glaubens selbst. Biblische Offenbarung und soziale Gerechtigkeit sind so miteinander verknüpft, daß die gläubige Hingabe an das Wort Gottes Ausrichtung auf Gerechtigkeit mit einschließt. So wie der Glaube im vollen Sinne früher mit *fides charitate formata* bezeichnet

---

[4] Ebd. n.1.

wurde, so muß man heute diese Formel zur *fides justitia formata* erweitern. Warum? Weil in Gesellschaften, in denen Unterdrückung in den Strukturen selbst verankert ist, die Liebe sich konsequent in ein Sehnen und Streben nach Gerechtigkeit erweitert. Die „Option für die Armen" hat also mit dem Glauben selbst zu tun. Darum besteht Puebla darauf, daß es sich bei dieser bevorzugenden Solidarität um „eine Bekehrung der Kirche selbst" handle. Das ist eine scharfe Formulierung. Man könnte meinen, daß die Kirche, solange sie nicht in Solidarität mit den unterdrückten Klassen steht, eine unbekehrte Kirche ist.

Diese radikale Forderung haben nun auch die kanadischen Bischöfe – voreilig, wie manche Katholiken meinen – auch an die kanadische Gesellschaft gestellt. Ja schon vor einigen Jahren, in einem Hirtenbrief des Jahres 1976, erklärten die kanadischen Bischöfe, daß christlicher Glaube Solidarität mit den Opfern der Gesellschaft verlange. In demselben Schreiben gaben sie zu, daß bis jetzt nur eine Minderzahl der Katholiken diesen Weg des Evangeliums gehe, daß dies aber eine bedeutsame Minderheit sei, da sie ja die ganze Kirche immer wieder zur Bekehrung aufruft.

Kirchliche Soziallehre wird hier vom Evangelium her begründet. Dies ist etwas Neues in der katholischen Tradition. Jedenfalls hat sich die päpstliche Soziallehre seit Leo XIII. auf das Naturrecht berufen, nicht auf die Offenbarung. Es ging ihr ja gerade darum, verbindliche Normen allen Gesellschaftsteilen und nicht nur den Gläubigen zu vermitteln. Die Päpste wollten in diesem Zusammenhang nicht von Jesus sprechen. Man wollte die zwei Ordnungen klar auseinanderhalten: einerseits die übernatürliche, zugänglich durch den Glauben an die Offenbarung, und andererseits die natürliche, der der Menschenverstand gewachsen war.

In diesem Aufsatz habe ich nicht vor, aufzuzeigen, wie diese scharfe Trennung der beiden Ordnungen in der Sozialenzyklika „Mater et magistra" von Johannes XXIII. und später auf dem Konzil, besonders in der Pastoralkonstitution „Gaudium et spes", überwunden wurde. „Gaudium et spes" setzt ja voraus, jedenfalls nach meiner Deutung[5], daß die göttliche Gnade beim Ringen um Wahrheit und Gerechtigkeit allen Menschen zugegen ist – die These Karl Rahners. Wenn also die Werte des Evangeliums dargestellt werden in einer Sprache, die vom menschlichen Erleben herkommt, dann darf man erwarten, daß sie allen Menschen zugänglich ist. Derselbe Geist Gottes wirkt ja auch in denen, die Jesus nicht kennen.

Es wird wohl diese Entwicklung gewesen sein, die den lateinamerikani-

---

[5] *G. Baum – D. Campion*, The Pastoral Constitution on the Church in the Modern World (New York 1967) 2—8.

schen Bischöfen den Mut gab, Soziallehre, in diesem Fall „die vorrangige Option für die Armen", einfach von Jesus Christus her zu begründen. Man mag darauf einwenden, daß Lateinamerika ein katholischer Kontinent sei, auf dem christliche Grundsätze zu den von der Öffentlichkeit anerkannten verbindlichen Normen gehören, und daß man dort mit dem Bezug auf das Evangelium nicht aus der anerkannten Rechtssprache hinaustritt. Ob das stimmt, kann ich nicht beurteilen. Für Kanada trifft dies ganz bestimmt nicht zu. Und doch haben sich hier die Bischöfe vom Evangelium her in die öffentliche Diskussion über Wirtschaft und Politik eingemischt.

Die Frage, die sich mir aufdrängt, ist, ob es nicht für diese „Option für die Armen" auch naturrechtliche Imperative gibt, wobei ich besonders an Begründungen von der praktischen Vernunft her denke. Nach katholischer Tradition besteht ja zwischen Glauben und Vernunft eine dialektische Beziehung. Einerseits verwirrt der Glaube die weltliche Vernunft, d.h. die vom Kulturstrom beeinflußte Vernunft; andererseits gibt es eine tiefere Vernunft, der es um die Menschlichkeit des Menschen geht, die der Offenbarung offen gegenübersteht und von ihr sogar noch belebt wird.

So ist zuerst einmal zu bemerken, daß die mit der Nachfolge Christi verbundene „Option für die Armen" Anstoß und Ärgernis für die weltliche Vernunft ist. So haben viele kanadische Bürger die bischöfliche Verlautbarung als eine Zumutung, ja geradezu als eine Frechheit angesehen. Sie meinten, daß eine Gesellschaft, die sich von idealistischen und überweltlichen Prinzipien leiten läßt, unweigerlich ihrem eigenen Niedergang entgegengeht.

Eine tiefere Vernunft sieht die Dinge anders. Ich möchte hier kurz drei innerlich miteinander verbundene Überlegungen anstellen, die zeigen, daß die „Option für die Armen" nicht im Widerspruch, sondern eher im Einklang mit den Forderungen der praktischen Vernunft steht.

Zuerst denke ich hier an die berühmte Analyse der Beziehung zwischen Herrn und Knecht, die in Hegels „Phänomenologie des Geistes" zu finden ist, die einerseits an alte biblische Themen anknüpft, die aber andererseits auch den unreligiösen, nach Emanzipation strebenden heutigen Menschen so ansprach, daß sie seitdem aus der sozialkritischen Literatur überhaupt nicht mehr verschwunden ist.

Nach Hegel fügt die Beziehung zwischen Herrn und Knecht nicht nur der Menschlichkeit des Knechtes, sondern eben auch der des Herrn einen Schaden zu. Der Knecht wird durch die Versklavung in seiner Menschlichkeit getroffen. Der Herr aber, weil er sich in der Beziehung nicht zuerst als Mensch, sondern als Herr definiert, beschädigt sein eigenes Menschsein. Erweiternd darf man sagen: Unterdrückung und Ausbeutung, die von Wirtschafts- und Gesellschaftsstrukturen verursacht werden, fügen nicht nur den Opfern Schaden zu, sondern eben auch den Menschen, die aus diesem Verhältnis Nutzen ziehen und diese Strukturen verteidigen. Der Gesellschaftsteil, der sich an seine Privilegien klammert, schafft sich ein verzerrtes Bild der Wirklichkeit und erdrosselt in sich lebendige Antriebe der Vernunft und des Menschengefühls. Dies mag sogar auf den Machtapparat in den Kirchen zutreffen. Auf die Dauer führt dies bei den Mächtigen zu einer verengten, ja möglicherweise zu einer verunmenschlichten Selbstdefinition. Gerade im Kapitalismus sind die Mächtigen, also die, die große Entscheidungen fällen, dazu geneigt, die Arbeiter und die Bevölkerung überhaupt eher als Objekt zu betrachten, entweder als Bestandteil des Produktionsprozesses oder als Kunden für die hergestellten Waren. Die kanadischen Bischöfe haben in ihrer Verlautbarung diesen Zug des Kapitalismus besonders erwähnt. Deswegen werden auf die Dauer diese Mächtigen sich selbst und ihre Umwelt in rein ökonomischen Begriffen verstehen und so ihrem eigenen Menschsein Schaden zufügen. Inwieweit diese Analyse richtig ist, muß in den konkreten Fällen natürlich noch eigens untersucht werden. Wenn diese Analyse stimmt, dann bietet die „Option für die Armut" den oberen Schichten der Gesellschaft die Möglichkeit an, ihrer eigenen Selbstverengung zu entkommen und sich neu als Menschen zu entdecken. Die „Option für die Armen" bringt daher auch Befreiung für die Privilegierten.

Zweitens muß man erwägen, daß Unterdrückung und Ausbeutung Widersprüche in der Gesellschaft darstellen, die das gesellschaftliche Leben behindern und es auf die Dauer sogar ernstlich bedrohen. Was sind die Gründe dafür? Wegen der großen Last auf ihren Schultern werden jene, die die Rolle der Knechte einnehmen, ihre Aufgaben und Arbeiten immer unwilliger ausüben. Man braucht die Arbeiter zwar, man wird sich aber immer weniger auf sie verlassen können. Um Ruhe und Ordnung zu bewahren, werden sich die Vertreter der oberen Schichten und der Regierung eine Ideologie schaffen, die durch Schulen, Massenmedien und Verlautbarungen verschiedener Art allen Gesellschaftsteilen angeboten wird, eine Ideologie, die auch den Knechten ihre Lage als annehmbar, vernünftig und gerechtfertigt darstellt. Manchmal wird in diesem Zusammenhang Gott erwähnt. Gott habe eine hierarchische Welt geschaffen, so heißt es dann: daß es Herren und Knechte gibt, sei von Gott so gewollt. Wenn die Knechte trotzdem unruhig werden und die Ungerechtigkeit nicht mehr ertragen wollen, wird sich die Gesellschaft gezwungen sehen, sich immer mehr auf Polizei und Sicherheitsdienste zu verlassen. Durch diesen Druck, besonders wenn er mit strengen Strafen oder, wie es heute wieder in vielen Ländern üblich ist, mit Foltern verbunden ist, werden sich die Knechte zwar einschüchtern lassen, doch wird man sich immer weniger auf sie in der Produktion verlassen können. Man muß sich also auf einen wirtschaftlichen Rückgang gefaßt machen.

Dazu kommt wohl noch, daß eine Oberschicht, die sich auf Repression und Sicherheitsdienst stützt, ihre eigene schöpferische Phantasie gefährdet, was nicht nur zum Niedergang von Kunst und Wissenschaft führt, sondern auch zu Phantasielosigkeit im Wirtschaftsleben und in den Methoden der Produktion. Was die Strukturen der Unterdrückung beschützen wollten, wird auf die Dauer gar nicht beschützt, sondern im Gegenteil bedroht und geschädigt. Daher darf man Unterdrückung und Ausbeutung einen Widerspruch in der Gesellschaft nennen. Sie rufen genau das Gegenteil von dem hervor, was man sich von ihnen erhofft hat.

In diesem Fall öffnet die „Option für die Armen" die große historische Möglichkeit, Unterdrückung zu überwinden und eine Gesellschaftsform zu schaffen, die das Allgemeingut fördert.

Die kanadischen Bischöfe haben in ihrer Verlautbarung darauf hingewiesen, daß die Existenz von Millionen Arbeitsloser, die möglicherweise — wenn nicht mutig dagegen gehandelt wird — für immer aus der Produktion ausgeschieden sind, die ganze Gesellschaft zutiefst bedroht. Ihr Unglück wird auch das Unglück Kanadas. Wie wird man in einem solchen Lande Ruhe und Respekt für Ordnung aufrechterhalten können? Als ein Abgeordneter im Parlament den Vorschlag machte, die Regierung solle mehr junge Männer ins Militär aufnehmen, um so die Arbeitslosigkeit der Jugend zu mildern, fragte Bischof Proulx von Hull in einer öffentlichen Ansprache, ob man denn meine, mehr Soldaten zu brauchen, um eines Tages die Millionen von Arbeitslosen, vor allem wenn sie anfangen sich zu organisieren, mit Gewalt beherrschen zu können. Diese Frage ist dem Bischof von vielen übelgenommen worden.

Die dritte Überlegung, die eng mit den zwei vorhergehenden verbunden ist, bezieht sich auf den großen Einfluß der oberen Schichten der Gesellschaft auf Geist und Kultur wie auch auf die Bildungsanstalten einschließlich der Universitäten. Die obere Schicht setzt den Ton im Lande, bestimmt die Linie der Massenmedien und übt großen Einfluß auf das kollektive Selbstverständnis der Gesellschaft aus. Wir sind alle irgendwie in dieser Ideologie verfangen.

In einem Pastoralschreiben des Jahres 1976 erklärten die kanadischen Bischöfe, daß einer der ersten Schritte auf die Gerechtigkeit hin das Hinhören auf die Opfer der Gesellschaft sei. Die herrschende Kultur hat ja diese Opfer zu einem großen Teil unsichtbar gemacht. Erst wenn wir auf die Unterdrückten hören und von ihrem Standpunkt aus unsere Gesellschaft anschauen, gelingt es uns, zu einem sachgerechteren Selbstverständnis zu kommen.

Ja man könnte diesen Anruf der Bischöfe erweitern, indem man sagt, daß jede Gesellschaft auf dieser Erde sündhaft sei, daß es in ihr also Strukturen der Unterdrückung gebe und daß es gerade die Aufgabe der kulturellen Hauptströmung sei, im eigenen Lande alles in Ordnung zu finden. Zwar passiert hier und dort etwas Ungerechtes, gewiß, vollkommen sind wir nicht; aber im Grunde sind wir doch eine anständige Gesellschaft. Die kanadischen Bischöfe meinen dagegen, daß sich das Geheimnis von Sünde, Vergebung und neuem Leben eben auch in der Gesellschaft abspiele.

Aus der ideologischen Falle hilft uns auch die Wissenschaft nicht heraus. Die wissenschaftliche Methode als solche bestimmt ja nicht die Fragen, die die Wissenschaftler stellen, noch bestimmt sie die Voraussetzungen, die die Forscher an ihr Objekt herantragen, noch bestimmt sie die Sensibilität, mit der Wissenschaftler ihr Objekt erfassen. So kann sich Wissenschaft, besonders die Sozialwissenschaft, trotz höchster Scharfsinnigkeit doch ganz innerhalb der Grenzen bewegen, die von Kultur und Ideologie abgesteckt sind. Man darf also sagen, daß hier die „Option für die Armen", die Bereitschaft, die Gesellschaft von unten her zu sehen, ein wesentlicher Schritt auf die Wahrheit hin ist. Nur so können wir uns von der verengenden, von der Ideologie verbogenen Phantasie lösen.

Dieses Prinzip hat sogar in der Theologie seine Anwendung. So darf man ohne Übertreibung sagen, daß die antisemitischen Züge, die in die christliche Verkündigung schon recht früh eingeflochten sind und die dann vom Mittelalter an ganz grobe Formen annahmen, von christlichen Theologen übersehen wurden, bis zum Ausbruch der Hitlerzeit, wo die Verfolgung der Juden jedenfalls einige Theologen dazu führte, sich mit den Opfern zu identifizieren — ich denke hier vor allem an Erik Peterson — und so die Schrift und die Tradition vom Standpunkt der Unterdrückten aus zu lesen. Nach dem Weltkrieg wurde diese Methode von vielen christlichen Theologen benutzt. Mit ihrer Hilfe gelang es der Kirche, wenn auch mit tragischer Verspätung, die christliche Verkündigung von den antijüdischen Zügen zu befreien. In der katholischen Kirche denken wir vor allem an das Werk des II. Vatikanischen Konzils.

Man wird wohl auch sagen müssen, daß erst, als christliche Theologen sich solidarisch mit den kolonisierten Völkern erklärten, sie imstande waren, den Einfluß der imperialistischen Ideologie auf die Verkündigung der Kirche und auf die Theologie zu entdecken und so den ersten Schritt zu tun, um sich von dieser Verzerrung des Evangeliums zu trennen. Dasselbe dürfte man auch von der Frauenbewegung in der Kirche sagen. Erst Solidarität mit den Frauen, der Hälfte oder sogar mehr als der Hälfte der Kirchenmitglieder, ermöglicht es uns, die frauenfeindlichen Züge in der kirchlichen Tradition zu erkennen. Auch hier fördert die Option für die Untenstehenden in der ganzen Kirche das allgemeine Wissen um deren schwierige Lage.

Diese kurzen Betrachtungen legen es nahe, die „Option für die Armen", von der die kanadischen Bischöfe sprechen und die sie auf die kanadische Gesellschaft anwenden, als eine geistige Haltung anzusehen, die, vom Evangelium herkommend, der verweltlichten Vernunft zum Ärgernis wird, die aber zugleich in einem tieferen Sinne den Forderungen der von Oberflächlichkeit befreiten praktischen Vernunft entspricht. Denn nur durch eine wiederholte „Option für die Armen", eine wiederholte Bereitschaft, die Gesellschaft von unten her anzuschauen, kann die Ungerechtigkeit überwunden werden, können die führenden Kreise der Gesellschaft ihre volle Menschlichkeit wiedergewinnen, können die Widersprüche in der Gesellschaft überwunden werden — und vor allem können wir einen wesentlichen Schritt zur Wahrheit machen.

Das Evangelium darf hier als Norm für die Gesellschaft angesehen werden. Dank der Theologie Karl Rahners ist das heute akzeptabel geworden. Da überall dort, wo Menschen um Wahrheit und Gerechtigkeit ringen, der gnädige Gott zugegen ist, haben die Forderungen des Evangeliums, jedenfalls die „Option für die Armen", eine ganz neue, alle Kulturen übersteigende Universalität, indem sie nämlich für alle Kulturen eine kritische Norm darstellen.

ARNULF CAMPS OFM

MISSIONSTHEOLOGIE
AUS INTERKONTINENTALER SICHT

Der Beitrag Afrikas, Asiens und Lateinamerikas

Niemand wird bestreiten, daß die Missionswissenschaft – und darum auch die Missionstheologie – sich in einer erheblichen Krise befindet. Es wird behauptet, daß das Missionsthema zu einer durchlaufenden Perspektive jeder Art von Theologie wird, und auch, daß es in den verschiedenen Kulturkreisen zur Entwicklung je eigenständiger Theologien kommt. Unsere herkömmliche Missionswissenschaft, die eigentlich nur im nordatlantischen Raum zu Hause war, wird zu einer fragwürdigen Angelegenheit. Überdies ist das Zeitalter des politischen Kolonialismus des Abendlandes zu Ende und damit auch das paternalistische Missionsdenken. Die einzelnen Ortskirchen sind nicht länger Objekt der Mission aus dem Westen, sondern Subjekt ihres Kircheseins. Die Ortskirchen selbst haben ein entscheidendes Wort zu sagen, wenn es sich darum handelt, festzustellen, welches ihre Mission heute ist. Aus dieser Vielheit von nicht immer gleichwertigen Tatsachen wird dann der Schluß gezogen, daß die Missionswissenschaft keine Zukunft hat oder daß wir statt von Missionswissenschaft von vergleichender Theologie reden sollten[1].

In diesem Beitrag möchte ich mich mit der Zukunft der Missionstheologie beschäftigen. Es ist wahr, daß das II. Vatikanische Konzil im Dekret über die Missionsaktivität der Kirche sich mit der neuen Entwicklung innerhalb der Theologie in der Welt auseinandergesetzt hat. Das Konzil will den Weg freimachen für eine tiefere (also nicht nur oberflächliche) Anpassung im ganzen Bereich des christlichen Lebens, besonders auch in der Theologie. Es ist die Aufgabe der Teilkirchen, die Träger dieser tieferen Anpassung sein sollen, in einem nichtchristlichen Kulturraum die ganze Offenbarung und die ganze

---

[1] A. *Exeler*, Vergleichende Theologie statt Missionswissenschaft?, in: Denn Ich bin bei Euch (Mt 28,20). Perspektiven im christlichen Missionsbewußtsein heute. Festgabe für Josef Glazik und Bernward Willeke zum 65. Geburtstag, hrsg. von H. Waldenfels (Zürich–Einsiedeln–Köln 1978) 199–211; *ders.*, Wege einer vergleichenden Pastoral, in: Evangelisation in der Dritten Welt. Anstöße für Europa, hrsg. von L. Bertsch und F. Schlösser (Freiburg i.Br.–Basel–Wien 1981) 92–121.

Tradition neu zu untersuchen (AG 2)[2]. Diese Aussage des Konzils wird heute in allen Kontinenten von der Kontextuellen Theologie ernst genommen. Wir werden einige kontextuelle Missionstheologien in diesem Beitrag studieren. Wir sind uns dabei bewußt, daß Karl Rahner während des Konzils, aber auch vor und nach dem Konzil Wesentliches dazu beigetragen hat, um diese Wende im Kirchenverständnis und damit auch im Theologieverständnis herbeizuführen. Seine Studien über die Theologie der Ortskirche, über Episkopat und Primat, über den Strukturwandel der Kirche und über die Heilsbedeutung nichtchristlicher Religionen haben neue Wege geöffnet, die für viele Christen und Theologen in der Dritten Welt eine Befreiung sind[3]. Wir möchten hier aufzeigen, wie einige Theologen aus der Dritten Kirche neue kontextuelle Ansätze herausgearbeitet haben, um eine neue kontextuelle Missionstheologie zu schaffen. Diese Entwicklung liegt auf der Linie des II. Vatikanischen Konzils und der theologischen Arbeiten Rahners.

Wir beschränken uns auf die Missionstheologie, und es ist klar, daß das koloniale Zeitalter und damit eine bestimmte Missionstheologie für immer vorüber sind. Uns geht es um die neue kontextuelle Missionstheologie. Eine Theologie, die die Ergebnisse der Dritte-Welt-Theologie mit den Ergebnissen unserer Theologen vergleicht, ist unseres Erachtens noch immer kein Ersatz für die Missionswissenschaft oder für die Missiologie. Vergleichende Theologie ist heutzutage äußerst wichtig, sollte aber von allen Theologen ernst genommen werden. Es versteht sich, daß die Missionswissenschaftler in dieser Hinsicht eine bevorzugte Position einnehmen, denn sie kommen als erste mit den Theologien der Dritten Welt in Berührung, und sie besitzen die notwendige sprachliche, kulturelle und religionswissenschaftliche Ausbildung, die man braucht, um die Dritte-Welt-Theologie zu verstehen. Es ist Aufgabe der Missionswissenschaftler, die Entstehung und das Studium der Dritte-Welt-Theologie zu fördern und die Ergebnisse den Theologen der Ersten Welt mitzuteilen. Aber das heißt nicht, daß wir dann als Missionswis-

---

[2] *A. Camps,* Eine einheimische Theologie aus der Sicht der Missionswissenschaft, in: Das asiatische Gesicht Christi, hrsg. von H. Bettscheider (St. Augustin 1976) 74.

[3] *K. Rahner – J. Ratzinger,* Episkopat und Primat (Freiburg i.Br. 1961); *K. Rahner,* Strukturwandel der Kirche als Aufgabe und Chance (Freiburg i.Br. – Basel – Wien ³1973). Die vielen Schriften Rahners zur Theologie der Religionen wurden in hervorragender Weise zusammengefaßt von: *J. Gelot,* Vers une théologie chrétienne des religions non chrétiennes, in: Islamochristiana 2 (Rom 1976) 42–46. Die missionstheologische Bedeutung von Rahners Theologie der Religionen wurde klar herausgearbeitet von *R. P. Meyer,* Universales Heil, Kirche und Mission (St. Augustin 1979) 15–76. Die wichtigsten Arbeiten Rahners werden von Gelot behandelt; von den späteren Schriften Rahners erwähnen wir: Über die Heilsbedeutung der nichtchristlichen Religionen, in: Evangelizzazione e culture I (Rom 1976) 295–303; Über den Absolutheitsanspruch des Christentums, in: Universalität als Auftrag des Glaubens, hrsg. von D. Bader (München – Zürich 1982) 61–74.

senschaftler unsere Hauptaufgabe erfüllt hätten. Unsere Hauptaufgabe in diesem Zusammenspiel bleibt es, zu entdecken, welche neuen Ansätze für eine kontextuelle Missionstheologie bei den Dritte-Welt-Theologen vorhanden sind, und zu studieren, wie wir im Abendland zusammen mit ihnen die Sendung der Kirche theologisch neu begründen können. Hier möchte ich mich mit einigen Vertretern der Dritte-Welt-Theologie auf den Weg des Dialogs machen, um gemeinsam mit ihnen eine Erneuerung der Missionstheologie herbeizuführen.

Ich muß gestehen, daß ich dabei nicht ganz unparteiisch sein kann, denn ich bin der Ökumenischen Vereinigung der Dritte-Welt-Theologen (Ecumenical Association of Third World Theologians, EATWOT) seit Jahren verbunden, und zwar in zweifacher Hinsicht: ich gehöre einmal der internationalen Kommission an, die die Aktivitäten der EATWOT – besonders in schwierigen Zeiten – unterstützt hat; zweitens bin ich der Vorsitzende der europäischen Kommission, die das Gespräch zwischen Dritte-Welt-Theologen und den Kollegen der Ersten Welt vorbereitet hat. Das Gespräch hat im Januar 1983 stattgefunden und soll weitergeführt werden. Diese Vermittlerfunktion kann von einem Missionswissenschaftler gut erfüllt werden. Doch ist sie in sich selbst keine Missionswissenschaft. Als Missionswissenschaftler versuche ich in allen diesen Gesprächen und Konferenzen das Bedürfnis nach einer neuen interkontinentalen und kontextuellen Missionstheologie zu artikulieren. Es geht darum, die Sendung oder die Mission der Kirche neu zu begründen.

In diesem Beitrag möchte ich die neuen Ansätze, die während der internationalen Konferenzen der Dritte-Welt-Theologen gemacht worden sind, kurz andeuten. Zuerst aber muß ich im Zusammenhang über diese Konferenzen berichten. Es begann alles 1975 in Detroit in den Vereinigten Staaten. Sergio Torres, ein Weltpriester aus Chile, der damals in New York lebte und unter den Emigranten aus Puerto Rico arbeitete, kam zu der Schlußfolgerung, daß Nordamerika eine sehr gemischte Bevölkerung habe und daß die Kirchen und die Theologie dieser Tatsache viel zuwenig Rechnung trügen[4]. Die Theologie der Kirchen war nicht kontextuell. Torres wollte Berufstheologen und Gläubige von der Basis zusammenbringen, um eine neue und verständliche Theologie zu schaffen. Zusammen sollten sie die systematische Ungerechtigkeit der nordamerikanischen Gesellschaft gläubig reflektieren. Hier liegt der Anfang der Dritte-Welt-Theologie, obgleich diese 1975 noch nicht so genannt wurde. Die Ergebnisse dieser Konferenz in Detroit wurden

---

[4] *A. Camps,* Theologien im ‚Kontext' der Kulturen: Sergio Torres, Chile – USA, in: Theologen der Dritten Welt, hrsg. von H. Waldenfels (München 1982) 43–53.

publiziert[5]. Es ist wichtig, festzustellen, daß schon damals lateinamerikanische Theologen mitgearbeitet haben. 1975 war auch das Jahr, in dem Sergio Torres die EATWOT gründete. Er war in Nairobi auf der Weltkirchenratversammlung gewesen und spürte, daß protestantische und katholische Theologen der Dritten Welt überall mit der westlichen Theologie Schwierigkeiten hatten und daß sie neue Wege gehen wollten. Das Bedürfnis, eine kontextuelle Theologie zu entwerfen, war allgemein. Darum wurde EATWOT geboren. Torres wurde zum Generalsekretär der Bewegung „Theology in the Americas" und der EATWOT gewählt. Eine weltweite Konferenz wurde 1976 in Daressalam in Tansania durchgeführt[6]. 1977 wurde in Accra (Ghana) eine Konferenz für afrikanische Theologen organisiert[7]. Die asiatischen Theologen hatten 1979 in Wennappuwa (Sri Lanka) eine Tagung[8]. Die Lateinamerikaner tagten 1980 in São Paulo (Brasilien)[9]. Ende August 1981 wurde in New Delhi (Indien) eine interkontinentale Konferenz abgehalten. Es war notwendig, die Theologen der drei Kontinente miteinander diskutieren zu lassen, weil es sich im Laufe der Jahre gezeigt hatte, daß es nicht nur eine, sondern viele Theologien der Dritten Welt gibt. Inzwischen bereiteten nordamerikanische und europäische Theologen und Gläubige von der Basis sich vor, den Dritte-Welt-Theologen zu begegnen. In Woudschoten (Holland) wurde 1981 eine Konferenz gehalten, 1982 dann in New York[10]. Im Januar 1983 wurde diese Begegnung in Genf (Schweiz) durchgeführt[11]. Das bedeutet nicht das Ende der kontinentalen und interkontinentalen Begegnungen, denn es wurde beschlossen, beide weiterzuführen.

---

[5] Theology in the Americas, ed. by Sergio Torres and John Eagleson (New York 1976); Theology in the Americas, Detroit II (New York 1982).

[6] The Emergent Gospel, Theology from the Underside of History, ed. by Sergio Torres and Virginia Fabella (New York 1978).

[7] African Theology en route, ed. by Kofi Appiah-Kubi and Sergio Torres (New York 1979). Eine Auswahl bezüglich der Daressalam- und der Accra-Konferenzen findet man in: Dem Evangelium auf der Spur. Theologie in der Dritten Welt (Frankfurt a.M. 1980).

[8] Asia's Struggle for Full Humanity: towards a relevant theology, ed. by Virginia Fabella (New York 1980).

[9] The Challenge of Basic Christian Communities, ed. by Sergio Torres and John Eagleson (New York 1981). Für New Delhi 1981: vgl. Irruption of the third World. Challenge to theology, ed. by Virginia Fabella and Sergio Torres (New York 1983).

[10] Towards a Dialogue with Third World Theologians, ed. by J. Van Nieuwenhove and G. Casalis (Nijmegen 1982).

[11] M. Tuininga, Un colloque à Genève. Ouverture d'un dialogue nord-sud entre théologiens, in: Informations Catholiques Internationales, nr. 583 (15 février 1983) 22–25. Eine Übersicht aller Konferenzen bis Woudschoten bietet: E. Kamphausen, Eigenständigkeit und Dialog. Zum Weg kontextueller Befreiungstheologie in Süd und Nord, in: Ökumenische Rundschau 31 (Frankfurt a.M. 1982) Heft 2, 1–23.

Die Pluralität der Theologien wurde also akzeptiert. Im Anfang waren Sergio Torres und andere Theologen noch davon überzeugt, daß das lateinamerikanische Thema der Befreiung ein Thema aller Kontinente sein würde. Inzwischen ist es klar geworden, daß sowohl Afrika wie auch Asien eigene Beiträge beisteuern. Und das ist, missionswissenschaftlich betrachtet, interessant. Die Dritte-Welt-Theologie ist keine ausgeglichene und einheitliche Theologie. Dafür sind die Kontexte zu verschieden. An dieser Stelle wird jetzt versucht, zu skizzieren, wie die Dritte-Welt-Theologen der drei Kontinente Afrika, Asien und Lateinamerika die Sendung und die Mission der Kirchen verstehen. Hier sind nur einige Hinweise möglich.

1. Der Beitrag Afrikas zu einer neuen Missionstheologie

In Accra hat Ngindu Mushete, Professor für Theologie und Ethik an der Universität von Kinshasa (Zaïre), 1977 eine Vorlesung über die Missionstheologie und ihre Aufgabe in Afrika gehalten[12]. Er unterscheidet drei Richtungen in der Theologie im heutigen Afrika: die missionarische Theologie, die sogenannte afrikanische Theologie und die schwarze Theologie im südlichen Afrika. Es ist interessant, zu lesen, daß er die missionarische Theologie oder die Missionstheologie nicht mit den zwei anderen Theologien identifiziert. Diese Tatsache müssen wir ernst nehmen. Wir hören hier eine authentische Stimme Afrikas. Er schreibt, daß es drei Strömungen in der Missionstheologie gibt. Eine Schule behauptet, daß die Bekehrung der Ungläubigen das Ziel der Mission ist. Die zweite Schule meint, daß das Ziel der Mission die Einpflanzung der Kirche ist. Die dritte Schule behauptet, daß die Mission die Geburt einer bodenständigen Kirche, die einer eigenen Entwicklung nachstreben darf, beabsichtigt. Mushete ist mit den zwei ersten Theologien nicht einverstanden. Die Missionstheologie der Bekehrung der Ungläubigen (die Schule von Münster i.W.) betonte, daß das Christentum einzigartig ist und daß alle anderen Religionen Heidentum sind. Das Christentum wurde mit der katholischen Kirche gleichgestellt, und es wurde gesagt, daß es außerhalb der Kirche keine Rettung gibt. Gott sei in den anderen Religionen nicht als ein rettender Gott anwesend. Mushete behauptet, daß diese Schule von einer dualistischen Anthropologie ausgeht, weil sie die konkrete, geschichtliche Dimension des integralen Heiles Christi nicht berücksichtige. Die zweite Schule ist diejenige, die von der Einpflanzung der Kirche spricht.

---

[12] *Ngindu Mushete*, The History of Theology in Africa. From polemics to critical irenics, in: African Theology en route. 23–35.

Diese Missionstheologie wurde zuerst von Père Charles (Löwen) vertreten. Den Völkern ohne Kultur oder Zivilisation müsse die Kirche in ihrer römisch-katholischen Form gebracht werden. Man beabsichtigte, die römisch-katholische Kirche aus dem Westen in anderen Kontinenten einzupflanzen. Das hieß für die Dritte Welt, die römische Liturgie, die scholastische Theologie, das abendländische Kirchenrecht und auch die Ämter so zu übernehmen, wie sie im Westen gewachsen waren. Einige Missionstheologen aus dem Westen haben diese Missionsauffassung positiv beurteilt, weil tatsächlich auf diese Weise in allen Kontinenten Kirchen gegründet wurden. Andere Missiologen, auch ich selber, urteilen negativ über diese Entwicklungen, weil die Kirche aufhörte, arabisch mit den Arabern, afrikanisch mit den Afrikanern, chinesisch mit den Chinesen oder indisch mit den Indern zu werden[13]. Im großen und ganzen wurde die Kirche Jesu Christi eine europäisch-amerikanische Größe. Mushete nennt diese Kirche eine Kopie des europäischen Modells. Das Missionsdekret des II. Vatikanischen Konzils „Ad gentes" entnahm beiden Schulen etwas und war nicht imstande, eine neue Richtung einzuschlagen. Doch kam da ein neues Kirchenbild zum Vorschein. „Lumen gentium" hat darauf hingewiesen, daß die Kirche eine Gemeinschaft von Teilkirchen ist. Diese Teilkirchen bewahren ihre eigenen Traditionen. Der Heilige Stuhl soll die legitimen Unterschiede zwischen den Teilkirchen verteidigen und zugleich darauf achten, daß die Einheit der Kirche nicht vernachlässigt wird. So kommt allmählich eine dritte Schule in der Missionstheologie zum Vorschein. Und darin findet die afrikanische Theologie ihren Ort.

Die afrikanische Theologie geht von dem Grundsatz aus, daß die afrikanischen Christen das Recht besitzen, das Christentum zu beurteilen. Dabei werden afrikanische Kultur, Religion und Zivilisation berücksichtigt. Auch hier soll man vorsichtig sein. Es geht nicht um eine Anpassung oder Adaptation des Christentums an Anknüpfungspunkte in der afrikanischen Religion oder Kultur. Denn in der Missionstheologie der Anpassung bleibt die westliche Kirche normativ, und sie darf nur oberflächlich den anderen Kulturen und Religionen angepaßt werden. Diese Anpassung bleibt soziokulturell und ist keine echte Begegnung zweier Religionen. Nur Farbe und Gesicht werden angepaßt. Mushete nennt als Vertreter der Anpassungstheologie Mulago, Tempels, Lufuluabo, Nothomb und Kagame. Er verneint nicht, daß die Missionstheologie der Adaptation einen Anfang der Afrikanisierung in Liturgie und Katechese darstellt, aber er betont auch, daß eine wirkliche Evangelisierung in die religiöse Tiefe gehen muß.

---

[13] A. *Camps,* Partners in Dialogue. Christianity and other world religions (New York 1983).

Darum haben während der letzten fünfzehn Jahre einige afrikanische Theologen eine dynamische und kritische afrikanische Theologie ausgearbeitet. Sie haben zwei große Anliegen. Erstens haben sie die Bibel und die Tradition wissenschaftlich studiert. So wurden sie sich des lebendigen und historischen Charakters der Theologie bewußt. Mushete nennt hier Tsibangu, Ntedika, Atal und Monsengo. Diese Theologen verstehen, daß jede Theologie kulturell und sozial konditioniert ist. Warum sollte es dann nicht auch eine afrikanische Theologie geben? Ein westlicher, kultureller Imperialismus ist nicht notwendig. Es gibt keine universelle Theologie! Die Christen in Afrika haben die biblische Botschaft gehört und wollen diese von ihren eigenen kulturellen und religiösen Erfahrungen aus verstehen. Gleichzeitig ist die afrikanische Theologie ganz offen für die moderne Welt, aber auch hier möchte sie afrikanische Antworten für moderne afrikanische Probleme finden. Darum sind eine Theologie der Religionen, eine Theologie der Teilkirchen und eine Theologie der afrikanischen Basisgemeinden wichtige Bestandteile einer afrikanischen Missionstheologie. Die afrikanische Kultur soll nicht nur beschrieben werden, sondern in ein neues tertium quid im Sinne des Missionsdekretes „Ad gentes" n. 22 aufgenommen werden, wo verlangt wird, daß die jüdisch-christliche Offenbarung mittels eines Dialoges mit anderen Religionen und Weltanschauungen neu untersucht wird. So entsteht eine afrikanisch-christliche Gemeinde, die erst wirklich missionarisch wirken kann. Afrika hat uns die Missionstheologie der tiefgehenden Inkulturation geschenkt!

2. Der Beitrag Asiens zu einer neuen Missionstheologie

Es ist bekannt, daß die asiatischen Dritte-Welt-Theologen nicht alle dasselbe denken. Wir möchten hier eine gewiß authentische Stimme aus Sri Lanka sprechen lassen: Aloysius Pieris SJ[14]. Pieris ist davon überzeugt, daß die Kirche im Kontext der Dritten Welt verwirklicht werden muß. Er befürwortet eine kontextuelle Missionstheologie. Weil aber die Dritte Welt nicht in allen Kontinenten eine unveränderliche Größe ist, sondern eine äußerst unterschiedliche Wirklichkeit, darum ist es notwendig, festzustellen, welches der asiatische Kontext der Missionstheologie ist. Dieser Kontext ist sowohl die

---

[14] A. Pieris, Towards an Asian Theology of Liberation. Some socio-cultural guidelines, in: Asia's Struggle for Full Humanity 75–95; man findet diesen Beitrag auch in: Dialogue (Colombo 1979) 29–52; Vidyajyoti 43 (New Delhi 1979) 261–284; ZMR 63 (Münster i.W. 1979) 161–182; Asian Christian Theology, ed. by D. J. Elwood (Philadelphia 1980) 239–253.

Armut wie auch die Vielheit der Religionen. Und die Armut in Asien ist nicht nur wirtschaftlich bedingt, sondern auch von der Religion her geprägt. Die Religionen Asiens sind nicht nur kulturelle Erscheinungen, denn sie sind auch von der wirtschaftlichen Lage her mitbestimmt. Armut und Religiosität gehören in Asien zusammen. Eine Theologie der Religionen, in der die Armut außer Betracht bleibt, und eine Ideologie, die die Armut bestreitet und die Religiosität übersieht, sind beide falsch. Pieris kritisiert sowohl die übliche Theologie der Religionen wie auch die aus Lateinamerika eingeführten Abhängigkeitstheorien (Cardos, Frank und Furtado) und Befreiungstheologien. Die Zusammenhänge zwischen Armut und Religiosität in Asien sollen studiert werden. Man wird dann verstehen, daß es in Asien immer um eine Art des vollen Menschseins (full humanity) geht. In jedem asiatischen Kulturraum erstrebt der Mensch dieses volle Menschsein. Das heißt aber nicht, daß es völlig erreicht wird. Die Aufgabe des Christentums ist es, den Menschen, die bereits auf dem Weg zum vollen Menschsein wandern, zu helfen, das Ideal des wirklich vollen Menschseins zu erreichen. Pieris möchte die Theologie der Religionen und die Befreiungstheologie von der asiatischen Erfahrung aus kreativ miteinander in Verbindung bringen, wobei beide umgestaltet werden und wodurch eine wirklich asiatische Missionstheologie begründet wird. Die asiatischen Religionen haben eine verborgene Heilslehre (Soteriologie), und diese wurde noch immer nicht vom Christentum entdeckt. Darum ist das Christentum heute in dem riesigen asiatischen Kontinent noch immer eine kleine Minorität, und zwar eine ausländische Minorität. Pieris hat diese asiatische Soteriologie für den Buddhismus ausgearbeitet.

Wie alle großen Religionen Asiens hat auch der Buddhismus eine ältere kosmische Religiosität überlagert. Die kosmische Religiosität wird nicht als heilbringend betrachtet, was einen Unterschied zu Afrika bedeutet. Heil und Rettung werden nur von der höheren Religion vermittelt. Und hier gibt es dann Unterschiede zu Lateinamerika, wo das Christentum bereits die höhere Religion ist. Darum ist es in Asien unmöglich, die afrikanische Theologie oder die lateinamerikanische Theologie der Befreiung einfach zu übernehmen. Die asiatischen Dritte-Welt-Theologen scheuen sich nicht, die lateinamerikanische Befreiungstheologie als einen neuen theologischen Imperialismus zu betrachten. In Asien ist die Macht der nichtchristlichen Soteriologien so groß, daß man damit rechnen muß, daß das Christentum eine Minorität bleiben wird. Die Frage ist dann: Was soll das Christentum tun? Welches ist die Missionsaufgabe des Christentums in Asien? Welche Missionstheologie gibt da eine Antwort?

Die Missionstheologie Pieris' ist ein erster Versuch, diese Frage zu beantworten, und zwar vom Buddhismus ausgehend. Im Buddhismus sind Armut und Reichtum keine einander ausschließenden Realitäten. Der Reiche soll nicht maßlosen Reichtum erstreben. Er soll den Reichtum als ein Mittel betrachten, den Armen zu helfen. Und die Armen sollen nicht wünschen, immer reicher zu werden. Es geht in diesem Leben nicht um Armut oder Reichtum, sondern um Befreiung von Begierde. Jeder materielle Fortschritt wird vom Ideal der Freiheit von Besitzgier und dem des Teilens gemäßigt. Diese Tugenden sind wichtiger als Armut oder Reichtum. Die spirituelle Dimension des Menschenlebens wird in Asien und besonders im Buddhismus hervorgehoben. Befreiung von Begierden ist das wichtigste. Man spürt hier die Kritik an der lateinamerikanischen Befreiungstheologie. Es wird dann gesagt, daß dieses Ideal der Befreiung von Begierden im buddhistischen Mönchtum am besten verwirklicht wird. Befreiung von Begierde und nicht nur Beseitigung der Armut ist das Ideal Asiens. Die christlichen Kirchen haben das nicht verstanden, weil sie entweder mit dem Kolonialismus zusammenarbeiteten oder heutzutage die Entwicklungshilfe als höchste Priorität betrachten. So werden im nichtchristlichen Raum christliche Oasen des Reichtums geschaffen, und diese werden den Nichtchristen nie inspirieren. Darum bleibt das Christentum eine Minorität. Die Missionstheologie soll sich erneuern und Rücksicht auf die Religionen Asiens und auf das materielle Bedürfnis der Asiaten nehmen. Befreiungsideologien und Entwicklungsideologien müssen kritisch studiert werden.

Asien soll sich von der klassischen europäischen Theologie der Entwicklung und von der lateinamerikanischen Theologie der Befreiung befreien. Asien soll sich auch von der in Europa gegründeten Theologie der Religionen befreien – eben weil es in dieser Theologie kein richtiges Verhältnis zwischen Theorie und Praxis gibt. Die asiatische Missionstheologie ist Theopraxis. Die Theologie in Asien kann wiederum missionarisch werden, wenn sie nachfolgende asiatischen Empfindlichkeiten berücksichtigt. Die Theologie, schreibt Pieris, ist unsere Art und Weise, das, was in den Kämpfen unseres Volkes für spirituelle und soziale Emanzipation offenbar wird, zu beobachten und zu verwirklichen; dafür ist es notwendig, das Idiom und die Sprachen unserer Völker zu verstehen. Die asiatische Theologie ist nicht „God-Talk", sondern Erfahrung von Gott. Gott offenbart sich in der inneren Harmonie und im Stillschweigen des Menschen. Asien liebt das Spiel mit Worten, wie Natur und Person oder drei und eins, nicht. Aus der Stille kommt das Wort, aus der Selbstentsagung kommt Einsatzbereitschaft, aus innerer Ruhe kommt Kampf, aus Disziplin Freiheit, aus der Stille die Aktivität und aus dem Lossagen Entwicklung. Hier gehen buddhistische Weisheit und christliche Liebe zusammen. Die Erfahrung von Gott in der Stille soll harmonisch mit der Sorge um die Menschen zusammengehen. Die Praxis der Befreiung ist zugleich ein Sichzurückziehen in das Metakosmische und ein Eintauchen in das Kosmische. Von hier aus bekommt man auch einen neuen Einblick in das Problem des Verhältnisses von Autorität und Freiheit. In Asien hat jemand Autorität, der diese innere und äußere Befreiung vermitteln kann. Die Kirche Asiens muß die verlorene Autorität zurückgewinnen und der Macht abschwören. Sie muß sich im Fluß der asiatischen Religionen taufen lassen wie auch das Kreuz der asiatischen Armut tragen. Asien braucht eine Theologie der Anspruchslosigkeit, des Untertauchens und der Partizipation. Die asiatische Theologie ist auf der Suche nach dem asiatischen Gesicht Christi, weil die asiatischen Theologen davon überzeugt sind, daß in Christus das Suchen Asiens erfüllt wird. Pieris schreibt am Ende: „Theology in Asia is the Christian apocalypse of the non-Christian experiences of liberation."[15] Diese Theologie wird zugleich missionarisch und Missionstheologie sein. Es ist eine Theologie der Reflexion der Zusammenhänge zwischen Religion und Armut, eine Theologie des Dialoges, der Befreiung und des Kirchewerdens, das alles harmonisch miteinander verbunden. Diese Stimme Pieris' bedeutet eine ganz neue Stimme aus Asien.

3. Der Beitrag Lateinamerikas zu einer neuen Missionstheologie

Es wird deutlich sein, warum Lateinamerika erst am Ende dieses Aufsatzes behandelt wird. Die missionstheologischen Ansätze, die in der lateinamerikanischen Theologie der Befreiung vorhanden sind und die man hier im Westen fast nur aus Übersetzungen kennengelernt hat, sind nicht ohne Widerspruch aus Asien und Afrika geblieben. Die lateinamerikanischen Theologen sind sich dessen bewußt. Sie werden dazu herausgefordert, neue Wege zu gehen. Die lateinamerikanische Befreiungstheologie beschäftigt sich heute mit der Spiritualität der Befreiung und mit dem Zusammenhang zwischen Volksreligiosität und Befreiung. Es wäre darum in diesem Aufsatz nicht gerecht, nur Theologen der Vergangenheit vorzuführen. Es wird hier versucht, die letzten Entwicklungen kurz zusammenzufassen. Es ist am besten, den langjährigen Generalsekretär der Dritte-Welt-Theologen, Sergio Torres, zu Wort kommen zu lassen. Er hat diese Entwicklungen seit 1975 mitgemacht.

Während der Konferenz in Detroit 1975 wurde festgestellt, daß Theologie aus der Erfahrung aller Christen, der Akademiker und der Nichtakademiker, die versuchen, Christus in den heiligen Schriften und im eigenen Leben

---

[15] Asia's Struggle for Full Humanity 94.

zu entdecken, entstehen soll. Das heißt dann auch, daß das Theologiestudium sich nicht länger auf das Studium der Quellen und der Ideen in Universitäten und Seminaren beschränkt. Die Erfahrung aller Christen, besonders der Unterdrückten, die um ihre Befreiung kämpfen, ist wichtig. Die Unterdrückten selber sind die ersten, die Theologie treiben werden, und zwar ausgehend von der Erfahrung der Unterdrückung. Das zweite, was in Detroit festgestellt wurde, war, daß Theologie nicht ohne Hilfe der Soziologie und Psychologie betrieben werden kann. Wie diese Wissenschaften genau in die Theologie integriert werden sollen, wurde in Detroit nicht ganz klar. Es wurde aber festgestellt, daß es keine wertfreie oder neutrale Analyse gibt. Eine strukturelle Analyse der Gesellschaft wurde als ein integraler Bestandteil der theologischen Reflexion betrachtet. Daß dabei der Marxismus eine Rolle spielt, wurde nicht verheimlicht. Drittens wurde das Verhältnis der Theorie zur Praxis neu formuliert. Man kann nicht sagen, daß der Glaube der Aktion vorausgeht oder daß der Glaube in der Aktion vollzogen wird. Im Gegenteil, in der Aktion wird der Glaube entdeckt und verstanden, und das heißt Theologie. Glaube und Praxis sollen wieder miteinander in Verbindung treten. Einige Theologen haben die Theologie deshalb so definiert: kritische Reflexion der historischen Praxis. So kann ein Verständnis für das Wirken Gottes in der Geschichte entstehen. Dies bedeutet eine andere Art des Erkenntnisprozesses. Man sollte nicht Theologie studieren, sondern Theologie tun[16].

Die Themen, die in Detroit ausgearbeitet wurden, zeigen, wie diese neuen Ansätze expliziert wurden: Befreiungstheologie in Nordamerika, schwarze Theologie, die Befreiung der Indianer und die feministische Theologie. Es waren lateinamerikanische Theologen wie José Míguez Bonino, Juan Luis Segundo, Enrique Dussel, Leonardo Boff, Hugo Assmann und Gustavo Gutiérrez, die in Detroit eine große Rolle gespielt haben. Sergio Torres wollte so den westlichen Theologen neue Wege zeigen. Missionstheologisch betrachtet, bedeutet dies, daß die Mission der Kirche vor allem Befreiung von ungerechten Strukturen ist und daß dabei die soziologische Analyse einer bestimmten Schule eine wichtige Rolle spielt.

Die Konferenzen der Dritte-Welt-Theologen in Afrika, Asien und auch in Lateinamerika, die seit Detroit 1975 stattgefunden haben, haben diese missionstheologischen Ansätze geändert. Man lese, was Sergio Torres nach der Konferenz in Wennappuwa (Sri Lanka) schrieb. Es ist schon interessant, zu sehen, daß er nicht die Eröffnungsansprache hielt und daß er auch nicht als Herausgeber des Konferenzbuches zeichnete. Dies bedeutet eine interessante

---

[16] Theology in the Americas 434–435.

Änderung in der Rolle des Generalsekretärs. Er schrieb dann auch: „Seit Daressalam 1976 hat der Dialog mit den asiatischen Theologen mich schwer beschäftigt und neugierig gemacht."[17] Er verstand, daß die Christen in Asien – im Gegensatz zu denen in Lateinamerika – eine kleine Minderheit von 2% darstellen und daß – wie Aloysius Pieris sagte – Asien immer ein nichtchristlicher Kontinent bleiben wird. Er lernte, daß Asien darum eine neue, kreative Art der christlichen Präsenz brauchte. Torres wußte auch, daß die asiatischen Theologen genau wie die Lateinamerikaner den westlich-christlichen theologischen Einfluß verwerfen, und er wußte auch, daß dies nicht nur notwendig war, weil die westliche Theologie von der kapitalistischen Unterdrückungsmentalität ausging, sondern auch weil sie von einem kulturellen und religiösen Streben nach Vorherrschaft beherrscht wurde. So konnte Sergio Torres schreiben, daß Asien – und auch das christliche Asien – wieder seine eigene Identität suchte. Als Lateinamerikaner war Torres imstande, aus dieser Situation in Asien zu lernen. Er schreibt, daß auch die immerhin noch 30 Millionen Indianer in Lateinamerika und auch andere Teile der Bevölkerung von spanischen und portugiesischen Gedanken und Gewohnheiten stark beeinflußt werden. Auch in Lateinamerika sollte man die eigene Identität theologisch untersuchen und ausarbeiten. Bis vor kurzer Zeit war die Diskussion über Kultur und Religiosität in Lateinamerika nicht so relevant. Die Befreiungstheologie wurde als eine gläubige Reflexion über die wirtschaftlichen und politischen Strukturen betrachtet. Diese Strukturen wurden diskutiert und fast nie die Kultur. Heute hat sich die Lage in Lateinamerika geändert. Man analysiert nicht nur die sozialen Klassen, sondern auch die Kultur und die Volksreligionen. Die Volksreligiosität bezieht sich auf die Glaubensüberzeugungen der Indianer, der schwarzen Bevölkerung und der Mestizen. Diese Glaubensüberzeugungen sind mit dem Katholizismus vermischt worden. Wenn man die Volksreligiosität verstehen will, muß man bedenken, daß das Volk sowohl gläubig wie auch unterdrückt ist. Die volksreligiösen Überzeugungen und Gewohnheiten manifestieren, daß das Volk eine kulturelle und religiöse Identität hat, die der Modernisierung und der kulturellen Überfremdung Widerstand leistet. Hier bemerkt man, wie weit die lateinamerikanische Problematik in der Missionstheologie vom Einfluß der asiatischen Theologen durchdrungen ist. Man kann diesen Einfluß an den Ergebnissen der São-Paulo-Konferenz 1980[18] sehr gut beobachten.

---

[17] Asia's Struggle for Full Humanity 191. *S. Torres*, Die ökumenische Vereinigung von Dritte-Welt-Theologen, in: Herausgefordert durch die Armen. Dokumente der ökumenischen Vereinigung von Dritte-Welt-Theologen 1976–1983 (Freiburg i. Br. – Basel – Wien 1983) 9–25.
[18] The Challenge of Basic Christian Communities.

4. Einige Schlußfolgerungen

Die abendländische Missionstheologie wurde mit Absicht nicht behandelt. Diese ist genügend bekannt. Es ist wichtiger, zu wissen, wie die Theologen aus anderen Kontinenten unsere Missionstheologie beurteilen.

Eine erste Schlußfolgerung ist: Die nichtwestlichen Teilkirchen haben sehr wohl verstanden, was das II. Vatikanische Konzil mit den legitimen Unterschieden zwischen Teilkirchen gemeint hat. Sie suchen ihre eigene Identität in der Absicht, eine wirklich bodenständige Kirche zu werden, eine Kirche mit Anziehungskraft, eine missionarische Kirche. Die Kritik der nichtwestlichen Missionstheologen richtet sich darauf, daß die abendländischen Missionstheologen es nicht gewagt haben, das Konzil so zu verstehen.

Eine zweite Schlußfolgerung ist, daß es nicht nur eine Missionstheologie in Asien, Afrika und Lateinamerika gibt, sondern viele. Traditionell war die Missionstheologie in Lateinamerika stärker wirtschaftlich, sozial und politisch orientiert, in Afrika mehr kulturell und in Asien religionsdialogisch. Aber, und das ist bedeutungsvoll, die Bewegung der Dritte-Welt-Theologen und die Konferenzen dieser Organisation sind imstande gewesen, mit dieser Tatsache fertigzuwerden. Besonders in Asien entsteht eine neue, allumfassende Missionstheologie, worin die Elemente der Befreiungstheologie, der Entwicklungstheologie, der Theologie des Dialogs der Religionen und die Theologie der Teilkirchen integriert werden. Wir verdanken es dem Theologen Aloysius Pieris SJ, hier neue Wege aufgezeigt zu haben.

Schließlich ist die Entwicklung in der nichtwestlichen Missionstheologie von Bedeutung für die westliche Missionstheologie. Wir werden die Eigenständigkeit der Teilkirchen ernster nehmen müssen. Wir werden unsere eigene Identität suchen und theologisch reflektieren müssen. Wir brauchen eine neue Integration des religiösen und des irdischen Heiles. Erst dann werden wir imstande sein, unsere eigene Missionsaufgabe in Europa, in Nordamerika und vielleicht auch in der ganzen Welt neu zu verstehen. Um wieder missionarisch zu werden, müssen unsere Teilkirchen von den nichtabendländischen Teilkirchen lernen.

JOSEF NEUNER SJ

DIE CHRISTLICHE BOTSCHAFT
IN DER KRISE INDIENS

Das Thema klingt anmaßend. Wer kann auf ein paar Seiten von Indien reden, von der Krise Indiens, von diesem Prozeß einer kulturellen, sozialen,
religiösen Umwandlung überdimensionalen Ausmaßes in einem Subkontinent von 700 Millionen Einwohnern? Und was ist die christliche Botschaft
in einer so ungeheuer großen, so heterogenen Welt? Wenn ein so weites
Thema auf engem Raum behandelt werden soll, besteht die Gefahr, in gro-
ben Simplifizierungen und Verallgemeinerungen steckenzubleiben.

Und doch darf dieses Thema einen Platz in diesem Band beanspruchen.
Denn wenn ein Buch von der Theologie des II. Vatikanischen Konzils handelt, muß es doch auch von der Öffnung der Kirche zur Welt und zu den aktuellen Problemen unserer modernen Gesellschaft reden; und wenn diese
Festschrift auch „historische Perspektiven", die vom Konzil ausgehen, einschließt, dann hat die Dritte Welt, und zumal Indien mit seiner politischen,
sozialen und spirituellen Bedeutung für die ganze Welt, einen Platz darin.

So sei denn der Versuch gemacht, in einer globalen Sicht etwas zur Krise
Indiens und zur Bedeutung der christlichen Botschaft, wie sie im II. Vatikanum neu verstanden wurde, in dieser Krise zu sagen. Es geht dabei natürlich
nicht um eine Darlegung der missionarischen Probleme im heutigen Indien.
Unmittelbar praktische Fragen müssen im Hintergrund bleiben, denn sie
wären ja auch viel zu komplex, um hier erörtert zu werden. Vielmehr geht
es um die Frage, was denn in dieser Welt der großen Religionen und in einer
unerhörten politischen, sozialen und kulturellen Umwandlung die Botschaft
Jesu Christi bedeutet. Es ist also die Frage, die jeder unmittelbar missionarischen Frage vorausliegt: Ist Jesus Christus in dieser Welt mehr als eine der
großen religiösen Gestalten der Menschheit im Pantheon allgemeiner Religiosität? So wird er ja wohl in Indien gerne von jedem akzeptiert und verehrt. Wir fragen vielmehr, was er in seiner Einmaligkeit, in seiner Person
und Botschaft, wie sie im II. Vatikanischen Konzil verstanden wurde, in dieser Welt bedeutet.

I. Die Krise Indiens

Wenn hier von der Krise Indiens die Rede ist, dann meinen wir natürlich nicht die unmittelbar aktuellen politischen und wirtschaftlichen Probleme, obwohl in ihnen diese Krise vielfach greifbar wird. Wir meinen vielmehr die Umwandlung des gesamten Lebens des Volkes, der Kultur, der sozialen und wirtschaftlichen Strukturen, des religiösen Lebens. Denn trotz der Vielfalt der Sprachen und Rassen, die in diesem Subkontinent zusammengemischt sind, gibt es doch in Indien etwas Gemeinsames. Man möchte es den holistischen Charakter der indischen Kultur – und wohl noch allgemeiner der östlichen Kulturen – nennen. Damit meinen wir, daß es keine klaren Trennungslinien zwischen heilig und profan gibt. Östliche Religionen umfassen und durchdringen alle Bereiche des Lebens, Einzelleben, Gesellschaft, Natur und Kosmos.

Das mag zuerst an der traditionellen indischen Ethik illustriert werden. Sie ist mehr als ein Moralsystem, an dem sich menschliches Handeln orientieren soll. Sie besteht im Wechselspiel und Gleichgewicht der vier treibenden Kräfte, die menschliches Handeln bestimmen: dharma, die innewohnende Gesetzlichkeit des individuellen und gesellschaftlichen Lebens; kāma, Lust; ārtha, der Trieb zur handelnden Selbstverwirklichung; all das ist letztlich hingeordnet auf moksha, die endgültige Erlösung aus den Bindungen der irdischen Existenz.

Den Sinn seines Lebens entfaltet der einzelne Mensch in vier Stufen (āshramas): der junge Mann lebt als brahmacārin unter der Disziplin des Meisters (guru) in Keuschheit und widmet sich dem Studium; als grhastha, Familienvater, findet er seinen Platz in der Welt und erfüllt seine irdische Aufgabe; als alternder Mann wird er vānaprāstha, Waldbewohner, zieht sich vom Leben zurück und macht so einer neuen Generation Platz; schließlich löst er als sanyasin alle Bindungen zu Welt und Gesellschaft, jenseits seiner Kaste und ohne Ritual in voller Freiheit lebend und in sein letztes Ziel eingehend. In der Folge dieser (natürlich schematisierten) Lebensstufen vollzieht er also sein menschliches Dasein in der Welt und über die Welt hinaus zum Ewigen hin. Die großen indischen Epen sind aus diesem Zusammenspiel der beiden Dimensionen menschlicher Existenz zusammengewoben: aus der Zugewandtheit zur Welt (pravṛtti) mit Kampf, politischem Machtspiel und Intrige und aus der Abwendung von der Welt (nivṛtti) zum Absoluten hin. Nie wird die Welt ohne das Ewige verstanden, aber immer ist auch das Bewußtsein des Ewigen in das menschliche Geschehen, in Geschichte und Gesellschaft hineinverwoben.

So sind also auch Familie, Dorf und Kaste niemals bloß gesellschaftliche oder wirtschaftliche Strukturen, sondern die greifbaren Ordnungen, in denen ewige Gesetze das Menschenleben durchwalten. Gewiß hat die Kastenordnung ihre ethnischen, sozialen und wirtschaftlichen Wurzeln, und doch ist sie viel mehr als ein Sozialsystem. Von alters her wurde sie im Zusammenhang eines umfassenden Weltbildes verstanden. Der neunzigste Hymnus des Rigveda führt den Ursprung der Kasten auf Gott selbst zurück: aus seinem Antlitz stammen die Brahmanen; seine Arme wurden zu kshatriyas, der Kriegerkaste; seine Schenkel sind der Ursprung der vaiśias, der Händler und Ackerbauern; die śūdras, die allen anderen dienstbar sind, wurden aus seinen Füßen geformt. Mit diesem göttlichen Ursprung ist auch die Unabänderlichkeit der Kastenordnung begründet und die Unmöglichkeit, in eine höhere Kaste aufzusteigen, weder durch Talent noch durch Verdienst. Das ganze Leben des einzelnen ist von der Kaste bestimmt, aber auch getragen und gesichert. Sie dient, wie es formuliert wurde, als Gewerkschaft, als Strafanstalt, als Waisenhaus, als Krankenversicherung und Begräbnisverein. Trotz der rigorosen Unerbittlichkeit des Kastensystems soll man den Mythos seines Ursprungs nicht bloß als religiöse Begründung einer Herrenmoral verstehen: Er drückt vor allem Ordnung aus: jeder hat seinen Platz in der Gesellschaft und im Wirtschaftsleben.

Diese Ordnung wird im Dorf konkret verwirklicht, wo die Kasten zusammenleben. Das traditionelle Dorf ist weithin wirtschaftlich autark. Jeder hat seine Aufgabe, jeder hat aber auch zu essen und einen Platz, um zu wohnen. Die schlimmsten Auswirkungen hat das Kastenwesen für die Millionen der Kastenlosen, der Unberührbaren, die am Rand der Gesellschaft leben. Sie wohnen deutlich abgesondert am Rand des Dorfes und dürfen ihr Wasser nicht am Dorfbrunnen schöpfen. Aber selbst in dieser Abgeschlossenheit sind sie noch in die Dorfgemeinschaft einbezogen, haben ihre Aufgaben und schmalen Rechte und können oft selbst im kulturellen Leben einen Beitrag leisten, z.B. als Musikanten.

Das ganze Leben der Hindus ist in eine weltweite kosmische Ordnung hineingewoben. Der Kalender ist überfüllt mit Fast- und Festtagen – man zählt 125 bedeutendere Feste, die alle im Rhythmus der wechselnden Mondphasen berechnet und gefeiert werden. Kein Ereignis darf stattfinden, ohne daß die Konstellation der Sterne befragt wird. So ist vor allem die Wahl des Hochzeitsdatums eine sorgenschwere Entscheidung, bei der die Astrologen eine bedeutende Rolle spielen. An den großen Festen fließen alle Lebensbereiche ineinander. So werden z.B. an den fünf Tagen, an denen Westindien Divali feiert, neue Kleider getragen, die Rechnungsbücher werden abgeschlossen, der göttliche Sieg über die Dämonen wird gefeiert, Brüder und Schwestern beschenken sich, Tausende von Öllämpchen leuchten in die

Nacht, die Kühe und Pferde werden fröhlich bemalt und in Prozession durch das Dorf geführt. Flüsse sind heilig, weil sie die göttliche Fruchtbarkeit durch das Land tragen, und die Berge, besonders die unzugänglichen Gipfel des Himalaya, sind der Wohnort der Götter. Von dort kommt jedes Jahr Kali, die Göttin wilder Zerstörung und zugleich unendlicher Lieblichkeit, für die Festtage nach Kalkutta, und da verwandelt sich auch heute noch diese Stadt der Slums in ein Lichtermeer von Jubel und Tanz.

Wenn die großen Dichter der Vergangenheit die Geschichten, Sagen und Mythen des Volkes sammelten und in den volkstümlichen Purānas erzählten, dann mußte darin alles enthalten sein, was es gibt: Leben und Ursprung der Götter, der dämmernde Anfang der Welt und der rätselhafte Ursprung des Menschengeschlechtes, Götter und Dämonen, Helden und Verräter, Segenssprüche und Fluch. Auch die gewaltige Tempelarchitektur ist ein Abbild der Weltordnung. In den gewaltigen Anlagen der südindischen Tempel sind alle Bereiche menschlichen Lebens in konzentrischen Kreisen um das Heiligtum gelagert: Handel, Gewerbe, Kunst, Unterricht; zuinnerst befindet sich das Heiligtum, in dem die Gottheit wohnt. Skulpturen mit allen Gestalten aus Natur und Phantasie, aus Sage und Mythos bedecken die ungeheueren Gōpuras, die Eingangstore, und füllen die Hallen des Innern.

Altindien hat das Universum als kosmisches Opfer gesehen, in dem Himmel und Erde verschmelzen und Götter und Menschen sich gegenseitig ernähren und erhalten. Keiner kann ungestraft aus dem Kreis ewiger Ordnungen ausbrechen. Ein moderner Inder zeichnet das kosmische Ritual nach, das die Upanischaden in mythischer Sprache beschreiben: „Sonnenlicht und Regen kommen aus der Tiefe des Himmels, und der Reichtum der Erde hängt von der Regelmäßigkeit ihres Rhythmus ab. So gießt der Mensch, der seinem Wesen nach Ackerbauer bleibt, Milch und geschmolzene Butter, die destillierte Essenz ländlichen Reichtums, ins Feuer, so daß es, im Feuer verdampft, zum Himmel aufsteige und seine Energien nähre. Feuer ist das Medium des Wechselgesangs zwischen Himmel und Erde, Menschen und Göttern, Mensch und Gott, letztlich zwischen der transzendenten Ordnung des Seins und der irdischen Ordnung des Werdens."[1]

Diese Ordnung ist am Zerbrechen. Sie hatte den Einbruch des Islams in Indien überstanden. Die politischen Herrscher wechselten, aber die Dörfer lebten weiter wie seit Jahrhunderten. Auch die portugiesischen Einbrüche in die indische Welt haben nicht viel geändert. Ihr Einfluß blieb meist auf Randgebiete beschränkt, und selbst wo die Portugiesen politische Macht ausübten wie in Goa und Bassein, wo größere Gruppen Christen wurden, blieb

---

[1] *Krishna Chaitanya,* A Profile of Indian Culture (New Delhi 1975) 28f.

die soziale und wirtschaftliche Struktur erhalten, da die Portugiesen „die sozio-ökonomischen Strukturen und die ihnen zugrunde liegenden Werte verhältnismäßig unberührt ließen"[2]. Dorfverwaltung, Beschäftigung, landwirtschaftliche Methoden blieben ziemlich gleich.

Der Einbruch des Westens und die Umwandlung des gesamten kulturellen und wirtschaftlichen Lebens kam mit unwiderstehlicher Macht im Zuge der englischen Kolonisierung. Die Engländer kamen zunächst als Händler. Um ihren wirtschaftlichen Einfluß zu sichern, brauchten sie die Mitarbeit der einflußreichen sozialen Schichten. So bildeten sie durch ihr Schulsystem aus den höheren Kasten die neue Beamtenschaft heran, die ihnen ergeben war. Die Loyalität der indischen Feudalherren sicherten sie sich dadurch, daß sie sie zu Landbesitzern machten. Diese hatten bis dahin unter mohammedanischer Herrschaft die Aufgabe, die Steuern für die Regierung einzutreiben, während das Land selbst gemeinsamer Besitz der Landgemeinden war. Nun wurden sie zu Großgrundbesitzern. Auch die Wälder wurden den Gemeinden genommen und 1865 als Staatseigentum erklärt, so daß das Holz für industrielle Unternehmungen geschlagen werden konnte.

All das hatte gewaltige Auswirkungen auf das Wirtschaftsleben und die soziale Ordnung. Solange das Land der Ortsgemeinde gehörte, war die Arbeit auf das ganze Dorf verteilt, und die höheren Kasten hatten die Pflicht, alle Bewohner des Dorfes entsprechend ihren Bedürfnissen zu versorgen. So gab es für jeden Brot. Nachdem der individuelle Landbesitz eingeführt war, gab es diese Verpflichtung nicht mehr. Die niederen Kasten und vor allem die Kastenlosen mußten sich an die reichen Gutsbesitzer verdingen und um Hungerlöhne arbeiten, oft hoffnungslos an die Geldverleiher verschuldet. Man hat berechnet, daß 40% der Kastenlosen Sklaven der Gutsherren wurden. Außerdem war es für den Grundbesitzer viel rentabler, nur eine Sorte von Nutzpflanzen anzubauen, wie Zuckerrohr, Baumwolle oder Gummi. Dadurch aber verloren die Dörfer ihre wirtschaftliche Eigenständigkeit und wurden vom Großhandel und schließlich vom Weltmarkt abhängig. Auf indischen Feldern wurden die Rohstoffe erzeugt, die im industriellen England verarbeitet und dann als Fertigware auf dem indischen Markt verkauft wurden. – Der Verlust der Wälder war vor allem für die Ureinwohner vernichtend, da doch die Wälder ihnen gehört und ihren einzigen Reichtum enthalten hatten. So gab es Rechtsstreitigkeiten und Revolutionen, bei denen aber die ungebildeten Ureinwohner immer am kürzeren Hebel saßen.

Das Ergebnis aber war die fortschreitende Entwurzelung der armen

---

[2] *C. J. Godwin,* Change and Continuity. A Study of Two Christian Village Communities in Suburban Bombay 207–209.

Schichten der Bevölkerung und der Ureinwohner. Als billige Arbeitskräfte suchten sie in den neuen Industriezentren Unterkunft. Die Massenflucht in die Städte setzte ein. In den indischen Metropolen verloren die atomisierten Millionen ihre religiösen Traditionen und die moralischen Bindungen von Dorf und Kaste. Es fehlte der Ordnungsrahmen, in dem sie zwar gefangen waren, aber doch leben konnten. Sie waren nicht mehr in eine Gemeinschaft eingegliedert. Sie waren nun frei, neue Möglichkeiten lagen vor ihnen in einer verwandelten Welt. Manchen gelang es, eine neue Existenz zu finden, was früher unmöglich war, aber Unzählige blieben am Wegrand liegen, buchstäblich ohne eigenes Dach, an den Straßen, unter den Brücken, in den Slums der indischen Städte.

Indiens politische Unabhängigkeit hat da wenig geändert. Trotz der neuen Verfassung, die alle Bürger rechtlich gleichstellt, blieb fast überall die Absonderung der „Unberührbaren" in Übung[3]. Ökonomisch gab es zwar die „grüne Revolution" mit neuen Bewässerungsanlagen, Elektrifizierung, Straßenbau, neuen Anbaumethoden, besserem Saatgut, Kunstdünger usw., aber es wird allgemein zugegeben, daß „die Vorteile all dieser öffentlichen Investierungen weithin nur den Großbauern zugute kommen ... Eines der augenfälligen Ergebnisse dieser Geldanlagen im landwirtschaftlichen Sektor besteht in der Zunahme der Ungleichheit in Reichtum und Einkommen auf dem Land."[4] Das ist nicht zufällig, denn „die herrschenden Klassen, die sich auf den status quo stützen, widersetzen sich einer grundsätzlichen Neustrukturierung der ökonomischen Demokratie"[5]. So hat sich die koloniale Wirtschaft in die Gegenwart hinein verlängert. Sie ist charakterisiert durch „den gleichzeitigen Prozeß von Wachstum und Zerfall, der wenigen Nutzen bringt und die Massen verarmen läßt"[6], denn „das Wachstum der Vergangenheit war nicht auf die sozialen Bedürfnisse des Volkes bedacht, sondern stammte aus der Sucht nach privatem Vorteil und dem Aufstieg derer, die die materiellen Mittel besaßen und kontrollierten"[7].

All das – was hier nicht weiter ausgeführt werden kann – gehört zur Krise Indiens. Das allindische Seminar über „Die indische Kirche im Kampf für eine neue Gesellschaft" faßt die krisenhafte Verkehrung der herrschenden

---

[3] So ergab es sich aus Rundfragen in Dörfern Nordindiens. Vgl. *Bishwa B. Chatterjee* (Hrsg.), Impact of Social Legislation (Kalkutta 1971) 166–202.
[4] *T. Mathew* (Hrsg.), Rural Development in India. Seminar of North Eastern Hill University (New Delhi 1981) 42.
[5] Ebd. 45.
[6] *C. T. Kurian,* Economic Development and Social Justice, in: Religion and Society 28 (1981) 37.
[7] Ebd. 40.

Werturteile zusammen: „Finanzieller Profit statt Bedürfnisse der Menschen, rücksichtslose Ausbeutung der Rohstoffe der Erde für wachsende Gewinne statt sozialer Verantwortlichkeit für die begrenzten Naturschätze, aggressiver Individualismus statt integralem Humanismus, roher Wettbewerb statt harmonischer Zusammenarbeit, herrische Kontrolle statt koordinierter Partnerschaft, Genußsucht statt Aszese."[8]

Dieser Wandel hat verheerende Folgen für das öffentliche Leben: Korruption, enge und egoistische Parteipolitik, immer schärfere Gegensätze zwischen Armen und Reichen, Klasseninteressen und wachsende Rivalitäten zwischen religiösen Gruppen, namentlich zwischen Hindus und Mohammedanern, zum Schaden der gemeinsamen Anliegen. Für das Leben der einzelnen ergeben sich namenloses und hilfloses Elend, Verlassenheit, Verbitterung, Zusammenbruch der Moral, ein Ungeheuer mit tausend Namen, aus dem Abgrund geboren, aus dem Chaos, aus der zerbrochenen Ordnung.

II. Die christliche Botschaft

Es ist nicht verwunderlich, daß sich Christen, die doch in der indischen Welt nur eine kleine Minorität sind, diesen Aufgaben hilflos gegenübersehen. In diesem Beitrag sollen auch nicht missionarische oder pastorale Pläne vorgelegt werden. In der Tat scheint es dringender, vor praktischen Weisungen und Maßnahmen sich auf das Wesen der christlichen Botschaft zu besinnen: Was bedeutet denn Jesu Sendung und Botschaft in unserer neuen Situation? Denn diese Situation ist neu. Obgleich das heutige Indien das Ergebnis der vergangenen Jahrhunderte ist, so ereignet sich doch heute etwas, was mit einem Quantensprung verglichen wurde: ein Zusammenfallen von eng verschränkten Entwicklungen, die einen qualitativ neuen Anfang bedeuten und eben deshalb von der Kirche neue Orientierungen verlangen.

Das Konzil fand in dieser entscheidenden Stunde statt und ist sich in den vielen Sitzungsperioden der Neuheit der Situation wachsend bewußt geworden. Natürlich sind die Neuorientierungen in den Dokumenten oft nur tastend vorgetragen, verflochten mit traditionellen Lehren und Weisungen. Aber sie sind da, und es ist Aufgabe der nachkonziliaren Theologie, sie zu entwickeln.

Wir versuchen, in fünf Thesen die im Konzil enthaltenen Ansätze heraus-

---

[8] D. S. *Amalorpavadass* (Hrsg.), The Indian Church in the Struggle for a New Society (Bangalore 1981), Final statement n. 20 S. 47. (Hier wie anderswo sind englische Texte vom Autor ins Deutsche übertragen.)

zuheben, die für die Sendung der Kirche in Indien – und wohl noch weiter in der asiatischen Welt – entscheidend scheinen. Es wird sich zeigen, daß gerade in diesen Ansätzen viel von Karl Rahners Theologie in das Bewußtsein der Gesamtkirche eingedrungen ist.

1. In Indien – und dasselbe gilt weithin für Südostasien – sind Religion, Gesellschaftsordnung und Kultur so eng verflochten, daß es keine Erneuerung der Gesellschaft geben kann, die nicht mit der Erneuerung der spirituellen und religiösen Traditionen Hand in Hand geht.

Im August 1981 fand in Neu-Delhi die fünfte ökumenische Konferenz von Theologen der Dritten Welt statt. Dabei hat sich manches, was früher verschwommen war, geklärt. Besonders wurden die unterscheidenden Besonderheiten dieser Theologien in den Kontinenten von Nord- und Südamerika, Afrika und Asien klarer herausgestellt. Sie sind alle verbunden im großen gemeinsamen Anliegen, wie es Samuel Rayan (einer der Hauptsprecher dieser Bewegung) beschreibt: „Gemeinsam in diesen Kontinenten ist das allgemeine Erwachen unter den Menschen, das Bewußtsein von Menschenwürde und menschlichen Rechten. Überall beginnen die Armen sich zu organisieren und gegen die Unterdrückung Widerstand zu leisten. Der Kampf um Leben und Freiheit gewinnt an Stärke, und in immer weiteren Kreisen sucht man nach unseren kulturellen Wurzeln und unserer spirituellen Identität." Es gibt aber Unterschiede in der Akzentsetzung: in den USA ist Rassismus das Hauptproblem, Lateinamerika kämpft um die Erneuerung der ökonomischen und sozialen Ordnung, in Afrika geht es um Anthropologie und Kultur, „in Asien geht der Blick auf den betonten religiösen Pluralismus und die reiche, alte spirituelle Tradition"[9].

In der abschließenden Erklärung der Konferenz von Neu-Delhi heißt es deshalb, daß „die fundamentale Intuition eines ursprünglichen Sozialismus (in den sozialen Traditionen Afrikas und Asiens) der Lehre der Bibel näher steht als die Positionen des Kapitalismus. Den Schwächen des gegenwärtigen Sozialismus und seinen geschichtlichen Erfahrungen stehen wir kritisch gegenüber, obgleich wir seine Errungenschaften anerkennen" (n. 30). „Die Länder der Dritten Welt sind herausgefordert, praktische mögliche Formen des Sozialismus zu erarbeiten, die die wirtschaftliche Entwicklung fördern und zugleich die Religionen, die Kulturen und die menschliche Freiheit respektieren" (n. 31)[10].

---

[9] S. *Rayan*, The Irruption of the Third World. A Challenge to Theology, in: Vidyajyoti 46 (1982) 114–115.
[10] Erklärung der fünften Konferenz von EATWOT (Ecumenical Association of Third World Theologians), in: Vidyajyoti 46 (1982) 81–96.

Trotz der Sympathien mit dem Marxismus sind sich also diese Theologen bewußt, daß dem europäisch geprägten Kommunismus das Verständnis für die religiösen Kulturen des Ostens abgeht. In seiner Analyse der nichtchristlichen Religionen und Kulturen der Dritten Welt erinnert Aloysius Pieris an die durchaus europa-orientierte koloniale Einstellung des klassischen Sozialismus: Engels hatte die amerikanischen Annexionen in Mexiko und Kalifornien und die französische Eroberung Algeriens begrüßt. Karl Marx sah in der Besitzergreifung Indiens durch England die notwendige Voraussetzung für den Zusammenbruch des alten Indien und für das Erstehen eines neuen industrialisierten Indien[11]. Diese westliche, koloniale Orientierung hat sich in der nachfolgenden Politik Lenins verfestigt und immer weiter verschärft, da sich das Modell des russischen Kommunismus mit dem Imperialismus des Zarenreiches verschmolz.

So lehnt Pieris auch die Positionen einiger lateinamerikanischer Befreiungstheologen ab[12], die im Sinne Karl Barths Religion in Gegensatz zu Glauben stellen. Er brandmarkt solche Theorien als die Verschmelzung zweier europäischer Strömungen, einer von Karl Marx und einer von Karl Barth ausgehenden, die aus einer Zeit stammen, in der man in Europa noch wenig von den nichtchristlichen Religionen wußte. Er wundert sich, daß auch heute noch Asiaten solche Auffassungen vortragen, die „ebenso kolonial wie westlich sind"[13]. Das ist wohl die härteste Kritik im Munde eines Theologen der Dritten Welt.

Es wäre nun zu zeigen, wie in Indien (und Asien) Religion und Kultur miteinander verschmolzen sind. Bei Stämmen von Ureinwohnern ist das unmittelbar greifbar, denn da ist Kultur einfach die Ausfaltung der Religion. In den Großreligionen hat sich das Bild kompliziert. Sie stammen in Asien aus drei rassisch und linguistisch distinkten Regionen: aus der semitischen Welt mit Judentum, Islam und Christentum, aus Indien mit Hinduismus, Jainismus und Buddhismus und aus China mit Taoismus und Konfuzianismus. Sie sind aber alle über ihren ursprünglichen Bereich hinausgewachsen und haben zu einer verwirrenden Mischung von Religionen und Kulturen geführt. Dazu haben sie die Kulturen und Religionen vieler Ureinwohner absorbiert. Das konnten sie nur dadurch, daß sie die volkstümlichen religiösen Elemente dieser Stammesreligionen in sich aufnahmen, sonst hätten sie sich nicht bei ihnen institutionell einwurzeln können[14]. So bunt aber das Bild der Reli-

---

[11] *Aloysius Pieris*, Non-Christian Religions and Cultures in Third World Theology, in: Vidyajyoti 46 (1982) 164.
[12] Zum Beispiel *José Miranda*, Being and the Messiah, engl. Ausg. Orbis Books (New York 1977) 39f.
[13] *A. Pieris*, a.a.O. 161. [14] Ebd. 231.

gionen Asiens ist, es bestätigt immer wieder, daß Religion und Kultur sich nicht trennen lassen.

Nun ist nicht zu bestreiten, daß Religionen starke Kräfte der Beharrung enthalten, um so mehr als sie institutionell gefestigt sind. So ist durchaus verständlich, daß eine junge, optimistische Generation des jungen unabhängigen Indien, die von den scheinbar unbegrenzten Möglichkeiten moderner Naturwissenschaften fasziniert war, in den religiösen Traditionen ein Hindernis der Erneuerung und des Fortschritts sah[15]. Die radikalen Linksparteien Indiens haben sich diese Auffassung zu eigen gemacht. Aber neue anthropologische und religionsgeschichtliche Forschung hat ganz andere Kapitel über die Bedeutung der Religionen in Indien und ganz Asien zu schreiben.

Immer gab es in Indien – und dasselbe kann von Asien gesagt werden – Bewegungen, die gegen soziale Bedrückung und ungerechte Strukturen kämpften und dazu religiös motiviert waren. Eigentlich sollte man diesen Satz umkehren und (mit Pieris) sagen: „Keine wahre Befreiung ist möglich, wenn die Menschen nicht dazu religiös motiviert sind. Religiöse Motivierung bedeutet, in der Tiefe des eigenen Wesens angezogen zu sein" (also nicht bloß utilitaristischen Zielen nachzujagen)[16]. Was Indien betrifft, so denke man etwa an die Freiheitskämpfe der Marathen gegen die Übermacht der Mogulherrscher; sie wurden vom religiösen Bewußtsein des Volkes getragen, wie es von den mystischen Dichtern Tukaram und Ramdas artikuliert wurde. Die großen Reformbewegungen Indiens im letzten Jahrhundert, die eine Erneuerung der sozialen Ordnung anstrebten, waren sämtlich religiös motiviert: der Brahmo Samaj, der Arya Samaj, die Ramakrishna-Mission, die von Vivekananda inspiriert wurde. In diesem Zusammenhang gehören auch die Namen Tagore und Aurobindo. In unserer Zeit wurde der Kampf um Indiens Unabhängigkeit von spirituellen Kräften getragen, nicht nur von der Person Gandhis, sondern auch der seiner großen Vorläufer, z.B. Lokamanya Tilak, der die Bhagavadgita neu übersetzte und sozio-politisch interpretierte. Auch die unteren Schichten des Volkes und die Ureinwohner waren im Kampf um ihre Rechte religiös-messianisch motiviert[17]. Dies sind bloße Andeutungen, um den Blick auf die weiten Materialien zu öffnen, die in diesem Zusammenhang dargestellt werden müßten.

---

[15] Vgl. den Beitrag des Verfassers „Hinduismus im Ansturm der technischen Welt", in: *A. Spittaler* (Hrsg.), Wissen und Gewissen in der Technik (Graz 1964) 137–169.

[16] *A. Pieris*, a.a.O. 232.

[17] *S. Stephen Fuchs*, Rebellious Prophets. A Study of Messianic Movements in Indian Religions (Bombay 1965).

In unserer ersten These wird also ganz einfach ausgesagt, daß eine wirkliche Erneuerung der indischen Kultur nicht ohne die religiösen Kräfte auskommt, die im Volk schlummern. Damit aber stoßen wir schon auf eine entscheidende Orientierung des Konzils – nur ein kurzer Hinweis ist genügend. Das Konzil sieht Gottesglaube und Religion nicht als einen Sonderbereich, der neben den säkularen Bedürfnissen und Entwicklungen der menschlichen Gesellschaft gepflegt wird. Sie sind die letzte Orientierung allen menschlichen Lebens und der gesellschaftlichen Ordnung: „Die Menschenwürde gründet in der Tatsache, daß der Mensch zur Gemeinschaft mit Gott berufen ist" (GS 19). Atheismus wird vom Konzil nicht nur als theologische Unmöglichkeit abgelehnt, sondern gerade auch wegen seiner zerstörenden Auswirkung auf Mensch und Gesellschaft. Die Abschnitte über Atheismus stehen deshalb nicht etwa im Zusammenhang der Offenbarungslehre, sondern sind ein Stück der Sorge um die moderne Welt in „Gaudium et spes" und, genauer, des echten Verständnisses des Menschen (GS 19–21). Der Mensch kommt nur zu sich selber, wenn er seine Transzendenz lebt, Gott anerkennt und sich ihm anheimgibt (GS 19); die marxistische These, daß Religion ein Hindernis auf dem Weg zu gesellschaftlicher und wirtschaftlicher Befreiung sei, wird abgelehnt (GS 20); die Kirche ist sich bewußt, daß ihre Verkündigung und Verteidigung der in Gott gegründeten menschlichen Würde und Berufung dem tiefsten Verlangen des menschlichen Herzens entspricht (GS 21).

Wenn also Religion ein entscheidender Faktor im Aufbau einer neuen Gesellschaft in Indien ist, was ist dann konkret die Rolle der Kirche? Man muß bei der Beantwortung einer solchen Frage von den nüchternen Tatsachen der Zahlenverhältnisse ausgehen: daß nämlich in Indien die Kirche nur 1 1/2% der Bevölkerung ausmacht, die protestantischen Kirchen und Gemeinschaften etwa ebensoviel; daß von diesen Christen die große Mehrheit im Süden oder in einzelnen Gebieten von Ureinwohnern dicht beisammenwohnt, während etwa im größten Staat Indiens, Uttar Pradesh, unter über 110 Millionen Einwohnern nur 48000 Katholiken leben. Kann man bei einer so schwachen Vertretung sinnvoll von einer Sendung der Kirche für die indische Gesellschaft reden? Es ist also wohl von vornherein einsichtig, daß die Erneuerung der indischen Gesellschaft nur durch die Zusammenarbeit aller religiösen Kräfte angestrebt werden kann. So folgt unsere zweite These:

2. Die Erneuerung der indischen Gesellschaft ist gemeinsame Verantwortung der Religionen Indiens. Es ist Aufgabe der Kirche, nicht nur im Dialog mit diesen Religionen verbunden zu sein, sondern auf gegenseitige Verständigung, Zusammenarbeit und gemeinsamen Einsatz für die Erneuerung der Gesellschaft hinzuwirken.

Hat bei diesem Zusammenwirken der Religionen die Kirche eine besondere Sendung? Wenn man diese Frage im Zusammenhang der Dritten Welt beantworten will, darf man die schwere Hypothek der Geschichte nicht vergessen, mit der die Kirche Indiens und ganz Asiens belastet ist. Christentum wird immer zusammen mit Kolonisation gesehen, als Religion der Eroberer; es steht immer im Verdacht der Aggression. Dieser Verdacht scheint von seinen Wurzeln, von den ältesten biblischen Erzählungen, von der Eroberung des Stammlandes durch das Schwert bestätigt zu werden. Beide nichtchristlichen Religionen, die auf die Bibel zurückgehen, haben ihren machtpolitischen Charakter behalten und sind bis heute in blutige Kämpfe verwickelt. Was uns Christen betrifft, so hat sich Jesus zwar in seiner Botschaft vom Gottesreich eindeutig von politischem Machtstreben abgesetzt, aber trotzdem scheint die Kirche in ihrer Geschichte immer wieder in aggressive Politik verwickelt, in den Kreuzzügen und in der kolonialen Expansion des Westens.

Dieser machtpolitische Zug der biblischen Religionen scheint zuinnerst mit dem biblischen Gottesbild verknüpft zu sein. Jahwe ist der Gott der Geschichte. Sein Walten mit Israel beginnt mit dem Exodus und bleibt auf weite Strecken mit Israels Partikulargeschichte und seinen Auseinandersetzungen mit anderen Völkern verbunden. So hat Israel seine Profangeschichte als Heilsgeschichte erfahren, als den Ort, an dem sich Gottes Macht und Heil kundtut. Für den gläubigen Juden waltet eben Gott nicht nur im Kreislauf der Natur und in den ewigen Gesetzen des Kosmos, sondern in den Ereignissen des Lebens und der Geschichte. Nur langsam sieht Israel seine Geschichte hineingewoben in Gottes Walten unter den Völkern, so daß dann in der Exilszeit der Knecht Jahwes von der Wahrheit und Macht Gottes spricht, die bis zu den fernsten Gestaden reicht (vgl. Jes 42,4).

Es ist also begreiflich, daß die Völker der biblischen Religionen, erfüllt vom Bewußtsein des geschichtsmächtigen Gottes, ihre politischen und sozialen Ziele religiös motivieren. Solange ihr Geschichtsdenken national und rassisch eingeengt ist, identifizieren sie Gottes Willen mit den kollektiven Egoismen ihres Volkes. Wie oft und wie lange hat das ja auch das westliche Christentum getan! Aber wenn nun die biblische Offenbarung wirklich Gottes eigene Gabe ist, seine Selbstmitteilung, dann wird er auch seine Kirche immer mehr zu einem umfassenden Verständnis der Welt und der Geschichte führen.

Für unsere Welt ist nun die geschichtliche Stunde gekommen, in der die Menschheit unwiderruflich ihre Einheit erfährt und im verzweifelten Ringen gegen drohende Selbstvernichtung zu verwirklichen sucht. Diese Einheit kann nicht mehr als Beherrschung der Welt durch eine partikuläre Macht verstanden werden, sondern muß im freien Sich-Zusammenfinden aller Nationen und Kulturen bestehen zum Bau einer gemeinsamen Zukunft. Auf politischem, wirtschaftlichem und kulturellem Gebiet sind diese Versuche – so unzureichend sie sein mögen – längst unterwegs. Die Sammlung der religiösen Kräfte aber scheint in besonderer Weise die Aufgabe der Christen zu sein. Denn man kann diese Initiativen kaum von den anderen biblischen Religionen erwarten, die zu sehr in ihrem politischen Partikularismus festgelegt sind. Man soll sie auch nicht von den kosmischen Religionen erhoffen, für die die Geschichtsmächtigkeit Gottes peripher ist. Sie ist die eigentliche Aufgabe der Christen, denn sie haben aus der Bibel die waltende Macht Gottes in der Geschichte gelernt. Durch Jesus Christus aber sind alle nationalen Schranken zerbrochen, es gibt nur *eine* Heilsgeschichte für alle Menschen. Der Christ, der an Gott glaubt, muß auch an die Einheit der Menschheit glauben, und dieser Glaube wird für ihn eine Aufgabe.

In diesem Zusammenhang muß die „Erklärung über das Verhältnis der Kirche zu den nichtchristlichen Religionen" gelesen werden, dieser bescheidene, fast schüchterne Versuch, auf ein paar Seiten etwas Grundsätzliches zu dem wohl schwierigsten modernen Problem der Theologie zu sagen. (Gelegentlich wurde die endgültige Fassung der Erklärung sogar nur als Zufallsprodukt der notwendigen Ausweitung der „Judenerklärung" angesehen; denn isoliert wäre die Erklärung über die Juden wohl kaum im Konzil durchgebracht worden. Kardinal Bea aber war zutiefst überzeugt, daß die weltweite Sicht der Erklärung dem ursprünglichen Anliegen Papst Johannes' XXIII. entsprach.) So konnte Kardinal Bea bei der Einführung des Textes im Konzil auf die Erstmaligkeit und Einmaligkeit eines solchen Textes in der gegenwärtigen geschichtlichen Stunde hinweisen: „Nostra aetate."

Es geht also in dem Text um das Sich-Finden der Menschheit als einer allumfassenden Gemeinschaft und um die Herausforderung an die Christen, als Träger der Heilsbotschaft an der Neugestaltung der Menschheit mitzuwirken. Daß es nur *eine* Menschheit gibt, weiß die Kirche nicht erst aus der modernen Welterfahrung, sondern aus der Offenbarung. Für alle Menschen gibt es nur *eine* Geschichte des Heils und Unheils. Deshalb müssen wir uns gegenseitig verstehen und anerkennen. Diskriminierende Mauern zwischen Rassen, Klassen und Religionen müssen fallen; wir müssen ein brüderliches Zusammenleben mit allen Menschen und gerade auch mit den Religionen suchen.

Die Dringlichkeit dieses gegenseitigen Verständnisses soll nur durch einen Hinweis auf die Situation in Afrika illustriert werden, wo Islam und Christentum in einem Wettlauf der Bekehrungen bei den Stämmen des Kontinents begriffen sind. Soll die Rivalität schließlich in einem gewaltsamen Konflikt enden? Nochmals sei hier A. Pieris zitiert: „Gesunder Menschenverstand gebietet, daß ein Klima geschaffen wird, in dem der religiöse Eifer beider Traditionen in einer prophetischen Bewegung im Dienst der Armen Gottes aufgefangen wird, in sozialpolitischer Zusammenarbeit, in einer gemeinsamen ‚theopraxis der Befreiung'. Dies freilich setzt eine unvoreingenommene Kenntnis des Islams voraus. Christen sollen sich deshalb in Ruhe besinnen und die gewaltige Statur des Islams ermessen, der selbstbewußt an den Portalen der Dritten Welt steht, wo er die am meisten verbreitete religiöse Macht ist."[18]

So erstrebt auch das Sekretariat für nichtchristliche Religionen mit seinen Zweigstellen in der Dritten Welt nicht nur eine bessere Kenntnis der theologischen Positionen, sondern vor allem das Wecken der gemeinsamen Verantwortung für den Bau einer neuen Gesellschaft. Wie dies geschieht, mag mit ein paar Zitaten aus der Erklärung der „Conference of Religions", die von der indischen Zweigorganisation des römischen Sekretariats in Cochin im November 1981 veranstaltet wurde, mit über 200 Vertretern aus allen Weltreligionen, illustriert werden.

Die Erklärung redet von der modernen Technik, die durch uneingeschränkte Ausbeutung der Naturschätze, durch Vergiftung der Umwelt und die Gefahr nuklearer Vernichtung zu einer Gefahr für die menschliche Gesellschaft geworden ist: „Im Angesicht dieser Krise fühlen wir uns selbst mit allen religiösen Führern gedrängt, Wege der Zusammenarbeit mit leitenden Männern der Politik, Industrie, in Handel und Wissenschaft zu suchen, um echt menschliche Lösungen für diese weltweiten Probleme zu finden. Wie wir als Vertreter der Religionen unsere Bereitschaft gezeigt haben, auf globaler Ebene zusammenzukommen, so wollen wir versuchen, auf jede mögliche Weise das Erwachen eines neuen globalen Bewußtseins der menschlichen Gesellschaft zu fördern. So wird es möglich sein, viel allgemeiner und erfolgreicher echte Lösungen für die verschiedenen politischen, ökonomischen und sozialen Probleme zu suchen" (n. 11).

Ferner: Mitglieder einer Religion sollen ihrer religiösen Tradition treu sein, „aber wir sollen aufhören, das zu betonen, was uns in Lehre, Ritual und moralischen Verhaltensformen unterscheidet und trennt. Laßt uns auf eine Gesellschaft hinarbeiten, die vom echten Sinn der Religion geleitet wird. In

---

[18] *A. Pieris,* a.a.O. 234.

einer solchen Gesellschaft sucht die Regierung die gleichen Möglichkeiten für die Schwachen und Armen und soziale Gerechtigkeit für alle herbeizuführen. In ihr gibt es volle religiöse Freiheit für alle. Als religiöse Menschen laßt uns in unseren Herzen die Achtung für die moralischen Prinzipien, die allen Religionen gemeinsam sind, pflegen ... Wir verurteilen und wollen Widerstand leisten gegen Ungerechtigkeiten und Grausamkeiten, die im Namen der Religion gegen andere ausgeübt werden, was immer die persönlichen Konsequenzen für uns sein mögen" (n. 13)[19].

So hat also die Kirche die Aufgabe, nicht nur auf die spirituellen Belange der Menschen bedacht zu sein, sondern auch für die Einheit und Gemeinschaft der Menschen und Völker zu wirken. Sie glaubt eben an den Gott nicht nur der Natur, sondern auch der Geschichte, der nicht nur einzelne erlöst, sondern im Leben der Völker waltet. Wir haben genauer zu fragen, wie die Kirche die Gemeinschaft unter Menschen und Völkern versteht.

3. Im Dialog und in der Zusammenarbeit mit den anderen Religionen und mit säkularen Vertretern der modernen Gesellschaft versteht sich die Kirche als Sakrament der Einheit der Menschen, als Anfang, Zeichen und wirksames Medium zur Verwirklichung des Gottesreiches, und als Träger der Hoffnung für eine erlöste Menschheit.

Die Kirche treibt also nicht ihre eigene Politik, wenn sie sich für gegenseitiges Verstehen und für die Gemeinschaft unter Menschen und Völkern einsetzt. Das hat sie ausdrücklich in der Konstitution „Gaudium et spes" (n. 3) erklärt. Sie hat sich im Konzil als „Sakrament der Gemeinschaft mit Gott und der Einheit der Menschen" verstanden (LG 1). Sakrament bedeutet die wirkmächtige Sichtbarkeit des göttlichen Waltens, das unsere Menschheitsgeschichte durchwebt, wie es in Jesus Christus geschichtlich greifbar wurde und in der Gemeinschaft der Jünger, in der Kirche, fortwirkt. Sie versteht sich also als innergeschichtliches Medium, durch das Gott selbst in der Menschheit wirken will, damit sich der Sinn der Geschichte erfülle.

Diesen Sinn der Geschichte hat Jesus im Schlüsselwort seiner Verkündigung von Gottes Herrschaft zusammengefaßt. Er hat dieses Wort, das er der Tradition seines Volkes entnahm, erklärt, gegen Mißdeutungen abgegrenzt und durch seine eigene Person und sein Wirken ausgelegt. Das Konzil sagt, daß „im Wort und Werk und in der Gegenwart Christi dieses Wort den Menschen aufleuchtet". Die Kirche aber ist mit der Weiterführung der Verkündigung Jesu betraut: „Sie empfängt die Sendung, das Reich Gottes und Christi anzukündigen und in den Völkern zu begründen. So stellt sie Keim und Anfang dieses Reiches auf Erden dar" (LG 5).

---

[19] Journal of Dharma VII (Bangalore 1982) 112–118.

So muß sich also die Sendung und Botschaft der Kirche immer neu an Jesu Sendung und an seiner Botschaft vom Gottesreich orientieren. Sie muß die Fehlinterpretationen vermeiden, gegen die Jesus selbst sich gewehrt hat, die aber immer wieder im Lauf der Geschichte aufbrachen. Jesus hat Gottesreich nie als einen konkreten sozialpolitischen Plan für die menschliche Gesellschaft verstanden und vorgelegt. Er hat sich von den simplifizierenden und auf unmittelbare Aktion drängenden Programmen distanziert; er hat sich nicht den Zeloten angeschlossen. Die Kirche muß dasselbe tun: sie kann sich nicht mit einem konkreten System identifizieren, wenn sie sich nicht zu einem politischen Parteiprogramm oder einer Ideologie degradieren will. Abgelehnt hat Jesus auch die Flucht in die reine Innerlichkeit, die sich aus den harten Konflikten der Geschichte heraushält, sich gegen Verwirrung und Konflikte abschirmt und so ihre Verantwortung für die Welt los wird. Solches Verständnis des Gottesreiches wäre ganz unbiblisch, es wäre keine Gottesherrschaft, Gott wäre nicht mehr in der Geschichte wirksam. Auch wäre eine solche Botschaft zu harmlos gewesen, um Jesus in den tödlichen Konflikt mit den Mächtigen seines Volkes zu stürzen. Jesus hat auch nicht von den Apokalyptikern seiner Zeit die rein jenseitige Erlösungshoffnung übernommen, die Erwartung des Heils jenseits der Geschichte. Die Lösung ist zu billig, sie würde Welt und Geschichte als hoffnungslos abschreiben und Gottes Macht auf die Endzeit beschränken. Vor allem aber wäre es eine Lösung ohne Liebe. Das aber ist gerade das Geheimnis des Gottesreiches, daß Gott die Welt, diese unsere sündige Welt, so sehr geliebt hat, daß er seinen Sohn dahingab in diese zerspaltene, selbstsüchtige, vergiftete und doch so selbstgerechte Welt hinein, um in dieser Welt eine Alternative zu setzen, in ihr neues Leben und eine neue Gemeinschaft wachsen zu lassen.

So muß also Gottes Herrschaft in unserer Welt und Gesellschaft beginnen, nicht mit einem gewaltsamen Einbruch göttlicher Macht – denn wo immer Macht ausgeübt wird, werden Menschen unterdrückt –, sondern als eine Gemeinschaft der Liebe. Das Neue an Jesu Botschaft ist die unlösliche Verbindung von Gottes- und Nächstenliebe (Mk 12,28–34). Sie besteht nicht einfach in der Gleichsetzung von zwei ethischen Normen, sondern in dem neuen Verständnis des Menschen und der menschlichen Gesellschaft von Gott her: einer Gemeinschaft, die von Gottes Liebe getragen ist. Gott ist nicht mehr Gesetzgeber, der von außen Normen auferlegt, sondern sein Gesetz ist in die Herzen geschrieben: Jeder Mensch ist von Gott angenommen und in seiner Würde und Einmaligkeit anerkannt; so hat er auch seinen Platz unter den Mitmenschen in einer Gemeinschaft von Freiheit, Gerechtigkeit und Liebe.

Diese neue Gesellschaft wird in unserer Welt nie endgültige Gestalt haben.

In immer neuen Ansätzen in der Kirche und in der Welt, unter Christen und Nichtchristen, wird diese neue Schöpfung immer wieder aufbrechen und nach neuen Strukturen der Gesellschaft und Wirtschaft suchen, immer bedroht und befeindet, aber nie besiegt und zerstört (vgl. 2 Kor 3,7 – 12)[20]. Die Kirche aber hat die Zuversicht, daß diese immer neuen Ansätze nicht verloren sind. Gott will eine menschliche Gesellschaft, in der „Menschen sich als Brüder begegnen" (GS 32). Wir haben durch unsere Arbeit an der Gesellschaft der Erde zu wirken, sie zu vermenschlichen, so daß sie uns schon „eine umrißhafte Vorstellung der künftigen Welt geben kann". Wir haben aber auch in Christus die Verheißung, „daß die ganze Schöpfung, die Gott um des Menschen willen schuf, von der Knechtschaft der Vergänglichkeit befreit sein wird" (GS 39). Als Gemeinschaft der Glaubenden muß die Kirche diese Zuversicht immer neu in eine Welt der Zweifel und Verzweiflung tragen.

Wenn es sich bei der Sendung der Kirche nur um die Vision einer neuen Gesellschaft handelte, von der sich wohl auch viele Nichtchristen inspirieren lassen, könnten wir eigentlich unsere Erwägungen über die Bedeutung der christlichen Botschaft hier abbrechen. Aber wo bleibt dann die Person Jesu Christi? Soll er bloß ein Prophet sein wie andere, und sollen wir den Glauben an ihn, an seine Person schüchtern verschweigen? Tatsächlich wird ja oft im sozialen Engagement die christliche Etikette vermieden, oft mit gutem Grund, um nicht Andersgläubige unnötig abzustoßen oder um den Eindruck der Proselytenmacherei zu vermeiden. Aber grundlegende Fragen bleiben zu klären: Für jeden Christen stellt sich die persönliche Frage, wie seine säkulare Verantwortung im Wesen seines Christseins, im Glauben an Jesus Christus, verwurzelt ist. Der Theologe hat nachzudenken, wie das Neuverständnis der Kirche und ihre Weltorientierung aus dem erneuerten Verständnis des Geheimnisses Christi herauswächst. Der Pastoraltheologe steht vor dem Problem, wie dieses Geheimnis Christi sinnvoll in einer modernen nichtchristlichen Welt vorgestellt werden kann.

---

[20] *M. Soares Prabhu*, The Kingdom of God. Jesus' Vision of a New Society, in: *D. S. Amalorpavadass* (Hrsg.), The Indian Church in the Struggle for a New Society (Bangalore 1981) 579 – 608. Wir zitieren aus seinen Schlußsätzen: „Jesu Vision (einer neuen Gesellschaft) ist theologisch, nicht soziologisch. Sie entfaltet die Werte der neuen Gesellschaft, Freiheit, Gemeinschaft, Gerechtigkeit, nicht aber die konkreten Strukturen, durch die diese Werte realisiert und geschützt werden. Diese Strukturen zu erarbeiten ist unsere nie zu Ende kommende Aufgabe, denn in der Geschichte ist keine vollkommene Gesellschaft möglich. Jesu Vision kann nie voll verwirklicht werden, man kann ihr nur asymptotisch näher kommen. So zeigt uns die Vision Jesu letztlich nicht das Ziel, sondern den Weg. Er gibt uns kein statisches, schon fertiges Modell zur Nachahmung, sondern lädt uns ein zu einer fortlaufenden Erneuerung der Gesellschaftsstrukturen, im Versuch so vollkommen wie möglich in unserer Zeit die Werte der Gottesherrschaft zu verwirklichen" (S. 607).

Man wird zunächst beobachten, wie das Konzil selbst durch eine innere Dynamik zu einer stärkeren christologischen Orientierung hingewachsen ist. Es verstand sich zunächst sehr bald als Konzil einer erneuerten Ekklesiologie; das wurde am Ende der ersten Sitzungsperiode völlig klar und ist von Paul VI. in seiner Eröffnungsrede zur zweiten Sitzungsperiode eindeutig formuliert worden. Aber gerade in dieser Rede hat er die Besinnung auf eine erneuerte Ekklesiologie von dem volleren Verständnis der Person Jesu erwartet: „Christus ist unser Anfang, Christus ist unser Führer und unser Leben, Christus ist unser Ziel." In der Weihnachtsansprache nach dem Abschluß des Konzils sagte er: „In der Reflexion der Kirche über sich selbst hat die Kirche nicht nur sich selber gefunden, sondern Christus, den sie mit sich trägt."

Nun hat das Konzil keine systematische Christologie entwickelt, aber es hat in seinen christologischen Aussagen deutlich neue Akzente gesetzt. Es ist bedeutsam, daß die wichtigsten christologischen Aussagen sich in der Konstitution über die Kirche in der modernen Welt finden. Dabei ist natürlich die Christologie der großen Konzilien vorausgesetzt, aber die Texte stellen das Christusgeheimnis in den Zusammenhang der menschlichen Geschichte und Gesellschaft, also mitten in die Probleme, mit denen die Welt und die Kirche in ihrer Weltverantwortung ringen. So sagen wir in der vierten These:

4. Das Konzil stellt Jesus Christus nicht als statisches Einssein von Gott und Mensch dar, sondern findet in ihm Sinn und Orientierung der menschlichen Existenz und Geschichte. In ihm ist die Einheit unserer Welt bejaht: sie hat nur ein Ziel; die Trennung von profan und heilig ist aufgehoben. Sein Gottesdienst vollzieht sich in seinem Leib, in seinem irdischen Leben, Wirken und Sterben und ist vollendet in seiner Auferstehung.

Das erneuerte Selbstverständnis der Kirche als Künderin des Heils für die Welt in Verantwortung für die Probleme unserer Zeit geht zusammen mit der Neuorientierung der Christologie. Das Konzil nimmt wiederum die paulinische Sprache der Rekapitulation auf, der Zusammenfassung und Vollendung der ganzen Schöpfung in Jesus Christus. Das weltumspannende Geheimnis Christi wird zum Auftrag und zur Verantwortung der Kirche: „Alles, was das Volk Gottes in der Zeit seiner irdischen Pilgerschaft mitteilen kann, kommt letztlich daher, daß die Kirche das allumfassende Sakrament des Heils ist, welches das Geheimnis der Liebe Gottes zu den Menschen zugleich offenbart und verwirklicht. Gottes Wort, durch das alles geschaffen ist, ist selbst Fleisch geworden, um in vollkommenem Menschsein alle zu retten und das All zusammenzufassen. Der Herr ist das Ziel der menschlichen Geschichte, der Punkt, auf den hin alle Bestrebungen der Geschichte und der Kultur konvergieren, der Mittelpunkt der Menschheit, die Freude aller Herzen und die Erfüllung ihrer Sehnsüchte" (GS 45).

Durch die Erneuerung der Rekapitulationstheologie ist also die Christologie wieder in die Perspektiven der Geschichte hineingestellt. Christologie und Sendung der Kirche sind unlöslich miteinander verknüpft. Daraus aber scheinen sich neue Probleme zu ergeben. Im Klima unseres religiösen Pluralismus ist es schwer, eine christozentrische Weltbetrachtung vorzulegen. Für einen Hindu hat sie keinen Sinn und klingt arrogant. Ist es möglich, von Jesus Christus in einer Weise zu sprechen, die einem modernen Nichtchristen verständlich ist, ohne dabei die Wahrheit zu unterschlagen oder zu verschleiern? Das Konzil hat eine solche Sprache gefunden, oder besser gesagt: es hat eine doppelte Sprache gebraucht, die biblische Sprache von Gottes Offenbarung in seinem Sohn (z.B. LG 2–4; AG 2–4), aber auch die Sprache der Anthropologie: Wir sind auf der Suche nach dem wahren Menschenbild, nach dem Sinn menschlichen Lebens. In Jesus finden wir uns selbst, was wir sind und was wir sein sollen. „Das Geheimnis des Menschen klärt sich nur im Geheimnis des fleischgewordenen Wortes wahrhaft auf ... Christus, der neue Adam, macht dem Menschen den Menschen selbst voll kund und erschließt ihm seine höchste Berufung" (GS 45). Gerade auch im Missionsdekret, das doch den religiösen Pluralismus unserer Welt zum Hintergrund hat, ist der anthropologische Zugang zum Geheimnis Christi anerkannt worden. Es redet zuerst in theologischer Sprache von Gott, der sich in Jesus Christus offenbart, und von der göttlichen Sendung der Kirche, ihn zu verkünden (AG 2–7). Dann aber wendet es sich an den Menschen selbst, an seine Fragen, eben weil die christliche Botschaft „zur menschlichen Natur und ihren Strebungen in enger Verbindung steht". Denn „die Kirche offenbart dem Menschen die ursprüngliche Wahrheit dessen, was es um ihn ist und worin seine volle Berufung liegt" (AG 8).

Die Konstitution über die göttliche Offenbarung enthält in ihrem erneuten Verständnis von Gottes Selbsterschließung die Begründung dieses anthropologischen Zugangs. Offenbarung ist nicht mehr verstanden als Mitteilung von Wahrheiten, sondern als Gottes Selbsterschließung in der Geschichte und zuletzt in Jesus, in der Konkretheit seines irdischen Lebens und Sterbens als Mensch. Das Bekenntnis zur ganzen Menschheit Jesu ist mehr als die Anerkennung einer unverkürzten Menschennatur mit allen ihren Eigenschaften. Gott offenbart sich in seinem ganzen Lebensgang mit den konkreten Situationen und Anforderungen. So spricht also Gott zu uns in Jesu echter Menschlichkeit, so nahe verbunden mit der Natur und so verstehend für menschliches Leben; in seiner einzigartigen Nähe zu seinem Vater;

in seiner Botschaft vom Gottesreich, dieser Vision einer neuen Gesellschaft, die nicht als goldenes Geschenk vom Himmel fällt, sondern in unseren Herzen geboren werden muß – wir müssen uns bekehren – und von da aus in der Umwelt Gestalt gewinnt. Gott spricht zu uns in Jesu authentischer Freiheit, die unabhängig ist und keinen Kompromiß in einer Welt von Tabus mit religiösen und sozialen Etiketten eingeht und unvermeidlich in Konflikt mit den Führern des Volkes gerät, die Gottes Wort und Macht in eigenen Besitz genommen haben, die selber schon zu wissen glauben, was Gott uns zu sagen hat, und in der Ausübung ihrer Autorität nicht Gott vertreten, sondern seinen Platz einnehmen. Gott spricht zu uns in der wachsenden Einsamkeit Jesu und schließlich in der Katastrophe seines Todes. Das alles ist die wahre Menschheit Jesu, all das war gemeint, wenn Gott ihn seinen geliebten Sohn nannte, an dem er sein Wohlgefallen hat. Das ist Offenbarung im Verständnis des Konzils, wenn es sagt, daß Jesus „durch sein ganzes Dasein die Offenbarung erfüllt und abschließt" (DV 4). Denn eben dieses Leben, Ringen und Sterben Jesu ist besiegelt mit göttlicher Endgültigkeit im erstandenen Herrn und in der Ausgießung des Geistes.

In dieser anthropologischen Christologie sagt also das Konzil, daß Gott zu uns redet und sich uns mitteilt nicht abseits vom menschlichen Leben, nicht in einer abgegrenzten religiösen Sphäre neben oder über den Realitäten des Lebens, sondern mitten in unserer menschlichen Existenz. Er hat sich mit dieser unserer Existenz identifiziert und uns damit die unwiderrufliche Zusicherung gegeben, daß diese unsere Welt – die kleine Welt jedes einzelnen und unsere ganze Geschichte mit ihren Konflikten und Ausweglosigkeiten – von ihm angenommen ist und die Verheißung der Vollendung in sich trägt.

In diesem Verständnis der Christusoffenbarung hat das Konzil auch eine (allerdings viel zu knapp formulierte) Antwort auf eines der schwersten Mißverständnisse der christlichen Offenbarung gegeben, daß nämlich mit Jesus Christus die Offenbarung abgeschlossen ist. Der moderne Mensch – und im besonderen der Religionsgeschichtler – revoltiert instinktiv gegen einen solchen Schlußpunkt der göttlichen Offenbarung, als ob von nun an Gott nichts mehr zu sagen hätte und alle Theologie nur im Kopieren gegebener Traditionen bestünde. Gemeint ist etwas ganz anderes: eben daß Gott sich im menschlichen Leben und in der Geschichte offenbart, daß diese Geschichte immer weitergeht und immer wieder gedeutet werden muß im Licht des Gottesgeistes, daß aber dieses irdische Geschehen mit all seinen Wundern und Rätseln in Gott geborgen ist und vollendet wird. Die Welt geht also nicht einem Todesabgrund entgegen, Leben versickert nicht in einer öden Wüste, es hat die Zusicherung, „daß Gott mit uns ist, um uns aus

der Finsternis von Sünde und Tod zu befreien und zu ewigem Leben zu erwecken". Diese Zusicherung ist „unüberholbar" (DV 4).

Die Botschaft von Jesus Christus bedeutet also, daß es für uns Menschen
Heil nur gibt, wenn wir unser konkretes menschliches Dasein annehmen
und in Gottes Liebe bestehen. Jesu ganzes Leben ist zusammengefaßt im Ge-
betswort des 40. Psalms: „Einen Leib hast du mir gegeben . . . siehe ich komme" (Hebr 10,5–7). Leib bedeutet die ganze menschliche Person in ihrer
Einmaligkeit und in ihrer Verbindung und Verflochtenheit mit Umwelt,
mit Gesellschaft und Geschichte. Jesu „Opfer" besteht darin, daß dieses ganze konkrete Leben sein Gehen zu Gott ist, nicht durch verfremdende Riten,
sondern in der Unmittelbarkeit der freien Hingabe. Jeder Mensch hat das
gleiche zu tun: „Bringt euren Leib als lebendiges Opfer dar, heilig, angenommen von Gott" (Röm 12,1).

So kommen wir zur Eingangsfrage zurück: Was bedeutet diese Botschaft in
der Krise Indiens? Die Botschaft richtet sich zunächst an die christlichen Gemeinden, um sie aufzubauen und zu stärken. Der Sinn dieser Gemeinden
aber ist nicht bloß, stärker und größer zu werden, sondern der Welt zu dienen, dem heutigen Indien in seiner Krisensituation.

Wir sahen, daß es für diese Welt kein Heil gibt ohne Gott. Wer die Orientierung des Menschen auf ein letztes Geheimnis, auf Gott hin, ignoriert,
kann kein Heil bringen. Diese Orientierung muß wieder gefunden und vertieft werden in und durch die existierenden Religionen, mit denen die Kirche
in lebendigem Austausch gemeinsam denken und zusammenarbeiten muß.
Die Kirche kann diese Aufgabe heute besser verstehen und erfüllen, da sie
sich im Konzil ihrer Sendung für die Welt neu bewußt wurde. In Jesus Christus weiß sie, daß Religion nicht ein abgesonderter Bereich sein darf, sondern Heiligung und Ausrichtung des ganzen Lebens auf Gott hin bedeutet.
Der christliche Beitrag zur Lösung der Krisensituation, in der alte Ordnungen zerstört und Menschen aus den traditionellen Strukturen ausgewurzelt
werden, besteht also in der Botschaft, daß wir Gott in der Tiefe unserer
menschlichen Existenz neu finden müssen und finden können. Aus dieser
Tiefe muß das Verhältnis zum Mitmenschen neu wachsen; so können wir
am Bau einer neuen Gesellschaft mitwirken. Daher die fünfte These:

*5. In Jesus Christus wissen wir, daß es nur ein Heil gibt, unsere menschliche
Existenz in ihrer persönlichen, gesellschaftlichen und geschichtlichen Konkretheit anzunehmen und zu leben in dienender Solidarität mit dem Nächsten
und eben dadurch über uns selbst hinauszuwachsen im Glauben an Gott.*

Religion muß sich ihren Eigenbereich schaffen in Lehre, Ritus und Normen für das persönliche Leben und die Gemeinschaft. Dieser Eigenbereich hat seinen Bezug zur Umwelt. Im alten Indien war er ganz hineinverwoben in Kultur und Brauchtum des Volkes und in seine sozialen und wirtschaftlichen Strukturen. Er hat aber sein eigenes Beharrungsvermögen und bleibt erhalten, wenn Welt und Leben ihm entwachsen. Wir spüren das Auseinanderklaffen von moderner Kultur und Religion auch in der westlichen Welt: das Konzil war sich der Situation bewußt (z.B. GS 7); in der liturgischen Reform wünscht es die Erneuerung der sakramentalen Riten, so daß sie für die moderne Welt sinnvoller werden, denn der Sinn der Liturgie erfüllt sich erst in der Ganzheit des christlichen Lebens, das zu einem geistigen Opfer werden soll (SC 3 12).

In Indien sind die säkularen Entwicklungen rascher und radikaler erfolgt. Wohl gibt es starke, religiös motivierte Reformbewegungen, von denen wir oben sprachen. Aber die traditionelle und institutionelle Religion hat wenig Beziehung zu den gewandelten Verhältnissen. Vieles in den religiösen Traditionen ist mit Aberglauben und Furcht und auch mit sozialem Zwang beladen: man muß aus seinen mageren Mitteln seinen Beitrag zu Festfeiern zahlen, wenn man zur Gemeinschaft gehören will, denn sonst ist man schuld, wenn später ein Unheil passiert.

Das religiöse Bewußtsein muß wieder seinen Wurzelgrund finden: den Menschen, sein Leben, seine Würde, seine Verantwortung vor Gott. Von dieser Tiefe her muß dann Religion mit neuem Geist belebt werden und vielleicht neue Ausdrucksformen finden. Das freilich erfordert eine gewaltige geistige Erneuerung und eine ungeheure Erziehungsarbeit.

Die Laienspiritualität des Konzils weist deutlich in diese Richtung. Sie ist natürlich unmittelbar für Christen gemeint, hat aber für jeden religiösen Menschen Bedeutung. Jeder Mensch hat seinen verantwortlichen Platz in der Welt, in seiner sozialen, kulturellen und beruflichen Umgebung. Das Missionsdekret faßt vieles, was das Konzil über Laien gesagt hat, zusammen: daß sich eben religiöses Leben nicht auf den Kirchenraum beschränken darf, sondern das Zeugnis „im Gesellschaftsbereich und in der Berufsarbeit" einschließt. Im Laien muß „der neue Mensch" sichtbar werden, der „die Neuheit seines Lebens in der heimatlichen Gesellschaft und Kultur ausdrückt, den Traditionen seines Volkes entsprechend". Laien müssen ihren Beitrag leisten „im Zug der modernen Entwicklung", verbunden mit der Umwelt durch ein „neues Band der Einheit und universalen Solidarität" (AG 21). Denn das eben ist ihr Beruf, „das Reich Gottes in der Verwaltung und gottgemäßen Regelung der zeitlichen Dinge zu suchen" (LG 31), nicht in religiösen Ausweichstellen. Das ist heute theoretisch weithin anerkannt, hat aber doch nicht das Gesicht der christlichen Gemeinden genügend erneuert. Die weltliche Verantwortung der Christen müßte in Indien zu einer Inspiration der anderen Religionen werden. Religiöser Eifer darf sich nicht in Rivalitäten verschwenden, sondern muß Dienst am Nächsten und an der Gesellschaft werden.

Dieser Hinweis auf die Weltaufgabe des Christen und jedes religiösen Menschen muß aber sogleich durch die Einladung zu tieferem Glauben und zur Kontemplation ergänzt werden. Das war ein Herzensanliegen Papst Pauls VI., der immer wieder auf die Gefahr hinwies, die christliche Botschaft auf ein Programm irdischer Wohlfahrt zu reduzieren[21]. Die Theologen der Dritten Welt haben deutlich erklärt, daß zusammen mit aktivem Dienst am Menschen „schweigende Kontemplation gleichermaßen notwendig ist: dem Volk Gottes in seinem Ringen um soziale Gerechtigkeit verpflichtet zu sein und Gott in eben diesem Werk zu betrachten, das beides macht die Matrix der Theologie aus. Ohne betende Kontemplation kann Gottes Angesicht nur teilweise gesehen werden; sein Wort wird nur teilweise gehört in der Teilnahme an Gottes befreiendem und erfüllendem Wirken in der Geschichte."[22] Gemeint ist hier eben nicht eine Kontemplation, die uns von der Wirklichkeit entfernt, sondern die uns zum innersten Sinn und Ursprung allen menschlichen Werdens hinführt. Nur glaubende Menschen können der heutigen Welt wirklich helfen, wobei Glaube das Bewußtsein meint, daß Gott in jedem Menschenherzen und in allem Geschehen in Welt und Geschichte gegenwärtig ist. Nur glaubende Kontemplation bewahrt uns vor der Entwürdigung des Menschen, vor der „Degradierung des Lebens unter die Produktion", und bewahrt uns vor der Entleerung der Zeit und des irdischen Geschehens, sei es auf eine irdische Zukunft hin oder auf die Ewigkeit. Gott ist da, wo der Mensch lebt und wirkt, und er spricht da, wo er der Welt und dem Mitmenschen begegnet[23].

Diese Erwägungen sollen mit einem Hinweis auf einen (neben vielen anderen) bedeutenden Beitrag K. Rahners über säkulare Spiritualität beschlossen werden. Unter dem Titel „Heilsauftrag der Kirche und Humanisierung der Welt"[24] setzt er sich mit dem Problem des „Horizontalismus" im heutigen Christentum auseinander. Er tut es nicht in einem verwischenden Kompromiß, sondern im Versuch, „eine viel größere Einheit zwischen dem Verhältnis des Menschen zu Gott und zum Mitmenschen" zu finden. Das Verhältnis zum Mitmenschen, zum menschlichen Du, ist eben nicht die Beziehung zu

---

[21] Zum Beispiel „Evangelii Nuntiandi" (1975) n. 32.
[22] Erklärung der fünften Konferenz von EATWOT, n. 39, a.a.O. 88.
[23] Vgl. *R. Panikkar,* The Contemplative Mood. A Challenge to Modernity (Meretain-Merton-Symposium, Rom 1980), in: Cross Currents XXXI, 3 (1981) 261–672.
[24] *K. Rahner,* Schriften X 547–567.

einem Erfahrungsgegenstand der Umwelt. Nur in der personalen Mitwelt „gehen dem Menschen jene transzendentalen Erfahrungen der Freiheit, der Verantwortung, der absoluten Wahrheit, der Liebe, des personalen Vertrauens auf, in welchen überhaupt eine Gotteserfahrung möglich ist, in welchen erst verstanden werden kann, was mit Gott gemeint ist"[25]. Unser Verhältnis zu Gott kann also nur richtig sein, „wenn das Verhältnis des Menschen zu seiner Mitwelt so ist, wie es sein muß, d.h., wenn es ein Verhältnis eines im letzten unbefangenen Vertrauens auf den Mitmenschen, ein Verhältnis des Sicheinlassens auf ihn, ein Verhältnis der Verantwortung für ihn, ein Verhältnis der Liebe ist"[26]. Umgekehrt wird man sagen müssen, daß Religion dort, wo sie bedrückende und ausbeutende soziale Strukturen entwickelt, ihr Wesen verleugnet. Gottesdienst und Dienst am Menschen, Gottesliebe und Nächstenliebe, gehen zusammen.

So steht die Kirche in Indien mitten unter den Religionen und modernen Ideologien nicht als Rivalin, sondern mit einer frohen Botschaft und einer gewaltigen Aufgabe. Ihre Botschaft ist genau dieselbe, die Jesus verkündet hat: Gottes Herrschaft ist nahe. Gott ist nicht tot, und unsere Erde ist nicht ein vergessener und verlassener Winkel seiner Schöpfung. Wir sind umschlossen vom Heil Gottes. Die Umwälzungen, die wir erleben, und das Chaos, das uns bedroht, sind ein Stück unserer Geschichte, der Menschheitsgeschichte, die den einen Sinn hat, zu entfalten, zu deuten und zu verwirklichen, was der Mensch ist und was der ewige Gott ist. Unsere Zeit der zerbrechenden Traditionen und der aufgelösten Ordnung läßt uns, läßt alle Menschen neu fragen, was wir eigentlich sind. Denn solange wir in gesicherten Ordnungen leben, haben wir wenig zu fragen. Jesus ruft uns zurück zum Ausgangspunkt: Gott und Mensch. Jede von Menschen geschaffene Ordnung ist zerbrechlich und muß zerfallen. Nur von der Mitte her, vom Gegenüber von Gott und Mensch, kann wieder Ordnung in neuen Formen gebaut werden. Jesus hat die Orientierung gegeben und die Zusicherung, daß Gott mit uns ist. – Es ist die Aufgabe der Kirche, diese Botschaft zu verkünden und sich für ihre Verwirklichung einzusetzen.

---

[25] Ebd. 557.
[26] Ebd. 558.

HEINRICH DUMOULIN

DIE ÖFFNUNG DER KIRCHE ZUR WELT

Eine neue Sichtweise des Buddhismus

In einer Rückschau auf das II. Vatikanische Konzil hat Karl Rahner die reale, in der Erscheinung sichtbare Wandlung der katholischen Kirche zur Weltkirche als eines der wichtigsten Ergebnisse der großen Kirchenversammlung bezeichnet. Daß er selbst durch seine theologische Reflexion und durch sein dem Menschen und der Welt zugewandtes Denken zu diesem Konzilserfolg einen unübersehbaren Beitrag geleistet hat, danken ihm nicht nur seine theologischen Schüler, sondern viele Menschen aus aller Welt, Nichtchristen und Missionare.

Die Heilsmöglichkeit aller Menschen, diese Grundthese seiner Theologie, ist auf dem Konzil mit deutlichen Worten in das Lehrgut der Kirche eingefügt worden. Die Frage nach dem *salus infidelium*, die schon dem Theologiestudenten Rahner am Herzen lag und deren katholische Lösung vor fünfzig Jahren im Kreis seiner Mitstudenten, zu dem ich gehören durfte, als Allgemeingut galt, hat die Dogmatische Konstitution über die Kirche des II. Vatikanischen Konzils mit klaren Worten beantwortet:

„... auch den anderen, die in Schatten und Bildern den unbekannten Gott suchen, auch solchen ist Gott nicht ferne, da er allen Leben und Atem und alles gibt (vgl. Apg 17,25–28) und als Erlöser will, daß alle Menschen gerettet werden (vgl. 1 Tim 2,4). Wer nämlich das Evangelium Christi und seine Kirche ohne Schuld nicht kennt, Gott aber aus ehrlichem Herzen sucht, seinen im Anruf des Gewissens erkannten Willen unter dem Einfluß der Gnade in der Tat zu erfüllen trachtet, kann das ewige Heil erlangen" (LG 16).

Rahner hat beim Konzil für den Durchbruch dieser Erkenntnis tatkräftig mitgewirkt; seine theologischen Werke bieten die Begründung der wichtigen Glaubenslehre[1].

Die Berufung aller Menschen zum ewigen Heil bildet den Kern der christ-

---

[1] Siehe seine grundlegenden Arbeiten: Das Christentum und die nichtchristlichen Religionen; Weltgeschichte und Heilsgeschichte, in: Schriften V 136–158 und 115–136; Die anonymen Christen, in: Schriften VI 545–554; Kirche, Kirchen und Religionen, in: Schriften VIII 355–373. Vgl. ferner den Abschnitt: Grundprinzipien zur heutigen Mission der Kirche, in: Handbuch der Pastoraltheologie.

lichen Heilsbotschaft. Deshalb ist die Weltgeschichte ihrem Wesen nach Heilsgeschichte. Die Christenheit ist aufgerufen, für alle Menschen aller Zeiten den Platz ausfindig zu machen, den sie in der Heilsgeschichte einzunehmen bestimmt sind, und den Weg zu diesem Platz hin offenzulegen. In der eindringlichen Sorge um die Erfüllung dieser Aufgabe erweist sich der missionarische Charakter der Rahnerschen Theologie.

Da mich die Vorsehung kurz nach meiner Priesterweihe ins buddhistische Land schickte und meine Oberen in der Japanmission mich beauftragten, meine Studien auf die einheimischen Religionen zu konzentrieren, bedeutete die Frage nach dem Heil der „Ungläubigen" für mich nicht eine interessante, wichtige theologische Frage unter anderen, sondern brannte mir wie Feuer in der Seele, während ich an der nichtchristlichen Universität gemeinsam mit meinen buddhistischen Mitstudenten deren religiöse Grundüberzeugungen zu ergründen suchte. Ich darf einfügen, daß ich viele antraf, die gemäß dem Konzilswort „den unbekannten Gott . . . aus ehrlichem Herzen" suchten. Nie werde ich vergessen, wie ich einem buddhistischen Kommilitonen, den die aufgeklärte Religionsvergleichung jener Tage in Bedrängnis gebracht hatte, geraten habe, die Tradition seiner Väter nicht leichthin aufzugeben, da an dem Tempel, den er der Landessitte gemäß erben sollte, viele fromme Menschen auf ein gutes Wort von ihm warteten.

Seit meiner ersten Begegnung mit den Buddhisten bewegte es mich – und diese Bewegung drängt mich bis heute –, daß der Buddhismus seinem Selbstverständnis nach ein Heilspfad, eine Erlösungsreligion ist. Wenn die Weltgeschichte in ihrem tiefsten Grund Heilsgeschichte ist, muß dann nicht alles aufrichtige Bemühen um Heil, wo immer es sich findet, in Beziehung zueinander stehen? Allerdings ist es nicht leicht, diese Beziehung aufzuzeigen, ja wir werden diese niemals völlig durchschauen.

Einige Schrittsteine halfen mir beim Verständnis des buddhistischen Heilspfades voran. Ich kann diese nicht in eine bestimmte logische Reihenfolge bringen, auch ist es mir unmöglich, zu sagen, wie sich ihr Einfluß in meinem Buddhismusverständnis ausbreitete. Einen tiefen Eindruck machte auf mich die gelebte, in Asien beheimatete, dem Schweigen zugewandte meditative Spiritualität, die, gerade weil sie nicht spricht, über die Worte hinausweist. Das *neti, neti* des indischen Weisen Yajñavalkya, das stille Tao des Laotse, das unüberhörbare Schweigen Shākyamunis, das immer noch in der von keinem Boom berührten japanischen Zen-Halle klingt, ergriffen mich menschlich, innerlich, christlich. Ich erinnerte mich der „Theologia negativa", die für uns, als wir uns als Studenten auf ein strenges scholastisches Schlußexamen vorbereiteten, weniger wichtig zu sein schien, aber nach vielen Jahren noch unvergessen in meinem Gedächtnis haftet.

Und aus der Heimat klang zu mir die gleiche Melodie, als ich in den Büchern meines hochverehrten, lieben Mitstudenten Karl Rahner vom „Unsagbaren Geheimnis" las. Kennt nicht auch Asien dieses Geheimnis des Urgrundes seit Jahrtausenden? Hat nicht dieses Geheimnis, das in der Fülle der Zeit Fleisch geworden ist und unter uns gewohnt hat (vgl. Joh 1,14), zum Heil der Menschen „vielmals und auf mancherlei Art" (*multifariam, multisque modis;* vgl. Hebr 1,1) gesprochen? Ist nicht Schweigen eine bevorzugte Weise seiner Selbstmitteilung? Bestimmt ist es eine Stunde der Vorsehung, wenn in unseren Tagen das unaussprechliche Geheimnis im Abendland wie in Asien mit unerhörter Inbrunst erfahren wird.

Das östliche Schweigen, auch das Schweigen des Buddha, ist, wie heute verständige westliche Menschen begreifen, ein Positivum, das Heil verspricht. Von ihm berichten die frühbuddhistischen Schriften, deren gewichtige Buddha-Worte zur Interpretation einladen und metaphysische Gedanken anregen. Verkörpert ist es im Buddha-Bild, das in den Ländern Asiens Schutz gewährt und zur Besinnung weckt. Wo der Buddhismus volkstümlich wurde, kleidete sich das Positivum in mythische Gewänder, die einfache Menschen erfreuten, während die Einsichtigen durch die Mythen hindurch auf den verborgenen, unsagbaren Kern schauten. Die buddhistische Literatur bietet viel Material, das auf das geheimnisvolle Numinosum, das heilversprechende Positivum hindeutet.

Ich studierte den buddhistischen Heilspfad nicht nur in Büchern, sondern nahm ihn im konkreten Alltag wahr. Das Wissen um Heil und das Verlangen nach Erfüllung prägen die religiöse Haltung ernster Buddhisten, die in einer heillosen Welt, von argen Bedrängnissen umgeben, leben. In seiner Vorlesung über buddhistische Geschichte sprach unser greiser Professor, selbst ein Buddha-Mönch, immer wieder von dem unerhörten Eifer jener Buddha-Mönche der alten Zeit, die alles verließen und keine Mühe scheuten, um auf dem Buddha-Pfad das Heil zu erlangen. Die Intensität des buddhistischen Heilsstrebens läßt wie alles starke Verlangen nach geistigen Gütern Gnadenhilfe vermuten. Bei zwischenreligiösen Veranstaltungen, bei denen sich die Bekundungen echten Eifers merklich steigern, äußert sich oft spontan das Verlangen, gemeinsam, sei es im Gebet, in der Meditation oder im Gestus, religiöse Akte zu vollziehen. Die dem Buddhismus an sich fremde Eucharistiefeier kann etwa einem hochgeachteten japanischen Zen-Meister, der mir seine Ergriffenheit verriet, zum Erlebnis werden, wenn er sich als Buddhist in die Gemeinschaft der gläubigen Christen aufgenommen fühlt. Eine brüderliche Beziehung entsteht, wenn sich alle Partner, ungeachtet tiefreichender Verschiedenheiten, auf dem Heilspfad wissen.

Alle religiösen Grunderfahrungen des Menschen zielen auf sein Heil hin.

In den Weltreligionen sind die Erfahrungen sehr unterschiedlich verbalisiert, ja die Schwierigkeit des Ausdrucks und mehr noch die Einbettung in eine bestimmte Denkweise verdecken bestehende Übereinstimmungen. Erfahrungen rücken in der Interpretation oft weit auseinander. So ist z.B., um zwei in der Nähe des gleichen Erfahrungsbefundes angesiedelte Lehrgefüge zu nennen, die asiatisch-buddhistische Karma-Vorstellung in ihrer rational gefaßten Darstellung kaum weniger schwer zugänglich als die christliche Erbsündelehre, obgleich in beiden Lehren die gleiche oder doch eine sehr ähnliche Erfahrung thematisiert wird.

Gehen wir einen Schritt weiter! Im Christentum ist die Lehre von der Sünde der Unterbau der Lehre von der Erlösung durch das Opfer Christi am Kreuz, das dem Buddhisten unverständlich und ärgerlich erscheint. Und doch drückt das Kreuz eine dem Buddhisten vertraute Vorstellung aus, nämlich die Entleerung und Erniedrigung, ohne die es kein Heil gibt. Der Buddhismus besitzt diese Erfahrung in der Gestalt des Bodhisattva, der durch den „Großen Tod" gegangen ist und die „Große Erleuchtung" erlangt hat. Dieser Archetyp ist im Christentum zur Wirklichkeit verdichtet. Der Buddhist ist erstaunt und zugleich beglückt, das im Bodhisattva-Ideal Gemeinte im Christentum wahrzunehmen, nämlich die heilbringende Erniedrigung, die der Christ in der Erlösergestalt Jesu erblickt. Trotz der wesentlichen Verschiedenheit der Lehren kommen im Buddhismus und im Christentum gleiche Motive zum Zug, die das gegenseitige Verständnis der Weltreligionen erleichtern. Was Ausdrucksweise und Gefühlsreaktion betrifft, ist der Zielpunkt verschieden. Der Buddhist kennt den Jubelruf „Auferstehung" nicht, aber auch ihm schwebt ein ungetrübtes schattenloses Lichtreich als Endziel vor. Nach Heil suchen heißt einer Erfüllung entgegengehen. Dieses Motiv findet sich sowohl in der buddhistischen als auch in der christlichen Grunderfahrung. Erfüllung bedeutet für den Menschen Glück und Freude. Wo Heil erstrebt wird, lebt Hoffnung, wo Hoffnung lebt, ist der heillose Pessimismus überwunden.

Die Religionen sind in der Sicht, in der sie einander schauen, Kinder ihrer Zeit. Die Atmosphäre, in der wir leben, beeinflußt uns unbewußt. Der psychologische Aspekt tritt als ein unleugbarer Faktor auch in die zwischenreligiösen Beziehungen ein, heute ungleich stärker als noch vor einigen Jahrzehnten. Die Psychologie hat den Menschen nicht nur zu einem besseren, genaueren gegenseitigen Verständnis verholfen, sondern sie auch einander nähergebracht. Dieser Tatbestand beschränkt sich nicht auf den oberflächlichen Umgang im Alltag, sondern reicht bis in die Tiefe des religiösen Menschen. Humane Bereicherung wirkt sich zugunsten des einzelnen sowie der Gesellschaft aus. So konnte die gegenseitige buddhistisch-christliche Sicht während der letzten Jahrzehnte die Grenzen der Toleranz überschreiten. Beide Religionen versuchen heute, einander behilflich zu sein und in enger Zusammenarbeit miteinander für die Wohlfahrt der Menschheit zu wirken. Dabei erfahren sie im praktischen Tun eine wohltuende Nähe zueinander, während sie im Begrifflichen nach dem gemeinsamen Nenner suchen.

Wäre das von Christen mit großer Selbstverständlichkeit benutzte Wort „Nächstenliebe" hier nicht voll und ganz am Platze? Merkwürdigerweise widersetzen sich nicht selten Christen mehr dem Sprechen von Nächstenliebe als Buddhisten, denen doch dieses Wort ferne liegt. Manche Christen meinen, das Wort „Liebe", mag es sich um Gottesliebe oder Nächstenliebe handeln, ausschließlich für sich beanspruchen zu können. Mit großem Vergnügen las ich unlängst in einer buddhistischen Wochenzeitschrift den Vortrag eines hervorragenden buddhistischen Führers, der vor großer Versammlung seinen Glaubensbrüdern recht unbefangen die „Nächstenliebe" ans Herz legte. Wie der Zusammenhang erkennen ließ, gebrauchte er bewußt das „christliche" Wort „Nächstenliebe". Unwillkürlich dachte ich an ein Gespräch mit einem guten alten buddhistischen Freund, der schon in die Ewigkeit hinübergegangen ist, der zu mir von „Buddha oder Gott", „Gott oder Buddha" sprach, ohne im geringsten daran zu zweifeln, daß wir uns richtig verstanden und beide das gleiche meinten. Dürfen wir nicht in derselben Weise von „Nächstenliebe oder Mitleid", „Mitleid oder Nächstenliebe" sprechen, um so mehr als das deutsche Übersetzungswort „Mitleid" die entsprechenden asiatischen Termini, vorab das tiefsinnige japanische Wort *„jihi"*, keineswegs adäquat wiedergibt. Tatsächlich hat sich in der buddhistisch-christlichen Zusammenarbeit für Weltfrieden und Menschenglück das Wort „Nächstenliebe" durchgesetzt. Bei der Verleihung des Niwano-Friedenspreises an Erzbischof Câmara von Brasilien am 7. April 1983 klang wie aus einem Mund laut der Lobpreis der Nächstenliebe. Der buddhistische Gelehrte Hajime Nakamura rühmte die Nächstenliebe und äußerte seine herzliche Freude darüber, daß japanische Buddhisten einem katholischen Erzbischof, der sich am Gegenpol der Welt für die Erhaltung des Friedens und die Existenzsicherung der Armen einsetzt, den wohlverdienten Friedenspreis zuerkannt hatten.

Aus der Nächstenliebe wächst Heil für andere. Die Gesinnung der Selbstlosigkeit, die sich in der Hingabe für andere ausspricht, ist wesentlich religiös. Die Rahnersche Theologie hat mit der ihr eigenen Kraft die in Christi Wort bezeugte, seit jeher der christlichen Tradition vertraute Verbindung zwischen Nächstenliebe und Gottesliebe dem modernen Menschen ins Gedächtnis gerufen. Wenn durch jedes Korn Nächstenliebe Gottesliebe durchscheint, sind alle, die für das Wohl ihrer Mitmenschen brüderlich zusammenwirken, durch ein religiöses Band miteinander verknüpft. Die Bereitschaft der Buddhisten zu zwischenreligiösem Zusammenwirken für andere offenbart eine echt religiöse Haltung. Das immer noch im Westen verbreitete Bild eines in sich selbst verkapselten, selbstsüchtig nach Nirvāna-Ruhe strebenden Buddhismus erfährt bei den zahlreichen, altruistischen Zielen gewidmeten, konkret fordernden Kongressen unserer Tage eine entscheidende Korrektur.

Die Öffnung der Kirche zur Welt geht in die Weite, im religiösen Bereich treten besonders die Weltreligionen hervor. Gemäß der Konzilserklärung sollen wir „vor allem das ins Auge fassen, was den Menschen gemeinsam ist und zur Gemeinschaft hinführt". Es sind dies insbesondere die religiösen Grunderfahrungen, die in allen Religionen wirksam sind. Wir haben einige solcher Erfahrungen im Buddhismus hervorgehoben. Dadurch gelang uns eine neue Sichtweise, die gegenseitige Annäherung ermöglicht und Zusammenarbeit fördert. Wir konnten fatale Mißverständnisse ausräumen. Der Buddhismus erwies sich als religiöser Heilspfad, der zum Guten anspornt, das oft verkannte buddhistische Mitleid als sympathisches Mitleiden mit den Lebewesen.

Die buddhistischen Grunderfahrungen der Transzendenz, des Heilsstrebens und des sympathischen Mitleidens deuten auf Konvergenz hin und sind in jedem Buddhismus präsent. Daneben breitet sich innerhalb der Buddha-Religion eine Fülle besonderer religiöser Formen aus. Die vom indischen Frühbuddhismus herkommende analytisch-rationale Doktrin des Theravāda steht dem meditativ-mystischen Mahāyāna-Buddhismus gegenüber. Das Mahāyāna beinhaltet die rationale Lehre und esoterische Riten einschließenden Systeme von Tendai und Shingon. Neben der wichtigen Meditationsschule des Zen entfalten sich die gläubige Verehrung des Buddha Amitābha (japanisch Amida) und die Populärreligion Nichirens. Die vom Konzil begünstigte Öffnung zu den Weltreligionen muß sich somit schon in dem einzigen Fall des Buddhismus zahlreichen religiösen Formen zuwenden. Hinzu kommt die schier unübersehbare Zahl existierender Religionsgemeinschaften in der Welt.

Welche Rolle spielen diese vielen Religionen im universalen Heilsplan Gottes? Wir können nicht annehmen, daß sie die Heilserlangung der Menschen erschweren. Karl Rahner spricht, wie heute die Mehrzahl katholischer Theologen, von „legitimen" Religionen[2], nämlich von religiösen Wegen, auf denen nach göttlicher Absicht die Menschen leichter zu ihrem ewigen Ziel gelangen können. Wir können die Pluralität der Religionen von oben und

---

[2] Über den Begriff der „legitimen Religion" lies besonders im oben angegebenen Aufsatz „Das Christentum und die nichtchristlichen Religionen", in: Schriften V 147–154.

von unten betrachten. Von oben gesehen, hängen sie unmittelbar mit dem göttlichen Heilswillen zusammen. Das heißt, daß Gott Menschen, die mit aufrichtigem Herzen legitimen Religionen anhängen, seine Gnade schenkt, damit sie das Heil erlangen können. Die göttliche Vorsehung, die über der ganzen Menschheit waltet, führt alle Menschen auf dem für sie passenden Weg. Diese Interpretation des oben zitierten Eingangswortes *multifariam* des Hebräerbriefes dürfte mit der christlichen Heilslehre übereinstimmen.

Von unten gesehen, möchten wir die Religionen legitim nennen, die in dem tiefen Verlangen der Menschennatur wurzeln, dem Menschen entsprechen und ihm konkret auf seinem Weg behilflich sind. Wir begegnen hier dem in die Frühzeit reichenden christlichen Humanismus eines heiligen Irenäus: *„Gloria Dei – homo vivus!"* Je echter der Mensch sein Menschsein lebt, um so mehr verherrlicht er seinen göttlichen Schöpfer. Gottes Ehre und das Heil des Menschen fallen zusammen. Also gibt es keinen Widerspruch zwischen der von oben oder von unten her gesehenen Pluralität der Religionen.

Die Pluralität der Religionen beruht zu einem großen Teil auf der Vielfalt der menschlichen Kulturen. Die Öffnung der Kirche zur Welt und zu den Weltreligionen bringt den für die Missionierung und Evangelisierung bedeutsamen Begriff der Inkulturation ins Spiel. Seit langem schon fordern Missiologen nachdrücklich Rücksichtnahme auf das Brauchtum und die Sitten der Völker, an die sich die Mission richtet, aber eine psychologische Strategie genügt nicht. Die Kulturen der Menschheit reichen tiefer, sie sind alle ursprünglich religiös geprägt. Gleichsam in der Erde wurzelnd, bewirken sie das geistige Wachstum der Menschen. Die Kräfte der Kultur entfalten sich gemäß dem Boden, aus dem sie hervorsprießen.

Wir glauben, daß alle Völker ihrer Kultur nach im tiefsten auf Christus bezogen sind. Christus ist die Mitte aller Religion und aller Kultur. Doch wäre es verfehlt, aus diesem Glaubensbefund eine monolithische Unbeweglichkeit des Christentums und der Kirche zu folgern. Die Kirche Christi verfügt über eine unbegrenzte Integrationskraft, die in unseren Tagen angefordert ist. Die Weltkirche schlägt heute Wurzeln in allen Kulturen. Bei der Begegnung mit den Religionen des Erdkreises kommt sie in enge Berührung mit den Volkskulturen, deren Eigenart in den Religionen am deutlichsten zutage tritt. Der Dialog mit den einheimischen Religionen ist ein wirksames Werkzeug der Inkulturation.

In diesem Zusammenhang werfen wir einen Blick auf Asien. Der Zauber Asiens, der Wiege der Menschheit, liegt weniger in der gewaltigen Zahl seiner Bewohner als in der überragenden Bedeutung seiner Kulturen, deren religiöser Charakter zumal auch im Buddhismus hervorsticht. Die Aufgabe der Inkulturation stellt sich der Kirche mit besonderer Dringlichkeit in

Asien, dessen spiritueller Reichtum sich nur langsam der Kirche öffnet. Die nichtchristlichen Religionen Asiens zeichnen sich aus durch ihre Atmosphäre der Stille, ihren Geist der Losschälung, ihre Vorliebe für Symbolik und ihre Meditationspraxis, die heute westliche Menschen anzieht, die sich von der östlichen Meditation als einem Weg der Selbstfindung inneren Frieden, Freiheit, Identität, kurzum das Wesentliche des Menschen versprechen. Die Kirche, die sich der Welt öffnet, läßt sich grundsätzlich von diesem Weg berühren, um so mehr als die fernöstlichen Meditationspraktiken mannigfacher Art sind und verschieden angewandt werden können. Ihre Pluralität kommt der Inkulturation zugute. Wie in der Theologie gibt es auch in der Spiritualität eine berechtigte Vielförmigkeit. Freilich ist es wichtig, durch genaue Prüfung gewissenhaft die Grenzen zu ermitteln.

Der indische Erzbischof Lourdusamy äußert sich in einer wichtigen Passage über die Bedeutung der asiatischen Meditation für die christliche Spiritualität:

„Eine Spiritualität des Gebetes der Immanenz ist für den asiatischen Kontinent charakteristisch. Die Wahrnehmung Gottes und die Wahrnehmung der anderen und des Universums schließen das Wahrnehmen des Selbsts ein. Sogar der heilige Augustinus sagt uns, daß man, um zu einer gnadenhaften Gotteserfahrung zu gelangen, legitim den Punkt der *memoria sui*, der intimen Selbsterfahrung, durchschreiten kann. Dies hat großen Wert und Bedeutung für die Menschheit und die Kirche Asiens. Tugenden wie Gewaltlosigkeit und deren Früchte sowie ähnliche Tugenden von der Art des Mitleidens, des guten Willens, der Großherzigkeit entstehen aus diesem Gewahren des Seinsgrundes, der den ganzen Kosmos umfaßt. Eine solche Erfahrung ist ein Untertauchen in die Tiefe des „Schweigens des Seins". Wenn diese Immanenz sich nicht in Selbstgenügsamkeit einschließt, ist sie schon eine Erfahrung der Gegenwart der Transzendenz."[3]

Erzbischof Lourdusamy beschließt seine bemerkenswerte Darlegung mit der Bemerkung: „Diese Strömungen im Gebet und in der Spiritualität Asiens müssen an ihren Quellen verstanden und erfahren werden. Dies wird uns ihren großen Beitrag zur christlichen Gebetserfahrung gewahr werden lassen."[4]

Die östlichen Meditationswege sind im Westen vielfach zu einem Gegenstand der Kontroverse geworden. Dennoch bleibt ihr hoher Wert unbezweifelt. Allerdings ergibt sich für uns eine ernst zu nehmende Verantwortung. Die Meditationspraxis steht an erster Stelle bei der Inkulturation des Christentums in Asien.

---

[3] Im Einleitungsvortrag der Zweiten Generalversammlung der Bischofskonferenz Asiens in Kalkutta (November 1978).
[4] Ebd.

Wichtig für die Inkulturation, so soll wenigstens kurz vermerkt werden, ist ebenfalls die religiöse Kunst Asiens, in der sich die Kultur der asiatischen Seele offenbart. Im gegenseitigen Kunstverstehen haben Ost und West einen Schritt aufeinander zu getan. Der Kirche bleibt auch an diesem Punkt noch ein beträchtliches Leistungssoll zu erfüllen. Daß Asien, insbesondere der Buddhismus, eine bedeutende religiöse Kunst hervorgebracht hat, muß uns erfreuen. Die große Offenheit, die der Mensch gewöhnlich gerade für die echten Kunstwerke der Welt zeigt, berechtigt zur Hoffnung auf tieferes Verstehen und mehr Annäherung.

Die Öffnung der Kirche zur Welt steht im Dienst der Einheit des Menschengeschlechtes. Wir zitierten oben das Wort der Konzilserklärung vom Streben nach dem, „was gemeinsam ist und zur Gemeinschaft hinführt". Das Konzil nimmt in dieser Formulierung keinen direkten Bezug auf das Religiöse. Es handelt sich nicht um das Verlangen nach der Einheit einer religiösen Institution, schon gar nicht um eine „Einheitsreligion" der Welt. Wo immer eine solche angestrebt wurde, blieb man im Menschlichen, in Verhandlungen und Konzessionen stecken. Die weltliche Zielsetzung erstickt den Atem des Gottesgeistes. In unseren Tagen der Abwendung vom bloß Organisatorischen gibt es viele, die aufrichtig nach Gott suchen. Dürfen wir annehmen, daß auch die Annäherungen der Religionsgemeinschaften vom Geist Gottes herrühren? Sind die kleinen Schritte, die die Kirche nach dem II. Vatikanischen Konzil getan hat und beständig tut, Früchte des Geistes?

In dieser Überzeugung hat uns jene unmerkliche Wandlung, die seit der Öffnung der Kirche zur Welt und zu den Weltreligionen während der letzten Jahrzehnte vor sich gegangen ist, nicht wenig bestärkt. Ich darf mich auf eigene Erfahrungen berufen. Buddhistische Freunde und Bekannte, die ich durch jahrzehntelangen Umgang kenne, haben offenbar, ohne daß Religionsgespräche dies veranlaßten, eine neue Sichtweise des Christentums angenommen. Keine besonderen Veränderungen haben sich ereignet, aber – es läßt sich kaum anders sagen – unsere Sichtweisen haben sich verändert. Wir sind nicht bloß vorsichtiger im Urteil geworden, sondern haben auf beiden Seiten, bezüglich der eigenen und bezüglich der anderen Religion, neue Werte entdeckt, die unseren Horizont erweitert haben.

Leider ist es eine unbestreitbare Tatsache, daß Religionen in der Weltgeschichte viel Unfrieden angestiftet haben, eine Tatsache, die wir heute besonders schmerzlich empfinden. Wir können das Übel auch nicht einfachhin mit dem Menschlichen, Allzumenschlichen unserer Natur entschuldigen, wenn wir in den Religionen die gleichen unlauteren Motive, wie Machtgier, Rechthaberei, Habsucht, die die menschliche Gesellschaft in namenloses

Unglück gestürzt haben, am Werke sehen. Wir hoffen, daß eine neue Epoche Wandel schafft.

Die Öffnung der Kirche zur Welt hin meint bestimmt auch den Anbruch einer Friedenszeit. Buddhismus und Christentum können Boten des Friedens werden, wenn sie auf ihre Stifter hinblicken und sich deren Geist zu eigen machen. Der vielleicht Christus ähnlichste Heilige, Franziskus von Assisi, betete mit ergreifenden Worten darum, ein Werkzeug des Friedens zu werden. Der Buddha faßte die Goldene Regel in die Maxime: „Indem du tust, was du wünschst, das man dir tut, töte nicht, noch verursache zu töten!" Und er mahnt: „Laß Ärger durch Freundlichkeit, Böses durch Gutes überwunden werden! Sieg brütet Haß, denn der Besiegte ist unglücklich. Niemals hört in der Welt Haß auf durch Haß; Haß hört auf durch Liebe."

Buddhismus und Christentum besitzen eine Öffnung zum Frieden, angezeigt im buddhistischen Symbol des nicht völlig geschlossenen Kreises. Wäre der buddhistische Kreis undurchdringlich geschlossen, so verlöre die Symbolik das Offene. Solange ein Offenes bleibt, ist Raum für Pluralität. Die vom II. Vatikanischen Konzil vollbrachte Öffnung der Kirche zur Welt ist ein bedeutsames religiöses Geschehen unseres Jahrhunderts. Aus der grundsätzlichen Gesprächsbereitschaft erwachsen neue Sichtweisen, die in der Liebe gründen.

UNIVERSALER HEILSOPTIMISMUS –
DENKANSTOSS FÜR DEN RELIGIONSUNTERRICHT?

Vorbemerkung

Wer sich mit der Theologie Rahners beschäftigt, weiß, daß sich diese neben einigen anderen[1] charakteristischen Eigentümlichkeiten dadurch auszeichnet, daß man von einem einzelnen Theologoumenon aus jeweils sowohl das Ganze als auch die Mitte seiner Theologie erreicht, gerade deshalb aber nie einen Begriff isoliert von seinem Kontext darstellen kann.

Auch wenn man also einen einzigen Begriff thematisiert, wie in dieser kleinen Studie den universalen Heilsoptimismus, muß das ganze Geflecht von Beziehungen wenigstens ansatzweise mitreflektiert werden, in dem dieser Terminus aufscheint, um seinen Stellenwert innerhalb der gesamten Theologie Rahners genauer zu bestimmen. Das hängt mit der inneren Dynamik auf einen Gesamtentwurf hin zusammen, die sich bei Rahner immer durchgehalten hat, obwohl er sich von Anfang an der „Vielfalt der Probleme"[2] gestellt hat, seine Theologie selbst so charakterisiert[3] und erst spät – im „Grundkurs des Glaubens"[4] – eine Systematik geliefert hat, wenn man vom „Versuch eines Aufrisses einer Dogmatik"[5] absieht.

---

[1] Vgl. dazu *H. Vorgrimler*, Karl Rahner. Leben, Denken, Werke (München 1963); *K. Lehmann*, Karl Rahner, in: *H. Vorgrimler* – *R. van der Gucht* (Hrsg.), Bilanz der Theologie im 20. Jahrhundert. Bahnbrechende Theologen (Freiburg i.Br. 1970) 143–181, neu bearbeitet in: *K. Lehmann* – *A. Raffelt* (Hrsg.), Karl Rahner-Lesebuch (Zürich – Freiburg i. Br. 1979) 13*–53*; *K.-H. Weger*, Karl Rahner. Eine Einführung in sein theologisches Denken (Freiburg i. Br. 1978); dazu *K. Rahner* selbst zuletzt in: *P. Imhof* – *H. Biallowons*, Karl Rahner im Gespräch, II: 1978–1982 (München 1983) 295–307.

[2] Vgl. *H. Vorgrimler*, Karl Rahner 62.

[3] „Meine immer und besonders in den letzten zwanzig Jahren vorherrschende Beschäftigung mit systematischer Theologie war noch dadurch gekennzeichnet, daß fast nur in einer unsystematischen, von Augenblicksbedürfnissen diktierten Weise *Einzel*themen behandelt wurden, wie sich dies auch in den ‚Schriften zur Theologie' ... widerspiegelt" (Überlegungen zur Methode der Theologie, in: Schriften IX 79–126, hier 80).

[4] *K. Rahner*, Grundkurs des Glaubens (Freiburg i.Br. 1976) (inzwischen 12. Auflage, Stand 1982).

[5] *K. Rahner*, Schriften I 9–47.

Methodisch wird daher so vorgegangen: Der erste Abschnitt zeigt Vorgeschichte, Kontext und Entwicklung des Begriffs „universaler Heilsoptimismus" vom ersten Auftreten dieses Terminus bis zur Gegenwart in einer Art „Längsschnitt" auf. Darauf folgt als „Querschnitt" die spekulative Verknüpfung dieses Theologoumenons mit anderen Positionen Rahners.

Schließlich formuliert ein dritter Abschnitt Folgerungen, Denkanstöße und Anfragen an den Religionsunterricht, die sich von einem universalen Heilsoptimismus her nahelegen.

1. Thematischer Längsschnitt

a) Vorgeschichte und Umfeld des Themas

Ein Blick auf die frühen Arbeiten Rahners zeigt, daß Vorüberlegungen[6] innerhalb der Gnadenlehre behandelt und entwickelt wurden. Hier trafen die „philosophische Fermentation"[7] seiner Theologie, die Sorge um die Glaubensnot der Menschen und die nüchterne Pragmatik[8] zusammen, mit der er besonders auf Probleme einging, die ihm aus seiner konkreten Lehrtätigkeit zuwuchsen. Andererseits gab es auch kirchenpolitische Anlässe, sich mit Fragen der Kirchengliedschaft auseinanderzusetzen: die Enzykliken „Mystici Corporis Christi" und „Humani generis" Pius' XII. im Umkreis der „Nouvelle théologie". So entstehen der Sache nach bereits 1947[9] zwei Theologoumena, die eine umfassende Wirkungsgeschichte entfaltet haben und

---

[6] *K. Rahner,* Augustin und der Semipelagianismus, in: ZKTh 62 (1938) 171–196. Hier spricht Rahner (ebd. 175) von „zwei Härten" in Augustins Gnadenlehre: der Vernachlässigung der hinreichenden Gnade und als Folge davon der Beschränkung des Heilswillens Gottes auf eine bestimmt begrenzte Zahl von Menschen. Vgl. auch *ders.,* Zur scholastischen Begrifflichkeit der ungeschaffenen Gnade, in: ZKTh 63 (1939) 137–157 (= Schriften I 347–375); *ders.,* Zum theologischen Begriff der Konkupiszenz, in: ZKTh 65 (1941) 61–80 (= Schriften I 377–414); *ders.,* Über das Verhältnis von Natur und Gnade, in: Orientierung 14 (1950) 211–236 (= Schriften I 323–345).

[7] Vgl. *H. Vorgrimler,* Karl Rahner 49–59.

[8] „Zweitens bin ich eben nach der Freiburger Zeit (1934–1936) Theologe geworden; nicht gerade weil ich mit meiner philosophischen Dissertation bei M. Honegger durchgefallen bin, sondern weil man einen Theologieschulmeister brauchte und meine Ordensoberen der Meinung waren, ich werde das auch nicht schlechter machen als viele andere" (Einfache Klarstellung zum eigenen Werk, in: Schriften XII 599–604, hier 599).

[9] *K. Rahner,* Die Gliedschaft in der Kirche nach der Lehre der Enzyklika Pius' XII. „Mystici Corporis Christi", in: ZKTh 69 (1947) 129–188 (= Schriften II 7–94). Vgl. *K. Lehmann – A. Raffelt* (s. Anm. 1) 23.

auch gedankliche Voraussetzung für den „universalen Heilsoptimismus" sind: das „übernatürliche Existential"[10] und der „anonyme Christ"[11].

Betrachtet man die Problemstellungen genauer, an denen sich unser Thema entzündet hat (der Christ und seine ungläubigen Verwandten; die nichtkatholischen Christen; die nichtchristlichen Religionen; die Atheisten), ist die Tendenz unverkennbar: „die anderen" nicht erst *nach*träglich, *nach* einer „binnenchristlichen" Argumentation, mitzureflektieren, sondern von Anfang an und mit wachsendem Nachdruck in seinen Überlegungen präsent zu haben.

Dafür gibt es mehrere Gründe. Auf den wesentlichsten macht Klinger aufmerksam: „Das Verhältnis der Kirche zu den Menschen außerhalb der Kirche war immer wichtig in Karl Rahners Theologie. Denn sie war immer Theologie der Kirche und zugleich Theologie der Welt."[12] Einen weiteren Grund nennt Fries: Die Grundlage der Bestimmung „der anderen" ist für Rahner der allgemeine Heilswille Gottes, „der es verwehrt, von vorneherein und exklusiv die negativen und pejorativen Kategorien in Anspruch zu nehmen, wenn es darum geht, den ontologischen, existentiellen und heilsrelevanten Status derer zu beschreiben, die man als Heiden, als Nichtchristen, als Ungläubige bezeichnet oder die selbst diese Kategorie für sich in Anspruch nehmen. Daraus ergibt sich – auch das ist ein Grundgedanke Karl Rahners –, daß der Mensch und die Menschheitsgeschichte im Horizont des Heilswillens Gottes und damit der Gnade steht."[13]

Es überrascht daher nicht, die den Ausdruck „universaler Heilsoptimismus" vorbereitenden Termini (optimistisch, pessimistisch, Glaubensoptimismus, Optimismus des Glaubens) unmittelbar auf den Heilswillen Gottes bezogen zu finden:

„Es ist . . . unmöglich, . . . wegen des allgemeinen Heilswillens Gottes" anzunehmen, daß das Gnadenangebot „Gottes durch die personale Schuld der

---

[10] Vgl. dazu *K. Rahner*, Über das Verhältnis von Natur und Gnade, in: Schriften I 323 Anm. 1. *K.-H. Weger* (s. Anm. 1) behandelt dieses „Herzstück der Theologie Rahners" ebd. 79–98 und vertritt die Meinung: „Der Einfluß dieses Theologumenons Rahners auf bestimmte Aussagen des II. Vatikanischen Konzils ist deutlich nachweisbar" (ebd. 168 Anm. 28).
[11] Für den Stand dieser Frage in Rahners Theologie bis 1964 vgl. *K. Riesenhuber*, Der anonyme Christ, nach Karl Rahner, in: ZKTh 86 (1964) 286–303. Danach *K. Rahner*, Die anonymen Christen, in: Schriften VI 545–554; *ders.*, Atheismus und implizites Christentum, in: Schriften VIII 187–212; *ders.*, Das neue Bild der Kirche, in: Schriften VIII 329–354; *ders.*, Anonymes Christentum und Missionsauftrag der Kirche, in: Schriften IX 498–515; *ders.*, Bemerkungen zum Problem des „anonymen Christen", in: Schriften X 531–546. Die beste Auseinandersetzung mit diesem Theologoumenon Rahners und der durch dieses ausgelösten Diskussion bietet *E. Klinger* (Hrsg.), Christentum innerhalb und außerhalb der Kirche (Quaestiones disputatae 73) (Freiburg i. Br. 1976).
[12] Ebd. Vorwort.   [13] Ebd. 31f.

Menschen meist unwirksam bliebe: „Denn wir haben vom Evangelium aus keinen wirklich durchschlagenden Grund, *so pessimistisch* vom Menschen zu denken, wir haben aber alle Ursache, wider alle bloß menschliche Erfahrung *optimistisch* von Gott und seinem Heilswillen zu denken, der mächtiger ist als die sehr endliche Dummheit und Bosheit der Menschen, *optimistisch,* das heißt *christlich wahrhaft hoffend und vertrauend* von Gott zu denken, der gewiß das letzte Wort hat und uns geoffenbart hat, daß er das machtvolle Wort der Versöhnung und Vergebung in die Welt hinein gesprochen hat, so wenig wir etwas Sicheres über das endgültige Los eines einzelnen Menschen innerhalb und außerhalb des amtlich verfaßten Christentums sagen können."[14]

Der Christ ist „wegen des allgemeinen und ernsthaften Heilswillens *der optimistischen Hoffnung"*[15], daß die meisten Menschen, auf das Ganze und die Dauer ihrer Existenz gesehen, nicht gegen ihr Gewissen leben.

Ein dritter Grund liegt darin: Das Bedenken „der anderen" verschränkt sich mit dem Bedenken *„aller* anderen" und unser selbst. Der Glaube an den Heilswillen Gottes für uns selbst geht nur über den Glauben an den Heilswillen Gottes für alle. Wir können heute nicht „für *andere* weniger hoffen oder mehr fürchten ... als für uns selbst". Wir vermögen die Botschaft des nahe gekommenen Gottes nur zu hören, „wenn wir sie hören als Botschaft an *alle,* wenn wir wirklich an den ‚allgemeinen' Heilswillen Gottes glauben und hinsichtlich seiner Bedingtheit für andere nicht mehr fürchten als für uns"[16].

Ein vierter Grund: Optimismus für alle (anderen) wird daher Bedingung der Möglichkeit des Optimismus für den je einzelnen! Dies ändert auch die Sicht von Kirche. „Es ist ja nicht so, daß dieser *Optimismus des Glaubens* und nicht der bürgerlichen Sekurität oder ein aufklärerischer Optimismus dem Menschen von heute leichtfalle ... Und wenn es ihm leichter fällt, von anderen optimistischer zu denken als von sich selbst, dann hat *dieser Optimismus am erlittenen Pessimismus* über sich selbst immer die Grenze und Korrektur, das Mittel, daß dieser Optimismus nicht übermütig wird. Der Mensch *von heute darf ruhig optimistisch von den anderen denken.* Es ist dies fast das einzige Mittel, das ihm hilft, an sich selbst nicht zu verzweifeln. Es fällt ihm fast leichter, von sich darum groß zu denken, weil er darin, vom Menschen überhaupt so zu denken, die sittliche Pflicht und die Rettung seines Daseins sieht und darum nicht anders kann, als in diese Schätzung sich fast wider seine Er-

---

[14] *K. Rahner,* Das Christentum und die nichtchristlichen Religionen, in: Schriften V 136–158, hier 145f (Hervorhebungen von mir).
[15] *K. Rahner,* Dogmatische Randbemerkungen zur Kirchenfrömmigkeit, in: Schriften V 379–410, hier 400 (Hervorhebung von mir).
[16] Ebd. 387.

fahrung einzubeziehen. Wenn er aber so vom Menschen im allgemeinen denken muß, weil es die Rettung seines eigenen Daseins ist und die Weise, in der er für sich selbst hoffen kann (was doch seine christliche Pflicht ist), dann kann er die Kirche gar nicht sehen als die Schar der Exklusiven, der allein Prädestinierten. Dann muß er sie erleben als die Verheißung der anderen, als das Offenbarwerden dessen, was die anderen sind (und wenn dies hinsichtlich dieser anderen nicht ‚sicher' ist – nun, es ist auch nicht sicher, daß die, die drinnen sind, zur Schar der Auserwählten gehören)."[17]

Zusammenfassung: Die „Vorläufer" des Begriffs „universaler Heilsoptimismus" erscheinen im Bezugsfeld „universaler Heilswille Gottes" als Grund für eine optimistische Sicht des Menschen, alle (anderen) als Voraussetzung der Hoffnung für die je einzelnen. Als Subjekt eines solchen Optimismus erscheint gewöhnlich der Christ. Das Wort „universal" ist auch dort sachlich präsent, wo ein „Glaubensoptimismus" ausgesagt wird, „der die ganze Welt unter die Erlösung durch Christus gestellt weiß"[18]. Aus der Reihe fällt der Begriff „seliger Optimismus" im Zusammenhang mit Schuldvergebung[19].

b) Vorläufige inhaltliche Bestimmung

Wenn ich recht sehe, taucht die Wortverbindung „Heilsoptimismus" bei Rahner zum erstenmal 1965[20] auf. Dieser Zeitpunkt läßt eine Beeinflussung durch das Konzil vermuten. Zunächst scheint eine gewisse Akzentverschiebung gegeben: vom vorkonziliaren, theozentrischen Gesichtspunkt „universaler Heilswille Gottes" zu der vom Menschen aus gesehenen anthropozentrischen Entsprechung „universaler Heilsoptimismus". Auf die Bedeutungsfülle des Wortfeldes „Optimismus, optimistisch" wurde bereits hingewiesen. Der Terminus „Heil" legt zwingend nahe, das Thema an der Schnittlinie von Gnadenlehre, Ekklesiologie und Eschatologie zu lokalisieren: „Heil ist zugleich Konstituierung der Gesamtmenschheit zur Basileia Gottes und Selbstmitteilung Gottes an den Einzelnen, geschenkt in Jesus Christus.

Ist so in Jesus Christus (und dem in ihm kulminierenden Medium der Gnade und des Erbarmens Gottes, dem neuen Volk Gottes, der Kirche) der Menschheit und dem Einzelnen der Heilsweg eröffnet und die Geschichte

---

[17] Ebd. 408f (Hervorhebung im Text).
[18] *K. Rahner,* Schriften V 146 (s. Anm. 14).
[19] *K. Rahner,* Schriften III 162.
[20] *K. Rahner,* Schriften VI 554.

als Heilsgeschichte erwiesen, so bedeutet diese Gegenwart des Heils doch noch nicht die subjektive Erfahrung des Heils, denn abgesehen von der nur durch Zeugen vermittelten Heilserfahrung Christi, ist auch die Erfahrung der Gnade nicht Heilsgewißheit und verleiht so nicht jene Gewißheit der Heilung, des Trostes, des Bleibenden, die das Wort Heil eigentlich meint. Der Begriff Heil sollte darum nicht einfach mit Gnade identifiziert werden, sondern ihm sollte jenes Moment der Endgültigkeit belassen bleiben, das die Theologie mit den sektorenhaft getrennten Begriffen Anschauung Gottes und Auferstehung des Fleisches aussagt, die zusammengefaßt werden könnten in dem Wort Heil, das den ganzen Menschen in seiner ganzen Verfaßtheit meint und hier in unserer Zeitlichkeit noch in keiner objektiven Erlösung, in keiner Gnade und in keiner Kirche geschenkt ist. Die beständige Erfahrung des Menschen bezeugt dies. So bleibt das Heil auch in der christlichen Heilsordnung der wesentliche Gegenstand der Hoffnung."[21]

Damit ist zugleich eine vorläufige Erklärung dafür abgegeben, warum gelegentlich das Beiwort „hoffend" erscheint bzw. der Ausdruck „Heilsoptimismus" zum Ausdruck „Heilshoffnung" hinüberwechseln kann. Das Beiwort „universal" deutet auf einen Gesichtspunkt, der Rahner sehr wichtig ist: die Einheit der Welt- und Heilsgeschichte und zugleich ihr kollektiver Aspekt!

c) Kontext und Entwicklung des Begriffs „universaler Heilsoptimismus"

Die Wortkombination „Heilsoptimismus" erscheint, wie erwähnt, erstmals 1965, und zwar am Ende eines Artikels über „Die anonymen Christen"[22]. Sie wird als zusammenfassende Interpretation der in der Kirchenkonstitution n. 16 und im Missionsdekret n. 7 enthaltenen Aussagen eingeführt, als „theologische" qualifiziert und dem Konzil zugeschrieben. Das Hauptanliegen dieses Abschnitts ist der Nachweis, daß die These vom anonymen Christentum „eigentlich der Sache nach auch . . . von der Kirchenkonstitution des II. Vaticanum (Nr. 16)" gelehrt wird, „mit der Lehre des Konzils übereinstimmt, ja durch sie auch explizit gesagt wird". Der neue Begriff „Heilsoptimismus" erscheint gleichsam nebenbei, im Schatten oder im Gefolge der Auseinandersetzung um den „anonymen Christen"[23].

Ähnliches gilt von der zweiten Belegstelle im Artikel „Das neue Bild der Kirche", der laut Quellennachweis[24] als Vortrag erstmals am 3.1.1966 gehal-

---

[21] *K. Rahner – H. Vorgrimler*, Kleines theologisches Wörterbuch (Freiburg i.Br. 1961) 157f.
[22] *K. Rahner*, Schriften VI 554. Diese Belegstelle ist im Rahner-Register (hrsg. von K. H. Neufeld und R. Bleistein) *nicht* angeführt (Zürich 1974).
[23] Ebd. 553f.
[24] *K. Rahner*, Schriften VIII 710f.

ten wurde. Der Terminus erscheint wieder eher beiläufig als zusammenfassende Interpretation von Kirchenkonstitution n. 16 und Missionsdekret n. 7 und wird als „ganz erstaunlich" qualifiziert. Das Hauptinteresse liegt auf der neuen Ekklesiologie. Zwei neue Züge am Bild der Kirche habe das Konzil erbracht: die Kirche wird nicht mehr nur von der Gesamtkirche aus, sondern von der Ortsgemeinde her gesehen, und die Kirche ist Grundsakrament des Heils der Welt, gerade dort, wo die Welt noch nicht Kirche ist. Daraus ergibt sich für den Christen: „Er wird zwar mit missionarischem Eifer in die Welt blicken, so wie sich auch die Kirchenkonstitution und das Missionsdekret darum bemühen, daß *ihr ganz erstaunlicher Heilsoptimismus* die missionarische Sendung der Kirche nicht verdunkelt oder den Missionseifer der Christen nicht schwächt, wobei es eine nicht zu behandelnde Frage bleiben mag, ob zwischen *diesem Heilsoptimismus* und der unaufgebbaren Missionsverpflichtung eine ,Synthese' schon in aller möglichen Deutlichkeit geglückt ist."[25]

Die nächste „Fundstelle" steckt in Rahners Kapitel „Theologische Deutung der Gegenwartssituation als Situation der Kirche" im Handbuch für Pastoraltheologie II/1 (1966). Im Kontext einer *positiven* Bewertung der außerkirchlichen Religiosität für das Heil des einzelnen Nichtchristen *und* für die Kirche selbst (wobei Rahner zum Wagnis aufruft, sich einzulassen „in einen Dialog des Lebens, in dem man nicht nur gibt, sondern auch empfängt") erscheint der Terminus „hoffender (!) Heilsoptimismus" wiederum beiläufig: „Die Kirche weiß, daß Gott in seinem allgemeinen Heilswillen seine Gnade auch außerhalb der institutionellen Verfaßtheit der Kirche wirken läßt, daß es unter den nichtkatholischen Christen und auch unter den Nichtchristen Gerechtfertigte und aus der vergöttlichenden Gnade Lebende gibt, deren zahlenmäßiges Verhältnis zu den Nichtgerechtfertigten von der Kirche nicht bestimmbar ist, ohne daß es dem Christen verwehrt wäre, dieses Verhältnis in einem *hoffenden Heilsoptimismus* sehr günstig zu beurteilen."[26]

Die zeitlich nächste Belegstelle findet sich 1967 im Artikel „Zur Lehre des II. Vatikanischen Konzils über den Atheismus"[27]. Obwohl das Hauptthema der Atheismus ist, gewinnt auch der Begriff „Heilsoptimismus" durch den Bezug zum Atheismus an Kontur und Gewicht. Als „Differenzierung" und „Umstrukturierung" der herkömmlichen Schultheologie erscheinen Rahner vor allem zwei Momente „neu und überraschend"[28]: die Meinung des Kon-

---

[25] Ebd. 344 (ab jetzt Hervorhebungen von mir).
[26] Handbuch der Pastoraltheologie II/1 254f.
[27] K. *Rahner*, Zur Lehre des II. Vatikanischen Konzils über den Atheismus, in: Concilium 3 (1967) 171–180. [28] Ebd. 172.

zils, „es könne einen expliziten Atheismus im normalen Erwachsenen für lange Zeit, ja bis zu dessen Lebensende geben, der noch keinen Beweis einer sittlichen Schuld auf seiten eines solchen Ungläubigen bedeutet", und die Überzeugung, „daß auch ein Atheist von der Heilserlangung nicht ausgeschlossen ist, vorausgesetzt, daß er durch seinen Atheismus nicht gegen sein sittliches Gewissen gehandelt hat". Rahner zitiert hier wieder die Kirchenkonstitution n. 16, dazu erstmals die Pastoralkonstitution n. 22 und das Missionsdekret n. 7. Beide Punkte qualifiziert Rahner als „wirklich Neues" und bezeichnet sie inhaltlich als *„Heilsoptimismus"*[29]. Er betont, daß es sich hier um keine theologische Selbstverständlichkeit handle, sondern um die Fortführung einer Linie, die eigentlich doch erst bei Pius IX. (DS 2865–2867) beginnt und zu der Erklärung des Heiligen Offiziums vom 8.8.1949 (DS 3866–3873) führt. „Aber diese Linie wird wirklich *weiter*geführt, insofern viel deutlicher als bisher auch die Atheisten in diesen ‚*Heilsoptimismus*' *explizit einbezogen* werden." Rahner stellt mit Berufung auf n. 7 des Missionsdekrets überdies fest, daß dadurch auch „gemäßigt optimistische Deutungen der Situation der Nichtchristen und Heiden überholt" sind, wie „natürliches Heil" und „limbus puerorum"[30].

Vergleicht man nun die eben besprochene, erste, kurze Fassung, den Artikel „Zur Lehre des II. Vatikanischen Konzils über den Atheismus", mit der zweiten, längeren Version von 1967, überschrieben „Atheismus und implizites Christentum"[31], fällt sofort auf – was ja schon die Überschriften andeuten –, daß Rahner hier das relativ neue Thema Atheismus mit dem schon länger bearbeiteten des impliziten bzw. anonymen Christentums verbindet: „Es gibt also nach der Lehre des Zweiten Vatikanums die Möglichkeit eines Atheisten, der in der Rechtfertigungsgnade lebt, also das besitzt, was wir ‚implizites Christentum' nennen."[32] Die Wege, wie solche Nichtchristen zum Heil gelangen, seien allerdings laut Konzil „Gott allein bekannt", was Rahner als Indiz für „schwere theologische Probleme" betrachtet. Und hier fällt erstmals das Stichwort „universaler Heilsoptimismus": „Eine solche Aussage verbietet natürlich nicht, über diese Wege theologisch weiter nachzudenken, sie zeigt aber, daß das Konzil sich einer gewissen Aporie in seiner Aussage bewußt war, wenn diese Aporie ihm auch nicht den Glaubensmut nahm, von diesem *universalen Heilsoptimismus* zu sprechen."[33]

Im weiteren Verlauf des Artikels versucht Rahner verständlich zu machen, warum ein frei angenommener transzendentaler Theismus im kategorialen

---

[29] Ebd. 173.   [30] Ebd.
[31] *K. Rahner,* Schriften VIII 187–212.
[32] Ebd. 194.   [33] Ebd. 196.

Atheisten auch schon Offenbarung, Glaubensmöglichkeit und heilshafter Glaube sein kann bzw. ist. „Er ist es, wenn vorausgesetzt wird, daß diese geistige Transzendentalität, die einen Theismus impliziert, und deren freie Annahme durch die Gnade erhoben ist. Das aber darf wegen des allgemeinen Heilswillens Gottes vorausgesetzt werden. Unter diesen Voraussetzungen erlangt der *konziliare Heilsoptimismus* seine theologische Rechtfertigung. Ein gnadenhaft erhobener und in der Gnade . . . frei angenommener und so rechtfertigender Theismus ist aber schon implizites Christentum."[34] Damit ist indirekt angedeutet, daß Rahner mit seinen Theologoumena die Anstöße des Konzils weiterdenken will.

Eine weitere Referenz findet sich in einem anfangs 1971 entstandenen und 1972 erstmals publizierten Vortrag bzw. Artikel „Bemerkungen zum Problem des ‚anonymen Christen‘"[35]. Hauptthema ist das Theologoumenon vom „anonymen Christen", dessen theologischer Sinn in einer These formuliert wird. Vom universalen Heilsoptimismus wird gesagt, er sei mit dieser These gegeben[36]. Ein kurzer Blick auf die Theologiegeschichte des Heilsoptimismus dient dem Nachweis, daß sich diese Tendenz „nur sehr langsam im Glaubensbewußtsein in der Kirche verdeutlichte und durchsetzte", „ein weiter und mühseliger Weg" war, „noch viel schwieriger" als die Überzeugung von der bona fides von Häretikern und Schismatikern.

Als positives Gegenbild zu dieser Langsamkeit und Mühsal zeichnet Rahner das Konzil. Er wundert sich, wie „wenig Kontroversen", wie „wenig Widerstand" seitens des konservativen Flügels es gab, wie „ohne jedes Aufsehen" diese Lehre über die Bühne ging, obwohl sie eine „viel entscheidendere" Phase der Entwicklung des Glaubensbewußtseins darstellte[37]. Das Konzil sagt die Möglichkeit der Rechtfertigung und Erlangung des übernatürlichen Heils auch bei kategorialen schuldlosen Nichtchristen positiv aus und nimmt dabei die Atheisten nicht aus, ohne die bisher üblichen Unterscheidungen von positivem und negativem Atheismus zu verwenden. „Die einzige Grenze ist die gehorsame Treue zum eigenen Gewissen" (man beachte die positive Formulierung, vgl. Fries[38]). *„Dieser Heilsoptimismus* scheint mir

---

[34] Ebd. 210f.
[35] *K. Rahner,* Schriften X 531–546.   [36] Ebd. 534.
[37] Ebd. 535f. Man fühlt sich an Lehmanns Bemerkung erinnert: „Es besteht auch kein Zweifel, daß Karl Rahner so *von innen heraus* der ‚römischen‘ Theologie (vor, während und nach dem II. Vatikanischen Konzil) zugleich zeigen konnte, wo ihre eigenen Grenzen liegen und daß sie nicht einfach ‚von oben‘ herab verachtet wird. Diese universale und bei allem Streit zutiefst verstehende Denkweise hat ihm gerade auch bei vielen konservativen Theologen während des Konzils ein hohes Ansehen verschafft" (*K. Lehmann – A. Raffelt,* a.a.O. [s. Anm. 1] 25*).
[38] *H. Fries,* Der anonyme Christ – das anonyme Christentum, in: *E. Klinger* (Hrsg.), Christentum (s. Anm. 11) 25–41, hier 39.

eines der bemerkenswertesten Ergebnisse des Zweiten Vatikanums zu sein."[39] Einen Höhepunkt an Emphase und Inhaltlichkeit bringt seine Zusammenfassung: „Der *Durchbruch dieses Heilsoptimismus* hinsichtlich aller Menschen, der nur ... bei der persönlichen schweren Schuld des einzelnen haltmacht und der gleichzeitig alles Heil, wo immer es gegeben ist, als spezifisch christlich begreift, [bleibt] eines der erstaunlichsten Phänomene in der Entwicklung des Glaubensbewußtseins der Kirche, in der Entwicklung dieses Bewußtseins gegenüber der profanen und außerchristlichen Welt, des Bewußtseins der Differenz zwischen Heilsgeschichte als ganzer und Geschichte des expliziten Christentums und der Kirche."[40] Diese Zusammenfassung hebt sich nochmals positiv davon ab, daß der universale Heilsoptimismus zwar im AT und NT nicht einfachhin verboten, aber im NT nicht sehr deutlich angelegt ist[41].

Der 1975 entstandene[42] und 1978 veröffentlichte[43] Vortrag „Über die Heilsbedeutung der nichtchristlichen Religionen" greift ein Thema auf, das Rahner sowohl vor als auch nach dem Konzil mehrfach behandelt hat. Rahner interpretiert die bekannten Konzilstexte Kirchenkonstitution n. 16, Missionsdekret n. 7 und Pastoralkonstitution n. 22 darauf hin, daß sie *„in ungeheurem Heilsoptimismus"*[44] anerkennen, es gäbe „inneren Besitz des eigentlichen Heilsgutes auch im Heiden", allerdings die höchst bedeutsamen Fragen nach der eigentlich theologischen Qualität der nichtchristlichen Religionen offenlassen: „Diese Fragen laufen darauf hinaus, ob die Theologie, die in einem mehr als 1000jährigen Bemühen den *Augustinischen Heilspessimismus* zugunsten des einzelnen bis zum *Heilsoptimismus* des Zweiten Vatikanums überwunden hat, das das übernatürliche Heil im unmittelbaren Besitz Gottes allen zuspricht, die nicht durch persönliche Schuld frei sich ihm verschließen, nun auch in entsprechender Weise die nichtchristlichen Religionen in diesen *Heilsoptimismus* einbeziehen kann."[45]

Zehn Jahre nach dem II. Vatikanum behandelt Rahner innerhalb des Themas „Rückblick auf das Konzil"[46] „sachliche Einzelheiten der konziliaren Lehre", um die Zäsur in der Theologie zwischen der Pianischen Epoche und heute zu sehen. Hier schreibt er dem Konzil folgendes zu: „Es hat einen *Heilsoptimismus,* der auch den schuldlosen, aber so eben möglichen, Atheisten nicht ausnimmt, und überwindet so einen *Augustinischen Heilspessimismus,* der in der katholischen Theologie, wenn auch langsam und mühsam im

---

[39] *K. Rahner,* Schriften X 535.
[40] Ebd. 538.   [41] Ebd.
[42] Vgl. Quellennachweise in *K. Rahner,* Schriften XIII 430.
[43] Ebd. 341–350.   [44] Ebd. 343.   [45] Ebd. 344.
[46] *K. Rahner,* Toleranz in der Kirche (Freiburg i.Br. 1977) 105–126, hier 114.

Rückgang, bis in die neueste Zeit weiterwirkte." Nicht aus diesem Zitat, wohl aber aus seinem ganzen Kontext spricht jetzt, wie Lehmann feststellt[47], „eine große Sorge, ob der Reformwille des II. Vatikanischen Konzils allmählich nicht schwächer würde und erlahmen könnte. Rahner hatte öfters die Perspektiven der nachkonziliaren Kirche aufgezeigt. Nun glaubte er, seiner Ansicht nach rückschrittliche Tendenzen brandmarken zu müssen." Lehmann bestätigt, daß diese Sorge begründet war: „Eine Reihe von elementaren Problemen, die das Konzil aufgriff, wurden kaum mehr ernsthaft verfolgt: Heilsfrage und ‚Atheismus‘, Wahrheit und Religionsfreiheit, Ausbau der bischöflichen Kollegialität."[48] Diese Sorge hat Rahner bis zum heutigen Tag nicht mehr verlassen, wie die folgenden Verweisstellen zeigen werden.

Erst 1979 ist es so weit, daß das Stichwort *universaler Heilsoptimismus* mindestens in einem eigenen Abschnitt eines Artikels thematisiert wird. Dieser ist überschrieben „Die bleibende Bedeutung des II. Vatikanischen Konzils"[49]. Als solche Momente von bleibender Bedeutung betrachtet Rahner: das Konzil als „Konzil" der „Weltkirche", dessen „Verhältnis zur Welt" die „Theologie des Konzils", die eine Theologie des Übergangs war, den daraus resultierenden „Ökumenischen Gesinnungswandel" und schließlich den „Universalen Heilsoptimismus". Dieser letzte Abschnitt ist die umfassendste Darstellung im gesamten Schrifttum Rahners[50]: Der Heilspessimismus des Augustinus wird in einem unsäglich mühsamen Prozeß umgebaut und langsam verwandelt in einen Heilsoptimismus, der nur am bösen Willen des einzelnen haltmacht und dabei hofft, daß die Macht der Gnade diese Bosheit noch einmal in freie Liebe zu Gott verwandelt. Diese Einsicht wird aber *bis* zum Konzil noch nicht eigentlich mit einer letzten Entschiedenheit ratifiziert und gelehrt.

Die Lehre des Konzils legt Rahner in einer freien Wiedergabe der bekannten Konzilstexte dar. Er antwortet auf Einwände, daß dieser universale Heilsoptimismus hypothetisch bleibe, daß er beim einzelnen durch seine letzte Schuld scheitern könne, daß er so hypothetisch auch schon vor dem Konzil normale Lehre der Kirche gewesen sei. Aber: „Bei aller Ablehnung einer theoretischen Allversöhnungslehre geht die Kirche im Konzil und in ihrem praktischen Verhalten davon aus, daß die Gnade Gottes der freien Entscheidung des Menschen nicht nur angeboten wird, sondern daß sie sich in dieser Freiheit auch weitgehend universal durchsetzt."[51]

---

[47] *K. Lehmann – A. Raffelt,* a.a.O. (s. Anm. 1) 20*.
[48] *K. Lehmann,* Thesen zur Diagnose des Getto-Verdachtes, in: *K. Lehmann – K. Rahner* (Hrsg.), Marsch ins Getto? (München 1973) 107–116, hier 110f.
[49] Zur Entstehung siehe Quellennachweise in *K. Rahner,* Schriften XIV 468. Der Artikel selbst ist nachgedruckt in *ders.,* Schriften XIV 303–318.
[50] Ebd. 314–317.   [51] Ebd. 317.

Diese Haltung der Kirche ist im II. Vatikanum *„deutlich* und *unumkehrbar"* geworden; denn eine solche Hoffnung kann zwar wachsen, aber eigentlich nicht mehr abnehmen: „Früher fragte die Theologie ängstlich, wie viele aus der ‚massa damnata' der Weltgeschichte gerettet werden. Heute fragt man, ob man nicht hoffen dürfe, daß *alle* gerettet werden. Eine solche Frage, eine solche Haltung ist christlicher als die frühere und ist die Frucht einer langen Reifungsgeschichte des christlichen Bewußtseins, das sich langsam der letzten Grundbotschaft Jesu vom Sieg des Reiches Gottes nähert." Eine solche Haltung mag höchstens einem liberalistisch-bourgeoisen Spießer von heute selbstverständlich vorkommen. „Wer aber von fern ahnt, wer Gott ist, wer die entsetzliche Finsternis der Menschheitsgeschichte wirklich mitempfindet, für den ist *der universale Heilsoptimismus,* zu dem sich die Kirche durchgerungen hat, eine fast erschreckende Botschaft, die die letzte Kraft seines Glaubens herausfordert."[52]

1982 fällt das Stichwort wieder im Zusammenhang mit dem Thema „Glaubensakt und Glaubensinhalt" (nachgedruckt 1983[53]). Rahner behandelt hier einige Probleme, die mit der bekannten Unterscheidung zwischen fides qua und fides quae, zwischen Glaubensakt und Glaubensinhalt, Bekennen und Bekenntnis zusammenhängen. Innerhalb der „eigentlichen theologischen Problematik" gibt es der Sache nach eine Anspielung: „So wird man z.B. einem *berechtigten theologischen Optimismus*[54] den Menschen verschiedenster Art und Verfassung einen heilschaffenden, sie (unter den weiteren Voraussetzungen) rechtfertigenden Glauben zubilligen, obwohl ihre Glaubensinhalte, ihre fides quae, von verschiedenster, sich oft widersprechender Art sind."

Daraus ergibt sich aber als Konsequenz: „Momentan ist bei dem heutigen *Heilsoptimismus* allen Menschen gegenüber, so problematisch dieser, theologisch gesehen, doch auch wieder sein mag, die ausdrückliche Frage nach der fides qua nicht zu umgehen."[55]

Rahner wagt darauf eine Grundthese zur Beantwortung dieser Frage: „Es gibt eine fides qua, die als möglich (wenn auch der Freiheit angeboten) bei jedem Menschen gegeben ist, ihre heilschaffende und rechtfertigende Bedeutung durch sich selbst verständlich macht und die doch eine Inhaltlichkeit von sich selber her besitzt, deren freie Annahme als glaubende Annahme von Offenbarung anerkannt werden kann."

---

[52] Ebd. (alle Zitate dieses Absatzes).
[53] *K. Rahner,* Schriften XV 152–162.
[54] Ebd. 153.
[55] Ebd. 154.

Diese Grundthese geht selbstverständlich auch davon aus, „daß *ein universaler Heilsoptimismus* in Raum und Zeit (wenigstens als universale Heilsmöglichkeit) nie und nirgends an Jesus Christus und seiner einmaligen Heilstat vorbeigehen darf, die Frage also immer ist, wie man sich theologisch eine solche christliche Heilsmöglichkeit auch dort denken könne, wohin (vor oder nach Christus) die spezifisch christliche Offenbarungsbotschaft gar nicht gedrungen ist oder sich nicht so präsentieren konnte, daß ihre Ablehnung ernsthaft als unheilsbedeutsame Entscheidung erachtet werden kann."[56]

In einem am 27.11.1982 in Freiburg gehaltenen Vortrag greift Rahner den universalen Heilsoptimismus neuerlich auf, diesmal unter dem bezeichnenden Motto „Vergessene Anstöße dogmatischer Art im II. Vatikanischen Konzil". Inhaltlich behandelte Rahner drei Themen ausführlich, von denen zwei eng zusammengehören, und zwar den „unschuldigen Atheismus" und die „universale Heils*hoffnung*" (man beachte die Akzentverlagerung!), dazwischen eingeschoben das genaue Verhältnis in Theorie und Praxis zwischen dem universalen Lehr- und Jurisdiktionsprimat des Papstes und derselben Vollmacht des Gesamtepiskopats.

Den Wandel im Glaubensbewußtsein der Kirche bezeugt er eingangs mit einer persönlichen Erfahrung: „Als ich vor 50 Jahren Theologie studierte, war es eine uns jungen Theologen vorgetragene Lehre, die nicht bezweifelt werden durfte, daß ein positiver Atheismus auf längere Zeit in einem Menschen nicht ohne seine persönliche schwere Schuld existieren könne ... Ich glaube, daß vor 100 Jahren kaum katholische Theologen zu finden gewesen wären, die diese und auch weitere Sätze des Konzils über den Atheismus ... zu sagen gewagt hätten."

Daß die Kirche *auch* mit einem unschuldigen Atheismus und *auch* mit einer positiven Heilsbedeutung des Atheismus rechnet, bedeutet daher für ihn, daß die Kirche eine Position ihres Glaubensbewußtseins erreicht hat, von der aus „ein wirklich liebender Dialog mit allen in der Welt geführt werden kann".

Was inhaltlich bereits mehr oder weniger in zwei Abschnitten eines früheren Artikels enthalten war[57], erscheint unter einem gemeinsamen neuen Gesichtspunkt zusammengefaßt und in Einzelheiten in etwa modifiziert: „die im Konzil deutlich gewordene *Hoffnung eines wirklichen universalen*

---

[56] Ebd. 155.
[57] Die Abschnitte „Ökumenischer Gesinnungswandel" (Schriften XIV 311–314) und „Universaler Heilsoptimismus" (ebd. 314–317) aus dem Artikel „Die bleibende Bedeutung ..." (s. Anm. 49).

Heiles der ganzen Welt und das letztlich von daher kommende neue Verhältnis zu den anderen christlichen Kirchen und Gemeinschaften und auch zu den nichtchristlichen Weltreligionen, weil eben das Konzil im Unterschied zu früheren Zeiten von dieser *universalen Heilshoffnung* her die bona fides, eine positiv sittliche Haltung, eine gnadenhafte Gerechtfertigtheit bei allen Menschen präsumiert, wenn auch nicht als gegeben behauptet". Neu ist der Hinweis, daß das Konzil mit „Lumen gentium" n. 48 die Geschichtlichkeit der Offenbarung deutlicher reflektiert hat, sowie einige weniger wichtige Ergänzungen und „Verstärkungen".

Ein Gedanke, der Rahner in letzter Zeit immer wichtiger wird, scheint am Schluß des Vortrags auf: „Diese *universale Hoffnung* gehört heute für uns Christen zur Gestalt der Torheit des Kreuzes."[58] Sie ist „Hoffnung wider alle Hoffnung. Gewiß letztlich die Hoffnung auf ewiges Leben. Aber für alle. Zu dieser universalen Hoffnung sind wir durch das Konzil befreit." Sie ist für uns Christen geboten, weil wir nicht mehr „kaltblütig damit rechnen und uns theoretisch sicher wähnen dürfen, daß das endgültige und bleibende Resultat der Weltgeschichte zum größten Teil in einer ewigen Hölle besteht".

„Diese *universale Hoffnung* ist auch eine Last, weil sie schwer ist und uns gerade nicht davon dispensiert (sonst würden wir sie verraten), dafür zu arbeiten, daß wir auch empirisch an unserer Gesellschaft und Geschichte nicht verzweifeln müssen. Die universale Hoffnung ist ein Geschenk des Konzils, das bleibt. Als Trost und Aufgabe."

In einem ebenfalls 1982 geführten Gespräch[59] geht Rahner insofern noch weiter, als er einige charakteristische Züge seiner Theologie nennt: dazu zählt er, daß er den universalen Heilswillen Gottes, „der von vornherein die gesamte Menschheit umfaßt und trägt und – durch die göttliche Selbstmitteilung, die göttliche Gnade – auf die Unmittelbarkeit Gottes hin finalisiert", an theologisch bedeutsamerer Stelle zur Geltung bringt als die Schultheologie. Dazu zählt er weiter, „daß die raumzeitlich universale Heilsgeschichte und die ebenso raumzeitlich universale Offenbarungsgeschichte in einem unlöslichen Zusammenhang stehen". Schließlich, „daß man die Überzeugung, daß die gesamte Menschengeschichte finalisiert und vergöttlicht ist, verbinden kann mit dem glaubenden Wissen, daß Gott in dieser Geschichte auch immer in der Macht des Heilswillens allen Menschen gegenüber am Werk ist", was zu einer unbefangeneren und positiveren Würdigung der allgemeinen Religionsgeschichte führen kann.

---

[58] Vgl. z.B. *K. Rahner*, Schriften XV 290.
[59] *K. Rahner*, Horizonte eines theologischen Denkens, in: *P. Imhof – H. Biallowons* (Hrsg.), Karl Rahner im Gespräch, II: 1978–1982 (München 1983) 295–307, hier 300f.

Er meint, daß er sich, so gesehen, mit seiner Theologie doch sehr erheblich von Augustinus unterscheidet, aber mit der Grundintention des II. Vatikanischen Konzils durchaus konform ist: „Für mich ist die Menschheitsgeschichte ... eine Geschichte des Heiles, eine universale Geschichte der Macht der Gnade und der göttlichen Liebe, eine Geschichte, in der für *alle* und nicht nur für wenige gehofft werden kann." Damit schließt sich der Bogen zu einem sehr frühen Wort Rahners: „Aber diese Ungewißheit für alle darf umfaßt sein von der Hoffnung für alle."[60]

Zusammenfassung: Die Vermutung, daß der bei Rahner 1965 zum erstenmal auftauchende Begriff „Heilsoptimismus" vom Konzil beeinflußt wurde, darf nach diesem Durchgang als erwiesen gelten. Er wird immer wieder mit Aussagen des Konzils gleichgesetzt bzw. das Konzil als Subjekt des Heilsoptimismus bezeichnet. Er erscheint zunächst gleichsam nebenbei, im Schlepptau anderer Themen, wird durch verschiedene Beiwörter qualifiziert und nuanciert, gewinnt, von der Auseinandersetzung mit dem Atheismus ab, an Farbe und Kontur (Kontext: nichtchristliche Religionen, Kirche, Glaube, und immer wieder: anonymer Christ), bis er als „universaler Heilsoptimismus" eigens thematisiert und von Rahner zu jenen Denkanstößen des Konzils gerechnet wird, die er mit zunehmendem Nachdruck als „vergessen" bezeichnet und gerade deswegen immer wieder aufgreift. Frühe Anliegen („Hoffnung für alle") und reiches dogmengeschichtliches Fachwissen bleiben durchgängig „im Gebrauch"[61] (Heilspessimismus des Augustinus, Heilsoptimismus der bisherigen Theologiegeschichte) und bilden die Grundlage, das Neue, Überraschende des Konzils zu würdigen. Zuletzt schiebt sich der Aspekt der universalen Heils*hoffnung* mit ihren spirituellen Konsequenzen deutlich vor – verbunden mit einem Bekenntnis zu den eigenen theologischen Positionen, die er konform zum II. Vatikanum sieht.

2. Spekulative Verknüpfung des Begriffs vom „universalen Heilsoptimismus" mit anderen Theologoumena Rahners

Selbstverständlich kann man bei der faktischen Lage der Welt und der Religionen und der doch beschränkten Zahl der Christen und Katholiken einen universalen Heilsoptimismus nur aufrechterhalten mit der Theorie dessen,

---

[60] *K. Rahner,* Schriften III 427. *E. Klinger* hat (s. Anm. 11) in seinem Zitat dieses Wortes von Rahner einen Übertragungsfehler: „Ewigkeit" statt „Ungewißheit" (ebd. 16).
[61] Vgl. *K. Lehmann* in: *K. Lehmann – A. Raffelt,* a.a.O. (s. Anm. 1) 23.

was mit „anonymem Christentum" bzw. „anonymen Christen" gemeint ist. Ob man diese Voraussetzung eines solchen Heilsoptimismus „anonymes Christentum" nennen will, ist eine andere Frage. Rahner hat *früher* die je dauernde und universale Angebotenheit der übernatürlichen Gnade an jeden Menschen „übernatürliches Existential" genannt, was nicht verwechselt werden darf mit der natura pura, insofern sie Gnade empfängt. Er hat dies damals „übernatürliches Existential" genannt, um Fragen zu vermeiden, die vor dem Konzil „lehrtaktisch" mehr Schwierigkeiten gemacht hätten. Wenn er zum Beispiel gesagt hätte, wie er das später ruhig tut, daß in jedem Menschen immer und überall die übernatürliche Gnade im Modus des Angebots gegeben ist, hätte er früher gleich auf die Frage mit antworten müssen: Welchen Sinn und welche Notwendigkeit hat dann die Taufe? Wodurch unterscheidet sich dann Maria im ersten Augenblick ihrer Empfängnis von uns? Auf diese Fragen kann man sinnvolle und genügende Antworten geben, aber weil das früher kompliziert gewesen wäre, hat Rahner diese Bestimmtheit des Menschen auf die visio beatifica hin, die immer und überall gegeben ist, „übernatürliches Existential" und nicht „Begnadetheit im Modus des Angebots" genannt.

Wenn man aber diesen zweiten Ausdruck heute unbedenklich gebrauchen kann, kann man den Begriff des „übernatürlichen Existentials" beiseite lassen. Er hatte immer den Nachteil, daß dieses „Existential" mit der natura pura als begnadigbarer verwechselt wurde.

Wenn und insofern also diese Gnade im Angebot immer und überall existiert, ist das eigentlich umfassende und letzte Formalobjekt des menschlichen Geistes, das eben nicht nur durch die Natur, sondern durch die Begnadigung gegeben ist, die Ausgerichtetheit auf Gott in sich, auf die Unmittelbarkeit Gottes, und zwar hinsichtlich der Erkenntnis und der Freiheit. Damit ist nicht gesagt, daß man als Individuum und durch eine psychische Introspektion dieses übernatürliche Formalobjekt von dem natürlichen Formalobjekt des Geistes und der Freiheit müsse unterscheiden können. Man könnte durchaus sagen: Das Gelingen dieser ausdrücklichen und reflexen Unterscheidung (die dann auch verbalisierbar ist) ist das Ergebnis der universalen Heils- und Offenbarungsgeschichte der Menschheit. Wieweit dies einem einzelnen gelingt, ist eine Frage, die man offenlassen kann.

Man muß betonen, daß dieser Heilsoptimismus nicht von einem humanitären Optimismus, sondern von der Torheit des Kreuzes her sehr schwierig ist, wenn man die Scheußlichkeit der Weltgeschichte sieht *und* die reale, nicht wegzudisputierende Bedrohtheit der Freiheit des Menschen von innen her mitbedenkt, der wirklich böse sein kann.

Erkenntnistheoretisch ist weiter festzuhalten, daß für eine kreatürliche Erkenntnis theologische Aussagen notwendigerweise plural sind und nicht in eine höhere, von uns durchschaubare Synthese aufgehoben werden können. Zum Beispiel: Gott ist in sich unveränderlich, und doch ist er selbst am Anderen veränderlich, sonst gäbe es keine Inkarnation. Solche Sätze muß man nebeneinander stehenlassen. Man kann nur eines erkennen: daß sie sich nicht eindeutig kontradiktorisch widersprechen, dann aber ihre Vereinbarkeit nicht noch einmal positiv in höherer Synthese einsehen. Das gilt auch für die beiden Behauptungen von Heilsoptimismus und Möglichkeit ewiger Verlorenheit, wobei die unaufhebbare Koexistenz zweier solcher Sätze selber noch einmal eine Geschichte haben kann.

Die Universalität der Hoffnung zum Beispiel war sicher früher so deutlich und reflex nicht gegeben, wie es jetzt uns erlaubt ist. Rahner glaubt, daß die *Vorbetonung* der Hoffnung und ihrer Universalität ein unumkehrbarer Fortschritt im Glaubensbewußtsein der Kirche ist, wobei natürlich noch einmal sekundäre Schwankungen nicht ausgeschlossen sind.

3. Universaler Heilsoptimismus – Folgerungen, Denkanstöße, Anfragen an den Religionsunterricht

a) Vorbemerkungen

Setzen wir also einen solchen universalen Heilsoptimismus, eine solche universale Heilshoffnung einmal voraus, ohne sie noch länger begründen oder verteidigen zu wollen.

Diese Voraussetzung wird gemacht mit dem Bewußtsein, daß es auch heute noch gewichtige Theologen gibt, die anderer Meinung sind; andererseits zeigt das Konzil, daß man diese These vertreten kann und sie mindestens vom Lehramt nicht beanstandet wird; überdies wird sie auch von anderen Theologen geteilt. Wir nehmen also an, diese Position sei legitim und dürfe nicht simplifiziert, wohl aber ernsthaft auch innerhalb eines schulischen Religionsunterrichts behandelt werden.

Dann entsteht die Frage: Wo kann man ansetzen, darüber zu sprechen? Welche Veränderungen der *herkömmlichen* Perspektiven ergeben sich bei grundlegenden christlichen Begriffen?

Damit sich hier nicht – je nach Temperament und deutschem Bundesland – die Weh- oder Anklage erheben muß, hier werde „angewandte Dogmatik" betrieben und somit der heutige Bewußtseinstand einer wissenschaftlich arbeitenden Religionspädagogik um Jahrzehnte verfehlt, sei friedlich darauf hingewiesen, daß es *hier* darum geht, Denkanstöße und Fragen aus dem Arbeitsbereich der Systematischen Theologie auf den Religionsunterricht hin zu beziehen, *ohne* in diesem *ersten Schritt* bereits genauer ihre didaktische und methodische Vermittlung zu thematisieren.

Wenn es also in den folgenden Ausführungen etwa heißen wird: „Der Religionslehrer sagt . . ." o.ä., sollen damit primär die notwendigen *Inhalte*, das „Was", angegeben werden, und es soll nicht das „Wie" in Gestalt eines hoffnungslos lehrerzentrierten, monologisch ablaufenden Frontalunterrichts vorgeführt werden.

Ich halte das nach wie vor für ein mögliches Verfahren und für ebenso legitim wie den umgekehrten Vorgang, daß nämlich die Praktische Theologie (wozu eben auch Katechetik und Religionspädagogik zählen) immer wieder auf Fragen aufmerksam machen, diese präzisieren und reflektieren muß, „die von der Praxis her an die Dogmatik zu stellen sind"[62]. Dabei ist als selbstverständlich vorausgesetzt, daß die Praktische Theologie einen besonders engen Bezug zu den Humanwissenschaften hat.

Für unsere in der Weltkirche eher seltene (und daher explizit auch in Catechesi tradendae kaum gestreifte[63]) Situation eines Religionsunterrichts an der „Schule für alle" trifft nicht nur, wie in der Pastoral, die von Rahner[64] mehrfach angesprochene „Gleichzeitigkeit des Ungleichzeitigen" zu. Dazu kommt auch, wie ich hinzufügen möchte, die „Gleichörtlichkeit" des Ungleichzeitigen. Im engen Raum einer Schulklasse finden sich die verschiedensten Mentalitäten und Einstellungen nicht tot und beziehungslos nebeneinander (wie die Bücher in den Universitätsinstituten), sondern in Begegnung und Austausch, im Werden und Wachsen, im Gespräch und im Verstummen, beeinflußt von der persönlichen Biographie der Schüler, vom Image des Religionsunterrichts, von Massenmedien. Gegen die so scharfsinnigen Analysen eines „posttheistischen" bzw. „postchristlichen" Zeitalters von Rahner[65] und Lehmann[66] muß hier kritisch angemerkt werden, daß sie – allzu plakativ von Epigonen gehandhabt – eine gewisse Eigendynamik hin zu einer unzulässigen Verallgemeinerung entwickeln und damit den Blick auf das konkrete Einzelne verstellen können.

---

[62] *K. Rahner*, Neue Ansprüche der Pastoraltheologie an die Theologie als ganze, in: *ders.*, Schriften IX 127–147, hier 145f.
[63] Nur in Nr. 69 ein sehr bescheidener Hinweis!
[64] Vgl. *K. Rahner*, Strukturwandel der Kirche als Aufgabe und Chance (Freiburg i. Br. 1972) 38–41. Vgl. auch *P. M. Zulehner*, Ungleichzeitigkeit des Wandels, in: KatBl 105 (1980) 7–10.
[65] Im Zusammenhang mit dem Thema Atheismus passim. Vgl. der Sache nach auch seine Kritik an „Grundriß des Glaubens", in: KatBl 105 (1980) 545–547, hier 547.
[66] *K. Lehmann*, Pastoraltheologische Maximen christlicher Verkündigung an die Ungläubigen von heute, in: Concilium 3 (1967) 208–217; vgl. auch das Themenheft von Concilium: 19 (1983) Heft 5: Der religiöse Indifferentismus.

Der umfassende Blick auf die geistesgeschichtlichen Strömungen in einer bestimmten Großregion der Kirche kann nicht *zugleich* ebenso deutlich das jeweilige „lokale Kleinklima", die sozialen Nischen, das gegenseitige Bedingungsverhältnis von Groß- und Kleinklima, personale und regionale Phasenverschiebungen anvisieren. Konkret auf eine Schulklasse im Religionsunterricht angewendet: Man hat hier *immer* mit einer *Mischung* von Einstellungen zu rechnen, deren einzelne Anteile niemals von vornherein exakt bestimmt, sondern bestenfalls aufgrund eigener früherer Unterrichtserfahrung und aufgrund der Kenntnis einschlägiger empirischer Untersuchungen vermutet werden können. *Diese* konkrete Schulklasse mit *dieser* ihrer Mischung an Mentalitäten und Einstellungen kommt aber *so* noch nirgends in der wissenschaftlichen Literatur vor, so daß man allein schon von daher sich bemühen muß, für jedes Thema neu von einer gemeinsamen Basis, d.h. von einer menschlichen Grunderfahrung, auszugehen und *dann* die Begegnung mit der christlichen Auffassung zu vermitteln.

b) Inhaltliche Perspektiven[67]

1) Individuelle Hoffnung und universaler Heilsoptimismus

Eine solche Grunderfahrung besteht nun für dieses Thema darin, daß es für alle, auch für junge Menschen, bestimmte Lebenssituationen gibt, in der sie die Ambivalenz von Furcht und Hoffnung und die mögliche Koexistenz von Wagnis und Hoffnung erleben. Gerade bei Jugendlichen wechseln sich zudem häufig zwei Haltungen unausgeglichen ab: die optimistische Haltung eines autonomen Subjekts, das alles kann, und die depressive Grundstimmung („Es ist alles nix, und es wird nix!").

Unter diesen Umständen kommt der Religionslehrer nicht darum herum, auch den konkreten Christen als einzelnen als einen Menschen darzustellen, der zwischen Furcht und Hoffnung gestellt ist und weder Furcht noch Hoffnung aufgeben darf. Dies gehört zur fundamentalen Grundstruktur des Menschen und daher auch des Christen.

Vielleicht könnte man sich deswegen auch fragen, ob nicht auf Lebensalter und Individualstruktur hin die Akzentsetzung in dieser Ambivalenz verschieden ausfallen kann. Beim jungen Menschen wird man vielleicht eher sagen: „Du stehst immer wieder vor Wegkreuzungen." Einem alten Menschen, der im Sterben liegt, wird man eher sagen: „Es wird schon gut gehen."

---

[67] Als Adressaten des Religionsunterrichts sind hier Jugendliche zwischen 14 und 19 Jahren gemeint.

Der Religionslehrer wird überdies sagen müssen: Die christliche Hoffnung, die auf Gott hofft, fordert das tapfere Eingehen von Risiken, die mit irdischen Aufgaben verbunden sind. Man muß auch den Mut aufbringen, sich zu blamieren und die Finger zu verbrennen! Wagt man dies nicht wegen des damit verbundenen Risikos, sagt man im Grunde: „Ich traue der Verheißung noch nicht recht!" Denn wenn man dieser Verheißung trauen würde, müßte man tapfer das Risiko eingehen können. Mangel an Zivilcourage zeigt insgeheim eine Verleugnung, ein Fehlen der christlichen Hoffnung. Es besteht also ein konkreter Zusammenhang mit der Alltagspraxis; von daher ist doch wohl ein Verständnis zu gewinnen, daß man alles hoffen und doch nicht übermütig werden kann.

Ein Weiteres gilt es zu beachten: Furcht und Hoffnung sind nicht als gleichwertig zu sehen, sondern der Akzent liegt auf Hoffnung!

Nach dem II. Vatikanischen Konzil („Lumen gentium" n. 48: „renovatio mundi irreparabiliter est constituta") darf nämlich die christliche Heilssituation nicht mehr mit einer Lehre von zwei gleichwertigen Wegen ausgedrückt werden. („Ich kann in den Himmel oder in die Hölle kommen, und was man dazu tun kann, muß man selber tun.") Die Liebe und Barmherzigkeit Gottes hat im allgemeinen schon verkündet, daß er von sich aus selber das Schicksal der Welt positiv entschieden hat und wir jetzt schon in der Heilsphase sind, in der das Ende der Geschichte bereits zu uns gekommen ist und die Erneuerung der Welt in dieser Weltzeit *wirklich* vorausgenommen wird.

Nochmals anders gesagt: Der Lehrer ist derjenige, der die unabwälzbare Verantwortungssituation jedes einzelnen für sich selbst den Jugendlichen existentiell nahebringen muß.

Aber er ist nicht einfach der Zwei-Wege-Lehrer, nicht der doppelte Wegweiser Himmel–Hölle, sondern der Verkünder der Frohbotschaft, daß er, ungeachtet der nicht abwälzbaren Verantwortung und deswegen einer Situation, die für den einzelnen Hoffnung, aber nicht Sicherheit theoretischer Art ist, mit der Kirche verkünden muß, daß das Heil der Welt unwiderruflich schon von Gott her verfügt ist und von daher eine ganz andere Hoffnungschance und firmitas spei gegeben ist als mit dem Satz: „Man kann zwar in den Himmel kommen, aber dafür schuften muß man ganz allein."

Zusammenfassung: Wenn man also über den universalen Heilsoptimismus sprechen will, muß man zuerst beim Individuellen ansetzen, bei der Ambivalenz im eigenen Lebensgefühl des Jugendlichen und bei der Ambivalenz in seiner eigenen Heilssituation.

Von da aus kommt man relativ leicht zum universalen Heilsoptimismus.

Diese bivalente, offene, doch hoffend optimistische Situation des einzelnen braucht man nur auf die Gesamtmenschheit anzuwenden und kann dem Jugendlichen sagen: Was du bezüglich deiner eigenen individuellen Situation erfährst und christlich interpretierst, diese ambivalente Situation kannst du auch von der gesamten Menschheitsgeschichte her aussagen. Auch nur von einem Teil her kannst du für alle hoffen und mußt du für alle fürchten.

Die katechetische Rede vom universalen Heilsoptimismus darf also weder in einem primitiven und billigen Optimismus rufen: „Wir kommen alle, alle in den Himmel", noch in einen Heilspessimismus zurückfallen, der aus der *massa damnata* nur wenige gerettet sieht, Erwählungsbewußtsein und Höllenfurcht erzeugt.

Die Idee eines universalen Heilsoptimismus ist angesichts des Zustandes der Welt ja keine Erleichterung: So viel Gott zuzutrauen ist ja gar nicht so einfach, vor allem für Jugendliche, die Leid und Ungerechtigkeit gegenüber sehr sensibel sind.

2) Hölle

Damit stellt sich dann die Frage, wie in einer vernünftigen Weise die frühere „Höllenpredigt" modifiziert werden kann.

Die Eschatologie[68] hat sich in den letzten dreißig Jahren von der Lehre von den letzten, rein zukünftigen (und daher für die Gegenwart der Menschen

---

[68] Als neueste zusammenfassende Publikation vgl. *H. Vorgrimler*, Hoffnung auf Vollendung. Aufriß der Eschatologie (Quaestiones disputatae 90) (Freiburg i.Br. 1980). Zur Reflexion des Gesamtthemas „Eschatologie" innerhalb von Katechetik und Religionspädagogik vgl. die Beiträge von *G. Greshake*, Eschatologie. Bemerkungen zu gegenwärtigen theologischen Positionen, und *F.-J. Nocke*, Eschatologie. Fragen nach der Zukunft der Menschheit, in: *G. Bitter – G. Miller* (Hrsg.), Konturen heutiger Theologie (München 1976) 203–212 bzw. 213–236. Diese „Werkstattberichte" waren als Vorarbeiten zu einem „Glaubensbuch für junge Erwachsene" gedacht und gingen, wenn ich recht sehe, in den „Grundriß des Glaubens" in etwa ein (vgl. den Hinweis auf Rahners Rezension in Anm. 65). Aus der begleitenden wissenschaftlichen Arbeit am „Zielfelderplan für den katholischen Religionsunterricht der Schuljahre 5–10" ging das Buch hervor: Zielfelderplan. Dialog mit den Wissenschaften, hrsg. von R. Ott und G. Miller (München 1976). Das Thema „Eschatologie" wird in Kritik des Systematikers (*A. Schilson*, ebd. 155) und Gegenkritik des Religionspädagogen (*H. Kurz*, ebd. 169) angesprochen – eine sehr fruchtbare Methode bei der Erstellung von Lehrplänen. Hingegen wird sie bei „Unverzichtbaren Inhalten der Systematischen Theologie" im Beitrag von H. Riedlinger nur gestreift: *G. Biemer – A. Biesinger*, Theologie im Religionsunterricht 69–81. Dies überrascht um so mehr, als Biemer und Biesinger innerhalb ihres „Fachdidaktischen Ansatzes für die Legitimation von Inhalten des Religionsunterrichts" (ebd. 20–33) einen durchaus eschatologisch ausgerichteten Hoffnungsbegriff an eine sehr markante Stelle ihres Konzepts setzen (ebd. 27). An Einzelbeiträgen von durchwegs hohem Reflexionsniveau (die Kommunikation und Kooperation von Dogmatik und Katechetik und Religionspädagogik kann offensichtlich sehr fruchtbar sein) vgl. *F. J. Nocke*, Hoffnung für diese Erde? Eschatologische Gesichtspunkte, in: KatBl 104 (1979) 292–298; *ders.*, Eschatologie zwischen Glaubensüberlieferung und neuer Er-

im Grunde unerheblichen) *Dingen* zu einem anfanghaft gegenwärtigen, personalisierten „Hoffnungsbild" gewandelt. Der geradezu klassisch gewordene Text von H. U. v. Balthasar markiert den Umschwung: „Gott ist das ,Letzte Ding' des Geschöpfs. Er ist als Gewonnener Himmel, als Verlorener Hölle, als Prüfender Gericht, als Reinigender Fegfeuer. Er ist Der, woran das Endliche stirbt und wodurch es zu Ihm, in Ihm aufersteht. Er ist es aber so, wie er der Welt zugewendet ist, nämlich in seinem Sohn *Jesus Christus,* der die Offenbarkeit Gottes und damit der Inbegriff der ,Letzten Dinge' ist. Eschatologie ist darin, beinahe noch mehr als jeder andere locus theologicus, im ganzen Lehre von der *Heils*wahrheit. Dies ist . . . schlechthin zentral."[69]

Dabei weist Balthasar bereits damals auf die üblen Folgen einer „Glaubensgewißheit" über den negativen Gerichtsausgang hin: entgegen der Schrift, die die Prädestination offenläßt, kommt es zur Lehre einer doppelten Prädestination (ante oder post praevisa merita), der Glaube wird ein intellektuell neutraler Akt, der indifferent Heils- wie Unheilswahrheiten umfaßt. Der Hoffnungsbegriff verkümmert, da es gegen den Glauben zu sein scheint, zu hoffen. Die Schrifttexte von der Erlösung aller (nicht im Sinn des Wißbaren, sondern des Erhoffbaren) werden geschwächt.

Man muß hier m.E. hinzufügen: Die uns doch von Christus gebotene Solidarität mit den Menschen würde sinnlos! Die hohe Sensibilität für die anderen (Péguy, Nédoncelle) würde abgewertet. Vollends unerträglich, aber in dieser Unerträglichkeit von abstrakt spekulierenden Theologen nicht erkannt war die Idee der Hölle für ungetauft sterbende Kinder, die in der „gemäßigten" Form des Limbus puerorum bis in die Vorbereitungsschemata des II. Vatikanums hineinreichte, aber vom Konzil „mit Stillschweigen begraben wurde"[70].

---

fahrung, in: KatBl 105 (1980) 109–119; *H. Wagner,* Eschatologie und Religionsunterricht, in: KatBl 106 (1981) 514–523.

In den „Christlich-pädagogischen Blättern" vgl. z.B. das ausgezeichnete Themenheft „Die Eschata in der Katechese" von 1971 mit den Beiträgen: *B. Dreher,* Die gewandelte theologische Sicht in der Verkündigung der „Letzten Dinge", in: CPB 84 (1971) 275–280; *J. Weinberger,* Die Verkündigung über den Tod, in: ebd. 281–286; *M. Riebl,* Brennt in der Hölle wirklich ein Feuer?, in: ebd. 286–291; *F. Köstlinger,* Der Himmel in den Negro Spirituals, in: ebd. 292–296; *E. Weiler,* Die Himmelsvorstellung in der 4. Schulstufe. Untersuchung in drei Wiener Volksschulklassen, in: ebd. 297–312. Vgl. auch den bemerkenswerten Abschnitt „Der eschatologische Bezug der Katechese", in: *E. Feifel,* Die Glaubensunterweisung und der abwesende Gott (Freiburg i.Br. 1965) 123–130. Siehe auch *G. Baudler,* Die Hoffnung auf das endgültige Heil Gottes. Narrative Eschatologie in Verkündigung und Religionspädagogik, in: Diakonia 9 (1978) 230–244.

[69] *H. U. v. Balthasar,* Art. „Eschatologie", in: *J. Feiner – J. Trütsch – F. Böckle* (Hrsg.), Fragen der Theologie heute (Einsiedeln ³1960) 403–422, hier 407f, später 412–414.

[70] *K. Rahner,* Schriften XIV 316, vgl. ebd. 315 „Abschaffung".

Neue Lösungsversuche zum universalen Heilsoptimismus und damit auch zur Auffassung von Hölle finden sich bei K. Barth und H. U. v. Balthasar[71]. Wendet man sich Unterrichtsmaterialien zu, kann man feststellen: Hat es früher auf diesem Gebiet einen negativen Einfluß von seiten einer einseitig betriebenen Dogmatik gegeben[72], ist heute das Gesamtbild viel differenzierter und insgesamt positiv zu bewerten, wenn auch die Themen der „individuellen Eschatologie" überwiegen[73]. Vielleicht wäre manchmal noch das Problem genauer zu berücksichtigen, wie man die Schüler in eine Hermeneutik eschatologischer Aussagen einführen kann[74] (eine Frage, die nicht ablösbar ist von dem Kontext, wie und was man überhaupt heutzutage im Religionsunterricht an Bibeltexten erarbeiten soll[75]). Jedenfalls soll nicht die Eschatologie dazu verwendet werden (wozu früher die Bibel überhaupt häufig gebraucht wurde), aus der Gerichtsdrohung moralische Postulate abzuleiten, genausowenig wie Hoffnung ausschließlich als moralische Tugend betrachtet werden kann[76].

Ein Beispiel für Überlegungen, wie man eschatologische Themen im Unterricht behandeln kann, bietet der Artikel „Eschatologie und Religionsunterricht" von H. Wagner[77]. Es ist für den Problemstand bezeichnend, daß er erst im vierten Teil direkt auf „Eschatologie im Religionsunterricht" zu spre-

---

[71] Diesen Hinweis verdanke ich Prof. Schwager. Vgl. zu Barth *H. U. v. Balthasar,* K. Barth. Darstellung und Deutung seiner Theologie 186–201 367–372; H. U. v. Balthasars eigene Ansicht in: Theodramatik IV 223–243 253–258.

[72] Vgl. *K. Sorger,* Zum Problem der Funktionalisierung biblischer Texte, in: Religionspädagogische Beiträge 1 (1978) 59–70, hier 61: „Der Primat der Katechismuslehre im Bibelunterricht führt unter anderem dazu, daß bestimmte Lehrkomplexe, die für dogmatisch oder kontroverstheologisch besonders wichtig gehalten werden, unverhältnismäßig häufig und ausführlich als ‚Lehren' erscheinen. In den Gleichniskatechesen der katholischen Handbücher von 1870 bis etwa 1960 gehören dazu vor allem die Lehre von der Hölle (mit zum Teil subtilen und umfangreichen Spekulationen im Stil der zeitgenössischen Dogmatik, etwa über die Natur des Höllenfeuers), der Komplex Gnade – Glaube – gute Werke und die Lehre von der Kirche." Einen umfassenden Überblick über die Behandlung der Eschata bis 1965 bietet *O. Betz,* Die Eschatologie in der Glaubensunterweisung (Würzburg 1965).

[73] Besonders die Themen „Hoffnung" (s. Anm. 68) und „Tod". Zu diesem zwei Beispiele: *L. Bartholomäus,* Wie ein Geschenk hinter der Tür. Gespräch mit Udo über den Tod, in: KatBl 103 (1978) 633–635. „Tod – und was dann?" Vorabdruck des inzwischen erschienenen Bandes für die 7. Schulstufe (Hauptschule) von *W. Stengelin – L. Volz* in: KatBl 104 (1979) 983–996. Vgl. auch das Urteil *H. Wagners* (s. Anm. 68) 516: „Die Eschatologie der gängigen Handbücher bis in die Gegenwart hinein ist Individualeschatologie."

[74] Vgl. *K. Rahner,* Theologische Prinzipien der Hermeneutik eschatologischer Aussagen, in: ders., Schriften IV 401–428.

[75] Vgl. dazu *G. Stachel,* „Katechismus – Bibel – Ethik – Spiritualität": Zur speziellen Didaktik des Religionsunterrichts und der Katechese, in: *ders.,* Erfahrungen interpretieren. Beiträge zu einer konkreten Religionspädagogik (Zürich 1982) 75–236.

[76] Vgl. *K. Sorger* (s. Anm. 72) zu den grundsätzlichen Problemen.

[77] *H. Wagner,* Eschatologie und Religionsunterricht (s. Anm. 68).

chen kommt. Sein erster Wunsch: „Daß nämlich die Erkenntnisse der Theologie, die doch primäre Bezugswissenschaft des Religionsunterrichts ist, dort auch Eingang finden mögen."[78]

Die Auseinandersetzung mit „Hölle" erscheint ihm „ungleich schwieriger" als mit „Himmel": „Gerade der heutige Mensch ist vor dieser Größe besonders ratlos." „Im übrigen wird es wichtig sein, die Aussagen über die Hölle nicht zu verselbständigen, sie vor allem nicht aus dem Rahmen der Hoffnung herauszubrechen: ‚Ich kann verlorengehen, ich hoffe aber, nicht verlorenzugehen' (K. Rahner)."[79] Eine „Physik der letzten Dinge" (Congar!) lehnt er ebenso ab wie „pure Neugier". „Entscheidend ist der in der Theologie neu herausgestellte personale Ansatz." Es muß deutlich werden, daß „Fegfeuer", „Gericht", „Himmel", „Hölle" Beziehungen zu Gott meinen, die sich im Tod im wahrsten Sinn des Wortes „aus-zeitigen"[80].

In der heutigen weltweit denkenden Gesellschaft scheint es dem Autor möglich, auch den Gedanken einer Vollendung der Menschheit – nicht nur des einzelnen – einzubringen und insofern „auch auf der Ebene des Religionsunterrichts die Individualethik zu korrigieren". Gedanken und Modelle aus der christlichen Tradition sollten als „Hoffnungsbilder" gedeutet werden. Entscheidend ist also: „die Hoffnung zu stärken auf den, der des Menschen Gegenwart und Zukunft ist: Gott"[81].

3) Die „anderen"

Die schönste Folgerung aus einem universalen Heilsoptimismus ist aber doch eine völlig gewandelte Einstellung zum „anderen", bei dem man jetzt, *nach* dem II. Vatikanum, eine bona fides präsumieren kann, ganz gleich, ob es sich um Angehörige nichtkatholischer Kirchen, um Juden, um Angehörige nichtchristlicher Kirchen, um Atheisten handelt[82]. Der Religionsunterricht hat daraus bereits praktische Konsequenzen gezogen. Die Weltreli-

---

[78] Ebd. 519.
[79] Ebd.
[80] Ebd. 522.
[81] Ebd. 523.
[82] Man vergleiche den Mentalitätswandel selbst gegenüber einem Autor wie *K. Tilmann,* Das Glaubensgespräch mit Andern (Würzburg 1966).

gionen[83], die Ökumene[84] und die Auseinandersetzung mit Judentum[85] und Atheismus[86] sind in Lehrpläne und Lehrbücher aufgenommen worden. Es wird eine bleibende Aufgabe von Katechetik und Religionspädagogik sein, diese Materialien immer wieder dahingehend zu überprüfen und von den Betroffenen selbst überprüfen zu lassen, ob sie sich hier angemessen vertreten finden. Eine weitere Aufgabe des konkreten Unterrichts wird sein, sensibel dafür zu machen, wo diese „anderen" im konkreten Leben vorkommen: als Gastarbeiter, als Schüler. Denn es ist leicht, theoretisch richtiges Verhalten zu postulieren, aber oft sehr schwer und doch gerade entscheidend[87], dies auf den „hautnahen Nächsten" zu übertragen. Ein Drittes ist dadurch möglich für Lehrer *und* Schüler: den Heiden, den Atheisten in sich selber zu akzeptieren. Anhand dieser gewandelten Einstellung zu den „anderen", die man an Quellentexten leicht belegen kann, läßt sich überdies aufzeigen, daß es doch *auch* Veränderungen zum Besseren in der Kirchengeschichte geben kann[88].

---

[83] Zum Beispiel „Die Weltreligionen", in: Impulse zur Verantwortung I (Düsseldorf [6]1975; österreichische Ausgabe Wien [6]1980) 212–235. Dazu allerdings eine kritische Bemerkung: In der Neubearbeitung (Düsseldorf 1981) wird die berühmt-berüchtigte Sure 4 des Korans über die Frauen selektiv und nur mehr innerhalb des Themas „Der Islam" (227) zitiert. Es entfällt ein weiteres Zitat, in den früheren Auflagen innerhalb des Abschnitts „Begegnung der Geschlechter" (125) angeführt, das die Zweitrangigkeit der Frau im Islam sehr deutlich ausdrückt. Hier wird Ökumene auf Kosten der Wahrheit betrieben!

Als Literaturbeispiele seien angeführt: P. *Antes* – G. *Biemer,* Weltreligionen im Religionsunterricht – Sekundarstufe II (München 1975); U. *Tworuschka* (Hrsg.), Religionen heute. Themen und Texte für Unterricht und Studium (Frankfurt a.M. – München 1977). Wichtig erscheint A. A. R. *Crollius* (Hrsg.), Islam und Abendland (Düsseldorf 1982) für heute aktuelle Probleme (Gastarbeiter!).

[84] Es gibt auch in ökumenischer Zusammenarbeit verfaßte Lehrbücher für Kirchengeschichte, zum Beispiel: brennpunkte der kirchengeschichte. Ein Arbeitsbuch von H. *Gutschera* und J. *Thierfelder* (Paderborn 1976), dazu: lehrerkommentar brennpunkte kirchengeschichte (Paderborn [2]1980); P. *Meinhold,* Kirchengeschichte in Schwerpunkten. Ein ökumenischer Versuch (Graz 1982). Schlechter steht es um konkrete Unterrichtsmaterialien *über* Ökumene, mindestens in Österreich!

[85] Hier muß auf das Forschungsprojekt „Judentum im katholischen Religionsunterricht" hingewiesen werden: G. *Biemer* (unter Mitarbeit von A. Biesinger, P. Fiedler, K.-H. Minz, U. Reck), Freiburger Leitlinien zum Lernprozeß Christen – Juden (Düsseldorf 1981); P. *Fiedler,* Das Judentum im katholischen Religionsunterricht (Düsseldorf 1980); weiteres B. *Uhde* (Hrsg.), Judentum im Religionsunterricht Sekundarstufe II (München 1978).

[86] Vgl. nochmals E. *Feifel,* Die Glaubensunterweisung und der abwesende Gott (Freiburg i.Br. 1965); weitere Literatur in H. *Pissarek-Hudelist,* Die Gottesfrage im Religionsunterricht heutiger Jugendlicher, in: ZKTh 102 (1980) 314–332 401–424.

[87] Vgl. K. *Rahner,* Das „Gebot" der Liebe unter den anderen Geboten, in: Schriften V 494–517; ders., Über die Einheit von Nächsten- und Gottesliebe, in: Schriften VI 277–298.

[88] Bei der Matura 1983 an der Höheren Bundeslehranstalt für wirtschaftliche Frauenberufe in Innsbruck bekam eine Schülerin als Text für das Ausgangsfach Geschichte Fragmente eines Aufrufs Papst Urbans II. zum ersten Kreuzzug, in dem die Muslime als „gottloses Volk", „Hunde", „Diebe, Räuber, Brandstifter und Mörder" bezeichnet wurden. Der Aufruf schließt:

4) Christus und Kirche

Damit ist eine weitere Aufgabe mitgegeben: den Zusammenhang von Christus und der Kirche mit dem Heil *aller* deutlicher auszusagen: „Wenn die Geschichte der Menschheit eine ist, in der alles von Abel bis zum letzten Menschen zusammenhängt und jeder für jeden durch alle Zeiten hindurch und nicht nur bei einer irdischen Gleichzeitigkeit und Gleichräumigkeit etwas bedeutet, dann ist eben die Kirche der Sauerteig nicht nur dort, wo sie einen Teil des übrigen Mehles für unsere Augen sichtbar ergriffen und so ja selbst zu einem Stück der Fermentation gemacht hat, sondern immer und für alle und für jede Zeit und gerade auch dort, wo sich das Mehl (noch) nicht in den gesäuerten Teig für uns greifbar verwandelt hat. Die Kirche wird diesem Christen erscheinen gerade als die Verheißung an die nichtkirchliche Welt, und zwar nicht nur und nicht erst insoweit, als diese Welt selber schon Kirche geworden ist. Die Verheißung ist nicht nur die Verheißung der wachsenden Kirchewerdung dieser Welt, sondern ist die Verheißung einer Rettungsmöglichkeit der Welt durch die Kirche auch dort noch, wo sie nicht selber schon geschichtlich erfahrbare Kirche wird, und das schon darum, weil sie ja auch die Verheißung des Heiles für diejenige Welt ist, die vor ihr lebte und starb. Denn wenn Christus in seiner geschichtlichen Greifbarkeit und durch sie hindurch (und nicht nur als der ewige Logos der Welt) das Heil *aller* Menschen ist, auch derer, die vor ihm lebten (und durch Hunderttausende von Jahren lebten in einer unabsehbaren, mühseligen Geschichte voll dumpfer Unbegreiflichkeit für sich selbst), dann gilt das doch in entsprechendem Abstand auch von der Kirche."[89]

5) Offenbarung, Gnade, Glaube

Offenbarung, Glaube, Gnade als Angebot an alle bewirken überdies, daß Christen nicht mehr im Modus der Abgrenzung von „anderen" denken dürfen, wohl aber sich ihrer Verantwortung für das konkrete Erscheinungsbild der Kirche deutlicher bewußt werden müssen. Sünde wird schärfer profiliert als Grenze und Abgrenzung dort, wo der Mensch sich endgültig in den Widerspruch zu seinem eigenen Wesen setzt, und, auf die Kirche bezogen, dort, wo sie als Kirche der Sünder in einem bleibenden Skandal des Widerspruchs zu ihrem Auftrag, heilige Kirche zu sein, es anderen Menschen erschwert oder unmöglich macht, in ihr das „Bleiben Christi in der Welt" zu erkennen.

„Deshalb bitte ich, nein: Gott bittet Euch, als Herolde Christi jenen nichtswürdigen Volksstamm aus den Ländern zu vertreiben, in denen unsere Glaubensbrüder sind. Euch, die ihr hier seid, aber auch den Abwesenden trage ich dies auf! Christus befiehlt!"
[89] *K. Rahner*, Schriften V 406f.

c) Auswirkungen für den Religionslehrer

Die These vom universalen Heilsoptimismus hat sehr viele positive Auswirkungen für den Religionslehrer und die Religionslehrerin selbst:

Sie ermutigt ihn, seinen Schüler(inne)n und sich selbst hoffend und gelassen, kühn und vertrauensvoll, behutsam und achtsam zu begegnen. Religionsunterricht als Dienst an den jungen Menschen und zugleich als „liebender Dialog" mit ihnen wird so leichter möglich[90].

Wie immer erhebt sich zuerst für ihn die Verpflichtung, die Glaubensanstrengung der Hoffnung für sein eigenes Leben zu wagen und mit seiner eigenen Hoffnung „anzustecken".

Dann aber ist er entlastet von dem Anspruch, aus vermeintlichen „Heiden", „Ungläubigen", „Atheisten" um jeden Preis explizite Christen machen zu sollen. Er darf in seinen Schülern (und wiederum in sich selbst) die „anonymen Theisten", die „anonymen Christen" anrufen. Er braucht also keinen seiner Schüler als einen Menschen zu betrachten, der schlechthin nie etwas mit Gott zu tun gehabt hat, auch dann nicht, wenn es ihm nicht gelingt, den Schüler zu überzeugen, daß auch dieser in seinen konkreten Lebenserfahrungen Gott bereits berührt hat.

Der Lehrer wird sein eigenes Christsein deuten als ein ausdrücklicheres Zu-sich-gekommen-Sein von dem, wozu andere ebenfalls unterwegs sind. Er wird daher niemanden abwerten, sondern die „anderen" frei-lassend akzeptieren.

Er wird seine Verantwortung als „sichtbares" Glied der Kirche, die Wurzeln seiner eigenen Befreiung und Hoffnung deutlicher erkennen.

---

[90] Die neuesten Auseinandersetzungen zum Thema werden sehr grundsätzlich geführt: *H. U. von Balthasar,* Gründet Katechese auf Glauben und/oder Theologie?, in: Internat. kath. Zeitschrift (Communio) 12 (1983) 1–7; *K. Lehmann,* Der Katechismus als Form der Glaubensvermittlung, in: ebd. 8–13; *J. Ratzinger,* Schwierigkeiten mit der Glaubensunterweisung heute, in: ebd. 259–267, zeitlich offenbar parallel entstanden (vgl. die Anm. ebd. 259) zu dem bekannten Vortrag in Paris und Lyon Mitte Januar 1983, der in Frankreich heftige Reaktionen hervorgerufen hat. Vgl. dazu *U. Ruh,* Katechese: Ein Vortrag mit Nachwirkungen, in: Herder-Korrespondenz 37 (1983) 154–156. Das Thema lautete dort: „Weitergabe des Glaubens und Quellen des Glaubens." Interview und Vortrag sind inzwischen nochmals bzw. erstmals erschienen: *J. Ratzinger,* Die Krise der Katechese und ihre Überwindung. Rede in Frankreich (Einsiedeln 1983). Das Büchlein enthält auch die Reden der übrigen drei Erzbischöfe bzw. Kardinäle, die in Paris und Lyon 1983 gesprochen hatten. Alle Reden sind kommentiert. Zur Kritik Stachels an einem Vortrag Ratzingers mit offenbar ähnlichen Inhalten („Was ist Theologie?", inzwischen gedruckt in: Hermann Kardinal Volk, Bischof von Mainz. Die Feier zum 75. Geburtstag, hrsg. vom Bischöfl. Ordinariat Mainz 1979, S. 42–52), vgl. *G. Stachel,* Erfahrung interpretieren (s. Anm. 75) 80 Anm. 1. Es wird nichts anderes helfen, als einen „liebenden Dialog" auch zwischen Dogmatikern und Religionspädagogen zu installieren, wobei *beide* Seiten füreinander Verständnis aufbringen müssen! Beispielhaft scheint mir in diesem Sinn der Artikel von *W. Langer,* Der Religionslehrer zwischen Erwartungen, Kritik und Forderungen,

Er wird weniger in Gefahr sein, den Ernst der Entscheidungssituation mit pastoraler Härte gleichzusetzen.

Er wird weniger in Gefahr sein, sich vorschnell auf göttliche „Ordnungen" zu berufen (das bekannte Legitimationsargument derjenigen, die sich „in possessione" wähnen und daher Veränderungen verabscheuen). Er wird Vorurteile, Feindbilder, feindselige oder ängstliche Abgrenzungen leichter erkennen und vermeiden können.

Er wird die Hoffnung für alle als eine Veränderung seiner eigenen Einstellung zu den anderen hin erkennen, die aus der Mitte gelebten Christseins wächst.

Die bleibende Ambivalenz der Hoffnung für alle und für uns, die wir damit aushalten müssen und dürfen, scheint mir kaum irgendwo je so deutlich und konkret ausgedrückt wie im Kommentar des Wiener Caritasdirektors Dr. Leopold Ungar zum „Jugendhaus der Caritas" in Wien[91]:

„Das Jugendhaus der Caritas ist ein neues Experiment. Was mir daran hoffnungsvoll erscheint, ist der Versuch, das Unmögliche zustande zu bringen. Man nennt es Rehabilitation, wenn Leute so weit kommen, sich selbst wieder auf das ‚normale' Leben umzustellen. In das Experiment ist einkalkuliert, daß dies nicht bei allen gelingt.

Wenn es aber gelingt, ist es ein Grund für den Freudentanz des barmherzigen Vaters, der das Mastkalb schlachten läßt. Selbst wenn man damit rechnen muß, daß der zurückgekehrte Sohn wieder davonläuft. Schwer hat es dieser Vater eigentlich mit dem älteren, mit dem anständigen Sohn, der nie weggelaufen ist und findet, daß man sich um solche Leute nicht kümmern soll.

Das Jugendhaus hilft uns, dieses Evangelium ernst zu nehmen."

---

in: KatBl 107 (1982) 4–19, obwohl er sich dort mit einigen „programmatischen Erklärungen" zum Religionsunterricht in der Bundesrepublik auseinandersetzt und nicht unmittelbar mit systematischen Theologen.

[91] „Das unbekannte Haus". Brief vom Jugendhaus der Caritas (März 1983).

ERICH SCHROFNER

CHRISTENTUM UND MENSCHENWÜRDE

Religionsfreiheit als dogmatisches Problem

Die „Erklärung über die Religionsfreiheit" war eines der umstrittensten Dokumente des II. Vatikanischen Konzils. „Kaum ein Problem wurde auf dem Konzil so leidenschaftlich diskutiert wie die Religionsfreiheit."[1] Die Auseinandersetzungen um dieses Thema spitzten sich dramatisch zu in der sogenannten Oktoberkrise und Novemberkrise des Jahres 1964[2], die am 19. November 1964, „dem einzigen Tag eines offenen Eklats in der Konzilsaula"[3], ihren Höhepunkt erreichten. Ungewißheit und Zweifel hielten an bis zum 7. Dezember 1965, dem Tag, an dem die „Erklärung über die Religionsfreiheit" als letztes der sechzehn Konzilsdokumente in der Schlußabstimmung endgültig angenommen wurde. Mit 70 Ablehnungen gehört es zu den vier Konzilserklärungen mit den meisten Gegenstimmen[4], denen aber dank der unermüdlichen Arbeit des Sekretariats für die Einheit der Christen 2308 oder 97% positive Stimmen gegenüberstehen.

Für die Zeit nach dem Konzil gibt nicht so sehr die vereinzelte[5], bis zum Konflikt mit dem Heiligen Stuhl[6] sich zuspitzende Ablehnung dieses Dokuments Anlaß zu Verwunderung und Besorgnis, sondern das rasche Verschwinden dieses Themas aus der öffentlichen Diskussion in Kirche und

---

[1] A. *Walkenbach*, Die konziliare Erklärung über die Religionsfreiheit in ihren praktischen Konsequenzen, in: *H. M. Köster* (Hrsg.), Über die Religionsfreiheit und die nichtchristlichen Religionen (Limburg 1967) 65.
[2] Vgl. *X. Rynne*, Die dritte Sitzungsperiode (Köln 1965) 42–93 280–311.
[3] *J. Ch. Hampe* in: *ders.* (Hrsg.), Die Autorität der Freiheit III (München 1967) 189.
[4] Die Dekrete über die sozialen Kommunikationsmittel, die nichtchristlichen Religionen und die Missionstätigkeit der Kirche hatten noch mehr Gegenstimmen.
[5] Vor allem Bischöfe in Spanien und Italien konnten sich nur schwer mit der neuen Lage abfinden. Vgl. *L. Novao*, Religionsfreiheit in Spanien (Frankfurt a.M. 1977).
[6] Die Probleme mit Erzbischof Lefebvre beschränken sich entgegen der landläufigen Meinung nicht auf die Verwendung der lateinischen Sprache in der heiligen Messe, sondern wurzeln in dessen grundsätzlicher Opposition gegen den Vatikan vor allem auch in Fragen der Religionsfreiheit.

Theologie. Diese Tatsache steht nicht nur im Gegensatz zur Dramatik der Auseinandersetzungen während des Konzils, sie ist auch mit der allseits bekundeten Überzeugung von der Wichtigkeit und Bedeutung dieses Dokuments für Kirche und Gesellschaft kaum vereinbar.

Der Konzilsexperte P. Pavan bezeichnet die „Erklärung über die Religionsfreiheit" als ein Dokument „von geschichtlicher Bedeutung für die Kirche wie für die Menschheit" bzw. „als eine der wichtigsten Lehren" des letzten Konzils. Er schließt seine Einleitung zur offiziellen Textausgabe mit einem Zitat aus „La Stampa" vom 9. Dezember 1965: „Das Schema . . . stellt schon allein einen echten Fortschritt in der Lehre dar, vielleicht den größten und charakteristischsten, den das Konzil gemacht hat."[7] Kardinal Ratzinger, damals noch Dogmatikprofessor in Tübingen, bewertet in seinem Kommentar zur Pastoralkonstitution über die Kirche in der Welt von heute die Konzilsaussagen über den Atheismus „als einen Meilenstein in der Kirchengeschichte unseres Jahrhunderts . . ., der an Bedeutung wohl wenig hinter der Entscheidung zurückbleibt, welche die Erklärung über die Religionsfreiheit darstellt"[8]. Schließlich sei noch Papst Paul VI. angeführt, der am 8. Dezember 1965 in seiner Botschaft an die Staatsmänner von der Erklärung über die Religionsfreiheit als einem „der wichtigsten Texte dieses Konzils" bezeichnet hat[9].

Wie ist es zu erklären, daß trotz derartig klarer und kompetenter Urteile die Diskussionen um dieses Thema sogleich nach dem Erscheinen einiger Kommentare verstummt sind?[10] Die Antwort dürfte in einer eigenartigen

---

[7] LThK – Das Zweite Vatikanische Konzil II 711.

[8] Ebd. III 343. Diese Feststellung macht deutlich, daß die geschichtliche und existentielle Bedeutung einer Lehraussage nicht mit ihrer theologischen Qualifikation (z.B. feierliche Definition) oder mit dem Rang ihrer Verlautbarung (z.B. dogmatische Konstitution) zusammenfällt.

[9] *J. Hamer – Y. Congar* (Hrsg.), Die Konzilserklärung über die Religionsfreiheit (Paderborn 1967) 138. Der evangelische Konzilsbeobachter L. Vischer bezeichnet in seinem Bericht vor dem Zentralausschuß des Ökumenischen Rates der Kirchen die Abstimmung über die Religionsfreiheit als „eines der Hauptereignisse des Konzils", und C. Albornoz schließt seinen Artikel über dieses Thema mit der Feststellung: „Die Erklärung ist ein großes Dokument, vielleicht – in ökumenischer Hinsicht in jedem Fall – schließlich das Größte, was aus den Beratungen des Zweiten Vatikanischen Konzils hervorgegangen ist" (vgl. *J. Willebrands*, Religionsfreiheit und Ökumenismus, in: *J. Hamer – Y. Congar*, a.a.O. 261–275; Zitate auf S. 267 und 268).

[10] Charakteristisch für den Ausfall dieses Themas sind die geltenden Lehrpläne für Katholische Religionslehre an Haupt- und Realschulen in Bayern. Für beide drängt sich die Behandlung der Religionsfreiheit im Rahmen des Themenbereichs „Die Kirche im 20. Jahrhundert" bzw. „Kirche im modernen Staat" geradezu auf, aber nur der Hauptschullehrplan nimmt überhaupt auf das II. Vatikanische Konzil ausdrücklich Bezug und nennt außerdem die ökumenische Bewegung, geht aber ebensowenig wie der Realschullehrplan auf das Thema Religionsfreiheit ein. Auch der Lehrplan für das Gymnasium (10. Jahrgangsstufe) übergeht im

Mischung aus emotionaler Zustimmung und Unklarheit in den Sachfragen liegen. Manchem mag es wie ein Stein vom Herzen gefallen sein, daß er jetzt auch als Katholik die neuzeitliche Errungenschaft der Menschenrechte uneingeschränkt bejahen kann. Auf der anderen Seite scheint es vielen, auch gebildeten und theologisch ausgebildeten Christen nicht ohne weiteres einzuleuchten, wie die Forderung nach Religionsfreiheit mit dem spezifischen Wahrheitsanspruch der katholischen Kirche, mit einer anderslautenden Tradition und gegenteiligen Praxis vereinbar sei. Schließlich hatten sogar viele Konzilsväter ihre Probleme mit der sich anbahnenden Kehrtwendung in dieser Frage, und für manche Zustimmung mag das überzeugende Auftreten so unverdächtiger Befürworter des Schemas wie Kardinal Berans aus Prag den größeren Ausschlag gegeben haben als jede noch so kunstvolle Rechtfertigung des vorgeschlagenen Textes.

Ziel der folgenden Überlegungen ist es, die katholische, auf dem Konzil formulierte Position in der Frage der Religionsfreiheit aus dem Verdacht eines widerwillig gemachten Zugeständnisses oder einer taktischen Maßnahme herauszuführen und ihre dogmatische Bedeutung, d.h. ihren Beitrag zur Klärung und Verdeutlichung des christlichen Glaubens als solchen, zur Geltung zu bringen. Dazu ist erforderlich, das Problem in seiner tieferen Wurzel herauszustellen (I), die Grundlagen und Voraussetzungen einer Lösung anzugeben (II) und schließlich die Antwort selber in ihren Grundzügen zu entfalten (III).

I.

Religionsfreiheit ist keine Erfindung des II. Vatikanischen Konzils oder der katholischen Kirche insgesamt. Anhänger wie Gegner der Konzilserklärung müssen zugeben, daß die Forderung nach Religionsfreiheit außerhalb der etablierten Kirche und Theologie entstanden ist und meist gegen ihren Widerstand durchgesetzt wurde. Die Konzilserklärung selbst faßt ihr Thema zunächst als eine Tatsache im Bewußtsein der Menschen unserer Zeit ins Auge[11] und versteht sich selbst als eine auf der Tradition und der Lehre der Kirche fußende grundsätzliche Stellungnahme dazu unter der Rücksicht der

---

Themenbereich „Das Problem Freiheit" trotz des Unterthemas „Freie Kirche im freien Staat" die Frage der Religionsfreiheit. In der 11. Jahrgangsstufe ist das Thema „Lehramt und Religionsfreiheit" im Rahmen des Themenbereichs „Kirche als Glaubensgemeinschaft" genannt. Lediglich angedeutet ist das Thema im Lehrplan für die Kollegstufe.
[11] Vgl. n. 1. Auch die päpstlichen Äußerungen über die Religionsfreiheit aus dem 19. Jahrhundert verdanken sich dem Umstand, daß dieses Thema von außen an das kirchliche Lehramt herangetragen wurde.

Wahrheit und Gerechtigkeit. Es war keineswegs selbstverständlich, daß sich das Konzil überhaupt zu diesem Thema äußerte, noch war von vornherein abzusehen, wie weit eine konziliare Äußerung etwa gehen würde. Wenn man nicht auf der Linie der früheren Aussagen fortfahren wollte, mußte man nahezu ohne irgendwelche Vorarbeiten die ersten Entwürfe von Grund auf neu konzipieren. Die Konzilsteilnehmer hätten sich viel Arbeit und Aufregung erspart, wenn sie auf eine Stellungnahme zur Religionsfreiheit verzichtet hätten. Auf der anderen Seite empfanden es viele als eine unabdingbare Notwendigkeit, sich zu dieser Frage zu äußern. „Die ganze Welt erwartet dieses Dekret. An den Universitäten, in den nationalen und internationalen Organisationen, in den christlichen und nichtchristlichen Gemeinschaften, in den Zeitungen und in der öffentlichen Meinung wird die Stimme der Kirche zur religiösen Freiheit erwartet, und dringend erwartet."[12] Aber nicht nur von aller Welt, auch von zahlreichen Konzilsvätern wurde das Sekretariat für die Einheit der Christen nach den Worten seines Sprechers zur Ausarbeitung einer entsprechenden Vorlage gedrängt. „Eine außerordentlich große Zahl von Konzilsvätern hat aufs dringendste gefordert, daß diese heilige Synode das Recht des Menschen auf religiöse Freiheit offen erörtere und proklamiere."[13]

Es ist zumindest mißverständlich, wenn in der Literatur immer wieder betont wird, es gehe in der Erklärung nicht um Wahrheit und Irrtum, sondern lediglich um das Verhältnis von Einzelpersonen und Gemeinschaften zur staatlichen Gewalt in religiösen Angelegenheiten. In dieser letzten Hinsicht hätte sich das Konzil durchaus mit einer pragmatischen Lösung behelfen können, die keinen Menschen in Unruhe versetzt. Es hätte erklären können: Wir erheben zwar nach wie vor den Anspruch auf exklusive Wahrheit, verzichten aber in der gegenwärtigen Situation des weltanschaulichen und religiösen Pluralismus aus schwerwiegenden Gründen, etwa zur Wahrung des Friedens in der Gesellschaft, auf die Durchsetzung dieses Anspruchs. Ein solches Bekenntnis zur Toleranz hätte jedermann ohne weiteres eingesehen, niemand wäre in seiner Auffassung von der katholischen Kirche erschüttert worden. Das Überraschende und für viele Verwirrende der Konzilserklärung besteht jedoch darin, daß sich die Kirche nicht bloß mehr oder weniger widerwillig zur Anerkennung der Toleranzidee durchringt, sondern daß sie die Forderung nach religiöser Freiheit für alle, ohne Ausnahme, aufgreift und sich zu eigen macht, d.h. im eigenen Namen bzw. im Namen ihrer obersten Prinzipien, im Namen der göttlichen Offenbarung und der Ver-

---

[12] *E. de Smedt,* Über die religiöse Freiheit, in: *Y. Congar* u.a. (Hrsg.), Konzilsreden (Einsiedeln 1964) 191. [13] Ebd. 178.

nunft vertritt. Dieser Radikalismus ist es, der die Gemüter verwirrt und die Gegner mobilisiert hat. Diese Klarheit und Konsequenz in Sachen der religiösen Freiheit hat kaum jemand einer Kirche zugetraut, die seit Jahrhunderten im Ruf dogmatischer Starrheit und Intoleranz steht.

Eine treffende Schilderung der diesbezüglichen Einschätzung des Katholizismus gibt der Jesuit Max Pribilla im Jahre 1948. Nach der Erörterung der positiven Entwicklungen in Fragen der katholischen Toleranzauffassung im 19. und 20. Jahrhundert fährt er fort: „Trotz alledem wollen die Fragen und Anklagen nicht verstummen, ob nicht doch die Grundlagen und Ansätze der mittelalterlichen Inquisition in der katholischen Glaubenslehre gegeben sind. Damit wird zugleich der Verdacht ausgesprochen, daß die Rekatholisierung der Christenheit notwendig die Wiederkehr der Glaubensverfolgungen und der Kirche als ‚Zwangsanstalt‘, d.h. also das Ende der religiösen Toleranz, bedeuten würde. Bekannt ist ja das spitzige Wort Nietzsches ...: ‚Nicht ihre Menschenliebe, sondern die Ohnmacht ihrer Menschenliebe hindert die Christen von heute, uns – zu verbrennen.‘ Klar und scharf hat aber auch Adolf Harnack ... dieselbe Behauptung formuliert: ‚Die Glaubensverfolgungen würden wieder ausbrechen, die die katholischen Kirchen betreiben müssen, sobald sie die Macht dazu haben; denn ihre Auffassung vom Wesen der Kirche und des Glaubensgehorsams verlangt sie. Das »Coge intrare« Augustins ist ja keine Überschreitung der kirchlichen Verpflichtung des Katholizismus, sondern ihre Konsequenz. Alle diese Folgen sind, wie gesagt, zwangsläufige; denn es läßt sich einfach nicht vorstellen, wie eine Kirche anders verfahren sollte, die den Anspruch auf Unfehlbarkeit erhebt, sich auf ein geoffenbartes Lehrgesetz gründet und die Zugehörigkeit zu ihr als die Voraussetzung des Christenstandes im Diesseits und der Seligkeit im Jenseits proklamiert. Aus Barmherzigkeit gegen die Seelen muß sie eine Zwangsanstalt sein.‘"[14]

Die ungeduldige Erwartung im Inneren der Kirche und die unverblümten Äußerungen ihrer Einschätzung von außen zeigen deutlicher als mancher beschwichtigende Kommentar, worum es in der Frage der Religionsfreiheit wirklich ging und geht: um die grundsätzliche Möglichkeit, Katholizismus und religiöse Freiheit auf einen Nenner zu bringen, Treue zur Kirche und Glaubensfreiheit für alle zu verbinden. Selbstverständlich kann sich die Kirche zur Idee der Toleranz verstehen, und sie hat es im Lauf der Jahrhunderte immer wieder eindrucksvoll unter Beweis gestellt, mehr jedenfalls, als im all-

---

[14] *M. Pribilla,* Dogmatische Intoleranz und bürgerliche Toleranz, in: StdZ 144 (1948/49) 27–40. Zitat entnommen aus dem Wiederabdruck bei *H. Lutz* (Hrsg.), Zur Geschichte der Toleranz und Religionsfreiheit (Darmstadt 1977) 101f.

gemeinen Bewußtsein davon enthalten ist[15]. Aber die konziliare „Erklärung über die Religionsfreiheit" geht über ein Bekenntnis zur Toleranz weit hinaus. Sie fordert grundsätzlich Freiheit in religiösen Dingen, sie nimmt für diese Forderung die Autorität der göttlichen Offenbarung in Anspruch und ist weit davon entfernt, sich mit taktischen Überlegungen und pragmatischen Lösungen zufriedenzugeben.

Wie ist das möglich? Wie kann die Kirche religiöse Freiheit für alle fordern, wenn sie für sich die Verantwortung für die geoffenbarte Wahrheit beansprucht? Darf man sich angesichts des exklusiven Wahrheitsanspruchs des kirchlichen Lehramts darüber wundern, „daß zuweilen auch Katholiken sich in ähnlichen Gedankengängen ergehen" wie den von Harnack geäußerten?[16] Muß man nicht gerade von einem guten Katholiken größte Eindeutigkeit und lückenlose Konsequenz in der Wahrheitsfrage erwarten?

Eindeutig ist jedenfalls die Konzilserklärung in ihrer Entscheidung für die Religionsfreiheit. Lapidar heißt es am Beginn der thematischen Ausführungen: „Das Vatikanische Konzil erklärt, daß die menschliche Person das Recht auf religiöse Freiheit hat" (DH 2). Diesen programmatischen Satz, dessen Erläuterung, Präzisierung und Begründung den Inhalt der ganzen Erklärung ausmacht, hat kaum jemand aus dem Mund des höchsten Lehramts der katholischen Kirche erwartet, und ganz offensichtlich wissen viele Katholiken, die es ernst meinen mit ihrem Glauben, mit ihm nicht allzuviel anzufangen. Wie konnte das Konzil diese Aussage machen? Aufgrund welcher Voraussetzungen konnte es so weit gehen, ohne gegen fundamentale Prinzipien der katholischen Lehre zu verstoßen?

II.

Die Bearbeiter des Schemas über die Religionsfreiheit waren sich völlig im klaren darüber, daß sie mit ihrem Text Neuland in der kirchlichen Lehre betraten. Sie mußten sich daher die größte Mühe geben, jede ihrer Behauptungen überzeugend zu begründen und für sie einen Zusammenhang mit der anerkannten Lehrtradition herzustellen. Es ist in diesem Rahmen weder möglich noch nötig, alle Argumente, Begründungen und Interpretationen anzuführen, die in den Text selbst Eingang gefunden haben oder bei seiner Vorstellung und Verteidigung vorgebracht wurden[17]. Im Hinblick auf die in

---

[15] Vgl. *J. Lecler,* Geschichte der Religionsfreiheit im Zeitalter der Reformation, 2 Bde. (Stuttgart 1965). [16] *M. Pribilla,* a.a.O. 102.
[17] In erster Linie wäre auf die Relationen des Bischofs de Smedt, aber auch auf zahlreiche Beiträge aus dem Konzilsplenum zu verweisen. Vgl. die in Anm. 12 zitierte Rede *E. de Smedts* sowie *J. Ch. Hampe,* a.a.O. (Anm. 3) 191–205.

diesem Beitrag anvisierte Grundsatzfrage kann man sich auf einige zentrale Grundpositionen als entscheidende theologische Voraussetzungen für die Konzilserklärung beschränken.

Die erste und allgemeinste Voraussetzung für die Anerkennung der religiösen Freiheit für alle Menschen ist der allgemeine Heilswille Gottes, auf den sich auch die Konzilserklärung ausdrücklich beruft[18]. Er besagt, daß jedes menschliche Wesen zu jener Vollendung bestimmt ist, welche die höchste Verwirklichung des Menschseins und unverlierbare Seligkeit einschließt. Dieser Wille und diese Berufung gelten unbedingt, vorgängig zu allen geschichtlichen Entwicklungen und unabhängig von moralischen Leistungen oder Fehlleistungen im Leben eines Menschen. Die Frage, ob und unter welchen Voraussetzungen ein bestimmter Mensch das Heil tatsächlich erlangt, ist damit natürlich nicht beantwortet. Der allgemeine Heilswille Gottes ist keine Garantieerklärung dafür, daß etwa jeder Mensch gerettet werde. „Müht euch mit Furcht und Zittern um euer Heil", so mahnt der Apostel seine Gemeinde[19], und das Konzil von Trient weist den „vermessenen Glauben" an die Sicherheit des eigenen Heils mit Entschiedenheit zurück[20]. Insofern stellt der allgemeine Heilswille Gottes keinen Freibrief für leichtfertigen Umgang mit der Heilsfrage dar. Umgekehrt gilt aber auch, daß keinem Menschen, in welcher Lebenssituation immer er sich befindet, die Möglichkeit zum Heil abgesprochen werden darf, gemäß dem Grundsatz des hl. Thomas, daß Gott sein Vermögen zur Rettung der Menschen nicht so ausschließlich an die Sakramente gebunden hat, daß er das Heil nicht auch ohne Sakramente schenken könnte[21]. Ist aber das Heil nicht an bestimmte äußere Handlungen oder Gemeinschaften definitiv gebunden, dann kann die Sorge um das Heil der Menschen auch kein zwingendes Argument gegen die religiöse Freiheit sein.

Ähnliche Überlegungen ließen sich unter dem Stichwort der Universalität der Erlösung durch Christus anstellen. Bibel, Patristik und kirchliches Lehramt bezeugen unter diesem Stichwort mit größtem Nachdruck die konkretgeschichtliche Verwirklichung des allgemeinen Heilswillens Gottes, schließen aber mit der niemals fehlenden Unterscheidung zwischen objektiver und subjektiver Erlösung jeden Anspruch auf Heilssicherheit aus, und zwar außerhalb wie innerhalb der Grenzen der Kirche. Das bedeutet, daß nach katholischer Auffassung Christus für alle Menschen gestorben ist und daß grundsätzlich alle Menschen von der Erlösung durch Christus erreicht und

---

[18] Siehe n. 11 mit Berufung auf 1 Tim 2,4.   [19] Phil 2,12.
[20] DS 1540 1565; NR 809 833.
[21] „Deus virtutem suam non alligavit sacramentis, quin possit sine sacramentis effectum sacramentorum conferre" (STh III q. 64 a. 7 c).

betroffen werden. Sie müssen und dürfen daher nicht mit Gewalt einer bestimmten geschichtlichen Erscheinungsform dieser Erlösung, und sei es in Gestalt der einzig wahren Kirche, unterworfen werden.

Zu einem sachlich übereinstimmenden Ergebnis kommt man bei genauerer Beschäftigung mit dem unglücklichen Schlagwort „Extra ecclesiam nulla salus". Es ist wohl hauptverantwortlich für die bei Freund und Feind verbreitete Überzeugung von der absoluten Unfähigkeit der katholischen Kirche zu einem über eine begrenzte Toleranz hinausgehenden Bekenntnis zur Religionsfreiheit. Dieses Schlagwort scheint in der Tat eine moralische Verpflichtung der Kirche zur „Bekehrung" jedes Menschen zu enthalten, wo immer sie seiner habhaft werden kann, und mit allen zur Verfügung stehenden Mitteln, die durch den erhabenen Zweck der Seelenrettung auf jeden Fall geheiligt wären. Daß eine so rigorose Auslegung des ursprünglich von Cyprian gegen die römische Anerkennung der sogenannten Ketzertaufe formulierten Grundsatzes nie die offizielle Lehre der katholischen Kirche war, haben zahlreiche neuere Untersuchungen zu diesem Thema überzeugend nachgewiesen[22]. Trotzdem kann man nicht sagen, daß diese Erkenntnis schon überall in das Bewußtsein der Menschen Eingang gefunden habe. Die Schwierigkeiten mit dem Thema Religionsfreiheit sprechen eher für das Gegenteil. Die ausdrücklichen lehramtlichen Erklärungen für die Heilsmöglichkeit der Menschen auch außerhalb der römisch-katholischen Kirche sind jedenfalls viel weniger bekannt als das griffige Cyprian-Wort. Und die in den letzten Jahrzehnten unternommenen theologischen Bemühungen um eine Neufassung des Kirchenbegriffs, die in der Lehre von der gestuften Kirchenzugehörigkeit auf dem II. Vatikanischen Konzil eine klare Bestätigung, Vertiefung und fruchtbare Anwendung gefunden haben, werden vielfach, und nicht ohne beträchtliche Mitschuld von Theologen, als liberalistische Aufweichung einer heute nicht mehr haltbaren Position statt als echter dogmatischer Fortschritt ausgegeben. So kommt man zu der eher betrüblichen Feststellung: Solange sich nicht der Kirchenbegriff des II. Vatikanischen Konzils allgemein durchgesetzt hat, kann auch das Bekenntnis zur Religionsfreiheit nicht aus seinem gegenwärtigen Schattendasein heraustreten. Allerdings besteht auch die Möglichkeit, daß durch die Beschäftigung mit den konziliaren Aussagen über den Ökumenismus, über die nichtchristlichen Religionen, über den Atheismus und über die Religionsfreiheit einschließlich ihrer ekklesiologischen Voraussetzungen gleichsam von der Peripherie her das Kir-

---

[22] Eine gute Zusammenfassung dieser Arbeiten bis 1964 mit reichen Literaturangaben bietet *B. A. Willems*, Die Heilsnotwendigkeit der Kirche, in: Concilium 1 (1965) 52–59. Vgl. auch *W. Kern*, Außerhalb der Kirche kein Heil? (Freiburg i. Br. 1979).

chenbewußtsein insgesamt in Bewegung kommt und daß die Ekklesiologie des Konzils auch in der alltäglichen Kirchenwirklichkeit immer mehr Bedeutung gewinnt.

Ein großes Hindernis für eine katholische Stellungnahme zugunsten der Religionsfreiheit sind die päpstlichen Verurteilungen dieser Forderung im 19. Jahrhundert sowie die handgreiflichen Verstöße gegen sie und deren theoretische Rechtfertigung durch Vertreter der Kirche und in ihrem Namen. Für ein glaubwürdiges Bekenntnis zur Religionsfreiheit ist daher neben der Klärung der dogmatischen Grundlagen auch eine annehmbare Antwort auf derartige historische Einwände vorausgesetzt. Selbstverständlich muß dabei der Gedanke der Geschichtlichkeit der Kirche sehr ernst genommen werden. Allerdings darf nicht der Eindruck entstehen, als ob die Geschichtlichkeit ein Mantel wäre, mit dem alle Ungereimtheiten und Widersprüchlichkeiten zugedeckt werden könnten. Die Kirche verändert sich zwar notwendig in der Geschichte, aber sie bleibt nach katholischer Auffassung in allen Veränderungen dieselbe Kirche, was nur zutrifft, wenn die grundlegenden Prinzipien ihres Glaubens und Handelns dieselben bleiben. Dies wurde für die gegensätzlichen Aussagen zur Religionsfreiheit mit dem Nachweis sichergestellt, daß sich die päpstlichen Verurteilungen eindeutig gegen eine Religionsfreiheit im Sinne des religiösen Indifferentismus richten, verordnet von einem laizistischen Staat mit dem Anspruch auf universale Kompetenz in allen Angelegenheiten der Menschen einschließlich ihrer Beziehung zu Gott. „Um diese Verurteilungen genau zu interpretieren, muß man in ihnen jene beständige Lehre und Sorge der Kirche um die wahre Würde der menschlichen Person und um ihre wahre Freiheit erkennen (Regel der Kontinuität) ... Den Kampf also, den die Kirche gegen die philosophischen wie politischen Lehren des Laizismus führte, kämpfte sie in jeder Hinsicht für die Würde der menschlichen Person und ihre wahre Freiheit. Daraus folgt, daß die Kirche nach der Regel der Kontinuität einstmals wie heute – wenn auch unter noch so veränderten Umständen – sich vollkommen treu geblieben ist."[23] In der Frage der Religionsfreiheit liegt demnach der extreme (in der kirchlichen Lehrentwicklung jedoch nicht einmalige) Fall vor, daß ein und dieselbe religiöse Grundaussage infolge radikaler Veränderungen der Gesamtsituation in einander widersprechenden Formulierungen ausgedrückt wird. Mag sein, daß solche überraschenden Interpre-

---

[23] *E. de Smedt*, a.a.O. (Anm. 12) 186f. Eine gründliche Behandlung dieser historischen Fragen mit dem Schwerpunkt auf Leo XIII. bietet *J. C. Murray*, Zum Verständnis der Entwicklung der Lehre der Kirche über die Religionsfreiheit, in: *J. Hamer – Y. Congar*, a.a.O. (Anm. 9) 125–165.

tationen nicht jeden restlos überzeugen und daß es viele, dank dem nicht irreversiblen Charakter der früheren päpstlichen Erklärungen, bei einer schlichten Meinungsänderung des kirchlichen Lehramts bewenden lassen möchten. Fest steht jedenfalls: Man kann die katholische Kirche in Sachen Religionsfreiheit nicht für ewige Zeiten auf einige zeitbedingte Äußerungen zweier oder dreier Päpste des vorigen Jahrhunderts festlegen, für die sie selber zugestandenermaßen nicht die höchste Lehrautorität in Anspruch genommen haben. Die Einheit und Selbigkeit der Kirche im Fortgang der Zeit ist zunächst eine Aussage des Glaubens, die allerdings ihre Bestätigung durch die Tatsachen der Geschichte finden muß. Diese Einheit kann aber auf keinen Fall so gemeint sein, daß sich für jeden beliebigen Punkt der gegenwärtigen kirchlichen Wirklichkeit eine genaue Entsprechung in der Vergangenheit feststellen ließe. Daher können die päpstlichen Erklärungen gegen die Religionsfreiheit aus dem vorigen Jahrhundert, wie immer man sie im einzelnen interpretieren mag, kein unüberwindliches Hindernis für eine klare Stellungnahme des Lehramts zugunsten der Religionsfreiheit in unserem Jahrhundert darstellen.

Daß die Konzilserklärung in einem unleugbaren Gegensatz zum vielfach geübten praktischen Verhalten kirchlicher Repräsentanten und amtlicher Organe steht, bestätigt das von den selbstkritischen Konzilsvätern durchgesetzte Eingeständnis von Verstößen gegen die Religionsfreiheit in der Vergangenheit. Unter dieses Schuldbekenntnis fällt zweifellos nicht nur die gewaltsame Unterdrückung der von der offiziellen Kirchenlehre abweichenden religiösen Überzeugungen durch die mittelalterliche Inquisition in Verbindung mit dem „weltlichen Arm" der staatlichen bzw. fürstlichen Exekutive, sondern auch die theoretische Rechtfertigung dieser für uns ganz unverständlichen Praxis durch einen so hochstehenden Theologen und Kirchenmann wie Thomas von Aquin. Ohne jene Praxis und deren Rechtfertigung verharmlosen zu wollen, könnte man aber auch für sie eine Erklärung finden, die ihnen den Anschein der reinen Bosheit und bloßen Unvernunft weitgehend nimmt. Offensichtlich handelt es sich dabei um den extremen Fall einer Einschränkung der religiösen Freiheit. Nun sieht aber jede Menschenrechtserklärung wie auch das Konzilsdokument eine Beschränkung der Rechte des einzelnen durch die Rechte der Mitmenschen und vor allem durch die notwendigen Belange der öffentlichen Ordnung vor. Die vielbeklagte Verquickung von Kirche und Staat im Mittelalter, das unermüdliche Engagement des Kaisers und vieler Fürsten in den Wirren der Reformation und die politischen Bemühungen um die Herstellung einer neuen Ordnung in den folgenden Jahrhunderten zeigen mit ausreichender Deutlichkeit, daß bis zur Reformation und weit darüber hinaus die religiöse Einheit als eine oder sogar die zentrale Voraussetzung jeder öffentlichen Ordnung gegolten hat. Daß sich Thomas bei seiner Rechtfertigung der Hinrichtung rückfälliger Häretiker[24] von diesem Gedanken leiten läßt, beweist sein begründender Vergleich mit dem Geldfälscher. Dieser zieht sich die Todesstrafe nicht wegen besonders verwerflicher Handlungen als solcher zu, sondern wegen einer schweren Störung des Zusammenlebens der Menschen. Thomas setzt es als selbstverständlich voraus und hält es für keiner Begründung bedürftig, daß Geldfälscher hingerichtet werden. Um so mehr, so meint er, müssen hartnäckige Verfälscher des wahren Glaubens aus der menschlichen Gemeinschaft eliminiert werden. Wenn man den Vergleich mit dem Geldfälscher beibehalten wollte und den Wandel in der öffentlichen Einschätzung und Bestrafung dieses Delikts zur Kenntnis nähme, wäre für den Wandel in der Frage der Religionsfreiheit schon einiges gewonnen.

III.

Die Konzilserklärung über die Religionsfreiheit versucht keineswegs, den Eindruck zu erwecken, als ob sie nur mit anderen Worten wiederholte, was von der Kirche auf diesem Gebiet bisher schon vertreten wurde. Auf der anderen Seite muß die Kirche immer darum bemüht sein, sich selber treu zu bleiben und die Grundprinzipien ihres eigenen Daseins in neuen Situationen auf eine der jeweiligen Situation angemessene Weise zur Geltung zu bringen. Dieser Verpflichtung suchte die Kirche auf dem II. Vatikanischen Konzil in vielfältiger Weise zu entsprechen, vor allem auch mit der „Erklärung über die Religionsfreiheit". Welche Prinzipien katholischen Christentums in dieser Erklärung zum Tragen kommen und inwiefern die katholische Kirche ihre eigenen Grundsätze in ihr auf neue Weise zur Geltung bringt, soll in diesem abschließenden Teil mehr angedeutet als wirklich ausgeführt werden.

Grundlage und zentrales Argument der ganzen Erklärung ist die Würde der menschlichen Person. Aufgrund seiner hervorgehobenen Stellung am Beginn der Konzilserklärung hat dieses Stichwort in seiner lateinischen Fassung[25] dem ganzen Dokument seinen Namen gegeben. Die Würde des Menschen ist zwar kein absolut neues Thema in Theologie und Verkündigung[26],

---

[24] Thomas will die Todesstrafe für Religionsvergehen auf diesen Tatbestand beschränkt wissen, hält sie in diesem Fall aber aus dem angegebenen Grund für notwendig.
[25] In der Genitivbildung „Dignitatis humanae".
[26] Als Thema des zweiten Gebets zur Gabenbereitung hat die „dignitas humanae substantiae" eine ehrwürdige Tradition im alten lateinischen Meßkanon, und seit Leo XIII. und besonders Pius XII. ist die Menschenwürde ein hervorgehobenes Thema lehramtlicher Äußerungen. Vgl. die Auszüge aus päpstlichen Verlautbarungen über Menschenwürde und Religionsfreiheit im

den Rang eines zentralen dogmatischen Prinzips hat sie jedoch erst auf dem letzten Konzil erhalten. Sie tritt damit in eine gewisse Spannung zu jenem Prinzip, das in den letzten Jahrhunderten überwiegend die lehramtlichen Äußerungen bestimmt hat und das man als Verteidigung der geoffenbarten Wahrheit gegen ihre Bedrohung durch den modernen Zeitgeist umschreiben könnte. Viele sahen im Anschluß an die Päpste des 19. Jahrhunderts in der Forderung der Religionsfreiheit nichts anderes als einen Ausfluß der antikirchlichen Bewegungen im Gefolge der Aufklärung und der Französischen Revolution, und sie meinten sich ihr im Namen der wahren Religion widersetzen zu müssen. Für sie bilden die durch Tradition und kirchliche Institution repräsentierte Wahrheit auf der einen und die auf die Würde des Menschen sich berufende Freiheit einen unvereinbaren Gegensatz, der eine klare Entscheidung für eine der beiden Seiten verlangt. Für den Vorrang der Wahrheit vor der Freiheit gab es bei ihnen keinen Zweifel.

Manche Vertreter einer fortschrittlichen Linie zeichnen sich nicht gerade durch bessere Einsicht, dafür durch geringere Konsequenz aus. Für sie ist die Anerkennung der Menschenwürde und das Recht auf religiöse Freiheit ein Gebot der Stunde, ohne sich über die genauere Beziehung dieser Grundsätze zur weiterhin bestehenden Verpflichtung jedes Menschen auf die von Gott geoffenbarte Wahrheit ausreichend Rechenschaft zu geben. Als Lösung des Problems schwebt ihnen eine Nebeneinanderordnung der beiden Prinzipien vor, begleitet von der Hoffnung auf ein konfliktfreies Einvernehmen. „Es geht nicht um Wahrheit und Irrtum, sondern um den Menschen, dessen Würde in der personalen Selbstentscheidung gelegen ist."[27] Kann, wenn über die Würde des Menschen verhandelt wird, die Frage nach Wahrheit und Irrtum einfach ausgeblendet werden? Enthebt die Berufung auf das persönliche Gewissen den Menschen der Aufgabe, mit der „objektiv den Menschen verpflichtenden" Wahrheit, wenn auch nur tastend und suchend, ins reine zu kommen?[28] Diese Fragen werden in der gängigen Konzilsliteratur kaum aufgegriffen und nicht immer mit der nötigen Klarheit beantwortet. Einige Elemente für die gesuchte Antwort sollen am Ende dieses Beitrags noch angeführt werden.

Nicht bloß aus Reverenz vor dem zu ehrenden Jubilar, sondern eher mit sachbedingter Zwangsläufigkeit stößt man bei diesem Unternehmen auf das

---

Anhang zu *J. Hamer – Y. Congar*, a.a.O. (Anm. 9) 283–285. Mit Erstaunen nimmt man heutzutage zur Kenntnis, daß schon der österreichische Katholikentag im Jahr 1952 unter dem zentralen „konziliaren" Thema „Würde und Freiheit des Menschen" stand. Vgl. *K. Rahner,* Schriften II 247.

[27] *A. Walkenbach,* a.a.O. (Anm. 1) 66.

[28] Vgl. ebd. 65 68f.

Werk Karl Rahners, was erneut bestätigt, daß Rahner wie kaum ein anderer katholischer Theologe unserer Zeit ein sicheres Gespür für zentrale dogmatische Probleme besitzt und einen kompetenten Beitrag zur Beantwortung solcher Fragen zu leisten versteht.

Der entscheidende Gedanke, um den es in diesem Zusammenhang geht, ist die innere und konstitutive Zusammengehörigkeit von Wahrheit und Freiheit in dem Sinn, daß die religiöse Wahrheit, im Unterschied zu anderen Erkenntnisbereichen, in ihrem innersten Wesen das Moment der Freiheit einschließt und daß umgekehrt ein Akt radikaler Freiheit oder ursprünglicher Selbstsetzung des Menschen notwendigerweise auch die Wahrheit bei sich hat. Es ist in diesem Rahmen nicht möglich, die anthropologische und theologische Begründung dieser These bei Rahner nachzuzeichnen. Ihre entscheidende Leistung besteht darin, daß Wahrheit und Freiheit auf religiösem Gebiet nicht gegeneinander ausgespielt oder auch nur beziehungslos nebeneinandergestellt werden können, ohne sich selbst dabei aufzuheben. Freiheit des Glaubens ist demnach nicht eine Frage des Ermessens, es geht bei ihr nicht primär um Opportunität oder um die Glaubwürdigkeit der christlichen Botschaft für sensible Zeitgenossen. Die Freiheit ist vielmehr ein konstitutives Element der religiösen Wahrheit selbst, wie auch der wirklich freie Selbstvollzug des Menschen nicht definitiv die Wahrheit verfehlen kann. Der tiefere Grund für diese Behauptung ist die Tatsache, daß sich die Erkenntnis der religiösen Wahrheit nicht auf einen beliebigen Gegenstand, ja letztlich überhaupt nicht auf einen Gegenstand welthafter Art bezieht, sondern auf den ungegenständlichen, transzendenten Grund des eigenen Daseins und der Welt im ganzen, der für ein unbeteiligtes, an der Dingwelt orientiertes Erkennen überhaupt nicht erreichbar ist. Die Erkenntnis der religiösen Wahrheit im strengen Sinn setzt voraus, „daß es einen Grundvollzug des menschlichen Daseins gibt, eine Tiefe der menschlichen Existenz (die nicht immer und überall erreicht wird), wo Erkenntnis und Entscheidung, Wahrheit und Güte nicht mehr trennbar sind, sondern nur der Wahre die Gutheit hat und der Gute nicht aus der Wahrheit herausfallen kann"[29]. Das Insistieren auf der Freiheit des Glaubensaktes, die als Grundsatz kirchlicher Missionstätigkeit sogar in das kirchliche Gesetzbuch[30] Eingang gefunden hat und trotz aller bedauerlichen Verstöße auch vom Konzil als unveränderliche Lehre der Kirche reklamiert wird, ist daher nicht ein widerwillig eingeräumtes Zugeständnis an selbstbewußte Adressaten der Verkündigung, sondern eine unverzichtbare Forderung des Glaubens selbst, bei deren Preis-

---

[29] *K. Rahner*, Was ist Häresie?, in: Schriften V 527–576, hier 533.
[30] CIC can. 1351: Ad amplexandam fidem catholicam nemo invitus cogatur.

gabe der Glaube aufhören würde, er selbst zu sein. Die religiöse Wahrheit ist daher genau jener „Wahrheitsbereich, in dem einerseits die Wahrheit grundsätzlich nur in einer sittlichen Entscheidung erfaßt, also in Freiheit erreicht wird und in dem andererseits die sittlich richtige Entscheidung im letzten auch notwendig wahr ist, die Wahrheit und nicht den Irrtum erfaßt"[31]. Mit einem derart vertieften Wahrheitsbegriff ist dem gegenseitigen Ausspielen von Wahrheit und Freiheit ein wirksamer Riegel vorgeschoben, und das hartnäckige Pochen auf den Vorrang der Wahrheit vor dem Irrtum, das noch unter Pius XII.[32] nicht ohne Grund als Beeinträchtigung der religiösen Freiheit verstanden wurde, verwandelt sich unter der Hand in ein uneingeschränktes Bekenntnis zur Religionsfreiheit.[33]

Worin besteht nun der lehrmäßige Fortschritt in der „Erklärung über die Religionsfreiheit" gegenüber der schon immer behaupteten Freiheit des Glaubensaktes? Angesichts der notwendigen Betonung der Kontinuität im prinzipiellen Bereich könnte der Eindruck entstehen, es handle sich um eine bloße Aktualisierung oder neuerliche Einschärfung einer alten Lehre mit stärkerer Berücksichtigung ihrer praktischen Realisierung (Verzicht der Kirche auf traditionelle Privilegien; Bereitschaft zu praktischer Zusammenarbeit mit Nichtkatholiken und Nichtchristen ohne Vorbedingungen usw.). Ohne diese Gesichtspunkte geringschätzen zu wollen, wäre es doch eine unberechtigte Verharmlosung des Konzils, wenn man seine Aussage auf sie be-

---

[31] K. Rahner, Vorbemerkung zum Problem der religiösen Freiheit, in: Religionsfreiheit. Ein Problem für Staat und Kirche (München 1966) 7–23, hier 8. Dieser kleine Beitrag in einem unscheinbaren Sammelbändchen ist eine sehr gute und verständliche Zusammenfassung der zahlreichen, über sämtliche Schriften verstreuten Ausführungen Rahners über die Zusammengehörigkeit von Wahrheit und Freiheit auf religiösem Gebiet. Vgl. ebd. S. 11: „Die religiöse Wahrheit als solche ist grundsätzlich nur im Akt der Freiheit als solcher gegeben", und nochmals etwas ausführlicher S. 13: „Diese (= religiöse) Wahrheit selbst ist grundsätzlich nur im freien Akt als solchem möglich, durch den das gnadenhaft erhöhte Subjekt nur in freier Annahme bei sich selbst ist und so in der ursprünglichen Wahrheit. Und darum ist die religiöse Freiheit nicht bloß der Anwendungsfall einer allgemeinen Forderung nach Freiheit für den Menschen, sondern im Wesen der religiösen Wahrheit als solcher begründet. Die religiöse Freiheit ist kein Einzelfall von Meinungsfreiheit. Sie ist vielmehr dort gegründet, wo es sich nicht mehr um beliebige Meinungen handelt, sondern um jenen Grundvollzug des geistigen Subjekts, in dem die radikalste Wahrheit notwendig die freieste ist und die radikale Freiheit, so sie nur ihrem eigenen Wesen getreu, also sittlich gut ist, auch die Wahrheit wirklich erreicht." Mit diesen Feststellungen ist natürlich keine Abwertung der Meinungsfreiheit oder der übrigen Freiheitsrechte des Menschen intendiert, wohl aber eine deutliche Abgrenzung der Religionsfreiheit, die damit auf ihre eigenen Füße gestellt wird.
[32] „Was nicht der Wahrheit und dem Sittengesetz entspricht, hat objektiv kein Recht auf Dasein, Propaganda und Aktion" (AAS 45 [1953] 794, nach J. Hamer – Y. Congar, a.a.O. [Anm. 9] 284).
[33] Diesen letzten Gedanken verdanke ich einem Seminar über Religionsfreiheit bei Prof. Klinger im Sommersemester 1981 an der theologischen Fakultät in Würzburg.

schränken wollte. Der wesentliche Fortschritt in der konziliaren Lehre über die Religionsfreiheit liegt m.E. in der Übertragung des Grundsatzes der Freiheit des Glaubens vom Glaubensakt im engen Sinn auf den Raum oder das weitere Umfeld religiöser Entscheidungen und Handlungen. Der Grundsatz der Freiheit des Glaubensaktes im engeren Sinn schließt offensichtlich nicht aus, daß Menschen unter Anwendung von Drohungen und Zwangsmitteln verschiedenster Art veranlaßt werden, „freiwillig" eine bestimmte religiöse Entscheidung zu treffen oder ein bestimmtes Verhalten zu übernehmen – womit zwar vielleicht dem Buchstaben, aber nicht dem Geist der Freiheitsforderung entsprochen wäre. Das Konzil bezieht sich mit seiner Erklärung ausdrücklich auf den gesellschaftlichen und bürgerlichen Bereich, womit in Wirklichkeit nicht eine Beschränkung, sondern eine Ausweitung des Grundsatzes der Freiheit in religiösen Dingen vorgenommen wurde[34]. Es wird Ernst gemacht mit der Erkenntnis, daß der Vollzug der Freiheit nicht im luftleeren Raum geschieht, sondern auf einen Freiheitsraum angewiesen ist, ohne den die Freiheit als menschliche, d.h. in ihrer Bindung an geschichtliche und gesellschaftliche Voraussetzungen, gar nicht möglich ist. Die tatsächliche Bereitstellung dieses Raumes ist von der allseits anerkannten Würde der menschlichen Person ebenso gefordert wie die Zuerkennung der Entscheidungsfreiheit selbst. Auch die Verpflichtung auf die geoffenbarte Wahrheit fordert bzw. erlaubt nicht den Entzug des notwendigen Freiheitsraumes. „Der schlechthinnige Entzug des Raumes selbst für sittlich falsche Entscheidungen der Freiheit (selbst wenn oder soweit so etwas möglich ist oder wäre) kann also nicht zu den Aufgaben eines Menschen oder einer Gesellschaft von Menschen anderen Menschen gegenüber gehören. Auch er wäre ein Attentat auf die Würde der Person in ihrer Freiheit, die nicht nur Mittel zum Zweck (das heißt des unfrei verwirklichten Guten), sondern auch selbst ein Teil des Sinnziels (der Person nämlich) ist."[35]

Es ist jetzt nicht möglich, auch noch auf die bleibende, trotz und mit der Religionsfreiheit bestehende Verpflichtung jedes Menschen zur Suche nach der Wahrheit auch im äußeren, d.h. lehrmäßigen und institutionellen Bereich einzugehen, die vom Konzil nachdrücklich betont wird und in dem „liberalen" Karl Rahner einen entschiedenen Verfechter hat[36]. Es sei statt

---

[34] Dem widerspricht nicht die Absicht bei der späten Einfügung des Untertitels der Konzilserklärung, den Inhalt der Religionsfreiheit gegen ein liberalistisches oder antihierarchisches Mißverständnis abzugrenzen. Vgl. LThK – Das Zweite Vatikanische Konzil II 708.

[35] *K. Rahner,* Schriften II 261. Zur Erklärung einer gewissen Zurückhaltung in der Formulierung sei daran erinnert, daß dieser Vortrag auf dem in Anm. 26 erwähnten Katholikentag im Jahr 1952 gehalten wurde.

[36] Vgl. z.B. den in Anm. 29 zitierten Aufsatz.

dessen als wesentliches Ergebnis dieser Überlegungen nochmals hervorgehoben:

1. Die katholische Kirche macht sich auf dem II. Vatikanischen Konzil erstmals zum Anwalt der Religionsfreiheit im umfassenden Sinn, d.h. den Freiheitsraum als Voraussetzung jeder freien Entscheidung einbeziehend.

2. Sie erhebt die Forderung nach religiöser Freiheit im Namen ihrer eigenen, sie selbst verpflichtenden und für sie unaufgebbaren Prinzipien, so daß sie die Religionsfreiheit nicht mit schlechtem Gewissen als uneingestandenes Abrücken von der vollen Wahrheit und als Zugeständnis an die widrigen Umstände, sondern mit voller Überzeugung als unverzichtbares Element der richtig verstandenen religiösen Wahrheit selber vertreten kann.

3. Sie weist damit ein Konkurrenzverhältnis zwischen Wahrheit und Freiheit zurück und definiert sich ebenso klar als Anwalt der Freiheit des Menschen, wie sie sich seit jeher als Anwalt der Wahrheit versteht. Dabei vertauscht sie nicht die traditionelle Priorität der Wahrheit gegen eine liberalistische Priorität der Freiheit, sondern gewinnt von der neu entdeckten Freiheit her eine tiefere Auffassung von der Wahrheit als der endgültigen Übereinstimmung des Menschen mit sich selber vor dem Angesicht Gottes.

HANS WALDENFELS

THEOLOGIE DER NICHTCHRISTLICHEN RELIGIONEN

Konsequenzen aus „Nostra aetate"

Karl Rahner hat das II. Vatikanische Konzil das „Konzil der Weltkirche" genannt[1]. Nach einer kurzen Periode des Judenchristentums und einer längeren Periode der Kirche im Kulturraum des Hellenismus und der anschließenden europäischen Kultur und Zivilisation ist das Christentum inzwischen auf dem Weg in seine dritte Geschichtsperiode. Mit Macht vollzieht sich der „Übergang von dem Christentum Europas (mit seinen amerikanischen Adnexen) zu einer aktuellen Weltreligion"[2]. Eine solche Feststellung kann nun unter doppelter Rücksicht gesehen werden. Es kann der Ton auf „Welt" gelegt werden – dann schließen sich Überlegungen an, wie das Christentum zur wahren Gestalt einer universalen, weltumspannenden Religion bzw. wie die Kirche wahrhaftig zur Weltkirche heranreifen kann. Hier sind dann Träume von der Kirche der Zukunft am Platz, wie sie auch K. Rahner nicht aufhört zu träumen[3]. Es kann aber auch der Akzent auf „eine Weltreligion" fallen – dann findet sich das Christentum, das in unseren Breiten jahrhundertelang – trotz der kleinen Gruppen von Juden, die es stets gegeben hat – als die, zumindest als die herrschende Religion aufgetreten ist, plötzlich unter anderen im Konzert, aber auch in der Konkurrenz der Religionen wieder.

Signal dieser Einsicht war auf dem II. Vatikanischen Konzil die in einer merkwürdig verwickelten Geschichte herangewachsene Erklärung über das Verhältnis der Kirche zu den nichtchristlichen Religionen „Nostra aetate"[4]. Erstmals auf einem Konzil war konkret die Rede nicht nur vom Judentum,

---

[1] Vgl. K. Rahner, Schriften XIV 304; ausführlicher 287–318.
[2] Ebd. 295.
[3] Vgl. ebd. 355–367, dazu die vielfältigen Überlegungen, Vorstellungen und Prognosen von einer kommenden Kirche, die sich bis in den Bd. XIV durch K. Rahners „Schriften" ziehen.
[4] Vgl. die detaillierte Beschreibung der Entstehungsgeschichte im LThK – Das Zweite Vatikanische Konzil II 406–478; zum Rahmen der Erklärung vgl. H. Waldenfels, Christentum und Weltreligionen in katholischer Sicht, in: Kirche in der Zeit 22 (1967) 347–358.

sondern auch vom Islam, vom Hinduismus und Buddhismus. Wie unvorbereitet die katholische Theologie dennoch war, beweist beispielhaft die Tatsache, daß im Gegensatz zum sonstigen Verfahren des grundlegenden Kommentarwerkes zum II. Vatikanischen Konzil in den Ergänzungsbänden zum Lexikon für Theologie und Kirche einzig der Text von „Nostra aetate" unkommentiert geblieben ist[5]. Über diesen auffälligen Mangel können auch die drei Exkurse über den Hinduismus, den Buddhismus und den Islam[6] nicht hinwegtäuschen.

Erblickt man zudem in einer Konzilserklärung im Gegensatz zu den großen Konstitutionen, aber auch den Dekreten eher eine Absichtserklärung, die es in der Folgezeit einzulösen gilt, so ist der Verzicht auf einen vielleicht seinerseits schon wieder abschließenden Kommentar selbst noch einmal ein Signal. In einer eingehenden Reflexion auf „die Herausforderungen der Theologie durch das Zweite Vatikanische Konzil" hat K. Rahner unter vielen anderen Themen, die der systematischen Theologie aufgegeben sind, auch „die Theologie der Funktion der nichtchristlichen Religionen in der kollektiven und individuellen Heilsgeschichte" aufgeführt[7]. Schritte in die von ihm anvisierte Richtung erblickt er – neben seinem nach wie vor grundlegenden Beitrag „Das Christentum und die nichtchristlichen Religionen" aus dem Jahre 1961[8] – in den Arbeiten von H. R. Schlette, bei J. Ratzinger, H. Fries, H. Küng, J. Feiner und anderen[9]. Ob die Ausrichtung der geforderten theologischen Beschäftigung mit den nichtchristlichen Religionen auf die Funktion dieser Religionen in der Heilsgeschichte ganz glücklich ist, wird im weiteren Verlauf unserer Überlegungen zu prüfen sein.

K. Rahner selbst sieht inzwischen offensichtlich recht deutlich die Grenzen des bisherigen Bemühens um die nichtchristlichen Religionen und bleibt auch hier seiner in vielen Punkten zu beobachtenden Rolle des Vor-Denkers treu. In einem Beitrag „Jesus Christus in den nichtchristlichen Religionen" weist er auf die Grenzen einer dogmatischen, von religionswissenschaftlichem Wissen eher unberührten Beschäftigung mit der genannten Frage hin[10]. Ausdrücklich betont er, daß die für den Dogmatiker „verbindlichen Glaubensquellen in ihrem Werden im Alten und Neuen Testament und so-

[5] Vgl. LThK – Das Zweite Vatikanische Konzil II 488–495.
[6] Vgl. ebd. 478–487.
[7] Vgl. *K. Rahner*, Schriften VIII 28.
[8] Vgl. *K. Rahner*, Schriften V 136–158; ähnlich VIII 369–373; auch *ders.*, Ist das Christentum eine „absolute Religion"?, in: Gnade als Freiheit. Kleine theologische Beiträge (Freiburg i. Br. – Basel – Wien 1968) 155–160.
[9] Vgl. *K. Rahner*, Schriften VIII 28 Anm. 40.
[10] Vgl. *K. Rahner*, Schriften XII 370f 375 381ff.

gar in den darauf aufbauenden kirchenlehramtlichen Erklärungen (in etwa die Erklärung des Zweiten Vatikanischen Konzils über die nichtchristlichen Religionen ausgenommen) ohne einen unmittelbaren Kontakt mit dem allergrößten Teil der nichtchristlichen Religionen entstanden sind und darum das religionsgeschichtliche Material . . . in keiner Weise schon verarbeitet haben"[11]. Dennoch glaubt K. Rahner aus seinem transzendentaltheologischen Denkansatz heraus apriorisch einen Rahmen vorgeben zu können, den dann „religionsgeschichtlich und aposteriorisch arbeitende Theologen"[12] ihrerseits weiter ausfüllen könnten.

K. Rahners eigene Beiträge zur Frage, die lehramtlichen Vorgaben des II. Vatikanischen Konzils, nicht zuletzt aber das wachsende Bewußtsein, daß die Lebenssituation der Menschen inzwischen multireligiös beeinflußt und herausgefordert wird, machen eine „Theologie der Religionen" zu einem dringlichen Postulat unserer Zeit. Ihr ist dieser von K. Rahners Denken inspirierte und ihm zu seinem Festtag dargebotene Aufsatz gewidmet.

Im weiteren Verlauf unserer Überlegungen sollen nun zunächst in Kürze die bisher erkennbaren Ergebnisse bzw. Denkrichtungen einer theologischen Reflexion der Religionen vorgestellt werden. Es ergibt sich von da aus die Frage nach einem Entwurf der „Theologie der Religionen". Abschließend ist dann deutlich zu machen, daß eine solche Theologie bei uns nicht ohne die Denkanstöße aus den außereuropäischen Kirchen gelingen kann. Theologie heute ist längst nicht mehr das Geschäft der europäischen Theologen allein. Häufig bei uns noch unbemerkt, gibt es inzwischen außerhalb Europas gar manchen bemerkenswerten Versuch gerade auch in dem von uns behandelten Bereich.

Christliches Heil und die Religionen

Wir haben angesichts der Feststellung K. Rahners, daß wir uns in einem Übergang des Christentums Europas „zu einer aktuellen Weltreligion" befinden, von einer doppelten Akzentsetzung gesprochen, je nachdem, ob mehr die Pluralität der Religionen oder das Schicksal des Christentums im Vordergrund steht. Entsprechend muß eine theologische Reflexion der Religionen von einem doppelten Interesse geleitet sein: sie muß den Religionen Gerechtigkeit widerfahren lassen und den Anspruch des Christentums angesichts der Religionen bedenken.

---

[11] Ebd. 370.
[12] Vgl. ebd. 375.

In den Texten des II. Vatikanischen Konzils stand – von Ansätzen der Erklärung „Nostra aetate" abgesehen – der zweite Gesichtspunkt im Vordergrund. So werden in n. 16 der Kirchenkonstitution „Lumen gentium" alle die, „die das Evangelium noch nicht empfangen haben", auf die Kirche hingeordnet. Im Text werden in zunehmender Entfernung vom Mittelpunkt Kirche aufgeführt: die Juden, die Muslime, diejenigen, „die in Schatten und Bildern den unbekannten Gott suchen", und schließlich jene, „die ohne Schuld noch nicht zur ausdrücklichen Anerkennung Gottes gekommen sind". Für sie alle gilt, daß die göttliche Vorsehung ihnen „das zum Heil Notwendige" nicht verweigert.

Dabei werden die religiösen Institutionen, in diesem Sinne die Religionen, nicht ausdrücklich erwähnt. Wohl finden sich hier und anderswo Aussagen, die von der Hochschätzung dessen künden, „was sich an Gutem und Wahrem findet". Ähnlich wie im Missionsdekret „Ad gentes" n. 9 heißt es in „Lumen gentium" n. 17, „daß aller Same des Guten, der sich in Herz und Geist der Menschen oder in den eigenen Riten und Kulturen der Völker findet, nicht nur nicht untergehe, sondern geheilt, erhoben und vollendet werde". Insofern gilt auch: „Die katholische Kirche lehnt nichts von alledem ab, was in diesen Religionen wahr und heilig ist" (NA 2)[13].

Alles Gute aber ist letztlich aufgehoben in der Heilsökonomie, die vom Anfang der Schöpfung an „dem Evangelium den Weg durch die Zeiten bereitet" hat (DV 3). Es findet seine Kulmination in der Selbstoffenbarung Gottes in Jesus Christus: Er „vollendet das Heilswerk, dessen Durchführung der Vater ihm aufgetragen hat" (DV 4)[14]. Alles Gute ist somit hingerichtet auf Jesus Christus, von dem alles Heil seinen Ausgang nimmt.

Damit kann für das Konzil zweierlei festgehalten werden: 1) Das Heil aller Menschen ist und bleibt an Jesus Christus gebunden. 2) Trotz der Rede vom „Wahren und Heiligen" auch in den Religionen bleibt die Heilsbedeutung der Religionen ungeklärt. Diese Ungeklärtheit fand ihrerseits in der theologischen Diskussion um eine Heilsfindung „trotz, in oder wegen der Religionen" ihren Ausdruck[15].

---

[13] Zu Religion und Religionen im II. Vatikanischen Konzil vgl. *H. Waldenfels*, Das Verständnis der Religionen und seine Bedeutung für die Mission in katholischer Sicht: EMZ NF 27 (1970) 125–159, bes. 128–135.

[14] Vgl. *H. Waldenfels*, Offenbarung. Das Zweite Vatikanische Konzil auf dem Hintergrund der neueren Theologie (München 1968) 230–281.

[15] Vgl. *H. Waldenfels*, Die Heilsbedeutung der nichtchristlichen Religionen in katholischer Sicht, in: *W. Molinski* (Hrsg.), Die vielen Wege zum Heil. Heilsanspruch und Heilsbedeutung nichtchristlicher Religionen (München 1969) 93–125; *ders.*, Mission als Vermittlung von umfassendem Heil, in: ZMR 61 (1977) 241–255, bes. 249–253; *H. J. Türk* schrieb noch 1967 in seinem Kommentarband „Was sagt das Konzil über nichtchristliche Religionen, Mission, To-

Kirchenamtliche Texte dienen selten dazu, offen diskutierte theologische Fragen ohne Not abschließend zu behandeln. Im Bereich der nicht ausdiskutierten Fragen spiegeln sie eher den Stand der theologischen Reflexion in einer bestimmten Zeit, dann aber auch deren Unabgeschlossenheit wider. Für den Bereich der theologischen Reflexion in der Zeit des II. Vatikanischen Konzils waren aber im Hinblick auf die Religionen drei Stichworte bedeutungsvoll: 1) Absolutheitsanspruch des Christentums, 2) anonyme Christen, 3) legitime Religionen. Das erste Stichwort stellt eine theologische Übernahme eines im Hegelschen System beheimateten Gedankengangs dar[16]; die beiden anderen gehen wesentlich auf K. Rahner zurück[17]. In allen drei Fällen geht es um das Christentum, seine Rolle und Bedeutung in der Geschichte, zumal der Geschichte der Religion und der Religionen, existentiell um den Anspruch, den das Christentum mit seiner Botschaft vom universalen Heilswillen Gottes in seiner Bindung an Leben und Sterben Jesu Christi und damit an den Glauben an Jesus Christus erhebt.

Gerade die von K. Rahner ins Spiel gebrachten Thesen zum „anonymen Christentum" und zur „Legitimität der Religionen" sind eindeutig in der Absicht entwickelt worden, den Grundanspruch des Christentums, Heil für alle Menschen anzubieten, sicherzustellen. Zwei Beobachtungen sind es, die diesen Anspruch in unserer Zeit verdunkeln: Einmal wächst die Einsicht, daß die Christenheit in der Menschheit eine Minorität ist, vermutlich bleibt und vielleicht noch mehr zur Minderheit wird. Nicht nur ist eine bestimmte Periode der Missionsgeschichte mit dem Ende des Kolonialzeitalters zu Ende gegangen; der stille Exodus aus einer christlichen Traditionsgesellschaft ist im Abendland noch immer im Gang und verläuft parallel zu einer ebenso stillen Wirksamkeit nichtchristlicher Missionierung. Sodann tritt die Wirklichkeit nichtchristlicher Religiosität sowohl in der Vergangenheit wie auch in der Gegenwart deutlicher ins Bewußtsein. Der konkrete Umgang mit

---

leranz?" (Mainz 1967) 22: „Nicht wegen ihrer Zugehörigkeit zu anderen Religionen, sondern trotz dieser werden sie (scil. die ohne eigene Schuld nicht zur römisch-katholischen Kirche gefunden haben) auf eine ihnen unbewußte Weise durch die Kirche in das Heil Gottes aufgenommen."

[16] Vgl. *W. Kasper* (Hrsg.), Absolutheit des Christentums (Freiburg i. Br. – Basel – Wien 1979); auch *H. Waldenfels*, Der Absolutheitsanspruch des Christentums, in: Hochland 62 (1970) 202–217; *ders.*, Der Absolutheitsanspruch des Christentums und die großen Weltreligionen, in: *J. Beutler – O. Semmelroth* (Hrsg.), Theologische Akademie 11 (Frankfurt a. M. 1975) 38–64.

[17] Vgl. dazu *K. Rahner*, Schriften V 136–158; zur Diskussion der „anonymen Christen" *ders.*, Schriften VI 545–554, VIII 187–212, IX 498–515, X 531–546, XII 76–84; sodann *E. Klinger* (Hrsg.), Christentum innerhalb und außerhalb der Kirche (Freiburg i. Br. – Basel – Wien 1976); *H. Waldenfels*, Die neuere Diskussion um die „anonymen Christen" als Beitrag zur Religionstheologie, in: ZMR 60 (1976) 161–180.

Menschen, die mit gleichem und oft größerem Ernst als viele sogenannte christliche Zeitgenossen ihrer religiösen Überzeugung Ausdruck verléihen, läßt viele voreilige Urteile über fremde Religionen verstummen.

Auf diese Erfahrung hat K. Rahner in dem schon erwähnten Beitrag „Das Christentum und die nichtchristlichen Religionen" aus dem Jahre 1961 mit vier Thesen geantwortet, in denen die drei Stichworte zur Sprache kommen:

1. These:

„Das Christentum versteht sich als die für alle Menschen bestimmte, absolute Religion, die keine andere als gleichberechtigt neben sich anerkennen kann."[18]

2. These:

„Bis zu jenem Augenblick, in dem das Evangelium wirklich in die geschichtliche Situation eines bestimmten Menschen eintritt, enthält eine nichtchristliche Religion (auch außerhalb der mosaischen) nicht nur Elemente einer natürlichen Gotteserkenntnis, vermischt mit erbsündlicher und weiter darauf und daraus folgender menschlicher Depravation, sondern auch übernatürliche Momente aus der Gnade, die dem Menschen wegen Christus von Gott geschenkt wird, und sie kann von daher, ohne daß dadurch Irrtum und Depravation in ihr geleugnet werden, als, wenn auch in verschiedener Gestuftheit, *legitime* Religion anerkannt werden."[19]

3. These:

Damit „tritt das Christentum dem Menschen außerchristlicher Religionen nicht einfach als dem bloßen und schlechthinnigen Nichtchristen gegenüber, sondern als einem, der durchaus schon als ein anonymer Christ in dieser oder jener Hinsicht betrachtet werden kann und muß"[20].

4. These:

Angesichts dieser Situation „wird sich die Kirche heute nicht so sehr als die exklusive Gemeinschaft der Heilsanwärter betrachten, sondern vielmehr als den geschichtlich greifbaren Vortrupp, als die geschichtlich und gesellschaftlich verfaßte Ausdrücklichkeit dessen, was der Christ als verborgene Wirklichkeit auch außerhalb der Sichtbarkeit der Kirche gegeben erhofft"[21].

Die vier Thesen sind in ihrem positiven Aussagegehalt weltweit in hohem Maße rezipiert worden. Auch gegen vorgebrachte Einwendungen und Einsprüche darf festgehalten werden:

---

[18] *K. Rahner,* Schriften V 139.
[19] Ebd. 143.   [20] Ebd. 154.   [21] Ebd. 156.

1) Die Thesen gründen in einer eindeutigen Christozentrik und dem damit gegebenen Bemühen, das Heil jedes Menschen an Christus zu binden. Das ist erkennbar, wo die Grenze der Legitimität einer Religion in der existentiellen Begegnung mit der Christusbotschaft gezogen und die Heilserlangung zumindest an die Unausdrücklichkeit einer letztlich in Christus endenden Lebensoption, das heißt an die Anonymität des Christseins, gebunden wird.

2) Das Christentum wird nicht nur subjektiv-existentiell als die heilsentscheidende Religion gesehen, sondern bleibt der objektive Höhepunkt einer Geschichte der Religionen. Daraus ergibt sich:

3) Die nichtchristlichen Religionen werden durch die Absolutheit des Christentums relativiert. Sie sind folglich weder gleichberechtigt noch gleichwertig.

4) Angesichts der betonten Christozentrik wird die Kirche weniger statisch als dynamisch und dann stärker als das in seinen Rändern eher unscharfe und zugleich für Weggenossenschaft offene pilgernde Gottesvolk gesehen. Nicht ohne Grund beschreibt die Kirchenkonstitution „Lumen gentium" die Kirche vorzüglich als dieses pilgernde Gottesvolk, das aber dann in der Völkerwallfahrt (vgl. Jes 2,2 – 5; Mich 4,1 – 5) von den vielen Völkern begleitet wird[22]. Jes 2,2 – 5 par zusammen mit der Vision des vom Himmel herabkommenden Jerusalem (vgl. Apk 21,2 – 5) sind im Hinblick auf eine Theologie der Religionen genausowenig ausgeschöpft wie der Zusammenhang von babylonischer Sprachverwirrung (vgl. Gen 11,1 – 9) und jerusalemischem Sprachverständnis der Völker am Pfingsttag nach Christi Auferstehung (vgl. Apg 2,1 – 11).

Rückfragen

Sehen wir von den christentums- bzw. theologieimmanenten Einwänden gegen Rahners Thesen ab[23], so verdient doch jenes Unbehagen Beachtung, das bei tatsächlichen oder vermeintlichen, zumindest denkbaren Einsprüchen der Vertreter anderer Religionen einsetzt. So hat bereits früh angesichts der Tatsache, daß die Mehrzahl der auf unserer Erde lebenden Menschen nie-

---

[22] Vgl. H. *Waldenfels*, Von der Weltmission zur Kirche in allen Kulturen, in: P. *Gordan* (Hrsg.), Die Kirche Christi. Enttäuschung und Hoffnung (Graz – Wien – Köln 1982) 303–350, bes. 334 ff.

[23] Vgl. meine Hinweise in ZMR 60 (1976) 161–180 passim (Anm. 17). Einsprüche wurden vorgetragen aufgrund fundamentalistischer Schriftargumente, aufgrund von Bedenken gegen die transzendentaltheologische Argumentationsfigur sowie aufgrund von Sorgen um eventuelle Konsequenzen für das missionarische Interesse in der Kirche.

763

mals existentiell mit dem Christentum in Berührung kommt, H.R. Schlette die Kirche den „außerordentlichen" und die Religionen den „ordentlichen" Heilsweg der Menschen genannt[24]. Eine solche Sprachregelung war für ihn keineswegs ein Widerspruch zu einer heilsgeschichtlichen Bundestheologie, die nicht nur das Nebeneinander von Altem und Neuem, sondern auch von Sinai- und Noah-Bund kennt[25]. Zudem muß gegenüber dem zum Axiom gewordenen Satz „Extra Ecclesiam nulla salus" die offene, in Patristik und mittelalterlicher Theologie bekannte Konzeption einer „Ecclesia ab Abel"[26], aber auch das Ringen um das Verständnis des Axioms bis zu den Aussagen Pius' XII. in der Enzyklika „Mystici Corporis" in Erinnerung gebracht werden[27]. Auch wenn gegenüber Schlettes Verwendung des Begriffes „ordentlich" umgekehrt Bedenken vorgebracht werden können – was bestimmt schließlich das „Ordentliche"? –, so ist doch nicht zu übersehen, daß die Umkehrung der Formulierung „ordentlich – außerordentlich" dem nichtchristlichen Gesprächspartner einleuchtender erscheint.

Neutralisierungen hat es aber dann vor allem im Hinblick auf die Rede von der Absolutheit des Christentums und dem anonymen Christentum gegeben. Einmal verlor die Betonung der Absolutheit des Christentums ihre Provokation, wo prinzipiell auch die anderen Religionen als Heilswege anerkannt wurden. Sodann ist sie dort relativiert, wo ihr die Absolutheitsansprüche anderer Religionen gegenübergestellt werden. G. Mensching hat religionswissenschaftlich zwischen exklusiven und inklusiven Absolutheitsansprüchen unterschieden, aber in aller wünschenswerten Deutlichkeit herausgestellt, daß jede Weltreligion als *Welt*religion einen Absolutheitsanspruch enthält[28]. Die Neutralisierung ist erst dort überwunden, wo der Absolutheits- durch einen Einzigartigkeitsanspruch ersetzt wird.

Doch auch die Kategorie der Anonymität läßt sich wechselseitig verwenden. Ich habe diese Erfahrung – nicht zuletzt aufgrund eigener Erlebnisse im Umkreis der Kyotoer Gesprächspartner – bereits anderweitig zur Spra-

[24] Vgl. *H. R. Schlette*, Die Religionen als Thema der Theologie. Überlegungen zu einer „Theologie der Religionen" (Freiburg i. Br. – Basel – Wien 1963) 84–87.

[25] Vgl. ebd. 75–80; *ders.*, Thesen zum Selbstverständnis der Theologie angesichts der Religionen, in: *J. B. Metz* u.a. (Hrsg.), Gott in Welt. Festgabe für Karl Rahner II (Freiburg i. Br. – Basel – Wien 1964) 306–316, vor allem These 1.

[26] Vgl. *Y. Congar*, Ecclesia ab Abel, in: *M. Reding* (Hrsg.), Abhandlungen über Theologie und Kirche (Düsseldorf 1952) 79–108.

[27] Vgl. *H. R. Schlette* in: *J. B. Metz*, a.a.O. 309–311 (These 2); auch *Y. Congar*, Außer der Kirche kein Heil (Essen 1961); *J. Ratzinger*, Das neue Volk Gottes. Entwürfe zur Ekklesiologie (Düsseldorf 1969) 339–361.

[28] Vgl. *G. Mensching*, Toleranz und Wahrheit in der Religion (München – Hamburg 1955) 162–168; *ders.*, Der offene Tempel. Die Weltreligionen im Gespräch miteinander (Stuttgart 1974) 28–31; auch meinen 2., in Anm. 16 genannten Aufsatz.

che gebracht[29]. K. Rahner berichtet seinerseits von einem Gespräch mit K. Nishitani, in dem dieser ihn gefragt hat: „Was würden Sie dazu sagen, wenn ich Sie als anonymen Zen-Buddhisten deuten würde?" Rahners Antwort lautete: „Selbstverständlich dürfen und müssen Sie das von Ihrem Standpunkt aus tun; ich fühle mich durch solche Interpretation nur geehrt, selbst wenn ich sie entweder für falsch halten muß oder aber voraussetze, daß, recht interpretiert, echtes Zen-Buddhist-Sein mit dem richtig verstandenen Christ-Sein auf *der* Ebene identisch ist, die von solchen Aussagen eigentlich und unmittelbar angezielt wird."[30] Hier gab es dann in der Tat eine Verständigung.

Eine christliche Theologie der Religionen muß aber dann prüfen, ob sie sich darin erschöpfen kann, daß sie den christlichen Anspruch mit den fremdreligiösen Ansprüchen versöhnt. Denn eine Versöhnung dieser Art steht vordringlich im Dienste des christlichen Selbstverständnisses, beantwortet, ja berücksichtigt aber nicht die Frage nach dem fremden Selbstverständnis. Hier scheint mir denn auch das Desiderat einer „Theologie der Funktion der nichtchristlichen Religionen in der kollektiven und individuellen Heilsgeschichte" hinter dem Ruf nach einer umfassenden Theologie der Religionen zurückzubleiben. Wer den Dialog mit den Vertretern anderer Religionen im Sinn hat, kann sich nicht mit der Bestimmung der Funktion der anderen Religionen in der vom Christentum her gedachten Heilsgeschichte begnügen.

Theologie der Religionen

Verdächtig bleibt, daß eine christliche Religionstheologie bislang weithin darauf verzichten konnte, sich konkret mit einer bestimmten nichtchristlichen Religion zu beschäftigen. Was über Nichtchristen ausgesagt wurde, galt unabhängig davon, ob diese Juden oder Muslims, Hindus oder Buddhisten, ja vielleicht gar Atheisten, jedenfalls Religionslose sind. Entsprechend brauchte auch bei der Einordnung der Religionen in die Heilsgeschichte nicht genauer geklärt zu werden, ob Judentum und Islam, Hinduismus und Buddhismus – um diese Religionen exemplarisch zu nennen – nicht doch noch einmal auch in dieser Frage sinnvoll unterschieden werden. Daß diese Frage nicht grundlos gestellt wird, wissen wir bereits aufgrund der Tatsache, daß wir mit großer Selbstverständlichkeit dem Judentum eine bleibende,

---

[29] Vgl. *H. Waldenfels* in: ZMR 60 (1976) 173 ff.
[30] Vgl. *K. Rahner*, Schriften XII 276.

eigentümliche Rolle auch im Hinblick auf das Christentum und seine spätere Geschichte zuerkannt haben. Genauso aber erfahren wir heute, daß sich
eine Theologie des Judentums gerade auch im Hinblick auf das Verhältnis
von Christen und Juden heute nicht in der Beschäftigung mit der heilsgeschichtlichen Rolle der Juden für die Christen erschöpfen kann, weil die
Juden sich *als Juden* geachtet wissen wollen. Hier aber sind Neuansätze,
nicht nur Gedanken innerhalb von vorgefertigten, wenn auch unausgefüll-
ten Rahmen unabdingbar.

Was uns in einer neuen Theologie des Judentums[31] inzwischen modellhaft
vorgestellt wird[32], bestätigt, was zuvor bereits nach Erscheinen der Konzilserklärung „Nostra aetate" festgestellt wurde[33]: Die nichtchristlichen Religionen können heute nicht mehr primär unter christlich-missiologisch-mis-
sionsstrategischen Rücksichten – gleichsam objekthaft – betrachtet werden. Sie verdienen zunächst unabhängig von christlichen Einordnungsversu-
chen Beachtung. Denn inzwischen begegnen wir den anderen Religionen
nicht mehr zunächst in Systemen und in Zeugnissen der Geschichte, sondern in Menschen, die als Zeitgenossen unter uns leben, die wir in fremden
Ländern treffen oder von denen wir in unseren Medien erfahren, die sich
aber ihrerseits zum Weg und zur Lehre einer nichtchristlichen Religion bekennen. Eine wahre Begegnung zwischen Menschen verschiedener Reli-
gionszugehörigkeit ist aber nicht möglich, wenn diese sich nicht gegenseitig
zu verstehen suchen, ohne sie voreilig dem eigenen geistigen Horizont einzuordnen. Eine neue Partnerschaft wird folglich die nichtchristlichen Religionen nicht nur im allgemeinen, sondern in ihrem je eigenen Selbstverständnis zur Kenntnis nehmen müssen. Erst dann stellt sich die Aufgabe
einer apologetischen Überprüfung des christlichen Anspruchs gegenüber
den anderen Ansprüchen. Gemeinsam bleibt aber den Religionen, soweit sie
füreinander dialogfähig sind[34], der Auftrag, nach Wegen praktischer Solidari-

---

[31] Vgl. vor allem die Arbeiten von C. *Thoma,* Christliche Theologie des Judentums (Aschaf-
fenburg 1978); *ders.,* Die theologischen Beziehungen zwischen Christentum und Judentum
(Darmstadt 1982); auch F. *Mußner,* Traktat über die Juden (München 1979); *J. Pfammatter –
F. Furger* (Hrsg.), Theologische Berichte 3: Judentum und Kirche: Volk Gottes (Zürich – Einsiedeln – Köln 1974); W. *Breuning,* Schulden Christen den Juden ein „missionarisches" Zeugnis?, in: H. *Waldenfels* u.a. (Hrsg.), Theologie – Grund und Grenzen. Festgabe für Heimo
Dolch (Paderborn u.a. 1982) 89–111.
[32] D. *Flusser* nennt das 1978 erschienene Buch von C. *Thoma* (vgl. Anm. 31) ausdrücklich „die
erste, breit angelegte christliche Theologie des Judentums" (ebd. 6).
[33] Zum folgenden vgl. H. *Waldenfels,* Nichtchristliche Religionen, in: HPTh V 353 f; *ders.,* Religionen als Antworten auf die menschliche Sinnfrage (München 1980) 61–66.
[34] Ohne den Gedanken vertiefen zu wollen, ist doch darauf aufmerksam zu machen, daß es anderen Religionen gegenüber nicht nur die Haltung der Dialog-, sondern auch der Protestfähig-
keit gibt. Dieses ist vor allem angesichts der Vielzahl neureligiöser Bewegungen, die inzwi-

tät und Kooperation in einer notleidenden, in ihrer Freiheit und Humanität bedrohten und damit in umfassendem Sinne der Erlösung bedürftigen Menschheit und Welt zu suchen.

Damit ergibt sich folgendes Bild: Eine christliche Theologie der Religionen muß bei einer Überprüfung des eigenen Urteils über die Religionen bzw. eine bestimmte Religion beginnen. Erst in einem zweiten Schritt kommt es zu einer Überprüfung der Selbsteinschätzung angesichts der Religionen. In einem dritten Schritt sind dann das Verhältnis der Religionen zueinander sowie die gemeinsamen Aufgaben zu bedenken. Dabei ist zu beachten, daß das Christentum im Grunde auf eine konkrete Religion zugehen muß und es nicht mehr ausreicht, abstrakt von den Religionen zu sprechen.

Wir haben auf die besondere Situation des *Judentums* aufmerksam gemacht. Einmal ist das Judentum mit seiner vorchristlichen Geschichte und seiner Heiligen Schrift konstitutiv in die Geschichte des Christentums eingegangen. Jesus von Nazaret war und bleibt Jude. Die Geschichte des Judentums geht außerchristlich weiter. Hier aber behält die christliche Geschichte des Antijudaismus bis zu den schrecklichen Erfahrungen von Auschwitz und anderen Todeslagern unserer Tage, aber auch bis zum Ringen um die Wiederherstellung des Landes und der Nation ihre unübersehbare Bedeutung für die christliche Theologie.

Anders gelagert, aber inzwischen nicht weniger existentiell bedeutsam ist die kaum begonnene christliche Theologie des *Islams*[35]. Der Islam ist bislang die wichtigste nachchristliche, und zwar im Wissen um das Christentum entstandene Weltreligion. Der Koran enthält in seiner Prophetengeschichte bedeutsame Aussagen über Jesus von Nazaret[36], der wie Moses und Muhammad in die Geschichte nach Abraham eingeordnet ist. Unaufgearbeitet ist auch hier eine jahrhundertealte Geschichte der Entfremdung. Der arabische Einfluß auf die mittelalterliche Philosophie und Theologie bis hin zur Entstehung der neuzeitlichen Wissenschaft ist kaum hinreichend aufgearbeitet[37]. Auf die aktuelle Begegnung von Christen und Muslimen ist die abkünftig

---

schen auch Europa erreicht haben, zu betonen. Vgl. dazu *H. Waldenfels*, Religionen (Anm. 33) 47–60; *ders.*, Zur Entwicklung und Beurteilung der neureligiösen Bewegungen in der Bundesrepublik Deutschland, in: ZMR 65 (1981) 103–120; *ders.*, Sogenannte „Jugendreligionen" – notwendig, wünschenswert, gefährlich?, in: Jugendschutz 28 (1983) 3–14.
[35] Zur Theologie des Islams vgl. *H. Stieglecker*, Die Glaubenslehren des Islam (Paderborn 1962); auch das Themenheft „Islam" der ThQ 161 (1981) H. 3.
[36] Vgl. zum Jesusbild des Islams *O. H. Schumann*, Der Christus der Muslime. Christologische Aspekte in der arabisch-islamischen Literatur (Gütersloh 1975); *C. Schedl*, Muhammad und Jesus. Die christologisch relevanten Texte des Korans (Wien – Freiburg i. Br. – Basel 1978).
[37] Zum arabischen Einfluß auf die christliche Theologie und die neuzeitlichen Folgen vgl. *L. Dewart*, Die Grundlagen des Glaubens (Zürich – Einsiedeln – Köln 1971).

christliche Gesellschaft des Abendlandes kaum vorbereitet. Um so wichtiger ist es, auf die Einsprüche des Islams gegen das Christentum zu achten[38]. Nur da, wo diese gehört werden, besteht die Hoffnung, daß auch die christlichen Rückfragen im Islam vernommen werden[39].

J. Ratzinger hat in seinem Aufsatz „Der christliche Glaube und die Weltreligionen" im Anschluß an religionsphänomenologische Beobachtungen die Religionsgeschichte in folgendes Grundschema gebracht[40]:

Primitive Erfahrungen

Mythische Religionen

dreifacher Ausbruch aus dem Mythos

Mystik   Monotheistische Revolution   Aufklärung

Zwar wird man gegenüber der Unterscheidung von Mystik und monotheistischer Revolution, mystischer und prophetischer Religionen Bedenken anmelden dürfen, zumal trotz der gebotenen Erläuterungen[41] der Mystik im Christentum wie im Judentum und Islam damit von vornherein ein bleibendes negatives Vorzeichen gegeben wird und umgekehrt die Frage des Prophetischen im indisch-asiatischen Raum noch keineswegs abgeschlossen sein dürfte[42]. Dennoch ist Ratzingers Versuch einer der ersten katholischen, der einmal die unterschiedlichen Akzente in den verschiedenen Religionen der Erde berücksichtigen und dann typologisieren möchte, sodann aber damit das Christentum in den Rahmen einer umfassenderen Religionsgeschichte anzusiedeln und ihm in dieser seinen Ort zu geben versucht. In gewissem

---

[38] Vgl. *G. Mensching*, Der offene Tempel (Anm. 28) 205–220; *P. Antes*, Die Weltreligionen als Herausforderung des Christentums, in: StdZ 102 (1977) 435–445, bes. 442ff.

[39] Vgl. *Y. Moubarac*, Fragen des Katholizismus an den Islam, in: *H. Vorgrimler* – *R. van der Gucht* (Hrsg.), Bilanz der Theologie im 20. Jahrhundert I (Freiburg i. Br. – Basel – Wien 1969) 442–456.

[40] Vgl. *J. Ratzinger*, Der christliche Glaube und die Weltreligionen, in: *J. B. Metz* u.a. (Hrsg.), Gott in Welt II (Anm. 25) 287–305; das Schema findet sich 295.

[41] Vgl. ebd. 297–305.

[42] Vgl. dazu *H. Waldenfels*, Zu den „Orten" der Transzendenz- und Heilserfahrung im Christentum und im Hinduismus, in: *G. Oberhammer* (Hrsg.), Epiphanie des Heils. Zur Heilsgegenwart in indischer und christlicher Religion (Wien 1982) 131–147.

Sinne berührt sich sein Anliegen mit dem W. Pannenbergs, der seinerseits in seinen „Erwägungen zu einer Theologie der Religionsgeschichte"[43] um eine Theologie ringt, „die ihre christliche Perspektive nicht verleugnet, aber ihre christlichen Voraussetzungen auch nicht als Argumente verwendet, sondern sich auf phänomenale Sachverhalte beruft"[44].

Diese Forderung wird vor allem deutlich, wo sich die christliche Theologie als *abendländisch*-christliche Theologie in das noch immer schwer zugängliche Gebiet der asiatischen Religionsgeschichte vortastet. Nachdem die praktische Missionstätigkeit unter den Angehörigen der asiatischen Großreligionen trotz großen Einsatzes vergleichsweise erfolglos geblieben ist, muß sich auch die christliche Theologie des Abendlandes inzwischen eingestehen, daß sie mit ihren bisherigen Argumentationsfiguren nur einen sehr bescheidenen Eindruck in Asien hinterläßt. Die entscheidende Barriere ist auch hier die immer noch ungenügende Bereitschaft, sich zunächst auf das Fremde als Fremdes einzulassen. Wo nicht – wie R. Panikkar einmal bemerkt hat[45] – das Fremde in seiner Faszination zur Versuchung zu werden vermag, ist es in seiner Tiefe auch nicht annähernd erreicht. Vermutlich wird in Zukunft von europäischen Theologen daher auch nicht nur die Kenntnis neuzeitlicher und antiker Fremdsprachen des Abendlandes, sondern auch einer fremden, am besten dem asiatischen Kulturraum zugehörigen Sprache verlangt werden müssen. Nur dann wird es gelingen, die Tore des Verständnisses so weit zu öffnen, daß von wirklicher Begegnung gesprochen werden kann. Erst wo asiatische Sprachen zugänglich werden, ist damit zu rechnen, daß auch die religiösen Texte, die Symbolik und das Ritual sich in ihren eigentümlichen Strukturen, in ihrem vordergründigen Sinn und ihrem Hintersinn, in ihrer Logik als Zugänge der Erfahrung – mystagogisch – oder als Reflexionsfiguren – „theologisch" – erschließen[46].

---

[43] Abgedruckt in *W. Pannenberg*, Grundfragen systematischer Theologie (Göttingen 1967) 252–295. Pannenberg greift seine Überlegungen wieder auf in seinem Werk: „Wissenschaftstheorie und Theologie" (Frankfurt a.M. 1973) 303–329 360–374 u.ö. (vgl. Reg.). Zur Diskussion der Konzeption vgl. *H. Bürkle*, Einführung in die Theologie der Religionen (Darmstadt 1977) 16 f.

[44] *W. Pannenberg*, a.a.O. 256.

[45] Vgl. *H. Waldenfels*, Faszination des Buddhismus. Zum christlich-buddhistischen Dialog (Mainz 1982) 170.

[46] Schritte in die richtige Richtung zeigt *H. Bürkle* (a.a.O.) an, wo er ausdrücklich von „Paradigmen des theologischen Gesprächs mit fremden Religionen" spricht (36–121), vgl. dazu meine Anmerkungen in: ZMR 63 (1979) 208–210 („Einführung in die Theologie der Religionen"). Bedeutsam für eine Theologie des Hinduismus sind die von *G. Oberhammer* durchgeführten Symposien, über die drei Dokumentationsbände vorliegen: Offenbarung, geistige Realität des Menschen. Arbeitsdokumentation eines Symposiums zum Offenbarungsbegriff in Indien (Wien 1974); Transzendenzerfahrung, Vollzugshorizont des Heils. Das Problem in in-

Auch wenn es den Verständnisprozeß auf den ersten Blick kompliziert, ist schließlich auf die Pluralität der Einflußfaktoren zu achten. P. Schoonenberg hat auf die Bedeutsamkeit des Miteinanders von Auto- und Heterointerpretationen aufmerksam gemacht[47]. Beachtet man den gesamten Komplex, so sind u.a. erforderlich:

- der Blick auf den anderen aus der Sicht der anderen Religion selbst,
- der Blick auf sich selbst,
- der Blick auf den anderen aus dem eigenen Blickwinkel,
- der Blick auf das Urteil des anderen über die eigene Religion,
- der Blick auf den geschichtlichen Kontext der interreligiösen Begegnung,
- der Blick auf die Einschätzung der Religion(en) in der „Welt", die ihrerseits in ihrer Universalität und ihren Differenzierungen zu sehen ist,
- der Blick auf die Erwartungen der „Welt",
- der Blick auf die gemeinsamen und die je eigenen Möglichkeiten der Religionen angesichts der „Welt",
- der Blick auf die Aufgaben, die sich angesichts der inneren Dynamik der einzelnen Religionen im Hinblick auf die Welt ergeben[48].

Ein solcher Verständnisprozeß ist wissenschaftlich nicht ohne eine sehr gezielte interdisziplinäre Zusammenarbeit möglich, wie sie sich ansatzweise auch in unserem Kulturbereich bereits zeigt[49]. Zahlreicher sind die Beispiele, die uns inzwischen aus anderen Kontinenten zuwachsen.

---

discher und christlicher Tradition (Wien 1978); Epiphanie des Heils. Zur Heilsgegenwart in indischer und christlicher Religion (Wien 1982). Bei allen drei Symposien hat *K. Rahner* mitgewirkt; vgl. außer den Dokumentationsbänden: Schriften XII 370–383, XIII 207–225, XV 236–250.

[47] Vgl. *P. Schoonenberg*, Versuch einer christlich-theologischen Sicht des Hinduismus, in: *G. Oberhammer* (Hrsg.), Offenbarung (Anm. 46) 171–187, bes. 171–174.

[48] Vgl. *H. Waldenfels*, Theologie im Kontext der Weltgeschichte. Überlegungen zum Dialog zwischen Christentum und Weltreligionen, in: Lebendiges Zeugnis 32 (1975) H. 4, 5–18, bes. 12f.

[49] Vgl. nochmals Anm. 46. Zu beachten sind die nordamerikanischen Bemühungen um eine Theologie in einem „cross-cultural" Horizont; dazu *J. J. Spae*, Kultur und Religion. Zur Erneuerung der Theologie, in: *H. Waldenfels* (Hrsg.), „. . . denn Ich bin bei Euch" (Mt 28,20). Perspektiven im christlichen Missionsbewußtsein heute (Zürich – Einsiedeln – Köln 1978), 33–51; auch *C. H. Kraft*, Christianity in Culture. A Study in Dynamic Biblical Theologizing in Cross-Cultural Perspective (Maryknoll 1979). Zu Theologie und Religionswissenschaft vgl. *M. Éliade – J. M. Kitagawa* (Hrsg.), Grundfragen der Religionswissenschaft (Salzburg 1963); *U. Mann* (Hrsg.), Theologie und Religionswissenschaft. Der gegenwärtige Stand ihrer Forschungsergebnisse und Aufgaben im Hinblick auf ihr gegenseitiges Verhältnis (Darmstadt 1973); *C. Colpe* (Hrsg.), Theologie, Ideologie, Religionswissenschaft (München 1980).

Fallbeispiel Indien

Wo es dem Christentum wirklich gelingt, sich selbst in fremden Kulturen zu verwirklichen, wird nach G. Söhngens Vorstellung uns Abendländern noch Hören und Sehen vergehen. So schrieb er in seinem Buch „Der Weg der abendländischen Theologie. Grundgedanken zu einer Theologie des ‚Weges‘": „Gäbe es eine chinesische oder sonst eine ostasiatische Theologie von Größe, dann könnte diese Theologie nicht mit der abendländisch-morgenländischen Theologie gestaltmäßig zusammengeordnet werden."[50] „Es geht nicht anders, als daß die Chinesen und andere Ostasiaten sich von ihrem fernöstlichen Denken her mit dem abendländischen Weg christlicher Theologie auseinandersetzen und darüber nicht ein Gemisch halb und halb, gleichsam ein Hühnerragout halb, zu Werke bringen, sondern das Ganze einer neuen Wesensgestalt christlicher Theologie, nämlich einen fernöstlichen Weg einer Theologie, deren Fernöstliches gerade darin für uns fühlbar würde, daß uns Abendländern zunächst und noch lange Hören und Sehen verginge, eben weil Auge und Ohr des abendländischen Geistes sich seit den griechischen Philosophen auf anderen Wegen gebildet hat."[51]

Umrisse einer Theologie in einem nichtchristlich-kulturellen Kontext sind heute weniger in China als in Indien erkennbar, wo das traditionelle religiöse Umfeld nach wie vor als ein gesellschaftsprägender Faktor in Erscheinung tritt. In diesem Sinne ist aber dann eine genuin indische Theologie immer schon zugleich eine Theologie der Religionen. Wie in China hat das Bemühen um eine der Kultur, der Religiosität und dem Denken des Subkontinents Indien angepaßte Gestalt des Christentums und der Theologie eine lange Geschichte hinter sich. Dabei bemerken wir ein starkes Ringen – im Bilde gesagt – um die weiteren Arme: Hindus und Christen suchen einander zu umarmen und dem anderen Partner im eigenen Raum Platz zu geben. Zahlreich sind die Veröffentlichungen über Jesus Christus, wobei Christen zu zeigen suchen, daß Indien nach ihm verlangt und er verborgen unter den Bewohnern Indiens bereits wirkt, während Hindus in ihm *einen* Großen, *einen* Guru, *einen* Sozialrevolutionär, *einen* Propheten, *einen* Avatara oder sonstwen erblicken[52]. Hindus und Christen begegnen einander im Gebet der

---

[50] G. *Söhngen*, Der Weg der abendländischen Theologie. Grundgedanken zu einer Theologie des „Weges" (München 1959) 23.

[51] Ebd. 24 f. Zur heutigen Herausforderung der europäischen Theologie vgl. T. *Rendtorff* (Hrsg.), Europäische Theologie. Versuche einer Ortsbestimmung (Gütersloh 1980).

[52] Aus der Fülle der Veröffentlichungen seien genannt D. S. *Amalorpavadass*, L'Inde à la Rencontre du Seigneur (Paris 1964); R. *Panikkar*, Christus der Unbekannte im Hinduismus (Luzern – Stuttgart 1965); O. *Wolff*, Christus unter den Hindus (Gütersloh 1965); J. *Samartha*,

Versenkung, in Meditation und mystischer Erfahrung, die in theologischer Reflexion christlich vermittelt werden[53]. Oft wirken die Beschreibungen wie gefährliche Gratwanderungen, die zugleich faszinierend und beängstigend wirken. Indien lehrt aber aus der Geschichte seiner Spiritualität heraus, daß Theologie und Frömmigkeit ebensowenig zu trennen sind wie Wort und Ritual/Symbol, Wort und Schweigen, Handlung und Ruhe/Stille, Einsamkeit und Gemeinschaft, Heiliges und Profanes. Entsprechend gehören Meditation und Liturgie zusammen[54]. Der geheime Zug aller indischen Geistigkeit, Unterscheidungen aufzuheben, Gegensätze zu überbrücken und spätestens seit den großen Versuchen des Advaita-Denkens einen fundamentalen und konsequenten Non-Dualismus zu verwirklichen[55], fordert aber dann auch den Verzicht auf eine Trennung des Innen und Außen. Frömmigkeit und Hinwendung zur gesellschaftlichen Not gehören ebenfalls zusammen. Es fällt denn auch bei den von D.S. Amalorpavadass vorbereiteten und veröffentlichten theologischen Konsultationen und Seminaren, die oft von der indischen Bischofskonferenz getragen sind und unter ihrer Beteiligung stattfinden, auf, wie die Bemühung um eine sachgerechte Einstellung auf die

---

Hindus vor dem universalen Christus (Stuttgart 1970); *M. M. Thomas,* The Acknowledged Christ of the Indian Renaissance (Bangalore 1970); *L. F. M. van Bergen,* Eine indische Christologie?, in: *H. Bettscheider* (Hrsg.), Das asiatische Gesicht Christi (St. Augustin 1977) 33–47 (Lit.).

[53] Vgl. *J. Monchanin – H. Le Saux,* Die Eremiten von Saccidananda. Ein Versuch zur christlichen Integration der monastischen Überlieferung Indiens (Salzburg 1962); *J. Monchanin,* Mystique de l'Inde – Mystère Chrétien. Écrits et Inédits (Paris 1974); *H. Le Saux,* La rencontre de l'hindouisme et du christianisme (Paris 1966); *ders.,* Indische Weisheit – Christliche Mystik. Von der Vedanta zur Dreifaltigkeit (Luzern 1968); *ders.,* Das Feuer der Weisheit (Bern u.a. 1979); *B. Griffiths,* The Marriage of East and West (London 1982). Eine kritische Reflexion bietet *J. A. Cuttat,* Asiatische Gottheit – christlicher Gott. Die Spiritualität der beiden Hemisphären (Einsiedeln 1976). Zur Spiritualität vgl. auch *C. M. Vadakkekara* (Hrsg.), Prayer and Contemplation (Kumbalgud – Bangalore 1980).

[54] Vgl. *R. Panikkar,* Kultmysterium in Hinduismus und Christentum. Ein Beitrag zur vergleichenden Religionstheologie (Freiburg i. Br. – München 1964).

[55] Dieses Denken findet seine Fortsetzung im Buddhismus; vgl. zur theologischen Auseinandersetzung *H. Waldenfels,* Absolutes Nichts. Zur Grundlegung des Dialogs zwischen Buddhismus und Christentum (Freiburg i. Br. – Basel – Wien ³1980); *L. A. de Silva,* The Problem of Self in Buddhism and Christianity (London 1979); *M. Shimizu,* Das Selbst im Mahayana-Buddhismus in japanischer Sicht und die Person im Christentum im Licht des Neuen Testaments (Leiden 1981). Eine Übersicht über den begonnenen Dialog zwischen Christentum und Buddhismus bietet *P. F. Knitter,* Horizons on Christianity's New Dialogue with Buddhism, in: Horizons 8/1 (1981) 40–61; vgl. auch *J. J. Spae,* Buddhist-Christian Empathy (Chicago – Tokio 1980) (Lit. 245–252); *A. Pieris,* Western Christianity and Asian Buddhism. A Theological Reading of Historical Encounters, in: Dialogue NS 7 (1980) 49–85; *K. Takizawa,* Reflexionen über die universale Grundlage von Buddhismus und Christentum (Frankfurt a.M. 1980); auch die Arbeiten von *S. Yagi,* dazu *U. Luz,* Zwischen Christentum und Buddhismus: Seiichi Yagi, in: *H. Waldenfels* (Hrsg.), Theologen der Dritten Welt (München 1982) 161–178.

religiöse Tradition sich mit einem entsprechenden Bemühen um die gesell-schaftlichen Aufgabenstellungen verbindet[56]. Ähnlich hat A. Pieris ge-fordert, den nichtchristlichen Religionen und Kulturen ihren Platz bei der Entwicklung einer Theologie der Dritten Welt zurückzugeben[57].

Kehren wir zu unseren früheren Überlegungen zur Theologie der nicht-christlichen Religionen zurück, so stellen wir fest, daß die drei genannten Schritte – Beschäftigung mit den fremden Religionen, Selbsteinschätzung des Christentums angesichts der Religionen, Wege vertieften gegenseitigen Verstehens, Dialog und Solidarität angesichts der Not der „Welt" – in Indien längst verwirklicht werden. Die indische Theologie beachtet mit gro-ßer Selbstverständlichkeit die religiöse Tradition des Landes. Eine „Theolo-gie im indischen Kontext" bedeutet eine pluriforme Annäherung an die Wahrheit unter Einbeziehung der in den Religionen Indiens vermittelten Wahrheit[58]. Dabei hat das II. Vatikanische Konzil seinerseits einen Prozeß unterstützt und vorangetrieben, der in Indien schon im Gange war, aber dann erst recht vorandrängen konnte[59].

Ein bedeutendes Moment in der theologischen Reflexion auf die indischen interreligiösen Beziehungen stellt die Frage der Einschätzung der heiligen Schriften Indiens dar. Inwieweit können diese – etwa *analog* zum Alten Te-stament, das dem Christentum aus dem Judentum zugewachsen ist – zu einer Art „Alten Testaments" der indischen Christenheit werden?[60] Das Thema ist wiederholt in Indien angesprochen, auf einer Studientagung in Bangalore 1974 theologisch diskutiert worden[61]. Die großen Themen der

---

[56] Vgl. *D. S. Amalorpavadass,* Destinée de l'Église dans l'Inde d'aujourd'hui (Paris 1967); *ders.* (Hrsg.), Ministries in the Church of India (Neu-Delhi 1976); *ders.* (Hrsg.), The Indian Church in the Struggle for a New Society (Bangalore 1981).

[57] Vgl. *A. Pieris,* Der Ort der nichtchristlichen Religionen und Kulturen in der Entwicklung einer Theologie der Dritten Welt, in: ZMR 66 (1982) 241–270.

[58] Vgl. *A. Mookenthottam,* Towards a Theology in the Indian Context (Bangalore 1980); auch *C. M. Vadakkekara* (Hrsg.), Divine Grace and Human Response (Kumbalgud – Bangalore 1981); für die protestantische Szene vgl. *R. H. S. Boyd,* Indian Christian Theology (Madras 1969); *M. M. Thomas,* Man and the Universe of Faiths (Bangalore 1975). Der ökumenische Charakter der theologischen Arbeit in Indien verdient eigens erwähnt zu werden.

[59] Den Gang der Entwicklung wie auch die Arbeit der wichtigeren Theologen im katho-lischen Raum (Panikkar, Amalorpavadass, Abhishiktananda = Le Saux, Dupuis, Neuner, De Letter) hat nachgezeichnet *Th. Emprayil,* The Emerging Theology of Religions. The Contribu-tion of the Catholic Church in India (Rewa 1980).

[60] Vgl. *P. Knauer,* Das Verhältnis des Neuen Testaments zum Alten als historisches Paradigma für das Verhältnis der christlichen Botschaft zu anderen Religionen und Weltanschauungen, in: *G. Oberhammer* (Hrsg.), Offenbarung (Anm. 46) 153–170; weiterführend auch *G. Ober-hammer – H. Waldenfels,* Überlieferungsstruktur und Offenbarung. Aufriß einer Reflexion des Phänomens im Hinduismus mit theologischen Anmerkungen (Wien 1980).

[61] Vgl. *J. Venepeny,* Inspiration in the Non-Biblical Scriptures (Bangalore 1973); *D. S. Amalor-pavadass* (Hrsg.), Research Seminar on Non-Biblical Scriptures (Bangalore 1974).

konkreten Heilsvermittlung, der Inspiration, der Prophetenrede, der Offenbarungsgeschichte, die alle im Umkreis des Konzils in einer heilsgeschichtlich argumentierenden Theologie besprochen wurden, finden hier im kultur- und religionsgeschichtlichen Kontext Indiens ihre Anwendung. Dabei geht es keineswegs um spekulative Erörterungen, sondern um pastoraltheologische und liturgische Konsequenzen[62].

Im Abschlußdokument der Bangalore-Konferenz 1974 heißt es u.a.: „Die hinduistischen Schriften bieten uns viele Zugänge zum Mysterium Christi. Die Upanischaden machen ‚Om‘, die fundamentale göttliche Bejahung, zum Zentrum der Meditation. Darin kommen sie der Theologie des Wortes, des Logos, der Christus ist, nahe. Wenn die Upanischaden auf der höchsten Stellung der Liebe zu Gott mit allen Kräften der Ohren, unseres Geistes und unseres abwägenden Herzens (Brih. Up. 2,4 5) bestehen, so haben sie darin eine große Ähnlichkeit zur alttestamentlichen Forderung, man solle Gott lieben ‚von ganzem Herzen, von ganzer Seele und mit aller Kraft‘ (Dt 6,5). Die mystische Liebe, wie sie in der Bhagavadgita Ausdruck findet, kann wahrlich ein Vorbote der Liebe genannt werden, mit der Christus den Menschen umarmt: ‚Du bist es, nach dem ich verlange, mein Freund; deshalb will ich dir deine Erlösung verkünden. Hab mich in deinem Geist, liebe mich, bete mich an, opfere mir, wirf dich vor mir nieder, so wirst du zu mir kommen, wahrlich, ich verspreche es dir; denn du bist mir lieb‘ (18,64 65) . . .

Auch der Koran ist auf Christus hingeordnet, wenn auch auf andere Weise . . . Können wir vom ‚unbekannten Christus des Hinduismus‘ sprechen, so müssen wir auch vom ‚halbbekannten Christus‘ des Islam sprechen . . .“[63]

„Es ist wahr, die katholische Theologie ist noch in vieler Hinsicht provinziell und westlich. ‚Katholische‘ Theologen treiben Theologie in glücklicher Unkenntnis der religiösen Traditionen mit Ausnahme der eigenen. Die Begegnung der Weltreligionen ist jedoch ein Zeichen unserer Zeit, das kein Theologe ungestraft ignorieren kann. Um dieser Herausforderung zu begegnen, sollte die Theologie bereit sein, die vorgegebene Weise des Denkens und unsere üblichen Denkschemata zu überprüfen und festzustellen, wieviel davon tatsächlich ‚Tradition‘ ist und wieviel in der Vergangenheit hinzugewachsen ist.“[64]

Das Dokument schließt mit dem „Traum“ und der „Vision“ von einer Kir-

---

[62] Vgl. dazu vor allem auch die Überlegungen in: Concilium 12 (1976) H. 2, das von der Verwendung nichtchristlicher religiöser Texte in der Liturgie handelt (zum Hinduismus die Beiträge von *M. Dhavamony* und *J. Neuner*).

[63] *D. S. Amalorpavadass*, a.a.O. (Anm. 61) 677.

[64] Ebd. 679.

che, die sich als einigende Kraft im Pluralismus der Religionen und Kulturen Indiens erweist:

„... Die Kirche in Indien muß wahrhaft indisch sein, d.h. die kulturellen, spirituellen und gesellschaftlichen Traditionen, die das indische Leben und Denken gestalten, in sich aufnehmen. Wie der Mensch, um wahrhaft er selbst zu sein, in seiner Kultur und Gesellschaft verwurzelt sein muß, so muß auch die indische Kirche, um sie selbst zu sein, in das Leben der Nation verwoben sein, so daß sie ihre ‚Seele‘ wird und fähig, sie mit dem Geiste Jesu Christi zu beseelen. Die indische Tradition ist in ihren *heiligen Büchern* zu finden, die nicht nur spirituelle und religiöse Wahrheit enthalten, sondern eine ganze Weltanschauung, die Denkmodelle und die anerkannten Werte der indischen Gesellschaft. Niemals kann die Kirche wahrhaft indisch sein, ohne sich Indiens religiöse und humanistische Traditionen zu eigen zu machen, ohne mit seinen religiösen Schriften vertraut zu sein und aus ihnen Kraft zu schöpfen[65].

Die n. 2 der Konzilserklärung „Nostra aetate" endet mit dem Satz: „Deshalb mahnt sie (die Kirche) ihre Söhne, daß sie mit Klugheit und Liebe, durch Gespräch und Zusammenarbeit mit den Bekennern anderer Religionen sowie durch ihr Zeugnis des christlichen Glaubens und Lebens jene geistlichen und sittlichen Güter und auch die sozial-kulturellen Werte, die sich bei ihnen finden, anerkennen, wahren und fördern." Eine Ahnung von dem, was es für die Kirche bedeutet, wenn sie tatsächlich in die Begegnung mit den Religionen eintritt und es zu einer Theologie der nichtchristlichen Religionen kommt, können uns bereits die wenigen Hinweise auf die Überlegungen in der indischen Kirche und Theologie vermitteln. Man möchte wünschen, daß die abendländische Theologie sich entschiedener und hörbereiter sowohl auf die multireligiöse Situation wie auf das Ringen der jungen Kirchen um ein Bestehen in dieser Situation einläßt.

P. Berger hat an die Frage Tertullians erinnert: „Was ist Athen für Jerusalem?" Athen und Jerusalem sind seither Nachbarn geworden. Die neue Frage lautet heute nach ihm: „Was bedeutet Benares für Jerusalem?"[66] Sicher gilt für alle, die sich auf die Frage einlassen: „Sobald der Wettstreit erst einmal eröffnet ist, dürfte es unwahrscheinlich sein, daß seine Teilnehmer unverändert daraus hervorgehen."[67]

---

[65] Ebd. 693.
[66] Vgl. *P. Berger*, Der Zwang zur Häresie. Religion in der pluralistischen Gesellschaft (Frankfurt a. M. 1980) 171f. Das Tertullian-Zitat findet sich in: De praescr. haer. VII 8 (CCSL 1, 193): „Quid ergo Athenis et Hierosolymis? quid academiae et ecclesiae? quid haereticis et christianis?"
[67] *P. Berger*, a.a.O.181.

VI
ANHANG

JAN GROOTAERS

UNE RESTAURATION DE LA THÉOLOGIE DE L'ÉPISCOPAT

Contribution du Cardinal Alfrink à la préparation de Vatican II

Avant-Propos

Il y a plus d'un motif pour lequel il est permis de célébrer la grande figure de Karl Rahner en esquissant le renouveau ecclésiologique à la veille de Vatican II. Au cours des années qui ont précédé la première annonce du Concile, la pensée rénovatrice du père Rahner s'est déployée dans de nombreuses directions «pré-conciliaires»: le rôle du laïcat, la liberté dans l'Eglise, l'éthique de situation. Le rayonnement de cette pensée en dehors des pays de langue allemande fut tout de suite immense[1]. Cependant s'il y a un point important qui constitua chez Karl Rahner un apport particulier durant cette période anté-préparatoire, c'est bien la théologie de l'épiscopat, qui est le thème de notre article.

En février 1958 – c'est-à-dire encore sous le pontificat de Pie XII – K. Rahner publia: *Primat und Episkopat; Einige Überlegungen über Verfassungsprinzipien der Kirche*[2]. Cet article fit date. L'auteur y démontre de manière remarquable les différents motifs pour lesquels il n'est pas exact de dire que l'Eglise serait une forme de monarchie «absolue». Il rappelle «le mystère de l'Eglise particulière», que les évêques «sont les délégués immédiats du Christ», mais reconnait que c'est l'Esprit Saint et non un principe constitutionnel qui est «le dernier garant de la liberté d'action qui doit être laissée à

---

[1] De 1952 à 1962 on a dénombré pour la seule langue néerlandaise pas moins de 27 traductions. Il m'est peut-être permis d'évoquer un souvenir personnel: lorsqu'un groupe de jeunes laïcs flamands lancèrent une nouvelle revue en janvier 1958 et lorsqu'il eut la hardiesse de demander un article au père K. Rahner, celui-ci accepta aussitôt de prêter sa collaboration à un périodique encore totalement inconnu; c'est ainsi que la revue De Maand fut honorée dès ses débuts par une contribution du grand théologien: *Karl Rahner,* De Man in de Kerk, in: De Maand I, n°4 (avril 1958) 214–222, et une interview avec le père K. Rahner à l'ouverture du Concile, in: De Maand V, n°10 (Noël 1962) 602–604.

[2] Stimmen der Zeit, vol. 161 (1957–1958) n°5, 321–336; traduction française à l'initiative de Mgr Charue, évêque de Namur, publiée dans la Revue diocésaine de Namur (1959) 188 sqq.; cette traduction a été reproduite dans l'ouvrage collectif L'Episcopat et l'Eglise universelle, s/dir. Y.-M. Congar et B.-D. Dupuy, préface de Mgr Charue (Paris 1962) 541–562. La traduction est de Mgr Musty, évêque auxiliaire de Namur.

l'épiscopat de droit divin». Il fait notamment appel aux textes de Vatican I et à la déclaration de l'épiscopat allemand en 1875, qui soulignent la valeur propre et le charisme des fonctions de l'évêque. Ce thème sera évidemment encore développé après l'annonce de Vatican II[3]. L'étude du mouvement des idées théologiques pendant les dix années qui précèdent l'élection de Jean XXIII mériterait d'être approfondie: ici nous ne pourrons que lever un coin de voile dans un canton très limité[4].

Introduction

La restauration de la théologie de l'épiscopat s'est trouvée au centre des préoccupations du Cardinal Alfrink pendant les quatre années de préparation au Concile. Il fut parmi les premiers à attirer l'attention des instances responsables et de l'opinion publique sur ce thème capital. Ce fut là une des contributions les plus originales au Concile qui fait de l'Archevêque d'Utrecht indubitablement un des pionniers de l'ecclésiologie de Vatican II. En effet cet apport était appelé à avoir une influence directe sur ce qui allait devenir un des chapitres-clés du Concile lui-même. Cependant la genèse de cette contribution du Cardinal Alfrink ne peut pas être retracée de manière simpliste. L'historien futur en donnera certainement une image plus complexe et plus nuancée que le résultat limité d'investigations entreprises aujourd'hui.

Compte tenu de cette restriction importante nous croyons pourtant pouvoir déceler dès maintenant deux facteurs significatifs qui sont à l'origine du travail de pionnier accompli par Bernard Alfrink entre janvier 1959 et octobre 1962: nous voulons dire d'une part l'intuition personnelle et le courage de l'Archevêque hollandais et d'autre part les courants théologiques et œcuméniques, qui avaient entrepris le renouvellement de l'ecclésiologie dans l'immédiate après-guerre en Europe occidentale et plus particulièrement en Belgique et aux Pays-Bas. Dans ces deux pays, il s'était créé toute une am-

---

[3] Voir notamment *K. Rahner*, Zur Theologie des Konzils, in: Stimmen der Zeit, vol. 169 (1961–1962) n°5, 321–339; Über den Episkopat, in: Stimmen der Zeit, vol. 173 (1963–1965) n°3, 161–195.

[4] Même si cet article n'est qu'un pâle reflet de ce qui m'a été communiqué au cours des entretiens que j'ai eus, je tiens toutefois à dire ici ma reconnaissance particulière au Cardinal Alfrink, à Mgr G. Thils, Mgr Martimort, Mgr J. Groot, aux Pères P. Fransen, Fr. Haarsma, P. van Leeuwen, T. Schoof pour l'aide qu'ils m'ont apportée pendant la préparation de ce travail. Ce que je dois, depuis précisément la décade étudiée ici, au témoignage incessant de la communauté monastique de Chèvetogne et ce que je dois plus particulièrement à l'inspiration et à l'amitié de Dom Théodore Strotmann et à celles de Dom Olivier Rousseau constitue une dette incalculable.

biance théologique favorable dont Mgr Alfrink a bénéficié largement et qui a permis de donner des assises sérieuses à la restauration de la théologie de l'épiscopat.

Les pionniers de celle-ci avaient travaillé sous le pontificat finissant de Pie XII et dans des conditions peu favorables pour plaider la cause du collège des évêques; ce travail entrepris dans la solitude et parfois l'incompréhension a des mérites particuliers. L'œuvre entreprise ensuite par l'Archevêque d'Utrecht n'est pas moins méritoire. Cette œuvre n'eut pas été possible sans l'esprit d'ouverture, la formation intellectuelle et les qualités personnelles d'intrépidité de B. Alfrink. Il nous a donc paru nécessaire d'esquisser à grands traits l'ambiance théologique qui entre 1948 et 1958 cherchait à restaurer une ecclésiologie mieux équilibrée en France et aussi en Belgique et aux Pays-Bas (Première Section); les trois étapes de la contribution du Cardinal B. Alfrink pendant les années de préparation (1959–1962) constituent la seconde part de cet article (Deuxième Section).

Nous avons souvent exposé l'idée que Vatican II était une *écluse institutionnelle* qui a permis à des courants d'idées plus ou moins «périphériques» d'être haussés graduellement au niveau du «centre» de décisions ecclésiastiques pour ensuite faire retour à la base et par de multiples canaux se muer en des décisions, des institutions, et une spiritualité. Si ce concept d'écluse institutionnelle est défendable et pour notre part nous l'avons souvent défendu, il n'y aurait pas d'application plus convaincante que l'itinéraire parcouru par la théologie renouvelée de l'épiscopat depuis le pontificat de Pie XII aux textes d'application de Vatican II sous l'impulsion de Paul VI. Dans cette vue à vol d'oiseau, que certains trouveront peut-être trop simplifiée, nous voyons mieux la fonction essentielle assumée par les porte-parole de l'opinion conciliaire et, en ce cas, par le Cardinal Alfrink.

SECTION I:

Pierres d'attente et précurseurs d'une théologie de l'épiscopat
avant l'annonce du Concile (1948–1958)

Lorsque le Pape Jean XXIII, en date du 25 janvier 1959, annonce pour la pre-mière fois la convocation d'un concile général, cette nouvelle surprend de nombreux fidèles «comme un coup de tonnerre par temps clair», si l'on me permet cette expression néerlandaise. Cependant il y avait aussi des milieux catholiques que cette résurgence inattendue de la *conciliarité* ne prenait pas au dépourvu. Lorsque nous nous tournons vers la Hollande catholique de 1959 à la recherche des premières réactions, nous sommes frappé par la rapi-dité et l'ouverture de l'accueil qui y est fait à l'initiative du Pape tant par les évêques que par un groupe important de théologiens et d'intellectuels. Ceci apparaît notamment par l'intérêt général pour une théologie renouvelée de l'épiscopat, qui d'emblée est considérée comme un des points majeurs à mettre à l'ordre du jour du concile à venir.

Il y a une longue distance mais un temps relativement bref entre l'exclama-tion du Cardinal Saliège (Toulouse) qui préface en 1946 l'ouvrage du père Martimort *De l'évêque* et qui constate que *la théologie de l'épiscopat est encore à faire*[5] et une autre préface écrite par le père Y. M. Congar en mai 1963: «L'idée de collégialité épiscopale a, en quelques mois, conquis l'opinion théo-logique. Le mot lui-même fait presque figure d'un talisman magique.»[6] Lors-que Roger Aubert en 1954 dans une étude devenue fameuse pour son don de prophétisme esquissait *La théologie catholique au milieu du XXe siècle*, il re-marqua brièvement les débuts d'une «théologie de l'épiscopat» mais, en note, ne fit mention que de trois maigres références. Cinq ans plus tard la convoca-tion d'un concile général va provoquer une floraison étonnante d'études ten-dant à revaloriser la charge épiscopale, floraison due au labeur préparatoire obscur et souvent ingrat des ouvriers de la première heure.

Le renouveau de l'ecclésiologie avant 1959 impose d'abord une distinction très nette entre l'étude apologétique de l'Eglise et une étude résolument dog-matique, qui ouvre au large les horizons de la réflexion théologique. Stanislas Jaki, à qui nous empruntons cette conclusion, note aussi que ce grand chan-gement de perspective se vérifie dans la nouvelle orientation donnée aux *no-*

---

[5] Ed. du Cerf (Paris 1946) 5; l'archevêque de Toulouse conclut cette préface en écrivant: «Je ne puis que féliciter l'auteur de cet essai, essai qui appellera des compléments, des approfondisse-ments. La voie est ouverte.»
[6] *J. Colson*, L'épiscopat catholique (Paris 1963) préface de Y.-M. Congar, p. 7.

tes de l'Eglise et principalement à la *note de catholicité*, «idée-maîtresse du renouveau ecclésiologique», celui-ci étant désormais implanté dans la Christologie[7]. «La mise au point de l'aspect dogmatique de l'idée de la hiérarchie a dû nécessairement entraîner des tentatives nouvelles pour compléter des notions devenues souvent trop juridiques dans la présentation courante telle que celle de l'épiscopat.» Cette constatation, qui date de 1957, prédit littéralement la situation où va se trouver le courant majoritaire de Vatican II.

A) Influences conjointes des mouvements de renouveau

Cette évolution eut été impensable sans les influences conjointes d'autres mouvements qui furent porteurs de renouveau. Dans l'étude déjà citée de R. Aubert, celui-ci avait précisément inventorié les renouveaux biblique, liturgique, patristique, l'apostolat laïque et le mouvement œcuménique; l'auteur avait dès 1954 dûment souligné leur importance pour un avenir encore inconnu.

Toute enquête consacrée à la renaissance d'une théologie de l'épiscopat et à son développement entre 1948 et 1958, trouve nécessairement comme axes principaux le mouvement liturgique et le mouvement œcuménique. Il y a une véritable redécouverte de la sacramentalité de l'épiscopat par les études liturgiques: la signification de la consécration épiscopale était réactualisée par de récentes études patristiques. On connaît le rôle joué par l'édition (en 1946) de la *Traditio Hippolyti* par le liturgiste Dom B. Botte, qui amena les théologiens à réfléchir davantage sur le sens du sacre de l'évêque. Plus tard d'ailleurs cette réflexion fera le lien entre «sacramentalité» et «collégialité» lorsqu'on redécouvrira la signification proprement collégiale du rite de l'imposition des mains de trois ou plusieurs évêques[8]. L'influence de l'œcuménisme n'est pas moindre. Parmi les pionniers de la revalorisation de l'épiscopat et de l'église locale, on rencontre à chaque pas des théologiens catholiques en contact avec des Orthodoxes. Ils «redécouvraient peu à peu, à mesure que cette idée faisait son chemin, la possibilité d'une structure ecclésiale différente – et indispensable pour le bien de l'unité – de celle que nous avons connue depuis le Moyen Age»[9].

---

[7] *St. Jaki*, Les tendances nouvelles de l'ecclésiologie (Rome 1957) 226 sqq. 261, la citation suivante 235.

[8] *Ch. Moeller*, Le ferment des idées dans l'élaboration de la Constitution, in: L'Eglise de Vatican II (Unam Sanctam 51 B, t.II) (Paris 1956) 99 et passim; l'auteur remarque aussi «dès que le lien était affirmé avec le sacre, on rejoignait la doctrine de la tradition ancienne sur l'Eglise fondée sur les Apôtres».

[9] *D. O. Rousseau*, La Constitution «Lumen Gentium» dans le cadre des mouvements rénovateurs, in: L'Eglise de Vatican II (Unam Sanctam 51 B, t.II) (Paris 156) 43.

Le dialogue avec les frères anglicans et réformés s'avérait également fructueux pour l'ecclésiologie ainsi que nous le verrons notamment pour les Pays-Bas. Pour illustrer tout ceci en ce qui concerne plus particulièrement la France, il nous suffira de rappeler ici l'œuvre et «l'école» du père Y. M. Congar, véritable carrefour de l'œcuménisme et du renouveau ecclésiologique[10]. Cette œuvre est immense. Evoquons simplement ici la contribution du père Congar qui déjà en 1951 suggère de traduire le mot russe «sobornost» par le terme «collégialité»: ceci paraît indiquer le début de ce terme appelé à connaître une fortune extraordinaire, quoiqu'il ait dû vaincre la résistance des théologiens qui, parlant du collège des évêques, préféraient à ce néologisme des termes plus classiques de «corpus» ou d'«ordo»[11]. Il faut se souvenir aussi de la mise en relief de la consécration épiscopale chez le père J. Lécuyer[12] l'ébauche d'une théologie du diocèse et de la paroisse, basée sur le rôle majeur de l'évêque, chez l'abbé J. Colson[13].

L'ouvrage du père A. G. Martimort traitant *De l'évêque* est une œuvre de pionnier qui, dès 1946, illustre bien l'impact du mouvement liturgique, ou plus exactement de la pastorale liturgique sur le renouveau de l'ecclésiologie: à l'origine, il s'agissait d'une conférence faite à la Semaine liturgique de janvier 1945 à Vanves et demandée par le père Duployé en vue de la spiritualité du clergé diocésain peut-être sur la suggestion de Mgr Guerry[14].

Au cours de cette décade qui précède l'annonce du Concile, il y a aussi des circonstances particulières qui ont favorisé le renouveau de l'ecclésiologie. En 1954, le neuvième centenaire du schisme entre l'Orient et l'Occident ne pouvait pas passer inaperçu: s'il est vrai que 1054 n'est pas la seule date à marquer la rupture de l'unité chrétienne, elle reste cependant le signe de la désunion la plus durable et la plus regrettée. Deux initiatives ont entre autres

---

[10] Soulignons entre autres l'influence de la collection ecclésiologique «Unam Sanctam»; le père Congar a lui-même fait le récit de cette interprise; voir: Autour du renouveau de l'ecclésiologie, in: Problèmes de l'œcuménisme (Paris 1939) 74–97.

[11] *Y.-M. Congar,* Le peuple fidèle et la fonction prophétique de l'Eglise (suite), in: Irenikon XXIV, n°4 (1951) 446: «Il ne faut pas hésiter à traduire «sobornost» par «collégialité» ou «principe collégial»; cela englobe conciliarité, le principe synodal, mais davantage encore.» Voir aussi la note anonyme: Propos sur la Collégialité, in: Irenikon XXIX, n°3 (1956) 320–329.

[12] *J. Lécuyer,* La grâce de la consécration épiscopale, in: RSPhTh XXXVI (1952) 389–417; Le Sacrement de l'épiscopat, in: Divinitas I, n°2 (octobre 1957) 221–251; Dictionnaire de Spiritualité, Verbo: Episcopat, Fasc. 26–29, 879–907.

[13] *J. Colson,* Qu'est-ce qu'un diocèse, in: NRTh LXXV (1953) 471–497; Catholicisme, Verbo: Evêque 15 (1954) 782–794. L'évêque successeur des apôtres et représentant de Jésus-Christ dans son Eglise, in: L'Evêque et son Eglise (Cahiers de la Pierre-qui-vire, n°8) (1955) 80–93.

[14] Dans une lettre datée du 1.8.1983, Mgr Martimort a eu l'obligeance de nous fournir ces renseignements. Le débat sur la spiritualité du clergé diocésain s'est poursuivi dans La Maison-Dieu n°3 (1945) 76–78, et l'Union apostolique (1945) 119–126.

marqué l'anniversaire: le Monastère bénédictin de Chèvetogne réunissait 43 études sur neuf siècles de douloureuse séparation publiées sous le titre *l'Eglise et les Eglises* (Chèvetogne 1953–1955, 2 vol. de 488 et 525 pages) et offertes à Dom Lambert Beauduin à l'occasion de ses 80 ans[15]; pour sa part la *Nouvelle Revue Théologique* (juin 1954) décidait de consacrer une suite d'articles au schisme de 1054, aux tentatives ultérieures de réunion entre l'Orient et l'Occident chrétiens et aux perspectives d'avenir, rassemblés sous le titre «Regards sur l'Orthodoxie». Ce fascicule contenait un article du père G. Dejaifve «Lueurs d'espoir».

Dans un ordre d'idées différent mais proche il faudrait noter ici le regain d'intérêt pour de grandes figures du siècle passé qui ont eu une influence particulière sur le renouveau de l'ecclésiologie: John Henry Newman[16], qui n'a pas cessé d'être l'objet d'études ferventes; Johann Adam Möhler, dont le rayonnement a continué à grandir[17] et Dom A. Gréa, dont l'ecclésiologie retrouvait une nouvelle actualité[18]. Parmi les «patrons» de ce courant typiquement «High Church» – si le terme est permis dans ce contexte – il faut aussi mentionner l'intérêt pour l'ecclésiologie de A. S. Khomiakov et le mouvement slavophile[19].

---

[15] Six études de ce recueil avaient été des communications des Journées Théologiques de 1951 consacrées à la question des schismes dans l'Eglise; voir *D. O. Rousseau,* Les journées œcuméniques de Chèvetogne (1942–1967), in: Au service de la parole de Dieu (Mélanges Mgr Charue) (Gembloux 1967) 451–485.

[16] Voir par exemple *J. H. Newman,* Pensées sur l'Eglise (Unam Sanctam 30) (Paris 1956) 442.

[17] Voir les articles significatifs du jeune *Congar:* La pensée de Möhler et l'ecclésiologie orthodoxe, in: Irenikon XII, n°4 (juillet-août 1935) 321–329; La signification œcuménique de l'œuvre de Möhler, in: Irenikon XV, n°2 (mars–avril 1938) 113–130; voir aussi le recueil remarquable L'Eglise est une: Hommage à Möhler (Paris 1939), qui démontre à suffisance la permanence du théologien de Tubingue au croisement du courant œcuménique et du renouveau ecclésiologique naissant.

[18] Le livre de *Dom A. Gréa* – prêtre du diocèse de Saint-Claude attaché à la liturgie et au sens de l'église locale – intitulé De l'Eglise et de sa divine Constitution (Paris 1885) a connu une certaine notoriété dans les milieux œcuméniques à la veille et au lendemain de la dernière guerre mondiale. «Il amorce une théologie de l'Eglise particulière et de l'épiscopat dans une perspective ultramontaine et non plus gallicane», écrit *R. Aubert,* L'Ecclésiologie au XIXe siècle (Paris 1960) 13. Selon Gréa les évêques sont d'abord membres du Collège, évêques de l'Eglise catholique; ils reçoivent d'abord avec l'ordre, la communion qui est une valeur universelle, ensuite la charge d'une église particulière: remarque du p. *Y.-M. Congar,* Ministères et Communion ecclésiale (Paris 1971) 124–125.

[19] *A. Gratieux,* A. S. Khomiakov et le mouvement slavophile (Paris 1939), 2 vol.; *G. Samarine,* Préface aux œuvres théologiques de A. S. Khomiakov (Paris 1939), et *A. Gratieux,* Le mouvement slavophile à la veille de la révolution (Paris 1953).

Enfin si l'on doit dire que l'œcuménisme et le mouvement liturgique sont les deux lignes de force déterminantes pour une ecclésiologie renouvelée, on pourrait y ajouter une troisième composante: nous voulons dire le courant «conciliaire». Au lendemain de Vatican I, rares étaient ceux qui à la suite de John H. Newman gardaient la conviction qu'un concile peut en rééquilibrer un autre[20]: cependant ils gardèrent allumé le «flambeau» de l'institution conciliaire, alors que pour la grande majorité des théologiens, les définitions de 1870 avait éteint cette lumière. Parmi les veilleurs dans la nuit il faut en premier lieu nommer Dom Lambert Beauduin, fondateur en Belgique du Monastère d'Amay – Chèvetogne, qui eut un rayonnement personnel très grand, dont se souviendra le Cardinal Roncalli et plus tard le Pape Jean XXIII[21].

Pendant de longues années, Dom L. Beauduin (1873 – 1960) s'est employé à répandre la conscience du caractère inachevé de Vatican I, qui appelait nécessairement une théologie de l'épiscopat en complément à la Constitution *Pastor Aeternus*. L'accentuation de la primauté pontificale, survenue *après* le Concile de 1869 – 1870, rendait la formulation de cette théologie d'autant plus nécessaire[22]. Pour éviter après Vatican I des «conceptions simplistes et disproportionnées qui ont pu étonner nos frères séparés», écrivait en 1925 Dom Lambert Beauduin: «il eut suffi, pour dissiper ces équivoques, de prendre le *schéma* des théologiens ou de résumer les discussions conciliaires: on y aurait retrouvé les harmonieuses proportions et les sages contrepoids qu'un exposé unilatéral peut faire perdre de vue» (l.c. 11). C'est exactement à

---

[20] «Un concile a fait une chose, un autre en a fait une seconde, et ainsi fut établi le dogme tout entier. Le premier fragment en a paru excessif, et des controverses se sont élevées à son sujet; puis ces controverses ont mené au deuxième et au troisième conciles. Et ceux-ci n'ont pas *contredit* la décision du premier, mais ils ont *expliqué* et *complété* ce qui avait été fait précédemment. C'est ce qui va ce passer actuellement», *John Henry Newman*, le 15 mai 1871, in: Pensées sur l'Eglise (Unam Sanctam 30) (Paris 1956) 119 – 120.

[21] Sur les liens d'amitié entre Mgr Roncalli et le p. Beauduin voir Audience de l'Archevêque de Sofia, in: Irenikon III, n°8 (déc. 1927) 468 sqq. Sa Sainteté Jean XXIII in: Irenikon XXXI, n°4 (1958) 425 – 426 et l'hommage du Cardinal Roncalli à Dom L. Beauduin en septembre 1957, in: Unitas (Rome) (mars 1960) 42, repris en exergue de la plaquette. Dom L. Beauduin In Memoriam (Chèvetogne 1960).

[22] Dom L. Beauduin était convaincu que l'un des principaux buts des conciles était de sauvegarder ou, en cas de schisme, de rétablir l'unité de l'Eglise (voir Irenikon V, n°1 (janvier 1928) 31 sqq.). La préoccupation conciliaire revient constamment sous la plume du bénédictin belge: l'exposé le plus clair se trouve dans la conférence tenue à Bruxelles en septembre 1925 et parue dans La revue catholique des idées et des faits (dd. 23.10.1925) 10 – 13 sous le titre «L'Union des Eglises et le Concile du Vatican». Ce texte d'un grand intérêt conclut comme suit: «Nous ne pouvons esquisser ici tout un traité *De Ecclesia*. Ce que nous avons dit suffit à montrer que le Concile du Vatican bien compris n'a pas compromis la grande œuvre de l'Union des Eglises. N'oublions pas qu'il n'est que suspendu; et faisons le vœu qu'il reprenne bientôt ses travaux et nous donne sur les pouvoirs de l'Eglise enseignante et des Evêques une *Constitutio dogmatica secunda*.»

cette tâche que vont s'employer les évêques et les théologiens les plus avertis dès l'annonce de la convocation de Vatican II. Ce sera exactement dans cette perspective que le Cardinal Alfrink apportera au Concile à venir l'essentiel d'une contribution dont nous parlerons ci-après de manière plus élaborée.

B) En Belgique et aux Pays-Bas

Le lecteur s'étonnera peut-être du fait que notre enquête jusqu'ici fut orientée vers des auteurs principalement français. Cela ne signifie nullement que d'autres aires linguistiques ne puissent présenter des sources d'inspiration significatives; cela signifie moins encore que des pionniers de langue allemande mériteraient d'être négligés: les sources allemandes du renouveau liturgique et du mouvement œcuménique sont suffisamment connues pour contredire pareille interprétation.

Les articles et ouvrages du père Karl Rahner en particulier avaient déjà trouvé en Hollande et en Belgique un large écho dont témoignent les nombreuses traductions mentionnées dans notre préface. Symbole de l'ouverture à une théologie dynamique l'œuvre du père K. Rahner est citée tant dans l'histoire de L. J. Rogier et N. De Rooy (1953) que dans le livre de Pierre Brachin (1974)[23]. Cependant il nous est apparu que l'amorce d'une théologie de l'épiscopat aux Pays-Bas entre 1948 et 1958 subit davantage l'influence d'auteurs français. En conséquence du prestige de la «théologie nouvelle» ce sont ces auteurs qui, à l'époque, eurent le plus grand impact dans les milieux du renouveau théologique hollandais et notamment au Grand Séminaire d'Utrecht, où l'archevêque Alfrink, en 1959, choisira ses conseillers les plus proches.

Mais avant d'aborder la situation aux Pays-Bas, il nous faut encore donner quelques indications concernant la Belgique, qui, une fois de plus, a joué un rôle d'intermédiaire entre le Sud et le Nord; d'ailleurs ce pays ne manque pas de théologiens marquants dont les travaux paraissent également en néerlandais[24].

S'il est permis de parler de plusieurs «foyers» d'intérêt pour une théologie de l'épiscopat en Belgique, il convient de distinguer d'abord un foyer *diocé-*

---

[23] *L. J. Rogier et N. De Rooy,* In Vrijheid herboren (La Haye 1953) 827; *Pierre Brachin et L. J. Rogier,* Histoire du catholicisme hollandais depuis le XVᵉ siècle (Paris 1974) 222.
[24] A cette époque, nombreux sont les Belges francophones dont les études concernant l'Eglise ou l'unité chrétienne paraissent aussi en traduction néerlandaise; c'est le cas notamment de Mgr Charue, L. Cerfaux, G. Thils, G. Dejaifve et R. Aubert.

sain, un foyer *monastique* et un foyer *universitaire*, qui sont d'ailleurs liés entre eux. Par foyer *diocésain*, nous faisons allusion à la tradition épiscopale ou si l'on veut «épiscopaliste» des évêques belges. Peut-on parler d'une tradition «belge» à cet égard? On peut en parler dans la mesure où l'épiscopat belge a généralement valorisé la «consistance» propre de sa fonction – l'évêque n'est pas le représentant du pape – et l'exercice de la *potestas ordinaria* de l'évêque. Le trait caractéristique est que cette position est défendue sans aucune trace de gallicanisme ni de febronianisme dans le passé. Cette tradition épiscopale s'est exprimée clairement dans les interventions du Cardinal J. E. van Roey (1874–1961) archevêque de Malines et protagoniste d'une théologie de l'épiscopat mieux équilibrée. Cette préoccupation constante se retrouve notamment dans le mémoire que le Vicaire-général Van Roey présente, en mai 1925, aux «Conversations de Malines» qui, à l'initiative du Cardinal Mercier, sont entreprises avec des délégués de l'Eglise anglicane. Ce texte, resté d'abord inédit et intitulé «L'épiscopat et la papauté au point de vue théologique», contient déjà tous les points cruciaux, qui vont dominer les délibérations de Vatican II au sujet du Chap. III de *Lumen Gentium*[25].

Lors du décès du Cardinal Van Roey, on a pu dire de lui que «la théologie de l'épiscopat est un des points qu'il avait le plus étudiés et il y tenait beaucoup»[26]. On notera que Mgr Charue, évêque de Namur de 1942 à 1974, a maintenu cette tradition avec une efficacité d'autant plus grande qu'il joua un rôle considérable à la Commission doctrinale de Vatican II, dont il fut élu vice-président et où il fut considéré comme un des meilleurs défenseurs d'une théologie de l'épiscopat renouvelée[27].

---

[25] Désireux de donner la réplique à l'article du p. *J. Creusen*, En marge de la Hiérarchie, in: NRTh 55, n°7 (juillet 1928) 492–501, le Cardinal Van Roey se décide à publier le texte de son mémoire, qui paraîtra dans les Collectanea Mechliniensia, de mars 1929. Pour plus de données, voir *R. Aubert*, Le Cardinal Van Roey, in: La Revue Nouvelle XXXIV (1961) 115–116. D'autres textes «épiscopalistes» de J. E. Van Roey se retrouvent dans le recueil de ses discours Au Service de l'Eglise (Turnhout 1939) II, 218–245; III, 132–139. On trouvera des points de comparaison avec ses prédécesseurs dans *A. Simon*, Le Cardinal Sterckx et son temps (1792–1857) (Wetteren 1950) 318–311, et *A. Simon*, Le Cardinal Mercier (Bruxelles 1960) 74.
[26] In Memoriam dans: Irenikon XXXIV (1961) n°3, 395.
[27] Mgr Charue fit œuvre de pionnier en publiant dès 1953–1954 son livre en trois tomes Problèmes du clergé diocésain (Gembloux 1953–1954); un article ultérieur L'Evêque dans l'Eglise, in: Revue diocésaine de Namur (janvier–février 1957) 1–13, attira à l'auteur une lettre d'approbation de Pie XII et une publication dans la Documentation Catholique 54, n°1251 (12.5.1957) 629–836. Dans une lettre personnelle adressée à Mgr Charue Dom L. Beauduin à cette époque tenait à féliciter l'évêque à l'occasion de cet article: «J'ai lu et relu l'article théologique. On croirait un document conciliaire. Tout y est exposé avec sobriété, avec objectivité ... Je me demande si le Saint Père n'envisage pas de reprendre le concile du Vatican et de définir la doctrine de l'épiscopat, qui était dans les projets du Concile. C'est la question la plus définissable de l'ensemble théologique ... L'évêque de Namur y jouerait le rôle du cardinal De-

Lorsqu'il fut rendu hommage au Cardinal Van Roey en juin 1957, c'est l'évêque de Namur qui exprima les sentiments de l'Eglise locale non sans souligner leurs communes préoccupations car «nous savons aussi que nous sommes unis dans l'épiscopat, comme les Apôtres le furent dans le collège des Douze . . .»[28]. On se souviendra aussi du soin que prit Mgr Charue à faire traduire l'article déjà cité du père Karl Rahner consacré à «Primat und Episkopat» (1958) afin de pouvoir le publier en français.

Le foyer *monastique* du renouveau de la théologie de l'épiscopat se trouve évidemment au Monastère bénédictin de Chèvetogne, fondé en 1925 par Dom Lambert Beauduin. Nous avons déjà indiqué au paragraphe précédent le rôle particulier du père Beauduin en maintenant vivace le souvenir de Vatican I et la conscience de la valeur de la «conciliarité» dans la vie de l'Eglise. Préoccupation «épiscopale» et souci «conciliaire» se retrouvent à Chèvetogne côte à côte dans la mouvance de l'œcuménisme. Ils s'expriment dans la revue œcuménique *Irenikon* et dans la série des «Journées Théologiques» qui chaque année se tiennent au monastère.

La communauté de Chèvetogne a un caractère nettement international; sa fonction d'intermédiaire mériterait d'être étudiée. On sait que Congar et Couturier s'y rencontrent à leurs débuts et en subissent l'influence; le jeune Congar est un collaborateur d'*Irenikon*. On sait aussi que le monastère a toujours compté de nombreux moines d'origine hollandaise, qui gardaient le contact avec leur pays et assuraient aux Pays-Bas le rayonnement des grandes idées de Dom L. Beauduin[29]. Ce phénomène est particulièrement important pendant la décade qui précède le pontificat de Jean XXIII. C'est précisément au cours de cette décade qu'un Jésuite belge, le père Beyer publia quelques articles qui tendent à mettre sur le même pied presbytérat et épiscopat et paraissent donc menacer la valeur propre de l'épiscopat[30].

---

champs de Malines.» Ces paroles écrites sous Pie XII allaient se vérifier cinq ans plus tard. Cfr. *D. O. Rousseau,* Les journées théologiques de Chèvetogne, in: Au service de la parole de Dieu (Mélanges Mgr A. M. Charue) (Gembloux 1967) 485.

[28] Cfr. Katholiek Archief 12, n°36 (6.9.1957) 863.

[29] Notons dès maintenant la collaboration de Dom Théodore Strotmann, moine de Chèvetogne, et du père Piet Fransen, professeur à la Faculté des Jésuites flamands et ami de Chèvetogne aux journées d'études œcuméniques, organisées en juin 1952 à Baarn (Pays-Bas) par la Sint Willibrord Vereniging (cfr. Binnenlands Apostolaat III, n°3/4 [1952]) dont nous parlerons plus loin lorsqu'il s'agira des Pays-Bas.

[30] *J. Beyer,* Les instituts séculiers (Bruges 1954) et Nature et position du sacerdoce, in: NRTh LXXVI, n°4 et 5 (avril et mai 1954) 356–379 459–480. On lui reprochait aussi d'avoir déclaré en août 1955, au congrès d'un mouvement de jeunesse: «Si l'Eglise veut rester une dans un monde qui s'unifie, il faut que la papauté parle, qu'elle parle souvent et qu'elle dirige tout. Et voilà pourquoi ce XXe siècle est une nouvelle aurore dans l'Eglise . . . comme il est également l'aurore d'un monde universel . . . et, comme les états disparaîtront, les évêchés perdront de

Ces prises de position ne manquèrent pas de créer des remous, qui furent l'occasion de rappeler le contenu d'importants documents de 1875, révélant une interprétation autorisée des définitions du premier Concile du Vatican. Dans le but de rectifier une instruction de Bismarck, qui méconnaissait le rôle des évêques, les 23 évêques allemands rédigèrent en février 1875 une déclaration commune afin de nier que les droits et la valeur propre de l'épiscopat fussent diminués à la suite des définitions promulguées à Vatican I. Cette déclaration fut jugée par certains comme une interprétation erronée de la véritable pensée du Concile. Aussitôt Pie IX munit cette déclaration des évêques allemands d'un bref approbateur daté du 12 mars 1875; à plusieurs reprises le pape tint par la suite à répéter son approbation la plus formelle. Ces documents capitaux pour une bonne compréhension de Vatican I furent publiés et dûment commentés dans *Irenikon*, en réponse aux interprétations récentes du père J. Beyer[31].

L'article de D. O. Rousseau[32] suscita le plus grand intérêt notamment en Allemagne mais surtout en Hollande et la lettre pastorale allemande de 1875 ne passa pas inaperçue à Vatican II: la constitution dogmatique *Lumen Gentium* y fera référence en son chapitre III, note 59. Ce fut là avant la lettre une contribution importante de Chèvetogne à la préparation de Vatican II mais ce ne fut certainement pas la seule. Retenons par exemple l'étude de Dom B. Botte, qui consacre à l'«Ordo episcoporum» et publiée par Chèvetogne en 1956, fera date dans la théologie de l'épiscopat que ce liturgiste de réputation internationale abordait à partir d'un tableau de l'Eglise des premiers siècles[33]. Nous avons déjà indiqué l'influence de l'œuvre de B. Botte sur les théologiens préoccupés d'une ecclésiologie renouvelée.

La préparation «inconsciente» de Chèvetogne à la convocation d'un nou-

---

leur souveraineté, laissant à Pierre et à ses successeurs la direction générale de tout le mouvement catholique . . .», cité dans: Irenikon XXIX, n°2 (1956) 128.

[31] *D. O. Rousseau,* La vraie valeur de l'épiscopat dans l'Eglise, in: Irenikon XXIX, n°2 (1956) 121–150. Déjà en 1928 Dom L. Beauduin écrivait: «Depuis la définition du Concile du Vatican, l'infaillibilité pontificale suffit à tout: c'est une conviction profondément ancrée dans l'esprit de nos Frères séparés: à leurs yeux, les autres modalités du magistère, y compris les conseils œcuméniques, sont pratiquement superflues»: l'auteur cite alors la Lettre Pastorale de l'épiscopat allemand de 1875 pour contredire cette conviction, in: Irenikon V, n°5–6 (mai–juin 1928) 231–238. Vingt ans plus tard le même Dom L. Beauduin reprend la même Lettre de l'épiscopat allemand dans Eglise et Unité (Lille 1948) 23–29. On voit que Dom L. Beauduin avait le don de la persévérance.

[32] Les articles du père Beyer suscitèrent d'autres réactions critiques, qui ne sont pas négligeables: voir notamment l'article de Mgr Charue en 1957, que nous avons déjà cité; voir aussi *Mgr Guerry,* L'évêque (Paris 1954) 126 e.a.; *J. Lecuyer,* Le Sacrement de l'Episcopat, in: Divinitas I, n°2 (oct. 1957) 222; n°4.

[33] *B. Botte,* «Presbyterium» et «Ordo episcoporum», in: Irenikon XXIX, n°1 (1956) 5–27.

veau concile était telle que, dès l'annonce de janvier 1959, D. O. Rousseau
était en état de donner une conférence «En vue du Concile œcuménique» où
l'on retrouve tous les thèmes importants qui effectivement seront à l'ordre
du jour de Vatican II quatre ans plus tard: la collégialité, la conciliarité, la séparation de l'Orient chrétien, l'œcuménisme et l'attitude des Chrétiens en
face du monde contemporain[34]. Cette préparation était telle que quelques
mois plus tard le monastère de Chèvetogne était en état d'organiser un colloque sur «le Concile et les Conciles» qui constitua l'étude la plus approfondie
de la conciliarité dans le passé et dans le présent.

Le foyer *universitaire*, en contact régulier d'ailleurs avec Chèvetogne, se
trouve à Louvain: d'abord à la Faculté de théologie de l'Université qui est, si
l'on veut, «interdiocésaine» où s'effectuent les recherches exégétiques de L.
Cerfaux, théologiques de G. Thils, historiques de R. Aubert, celui-ci contri-
buant pour une part importante à maintenir Vatican I dans la conscience historique; ensuite aux Facultés francophone et néerlandophone des Jésuites,
situées dans la banlieue de la cité universitaire: les travaux de pionniers en ecclésiologie des pères E. Mersch et plus tard G. Dejaifve (Faculté S. J. francophone) et du père P. Fransen (Faculté S. J. flamande) en sont l'expression évidente. Nous aurons l'occasion d'y revenir dans notre Section II.

Il y a une différence considérable entre la situation du catholicisme en Belgique et du catholicisme aux Pays-Bas: c'est toute la distance qui sépare une tradition catholique à vocation majoritaire et un groupe catholique qui pendant
plusieurs siècles a été sociologiquement minoritaire.

Au début du 20ième siècle, la Belgique catholique jouit d'une tradition universitaire de grande réputation; elle abrite le foyer le plus important du mouvement liturgique; l'archevêque de Malines est un pionnier du dialogue œcuménique et le premier monastère catholique voué à l'unité chrétienne est
fondé près de Huy. Les catholiques hollandais n'acquièrent (partiellement)
leur première université qu'en 1923; ils ont vécu dans un no man's land théologique; par la force de l'histoire, ils se comportent en état de siège à l'égard
de la tradition Réformée qui garde pendant longtemps encore une supériori-
té culturelle et sociale indéniable. Plusieurs auteurs ont posé la question de
savoir pourquoi les catholiques des Pays-Bas étaient restés absents pendant si
longtemps de la recherche théologique et particulièrement ecclésiologique
alors qu'une autre minorité catholique, celle qui vivait en Angleterre, avait

---

[34] *D. O. Rousseau*, In het vooruitzicht van het Oecumenisch Concilie, in: De Maand II, n°5
(mai 1959) 259–264.

produit une pleiade de grands esprits religieux[35]. Une des explications de ce phénomène doit être recherchée dans la différence théologique et ecclésiologique de l'interlocuteur devant laquelle chacune de ces deux minorités s'est trouvée: d'une part un calvinisme qui à l'époque est fermé à toute sacramentalité et d'autre part une tradition anglicane sensible aux valeurs «catholiques». Si une évolution certaine s'amorce dès l'avant-guerre, c'est à partir de 1945 que la situation va se modifier rapidement. L'expérience d'épreuves vécues ensemble pendant la guerre et sous l'occupation, les mutations sociales et les courants internationaux rapprocheront les milieux confessionnels autrefois séparés.

Ces modifications fondamentales s'accompagnent de deux phénomènes qui déterminent pour une part les nouvelles orientations de la décade de 1948–1958[36].

En premier lieu, l'après-guerre en Hollande marque aux yeux des témoins la *fin de la chrétienté;* la société civile révèle de plus en plus son caractère séculier, éventuellement athée. L'alliance trop poussée entre l'Eglise et le Monde, héritée du moyen-âge et reprise en d'autres termes par la Réforme, touche à sa fin. «Et l'Eglise s'aperçoit qu'elle est entièrement laissée à elle-même; de ce fait elle apparaît affaiblie dans le monde mais en même temps la possibilité lui est offerte de mesurer sa propre force, qui est toujours une force sous l'apparence de la faiblesse»[37]. A la suite de ce divorce, l'idée du Royaume de Dieu peut éclater dans toute sa beauté et toute son ouverture cosmique.

En second lieu, un phénomène plus spécifique deviendra apparent du côté catholique. Le ghetto catholique, où étaient maintenus les laïcs catholiques, va vers un démantèlement rapide. Les intellectuels catholiques, dont l'émancipation culturelle est le fruit de la lutte tenace des générations précédentes, sont amenés à faire une distinction de plus en plus nette entre le rôle social et

---

[35] *C. F. Pauwels,* Het bisschopsambt, in: Het Schild XXX, n°7 (1953) 169–170; *J. Groot,* Het bisschopsambt bij de niet-katholieken, in: Het Schild XXX, n°4 (mei 1953) 108–109. *P. Brachin et L. J. Rogier,* Histoire du catholicisme hollandais depuis le XVIe siècle (Paris 1974); les auteurs de ce dernier ouvrage écrivent: «C'est encore l'Angleterre qui présente le plus de ressemblance avec les Pays-Bas. Ici aussi, la minorité catholique fut, durant des siècles, exposée aux injustices et aux brimades . . . Mais surtout avant l'arrivée des Irlandais, elle était beaucoup moins nombreuse. Il n'en est que plus remarquable qu'elle ait fourni tant de figures prestigieuses, auxquelles la Hollande catholique n'a rien à opposer» (244–245).
[36] Dans l'histoire que J. Roes a consacrée à l'éveil des catholiques hollandais à l'œcuménisme, l'auteur reconnaît que précisément les années de 1948 à 1958 sont d'une importance décisive pour l'avenir du mouvement œcuménique aux Pays-Bas; cfr. *J. Roes,* Een hele beweging . . ., in: Heel de Kerk (Hilversum 1977) 35.
[37] *J. Groot,* Nieuwe tendenzen in het Nederlands Protestantisme, in: Binnenlands Apostolaat VII, n°3–4 (dec. 1956) 84.

culturel traditionnel de leur Eglise d'une part et la signification de l'Eglise en tant que communauté de foi d'autre part[38]. Ces différents phénomènes de mutation, amorcés, comme nous l'avons dit, au cours de l'avant-guerre, vont bientôt accélérer l'évolution générale vers une ouverture religieuse nouvelle. Mais pour y parvenir, il fallait d'abord se libérer d'une mentalité apologétique qui «a en général avivé les plaies de la chrétienté désunie, au lieu de les guérir»[39]. Au début de notre article, nous avons indiqué brièvement comment l'étude apologétique de l'Eglise avait dû faire place à une étude résolument dogmatique[40]. Cette norme générale trouve une illustration particulière aux Pays-Bas, au moment de l'après-guerre, lorsqu'une nouvelle génération de théologiens et de pasteurs abandonnent l'apologétique traditionnelle pour se tourner vers une vision théologique plus dynamique.

Dans un article paru en juillet 1947, le père D. van Hoorn exprimait encore ses regrets de voir l'atmosphère apologétique dominer les relations entre catholiques et protestants en Hollande. «Nous souhaitons que notre théologie de controverse fasse place à une théologie œcuménique: celle-ci quitterait la périphérie des zones apologétiques pour se recentrer sur les vrais centres de développement doctrinal, non sans accueillir les richesses «christiques» des frères séparés»[41]. Le signe le plus remarquable de la mutation qui s'annonce est un événement d'ordre institutionnel. La très ancienne «Apologetische Vereniging Petrus Canisius» (fondée en 1904) subit une transformation radicale en 1948–1949 pour devenir la «Sint Willibrord Vereniging»: on passait sans transition de la défense anti-protestante à la perspective œcuménique, on passait des conversions individuelles au dialogue entre confessions.

Depuis les années de l'occupation trois pionniers de l'œcuménisme catholique – *rari nantes in gurgite vasto* – avaient fondé un cercle de dialogue avec des pasteurs protestants: il s'agit de Frans Thijssen, Jan Groot et Jan Willebrands et du cercle d'amis, entré dans l'histoire, sous le nom de «Larense kring». La «révolution de palais» de la Sint Willibrord Vereniging était due à ce triumvirat. J. Willebrands, qui était l'organisateur du groupe, devint président de la nouvelle association et J. Groot, qui en était le théologien, devint rédacteur en chef de *Het Schild*, l'organe de l'association qui serait désormais une revue œcuménique[42]. Un des premiers résultats du renouveau et le signe

---

[38] Cfr. *C. F. Pauwels*, Het bisschopsambt en de Katholieke theologie in Nederland, in: Het Schild XXX, n°7 (1953) 175–176.

[39] Dans la revue: Roeping (1943) 213–216 367–372.

[40] *St. Jaki*, Les tendances nouvelles de l'ecclésiologie (Rome 1957) 226 sqq.

[41] Damiaen van Hoorn, Hollande: L'effort pour l'Unité chrétienne, in: Catholicité n°8–9–10 (Lille, juillet 1947) 67.

[42] Pour plus de détails voir Het Schild XXVIII, n°1 (juillet 1950) 3–8; Binnenlands Apostolaat VI (avril 1955) 4–27; *J. Grootaers*, Jan Cardinal Willebrands (article biographique), in:

le plus tangible du dialogue instauré fut en 1951 la publication du recueil *Geloofsinhoud en Geloofsbeleving* (Le contenu et le vécu de la foi) où se retrouvaient fraternellement une pleiade de théologiens réformés et catholiques sous la direction commune du catholique Fr. Thijssen et du protestant H. van der Linde. Remarquons qu'une des contributions importantes de ce volume est due à la collaboration de Dom Th. Strotmann, moine du Monastère de Chèvetogne en Belgique.

La fin de l'ère de l'apologétique et l'ouverture à un esprit plus œcuménique purent se réaliser rapidement. Non pas tellement parce que les Chrétiens séparés commençaient à s'influencer mutuellement mais bien plutôt parce que des courants de pensée nouveaux exerçaient une commune attraction sur les uns et les autres. Il ne nous revient pas de faire ici un inventaire de ces influences communes. Qu'il nous suffise de souligner dans les deux «camps» l'influence grandissante de Karl Barth, la présence de l'existentialisme chrétien, l'intérêt commun pour le réveil catholique français et plus particulièrement pour la «théologie nouvelle»[43]. Notons d'ailleurs que celle-ci doit s'entendre «sensu lato» car on y englobe aussi bien l'œuvre de H. de Lubac et J. Danielou que celle de Y. M. Congar, on y admire les lettres du Cardinal Suhard (éditées en néerlandais!), le mouvement des prêtres-ouvriers et la liturgie de Saint-Séverin . . .

Il y a surtout un commun *retour aux sources* qui présente des aspects en quelque sorte complémentaires. La naissance d'un mouvement liturgique en milieu calviniste, le «Hilversums Convent», l'intérêt de certains universitaires pour la question du ministère pastoral constituent un phénomène nouveau, minoritaire peut-être mais certainement encourageant pour l'ouverture à un dialogue ecclésiologique[44]. En même temps le milieu catholique s'est

---

One in Christ VI, n°1 (1970) 23–44. Voir aussi l'ouvrage magistral d'Et. Fouilloux *Les catholiques et l'unité chrétienne du XIXe au XXe siècle* (Paris 1982) 711–717 où l'on trouvera l'influence d'initiatives œcuméniques hollandaises au plan international: on y retrouve précisément les noms que nous avons cités, dont ceux de J. Willebrands et Fr. Thijssen.

[43] Citons uniquement l'intérêt catholique pour Karl Barth dès cette époque, ainsi qu'en témoigne une série de thèses universitaires consacrées à sa théologie: notamment en 1945 celle de Jan Groot, en 1949 celle de J. Hamer et en 1956 celle de Hans Küng. En même temps l'autre «camp» s'intéresse aux nouveaux théologiens français ainsi que le prouvent les publications de deux chefs de file protestants: *H. van der Linde*, De komende oecumenische Kerk (Utrecht 1956); *G. C. Berkhouwer*, Nieuwe perspectieven in de controvers: Rome – Reformatie (Amsterdam 1957).

[44] Cette tendance «haute église» du protestantisme hollandais s'exprime e.a. dans la revue Kerk en Eredienst. Le pionnier du renouveau liturgique catholique *Dom A. Verheul* qui lance son manifeste en 1953, De taak van de liturgische beweging in onze tijd est toujours resté en contact étroit avec ces partenaires protestants; A. Verheul eut toujours conscience de la signification œcuménique de leur mouvement.

ouvert à un retour à la Bible dont le fruit le plus œcuménique fut l'éclosion d'une spiritualité biblique[45]; le dépassement du thomisme, une relecture de l'histoire de la Réforme, l'action du laïcat et la redécouverte du sacerdoce commun des fidèles furent autant de facteurs concomitants d'un «réveil catholique»[46].

Ce puissant mouvement de «ressourcement» comme on disait à l'époque, annonçait clairement la fin de la Contre-Réforme aux Pays-Bas. C'était là autant de pierres d'attente pour la préparation et la célébration d'un concile général, qui aurait l'*aggiornamento* à son programme. C'est dans ces circonstances générales et lors d'un processus de cristallisation en cours, qu'un événement particulier va favoriser la résurgence d'une *théologie de l'épiscopat:* nous faisons allusion au centenaire du rétablissement de la hiérarchie épiscopale en Hollande, qui fut célébrée en grande pompe en mai 1953[47].

Lorsque la hiérarchie épiscopale fut rétablie aux Pays-Bas en 1853, le retard culturel de la population catholique était encore tel que ce changement fondamental de statut ecclésial ne parut revêtir aucune signification doctrinale ni ecclésiologique et, en tout cas, n'entraîna aucune réflexion theologique réelle[48]. En 1953, l'événement du centenaire suscita un regain d'intérêt pour la signification de l'épiscopat: il fut l'occasion d'un approfondissement doctrinal remarquable. Dans un paragraphe précédent, nous avons déjà constaté comment le neuvième centenaire du schisme d'Orient en 1054 avait donné naissance à des publications d'ordre historique et théologique. Le centenaire fêté aux Pays-Bas en 1953 a lui aussi marqué un étape du renouveau théologique.

Cependant, en avril–mai 1953, G. de Gier fait remarquer qu'au cours des années récentes, d'autres facteurs ont contribué à attirer l'attention des théologiens sur le problème de l'épiscopat: l'intérêt pour l'épiscopat dans le dialogue œcuménique, le problème de la spiritualité du clergé diocésain, le souci

---

[45] L'expression la plus répandue s'en trouve chez *W. K. Grossouw,* Bijbelse vroomheid (Utrecht 1956); voir aussi le Groot Gebedenboek (livre de prières scripturaires, patristiques, liturgiques et œcuméniques) de *C. A. Bouman* (Utrecht 1951) 1670 pages qui eut à l'époque une diffusion extraordinaire.

[46] Une conférence-manifeste du professeur *W. Grossouw* est intitulée Katholiek réveil en spiritualiteit (publiée en 1952).

[47] Un compte rendu de cette célébration a paru dans Katholiek Archief VIII, n° 22–23 (29 mai–5 juin 1953) 437–472; voir aussi l'opuscule Eeuwfeest van het herstel der bisschoppelijke hiérarchie in Nederland (Utrecht 1953).

[48] *C. F. Pauwels* s'étend sur ce sujet dans Het bisschopsambt en de Katholieke theologie in Nederland, in: Het Schild XXX, n° 7 (1953) 169–177; il indique aussi les changements survenus depuis lors par l'abandon du point de vue apologétique et l'ouverture œcuménique des dernières années.

missionnaire qui caractérise l'évêque et enfin le retour aux sources et à la théologie sacramentelle[49].

Ces circonstances marquent davantage encore les progrès accomplis depuis l'époque du rétablissement de la hiérarchie au 19ième siècle. Quoi qu'il en soit, certains articles tout à fait remarquables, publiés à l'occasion de ce centenaire, ont fait date quelques années avant l'annonce de Vatican II. C'est précisément autour d'un petit noyau d'œcuménistes catholiques que naquit le projet de publier un ouvrage collectif consacré à l'épiscopat du point de vue exégétique, patrologique, historique et ecclésiologique[49bis]. Cependant, l'ouvrage n'étant pas achevé en temps voulu, le projet fut abandonné et le matériel déjà existant fut divulgué comme articles dans une série de périodiques[50]. Le groupe rédactionnel comprenait à l'origine entre autres: J. A. M. Weterman, R. Post, E. Hendrickx et J. Groot. Les articles ont effectivement paru dans diverses revues[51]. Afin de nous limiter, nous n'en retiendrons que trois. Le numéro déjà cité de *Nederlandse Katholieke Stemmen* consacré spécialement au rétablissement de la hiérarchie épiscopale, donne l'occasion au père De Gier de donner des «annotations théologiques» au sujet de la relation épiscopat-presbytérat. Reprenant l'ancienne controverse concernant la consécration épiscopale, il rappelle le caractère quelque peu artificiel de la systématisation de St-Thomas, qui semble finalement nier le lien entre l'épiscopat et l'eucharistie.

Prenant son point de départ non dans des situations particulières mais dans le cas normal, celui de l'évêque dans le sens plénier du terme, l'auteur s'aperçoit que la consécration lui est conférée «ad pastoratum»: afin d'accomplir sa tâche pastorale; point de vue confirmé par le fait qu'un évêque est tou-

---

[49] G. de Gier, Episcopaat en presbyteraat, in: Nederlandse Katholieke Stemmen XLIX, n°4–5 (avril–mai 1953) 99–108.

[49bis] Faisant l'historique de la Lettre pastorale de mai 1954, le père Walter Goddijn rapporte un fait peu connu, qui est étroitement lié au noyau d'œcuménistes catholiques dont nous parlons: à l'automne 1952 Mgr J. Willebrands aurait pris la décision de rédiger un projet de lettre pastorale selon le modèle des lettres bien connues du Cardinal Suhard; ce projet avait trait précisément à l'anniversaire du rétablissement de l'épiscopat aux Pays-Bas; les collaborateurs de Mgr Willebrands étaient J. Groot, Fr. Thijssen, Schoonenberg, Pauwels et Weterman, van Kilsdonk et Fortmann; «l'évêque, témoin de l'espérance» tel était le titre de ce projet … qui resta à l'état de projet car il ne fut jamais pris en considération par l'épiscopat. Voir à ce sujet *W. Goddijn et G. Knuvelder*, Hervorming zonder schisma (Hilversum 1980) 48.

[50] A l'occasion d'un entretien en date du 2 juillet 1983, Mgr J. Groot a bien voulu fournir ces détails.

[51] Ces articles ont été publiés en trois vagues successives: une première série d'un grand intérêt comprenant cinq articles, qui ont paru dans Het Schild XXX, n°4 et 7 (1953); une seconde série de quatre articles fut publiée dans Nederlandse Katholieke Stemmen XLIX, n°4–5 (avril–mai 1953) et une étude finale du professeur J. Groot vit le jour dans l'annuaire du groupe de travail des théologiens catholiques en Hollande: Werkgenootschap van Katholieke Theologen in Nederland: Jaarboek 1954, 58–73.

jours consacré en vue d'une église déterminée. Il prend part à la mission que
le Christ a confiée aux Apôtres. Le sacre de l'évêque conserve toujours quelque chose de la mission directe donnée par le Christ à ses Apôtres: un pouvoir inaliénable conféré par le rite du sacre et qui prend directement appui
sur le Christ.

Les deux articles, qui doivent encore retenir notre attention sont les plus
significatifs de la série; ils ont pour auteur le professeur Jan Groot dont nous
avons déjà cité souvent le nom[52]. La réflexion théologique de J. Groot sur
«L'évêque et son ministère» se trouve au centre du fascicule spécial de la revue *Het Schild:* elle suscita de nombreux échos aux Pays-Bas et y exerça une
influence considérable[53]. Faisant référence à la théologie de l'épiscopat de
Dom Gréa et aux considérations récentes du père J. Lecuyer sur la consécration épiscopale, Mgr J. Groot croit qu'une théologie de l'épiscopat prend nécessairement sa source dans le sacerdoce de Jesus-Christ: celui-ci est la mesure
de toute réalité et aussi de celle de l'évêque.

Dans le passé, nous n'avons que trop souvent cherché à caractériser l'épiscopat en partant du bas (en considérant la charge épiscopale comme un supplément au sacerdoce); notre attention tournée trop exclusivement vers la
charge de sanctifier, avait tendance à négliger la charge de magistère et celle
de gouvernement, qui sont pourtant tellement importantes dans le Nouveau
Testament.

La réflexion théologique selon J. Groot nous oblige dès l'abord à suivre un
autre ordre et de procéder du haut vers le bas, c'est-à-dire de partir de la plénitude réelle et d'aller vers diverses participations à cette plénitude. Elle nous
oblige à voir le lien vital qui rassemble le pouvoir de sanctifier, d'enseigner et
de gouverner. La consécration épiscopale qui confère la plénitude du pouvoir, possède d'elle-même la puissance et la destination nécessaires à cette
triple charge. L'évêque est le liturge; il est celui qui exerce le magistère; c'est à
lui que revient avant tout la charge de diriger. Cependant en précurseur in-
conscient des délibérations conciliaires de Vatican II, J. Groot attache la plus
grande importance à la sacramentalité et à la collégialité: la première illustre

---

[52] Dr Jan Groot (né en 1908) fait ses études théologiques au Grand Séminaire du diocèse de
Haarlem à Warmond et à l'Université catholique de Nimègue, où le professeur Kreling favori-
sait l'ouverture œcuménique: professeur à Warmond (1937) doctorat avec une thèse sur Karl
Barth (1946), rédacteur en chef de la revue Het Schild (1949), président de la Sint Willibrord
Vereniging, où il succède à Mgr Willebrands (1960). Devenu délégué de l'épiscopat pour les affaires œcuméniques, le professeur Groot est représentant de l'Eglise catholique au Conseil
œcuménique des Eglises à New Delhi (1961); il est expert du Concile Vatican II et conseiller
théologique du Cardinal Alfrink et des évêques hollandais à Rome (1962–1965).
[53] J. C. Groot, De bischop en zijn ambt, in: Het Schild XXX, n°7 (1963) 184–194. Il semble
bien que c'est à la suite des réflexions de J. Groot sur l'épiscopat que l'auteur fut désigné comme expert des évêques hollandais à Vatican II à la demande du Cardinal Alfrink.

le lien intime entre consécration et pouvoir de gouvernement, le lien aussi entre magistère et ministère; la dernière repose sur le principe selon lequel l'évêque ne peut représenter la plénitude du Christ que dans la mesure où il fait partie du vaste collège, qui est appelé l'épiscopat universel et auquel appartient à une place centrale l'évêque de Rome.

Les pleins pouvoirs de magistère et de ministère, la plénitude de l'Esprit Saint n'ont été promis et donnés qu'au collège, qui s'appuie sur les Douze. Les apôtres et leurs successeurs ne sont infaillibles que dans la mesure où ils sont en communion avec cet ensemble collégial. Les successeurs des apôtres sont revêtus de puissance à l'égard de l'Eglise universelle avant de l'être à l'égard d'une église locale. Ils ne deviennent évêques que par aggrégation au collège. Le second article de J. Groot, daté de septembre 1953, reprend les grands thèmes de cette théologie de l'épiscopat mais s'adressant à un public spécialisé, l'auteur traite le sujet dans un cadre plus élaboré[54]. D'ailleurs il ne s'agit plus de l'évêque et de son ministère mais cette fois le sujet traité concerne l'évêque diocésain par rapport à l'épiscopat mondial. Après avoir constaté que dans le passé on considérait l'évêque de points de vue fragmentaires – degrés dans la consécration et séparation des différents pouvoirs –, J. Groot veut aussi renverser la perspective des rapports entre Eglises particulières et Eglise universelle; au lieu de voir celle-ci à partir de celles-là, il faut tout au contraire partir de celle-ci pour comprendre celles-là.

Sans pouvoir accepter l'itinéraire de Ch. Journet qui prend le cas «anormal» de la vacance du siège romain pour appuyer sa description du collège, le professeur J. Groot se saisit de la méthode de Dom A. Gréa pour faire valoir la primauté de l'universel à l'égard du particulier: «les évêques ont donc, avant tout autre conception de leur pontificat, un pouvoir universel» (citation de Dom A. Gréa). C'est donner la priorité à l'origine par rapport aux conséquences car c'est au Christ, prêtre et pasteur par excellence, que fut donnée une autorité universelle à l'égard de tous ceux que le Père lui avait donnés. C'est cette plénitude du pouvoir dont le Christ fait part non seulement à Pierre mais aussi à tous les apôtres réunis autour de Pierre.

Ces pleins pouvoirs pastoraux ne reviennent aux Apôtres que dans un ensemble collégial. Les deux sujets, distingués de façon inadéquate, possèdent entièrement ces pleins pouvoirs: si Pierre n'a pas besoin des onze pour complément, les onze ont inexorablement besoin de Pierre comme douzième[55].

---

[54] *J. Groot,* Diocesane bisschop en wereldkerk, in: Werkgenootschap van Katholieke theologen in Nederland: Jaarboek 1954, 58–73.
[55] Cette formule frappée de concision rappellera certainement la phrase tout aussi frappante du Cardinal Alfrink sur le même sujet prononcée lors de son intervention du 8 mai 1962 à la Commission Centrale préparatoire.

L'épiscopat mondial en tant que collège est le véritable successeur des apôtres: c'est par son appartenance à cet ensemble collégial, que l'évêque peut étre tenu pour successeur des apôtres. Cette «communion» avec le pape et l'épiscopat mondial est la base même sur laquelle repose le caractère local du ministère épiscopal.

Une autre originalité de la théologie de J. Groot – qui «acconce» Vatican II – est de valoriser particulièrement la cohésion vitale qui s'établit entre les trois charges épiscopales, généralement distinguées. Aux yeux de l'auteur, il serait impensable de recevoir la consécration sans avoir aussitôt part à l'épiscopat mondial exerçant son magistère et son ministère. Le pouvoir de gouvernement et de magistère des évêques n'est autre que le plein pouvoir du Christ dans la mesure où il a été transmis. Il est intimement lié à leur consécration comme grand-prêtre. Ces réflexions élaborées marquent une date dans ce que nous avons appelé la résurgence d'une théologie de l'épiscopat.

Il serait certainement possible de citer d'autres témoignages significatifs de ce renouveau ecclésiologique. Mais nous nous en tiendrons à ces quelques exemples. Ils sont suffisants, espérons-le, pour rappeler ce que fut en quelque sorte la toile de fond de la recherche théologique en Hollande au moment où l'annonce de la convocation d'un Concile en janvier 1959 va rendre force et vigueur à la *conciliarité* dans l'Eglise et du même coup à la réflexion sur l'*épiscopat* et sur la *collégialité* des évêques.

SECTION II:

La contribution du Cardinal Alfrink
à la préparation de Vatican II (1959-1962)

En partageant notre article en deux volets nettement séparés, nous courons le risque de créer l'impression d'une rupture, alors que de fait il y a continuité. En esquissant le mouvement des idées entre 1948 et 1958, nous n'avons pas fait mention des évêques alors que pour eux aussi cette période a été marquée par le dynamisme d'un certain renouveau. Il y aurait une grave erreur de perspective, si nous omettions de mettre le lecteur en garde à cet égard. En effet si les noms des théologiens, dont il a été question précédemment, réapparaissent après 1959 de même il faut reconnaître que l'histoire de l'Archevêque d'Utrecht a commencé bien avant 1959 et l'annonce de la convocation du Concile. Nous savons par exemple que l'éveil du laïcat catholique aux Pays-Bas avant 1959 a joué un rôle important dans la prise de conscience des évêques de l'Eglise en tant que communauté des fidèles. Que cela ne se soit pas réalisé sans heurts parfois graves, est évident[56]. Grâce à l'étude que le père E. Schillebeeckx a consacrée à «l'image de l'Eglise» dans l'œuvre pastorale et doctrinale du Cardinal Alfrink, il nous est possible de retrouver aisément quelques traits de la pensée de B. Alfrink entre 1948 et 1958[57].

La collégialité et l'Eglise locale font partie de l'ecclésiologie d'Alfrink bien avant que ses frères dans l'épiscopat s'en soucient de manière explicite. Dans la première lettre pastorale que Mgr Alfrink adresse à ses diocésains en tant qu'archevêque d'Utrecht (dd. 11.12.1955) il rappelle précisément que «l'évêque vit en communion avec le Saint Siège et avec ses frères dans l'épiscopat à travers le monde»[58]. Lorsqu'un an plus tard il prend part au jubilé du Petit Séminaire de son diocèse, Mgr Alfrink fait un plaidoyer en faveur d'une spiritualité spécifiquement diocésaine qui donnerait forme à une existence sacerdotale et pastorale et au lien particulier avec l'évêque. C'est cette dernière

---

[56] L'histoire de la lettre pastorale de l'épiscopat de mai 1954 et des réactions critiques de la part de certains cercles de laïcs en est un exemple fameux. Cette pastorale suscita les protestations de nombreux intellectuels, qui y virent une condamnation rétrograde du droit des catholiques au pluralisme politique, ce droit étant considéré comme acquis depuis le mouvement du «doorbraak». Les évêques paraissent bien en avoir tiré la leçon de cet incident. *L. J. Rogier,* Vandaag en Morgen (Bilthoven 1974) 11-17; parmi les documents de l'époque, voir le n° spécial de la revue Te Elfder Ure (août 1954) consacré à la lettre pastorale, voir aussi les *réflexions post factum* de P. Smulders S.J., De Zin der Geschiedenis, in: Streven VIII/1 (février 1958) 385-395.
[57] *E. Schillebeeckx,* Wie geloof heeft, beeft niet, in: Alfrink en de Kerk 1951-1976 (Baarn 1976) 144-176.
[58] Cfr. Katholiek Archief X, n° 51 (23.12.1955) 1233.

relation qui est la base d'un esprit de solidarité: «Ils sont prêtres de l'Eglise, incarnée dans le diocèse, qui les a accueillis.»[59] Le père Schillebeeckx voit là le signe avant-coureur de l'idée de l'Eglise de Vatican II, Eglise qui est actualisée *dans* l'Eglise locale. Ces quelques rappels nous amènent maintenant au seuil de la préparation formelle du Concile.

L'intérêt général que suscita le déroulement des délibérations et des travaux de Vatican II, a parfois fait oublier la période préparatoire de ce Concile. D'autres facteurs y ont contribué notamment le fait que la plupart des schémas rédigés par les Commissions préparatoires ne résistèrent pas eu feu de la critique, exercée par la majorité des Pères. Et pourtant la phase préparatoire du Concile couvre une période d'une durée de quatre années et l'œuvre accomplie en est considérable. L'enquête anté-préparatoire faite auprès des évêques du monde entier, les sept sessions de la Commission centrale préparatoire, les innombrables déclarations faites et les initiatives prises par des évêques et des épiscopats, la mise-en-branle massive de l'opinion chrétienne, voilà autant d'éléments significatifs d'une période qui est encore mal connue et pourtant a contribué de manière évidente à la gestation de Vatican II.

Le Cardinal Alfrink, pour sa part, a dès le début pris conscience de l'importance du travail préparatoire. Non seulement il a mis sur pied une préparation intensive des fidèles et du clergé aux Pays-Bas mais très rapidement il a souligné l'importance particulière des travaux de la Commission centrale préparatoire, dont il avait même parfois tendance à surestimer la signification[60].

A) Trois étapes

La contribution propre du C. Alfrink aux travaux préparatoires du Concile lui-même peut être décrite principalement en trois étapes. Celles-ci sont d'ordre chronologique mais marquent aussi un développement doctrinal.

Nous nous sentons d'autant plus encouragé à faire cette présentation des choses que le C. Alfrink lui-même nous a dit être convaincu de pareil développement[61]. Ces étapes sont marquées par trois documents, qui ont chacun joué un rôle déterminant:

---

[59] Cfr. Katholiek Archief XI, n° 43 (26.10.1956) 1032.

[60] A plusieurs reprises, le Cardinal Alfrink fera état de l'enrichissement que signifia pour lui l'expérience personnelle des travaux de la Commission préparatoire centrale; une des allocutions les plus significatives à cet égard est la déclaration faite à Waalheuvel (Nimègue) le 30 novembre 1961, après les deux premières sessions de la Commission: voir Katholiek Archief XVII (5.1.1962) 7–10.

[61] Nous avons eu le privilège de contacts réguliers avec le Cardinal Alfrink au sujet de cette

1) les *Vota* adressés par l'archevêque Alfrink au Secrétaire d'Etat en date du 22.12.1959 en réponse à l'enquête préparatoire;
2) la lettre pastorale de l'épiscopat néerlandais publié à Noël 1960 et consacré au «Sens du Concile»;
3) l'intervention du Cardinal Alfrink à la Commission centrale préparatoire en mai 1962 et concernant la place du Collège des évêques dans l'Eglise.

1) Les Vota de l'archevêque Alfrink en décembre 1959

La pièce maîtresse de la phase dite anté-préparatoire consista en une vaste consultation adressée individuellement à chaque membre de l'épiscopat du monde entier afin de recevoir des membres du Concile à venir toutes les suggestions et tous les avis utiles. Les résultats de cette enquête remplissent, comme on le sait, dix forts volumes de la série «Antepraeparatoria». La réponse de celui qui à l'époque était l'archevêque Alfrink – il ne sera élevé au Cardinalat qu'au printemps 1960 – comporte huit pages et traite des thèmes suivants: l'Eglise, la Curie romaine, les évêques, les prêtres, les laïcs, relations de l'Eglise catholique avec les non-catholiques, la pastorale, la Vierge Marie, les sacrements et les lois ecclésiastiques[62]. Provenant d'un exégète qui fut professeur d'Ancien Testament[63], ce document frappe surtout par l'attention consacrée aux questions d'ecclésiologie mais sous un jour pastoral et œcuménique.

Lorsque nous relisons ce document un quart de siècle plus tard, nous sommes frappé de l'audace de cet archevêque d'un «petit pays» qui, sous la rubrique «de la Curie romaine», n'hésite pas à demander que le Saint-Office s'adapte davantage à l'esprit du temps et démontre clairement qu'il a été institué pour le bien des âmes. Au point de vue œcuménique, l'Archevêque d'Utrecht occupe, pour l'époque, des positions très avancées lorsqu'il suggère que le Concile devrait déclarer que l'Eglise catholique par les fautes humaines de ses membres a part elle aussi à la responsabilité des nombreuses sé-

---

problématique lors d'un entretien (le 8 mai 1982) d'abord et ensuite au cours d'un échange de correspondance (de mai 1982 à juillet 1983) qui comprend e.a. une note datée du 9 août 1982 dans laquelle le Cardinal énumère quelques faits importants qui concernent la période préparatoire et sa participation au Concile lui-même. L'ancien archevêque d'Utrecht nous a autorisé à faire usage de cette note.

[62] Acta et Documenta Conc. Oec. Vaticano II apparando: Ser. I. Antepraeparatoria II/1, 509–516.

[63] B. J. Alfrink (né à Nijkerk le 5.7.1900) après une promotion à Rome avec une thèse sur la vie après la mort dans l'A.T., devint professeur d'exégèse au grand séminaire de Rijsenburg (1933) plus tard à l'Université de Nimègue (1945). Cela ne le retient pas de participer à certaines tâches pastorales. En mai 1951 il est nommé évêque-coadjuteur du Cardinal de Jong; en novembre 1955, il devient archevêque d'Utrecht; il n'est créé Cardinal que cinq ans plus tard en mars 1960.

parations entre Chrétiens et que l'Eglise est disposée à apporter sa contribution afin de restaurer l'unité chrétienne. Mais ce qui retiendra particulièrement notre attention ici, c'est évidemment le «nœud» d'une ecclésiologie nouvelle que nous trouvons d'abord sous la rubrique «De Ecclesia» et ensuite sous «De Episcopis».

Les «Eglises particulières» sont bien davantage que de simples portions de l'Eglise universelle; en elles c'est l'Eglise du Christ elle-même qui se manifeste réellement dans chacun des pays ou des régions, ou dans chacune des communautés humaines. C'est pourquoi Mgr Alfrink souhaite «que la relation, qui existe entre l'Eglise universelle et les Eglises particulières, reçoive une explication plus claire et qu'on soumette à un examen sérieux, la question de savoir si les Eglises particulières ... sont en effet quelque chose de plus qu'autant de parcelles de l'Eglise universelle». C'est en fait la base d'un plaidoyer pour une meilleure «autonomie» à attribuer aux Eglises particulières[64].

Dès le début du paragraphe «De Ecclesia» l'auteur souligne le fait que l'exposé de la doctrine sur l'Eglise a été laissé inachevé au précédent Concile du Vatican. Il en est question à nouveau sous la rubrique «De Episcopis». Mgr Alfrink exprime ici le vœu que le Concile à venir accepte «de déclarer en termes clairs que le gouvernement de l'Eglise universelle est exercé par le Collège des Evêques, sous la direction du Souverain Pontife ...». «Ceci peut se faire non seulement en convoquant un Concile œcuménique mais aussi en créant d'autres institutions. Peut-être certains conseils permanents composés d'évêques expérimentés en la matière venant de toute l'Eglise avec le Pape et les cardinaux de Curie pourraient-ils exercer le pouvoir législatif pour l'ensemble de l'Eglise. Les Congrégations romaines ne conserveraient que le pouvoir de «conseil» et «exécutif».»[65]

L'Archevêque d'Utrecht croit aussi qu'il conviendrait de revoir le système en vigueur *des dispenses qui sont «concédées» aux évêques diocésains* par les organes du Centre de la Chrétienté: «car les évêques ne sont pas des délégués chargés de diriger une portion de l'Eglise mais ils participent vraiment chacun pour son propre territoire au pouvoir législatif et *au gouvernement* de l'Eglise universelle. Le fait qu'aujourd'hui dans l'Eglise catholique presque toutes choses sont largement réunies dans un seul centre paraît nuire au «pouvoir de juridiction épiscopal immédiat et ordinaire», qui a été attribué aux évêques par le Concile au Vatican I; le même Concile déclare que le pouvoir des évêques est confirmé, fortifié et défendu par la primauté du pape.

---

[64] L.c. 510.
[65] Voir texte original joint comme Annexe A.

Par une certaine répartition du pouvoir aussi bien la charge propre des évêques que la primauté du Pontife romain peuvent avoir plus d'éclat.»[66]

Pareille révision de l'ecclésiologie aurait des conséquences pratiques dont l'archevêque hollandais n'hésite pas à donner comme exemples: la suppression d'un certain nombre de dispenses actuellement en vigueur, la révision des relations entre les Nonces et l'épiscopat local et l'examen de l'exemption des ordres religieux.

Ces quelques lignes suffisent peut-êtres à donner le ton et à faire entendre une thématique, qui ne cessera plus d'être une des préoccupations dominantes de l'Archevêque d'Utrecht et d'un cercle grandissant d'évêques se préparant à participer au Concile. Citant ces *vota* du Cardinal Alfrink, le père Y. M. Congar en donne le résumé suivant: «Le vœu que la Curie devînt un simple organe d'exécution au service d'une instance de décision qui formerait autour du pape, avec les cardinaux de Curie, une assemblée d'évêques résidentiels»[67].

Sans avoir le caractère synthétique des vœux de l'Archevêque d'Utrecht, nous trouvons certaines idées similaires dans les vœux d'autres évêques néerlandais, ce qui permet de conclure à une concertation entre évêques de la même province ecclésiastique ou tout au moins à des contacts entre evêques. Ceci vaut en particulier pour les suggestions qui proviennent de Mgr Moors, évêque de Roermond (dans le Limbourg néerlandais)[68]. Mais nous ne trouvons nulle part la spécificité d'une théologie de l'épiscopat qui cherche à s'appuyer sur les lacunes de Vatican I dans le contexte d'une véritable ecclésiologie plus dynamique et qui caractérise la position de B. Alfrink.

La suggestion d'un «conseil législatif» autour du Pape – rappelant le «synode permanent» qui dans la tradition orthodoxe entoure le Patriarche – est également un apport original de l'Archevêque d'Utrecht. Entre ses *Vota* de décembre 1959 et son intervention dans la salle conciliaire en novembre 1963, le Cardinal Alfrink ne cessera plus de plaider avec une constance paisible mais inébranlable en faveur de l'institution de pareil conseil[69].

---

[66] Voir texte original joint comme Annexe A.

[67] Y. *Congar,* Ministères et Communion ecclésiale (Paris 1971) 187. Cet auteur renvoie à d'autres vœux d'une portée analogue, provenant notamment de l'Archevêque de Valence, du Cardinal Leger et du rapport de la Consistoriale, se faisant l'écho d'un évêque africain.

[68] Acta et Documenta Conc. Oec. Vaticano II apparando: Ser. I. Antepraeparatoria II/1, 492–498; de nombreuses suggestions recoupent ici les vœux de Mgr Alfrink par exemple en ce qui concerne les relations œcuméniques, les rapports entre l'Evêque et les religieux, la réforme du St-Office et particulièrement une décentralisation qui mettrait en relief la fonction de l'Evêque.

[69] Dès son intronisation Jean XXIII aime à se présenter comme «évêque de Rome» et cherche à associer des évêques aux bénédictions d'audiences publiques: ces formes et d'autres d'une re-

2) La Lettre pastorale de l'épiscopat néerlandais, sur le «Sens du Concile» (Noël 1960)

Cependant la maturation des idées prônées par le Cardinal Alfrink et par quelques autres évêques va se poursuivre tandis que la préparation de Vatican II fait des progrès. Mais ce qui avait été exprimé dans des *Vota* confidentiels en 1959 – et nous savons que ces textes vont rester secrets pendant de longues années – allait faire surface dans un document public qui ne manquera pas de créer des remous nombreux et durables. Nous faisons allusion à la *Lettre pastorale* signée par l'ensemble des évêques des Pays-Bas et publiée le 24 décembre 1960. Ce texte est principalement une exhortation adressée à toute la communauté catholique de Hollande pour que celle-ci participe activement à la préparation du Concile mais aussi pour que cette préparation ne s'arrête pas à des considérations d'ordre sociologique, ou philosophique, ou historique mais pénètre jusqu'au centre de l'événement qui est par définition un mystère de foi et donc d'ordre religieux. C'est pourquoi les évêques estiment qu'il est nécessaire de préciser la structure dogmatique d'un concile œcuménique. Ce document que l'on pourrait qualifier de signe avant-coureur de l'*aggiornamento* conciliaire se développe alors en trois chapitres:
– le Royaume de Dieu et l'Eglise
– le sens de la foi de la communauté ecclésiale et la direction hiérarchique
– le Concile œcuménique.
Ne pouvant refléter ici la richesse de l'ensemble de l'exposé, nous limiterons notre résumé à la partie centrale de ce document[70].

Les évêques constatent d'abord que le sens de la foi est une réalité qui ne prend consistance qu'après une longue maturation, processus d'enrichissement mais aussi de purification, au sein de la communauté ecclésiale. La pratique sacramentelle mais aussi les dévotions populaires, les mouvements d'Eglise mais aussi la réflexion de théologiens y participent.

---

valorisation de l'épiscopat ont probablement contribué à la maturation des «voeux» de décembre 1959. Lorsque Mgr Alfrink séjourna à Rome pour y recevoir sa nomination de Cardinal, le correspondant du grand quotidien catholique De Tijd (dd. 3.3.1960) publia un exposé très documenté sur «l'ouverture de nouvelles perspectives» pour associer les cardinaux diocésains au gouvernement central de l'Eglise: on y rappelle e.a. le collège cardinalice faisant dans le passé fonction de «Sénat de l'Eglise». On peut supposer que cet article, qui reposait sur une documentation en profondeur avait été inspiré. Quoi qu'il en soit, dans son allocution déjà citée de Waalheuvel (dd. 30.11.1961) le Cardinal Alfrink fait à nouveau un plaidoyer en faveur d'un «organe post-conciliaire permanent» qui serait comparable à la Commission centrale préparatoire du Concile, organe de concertation dont l'Archevêque ne cesse de faire l'éloge.
[70] De bisschoppen van Nederland over het Concilie, in: Katholiek Archief XVI, 16, 369–384; nous suivrons ici la meilleure traduction française, parue comme plaquette: Le sens du Concile, Lettre pastorale de l'épiscopat hollandais (Bruges–Paris 1961) 59: cette traduction n'est cependant pas sans erreurs, ainsi que nous le verrons.

Quelle est alors l'instance d'autorité à laquelle le sens collectif de la foi doit être soumis pour un jugement décisif? Le Christ y a pourvu par l'autorité doctrinale d'une hiérarchie. Voilà pourquoi l'épiscopat mondial, en communion de foi avec le pape, est juge final de la foi: norme et juge de notre vie de foi; une autorité qui à partir de ce jugement sur la foi prend également les mesures ecclésiastiques qui s'imposent. «Tout ceci montre que l'infaillibilité officielle du pape ne peut pas être séparée de la totalité de la foi dans laquelle elle a été située par le Christ. L'interruption précipitée du premier concile du Vatican a créé l'impression que la définition séparée de l'infaillibilité pontificale est un dogme entièrement isolé: en fait, cette infaillibilité personnelle se trouve insérée *pour une certaine part* (néerlandais: «mede») dans l'infaillibilité officielle de l'épiscopat mondial, elle-même portée *pour une certaine part* (néerlandais: «mede») par la foi infaillible de toute la communauté.» (C'est nous qui soulignons dans le texte[71].) La lettre pastorale de Noël 1960 ayant remarqué que cette autorité ecclésiastique s'exerce de façons variées, examine alors différentes formes de jugement et de directives.

Le texte distingue d'une part le «magistère ordinaire» de l'Eglise qui se manifeste dans la prédication de la foi par l'épiscopat, atteignant le peuple croyant par l'intermédiaire des prêtres. Le concile précédent a défini que l'expression infaillible de la foi de toute l'Eglise se retrouvait dans ce qui était annoncé unanimement par l'épiscopat mondial en communion de foi avec le pape. D'autre part, la dernière et absolue certitude que nous ayons sur une vérité de foi est la «définition extraordinaire» de l'Eglise: soit une définition *ex cathedra* par le pape, soit une définition solennelle d'un concile œcuménique ou d'une réunion de l'épiscopat mondial avec le pape.

Ce chapitre important sur «le sens de la foi de la communauté ecclésiale et la direction hiérarchique» se termine par une référence à l'histoire qui révèle la conscience que les évêques ont eue de leur collégialité: «La conscience de cette collégialité essentielle et du soin collégial de toute l'Eglise ont fait naître, surtout au troisième et quatrième siècles, le besoin de conciles généraux, afin de donner une solution définitive aux questions discutées . . .» Ceci signifie en quelque sorte que dans le passé la collégialité a suscité la conciliarité

---

[71] Les mots soulignés ici ne se trouvent pas dans la traduction française que nous utilisons mais ils reflètent fidèlement le texte original néerlandais: «Uit dit alles blijkt dat de pauselijke ambts-onfeilbaarheid niet mag worden losgemaakt uit de totaliteit van het geloof, waarin zij door Christus werd geplaatst. Vanwege het vroegtijdig afbreken van het eerste Concilie van het Vaticaan maakt de afzonderlijke dogmabepaling van de pauselijke onfeilbaarheid de indruk volkomen los te staan. Feitelijk ligt deze persoonlijke onfeilbaarheid mede ingeschakeld in de ambtelijke onfeilbaarheid van het wereldepiscopaat, dat zelf op zijn beurt mede wordt gedragen door het onfeilbare geloof van heel de geloofsgemeenschap» (Katholiek Archief XVI, 376). Cette erreur de traduction aura des conséquences importantes dont nous parlerons ultérieurement.

et qu'aujourd'hui par la convocation de Vatican II la revalorisation de la conciliarité devrait signifier un réveil de la collégialité.

Le dernier chapitre de la lettre pastorale hollandaise du 24 décembre 1960 est consacré à la signification profonde du futur Concile tant dans sa préparation, dans sa célébration que dans sa réception. Enfin les principaux sujets susceptibles d'être mis à l'ordre du jour du concile à venir sont examinés rapidement.

3) Intervention du Cardinal Alfrink à la Commission centrale préparatoire en mai 1962

Ainsi que nous l'avons déjà indiqué, l'Archevêque d'Utrecht fut particulièrement impressionné par la concertation fraternelle qui se déroula à la Commission centrale préparatoire. Celle-ci fut instaurée par Jean XXIII dans le Motu proprio *Superno Dei nutu,* qui prévoyait: «La Commission centrale a pour but de suivre et de coordonner s'il est nécessaire, les travaux des diverses Commissions, dont elle nous rapportera les conclusions, pour que nous puissions établir les sujets à traiter au Concile œcuménique. C'est aussi à la Commission centrale qu'il revient de proposer les règles concernant le déroulement du futur Concile.» Les travaux furent inaugurés par le Pape le 12 juin 1961. La Commission a tenu en tout sept sessions[72]. La tâche de coordonner les travaux des diverses commissions, qui avait été impartie à la Commission centrale préparatoire s'avéra très difficile à réaliser. Au cours des premiers mois de Vatican II, il devint bientôt évident que la préparation du Concile avait produit une masse de schémas préparatoires qui manquait de cohésion et de coordination. On sut aussi que la Commission doctrinale préparatoire avait refusé une collaboration réelle sous l'égide de la Commission centrale préparatoire[73].

---

[72] Prenaient part à la première session: 31 cardinaux, 2 patriarches, 12 archevêques et évêques, 4 supérieurs d'ordre et 23 conseillers. Chaque session durait généralement une huitaine de jours. Les sessions eurent lieu en juin et novembre 1961, en janvier, février, avril, mai et juin 1962. Les comptes rendus plus ou moins exacts ont paru dans les Acta et Documenta concilio oecumenico Vaticano II apparando: Series Praeparatoria II, Vol. II. On consultera aussi la Documentation Catholique 1961 col. 827 sqq., col. 881 sqq., 1961 col. 1565 sqq., 1962 col. 235 sqq., 1962 col. 373 sqq., 1962 col. 719 sqq., 1962 col. 910 sqq.; et une récapitulation ibidem 1962 col. 925–926.

[73] Le père A. Wenger, chroniqueur autorisé du concile, a fait état de cette difficulté; il cite notamment cette déclaration du père Tromp, secrétaire de la Commission doctrinale préparatoire, faite en décembre 1962: «La Commission théologique, et elle seule, avait la responsabilité des constitutions dogmatiques. Les autres commissions, par la volonté même du Pape, étaient obligées de soumettre leurs textes à la Commission théologique, chaque fois qu'ils touchaient à des questions dogmatiques. C'est pourquoi il ne pourrait être question d'une Commission mixte ...», in: *A. Wenger,* Vatican II Première session (Paris 1963) 120.

Le Cardinal Alfrink, quant à lui, a déclaré à plusieurs occasions, combien les délibérations de la Commission centrale avaient permis aux participants de dégager les lignes de force d'une opinion rénovatrice et de préparer ainsi les prises de position qui, au Concile même, allaient dégager une majorité conciliaire[74]. Dans la série des réunions de la Commission Centrale, la *Sessio Sexta* – tenue du 3 au 12 mai 1962 – eut une signification particulière du fait que le problème de la charge épiscopale faisait l'objet de l'échange de vues à l'occasion de l'examen consacré au Schéma préparatoire *De Ecclesia* et plus particulièrement au Chapitre IV de ce texte.

C'est dans ces circonstances que le Cardinal Alfrink le 8 mai 1962 fit la critique du chapitre proposé, annonça un vote négatif et développa une argumentation importante en faveur d'une théologie renovée de l'épiscopat. Ayant rappelé que si Vatican I n'avait pas été interrompu de façon malencontreuse, ce Concile aurait traité du collège des évêques dans la Constitution *De Ecclesia* de l'époque, le Cardinal Alfrink invoque divers documents de Vatican I qui pourraient fort bien amorcer un développement ultérieur au Concile Vatican II[75]. Le premier document auquel l'Archevêque d'Utrecht se réfère est précisément au projet de Deuxième Constitution dogmatique que le père J. Kleutgen avait préparé et dont le rapport fut présenté à Vatican I.

La citation de la *relatio* de J. Kleutgen invoquée par le Cardinal Alfrink, concerne le chapitre IV de ce projet *De Ecclesia*. Il y est dit: «On ne peut douter du fait que les évêques ont une certaine part dans la charge du *magistère* et du *gouvernement* de l'Eglise *universelle*.» (N.B. les mots soulignés le sont dans la version dactylographiée originale qui provient du Cardinal Alfrink lui-même.) Les autres citations ne sont pas moins significatives: elles proviennent de la déclaration faite par l'Evêque Zinelli lorsque celui-ci présenta le rapport de la Députation de la Foi traitant des amendements, introduits par différents pères conciliaires.

Le passage en question concerne plus particulièrement le vœu de Mgr Papp-Szilaggi, évêque hongrois de rite roumain, et de Mgr Guilbert, évêque de Gap, qui souhaitaient qu'on fît mention de la participation collégiale des évêques à la plénitude du pouvoir suprême[76]. «Nous concédons volontiers –

---

[74] Cependant au lendemain de la 1ère session du Concile, le Cardinal Alfrink lui-même allait admettre que les travaux de la Commission Centrale avaient eu, malgré tout, des limites: la Commission n'avait pas eu le pouvoir d'organiser la coordination du travail des différentes commissions alors qu'elle avait conscience, déjà à cette époque, du manque de cohésion dans les matières traitées à la fois par plusieurs commissions: déclaration faite à Utrecht le 23 avril 1963 et publiée dans Katholiek Archief XVIII, n° 18 (3.5.1963) 452–459.

[75] Voir texte original et authentique joint comme Annexe B.

[76] Pour plus amples détails, voir notamment G. *Dejaifve*, Pape et évêques au premier concile du Vatican (Bruges–Paris 1961) 86 sqq.; R. *Aubert*, Vatican I (Paris 1964), 224–225.

déclare Zinelli – que . . . les évêques unis avec la tête possèdent le pouvoir ecclésiastique suprême et plénier sur tous les fidèles.» Et l'évêque – rapporteur de poursuivre: «Ainsi donc les évêques unis avec la tête en un concile œcuménique, auquel cas ils représentent toute l'Eglise, ou dispersés, mais en union avec la tête, auquel cas ils sont l'Eglise, ont vraiment la plénitude du pouvoir.»

Le Cardinal Alfrink critique alors la manière unilatérale dont le Schéma *De Ecclesia* de la Commission doctrinale préparatoire de Vatican II aborde ce problème; à la p. 13 du schéma en question, il est dit: «Le pouvoir en ce corps à savoir des évêques ne s'exerce que de manière extraordinaire sur ordre de la seule tête et selon la volonté exclusive de celle-ci.» L'Archevêque d'Utrecht s'oppose à cette façon de présenter les choses: la difficulté réside dans la manière où ce pouvoir plénier et suprême du Collège des évêques, de droit divin, est conciliable avec le pouvoir plénier et suprême de la tête, ce dont personne ne doute.

C'est précisément cette difficulté qui a été exposée en 1870 par l'Evêque Zinelli en des termes que le Cardinal Alfrink tient à rappeler: «Ces deux exercices du pouvoir peuvent très bien se concilier sans qu'on introduise dans l'Eglise un dualisme qui engendrerait la confusion. Ce serait le cas, si ces deux pouvoirs suprêmes étaient distincts et séparés l'un de l'autre; séparer la tête des membres est, au contraire, le propre de ceux qui soumettent le Pape aux évêques pris collectivement ou rassemblés en un concile général . . . Si le Pape exerce donc avec les évêques dispersés ou rassemblés, le pouvoir suprême et plénier de manière solidaire, aucun conflit n'est possible.» (Fin de la citation Zinelli.)

Le Cardinal Alfrink se dit persuadé que nous ne devons pas séparer le Pape du Collège des évêques ni séparer ce collège du Pape. Il propose alors cette formule dont la partie la plus frappante sera plus tard citée fréquemment: «Et le Pape et le Collège des Evêques, en tant certes qu'unis au Pape, ont le pouvoir plénier et suprême *d'enseigner* et de *diriger* l'Eglise. Ce que le Pape peut faire seul sans le Collège des évêques, cela le Collège des Evêques peut le faire avec le Pape. Mais vice-versa ce que le Pape peut faire sans le Collège des Evêques, cela il peut le faire aussi avec le Collège des évêques. Et tout ceci est d'institution divine.» (Fin de la citation Alfrink; les mots soulignés le sont par nous.)

Vient alors à nouveau une suggestion qui à l'époque et par la suite aura des conséquences importantes; la suggestion d'instaurer une sorte de «conseil de la couronne». En voici les termes: «Mais maintenant se pose une question que nous ne pouvons poser qu'avec le plus grand respect envers le Saint-Siège et avec les plus grandes hésitations – cependant elle paraît devoir être posée.

Si les choses se présentent ainsi d'institution divine, on peut se demander s'il ne conviendrait pas que le Collège des Evêques soit mis à contribution et convoqué plus fréquemment de quelque manière que ce soit, afin d'exercer en même temps que la tête son pouvoir plénier et suprême «d'enseigner et de gouverner l'Eglise universelle», et afin de prendre des décisions à l'égard des problèmes universels de l'Eglise.» (Fin citation Alfrink)[77].

Pour terminer son intervention, le Cardinal hollandais souligne le fait qu'il revient au Pape de répondre à la question ainsi posée; quant au Concile, il lui revient de définir le pouvoir plénier et suprême que le collège des évêques possède «pour enseigner et pour gouverner l'Eglise» et qu'il possède uniquement uni au Pape. Soulignons ici le fait regrettable que cette intervention significative du Cardinal Alfrink n'a pas été reproduite correctement dans la publication officielle qui est supposée fournir un compte rendu autorisé de cette session de la Commission centrale: un tiers du texte du Cardinal Alfrink comprenant l'argument principal et les références à Vatican I a donc disparu des actes officiels de la Commission[78]. Nous donnons le texte authentique en annexe.

B) Genèse et développement

Les trois prises de position faites par le Cardinal Alfrink au cours de la préparation de Vatican II et résumées par nous au paragraphe précédent, ne sont évidemment pas les seules interventions de l'Archevêque d'Utrecht mais nous pouvons les considérer comme les interventions majeures faites par lui à cette époque[79].

---

[77] L'idée d'un «conseil» se trouvait déjà dans les «Vota» de décembre 1959 et avait été lancée de manière moins officielle lorsque le Cardinal Alfrink, prenant la parole au vicariat militaire à Waalheuvel (Nimègue) avait, dès novembre 1961, exprimé le vœu de voir se poursuivre l'expérience d'une institution comparable à la Commission centrale préparatoire: pareille institution permanente serait bénéfique pour la vie et le gouvernement de l'Eglise universelle. Voir plus tard dans le quotidien De Tijd dd. 17.7.1962 un article «inspiré» à ce sujet. Cette idée reprise au Concile en novembre 1963 allait devenir le germe de l'institution du Synode des évêques en 1965.

[78] Voir Series Praeparatoria II, vol. II (Pars III) 1075–1076. Interrogé à ce sujet, le Cardinal Alfrink nous a avoué son étonnement: le manuscrit remis au Secrétariat Général comprenait trois feuillets dûment paginés; si un des feuillets s'était égaré, la pagination permettait facilement d'apercevoir la lacune; en outre, le Secrétariat disposait de l'enregistrement complet des interventions orales faites en Commission.

[79] On a noté qu'à la seule Commission Centrale préparatoire le Cardinal Alfrink aurait fait 40 interventions, observations et explications de vote à son actif; voir *Jan van Laarhoven*, In medio ecclesiae, in: Alfrink en de Kerk, 1951–1976, (Baarn 1976) 24.

Il nous reste maintenant à vérifier dans quelle mesure il est possible de retrouver des traces de la genèse de cette contribution de l'Archevêque d'Utrecht à la restauration d'une théologie de l'épiscopat à Vatican II. Et en premier lieu se pose la question de savoir quels furent les conseillers directs ou indirects, qui ont prêté leur assistance au moment des différentes étapes.

1) Genèse

Sans reprendre ici l'esquisse générale faite précédemment, nous pouvons essayer maintenant d'identifier certaines sources avec plus de précision. Cependant, il faut bien préciser ici les limites du travail des conseillers de l'épiscopat néerlandais. Ce que nous indiquons comme apport de certains conseillers laisse intacte l'autonomie des évêques qui en toute liberté acceptaient ou refusaient les avis qu'ils recevaient. Ceci vaut plus particulièrement pour l'Archevêque d'Utrecht, dont la forte personnalité n'acceptait jamais de se laisser «conduire par la main». Rappelons en outre que Mgr Alfrink avait déjà lui-même développé une ecclésiologie orientée davantage vers la collégialité et l'Eglise locale, ainsi que nous l'avons indiqué brièvement. La contribution éventuelle d'experts ne signifie donc pas nécessairement la preuve d'une influence déterminante. Ces limites étant indiquées, nous pouvons reprendre de manière succincte les trois étapes dont il a déjà été question.

Selon les témoignages recueillis[80] la rédaction des *Vota* de décembre 1959, a été précédée par la consultation de certains professeurs du grand séminaire de l'archidiocèse d'Utrecht en particulier de F. Haarsma et H. Fortmann[81].

Dans le caractère dynamique de l'ecclésiologie, qui est sousjacente aux *Vota* de l'Archevêque d'Utrecht, on reconnaîtra sans peine le reflet du mou-

---

[80] Nous avons consulté avec intérêt le recueil Alfrink en de Kerk, 1951–1976 (Baarn s.d.) et dans ce recueil plus particulièrement J. van Laarhoven, In medio Ecclesiae ... (12–33) et P. van Leeuwen, De Synode van de bisschoppen (34–60). Quant au Cardinal Alfrink lui-même, nous avons déjà fait mention de l'entretien qu'il nous a accordé et de la correspondance qu'il nous a adressée.

[81] Cfr. P. van Leeuwen (l.c. 35 et 57) qui a eu le document de cette consultation en mains. Il convient de signaler que pendant la période préconciliaire les évêques en général paraissent limiter leurs consultations aux frontières de leur propre diocèse; d'autre part il y a eu au début une tendance à consulter des experts du clergé diocésain de préférence à ceux du clergé régulier. Ceci n'est cependant pas une règle absolue comme nous le verrons pour le rôle joué par E. Schillebeeckx O.P. et d'autres religieux. Dans une lettre que le Cardinal Alfrink a bien voulu nous adresser le 16.6.1983, l'ancien archevêque énumère les conseillers qui ont prêté leur collaboration à la rédaction des *Vota*: H. Fortmann, philosophe; J. Geerdinck, canoniste; J. Vermeulen, moraliste; H. Eysinck, canoniste; F. Haarsma, dogmaticien; ils appartiennent tous soit à Dijnselburg, soit à Rijsenburg, qui constituent les deux sections du Grand Séminaire de l'archidiocèse d'Utrecht.

vement des idées qui s'était amorcé aux Pays-Bas, sous les influences conjointes du mouvement œcuménique depuis l'immédiate après-guerre et de la célébration du centenaire du rétablissement de la hiérarchie en 1953 – 1954, dont nous avons parlé précédemment. Quant au renouveau de la théologie de l'épiscopat, dont ces mêmes *Vota* portent l'empreinte, il est vraisemblable que les articles remarqués de Mgr J. Groot – dont nous avons parlé à la 1ère Section – ont eu une influence peut-être indirecte mais certainement significative. On peut supposer que c'est par l'intermédiaire des avis de F. Haarsma que certaines idées rénovatrices de J. Groot ont été véhiculées. Mais avant tout il est plus que probable que le Cardinal Alfrink lui-même avait eu l'attention attirée par les articles de l'ancien collègue qu'était pour lui le professeur Groot[82]. Nous mentionnerons plus loin l'auteur belge qui paraît avoir eu une influence dans ce domaine.

En ce qui concerne la rédaction de la lettre pastorale signée par les 7 évêques hollandais sur *Le sens du Concile,* nous avons à notre disposition des données plus nettes. En effet le colophon du document rendu public à la veille de Noël 1960 déclare en termes explicites: «Nous remercions le R. P. E. Schillebeeckx O.P., professeur à l'Université de Nimègue, et la Commission des Apostolats, dont sont membres: la Société Saint-Willibrord, l'Union Missionnaire du clergé, l'Apostolat unioniste et l'Apostolat de la prière, pour l'aide précieuse qu'ils nous ont apportée dans la rédaction de ce texte.»

Selon certains, l'initiative de cette lettre pastorale serait venue surtout de la «Commissie tot samenwerking der Apostolaten», dans le but de préparer l'opinion au Concile et d'approfondir cette préparation. Selon d'autres témoignages, l'initiative serait venue du Cardinal Alfrink lui-même. Dès l'annonce d'un nouveau concile les évêques hollandais se sont intéressés au précédent concile du Vatican et au fait qu'il était resté inachevé. A cette époque, l'ouvrage de Dom Cuthbert Butler *The Vatican Council 1869 – 1870* se trouvait en de nombreuses mains.

Le Comité de rédaction de la lettre pastorale comprenait trois personnes: E. Schillebeeckx, F. Haarsma et J. Groot[83]. Selon des renseignements complémentaires, le premier s'intéressait davantage à la sacramentalité et le der-

---

[82] Les évêques hollandais ont invité deux théologiens à les accompagner au Concile à Rome pour y être leurs experts attitrés: E. Schillebeeckx principalement à la suite de ses publications sur la théologie des réalités terrestres et J. Groot en tant qu'œcuméniste et spécialiste de la théologie de l'épiscopat. Le choix de ce dernier confirme le fait que le Cardinal Alfrink connaissait bien les publications de J. Groot.

[83] *J. van Laarhoven,* In medio ecclesiae . . ., in: Alfrink en de Kerk, 1951 – 1976, 22. Alors que Mgr Bekkers aurait préféré que le texte fût publié par la Commission des Apostolats avec l'appui de l'épiscopat, les évêques décidèrent d'en prendre eux-mêmes l'entière responsabilité.

nier avait un intérêt particulier pour la question de l'épiscopat. L'ordre des thèmes est significatif: le texte traite d'abord de l'Eglise dans son ensemble et aborde ensuite la hiérarchie. Cette perspective originale à l'époque aurait plutôt été inspirée par J. Groot et F. Haarsma. Le travail rédactionnel du texte entier fut confié à E. Schillebeeckx, dont le nom figure seul dans le colophon du texte. On peut attester cependant que les idées fondamentales étaient le bien commun appartenant à tous les trois. Nous reviendrons plus loin sur les répercussions considérables et tout à fait inattendues de cette lettre pastorale, qui dans le contexte hollandais avait été écrite «en toute innocence».

Enfin pouvons-nous aujourd'hui dire quelque chose sur la genèse de l'intervention du Cardinal Alfrink à la Commission Centrale préparatoire en mai 1962? D'abord on peut constater que l'Archevêque d'Utrecht fait à nouveau appel aux professeurs de son Grand Séminaire mais cette fois d'une manière beaucoup plus large. Selon l'étude de J. van Laarhoven[84] le Cardinal Alfrink attachait grande importance à la préparation des séances de la Commission Centrale; il avait constitué plusieurs équipes de travail parmi les professeurs de son Grand Séminaire et parmi quelques experts extra-diocésains: il leur distribuait les schémas qui lui parvenaient de Rome pour avoir l'avis de chaque groupe avant la session suivante; en ce qui concerne les schémas qui provenaient de la Commission doctrinale préparatoire, ils étaient confiés à l'équipe composée de H. Fortmann, F. Haarsma et B. Müller.

L'étude de Vatican I fut certainement une source d'inspiration générale pour les théologiens et pour les évêques; elle le fut particulièrement pour le Cardinal Alfrink. Il eut son attention attirée par un article du père G. Dejaifve consacré aux prérogatives pontificales dans leur relation avec le collège épiscopal et la structure hiérarchique de l'Eglise. Selon son propre témoignage, cet article le conduisit à étudier de plus près le rapport que Mgr Zinelli, évêque de Trévise et rapporteur de la Députation de la foi, présenta à Vatican I en juillet 1870[85]. *Ces indications sont précieuses car à la veille de Vatican II le rapport de l'évêque Zinelli paraît avoir eu une force d'attraction extraordinaire.*

Une enquête nous a révélé que ce document fut l'objet d'au moins six études, qui se succédèrent en quelques mois: les auteurs en sont J. Hamer, G. Dejaifve, G. Thils et J. P. Torrell. A l'exception de ce dernier, qui est un élève du père Hamer, il s'agit de théologiens qui tous appartiennent à «l'aire théologique» belge et qui tous relèvent de la mouvance œcuménique précon-

---

[84] *J. van Laarhoven,* In medio ecclesiae, 22–23.
[85] Lettre que le Cardinal Alfrink a adressée à l'auteur le 19.5.1983.

ciliaire[86]. Nous les trouvons tous les trois parmi les participants habituels des «Journées Théologiques» de Chèvetogne!

Relisant aujourd'hui les conclusions que le père Dejaifve tirait dès 1960 de l'étude des documents de Vatican I, nous comprenons aisément que le Cardinal Alfrink en fut impressionné et qu'il se fit porte-parole de cet appel à la Commission Centrale préparatoire. «Après avoir rappelé dans un précédent Concile – écrivait G. Dejaifve – les droits stricts et inaliénables de la Primauté pontificale, il reste au Magistère de l'Eglise, dans le prochain Concile, une tâche ardue et délicate: mettre mieux en lumière leur finalité et les obligations qui y sont inhérentes en révélant en elle le mystère de la «communion» qui préside aux échanges de la Hiérarchie ecclésiastique comme de la Hiérarchie céleste.»

2) Développement

Les indications qui précèdent devraient suffire pour inciter l'un ou l'autre historien à s'avancer davantage dans l'analyse des textes et dans l'étude de leur filiation. Cependant il nous reste à dire un mot au sujet du développement qui a caractérisé les trois étapes de la contribution du Cardinal Alfrink pendant les années de préparation de Vatican II.

Il y a certainement un progrès à retracer dans la pensée de l'Archevêque d'Utrecht dans sa redécouverte d'une théologie de l'épiscopat mieux équilibrée. Le Cardinal Alfrink nous a dit qu'au point de départ de cette redécouverte se trouvait l'expérience pénible des «réserves» et «autorisations» que chaque évêque était obligé de solliciter tous les cinq ans et qui permettaient aux services de la Curie romaine de garder les évêques sous une sorte de tutelle[87].

---

[86] Pour suivre de plus près l'ordre chronologique, nous citons ces études telles qu'elles ont d'abord paru dans des périodiques: 1° J. *Hamer*, Le Concile œcuménique, engagement de toute l'Eglise, in: Lumière et Vie, n°45 (nov.–déc. 1959) 39–68. 2° L'article du père Dejaifve a paru dans la NRTh 82 (1960). 3° J. *Hamer*, Le corps épiscopal uni au Pape, son autorité dans l'Eglise, d'après les documents du premier concile du Vatican, in: RSPhTh XLV, n°1 (Janvier 1961) 21–31. 4° G. *Thils*, Primauté pontificale et prérogatives épiscopales (Louvain, imprimatur de février 1961) 104. 5° G. *Thils*, Parlera-t-on des évêques au Concile?, in: NRTh 83 (1961) 785–804. 6° J. P. *Torrell*, La théologie de l'épiscopat au premier concile du Vatican (Unam Sanctam 37) (Paris 1961) 149–160.

[87] Entretien à Dijnselburg le 8 mai 1982; parlant de cette expérience, le Cardinal explique: lorsque quelqu'un est consacré évêque, on peut supposer que l'Eglise a choisi le meilleur candidat, mais une fois sacré, le nouvel évêque s'aperçoit rapidement qu'il est impuissant sans solliciter de multiples autorisations; l'archevêque d'Utrecht fit sensation à la Commission centrale lorsqu'il déclara: «Je n'ai jamais lu dans les Evangiles que Pierre avait accordé des autorisations à ses apôtres.»

Aux yeux du Cardinal Alfrink la consécration épiscopale qui donnait la plénitude du ministère devait suffire pour assumer et exercer la fonction épiscopale. Cette perspective devait encore être redécouverte à la veille du Concile. Nous en trouvons le souci dans les *Vota* de décembre 1959, dont il a été question précédemment. Cependant le développement le plus significatif se situe entre ce que nous avons appelé la deuxième et la troisième étape; alors que dans la lettre pastorale de l'épiscopat hollandais de Noël 1960, il est question du collège des évêques et de la compétence de ce collège *in docendo* mais uniquement de cette compétence, la vision s'élargit considérablement dans l'intervention du Cardinal Alfrink à la Commission Centrale en mai 1962 celle-ci embrasse également la compétence *in regendo*. Cette fois il ne s'agit plus seulement de l'exercice du Magistère tant «ordinaire» qu'«extraordinaire» mais de la totalité de l'autorité du Collegium Episcoporum participant à la *suprema potestas*.

Dans une note rédigée par le Cardinal Alfrink, celui-ci reconnaît lui-même que c'est *après* la lettre pastorale de Noël 1960, qu'il y a eu chez lui une prise de conscience plus nette de la totalité de ce pouvoir[88]. Le Cardinal Alfrink reconnaît que cette prise de conscience avait été le fruit d'une lecture faite après décembre 1960 et antérieurement à mai 1962. Ce fut cette lecture qui l'a mis alors sur la piste du rapport que l'évêque Zinelli présenta en juillet 1870 au premier Concile du Vatican. Après que nous ayons avancé l'hypothèse de la lecture de l'article du père G. Dejaifve intitulé «Pape et évêques au premier Concile du Vatican» et paru dans la *Nouvelle Revue Théologique*[89], l'ancien Archevêque d'Utrecht dans une lettre ultérieure admettait que selon ses souvenirs cette hypothèse s'avérait exacte.

Un élément de critique interne constitue un facteur de vérification de cette hypothèse et de ces souvenirs: la manière, dont l'Archevêque d'Utrecht découpe la citation du rapport de l'évêque Zinelli correspond exactement au découpage fait par Dejaifve dans le même texte. Ceci semble bien confirmer que le texte de Zinelli cité par le Cardinal Alfrink dans son intervention de mai 1962 trouve plutôt sa source chez G. Dejaifve que chez l'un des autres auteurs.

Ainsi que nous l'avons déjà signalé, le rappel de certains aspects oubliés de Vatican I et des éléments inachevés de sa théologie de l'épiscopat était, il est vrai, général à la veille de Vatican II. Mais sous la plume de G. Dejaifve, grâce à la clarté de son argumentation et aussi à sa sensibilité œcuménique, ce rap-

---

[88] Note du Cardinal Alfrink datée du 9 août 1982.
[89] G. *Dejaifve*, Le premier des évêques, in: NRTh 82 (1960) 561–579, texte repris dans l'ouvrage du même auteur: Pape et évêques au premier Concile du Vatican (Bruges 1961).

pel du concile précédent avait acquis une force persuasive particulière[90]. Selon d'autres témoignages que celui du Cardinal Alfrink, les articles de G. Dejaifve, édités aussi sous forme de plaquette, avaient à l'époque connu une large diffusion dans les milieux théologiques aux Pays-Bas.

S'il est vrai qu'il y a là un progrès certain dans la pensée du Cardinal Alfrink; il conviendra d'examiner un jour si le lien essentiel à établir entre d'une part la compétence *in docendo* et *in regendo* et d'autre part la consécration épiscopale a également connu un approfondissement au cours de la préparation de Vatican II. Cette question allait se trouver au cœur du débat conciliaire sur le *De Ecclesia*[91]. S'il s'avérait vrai que les années préparatoires du Concile ont connu un approfondissement progressif à cet égard, on pourrait alors parler du développement le plus significatif dans la préparation des esprits à Vatican II.

C) *Répercussions et résonances*

L'écho que suscita la contribution du Cardinal Alfrink pendant la préparation du Concile est évidemment considérable. Il faut évidemment distinguer des degrés différents de diffusion: les *Vota* de l'époque dite antépréparatoire restèrent secrets pendant de longues années et ne furent publiés dans les *Acta* qu'en 1968 après la clôture du Concile; la lettre pastorale des évêques hollandais étant un document public, connut une publicité extraordinaire dont nous reparlerons; l'intervention du Cardinal Alfrink à la Commission Cen-

---

[90] Georges Dejaifve, jésuite belge, né à Namur en 1913 et décédé à Rome en 1982, est en même temps un théologien important et un pionnier du mouvement œcuménique. Pendant des années – de 1948 à 1966 – il enseigna la théologie fondamentale et l'ecclésiologie à la Faculté St-Albert des pères jésuites à Eegenhoven–Louvain, siège de la rédaction de la *Nouvelle Revue Théologique*. Dès 1952, le père Dejaifve est remarqué par la publication d'un article «Sobornost ou Papauté». Cette réflexion et ses contacts avec l'Orthodoxie indiquent l'orientation œcuménique de son ecclésiologie. En 1966, il est professeur à l'Institut Oriental à Rome avant d'en devenir le recteur en 1973 pour une brève période, sa santé ne lui permettant pas d'assumer de nouvelles responsabilités. Après avoir préparé les voies du Concile inauguré par Jean XXIII, le père Dejaifve en fut un observateur vigilant et un «continuateur» fidèle dans les années post-conciliaires. On en trouvera la preuve dans son dernier livre qui rassemble ses études sur Vatican I et Vatican II et qui est intitulé Un tournant décisif de l'ecclésiologie à Vatican II (Paris 1978). Voir J. E. Vercruysse, In memoriam P. G. Dejaifve, in: Orientalia Christiana Periodica 48 (1982) 269–283.
[91] La difficulté au Concile n'était pas tellement de faire reconnaître la *sacramentalité* en elle-même, le point difficile était de faire admettre *toutes les conséquences qui découlaient de la consécration de l'évêque:* on ne pouvait donner consistance à la collégialité que si l'on avait compris et admis ces conséquences. C'est sur ce point essentiel que portait l'argumentation de théologiens comme Mgr Charue, Mgr J. Groot et Mgr Thils.

trale préparatoire en mai 1962 était destinée à être publiée ultérieurement dans les *Acta,* mais elle l'a été de façon tout à fait incorrecte: cette intervention cependant trouva de larges échos parmi les cardinaux et évêques auxquels elle était adressée, et plus tard parmi les Pères Conciliaires lorsque le Cardinal Alfrink en reprit l'argumentation au Concile même. Cependant sans pouvoir nous étendre sur l'influence positive de ces interventions préparatoires et des discours conciliaires du Cardinal Alfrink, il faut aussi indiquer les répercussions parfois critiques que suscita la contribution originale et personnelle de l'Archevêque d'Utrecht pendant la phase préparatoire des assises conciliaires.

En premier lieu, il faut reconnaître que les *Vota* de décembre 1959 marqués du coin de la franchise la plus audacieuse et provenant d'un archevêque d'un petit pays, de surcroît non encore promu à la pourpre cardinalice, ne pouvaient que susciter la mauvaise humeur de certains milieux de la Curie romaine. Ceux-ci étaient nommément cités dans un paragraphe distinct *De Curia Romana.* En outre l'archevêque Alfrink proposait que des évêques venant de toute l'Eglise soient associés de façon permanente au gouvernement de l'Eglise universelle et que les dicastères romains ne conservent qu'un «pouvoir exécutif». Ces suggestions qui devinrent monnaie courante au cours du Concile, étaient énoncées dès la fin de 1959. Elles ne pouvaient que provoquer le courroux et faire froncer de nombreux sourcils vénérables. Toujours est-il que le Cardinal Alfrink, quelques semaines après avoir reçu le chapeau de Cardinal, est convoqué à Rome en avril 1960 où des explications lui sont demandées au sujet des *Vota*[92].

La lettre pastorale hollandaise de 1960 connut, elle, des «mésaventures» d'une autre nature et une notoriété plus grande. Le texte de cette pastorale fut traduit en plusieurs langues notamment en français, allemand, anglais, polonais, espagnol et finalement aussi en italien. Cette diffusion ne manqua pas de surprendre les auteurs du texte et on peut supposer que ce succès inattendu venant de l'opinion étrangère a dû être un soutien pour le Cardinal Alfrink et un encouragement à poursuivre la défense des idées de rénovation. Toutefois la traduction italienne, parue assez tardivement au printemps de 1962, suscita des réactions négatives dans les milieux conservateurs de Rome[93] et des échos sensationnels dans la presse quotidienne. Tant et si bien

---

[92] Il s'agissait d'une demande d'explications de la part du St-Office selon *J. van Laarhoven,* In medio ecclesiae . . . 20.

[93] *J. van Laarhoven* situe les réactions négatives dans les milieux suivants: le St-Office, la Commission doctrinale préparatoire et le groupe de théologiens du Latran appartenant à la revue Divinitas; cfr. In medio ecclesiae . . . 26.

que bientôt la brochure fut retirée du commerce, ce qui ne manqua pas de faire croître la curiosité du public.

Selon le témoignage du Cardinal Alfrink, celui-ci recevait en mai 1962 une longue lettre personnelle du Pape Jean XXIII lui disant ses sentiments de déception devant certaines affirmations de la lettre pastorale contestée par les milieux du Saint-Office. L'Archevêque d'Utrecht prit soin d'y répondre de manière détaillée et sollicita une audience à l'occasion de la session de la Commission Centrale à Rome en juin 1962[94]. Le Cardinal Alfrink attira notamment l'attention du Pape sur la traduction italienne défectueuse qui était pour une part importante á la source du mécontentement romain. Nous avons déjà eu l'occasion de citer précédemment une des phrases-clés de la lettre pastorale dont la traduction en français était erronée. La version italienne avait commis la même erreur de traduction. Or ce passage concernait précisément la manière particulière dont l'infaillibilité pontificale est «insérée» dans celle de l'épiscopat et celle de l'épiscopat est «portée» par la foi de toute la communauté (voir ci-dessus p. 805).

Le Cardinal Alfrink se souvient encore avec précision du message d'amitié qui lui fut communiqué par téléphone de Rome dès que le Pape eut reçu sa réponse. Le 16 juin 1962 le Cardinal Alfrink sortait visiblement soulagé d'une audience privée avec le Pape à la suite de laquelle l'Archevêque d'Utrecht fit une déclaration qui d'une part mentionnait les erreurs de traduction nécessitant le retrait de la traduction italienne et d'autre part reconnaissait que les instances romaines estimaient que l'ensemble de la lettre était acceptable mais souhaitaient néanmoins que certains passages reçoivent une formulation plus claire et plus complète[95].

Quoi qu'il en soit, en date du 22 juin 1962, Jean XXIII adressait une lettre très aimable aux évêques de Hollande pour les remercier des efforts accomplis afin de préparer leur province ecclésiastique au Concile[96]. Lorsqu'on relit aujourd'hui la lettre pastorale de 1960 et les nombreuses conférences publiques faites par le Cardinal Alfrink, on s'étonne de voir celui-ci accusé à l'époque de «démocratisme» dans l'Eglise: l'Archevêque d'Utrecht n'a pas cessé de prévenir les fidèles hollandais qu'un concile n'avait rien d'une institution parlementaire.

---

[94] Note du Cardinal Alfrink datée du 9 août 1982; la lettre du Pape Jean était datée du 20 mai 1962, la réponse du Cardinal Alfrink du 31 mai. L'ancien archevêque d'Utrecht est enclin à établir un rapport de cause à effet entre d'une part son intervention sur l'épiscopat à la Commission Centrale le 8 mai 1962 et d'autre part la lettre de reproches du Pape quelques jours plus tard.

[95] Katholiek Archief XVII, n° 27 (29.6.1962) 628.

[96] Ce message est rendu public dans les Analecta de l'archidiocèse d'Utrecht, t.35 (1962) 165.

Ainsi dans la lettre pastorale en question, les évêques hollandais n'hésitent pas à adresser un avertissement aux fidèles parmi lesquels «on crée parfois l'impression qu'un concile œcuménique serait une espèce de congrès mondial à base démocratique»; le sens collectif de la foi se trouve sous le jugement du magistère ecclésial qui est «juge final de la foi» et plus loin: «le concile est un acte de la hiérarchie ecclésiastique et un acte de cette hiérarchie seule . . . un acte de l'autorité»[97]. La nomination du Cardinal Alfrink en tant que membre du Conseil de la Présidence du Concile, rendue publique le 5 septembre 1962, vint sceller définitivement la «réconciliation» entre Jean XXIII et l'Archevêque d'Utrecht, dont les relations personnelles furent à nouveau empreintes de la plus grande cordialité[98].

Conclusion

En bonne logique il faudrait maintenant essayer dans la mesure du possible d'identifier les traces de l'influence des interventions du Cardinal Alfrink tant pendant la période préparatoire qu'au cours du Concile lui-même[99]. Mais il est évident qu'il s'agirait d'une autre étude sortant des limites du sujet présent. Parmi les références sur lesquelles le chapitre III de *Lumen Gentium* prend appui il y en a quatre qui concernent notre propos: le rapport de Zinelli y est cité trois fois – une de ces citations correspond à celle employée par le Cardinal Alfrink dans son intervention du 8 mai 1962 – le rapport de Kleutgen y est cité deux fois – une de ces citations correspond aussi au texte du Cardinal Alfrink – mais il va de soi qu'il faudrait une analyse complète des travaux en commission pour remonter la filière de ces textes et retrouver leur origine; encore que pareil travail n'offrirait aucune garantie de réussite.

---

[97] Le sens du Concile: lettre pastorale de l'épiscopat hollandais (Bruges–Paris 1961) voir p. 10, 33 et 37. *Jan van Laarhoven* croit savoir que la conférence de préparation au Concile que le Cardinal Alfrink prononça dans tous les diocèses, parue en français dans les *I.C.I.* dd. 15.7.1962, fut adressée au Saint Père et contribua à apaiser les esprits; voir In medio ecclesiae . . . 27–28.

[98] Cependant les retombées de la Lettre pastorale hollandaise ne furent pas terminées pour autant. Le sort particulier qui fut réservé au père Schillebeeckx pendant le Concile – à savoir le refus du statut d'expert conciliaire – et après le Concile a été attribué pour une part importante aux remous provoqués par la Lettre de 1960.

[99] Au cours du déroulement de Vatican II, le Cardinal Alfrink fit en tout 18 discours *in aula*; six de ces interventions concernaient l'ecclésiologie; les discussions concernant le *De Ecclesia* se déroulèrent par intermittence du début de décembre 1962 jusqu'au 21 novembre 1964, date de la promulgation de *Lumen Gentium*.

Après avoir évalué en survol quelques «pierres d'attente» entre 1948 et 1958, nous nous sommes efforcé d'apporter des précisions sur le rôle particulier du Cardinal Alfrink et sur sa contribution au renouvellement de la théologie de l'épiscopat pendant la période préparatoire du Concile de 1959 à 1962 et donc implicitement sur sa contribution au Concile lui-même.

En guise de conclusion, il nous reste à esquisser quelques traits caractéristiques de l'Eglise catholique aux Pays-Bas à cette époque, traits qui ne sont pas sans rapport avec le rôle de l'Archevêque d'Utrecht. On a déjà dit ailleurs[100] que l'actuelle «débauche de théologie» aux Pays-Bas trouvait son explication dans une réaction contre l'immobilisme d'hier et contre les abus de l'autorité de la hiérarchie naguère. On a dit aussi que pour conquérir une place légitime dans l'Etat et à l'égard de la culture, tous les efforts des catholiques aux Pays-Bas depuis le 19ième siècle avaient été accaparés par l'organisation de leur présence et de leur action. Sans pour autant nier la persistance des explications, que nous venons de citer, l'observateur qui s'efforce de prendre en considération les points saillants de la quinzaine d'années qui va de 1948 à 1962, est cependant frappé par d'autres caractéristiques du catholicisme néerlandais.

Le dynamisme développé pendant cette période contraste avec l'immobilisme qui précède. Une métamorphose comme par exemple le changement de cap de la Sint Willibrord Vereniging est le signe révélateur d'une réorientation en profondeur. Mais cette transformation d'ordre institutionnel qui donnait au mouvement œcuménique des assises officielles et un enracinement pastoral, n'a été possible que grâce à l'appui que les évêques avaient donné à l'initiative de quelques novateurs. Grâce à cette *grande souplesse des structures institutionnelles,* certains *mouvements de pionniers* ont pu ainsi être dirigés vers toute la *communauté des fidèles,* et cette communauté a pu être appelée à s'ouvrir à la *dynamique du renouveau. Nous voyons là un phénomène typique de l'Eglise catholique aux Pays-Bas depuis les années de l'après-guerre.* Cette même souplesse de la hiérarchie et des structures s'est vérifiée dans d'autres domaines comme celui des moyens de communications, celui des coopérateurs laïques dans les paroisses, celui des conseils pastoraux et finalement dans l'institution du Concile pastoral néerlandais.

Les mérites du Cardinal Alfrink à cet égard méritent d'être soulignés. Alors qu'il avait la réputation d'être lui-même plutôt enclin à des idées conservatrices et à des méthodes autoritaires, il se révéla rapidement très sensible aux nouveaux besoins pastoraux des fidèles et ouvert aux changements de la

---

[100] P. *Brachin* et L. J. *Rogier,* Histoire du catholicisme hollandais depuis le XVIe s. (Paris 1974) 242–245.

société où vivaient les catholiques. *Cette disponibilité lui permit de saisir tout de suite la portée de l'«aggiornamento» de Jean XXIII dans toute son ampleur et dans ses conséquences.* Aussi Mgr J. Groot, un des co-auteurs de la Lettre pastorale de Noël 1960, attribuait le succès considérable de ce document dans les pays étrangers au fait qu'un document ecclésiastique à caractère officiel s'était engagé hardiment dans une réflexion ouverte sur la signification profonde du Concile. *Abandonnant toute «théologie des manuels» cette réflexion avait osé marquer le lien vivant qui relie le magistère de l'Eglise à la communauté croyante du Peuple de Dieu*[101]. Une vue prophétique que Vatican II ne contredirait pas.

Il nous paraît que ces considérations touchent au nœud du problème. La grande originalité de la contribution préconciliaire de l'Archevêque d'Utrecht se situe exactement à ce niveau. Son mérite particulier est d'avoir saisi dès l'annonce de Vatican II le sens de l'événement conciliaire et d'y avoir attaché l'*Eglise en tant que communion de foi* et l'*épiscopat en tant que collège*. En cela le Cardinal Alfrink a certainement pris une part originale à la préparation d'une ecclésiologie rénovée et à l'annonce d'une nouvelle *Kirchenbild*.

---

[101] Katholiek Archief XVII, n°26 (29.6.1962) 627.

ANNEXE A

EXC.MI P. D. BERNARDI J. ALFRINK

Archiepiscopi Ultraiectensis (Utrecht)

N. 2212/59   Utrecht, le 22 décembre 1959

Eminence,

J'ai l'honneur d'envoyer ci-inclus à Votre Eminence quelques pensées et suggestions pour le Concile Oecuménique, lesquelles Votre Eminence a demandé dans Votre lettre du 18 juin 1959 (N. 1 C/59 – 1420).

Je regrette beaucoup de ne pas avoir trouvé l'occasion de répondre plus tôt parce qu'il me semblait utile de demander les conseils de quelques théologiens et canonistes qui étaient empêchés par leur travaux de me donner leur pensées entre le temps indiqué.

En baisant la Sacre Pourpre de Votre Eminence je me professe avec des sentiment respectueux

de Votre Eminence
le humble serviteur en Jés-Chr.
BERNARD J. ALFRINK
Archevêque d'Utrecht

De Ecclesia

Cum in Concilio Vaticano superiore doctrinae de Ecclesia expositio imperfecta relicta sit, fusius de ea agatur ad normam litterarum encyclicarum *Mystici Corporis Christi.*

Ecclesiae proprietates, quae ab eodem illo Consilio sunt indicatae, arctius definiantur.

Apertis verbis doceatur, unitatem et catholicitatem esse alteram alterius quasi complementum, ita ut Ecclesiae unitas nequaquam sit uniformitas, sed unitas in varietate.

Quaeratur porro, an, affirmantes Ecclesiae Sanctitatem, humiliter tamen simul confiteri possimus eiusdem Ecclesiae membrorum culpam, imprimis quod attinet ad causas discidii illius, quo Christianos hodie inter se separatos videmus. Tali confessione palam fieri poterit, Ecclesiae sanctitati singula quoque eius membra ut sancta sint admoneri; eoque modo Ecclesiae mysterium magis illucescet ecclesiis non-catholicis necnon omnibus iis hominibus, qui Christum nondum agnoverunt.

Ratio etiam, quae inter Ecclesiam universalem Ecclesiasque particulares intercedit, clarius explicetur, serioque investigetur, an Ecclesiae particulares – eae, quarum Episcopi communionem habent cum Summo Pontifice Romano – revera sint maius quiddam quam totidem Ecclesiae universalis particulae; an per eas Ecclesia Christi realiter manifestetur in singulis regnis vel regionibus vel hominum eiusdem condicionis aggregationibus. Cum qua quaestione alteram hanc intime coniunctam esse apparet: Quaenam «autonomia» Ecclesiis particularibus tribuenda esse videatur.

Cum Ecclesia Catholica sit tamquam instrumentum, quo Regnum Dei in terra propagetur, iurisdictio Ecclesiastica (potestates docendi atque regendi) *sacram* prae se ferre debet naturam, ita ut natura illa ab Ecclesiae fidelibus revera semper agnosci possit.

De Episcopis

Concilium clarius definiat Episcoporum munus necnon rationem quae intercedit illud inter et Episcopi Romani primatum, idque tam quod ad Ecclesiae universalis quam quod ad dioecesium singularum spectat regimen.

Claris verbis a Concilio proclametur, universalis Ecclesiae regimen iure exerceri ab Episcoporum collegio, praeeunte Summo Pontifice. Ex quo sequitur, ut ab una parte universalis Ecclesiae salutis periculum in singulorum etiam Episcoporum capita decidat, utque ab altera parte in Ecclesia universali regenda Episcopi omnes suo iure partes suas exercere possint. Hoc autem fieri potest non solum Concilio Oecumenico convocando, verum etiam aliis institutis creandis. Consilia forsan nonnulla perpetua Episcoporum rei peritorum ex tota Ecclesia eligendorum una cum Summo Pontifice et Curiae Cardinalibus munere legislativo pro tota Ecclesia fungi possint. Congregationes autem Romanae potestatem tunc consiliariam tantum atque exsecutivam retinerent.

Singularum dioecesium regimen iure divino singulis Episcopis in communione cum Summo Pontifice obvenire declaretur. Congruum esse videtur, ut singuli Episcopi leges universalis Ecclesiae in sua dioecesi exsequantur pro regionum, temporum morumque diversitate, utque illarum legum dispensationes concedere valeant, cum non ad Ecclesiae partem regendam Episcopi sint delegati, verum pro suo quisque territorio potestatis legislativae regiminisque Ecclesiae universalis sint participes. Quod hodie in Ecclesia Catholica magnopere in unum quasi centrum omnia sunt coacta, nonnihil nocere videtur «immediatae et ordinariae episcopali potestati iurisdictionis» a Concilio Vaticano superiore Episcopis attributae; idemque Concilium primatu Summi Pontificis Episcoporum potestatem confirmari, roborari atque vindicari declarat. Potestatis igitur aliquanta dispertitione et Episcoporum munus proprium et Romani Pontificis Primatum magis elucere potest. Qua quidem dispertitione effecta utile esse poterit Episcopos accuratas saepius ad S. Sedem mittere relationes. (Eadem potestatis dispertitione reservationes quoque, quae hodie in certis muneribus deferendis adhuc vigent, tollendae esse videntur).

Optandum denique est, ut relatio, quae intercedit inter S. Sedis Nuntios atque Hierarchiam localem, clarius circumscribatur.

Ut cura animarum melius exerceatur utque Episcoporum regimen suos producere possit effectus, clarius constantiusque regula illa est retinenda, qua religiosorum exemptio cessat in omnibus iis actionibus, quae animarum salutis causa suscipiuntur.

ANNEXE B

Votum Em. Card. Alfrink
De Schemate Constitutionis De Ecclesia
Cap. IV. De Episcopis Residentialibus.

(dd. 8 mai 1962)

Non placet

Ratio est quod hoc schema – opinionem alicuius scholae theologicae determinatae sequens, quae non videtur esse opinio communis theologorum neque Episcoporum – de potestate Collegii Episcoporum magis negative quam positive tractat et quod Concilium non debet opinionem alicuius scholae proclamare.

Omnibus notum est quod iam in Concilio Vaticano I de hac quaestione disputaverunt Patres et quod – si Concilium non intempestive interruptum fuisset – constitutio de Ecclesia etiam locuta fuisset de Collegio Episcoporum.

Documenta autem Concilii Vaticani I diversa habent quae initium esse possent ulterioris declarationis positivae Vaticani II.

Duas citationes affere liceat:

Prima citatio est ex schemate constitutionis quod pro Concilio Vaticano I praeparaverat pat. Kleutgen s.j. ubi legitur: «Dubitari non potest quin episcopi in *docenda* et *gubernanda universa* Ecclesia partem aliquam habeant.» Et alia citatio est ex oratione quam habuit Episcopus Zinelli, membrum Deputationis de Fide, quam orationem fecit nomine ipsius Deputationis – citatio partim heri iam facta est a Em. Doepfner – Dicit Episcopus Zinelli i.e. Deputatio de Fide ipsa quae sequuntur: «Concedimus lubenter . . . in episcopis coniunctim cum suo capite *supremam* inesse *et plenam* ecclesiasticam *potestatem* in fideles *omnes.*

Et prosequitur Episcopus Zinelli: «Igitur episcopi congregati cum capite in Concilio ecumenico quo in casu totam ecclesiam repraesentant *aut dispersi* sed cum capite quo in casu sunt ipsa ecclesia, *vere plenam potestatem habent.*»

Iterum loquitur *de plena potestate, utique cum capite,* et numquam sine capite. Sed omnibus clarum est hoc esse aliquid aliud quam quod dicit nostrum schema in pag. 11 scil. quod «episcopi simul cum Papa totam ecclesiam *repraesentant*», et quod «potestatem in universam Ecclesiam non habent nisi ex *collatione* Romani Pontificis» aut in pag. 13 ubi schema nostrum dicit: «Potestas huius Corporis scil. Episcoporum nonnisi modo *extraordinario* ex jussu solius Capitis et ad nutum exclusivum eiusdem excercetur.»

Difficultas est in eo quomodo haec plena et suprema potestas Collegii Episcoporum, quae existit ex jure divino, componi potest cum plena et suprema potestate Capitis, i.e. Supremi Pontificis, de qua nemo dubitat.

De hac difficultate idem Episcopus Zinelli verba exposuit, quae meminisse iuvabit. Dicit etenim sequentia: «Quae duo amice consistere possunt, quin dualismus qui confusionem parit, introducatur in Ecclesiam. Hoc postremum incommodum obtineret, si duae ab invicem distinctae et separatae vere plenae et supremae potestates admitterentur; at separare caput a membris est proprium illorum qui subiciunt papam episcopis collective sumptis aut repraesentatis a concilio generali . . . Si summus Pontifex una cum episcopis, vel dispersis vel congregatis, vere plenam et supremam potestatem in solidum exercet, nulla possibilis collisio.»

Huc usque citatio Episcopi Zinelli, vel Deputatio de Fide Concilii Vaticani I. Haec est doctrina catholica. Non debemus separare Papam a Collegio Episcoporum et non debemus separare Collegium Episcoporum a Papa.

Èt Summus Pontifex, èt collegium Episcoporum, utique coniunctum cum Papa, habet plenam et supremam potestatem in Ecclesia docenda et gubernanda. Quod potest Summus Pontifex solus sine Collegio Episcoporum, hoc potest Collegium Episcoporum simul cum Summo Pontifice.

Sed vice versa quod potest Summus Pontifex sine Collegio Episcoporum, hoc idem potest facere simul cum Collegio Episcoporum.

Et omnia haec ex institutione divina

Sed nunc oritur quaestio quam nisi cum maxima reverentia quae nos decet erga Sanctam Sedem et cum maxima haesitatione profero, – sed proferenda videtur. Si ex divina institutione res sic se habent, quaeri potest annon esset consentaneum Collegium Episcoporum saepius quovis modo adhibere et convocare ad suam plenam et supremam potestatem «in docenda et gubernanda universa Ecclesia» simul cum Capite exercendam, ad res universales Ecclesiae diiudicandas.

Ad hanc quaestionem quam humillime et cum omni reverentia profero, Concilium non potest dare responsum. Solus Pontifex Supremus hoc responsum dare potest. Concilium i.e. Episcopi cum Supremo Pontifice solummodo potest statuere plenam et supremam potestatem, quam Collegium Episcoporum ex divina institutione habet «in docenda et gubernanda Ecclesia» et quam utique habet solummodo simul cum Supremo Pontifice.

Et quia schema nobis propositum hoc nullomodo facit, ideo meum votum est: Omnino non placet.

MAX SECKLER

DAS EINE GANZE UND DIE THEOLOGIE

Fundamentaltheologische Überlegungen zum wissenschaftstheoretischen
Status der Grundkurs-Idee Karl Rahners

> „Ich möchte gewissermaßen der reflektie-
> rende und seinen Dilettantismus selber
> noch einmal einkalkulierende Dilettant
> sein, aber in bezug auf die letzten Grund-
> fragen der gesamten Theologie."
>
> Karl Rahner[1]

Karl Rahners „Grundkurs des Glaubens" darf aus verschiedenen Gründen
als eines der großen Bücher der Gegenwart gelten. Es ist aber verwunderlich,
daß es trotz weltweiter Verbreitung und allgemeiner Hochschätzung noch
nicht jene spezifische Diskussion ausgelöst hat, die es aufgrund der besonderen Eigenarten und Ansprüche, mit denen es auftritt, verdienen würde[2].
Zwar pflegt man diesen oder jenen inhaltlichen Punkt dieses Werkes in die
allgemeine fachliche Erörterung der theologischen Positionen Rahners mit
einzubeziehen, aber damit ist ja der Grundkurs im ganzen, sein Aufbau, seine Struktur, seine tragende Idee und vor allem seine wissenschaftstheoretische Eigenart nocht nicht zum Verhandlungsgegenstand geworden. Und
wenn auf der anderen Seite die Bedeutung von so etwas wie einem *theologischen Grundkurs* für das Theologiestudium heute allgemein erkannt ist, so ist
natürlich auch der Grundkurs Rahners von dieser Woge der Bejahung mitgetragen. Damit ist aber noch nicht ausgemacht, ob und inwieweit die Anerkennung sich auch auf das spezifisch Rahnersche Grundkurskonzept erstreckt. Da Rahner selbst trotz mancher salvatorischer Klausel der Bescheidenheit den außergewöhnlichen Charakter und Anspruch dieses Werkes,
das die theologischen Konventionen in mehr als einer Hinsicht sprengt und
sprengen will, nach Kräften hervorhebt, kann es nicht Unkenntnis oder

---

[1] Gnade als Mitte menschlicher Existenz. Ein Gespräch mit und über Karl Rahner aus Anlaß
seines 70. Geburtstages, in: HerKorr 28 (1974) 77—92, bes. 82.
[2] In den 17 mir bekannt gewordenen Rezensionen sowie in der neueren Sekundärliteratur
wird zumeist nur mehr oder weniger zustimmend referiert. Einzelnen kritischen Fragezeichen
bin ich nur bei Walter Kern, Joseph Ratzinger, Leo Scheffczyk und Franz Schupp begegnet.
Josef Rief hat sich bereits früher zu den zwei Reflexionsstufen Rahners sehr kritisch geäußert
(ThQ 148 [1968] 244—248). Soweit ich sehe, stammt die bisher einzige ausführlichere Kritik
aus meiner Feder (s. Anm. 3).

Ahnungslosigkeit sein, was dazu schweigen läßt. Ist es der Respekt vor dem Opus magnum, der bisher die Diskussion niedergehalten hat? Auch das ist nicht anzunehmen, wenn man an die sonstige Rahner-Kritik denkt. So scheint es eher Ratlosigkeit zu sein — eine Ratlosigkeit vor allem gegenüber dem, was Rahner die „erste Reflexionsstufe" nennt, die ja in dem pastoralen und wissenschaftsaporetischen Zusammenhang, in dem er sie entwickelt, ebenso bestechend aussieht, wie sie bei genauerem Zusehen befremdlich wirken muß, voller Antinomien, Ungereimtheiten und Rätsel.

Nachdem ich in einem früheren Beitrag in dieser Hinsicht einige Fragen und Bedenken angemeldet habe, die hier nicht zu wiederholen sind[3], soll hier, wie es einer Festschrift ansteht, ein positiver Versuch zur Deutung des Rahnerschen Grundkurses vorgetragen werden[4]. Zwar ist die Festschrift nicht der Vater des Gedankens oder der Grund der Positivität, wohl aber ein willkommener Anlaß, dem großen Lehrer der Theologie auf angemessene Weise Ehrerbietung und Dank zu zollen.

Die hier vorzutragende Überlegung betrifft nun also die „erste Reflexionsstufe", die Rahner theoretisch gefordert und in Form eines „neuen literarischen Genus" — so seine eigene Bezeichnung — vor allem in seinem „Grundkurs des Glaubens" zu praktizieren gesucht hat. Er selbst betonte dabei ständig ebensosehr das pastorale und praktische Anliegen der Glaubensbegründung wie auch den Anspruch einer damit verbundenen tiefgehenden *wissenschaftstheoretischen Innovation*. Aber während dort, wo es nicht um inhaltliche fachtheologische Positionen Rahners, sondern um das literarische Genus seines Werkes und damit um die Typologie seines Denkens geht, im allgemeinen die „interpretatio pastoralis" die Szene beherrscht[5], soll hier der wissenschaftstheoretische Anspruch, den Rahner dezidiert vertritt, beleuchtet

---

[3] *M. Seckler*, Eine Einführung in den Begriff des Christentums. Zu Karl Rahners neuestem Werk, in: HerKorr 30 (1976) 516—521.
[4] Dieser Versuch einer positiven Deutung geht in eine Richtung, die ich damals nicht gesehen habe. Sie ist zwar *der Sache nach* der heutigen wissenschaftstheoretischen Diskussion nicht fremd und spielt vor allem in der *grundsätzlichen* Wissenschaftskritik, wo die Wissenschaften als Sekundärphänomen, als Funktion vorwissenschaftlicher, als wissenschaftlich nicht noch einmal begründbarer Optionen reflektiert werden, eine Rolle. Aber diese Reflexion pflegt heute in einer ganz anderen Kategorialität zu erfolgen als bei dem Interpretationsversuch, den ich hier vortrage. Mit diesem Interpretationsversuch möchte ich natürlich dem Werk Rahners gerecht werden, das indessen auf der kategorialen Ebene mit seinem änigmatischen Wissenschaftlichkeitsanspruch die hier verfolgte Interpretationsrichtung sozusagen nach Kräften verstellt. Den Anstoß für diese Interpretationsrichtung habe ich in einem Thomasseminar gewonnen. Die in meiner Kritik von 1976 vorgetragenen Einwände bewegten sich noch auf der von Rahner gewählten Ebene der Selbstinterpretation. Wenn mein hier entwickelter Interpretationsvorschlag sachgerecht ist, erledigt sich ein Teil meiner damaligen Einwände.
[5] Symptomatisch dafür (und für die Folgezeit wohl auch interpretationsleitend) ist *H. Vorgrimler*, Karl Rahner. Leben, Denken, Werke (München 1963) (vgl. z.B. S. 59ff.).

werden. Dabei wird die „wissenschaftliche Unwissenschaftlichkeit", die manchmal in änigmatischen Konfigurationen durch sein Werk geistert, eine Deutung erfahren, über die er sich vielleicht selbst wundern mag, der er aber hoffentlich zustimmen kann.

Bei der hier gebotenen Kürze kann nur auf die wichtigsten Aspekte eingegangen werden. Ihre Darlegung erfolgt in sieben Punkten.

1. Der Grundkurs — ein Auftrag des Konzils

In den „wissenschaftstheoretischen Vorbemerkungen" zu seinem „Grundkurs des Glaubens" bezieht sich Rahner ausdrücklich auf den Auftrag des II. Vatikanischen Konzils, das 1965 in dem „Dekret über die Ausbildung der Priester" (OT 14) die Einführung eines *cursus introductorius* gefordert hat[6]. Dieser *Einführungskurs* soll in hinreichender Ausführlichkeit den Theologiestudierenden das Heilsmysterium so darlegen, daß ihnen dabei das Ganze der Theologie erschlossen wird. Rahner will nun mit seinem „Grundkurs des Glaubens" ausdrücklich dem Auftrag des Konzils nachkommen[7]. Zwar läßt er gelegentlich im Gespräch durchblicken, der Titel „Grundkurs" sei ihm *für dieses Buch* vom Verlag aufgenötigt worden (er selber hätte „Einführung in den Begriff des Christentums" vorgezogen)[8], aber es kann trotzdem als ausgemacht gelten, daß er dieses Buch *als Grundkurs* versteht und daß er mit ihm den *Konzilsauftrag* zu realisieren beabsichtigt.

2. Verschiedene Grundkursmodelle

Die in OT 14 zutage tretende Grundkursidee hat ihre außer- und innerkonziliare Vorgeschichte. In den Veröffentlichungen Rahners findet sich eine erste, noch relativ undeutliche Ankündigung in einem Aufsatz aus dem Jahr 1954[9]. Von da an thematisiert Rahner immer wieder die Zersplitterung und Verwissenschaftlichung des Theologiestudiums und sinnt auf Abhilfe. Während des II. Vatikanischen Konzils legte er eine ausführliche Skizzierung seiner Grundkursvorstellungen vor, wonach der Grundkurs als „die theologi-

---

[6] Vgl. *K. Rahner*, Grundkurs des Glaubens. Einführung in den Begriff des Christentums (Freiburg i.Br. 1976 u. ö.) 15.
[7] Vgl. dazu bereits *K. Rahner*, Schriften VI 160 sowie auch 139 Anm. 1 (1964/65).
[8] *K. Rahner*, Schriften XIV 48—62, bes. 49 (1979); *ders.*, Grundkurs des Glaubens (Anm. 6) 7f.
[9] *K. Rahner*, Gedanken zur Ausbildung der Theologen, in: Orientierung 18 (1954) 149—152 165—168. Vgl. dazu Schriften VI 139 Anm. 1.

sche Grunddisziplin im Ganzen der Theologie" zu konzipieren sei[10]. Nach dem Erscheinen der Neuordnung der theologischen Studien für Priesteramtskandidaten durch die Deutsche Bischofskonferenz 1968 unterzog Rahner das auch als „Jaeger-Plan" bezeichnete Papier einer vernichtenden Kritik, da es die Mißstände eher befestige als beseitige, und konkretisierte nochmals seine Grundkursidee[11], die in der Folgezeit heftig diskutiert[12] und auch in einen Gegensatz zum Konzilsdekret gebracht wurde[13]. 1976 erschien schließlich sein „Grundkurs des Glaubens", den er rückblickend 1979 selbst noch einmal kommentierte[14]. Die „Rahmenordnung für die Priesterbildung" der Deutschen Bischofskonferenz vom Februar 1978[15] nähert sich den Grundkursvorstellungen Rahners ein Stück weit an, ohne jedoch sein Grundkurskonzept vollständig zu übernehmen.

Das deutsche Wort „Grundkurs" ist zwar nicht konziliaren Ursprungs, aber es ist als Sachübersetzung für das, was in OT 14 „cursus introductorius" heißt, allgemein rezipiert[16]. Zum Unterschied von Rahner, der den „Grundkurs" keineswegs als eine am Anfang des Theologiestudiums stehende „Einführungsveranstaltung" begreift, hat sich in dem Terminus „cursus introductorius" des Konzils jedoch stärker die zeitliche Ausrichtung auf den *Beginn* des Studiums erhalten[17], die in den vorbereitenden Schemata eindeutig im Vordergrund stand. So hatte D. E. Hurley, Erzbischof von Durban (Südafrika), dem für OT 14 und für die Übernahme der Grundkursidee durch das Konzil entscheidende Bedeutung zukommt — er machte der Vorbereitungskommission bereits 1960 die entsprechenden Vorschläge[18] —, das Grundkursanliegen in Form eines ganz zu Beginn der Studienzeit liegenden „Einführungs*jahres*" realisiert sehen wollen. Das Konzil übernahm diese enge zeitliche Festlegung jedoch nicht, sondern legte den Akzent gleichzeitig auf das Anliegen der sachorientierten Initiation, so daß Rahner in diesem Punkt

---

[10] *K. Rahner*, Über die theoretische Ausbildung künftiger Priester heute, in: Schriften VI 139—167, hier 158.

[11] Neuordnung der theologischen Studien für Priesteramtskandidaten, hrsg. von L. Jaeger (Paderborn 1968); dazu: *K. Rahner*, Zur Neuordnung der theologischen Studien, in: StZ 181 (1968) 1—21 (überarbeitete Fassung in: *K. Rahner*, Zur Reform des Theologiestudiums [QD 41] [Freiburg i. Br. 1969] Teil I).

[12] Vgl. dazu: Zur Reform des Theologiestudiums 13 Anm. 1.

[13] Vgl. Nachkonziliare Dokumentation, Bd. 25: Priesterausbildung und Theologiestudium (Trier 1974) 547 mit Anm. 1.

[14] *K. Rahner*, Grundkurs des Glaubens (Vortrag vom 28. 2. 1979), in: Schriften XIV 48—62.

[15] Herausgegeben vom Sekretariat der Deutschen Bischofskonferenz (Bonn 1978) bes. 51f.

[16] Die im Auftrag der deutschen Bischöfe vorgenommene Übersetzung lautet: „Einführungskurs" (vgl. LThK — Das Zweite Vatikanische Konzil II 339).

[17] Das ergibt sich aus dem Kontext in OT 14: „ab institutionis limine", „studia ecclesiastica inchoentur cursu introductorio".

[18] Vgl. *J. Neuner* in: LThK — Das Zweite Vatikanische Konzil II 338 Anm. 31.

sich zu Recht auf das Konzil stützen kann, ohne indessen beanspruchen zu können, allein das von ihm entwickelte Grundkurskonzept werde der Intention des Konzils gerecht.

Es ist tatsächlich so, daß auch über die Zeitfrage hinaus zur Wahrnehmung des Konzilsauftrags ganz verschiedenartige Grundkursvorstellungen entwikkelt wurden. Diejenige Rahners ist nur eine unter ihnen. Man kommt der Eigengestalt des Rahnerschen Grundkurskonzeptes näher, wenn man eine von Alex Stock aufgestellte Grundkurstypologie zum Vergleich heranzieht[19]. Stock unterscheidet ein *systematisch-theologisch strukturiertes Grundkursmodell*, das vorgängig zur fachwissenschaftlichen Ausdifferenzierung der theologischen Disziplinen eine komprimierte Summe des christlichen Glaubens zu vermitteln sucht, von einem an den drei Hauptzügen der theologischen Disziplinen orientierten *historischen, systematischen und praktischen Grundstudium* methodologisch-inhaltlicher Art und stellt beiden ein von ihm favorisiertes *problemorientiertes Modell* entgegen. Es ist klar, daß der Grundkurs Rahners der ersten Modellgruppe zuzuordnen ist: er will weder in die Problematik noch in die Methodik der theologischen *Erkenntnisbildung* einführen, sondern er will ein theologisch *Erkanntes*, nämlich den Rahnerschen *Begriff des Christentums*, vermitteln.

3. Das zentrale Anliegen:
„Das Ganze von seiner wurzelhaften Einheit her erstmals ergreifen"

Rahner will nun also den *cursus introductorius* des II. Vatikanischen Konzils in Form eines *systematisch-theologischen Grundkurses* realisieren, und zwar näherhin als *„Einführung in den Begriff des Christentums"*, wie ja auch der Untertitel des Werkes lautet. Das Wort „Einführung" darf nicht dazu verleiten, den Rahnerschen Grundkurs im pädagogisch-didaktischen Vorfeld der Theologie oder der religiös-existentiellen Glaubensvorbereitung anzusiedeln. Rahner will in die *Mitte* der Theologie und des Glaubens hineinführen, und er will das eine *Ganze* des Christentums auf seinen *Begriff* bringen[20]. Die kognitive Absicht und die begriffliche Anstrengung sind dabei gleichermaßen betont wie die Ausrichtung auf das Ganze. Was eigentlich die Aufgabe der *Theologie überhaupt* wäre[21], nämlich die *Verantwortung für das Ganze* —

---

[19] *A. Stock*, Aspekte einer Curriculumrevision des Theologiestudiums, in: Studium Katholische Theologie, hrsg. von E. Feifel, I (Zürich 1973) 73—88.
[20] *K. Rahner*, Grundkurs des Glaubens (Anm. 6) 13f.
[21] Vgl. dazu bes. Schriften X 97 105.

das Ganze der Existenz und das Ganze des Christentums —, das wird nun, nach dem von Rahner beklagten „interdisziplinären Zerfall der Theologie"[22] und ihrer Aufsplitterung in regionale Einzelwissenschaften, zur Aufgabe des *Grundkurses*. Die großartige Einheitskonzeption, die noch in der theologischen Enzyklopädie des 19. Jahrhunderts erkennbar sei, wurde von der Theologie „verraten"[23]. Wie die Offenbarung, so sei nämlich auch die Theologie *an sich* keine *regionale Erkenntnis* des Menschen, „wenigstens dort nicht, wo sie ihr eigenes Wesen nicht verrät"[24]. Auch der Glaube sei in seinem ursprünglichen Wesen kein regionaler Aussagenkomplex innerhalb des Bereichs regionaler Aussagenkomplexe, sondern der „Vollzug des Einen und Ganzen von Rationalität und Freiheit überhaupt"[25]. Deshalb obliegt ja auch der Theologie, soweit sie sich „für das allen Gemeinsame" verantwortlich wissen muß, „das Bedenken der menschlichen Existenz als ganzer und solcher über alle regionale Wissenschaftlichkeit hinaus und deren Verwiesenheit auf das absolute Geheimnis"[26].

Rahner macht demgemäß wenigstens für sein gesamtes eigenes theologisches Werk geltend, daß er in ihm „das Ganze des Christseins und somit der Theologie" bedenken oder auf dieses Ganze „hin zu denken versuchen" wollte[27]. Hierher gehört auch der zweite Teil der Selbstcharakterisierung, die diesem Beitrag als Motto vorangestellt wurde: Es geht Rahner vorwiegend um „die letzten Grundfragen der Theologie"[28]. Diese generelle Ausrichtung seiner Theologie auf das *„Ganze"*, das in einer Anstrengung des Begriffs kognitiv einzuholen ist, die sich „getrost neben die Wissenschaftlichkeit der vielen Einzelwissenschaften stellen darf"[29], verdichtet sich dann im Grundkurskonzept Rahners[30] und wird formell zur wissenschaftstheoretisch noch einmal eigens bedachten und begründeten Aufgabe: Der „Grundkurs des Glaubens" will „das Ganze von seiner wurzelhaften Einheit her erstmals" er-

---

[22] *K. Rahner*, Grundkurs des Glaubens (Anm. 6) 19. Vgl. dazu *ders.*, Zur Reform des Theologiestudiums (Anm. 11) 21 Anm. 8.
[23] *K. Rahner*, Grundkurs des Glaubens 16.
[24] *K. Rahner*, Schriften X 105.
[25] *K. Rahner*, Schriften XII 106.
[26] *K. Rahner*, Schriften X 97.
[27] „Ein Brief von P. Karl Rahner", in: *K. P. Fischer*, Der Mensch als Geheimnis. Die Anthropologie Karl Rahners (Freiburg i.Br. 1974) 400—410, hier 402 (= Fischer-Brief). Der Brief trägt das Datum vom 1. 9. 1973. Die Passage lautet: „... ich darf mich weigern, bloß ein kleines, von vornherein sehr begrenztes Thema in der Theologie oder in einer ihrer Einzeldisziplinen ‚wissenschaftlich' zu untersuchen, ich darf auf das Ganze des Christseins mindestens hin zu denken versuchen ... Auch in den erbaulichen Schriften suche ich zu denken."
[28] Vgl. oben Anm. 1.
[29] *K. Rahner*, Grundkurs des Glaubens (Anm. 6) 7.
[30] Vgl. dazu bes. ebd. 14.

greifen. Er wird dadurch „auch gleichzeitig und notwendig die zentrale Disziplin der Theologie"[31]. Für eine *sapientiale* Deutung des Rahnerschen
Grundkurses, wie ich sie im folgenden vorschlagen möchte, ist dieser Punkt
grundlegend.

4. Ein-führung in das Wesen des Christentums und seine Wahrheit

Ein weiteres Merkmal des Rahnerschen Grundkurses, das für sein Verständnis von zentraler Bedeutung ist, liegt in dem Zusammenhang von *Inhalts-
orientiertheit* und Methode. Rahner will darüber nachdenken, „was Christsein eigentlich meint"[32]. Der „Grundkurs des Glaubens" ist im strengen Sinne des Wortes gedacht als eine *Ein-führung in die Wahrheit des Glaubens*,
ein kognitiv-mystagogisches und zugleich begriffliches *Hineinführen* „in das
Wesen des Christentums und seine *Wahrheit*"[33].

Rahner fordert und praktiziert dafür die transzendentale Methode. Die Bedeutung dieser Methode für die Theologie Rahners und speziell für seinen
„Grundkurs des Glaubens" ist so bekannt, daß sie hier nicht im einzelnen
nachgewiesen zu werden braucht. Die „neue Fundamentaltheologie", deren
Gesetzen der Grundkurs Rahners ja zu folgen und die er hier zu realisieren
sucht, muß „in weitem Umfang ‚transzendental' sein"[34]. Eigentlich bedarf sogar die ganze Theologie der „transzendental-anthropologischen Wende"[35].
Rahner für seinen Teil hat sie vollzogen[36]. Im „Grundkurs des Glaubens"
bzw. auf der ihn konstituierenden „ersten Reflexionsstufe" wird diese Wende nun gerade in bezug auf das „fundamentale eine Ganze des christlichen
Glaubens"[37] durchgeführt, und zwar im Blick auf seine innere, begrifflich
einzuholende Wahrheit. Das ist das Eine. Wichtig dafür ist nun aber auch,
daß die „Summe des Glaubens", die dabei angezielt wird, bei dem angewen-
deten Verfahren nicht in Einzelsätze aufgelöst wird, von denen jeder einzelne je für sich in partikulären Operationen „intellektuell reflex" aufzuweisen
wäre, sondern daß sie in ihrem *einen und einzigen Grundinhalt* zu plausibi-
lisieren gesucht wird. Genau dadurch wird denn auch die Glaubensentscheidung jetzt von ihrem *Gegenstand und Inhalt* her intellektuell verantwortbar

---

[31] *K. Rahner*, Schriften VI 162.
[32] Fischer-Brief (Anm. 27) 401.
[33] *K. Rahner*, Schriften VI 151 (Hervorhebung von mir).   [34] Ebd. VI 157.
[35] *K. Rahner*, Schriften VIII 54.
[36] Vgl. *P. Eicher*, Die anthropologische Wende (Freiburg i. Ü. 1970).
[37] *K. Rahner*, Schriften VII 65.

und rational verantwortet[38]. Sosehr die Dimension der *Freiheit* in der Glaubensentscheidung und des *Geheimnisses* im Glaubensgegenstand von Rahner auch gesehen und thematisiert wird, so entschieden ist das Anliegen des Grundkurses und der transzendentalen Methode auf *Glaubensverständnis* ausgerichtet, und zwar auf ein in der *Anstrengung des Begriffs* zu gewinnendes Verstehen des Glaubens*inhaltes* von seiner wurzelhaften Einheit her. Für eine solche „intrinsezistische", auf die *Wahrheit* der Offenbarung bezogene Glaubensbegründung und die ihr zugeordnete transzendentaltheologisch-anthropologische Methodik hat Rahner sich verschiedentlich und immer wieder auch außerhalb der engeren Grundkursthematik ausgesprochen.

Der „Grundinhalt", um den es geht, mithin der „Inbegriff des christlichen Glaubens", ist für Rahner bekanntlich die Selbstmitteilung Gottes. Diese ist nicht satzhaft-sprachlicher Art, aber sie kann und muß in einer „sehr handfesten theologischen Arbeit, und zwar im strengsten Sinne des Wortes, ... *für das Verstehen*"[39] vermittelt werden. Die Vermittlung *für das Verstehen* ist der springende Punkt. Begrifflich einzuholen ist die *innere* Wahrheit[40], und genau das ist die Aufgabe, die Rahner sich mit dem Grundkurs als „Einführung in den Begriff des Christentums" stellt.

Nun gibt es für Rahner zwar auch ein vortheoretisches, vorbegriffliches Gerechtfertigtsein des Glaubens aus dem Glauben selbst, nämlich als Erfahrung der existentiellen Sinnerhellung aus dem Eingeborgensein in das Geheimnis Gottes. In diesem „vorwissenschaftlichen" Daseinsvollzug schafft die Selbstmitteilung Gottes kraft ihrer Transzendentalität den Glauben von innen heraus. Dieser Glaube rechtfertigt sich „faktisch" vortheoretisch in der Weise einer „mystischen Glaubenserfahrung"[41].

Wie verhält sich der „Grundkurs des Glaubens" zu dem theoretisch (noch) unausgewiesenen Freiheitsgeschehen des Glaubens? Will er es *als solches* rechtfertigen? In manchen Teilen sicher auch. Aber sein Hauptanliegen ist ein anderes. Er will weder nach Art der „herkömmlichen" extrinsezistischen Fundamentaltheologie den Glauben von außen her stützen, noch will er die Glaubensentscheidung *als* unausweisbare Tat der Freiheit begründen. Rahner hat zwar auch dafür einiges getan, vor allem in seinen Schriften zur Spiritualität der Freiheitsentscheidung. In seinem „Grundkurs" jedoch will er durch hochreflektierte transzendentaltheologisch-anthropologische Vermittlungsarbeit den *Inhalt* des christlichen Glaubens *begrifflich* einholen und

---

[38] Vgl. *K. Rahner*, Schriften XIV 51.

[39] *K. Rahner*, Zur Reform des Theologiestudiums (Anm. 11) 64f. Anm. 49 (Hervorhebung von mir).

[40] Vgl. dazu *K. Rahner*, Schriften XII 389, XIV 53f.

[41] Vgl. *K. Rahner*, Schriften VII 63ff.

so der Freiheit ihren Grund in theoretisch-inhaltlicher Vermittlung aufweisen. Der „Begriff des Christentums", den der „Grundkurs des Glaubens" sucht, ist ein Begriff der *artikulierbaren Inhalte*[42].

Die „erste Reflexionsstufe", in deren Denkform sich sein „Grundkurs" bewegt, ist für Rahner nun also eine „Weise der Rechtfertigung und des Verstehens des christlichen Glaubens"[43]. Sie will *Rechtfertigung* gerade *durch* (begriffliches) *Verstehen*. Nur von daher ist es auch zu erklären, daß Rahner den „Grundkurs" (bzw. die „neue Fundamentaltheologie") geradezu als ein „inneres Moment der Dogmatik selbst" begreift[44]. Als „Grundkurs" einer „neuen Fundamentaltheologie" ist er „in strenger Einheit auch ein Grundkurs über die fundamentalen Glaubensaussagen selbst, in Einheit also auch ein Grundkurs von Dogmatik . . . , in der [d. h. Einheit] sich die volle Form der Struktur von absoluter Offenbarung und die letzten Themen ihrer Aus-

---

[42] In seinen wertvollen Rahner-Interpretationen hat Klaus P. Fischer vor allem die mystagogische Struktur der Theologie Rahners und die spirituellen Dimensionen seiner Theologie der Entscheidung erschlossen (vgl. *K. P. Fischer*, Der Mensch als Geheimnis [Freiburg 1974]; *ders.*, „Wo der Mensch an das Geheimnis grenzt". Die mystagogische Struktur der Theologie K. Rahners, in: ZKTh 98 [1976] 159—170). Er ordnet aber den „Grundkurs des Glaubens" nicht allein, wie es richtig wäre, der mystischen Glaubenserfahrung zu, sondern versteht ihn sozusagen *nur* als *Artikulation dieser Erfahrung* oder vielleicht auch noch als *Reflexionsgestalt dieser Erfahrung*, nicht aber als „Begriff" der Inhalte, welche diese Erfahrung tragen. Deshalb auch die m. E. falsche Betonung der „objektiven ‚Unwissenschaftlichkeit' der Fundamental-Theologie, soweit sie Glaubensverantwortung sein will und muß" (vgl. *K. P. Fischer*, Der Mensch als Geheimnis 232). Dazu noch eine weitere Bemerkung. Rahner betont (Grundkurs des Glaubens [Anm. 6] 21), die „Unwissenschaftlichkeit" seines Grundkurses bzw. der ersten Reflexionsstufe liege „im Gegenstand, nicht im Subjekt und seiner Methode". Dazu bietet Fischer zunächst folgende Auslegung an: „Die ‹Unwissenschaftlichkeit› . . . liegt im Gegenstand', *also in Gott und dem existierenden Verhältnis zu ihm*, ‚nicht im Subjekt und seiner Methode' (QD 41, 73f.)" (*K. P. Fischer*, Der Mensch als Geheimnis 232f.; Hervorhebung von mir). Zwei Jahre später stellt Fischer richtig: „Was Rahner damit sagen will, ist dies: Es soll in dieser Disziplin nicht reflektiert werden über einen der Gegenstände der sogenannten ‚wissenschaftlichen Theologie', sondern — aber durchaus in methodischer Strenge — über das glaubende ‚Subjekt' selbst und dessen innere Strukturen, insoweit als sie den Vollzug des Glaubens im Sinne der ‚totalen Entscheidung' ermöglichen und tragen" (ZKTh 98 [1976] 161). Doch weder die eine noch die andere Deutung ist richtig. Rahner selbst fügte der fraglichen Formulierung nämlich in „Zur Reform des Theologiestudiums" eindeutig klärend hinzu, damit sei gemeint, daß die Unwissenschaftlichkeit „in der Sache selber" liege, nämlich in der Unmöglichkeit, den *Durchgang* durch *sämtliche* partikularen theologischen Einzelwissenschaften nach dem Art von Wissenschaftlichkeit überhaupt schaffen zu können oder zu wollen (S. 74). — Auch Franz Schupp scheint mit seiner Deutung dem „Grundkurs des Glaubens" nicht gerecht zu werden. Während Schupp, ähnlich wie Fischer, den Akzent *formell* auf die Glaubens*entscheidung* legt und so eigentlich auf der *Credentitätsebene* bleibt, löst Rahner das Credentitätsproblem in seinem „Grundkurs" durch *inhaltsbezogene Credibilität*, nämlich durch die transzendentale Vermittlung der *Inhalte*. Vgl. dazu *F. Schupp*, Auf dem Weg zu einer kritischen Theologie (QD 64) (Freiburg i. Br. 1974) 27ff.

[43] *K. Rahner*, Schriften XIV 51.

[44] *K. Rahner*, Schriften VI 154.

sage gegenseitig spiegeln, erhellen und glaubwürdig machen"[45]. In diesem „Grundkurs" muß „notwendigerweise, von seinem Wesen her, eine ganz eigentümliche Einheit von Fundamentaltheologie und Dogmatik" geleistet werden[46]; er ist „Fundamentaltheologie und Dogmatik in Einheit"[47]; er ist geradezu ein „Grundkurs fundamentaltheologischer Dogmatik"[48], der überdies auch noch „in ursprünglich echter Einheit" die „Philosophie" in sich aufnimmt[49].

Damit dürfte der Ort, das Ziel und die Inhaltsbezogenheit des Rahnerschen Grundkurses im wesentlichen geklärt sein. Aber mit dieser Klärung wird das Wesen dieses Grundkurses zugleich immer rätselhafter. Als *übergreifend-ursprüngliches Einheitsgebilde*, das Fundamentaltheologie und Dogmatik, ja Philosophie und Theologie zugleich umfassen will[50], ist er auf dem besten Weg, ein *wissenschaftstheoretisches Monstrum* zu werden, zumal wenn, wie es ja durchaus der Fall ist, obwohl auf eigenartige und widersprüchliche Weise, für ihn der Anspruch auf Wissenschaftlichkeit erhoben wird. Dies um so mehr, als diese Wissenschaftlichkeit als Unwissenschaftlichkeit den Einzelwissenschaften vorausliegen soll[51] und infolgedessen auch die Leistung des „Grundkurses" eben „nicht als Resultat und Synthese aus dem Durchgang durch alle theologischen Einzelwissenschaften sich ergibt"[52]. Auf diese wissenschaftstheoretische Problematik des „Grundkurses" ist zurückzukommen.

5. Der Grundkurs als neue Fundamentaltheologie

Rahner bezeichnet seinen „Grundkurs" verschiedentlich ausdrücklich als „neue" *Fundamentaltheologie*. Der naheliegenden Folgerung, daß damit das übergreifend-ursprüngliche Einheitsgebilde, das der „Grundkurs" ja zu sein

---

[45] Ebd. 155.
[46] *K. Rahner*, Zur Reform des Theologiestudiums (Anm. 11) 81.
[47] Ebd. 71; vgl. auch *K. Rahner* in: *W. J. Kelly* (Hrsg.), Theology and Discovery. Essays in honor of K. Rahner (Milwaukee 1980) 1: „I envisage a systematic theology that is an inner unity and what Trinitarian Theologians call … perichoresis of fundamental and dogmatic theology."
[48] *K. Rahner*, Schriften VI 159.
[49] *K. Rahner*, Zur Reform des Theologiestudiums (Anm. 11) 77.
[50] Auf das Problem, wie Rahner das Verhältnis von Fundamentaltheologie und Dogmatik einerseits und von Philosophie und Theologie anderseits sich *sachlich* näherhin denkt, kann hier nicht eingegangen werden. Terminologisch herrschen in dieser Hinsicht in seinem Werk chaotische Zustände. Etwas boshaft könnte man sagen, daß er mit „Denken" „Philosophie" assoziiert und mit „Glaubensinhalt" „Dogmatik".
[51] *K. Rahner*, Schriften XIV 51.
[52] Ebd.; vgl. auch *K. Rahner*, Grundkurs des Glaubens (Anm. 6) 14.

beansprucht, wieder als eine Einzeldisziplin in den theologischen Fächerpluralismus zurückgegliedert wird, sucht Rahner mit einer Unterscheidung entgegenzuwirken. Es ist die Unterscheidung zwischen „alter", „üblicher", „traditioneller" Fundamentaltheologie einerseits und der „neuen" Fundamentaltheologie, die der „Grundkurs" sein will, andererseits[53].

Die mit dem „Grundkurs" gegebene „neue" Fundamentaltheologie unterscheidet sich nicht nur graduell oder durch intraspezifische Verbesserungen von der „alten". Das ist schon daran erkennbar, daß sie die Zersplitterung der Theologie in die Vielzahl ihrer Einzelfächer, deren eines die „alte" Fundamentaltheologie ist, nicht mitmacht. Dem theologischen Fächerpluralismus und den diesem zugeordneten partikularen Aufgaben und regionalen Methodologien liegt sie voraus. Sie ist von grundsätzlich anderer Art, denn sie hat das *totum integrale* und *principium radicale* (Bonaventura) von Theologie und Glaube zum Gegenstand. Das ist zwar in gewisser Hinsicht auch bei der „alten" Fundamentaltheologie der Fall, der ja auch der theoretische Aufweis der Glaubwürdigkeit der christlichen Wahrheit im ganzen obliegt. Aber während die traditionelle Fundamentaltheologie dieser Aufgabe *extrinsezistisch* und mit *regional-wissenschaftlichen* Methoden nachkommt, geht es der Fundamentaltheologie vom Typ des „Grundkurses" gerade darum, die *innere* Wahrheit des Glaubens im ganzen dem begrifflichen Erkennen zu vermitteln, wozu es einer dafür geeigneten Methode, nämlich der transzendentaltheologisch-anthropologischen, bedarf. Die Andersheit und Überlegenheit der „neuen" Fundamentaltheologie liegt also darin, daß sie mit *adäquater Methodik* dem *elementaren Ganzen in seiner Inhaltlichkeit* zugewandt ist. Aus dieser zweifachen wissenschaftstheoretischen Besonderheit, deren Eigenart noch zu verdeutlichen ist, resultiert zugleich die spezifische Leistungsfähigkeit, durch die die „neue" Fundamentaltheologie der „alten" überlegen ist.

Rahner bezieht diese Überlegenheit auf die konkrete Situation des Theologiestudierenden heute, dessen Nöte mit dem Glauben und vor allem mit der fachwissenschaftlich zersplitterten Gelehrtentheologie er eindringlich schildert. Auf diese Situation ist ja die Grundkursidee überhaupt bezogen. Der Adressat des Rahnerschen „Grundkurses" ist dann in sachlicher Umschreibung der „einigermaßen gebildete und die ,Anstrengung des Begriffs' nicht scheuende" Initiant[54], der das fachwissenschaftliche Studium (noch) vor sich hat. Die bei diesem anzutreffende Verfassung wird von Rahner nun aber ver-

---

[53] Vgl. *K. Rahner*, Schriften VI 141ff. 152f. 155 157ff. 165, VII 58, IX 87, X 67f., XII 198ff.; Gnade als Mitte . . . (Anm. 1) 84.
[54] *K. Rahner*, Grundkurs des Glaubens (Anm. 6) 5.

allgemeinert und als die *generelle Situation* erkannt, in der sich jeder Christ bezüglich der Verantwortbarkeit seines Glaubens befindet. Der begriffliche Nenner dafür ist in dem gegeben, was herkömmlich *rudis* heißt. Den theologisch ungebildeten *rudes*, den einfachen Gläubigen, denen die Glaubensbegründung vermittels der diffizilen Fundamentaltheologie alter Art ja definitionsgemäß verschlossen war, wurde von eben dieser Fundamentaltheologie gleichwohl die Möglichkeit zu vernünftig begründetem Glauben nicht abgesprochen. Was für die *rudes* möglich war und möglich sein mußte, wenn ihnen nicht nur die Wahl zwischen Unglaube und Köhlerglaube bleiben sollte, das will nun gerade die „neue" Fundamentaltheologie thematisieren und leisten[55]. Sie wächst dabei ganz eindeutig über die ursprüngliche Situiertheit

---

[55] Rahner wird dabei allerdings der klassischen Lösung des *rudes*-Problems nicht gerecht. Diese sucht nämlich für die *rudes*, denen die glaubenswissenschaftliche Glaubensverantwortung verschlossen bleibt, keine neue oder andere Fundamentaltheologie, die ersatzweise und ad usum Delphini an die Stelle der eigentlich wissenschaftlichen Glaubwürdigkeitsnachweise träte, sondern löst das Problem durch das Modell der *sozialen Partizipation*. Wer selbst wissenschaftlicher Vollzüge (und konkret der *glaubenswissenschaftlichen Glaubensverantwortung*, die, wie alle Wissenschaft, von *Experten* gemacht wird) nicht fähig ist, kann trotzdem an deren Ergebnissen teilhaben, so wie jeder Laie wissenschaftliche Ergebnisse übernehmen kann, ohne selbst Wissenschaftler zu sein. Partizipation an Wissenschaft gibt es entweder durch eigenen Nachvollzug der Begründungszusammenhänge oder durch „glaubendes" Fürwahrhalten wissenschaftlicher Ergebnisse, indem den Experten vertraut wird. So wird nach der herkömmlichen Lösung des *rudes*-Problems den *rudes* die *wissenschaftliche* Glaubwürdigkeit des Glaubens durch die indirekten Partizipationsweisen der Intersubjektivität und Institutionalität innerhalb der Kommunikationsgemeinschaft der Kirche vermittelt. Es ist auch nicht einzusehen, wie eine demokratisierte Wissenschaftlichkeit für Nichtfachleute anders zu haben sein könnte als durch Partizipation an Institutionalität. Das ist m.E. gegen Rahner aufrechtzuerhalten (vgl. dazu *M. Seckler*, Einführung in den Begriff des Christentums [Anm. 3] 519f.), auch wenn, wie zu wünschen ist, die „neue" Fundamentaltheologie ihr Existenzrecht erhält. Im übrigen sieht ja auch Rahner, daß die *rudes*-Theologie des Grundkurses so einfach und unwissenschaftlich und für Laien verständlich auch wieder nicht ist, so daß das Problem der Vermittlung sich nur verschiebt, jedenfalls in puncto Partizipation durch Laienverstand. – Daß die außerhalb der Glaubenswissenschaft stehenden *rudes*, selbst wenn sie nicht einmal die Ergebnisse der sozialen Partizipation *als solche* in ihr Glaubenskalkül einbringen sollten, gleichwohl zu verantwortlicher Glaubensgewißheit fähig seien, war vom klassischen *analysis-fidei*-Modell bekanntlich durchaus ebenfalls vorgesehen.

Nicht stichthaltig (weder von der *analysis-fidei*-Lehre noch von der Wissenschaftstheorie und Wissenssoziologie her) ist auch das von Rahner mehrfach (z.B. Grundkurs des Glaubens [Anm. 6] 19 Abs. 2) vorgebrachte Argument gegen die soziale Partizipation des Wissens und der Wissenschaft. Auch die Geisteswissenschaften kommen nämlich ohne sie nicht aus, und auch die Theologie nicht. Die „persönlich mitvollzogene Findung", die Rahner fordert, ist für persönliche Vollzüge und Entscheidungen natürlich unerläßlich, nicht aber für die Geisteswissenschaften als solche. Nicht jeder Wissenschaftler kann alles nachvollziehen und nachprüfen. Es kommt vielmehr auf die Nachvollziehbarkeit und Nachprüfbarkeit an. In ihr gründet auch das den Wissenschaften scheinbar so fremde Vertrauen. Die persönliche Glaubensentscheidung aber setzt nach dem klassischen Legitimationsmodell einen persönlichen Nachvollzug der glaubenswissenschaftlichen Glaubensverantwortung gerade nicht unbedingt voraus. Insofern halte ich die Argumentationen, die Rahner vom *rudes*-Modell und vom Erfordernis der

beim Theologiestudenten hinaus, denn Rahner betont, „daß wir alle in der
heutigen Situation in einem gewissen Sinne bei all unserem Theologiestudium unvermeidlich solche *rudes* sind und bleiben"[56].

Von einer intraspezifischen Verbesserung der „alten" Fundamentaltheologie durch die „neue" kann indessen doch auch die Rede sein, und zwar in
zweifacher Hinsicht. Einmal dadurch, daß das alte fundamentaltheologisch-
apologetische Anliegen mitsamt der Komplexität seiner Aufgabenstellung
durchaus das ganze Unternehmen weiterhin leitet. Das wird sich gleich zeigen. Dann aber auch dadurch, daß *innerhalb* der fundamentaltheologisch-
apologetischen Aufgabenstellung der neue, erfolgversprechendere Ansatz gesucht wird. Es ist deshalb, alles in allem genommen, schwer zu entscheiden,
ob die „neue" Fundamentaltheologie die „alte" verbessern oder ersetzen will.
Zwar spricht Rahner der klassischen Fundamentaltheologie das Existenzrecht nicht rundweg ab, und er kann da und dort durchaus einmal den Hut
vor ihr lüften. Ist sie nur *subjektiv nicht mehr leistbar*, oder ist sie *objektiv verfehlt?* Das erste ist ihm ausgemacht. Für das zweite spricht die über sein ganzes Werk verbreitete Formalismus- und Extrinsezismuskritik. Insofern die
„bisherige" Fundamentaltheologie „den Beweis des Ergangenseins der von
der Kirche verkündigten Offenbarung in einer reinen Formalität und ohne
materielle Inhaltlichkeit selbst"[57] zu führen trachtete, war sie eindeutig auf
dem Holzweg. Das wäre zu verbessern. Aber will Rahner die ganze „alte"
Fundamentaltheologie, auch Blondel und Newman, des Extrinsezismus zei-
hen? Kaum. Es gibt indessen andere Kritikpunkte, so daß nicht alles allein
am Extrinsezismusproblem zu hängen scheint. Kritisiert wird die *Direktheit
der apologetischen Methode*, die eine *objektive Uferlosigkeit der apologetischen
Aufgabe* nach sich zieht[58]. Die *„objektive"* Aufgabe[59], die sich die „alte" Fundamentaltheologie durch ihre Methodenwahl gestellt hat, d.h. das Ideal einer
quantitativ vollständigen Glaubensbegründung unter Zuhilfenahme aller
„im Durchgang durch alle theologischen Einzelwissenschaften" erforderli-

---

Glaubensverantwortung her vorbringt, nicht für stichhaltig. — Damit ist zumindest auch eine
Teilantwort auf jenes Problem gegeben, das man bei Rahner (seit Schriften IX 84) mit dem
Stichwort „gnoseologisch konkupiszente Situation" bezeichnet findet. Die etwas exotische
Verpackung läßt den ursprünglichen Zusammenhang mit dem hier berührten *rudes*-Problem
allzu leicht vergessen.

[56] *K. Rahner*, Grundkurs des Glaubens (Anm. 6) 20.

[57] *K. Rahner*, Schriften VI 153.

[58] Die bisherige Fundamentaltheologie „hat von ihrem Wesen gewiß die Aufgabe, in direkter Arbeit alle fundamentaltheologischen Probleme zur rationalen Rechtfertigung des Glaubens" zu bearbeiten (Schriften VII 58); sie reflektierte „grundsätzlich wissenschaftlich alles
durch, was in der Gesamtaussage des Glaubens an Inhalt und dessen Begründung sachlich und
gegenständlich gegeben ist" (Schriften VI 152).

[59] Vgl. *K. Rahner*, Schriften VII 59.

chen Methoden, anerkennt Rahner prinzipiell. Er scheint einer nach diesem Ideal arbeitenden „objektiven", d. h. die Kapazität der Einzelsubjekte übersteigenden Fundamentaltheologie sogar eine ganz erhebliche (und erstaunliche) Leistungsfähigkeit zuzutrauen, wie aus einigen verstreuten Bemerkungen hervorgeht[60]. Deshalb plädiert er auch nicht direkt für ihre Abschaffung. Die Arbeitsbienen im Bau der „objektiven" Aufgabe dürfen weitermachen. Warum eigentlich, so wird man sich fragen müssen, wenn doch das objektive Gebäude der Glaubenswissenschaft, an dem sie arbeiten, keine Wohnungen mehr für konkrete Menschen bietet, da niemand mehr alles das studieren und kapieren kann, was diese Art von Fundamentaltheologie und von Theologie überhaupt an regionalen und partikularen Ergebnissen zeitigt und gar erst zeitigen sollte? Warum eigentlich, wenn selbst die Fachleute nicht einmal ihr eigenes Fach mehr beherrschen können? So gilt eben doch: „Das in direkter Arbeit voll erstellbare System einer abgerundeten Fundamentaltheologie ist heute kein reales Ziel mehr."[61] Die „alte" Fundamentaltheologie jagt offensichtlich einem nicht mehr einlösbaren Versprechen nach.

Die Aufgabe jedoch bleibt. Sie wird unter realistischeren Vorzeichen durch die „neue" Fundamentaltheologie übernommen. Gelöst wird sie „indirekt"[62], und zwar „in einer Art legitimierten Umgehungsmanövers"[63], auf einer „ersten Reflexionsstufe"[64], in der es, wie bereits gezeigt wurde, darum geht, das Ganze von seiner wurzelhaften Einheit her erstmals zu ergreifen (s. oben Punkt 3), indem es mit Hilfe der transzendentaltheologisch-anthropologischen Methode für das Verstehen vermittelt wird (s. oben Punkt 4).

Dieses Verfahren ist nun zugleich fundamentaltheologisch und apologetisch. Es ist *fundamental-theologisch* im Sinne einer *Grundlagenforschung* und *Grundlagenreflexion*, die dem tragenden Fundament und dem zentralen Gehalt des Christentums zugewandt ist, um diese begrifflich zu erfassen und denkend zu durchdringen, und zwar „erstmals". Da der „fundamentalste Begriff" des Christentums die gnadenhafte Selbstmitteilung Gottes ist[65], ist die „neue" Fundamentaltheologie primär und zentral der Erforschung und Er-

---

[60] Zum Beispiel *K. Rahner*, Schriften VI 142f. 146 159, IX 87 102f. 111f., XII 198–202; *ders.*, Zur Reform des Theologiestudiums (Anm. 11) 31 73.

[61] *K. Rahner*, Schriften XII 201. Die „alte" Fundamentaltheologie ist zu einem „allenfalls noch asymptotisch anstrebbaren Ideal- und Grenzfall geworden", aber sie ist keine „konkret realisierbare Möglichkeit" mehr (S. 202).

[62] Vgl. bes. *K. Rahner*, Schriften IX 86ff., XII 202ff.

[63] *K. Rahner*, Grundkurs des Glaubens (Anm. 6) 18 (vgl. unten Anm. 105).

[64] Ebd. 6 21. Für den Begriff der „ersten Reflexionsstufe" verweist Rahner auf Gabriel Marcel (vgl. Zur Reform des Theologiestudiums [Anm. 11] 64 Anm. 49), doch hat dessen Unterscheidung von zwei Reflexionsstufen mit derjenigen Rahners sachlich nichts zu tun.

[65] Vgl. *K. Rahner*, Schriften XIV 56; vgl. S. 54.

fassung dieses Fundamentes zugeordnet. Ihre ganze Anstrengung gilt diesem *Begriff*. Er wird in handfester theologischer Arbeit ermittelt und entfaltet. Eine solche geht zwar nicht unbedingt dem Glauben, wohl aber dessen begrifflicher Selbsterfassung und damit auch allen regionalen theologischen Einzelwissenschaften voraus, da in ihr ja, um es mit einer Formulierung Bonaventuras auszudrücken, das *credibile* erstmals *ut intelligibile* reflex einzuholen ist[66].

Diese fundamenterforschende und fundamentgewinnende Arbeit der „neuen" Fundamentaltheologie ist deshalb zugleich in hohem Maße *fundierend,* und zwar kraft des theologischen Vollzuges selbst, der in ihr sich zuträgt. Der *Fundierungsvorgang* erfolgt nicht wie bei der extrinsezistischen Apologetik von außen her, durch formale Argumentationen, sondern im begrifflichen Verstehen der Sache selbst, also im Inneren des christlichen Wahrheitsmysteriums. Er stellt auch nicht einen zweiten, zusätzlichen Begründungsvorgang neben der soeben skizzierten fundamental-theologischen Grundlagenreflexion dar, sondern ist eine Dimension oder Auswirkung derselben[67]: Die Glaubenswahrheit hat ihren Glaubensgrund in sich selbst. Sie erfassen heißt ihn gewinnen. Für den existentiellen Glaubensvollzug hat das die große Glaubenstheologie immer so gesehen. Der „Grundkurs" aber transponiert gleichsam dieses Wahrheitsgeschehen in den begrifflichen Prozeß der „neuen" Fundamentaltheologie, die dadurch zugleich *Apologie im Vollzug* ist.

Inwiefern kann man sagen, daß in dieser „neuen" Fundamentaltheologie die begriffliche Selbsterfassung des Glaubens *erstmals* erfolgt und daß sie allen theologischen Einzeldisziplinen *vorausgeht*? Mit dieser Frage nähern wir uns einem neuralgischen Punkt, der für die *sapientiale* Deutung des „Grundkurses" von großer Bedeutung ist. Nach dem klassischen, in der Hochscholastik gewonnenen Verständnis der Theologie als *scientia fidei* setzt die Glaubenswissenschaft ihre „Prinzipien" voraus. Sie sind ihr in Gestalt der Glaubensartikel vorgegeben[68]. Eben deswegen ist sie keine fundierende, sondern eine fundierte, den Glauben voraussetzende und aus den *gegebenen* Glaubensprinzipien heraus weiterfolgernde Wissenschaft. Die hier vorzutragende

---

[66] *Bonaventura*, Breviloquium I, I 4; vgl. CS I pr. q. 1: „Credibile, prout tamen transit in rationem intelligibilis, et hoc per additionem rationis."

[67] Rahner selbst verweist in diesem Zusammenhang auf den *illative sense* J. H. Newmans (Grundkurs des Glaubens [Anm. 6] 22). Das ist jedoch ganz und gar irreführend (und auch gegen *J. Ratzinger*, Vom Verstehen des Glaubens, in: ThRv 74 [1978] 177—186, hier 178, einzuwenden), denn die „erste Reflexionsstufe" arbeitet nicht mit einer Konvergenz von Wahrscheinlichkeiten (sowenig wie mit mystischer Glaubenserfahrung), sondern mit dem inneren Begriff der Sache.

[68] Vgl. z.B. *Thomas von Aquin*, Sth I q. 1 a. 2.

These lautet nun: *Die Fundamental-Theologie nach Art des „Grundkurses" ist der Gewinnung dieser Prinzipien selbst zugeordnet.* Nicht als ob sie diese allererst hervorbringen wollte. Sie sind in und mit der Selbstoffenbarung Gottes gegeben und können niemals zu *principia nota lumine naturali intellectus*[69] oder zu Setzungen des autonomen Vernunftsubjektes werden. Aber wie wird man ihrer inne? Gewiß im Glauben und allein im Glauben. Wenn sie jedoch dem Glauben und über ihn der Theologie nicht autoritär von außen oder lichtlos von innen auferlegt sein sollen und in ihrer Akzeptanz nur extrinsezistisch sollen begründet werden können, dann müssen sie in ihrer inneren Wahrheit „für das Verstehen zu vermitteln"[70] sein. Genau darauf zielt der „Grundkurs", indem er durch begriffliche Arbeit das Eine Ganze des christlichen Glaubens „von seiner wurzelhaften Einheit her erstmals ergreifen" will. Wenn man die Tätigkeiten der *scientia fidei* als „szientifisch" im Sinne stringenter Begründungszusammenhänge auf der Basis vorgegebener Prinzipien bezeichnen will, dann kommt offensichtlich der Fundamentaltheologie nach Art des „Grundkurses" eine vorszientifische, die Prinzipien selbst erst ermittelnde[71] und sie reflex fundierende, sozusagen „erstwissenschaftliche"[72] Funktion zu. Dem Sprachgebrauch der antiken und mittelalterlichen Wissenschaftstheorie folgend, kann man sie als „sapiential" bezeichnen, wie es oben bereits vorgeschlagen ist und im weiteren noch zu zeigen sein wird. Dieses fundierende „anfängliche" Denken, dem der „Grundkurs" von seiner Grundidee her verpflichtet ist, ist nun aber gerade nicht als *charismatische Alternative* zur wissenschaftlichen Anstrengung des Begriffs, sondern als *Grundvollzug eben dieser Anstrengung* aufzufassen[73].

---

[69] Ebd. corp. art.

[70] *K. Rahner*, Zur Reform des Theologiestudiums (Anm. 11) 65.

[71] Genaugenommen geht es nicht um die *Einzel*begründung der Glaubensartikel als Prinzipien der Theologie (obwohl es dafür im „Grundkurs" auch Anhaltspunkte gäbe, vgl. die verschiedenen „Gänge"), sondern um die Einholung der Selbstmitteilung Gottes als das *principium primum* von Glaube und Theologie oder, allgemeiner gesagt, um die Zuordnung der ganzen „ersten" Reflexionsstufe zur Ebene des Fundierend-Prinzipiellen im Unterschied von den darauf aufbauenden und davon abhängigen regionalwissenschaftlichen Vollzügen der „zweiten" Reflexionsstufe.

[72] Vgl. *K. Rahner*, Grundkurs des Glaubens (Anm. 6) 21: „Eine eigene *erste Wissenschaft*" (Hervorhebung von mir); vgl. ferner *ders.*, Zur Reform des Theologiestudiums (Anm. 11) 72.

[73] Vgl. *K. Rahner*, Grundkurs des Glaubens (Anm. 6) 21. — In seiner tiefgründigen Untersuchung der Offenbarungstheologie Rahners sieht Peter Eicher Rahner einen konsequenten Weg „von der Religionsphilosophie zum Denken der Offenbarung" gehen (*P. Eicher*, Offenbarung. Prinzip neuzeitlicher Theologie [München 1977] 352ff). Er führte schlußendlich zur „Überwindung von wissenschaftlicher Philosophie, wissenschaftlicher Theologie und Wissenschaft überhaupt durch das Denken" (S. 361). Für diese Einschätzung gibt es gewiß gute Anhaltspunkte. Aufs Ganze gesehen, ist die Deutung, die Eicher ihr gibt, aber ganz offensichtlich überzogen. Nicht „Wissenschaft überhaupt" ist nach Rahner zu überwinden, sondern den re-

6. Eine eigene erste Wissenschaft

Mit dem Wissenschaftsproblem gelangen wir zu dem Punkt, wo die Theologie Rahners im allgemeinen und sein Grundkurskonzept im besonderen jedenfalls in wissenschaftstheoretischer Hinsicht Rätsel aufgeben können; dies nicht zuletzt deshalb, weil das Verhältnis Rahners zur Wissenschaftlichkeit der Theologie ambivalent und wechselhaft und sein Sprachgebrauch chaotisch ist. Nach einigem Hin und Her zeichnet sich indessen in seinem Werk doch eine fortschreitende Klärung und zunehmende Entschiedenheit ab, die freilich über dunkle dialektische Formulierungen nicht recht hinauskommt. Trotzdem ist es gerade dieser Punkt, an dem die Unterscheidung „szientifischer" und „sapientialer" Theologie sich als hilfreich erweist und die „sapientiale" Deutung des Rahnerschen Grundkurskonzepts sich auch wissenschaftstheoretisch erhärtet.

Die wichtigsten Daten zum Wissenschaftsproblem sind rasch aufgezählt. Es wirkte wie ein Paukenschlag, als Karl Rahner in einem Brief vom 1. Oktober 1969, den er Peter Eicher „Zum Geleit" für dessen Rahner-Dissertation geschrieben hatte[74], seine eigene Theologie als *unwissenschaftlich* bezeichnete[75] und dafür ein *neues literarisches Genus* geltend machte, „das weder Wissenschaft theologischer oder philosophischer Art ist, noch Dichtung, noch die Vulgarisation von Theologie oder Philosophie als Wissenschaft, sondern ja, was?"[76] Für diese überraschende Sicht der Dinge gab es zwar auch vorher schon Äußerungen[77], aber jetzt und von jetzt an trat das Motiv stär-

---

gionalen Wissenschaften ist ein Denken zur Seite zu stellen, welches eine eigene erste Art von Wissenschaft ist. Und nicht „das" (sich selbst denkende, s. S. 363) „Denken" will Rahner, sondern gerade das transzendentaltheologisch vermittelte *begriffliche Erfassen des Glaubensinhaltes in seiner Kategorialität* (vgl. S. 361ff.). Durch seine heideggerisierende Rahner-Deutung (vgl. S. 363ff., bes. 367f., sowie 356 Anm. 23), die gewiß beachtenswerte Zusammenhänge anspricht, gelangt Eicher schließlich zu einer *charismatologischen* Interpretation des Denkens, das Rahner in der ersten Reflexionsstufe übt, wonach (in Anwendung einer Sentenz Hans Jonas') eine darauf sich einlassende Theologie schließlich nur noch *Glossolalie* sein könnte. Auch wer Sinn für grausame Karikaturen hat, wird in dieser Zeichnung den Rahner des „Grundkurses" nicht erkennen können.

[74] *K. Rahner*, Zum Geleit, in: *P. Eicher*, Die anthropologische Wende (Anm. 36) IX—XIV. Der Brief (=Eicher-Brief) ist in überarbeiteter Form unter dem Titel „Einfache Klarstellung zum eigenen Werk" abgedruckt in: Schriften XII 599—604.

[75] „Wenn man von ein paar dogmengeschichtlichen Aufsätzen über die Bußgeschichte absieht, so ist alles andere, was ich geschrieben habe, keine theologische Wissenschaft und erst recht nicht (Fach-)Philosophie. Dafür ist alles viel zu dilettantisch" (Eicher-Brief XIII).

[76] Eicher-Brief X.

[77] Vgl. z. B. die Selbstcharakterisierung Rahners in: *W. E. Böhm* (Hrsg.), Forscher und Gelehrte (Stuttgart 1966) 21, sowie seine diesbezüglichen Ausführungen in: Zur Reform des Theologiestudiums (Anm. 11) 96.

ker in den Vordergrund, ohne jedoch in der Fachwelt viel mehr als stumme Verwunderung hervorzurufen. Es wurde wohl eher als biographisches Kuriosum und als Selbstironie des alten Rahner in seiner Bescheidenheit oder als Kokettieren mit dem Dilettantismus oder auch als Beleg für die pastorale Rahner-Interpretation angesehen.

So einfach geht es jedoch nicht. Das ergibt sich schon aus der Tatsache, daß das Motiv der Unwissenschaftlichkeit bzw. Wissenschaftskritik sich nicht nur in Selbstcharakterisierungen und Eigenaussagen Rahners findet, sondern zunehmend mit Generalisierungen für die Theologie überhaupt einhergeht[78]. Die Aufgabe einer wissenschaftstheoretischen Begründung der Theologie wird zwar bereits 1941 in „Hörer des Wortes" (S. 17) formuliert, doch wird das dort noch als philosophische Aufgabe angesehen. In der kritischen Feststellung von 1965, wo vermutet wird, „eine *eigentlich wissenschaftliche*, d. h. in transzendentaler Reflexion geschehende Theologie" gebe es „in vieler Hinsicht und Thematik noch gar nicht"[79], scheint das Ideal einer gesamthaft und streng wissenschaftlichen Theologie noch intakt zu sein. Aber dann sieht es so aus, als werde die Wissenschaftlichkeit der Theologie immer bedeutungsloser. „Praktisch" und „technisch" kann die Theologie einen „wissenschaftlichen" oder „quasiwissenschaftlichen ... Betrieb" in einer Universität aufziehen[80] und „im Stil" einer (partikularen) Wissenschaft arbeiten[81], mit Formelkram, wissenschaftlichem Getue und gelehrtem Gehabe, wie es immer wieder heißt, aber *an sich* sei die Theologie keine (partikulare) Wissenschaft[82]. In diesen Kontext schreiben sich die Selbstcharakterisierungen Rahners, die er selbst durchaus nicht als abwertend verstanden wissen will[83], sowie auch die damit einhergehenden Generalisierungen ein: „Auf jeden Fall war mir die theologische Wissenschaft als solche eigentlich immer gleichgültig."[84] Man könne zwar seine Art des Theologietreibens „theologische Wissenschaft" nennen, aber „ich möchte es nicht tun"[85]. Rahner will

---

[78] In „Forscher und Gelehrte" (Anm. 77) ist es Eigenaussage, im Eicher-Brief X—XIII Generalisierung und Eigenaussage, in Schriften IX 80 90 Generalisierung, in Schriften X 48 94ff. 104ff. Generalisierung, im Fischer-Brief (Anm. 27) S. 402 beides, S. 403 Generalisierung, S. 404 Eigenaussage, S. 410 Generalisierung, in dem Interview von 1974 (Anm. 1) bis S. 82 Eigenaussage, danach Generalisierung, in Schriften X 48 (vgl. Zur Reform des Theologiestudiums [Anm. 11] 96) Generalisierung.

[79] *K. Rahner*, Schriften VIII 55 (Hervorhebung von mir). Hier wird zugleich geltend gemacht, die ganze Theologie bedürfe der „transzendental-anthropologischen Wende" (S. 54).

[80] *K. Rahner*, Schriften X 95.

[81] Ebd. 97.

[82] Vgl. dazu oben Punkt 3 mit Anm. 24—26.

[83] Vgl. Eicher-Brief XIII.

[84] *W. E. Böhm*, Forscher und Gelehrte (Anm. 77) 21.

[85] Vgl. Fischer-Brief (Anm. 27) 401.

kein „Fachidiot" innerhalb der Theologie sein, vor deren Wissenschaftlichkeit er auch wieder großen Respekt bekunden kann[86].

Wie ist dann das „neue Genus litterarium", das Rahner für sein Werk[87] und
speziell für die „erste Reflexionsstufe" der Theologie und damit für seinen
„Grundkurs" in Anspruch nimmt, näher zu bestimmen? Die Antwort klingt
paradox: Es ist *„wissenschaftlich" in der Weise des „Vorwissenschaftlichen"*. Die
neue Fundamentaltheologie „kann, richtig betrieben, durchaus den Begriff
strenger und sachlich-nüchterner Wissenschaft erfüllen"[88], so heißt es jetzt.
Demgemäß will sich der „Grundkurs" auf einem „wissenschaftlichen Niveau" bewegen und beansprucht „Wissenschaftlichkeit"[89]. Zwar ist die „wissenschaftliche' Attitüde" sowenig seine Sache wie „gelehrte Wichtigtuerei"
oder „pseudowissenschaftliches Getue"[90], aber „die intellektuelle und wissenschaftliche Anstrengung" des „Grundkurses" ist nicht geringer als die der
theologischen Einzeldisziplinen[91]. Er verlangt „soviel Genauigkeit und Anstrengung des Begriffs," daß er „sich getrost neben die Wissenschaftlichkeit
der vielen Einzeldisziplinen stellen darf"[92]. In ihm muß „eine sehr handfeste
theologische Arbeit, und zwar im strengsten Sinne des Wortes, geleistet werden"[93]. Der *Wissenschaftlichkeits*anspruch des „Grundkurses" bzw. der
„neuen" Fundamentaltheologie kann somit nicht bezweifelt werden[94].

Es ist aber eine Wissenschaftlichkeit besonderer Art. Im Vergleich zur
Wissenschaftlichkeit der theologischen Einzeldisziplinen ist sie „noch vor-
wissenschaftlich"[95]. Ist sie damit *noch nicht* Wissenschaft und also weniger als

---

[86] Ebd.

[87] Dieses Motiv wurde in der Rahner-Literatur bereitwillig aufgenommen. Vgl. z.B. *G.
McCool*, Karl Rahner and the Christian Philosophy of S. Thomas Aquinas, in: *W. J. Kelly*,
Theology and Discovery (Anm. 47) 74; *P. Surlis*, Rahner and Lonergan on Method in Theology, in: IThQ 38 (1971) 187–201, hier 189; *J. Flury*, Um die Redlichkeit des Glaubens (Freiburg i.Ü. 1979) 242ff.

[88] *K. Rahner*, Schriften VI 152.

[89] *K. Rahner*, Schriften XIV 49.

[90] *K. Rahner*, Grundkurs des Glaubens (Anm. 6) 6 8 9.

[91] Ebd. 18.

[92] Ebd. 6f.

[93] *K. Rahner*, Zur Reform des Theologiestudiums (Anm. 11) 65.

[94] Bei Rahner, der sein Wissenschaftsverständnis nirgends ausführlich darlegt, finden sich Ansätze für eine transzendentalphilosophische wissenschaftstheoretische Reflexion (z.B. in
Kap. 1 von „Hörer des Wortes"), die aber zunehmend einem deskriptiv-pragmatischen Umgang mit den Formen des faktisch vorfindbaren Wissenschaftsbetriebes Platz machen. Als
Merkmale von „Wissenschaftlichkeit" werden demgemäß vor allem strenge Methodik, saube-
re Begrifflichkeit, Reflexion und Systematik genannt (vgl. z.B. Schriften VI 152). In diesem
Sinne arbeitet auch der „Grundkurs" mit „soviel Genauigkeit und Anstrengung des Begriffs",
daß er „sich getrost neben die Wissenschaftlichkeit der vielen Einzeldisziplinen stellen darf"
(Grundkurs 6f.), und „mit aller Akribie — d.h. also mit Wissenschaftlichkeit" (ebd. 21).

[95] Vgl. Fischer-Brief (Anm. 27) 404; *K. Rahner*, Grundkurs des Glaubens (Anm. 6) 6.

sie? Da der „Grundkurs" als erste Reflexionsstufe an sich für Studienanfänger konzipiert ist, die das fachwissenschaftliche Studium (noch) vor sich haben, und sich auf die Situation der un- und außerwissenschaftlichen *rudes* bezieht, könnte es so scheinen. Formulierungen der Bescheidenheit, der religiösen Existenzbezogenheit und der pastoralen Rücksichtnahme weisen in dieselbe Richtung. Aber man darf sich dadurch nicht aufs Glatteis führen lassen: „Jedenfalls aber ist die wissenschaftstheoretische und nicht die pädagogische und didaktische Begründung des Grundkurses das Entscheidende."[96] Das „vor" in Vor-wissenschaftlichkeit ist dem „vor" in Vor-schrift vergleichbar. Das heißt: Hier erfolgt jene axiologisch bedeutsame *Fundierung*, die wir bereits kennengelernt haben. Sie liegt den „theologischen Einzelwissenschaften" und *„solcher* Wissenschaftlichkeit" *voraus*[97]. In diesem Sinn ist sie zugleich „mehr und weniger als Wissenschaft"[98]. Sie ist *„eine eigene erste Wissenschaft"*[99], und als solche geht sie den theologischen Einzelwissenschaften „vor". Deshalb ist der „Grundkurs" weder eine „popularisierende und verharmlosende Ausgabe der üblichen Fundamentaltheologie" noch eine „propädeutische Adaption" der fachwissenschaftlichen Theologie „für Anfänger", sondern „eine absolut eigenständige Disziplin"[100]. Die Fundierungsfunktion und die sachliche Vorgeordnetheit dieser *Ersten Wissenschaft* geht auch daraus hervor, daß sie eben das leistet, was keine regionale Wissenschaft zu leisten vermag, nämlich *die Gewinnung des umfassenden Sinnverständnisses und dessen („erstwissenschaftliche") Rechtfertigung*[101]. Sinnverständ-

---

[96] *K. Rahner*, Grundkurs des Glaubens (Anm. 6) 18; ebenso *ders.*, Zur Reform des Theologiestudiums (Anm. 11) 66.

[97] *K. Rahner*, Schriften XIV 51 (Hervorhebung von mir).

[98] Zu dieser Formulierung vgl. Eicher-Brief XIV; Schriften XII 211 (hier steht die Formel zur Charakterisierung Ignatius' von Loyola [„mehr und nicht weniger" denn Theologe] im Zusammenhang mit der Übertragung seiner [spirituellen] Lehre von der „ersten" und „zweiten" Wahlzeit" auf das Gebiet der Fundamentaltheologie).

[99] *K. Rahner*, Grundkurs des Glaubens (Anm. 6) 21; *ders.*, Zur Reform des Theologiestudiums (Anm. 11) 72 (Hervorhebung von mir).

[100] *K. Rahner*, Schriften VI 151 mit Anm. 1; eine „eigene, selbständige, verantwortbare theologische Disziplin": Grundkurs des Glaubens (Anm. 6) 15.

[101] Die erste Reflexionsstufe ist der szientifischen Theologie (d.h. den regionalen theologischen Fachdisziplinen) vorgeordnet, weil sie *direkt* dem Glauben und dem grundlegenden Glaubensverständnis und der umfassend-ganzheitlichen Verantwortung des Glaubens als dem *principium fontale* bzw. *radicale* der Glaubenswissenschaft zugeordnet ist. — Während Rahner in „Hörer des Wortes" noch „eine der Theologie selbst vorausliegende wissenschaftstheoretische Begründung einer Offenbarungstheologie", die „nicht auf das Wort Gottes, sondern auf die apriorische Möglichkeit des Hörenkönnens einer möglicherweise ergehenden Offenbarung Gottes" bezogen war, mit „rein philosophischen Mitteln", d.h. auf „religionsphilosophische" Weise in Form einer „fundamentaltheologischen Anthropologie", durchzuführen suchte (vgl. *K. Rahner*, Hörer des Wortes [München 1941] 17 212ff.), ist die „neue" Fundamentaltheologie nach Art des „Grundkurses" von *völlig anderer Art:* Sie ist *Theologie*, die dem Glauben in seiner *Inhaltlichkeit* zugewandt ist.

nis und Sinnrechtfertigung „entstehen" nämlich „nicht aus den theologischen Einzelwissenschaften in ihrer heute vom einzelnen nicht mehr bewältigbaren Komplexität" und „ergeben" sich „*nicht* als Resultat und Synthese aus dem Durchgang durch alle theologischen Einzelwissenschaften"[102]. Es ist umgekehrt vielmehr so, daß die in der ersten Reflexionsstufe gewonnenen Erkenntnisse von den theologischen Einzelwissenschaften ihrerseits nur noch einmal „nachgearbeitet" und „etwas reflexer" zur Darstellung gebracht werden[103], eben als szientifische, einzelwissenschaftliche Behandlung dessen, was „eher denkerisch"[104] und erstwissenschaftlich — das Ganze von seiner wurzelhaften Einheit her erstmals ergreifend — im voraus eingeholt wurde.

Von daher erklärt sich auch die ominöse Charakterisierung der ersten Reflexionsstufe als „eine Art legitimierten Umgehungsmanövers"[105]. Was „umgangen" wird, sind die theologischen Einzelwissenschaften bzw. der mühselige und fruchtlose „Durchgang" durch sie. Handelt es sich also um eine Ersatzhandlung ad usum Delphini? Nicht wenige Passagen in den Erwägungen, mit denen Rahner das Erfordernis einer ersten Reflexionsstufe pastoral und glaubensanalytisch begründet (vor allem im *rudes*-Kontext), weisen in diese Richtung. Zweifellos ist ihm das religiös-existentielle und pastorale Anliegen wichtig. Trotzdem wird man, Rahner mit Rahner gegen Rahner interpretierend, sagen müssen, daß das pastoral motivierte „Umgehungsmanöver" nicht etwa die theologische Wissenschaft durch unwissenschaftliche Rhetorik ersetzen will, um gleichsam die Butter ohne das Brot zu haben, oder daß nur eben das objektive und subjektive Leistungsdefizit der „üblichen" Theologie mit anderen Mitteln überwunden werden soll. Es geht in alledem auch nicht um die „wissenschaftstheoretische" Begründung der „Unwissenschaftlichkeit" der Glaubensrechtfertigung, sondern in eigentlicher und höchster Instanz um die *wissenschaftstheoretische Fundierung jener „unwissenschaftlichen", weil vor-wissenschaftlichen „Ersten Wissenschaft", welche die Theologie erst wurzelhaft zu ihrer Sache im ganzen und den Glauben zum reflexen Wahrheitserweis seiner selbst bringt.* Die nebulösen Formulierungen einer „existential-ontologisch und theologisch" gerechtfertigten, „ausdrücklich verantworteten"[106], „wissenschaftlich begründeten"[107], „rational legitimierten"[108] *„Unwissenschaftlichkeit", einer „Wissenschaftlichkeit der reflektier-*

[102] *K. Rahner*, Schriften XIV 51; vgl. *ders.*, Grundkurs des Glaubens (Anm. 6) 6.
[103] Vgl. Fischer-Brief (Anm. 27) 404.
[104] Ebd.
[105] *K. Rahner*, Grundkurs des Glaubens (Anm. 6) 18; wörtlich fast gleich schon *ders.*, Zur Reform des Theologiestudiums (Anm. 11) 65.
[106] *K. Rahner*, Schriften XIV 53.
[107] Ebd. 52.
[108] *K. Rahner*, Schriften IX 86.

ten Unwissenschaftlichkeit"[109] sind gleichermaßen *cum grano salis* zu nehmen wie die ebenso geistvolle wie kokette Selbstbescheidung, „gewissermaßen der reflektierende und seinen Dilettantismus selber noch einmal einkalkulierende Dilettant"[110] zu sein. Die wissenschaftstheoretische Eigenart und Relevanz einer ersten Reflexionsstufe nach Art des Rahnerschen Grundkurses, wie sie in diesem Beitrag herauszuarbeiten gesucht wird, wird durch manche Stilmittel eher verstellt als geklärt.

7. Sapientiale Theologie

Wenn die in den Punkten 2—6 entwickelte Rahner-Deutung richtig ist, dann handelt es sich bei einer Theologie nach Art des „Grundkurses" und der „ersten Reflexionsstufe" ganz einfach um *Fundamentaltheologie*. Rahner bezeichnet sie als „neue" Fundamentaltheologie. Doch „neu" ist manches und manches auch nicht. Die Vokabel „neu" ist geeignet, ein Signal der Aufmerksamkeit zu setzen, aber sie ist relativ nichtssagend. Wenn man für den Typus von *(Fundamental-)Theologie*, den „Grundkurs" und „erste Reflexionsstufe" und der Hauptsache nach das ganze Werk Karl Rahners darstellen, eine Bezeichnung sucht, die das Anliegen, die Denkform und die Funktion dieses ergründend-fundierenden Denkens auf einen begrifflichen Nenner bringt, dann könnte sich ein Rückblick auf die Nomenklatur der mittelalterlichen Theologie als hilfreich erweisen. Wir begegnen dort vielfach der Frage, ob die Theologie eigentlich „Wissenschaft" *(scientia)* oder „Weisheit" *(sapientia)* sei. In dieser Frage waren Augustinisten und Aristoteliker gespalten[111]. Thomas von Aquin, der auch hier zwischen den Positionen zu vermitteln sucht, ist der Meinung, sie sei beides[112]. Geht man den Gründen für seine scheinbar salomonisch-glatte Antwort nach, dann stößt man auf interessante Zusammenhänge. Zu ihnen gehört eben die Unterscheidung einer „szientifischen" und einer „sapientialen" Seite in der Theologie. Vor diesem Hintergrund wäre eine Fundamental-Theologie nach Art des „Grundkurses" als *sapiential* zu bezeichnen.

Was will damit gesagt sein? Da es hier unmöglich ist, die weitverzweigten historischen und sachlichen Zusammenhänge der antiken und mittelalterli-

---

[109] *K. Rahner*, Grundkurs des Glaubens (Anm. 6) 22.   [110] Siehe oben Anm. 1.
[111] Vgl. *J. Leclercq*, La théologie comme science d'après la littérature quodlibétique, in: RThAM 11 (1939) 351—374; *M.-D. Chenu*, La théologie comme science au XIIIᵉ siècle (1927, Paris ²1943); *G. H. Tavard*, Transiency and Permanence (Löwen — Paderborn 1954); *F. Sakaguchi*, Der Begriff der Weisheit in den Hauptwerken Bonaventuras (München 1968); *U. Köpf*, Die Anfänge der theologischen Wissenschaftstheorie im 13. Jahrhundert (Tübingen 1974).
[112] Vgl. *Thomas von Aquin*, Sth I q. 1 a. 2 (Utrum sacra doctrina sit scientia) und I q. 1 a. 6 (Utrum haec doctrina sit sapientia).

chen Weisheitsspekulation und Weisheitstheorie auszuleuchten, beschränken wir uns auf den für unsere Fragestellung einschlägigen Punkt. Er läßt sich am besten anhand einiger Thomas-Texte verdeutlichen, da gerade Thomas es war, der den Begriff der Weisheit, dieses traditionelle Bollwerk des Augustinismus gegen den Geist des Aristotelismus und seinen Wissenschaftsbegriff[113], im Sinne der aristotelischen Epistemologie deutete und ihn mit wissenschaftstheoretischer Relevanz in sein Theologieverständnis einbrachte. Die thomanische Lösung des *scientia-sapientia*-Problems wirft viele Fragen auf, die hier nicht weiter zu berücksichtigen sind, zumal die Dinge bisher nicht erforscht und auch in ihrer wissenschaftstheoretischen Bedeutung kaum erkannt sind. Insbesondere kann hier nicht auf den Erfahrungs-*(sapor-)*Aspekt der *sapientia*, der noch am ehesten die Aufmerksamkeit der Forschung auf sich zu ziehen vermochte und auch für die spirituelle Dimension der Theologie Rahners wichtig wäre, eingegangen werden[114]. Außer Betracht bleiben soll auch die Möglichkeit, die sapientiale Dimension der Theologie *offenbarungstheologisch*, also durch die patristische und mittelalterliche Gleichsetzung von *Weisheit* und *Offenbarung* und damit vom inneren Wahrheitsvollzug des Offenbarungsdenkens her, zu deuten. Es geht nachfolgend allein um den *wissenschaftstheoretischen* Aspekt. Genau hier aber bietet es sich an, das Anliegen, die Denkform und die Funktion des „Grundkurses" *sapiential* zu interpretieren[115].

Sapientiale Theologie? Man wird sich erinnern, daß die scholastische Theologie insgesamt[116] und speziell die thomanische[117] schon verschiedent-

---

[113] Vgl. dazu *M.-D. Chenu*, La théologie comme science (Anm. 111) 102.

[114] Die zwei Dimensionen des *sapientia*-Begriffes, die der mittelalterlichen Theologie durchweg präsent waren, bringt die folgende Formulierung zum Ausdruck: „Sapientia uno modo dicta est a *sapere*, alio modo dicta est a *sapore*" (*Bonaventura*, III Sent. d. 27 a. 2 q. 5). Vgl. dazu *Thomas von Aquin*, Sth II—II q. 45 a. 2 obj. 2 („Dicitur autem sapientia quasi *sapida scientia*") und ad 1 („sapientia . . . *saporem* quendam importat").

[115] Es geht also nicht um eine Thomas-, sondern um eine Rahner-Interpretation unter Zuhilfenahme einer thomanischen Unterscheidung, die bei Thomas indessen nicht dazu dient, eine „Fundamentaltheologie" nach Art der Rahnerschen zu begründen. Es wäre allerdings einmal zu untersuchen, ob in der Theologie des Aquinaten (und entgegen der axiomatischen Annahme, wonach Glauben und Wissen sich ausschließen) die im theologischen Denken soweit wie möglich eingeholte Intelligibilität der Offenbarungswahrheit nicht faktisch eben doch eine fundierende Funktion im Sinne des Rahnerschen Intrinsezismus innehat. Das „Verbot" einer diskursiven Begründung der Glaubensartikel bliebe davon jedenfalls unberührt. Auch wäre der mittelalterliche Unterschied zwischen *demonstrare* und *probare* zu beachten.

[116] Vgl. *W. Magaß*, Exempla ecclesiastica (1972), in: *M. Kaempfert*, Probleme der religiösen Sprache (Wege der Forschung CDXLII) (Darmstadt 1983) 293—337, hier 323—325.

[117] Vgl. *Y. M.-J. Congar* in: RSPhTh 34 (1951) 598; *ders.*, Le sens de l'„économie" salutaire dans la „théologie" de S. Thomas d'Aquin (somme théologique), in: Glaube und Geschichte (Festgabe J. Lortz), hrsg. v. E. Iserloh — P. Manns, II (Baden-Baden 1958) 73—122, hier 84f.; *ders.*, La Foi et la Théologie (Tournai 1962) 203—206.

lich als „sapientieller" Theologietypus gedeutet wurden. Otto Hermann Pesch hat dies als Anstoß für sehr erhellende Vergleiche zwischen thomanischer und lutherischer Theologie genommen und dabei die Theologie des Thomas gesamthaft als „sapiential" charakterisiert[118]. Während Congar den „sapientiellen" Theologietypus (zum Unterschied vom historischen) darin gegeben sieht, daß Thomas die strukturelle oder essentielle Intelligibilität der Dinge zu ergründen und zu einem *intelligiblen System* oder einer *spekulativen Weisheit* (sagesse spéculative) zu synthetisieren sucht, gelangt Pesch durch einen Vergleich der Denkform und Denkvollzüge dazu, die lutherische Theologie als „existentiell" und die thomanische als „sapiential" zu erkennen. Der „existentielle" Typus thematisiere „die Glaubensexistenz selber", denke in personalen Beziehungen und bewege sich ständig im Rahmen unmittelbarer „Existenzverantwortung". Die „sapientiale" thomanische Theologie dagegen trete dezidiert aus der Ich-Du-Form heraus, suche in objektivierenden naturontologischen Denkvollzügen das Wesen der Dinge zu ergründen und die im Glauben erschlossenen Gedanken Gottes nachzudenken. Pesch kommt in diesem Zusammenhang auch auf Rahner zu sprechen, dessen Theologie er dem „sapientialen" Typus zurechnet. Wie jedes Systemdenken, so trete auch dasjenige Rahners aus der Ich-Du-Form und der unmittelbaren Existenzverantwortung heraus, indem es die Intelligibilität des Glaubens im Medium einer objektivierenden Aussagesystematik zu artikulieren trachte. Für Pesch liegt demnach die Charakteristik „sapientialer" Theologie negativ im Zurücktreten des Unmittelbar-Existentiellen und positiv im Willen zur objektivierenden Lehraussage, die in ein kohärentes System naturontologischer Intelligibilität eingebunden ist.

Ob nun die Theologie Rahners in struktureller Hinsicht tatsächlich dem thomanischen Theologietypus zuzuordnen und gemäß der von Pesch vorgeschlagenen Typologie als „sapiential" zu charakterisieren ist, kann offenbleiben[119], denn es kommt uns hier nicht auf eine Morphologie der Theologien, sondern auf den *wissenschaftstheoretischen Ort* und die *fundamental-theologische Funktion* des „Grundkurses" an. Wenn diese hier in einer von Congar und Pesch abweichenden Weise als *sapiential* bezeichnet werden, dann geschieht das in unmittelbarem Anschluß an den von Thomas selbst geübten

---

[118] *O. H. Pesch*, Existentiale und sapientiale Theologie. Hermeneutische Erwägungen zur systematisch-theologischen Konfrontation zwischen Luther und Thomas von Aquin, in: ThLZ 92 (1967) 731—742; *ders.*, Theologie der Rechtfertigung bei Martin Luther und Thomas von Aquin (Mainz 1967) 935—948.

[119] Inzwischen ist die existentielle Dimension der Theologie Rahners (auch in den Zusammenhängen von Transzendentaltheologie, transzendentaler Erfahrung und ignatianischer Spiritualität) sehr viel deutlicher bewußt geworden, als das 1966 möglich war, so daß von daher ihre Einschätzung durch Pesch wohl in einigen Punkten zu überprüfen wäre.

Sprachgebrauch im Rahmen der *epistemologischen Funktion „sapientialer"* *Denkvollzüge*, die genau darauf bezogen sind, gleichsam nach Art einer eigenen ersten Wissenschaft das Ganze von seiner wurzelhaften Einheit her erstmals zu ergreifen, um es mit den Worten Rahners zu sagen[120].

Für Thomas von Aquin ist die Theologie einerseits *scientia*, anderseits *sapientia*. Als *scientia* arbeitet sie in der Weise einer abkünftigen (subordinierten), partikularen Fragestellungen zugeordneten Instrumentalwissenschaft im Medium der argumentativen theologischen Vernunft[121], während sie als *sapientia* in grundlegender Weise dem Einen Ganzen zugetan ist[122]. Als solche ist sie der Baumeister des theologischen Gedankens[123]. Um das richtig zu verstehen, muß man beachten, daß Thomas drei Geistfunktionen in sein Theologieverständnis integriert, die er *intellectus, scientia* und *sapientia* nennt. Im *intellectus principiorum*, dem „Verhaben der Ursätze" (Joseph Bernhart), dessen Rolle in der Glaubenswissenschaft der *Glaube* übernimmt — der aber kein blinder Gehorsamsakt ist —, werden die „Prinzipien" ergriffen. Die *scientia* verfolgt durch argumentative und diskursive Vernunftuntersuchungen die Aufgabe der partikularen und artgemäßen Wissensgewinnung (in hoc vel in illo genere cognoscibilium). Die *sapientia* dagegen, die in bestimmter Weise beiden vor- und zugeordnet ist, verfolgt und überblickt das *Eine Ganze und Letzte in der Totalität der Erkenntnisbemühung* (ultimum respectu totius cognitionis humanae). In der wissenschaftstheoretisch reflektierten Rolle, die Thomas der sapientialen Funktion für die Glaubenswissenschaft zuweist, erfolgt das nun aber gerade nicht, wie man vielleicht erwarten würde, auf mystische, affektive, intuitive, charismatische oder sonstwie vor- oder irrationale Weise — obwohl es das in anderen Zusammenhängen auch gibt —, sondern *nach Art einer Wissenschaft: Sapientia est quaedam scientia.* Sie arbeitet im argumentativen Diskurs, wird dadurch aber nicht zur *scientia*, sondern bleibt sapientiale Führungsmacht für diese: *Sapientis est ordinare.* Sie ist zwar eine Art Wissenschaft, aber sie wird dabei nicht zum

---

[120] Hans Urs v. Balthasar stellt eine „seltsame und vielleicht paradox anmutende Verwandtschaft zwischen Thomas von Aquin und Karl Barth" fest und sieht dies darin begründet, daß beide „eine Art sapientialen Überblick über die Welt und die Beziehungen Gottes zur Schöpfung zu gewinnen" suchen (*H. U. v. Balthasar*, Karl Barth [Einsiedeln ⁴1976] 272f.). Diesem Verständnis des *sapientialen Anliegens* liegt das hier vorzuschlagende, dem es ja nicht um die *Art* des Überblicks, sondern allererst um das *Anliegen* zum Überblick und also um den *Willen zum Ganzen* geht, voraus.

[121] Vgl. *Thomas von Aquin*, Sth I q. 1 a. 2, q. 1 a. 3, q. 1 a. 8.

[122] Ebd. I q. 1 a. 6 c und ad 3.

[123] Ebd. corp. art. Vgl. dazu *M. Seckler*, Kirchliches Lehramt und theologische Wissenschaft, in: *W. Kern* (Hrsg.), Die Theologie und das Lehramt (QD 91) (Freiburg i.Br. 1982) 17–62, hier bes. 31.

„Fachidioten" im Rahmen partikularer Wissenschaftlichkeiten, sondern bleibt der Meister des Überblicks. Sie ist deshalb *quasi architectonica* bezüglich aller anderen Verstandestätigkeiten[124].

Da der Glaube die „Prinzipien" der Theologie allererst gewinnt, ist er in wesenhafter Betrachtung der Eingang zur Weisheit (sapientiae initium)[125]. Diesem *Glauben*, der eine Gnadengabe und Gotteskraft ist, ist jene erstwissenschaftliche, „sapientiale" Funktion der *Theologie* unmittelbar zugeordnet. Sie bringt den Glauben zum „Begriff" seiner Prinzipien und den Glaubenden zum Verständnis des Einen Ganzen seines Daseins und damit auch die Theologie „erstmals" und „wurzelhaft", aber eben *„reflex"* zu ihrer Sache.

Es liest sich wie eine überraschende Bestätigung dieser besonderen Funktion des *sapientialen* Denkens in der Theologie, wenn Thomas — in einer wenig beachteten Ecke seiner Summe — gerade innerhalb des Glaubens eine *szientifische* von einer *sapientialen* Aufgabe unterscheidet. Der einen obliegt es, Sachwissen über den Glauben (scire quid credendum sit) zu gewinnen, die andere, *sapientiale* aber besteht darin, in einer Art Einung des Geistes mit der Wahrheit des Glaubens diese selbst zu erfassen (scire ipsas res creditas secundum seipsas per quandam unionem ad ipsas)[126].

Von daher liegt es nahe, die *Grundkursidee* Rahners nach ihrem Anliegen, ihrer Denkform und ihrer Funktion in Anlehnung an die wissenschaftstheoretische Dimension der mittelalterlichen Weisheitstheorie als *sapiential* zu bezeichnen. Sie gewinnt damit auch epistemologisch und wissenschaftstheoretisch einen Ort und einen Status, der sie nicht mehr als analogieloses Novum oder kognitives Monstrum erscheinen läßt. Sie stellt dann einen vielleicht unbewußten, aber in vieler Hinsicht überfälligen Rückgriff auf eine Idee dar, deren Verlust den Glauben zum unausweisbaren Sprung werden läßt, mit der Folge, daß sich die Theologie in kognitiver Bodenlosigkeit im Betrieb regionaler Einzelwissenschaften erschöpft.

Das neue literarische Genus, das Rahner anspricht, wäre so neu dann nicht, denn das *sapientiale* Anliegen hat doch immer wieder *theologische Grundbücher* hervorgebracht, die „das Ganze des christlichen Glaubens von seiner wurzelhaften Einheit her erstmals zu ergreifen" suchten, wenngleich vielleicht nicht in transzendentaltheologischer Vermittlung. Rahner selbst verweist auf Bundesgenossen[127]. Es ginge dann zunächst einmal darum, die Eigenart und Relevanz dieser Literaturgattung, die mit Rücksicht auf ihre

---

[124] *Thomas von Aquin*, Sth I–II q. 66 a. 5; vgl. I q. 1 a. 6 c.
[125] Ebd. II–II q. 19 a. 7 c.
[126] Ebd. II–II q. 9 a. 2 ad 1. Thomas trifft diese Unterscheidung im Rahmen seiner *dona*-Lehre, doch wird davon der hier interessierende Gehalt der Unterscheidung nicht berührt.
[127] Vgl. *K. Rahner*, Grundkurs des Glaubens (Anm. 6) 14.

Kreativität und ihr Fundierungsvermögen dem, was Paul Ricœur „Poesie" nennt, vielleicht nicht so fremd ist, zu erkennen. Das Verdienst des Rahnerschen Grundkurskonzeptes ist es, diese Literaturgattung sozusagen vom Status einer mehr oder weniger wildwachsenden „Literatur" in denjenigen einer erstwissenschaftlichen, sapientialen und zugleich den Regeln des rationalen Diskurses sich unterstellenden *Disziplin* übergeführt zu haben. Rahner gibt dieser „Literaturgattung", sofern sie sich solcherart selbst diszipliniert, mit Recht den Namen *Fundamental-Theologie*, die dadurch eine neu-alte Identität und Relevanz wiedergewinnt. Hand in Hand damit wird der Theologie eine Disziplin wiedergeschenkt, welche der „Weisheit" zugewandt ist und im Sinne der Kirchenväter deshalb auch *Philo-sophia*, Liebe zur Weisheit, heißen dürfte. Es ist allerdings auch wahr, daß nicht nur die Fundamentaltheologie, sondern die *Theologie insgesamt*, die ihre einzelwissenschaftliche Ausdifferenzierung ja nicht rückgängig machen kann und soll, ihren Identitätspunkt darin finden und bewahren kann, daß sie wieder verstärkt auf das *Eine Ganze*, das ihr vorgegeben und aufgegeben ist, blickt. Insofern kann das weitverzweigte Werk Rahners und insbesondere sein „Grundkurs des Glaubens", der dafür ein hermeneutischer Schlüssel ist, für Theologie und Glaube als *Ruf zur Sache* bezeichnet werden.

VII
RAHNER-BIBLIOGRAPHIE

BIBLIOGRAPHIE KARL RAHNER 1979–1984

Zusammengestellt von Paul Imhof und Elisabeth Meuser

Die folgende Bibliographie bildet die Fortsetzung der von R. Bleistein, P. Imhof, E. Klinger, A. Raffelt und H. Treziak herausgegebenen Bibliographie Karl Rahner 1924–1979. Die Weise des Aufnehmens der verschiedenen Publikationen und die Weise, sie zu zitieren, sind weithin beibehalten worden. Zählt man die Nummern, die mit a, b, c etc. gekennzeichnet sind, zur fortlaufenden Zählung hinzu, ergeben sich über 4000 bibliographische Angaben.

Außer notwendig gewordenen Nachträgen, denen die entsprechenden Nummern (3528a usw.) zugeordnet wurden, schließt die Numerierung unmittelbar an die oben genannte Bibliographie an. Die Nummern hinter den Titelangaben von Übersetzungen sind Nummern dieser und jener Bibliographie.

Bücher werden wiederum durch Kursivdruck, Übersetzungen in andere Sprachen durch einen kleinen Kreis (○) angezeigt.

Chronologische Übersicht eigener Publikationen

1970 (Ergänzungsnachtrag)

2414a Exigences de réforme: Le Dossier Suenens, hrsg. von J. de Broucker (Paris 1970) 264–272.

1974 (Ergänzungsnachtrag)

2964a ○ *The Trinity (New York 1974)* (engl. Übers. von Nr. 1285–1287).
2964b ○ *Der Weg des Menschen und seine Quelle (Tokyo 1974)* (jap. Übers. versch. Aufsätze).

1975 (Ergänzungsnachtrag)

3285b Geleitwort: L. Frassati, P. G. Frassati. I Giorni della sua Vita (Roma 1975) 7–12.

1976 (Ergänzungsnachtrag)

3389d Christ sein: in welcher Kirche?: Wie Christ sein? Antwort an Hans Küng, hrsg. von J. R. Armogathe (Mainz 1976) 87–97.

1977 (Ergänzungsnachtrag)

3470a Die Lehre des Zweiten Vatikanischen Konzils über den Diakonat: Das Amt des Diakons, hrsg. von L. Ullrich, Pastoral-Katechetische Hefte 56 (Leipzig 1977) 213–222 (vgl. Nr. 1698).

1978   (Ergänzungsnachtrag)

3528a *Grundkurs des Glaubens: Einführung in den Begriff des Christentums (Leipzig 1978)* (vgl. Nr. 3336).

3528b Gott ist uns nahe: Herderzeitung (Freiburg, Weihnachten 1978) 32 (Auszug aus Nr. 3083).

3528c ○ La Infalibilidad de la Iglesia. Respuesta a Hans Küng (Madrid 1978) (span. Übers. von Nr. 2523–2526).

3528d Heilige Nacht: Gott selber ist erschienen, hrsg. von M. V. Wildenhain (Leipzig 1978) 20–22 (vgl. 232).

3528e *Ignatius von Loyola (zus. mit P. Imhof und H. N. Loose) (Freiburg i. Br. ²1978)* (vgl. Nr. 3475).

3528f ○ *Experiencia del Espíritu (Madrid 1978)* (span. Übers. von Nr. 3390).

3528g ○ *Bog je postao čovjekom (Zagreb 1978)* (kroat. Übers. von Nr. 3083).

3528h ○ *O potrebi i blagoslovu molitve (Zagreb 1978)* (kroat. Übers. von Nr. 531).

3528i ○ *O Desafio de ser Cristão (Petrópolis 1978)* (port. Übers. von Nr. 2854).

3528j ○ *Per la tolleranza nella Chiesa (Brescia 1978)* (ital. Übers. von Nr. 3391).

3528k ○ *Corso Fondamentale sulla fede. Introduzione al concetto di cristianesimo (Alba ³1978)* (ital. Übers. von Nr. 3336).

3528l ○ La comprensión de Dios y la palabra Dios hoy – Aspectos de la Teología: Universitas vol. XVI, 4. Vj. (Stuttgart 1978) 107–112 (span. Übers. von Nr. 3501).

1979   (Fortsetzung)

3536   ○ *Theological Investigations, Vol. XVI (London 1979)* (engl. Übers. von Nr. 3162).

3537   ○ *Dios con Nosotros (Madrid 1979)* (span. Übers. von Nr. 2898, 3083).

3538   ○ *O Svagdasnjim Stvarima (Zagreb 1979)* (kroat. Übers. von Nr. 1038).

3539   ○ *Invito alla Preghiera (Brescia 1979)* (ital. Übers. von Nr. 3392).

3540   Über die Dreifaltigkeit Gottes: Fragen an den Glauben, hrsg. von A. Keller SJ (Frankfurt/M. 1979) 44–54.

3541   Jenseits von Optimismus und Pessimismus – Die unverbrauchbare Transzendenz Gottes und unsere Sorge um die Zukunft: Hoffnung in der Überlebenskrise? Salzburger Humanismusgespräche, hrsg. von O. Schatz (Graz 1979) 180–195.

3542   Einübung priesterlicher Existenz: In Gesellschaft Jesu, hrsg. von B. Esser/E. v. Gemmingen (Mainz 1979) 71–85.

3543   Ein Gespräch mit Karl Rahner: Ist Gott ein Mann? Ein Gespräch mit Karl Rahner, hrsg. von A. Röper (Düsseldorf 1979) (darin auch Nr. 3434).

3544   Vom Mut zum kirchlichen Christentum: Warum ich Christ bin, hrsg. von W. Jens (München 1979) 296–309.

3545   Vorwort zu: Volksreligion – Religion des Volkes, hrsg. von K. Rahner u.a. (Stuttgart 1979) 7–16.

3546   ○ Foreword to: Personal Becoming by A. Tallon, in Honor of Karl Rahner at 75: The Thomist 43 (1/1979) 1–5.

3547   ○ *Invitación a la Oración (Santander 1979)* (span. Übers. von Nr. 3392).

3548   *Gott ist Mensch geworden. Meditationen (Freiburg i. Br. ⁶1979)* (vgl. Nr. 3083).

3549   Kultureller Ehrenpreis 1979 der Landeshauptstadt München, hrsg. vom Kulturreferat der Stadt München (München 1979) 23–24.

3550   *Was sollen wir noch glauben? (zus. mit K.-H. Weger) (Freiburg i. Br. ²1979)* (vgl. Nr. 3531).

3551   ○ *Dizionario di Pastorale, hrsg. von K. Rahner und T. Goffi (Brescia 1979)* (ital. Übers. von Nr. 2635–2638).

3552   Bemerkungen zur Spiritualität des Weltpriesters: Mitten unter den Menschen, hrsg. von F. Wulf (Düsseldorf 1979) 27–42.

3553   *Der Glaube der Kirche: Neuner-Roos (neu bearbeitet von K. Rahner und K.-H. Weger) (Regensburg* [10]*1979)* (vgl. Nr. 2507 und 3176).

3554   ○   *Ignatius of Loyola (zus. mit P. Imhof und H. N. Loose) (London 1979)* (engl. Übers. von Nr. 3475).

3555   ○   *Ignace de Loyola (zus. mit P. Imhof und H. N. Loose) (Paris 1979)* (franz. Übers. von Nr. 3475).

3556   ○   *Ignatius von Loyola (zus. mit P. Imhof und H. N. Loose) (Tokyo 1979)* (japan. Übers. von Nr. 3475).

3557   ○   *Ignacio de Loyola (zus. mit P. Imhof und H. N. Loose) (Valladolid 1979)* (span. Übers. von Nr. 3475).

3558   ○   *Ignazio di Loyola (zus. mit P. Imhof und H. N. Loose) (Roma 1979)* (ital. Übers. von Nr. 3475).

3559   Die Kirche und die heutige Wirklichkeit – Theologische Aspekte: Universitas 34. Jg. (Stuttgart 8/1979) 811–817.

3560   ○   The Church and Modern Reality: Theological Aspects: Universitas vol. 21, 3. Vj. (Stuttgart 1979) 195–200 (engl. Übers. von Nr. 3559).

3561   ○   Iglesia y realidad contemporánea: Universitas vol. XVII, 3. Vj. (Stuttgart 1979) 43–49 (span. Übers. von Nr. 3559).

3562   Jenseits von Optimismus und Pessimismus. Die unverbrauchbare Transzendenz Gottes und unsere Sorge um die Zukunft: Festschrift Wilfried Joest zum 65. Geburtstag, Zugang zur Theologie, hrsg. von F. Miltenberger und J. Track (Göttingen 1979) 201–214 (vgl. Nr. 3541).

3563   Zukunft der Orden: StdZ 197 (1979) 433–434.

3564   Die bleibende Bedeutung des Zweiten Vatikanischen Konzils: StdZ 197 (1979) 795–806.

3565   Über eine theologische Grundinterpretation des II. Vatikanischen Konzils: ZkTh 101 (1979) 290–299.

3566   Zur Theologie des Gottesdienstes: ThQ 159 (1979) 162–169.

3567   Der Traum von der Kirche: rhs 22 (1979) 208–216 (vgl. Nr. 3505).

3568   Fragen und Zweifel – eine Antwort: Entschluß, Zeitschrift für Praxis und Theologie 34 (Wien 9/1979) 11.

3569   Advent des großen Gottes: Entschluß, Zeitschrift für Praxis und Theologie 34 (Wien 10/1979) 4–6.

3570   Gibt es einen kirchenpolitischen Advent?: Entschluß, Zeitschrift für Praxis und Theologie 34 (Wien 10/1979) 5.

3571   Vaticanum 2, Wereldkerk: Streven 32 (Amsterdam-Antwerpen 8/9/1979) 803–809.

3572   Das Theologiestudium des Jesuiten: An unsere Freunde (München 4/1979) 4–6.

3573   Zukunft der Orden: Ordensnachrichten 19 (Wien 7/1979) 364–365 (vgl. Nr. 3563).

3574   ○   Théologie et Spiritualité de la Pastorale Paroissiale: Nouvelle Revue Théologique 111 (Tournai 5/6/1979) 381–394 (franz. Übers. von Nr. 3451).

3575   ○   Giv Ånden vaesktbetingelser i kirken: Magasin (Kopenhagen 5/1979) 3–7 (dän. Übers. von der Schallplatte: „Löscht den Geist nicht aus“).

3576   Ein ganz normaler Theologe und Christ: zur Debatte. Themen der Katholischen Akademie in Bayern 9. Jg. (München 3/1979) 12.

3577   Über die bleibende Bedeutung des Zweiten Vatikanischen Konzils: Katholische Akademie in Bayern, Sonderdruck Nr. 5 (München 1979) 3–15 (vgl. Nr. 3564).

3578   ○   Una interpretación teológica a fondo del Concilio Vaticano II: Razón y Fe (Madrid 9/1979) 182–195 (span. Übers. von Nr. 3565).

3579   Die Fragen annehmen: Unsere Seelsorge 29. Jg. (München 3/1979) 7–9.

3580   Étienne Gilson: Das Parlament vom 14./21. 7. 1979 Nr. 28/29 (Bonn) 12.

3581   Die „Calama“-Affäre: Theologisches Nr. 113 (Abensberg 9/1979) 3347–3359.

3582   Nostalgie – Tugend oder Laster: Jetzt 10. Jg. (München 3/1979) 3–4.

3583   Ordensleben bleibt ein Faktor der Kirche: Die Furche vom 5. 9. 1979 Nr. 36 (Wien) 8.

3584 Sauerteig: Mario von Galli zum 75. Geburtstag, Sauerteig, vom Anspruch des Christlichen (Zürich 1979) 88–99.

3585 Mario, lieber Freund: Orientierung 43 (19/1979) 205–207 (vgl. Nr. 3584).

3586 Das Schicksal des Glaubens: Neue Zürcher Zeitung vom 21./22. 10. 1979 (Zürich) Feuilleton.

3587 Ich protestiere: Publik-Forum 8 (Frankfurt/M. 23/1979) 15–19.

3588 Alltag: In Meditationskassetten Alltag (Zürich/Köln/Freiburg i. Br. 1979).

3589 Dogmen- und Theologiegeschichte – gestern und morgen: Theologisches Jahrbuch 1979, hrsg. von W. Ernst, K. Feiereis, S. Hübner, J. Reindl (Leipzig 1979) 204–228 (vgl. Nr. 3436).

3590 *Was sollen wir noch glauben? (zus. mit K.-H. Weger) (Freiburg i. Br. ³1979)* (vgl. Nr. 3550).

3591 O *Przez syna do ojca (Krakau 1979)* (poln. Übers. von Nr. 3481 und Nr. 1943).

3592 O *Ryzyko chrzescijanina (Warschau 1979)* (poln. Übers. von Nr. 2998).

3593 Das neue Bild der Kirche: Das Problem der Kirchengliedschaft heute, hrsg. von P. Meinhold (Darmstadt 1979) 114–137 (vgl. Nr. 1698).

3594 O A Basic Interpretation of Vatican II: theological studies 40 (4/1979) 716–727 (engl. Übers. von Nr. 3565).

3595 O Brev til Mario von Galli: Katolsk Debat (Aarhus 1979) 1–8 (dän. Übers. von Nr. 3585).

3596 Katholische Welt. Zur Situation der katholischen Theologie: Rundfunkvortrag am 1. November 1979 im BR, Mskr.-Druck.

3597 Ich protestiere: Süddeutsche Zeitung vom 14. 11. 1979 Nr. 263 (München) 9 (vgl. Nr. 3587).

3598 *Kleines Konzilskompendium (zus. mit H. Vorgrimler) (Freiburg i. Br. ¹³1979)* (vgl. Nr. 3471).

3599 Praktische Kirchlichkeit: Entschluß, Zeitschrift für Praxis und Theologie 34 (Wien 3/1979) 7–12.   [7–11.

3600 Ewigkeit aus Zeit: Entschluß, Zeitschrift für Praxis und Theologie 34 (Wien 4/1979)

3601 Chancen neuer Marien- und Heiligenverehrung: Entschluß, Zeitschrift für Praxis und Theologie 34 (Wien 5/1979) 16–17.

3602 Islam und Christentum in der säkularisierten Welt: Entschluß, Zeitschrift für Praxis und Theologie 34 (Wien 7/1979) 8–9.

3603 O *Curso fundamental sobre la fe. Introducción al concepto de cristianismo (Barcelona ²1979)* (span. Übers. von Nr. 3336) (vgl. Nr. 3529).

3604 Testi e documenti di vita spirituale e di azione pastorale. Erranti nella luce, hrsg. von G. Badini (Rom 1979) 832, 862, 939.

3605 Warum gerade ER? Anfrage an den Christusglauben: Theologie der Gegenwart 22. Jg. (Frankfurt/M. 2/1979) 65–74 (vgl. Nr. 3550).

3606 O Être chrétien: dans quelle Église?: Comment être chrétien? La réponse de Hans Küng, hrsg. von J. R. Armogathe (Paris 1979) 87–97 (franz. Übers. von Nr. 3389d).

3606a Die menschliche Sinnfrage vor dem absoluten Geheimnis Gottes: Person und Daseinsbewältigung. Fragen und Sinndeutungen (Bamberger Hochschulschriften, Bd. 3) (Bamberg 1979) 45–56 (vgl. Nr. 3502).

3606b Offene Fragen in der Lehre vom päpstlichen Primat: Una Sancta 34 (Meitingen 1/1979) 44–47 (vgl. Nr. 3502).

3606c O Önéletrajz: Mérleg. Ungarischer Digest 15 (Budapest 1/1979) 18–28 (ungar. Übers. von Nr. 3442).

3606d O Open Questions in Dogma. Considered by the Institutional Church as Definitively Answered: Catholic Mind Vol. LXXVII (New York 3/1979) 8–26 (engl. Übers. aus Nr. 3502).

3606e O Fundamentación de la fe cristiana: Razón y Fe 199 (Madrid 1/1979) 28–37 (span. Übers. aus Nr. 3535) (vgl. Nr. 3603).

3606f ○ The Understanding of God and the Word of God Today – Aspects of Theology: Universitas vol. 21, 1. Vj. (Stuttgart 1979) 35–39 (engl. Übers. von Nr. 3501).

1980

3607 ○ *Teológiai Kisszótár (Budapest 1980)* (ungar. Übers. von Nr. 3600).

3608 ○ *Sveta ura i Sedam rijeci na Krizu (Zagreb 1980)* (kroat. Übers. von Nr. 1259).

3609 *Schriften zur Theologie XIV. Bearbeitet von P. Imhof SJ (In Sorge um die Kirche) (Einsiedeln 1980)* (vgl. Nr. 3367, 3399, 3434, 3446, 3449, 3451, 3452, 3484, 3505, 3530, 3541, 3544, 3552, 3564, 3565, 3566, 3600, 3610, 3611, 3612). Bisher unveröffentlicht: Zur Situation des Glaubens, Grundkurs des Glaubens, Zum Verhältnis von Naturwissenschaft und Theologie, Weihe im Leben und in der Reflexion der Kirche, Die Verantwortung der Kirche für die Freiheit des einzelnen, Basisgemeinden, Die Zukunft der Kirche und die Kirche der Zukunft, Elemente der Spiritualität in der Kirche der Zukunft.

3610 *Worte vom Kreuz (Freiburg i. Br. 1980)* (vgl. Nr. 1259).

3611 Kleine Bemerkungen zur Fegfeuerlehre: Heinrich Stirnimann zum 60. Geburtstag, Unterwegs zur Einheit, hrsg. von J. Brantschen und P. Selvatico (Freiburg 1980) 476–485.

3612 Kleine theologische Bemerkungen zu dem „Status naturae lapsae": Esistenza Mito Ermeneutica, Scritti per Enrico Castelli: Archivia di Filosofia, dd. M. M. Olivetti (Padua 1980) 167–180.

3613 Nachwort zu: Christenverfolgung in Südamerika, hrsg. von M. Lange und R. Iblacker (Freiburg i. Br. 1980) 179–182.

3614 Gott meiner Brüder: Was die Liebe vermag (Freiburg i. Br. 1980) 60–65 (vgl. Nr. 3158).

3615 Ich sehe keinen absoluten Affront: Süddeutsche Zeitung vom 6. 2. 1980 Nr. 31 (München) 11.

3616 Ich sehe keinen absoluten Affront: Der Fall Küng, hrsg. von N. Greinacher und H. Haag (München/Zürich 1980) 413–416 (vgl. Nr. 3615).

3617 Geleitwort zu: R. Feneberg und W. Feneberg, Das Leben Jesu im Evangelium (Freiburg i. Br. 1980) 9–14.

3618 Mut und Mühe, den Glauben zu bezeugen: Entschluß, Zeitschrift für Praxis und Theologie 35 (Wien 1/1980) 7–10.

3619 Die bleibende Bedeutung des Konzils: zur Debatte. Themen der Katholischen Akademie in Bayern 10. Jg. (München 1/1980) 2–3 (vgl. Nr. 3564).

3620 Sind wir Apostel oder Revolutionäre?: Entschluß, Zeitschrift für Praxis und Theologie 35 (Wien 6/1980) 4–7.

3621 Zeugen der Hoffnung: Entschluß, Zeitschrift für Praxis und Theologie 35 (Wien 6/1980) 37.

3622 Theologie und Lehramt: StdZ 198 (1980) 363–375.

3623 Dankbares Erinnern: Westfälische Nachrichten vom 11. 4. 1980 (Münster), Sonderbeilage: 200 Jahre Universität Münster, 18.

3624 Zur Peters-Projektion: Gutachten München/Solln 1980.   [1/1980] 3–5.

3625 Verzeihen ist ein fundamentaler Vollzug christlichen Lebens: Jetzt 12. Jg. (München

3626 Ökumenisches Miteinander heute: Quatember 44 (1/1980) 3–12.

3627 ○ ¿Cuestiones Abiertas o Respuestas Definitivas?: selecciones de teología 73 (1/1980) 36–48 (span. Übers. von Nr. 3494).

3628 Warum läßt Gott uns leiden?: Mann in der Kirche 2 (3/1980) 2–6 (vgl. Nr. 3610).

3629 Ermutigung zum Gebet: Diakonia 11 (3/1980) 78–81 (vgl. Nr. 3392).

3630 ○ Ein europäischer Christ spricht zu einem koreanischen Christen: Pastoral 69 (5/1980) 100–106 (korean. Übers. eines Vortrages vom 24. 11. 1979, dt. Mskr.).

3631 ○ Il significato permanente del Concilio Vaticano II: aggiornamenti sociali 31 (Milano 3/1980) 203–214 (ital. Übers. von Nr. 3564).

3632 Katholische Morgenfeier – Fronleichnamsfest: Kirche am Mikrofon 8 (15/1980) 185–188.

3633 Christsein in der Kirche der Zukunft: Orientierung 44 (6/1980) 65–67 (vgl. Nr. 3609).

3634 Zu: „Warum schweigt Rahner?": Publik-Forum 9 (Frankfurt/M. 3/1980) 32.

3635 Glaubenssätze, ihr Gewicht und ihre Grenzen: MKKZ vom 25. 5. 1980 (München) 3.

3636 O Misión de las Iglesias e informacion de la opinión publica: Universitas vol. XVII (3/1980) 193–196 (span. Übers. von Nr. 3559).

3637 Der Tod als Vollendung: Die Furche vom 2. 4. 1980 Nr. 14 (Wien) 1.

3638 Karl Rahner über den Jesuitenorden: Jesuiten in München, hrsg. v. d. Oberdeutschen Provinz SJ (München 1980) 8–9 (vgl. Nr. 3159).

3639 Karl Rahner über den Jesuitenorden: Vaterland Nr. 120 vom 24. 5. 1980 (Luzern) 3 (vgl. Nr. 3159).

3640 O *¿Qué debemos creer todavia? (Santander 1980)* (span. Übers. von Nr. 3590).

3641 O *Alltägliche Dinge* (korean. Übers. von Nr. 2194).

3642 [Rahner Reader:] *The Heart of Rahner (London 1980).*

3643 O *A new Christology (zus. mit W. Thüsing) (London 1980)* (engl. Übers. von Nr. 2603).

3644 *Von der Not und dem Segen des Gebetes (Freiburg i. Br. ¹⁰1980)* (vgl. Nr. 3393).

3645 *Worte ins Schweigen (zus. mit H. Rahner) (Freiburg i. Br. ⁵1980)* (vgl. Nr. 3394).

3646 *Die Gabe der Weihnacht (Freiburg i. Br. 1980).*

3647 Karl Rahner über den Jesuitenorden: An unsere Freunde (München 2/1980) 10–11.

3648 Warum man trotzdem beichten soll: Entschluß, Zeitschrift für Praxis und Theologie 35 (Wien 9/1980) 4–12.

3649 Bin ich berufen?: Entschluß, Zeitschrift für Praxis und Theologie 35 (Wien 11/1980) 4–8.

3650 Fest der ewigen Jugend: Entschluß, Zeitschrift für Praxis und Theologie 35 (Wien 12/1980) 25–27 (vgl. Nr. 1256).

3651 Demut und Selbsteinschätzung: Jetzt 12. Jg. (München 3/1980) 3–4.

3652 O Towards a Fundamental Theological Interpretation of Vatican II: Catholic Mind (New York 9/1980) 44–56 (engl. Übers. von Nr. 3565).

3653 O Towards a Fundamental Theological Interpretation of Vatican II: AFER Vol. 22, Nr. 6 (Eldoret/Kenya 12/1980) 323–334 (engl. Übers. von Nr. 3565).

3654 Vorwort zu: James J. Bacik, Apologetics and the Eclipse of Mystery (Notre Dame, Ind. 1980) IX–X.

3655 Theologie an der Universität: um-bits 10 (München 4/1980) III.

3656 Kirche und Atheismus: evangelizzazione e ateismo. Università Urbaniana vom 6. 10. 1980 (Roma) 3–18.

3657 Nicht mehr europäische Religion: Publik-Forum 9 (Frankfurt/M. 22/1980) 27–28.

3658 Kleine Anmerkungen zur systematischen Christologie heute: Glaube an Jesus Christus, hrsg. von J. Blank und G. Hasenhüttl (Düsseldorf 1980) 134–144.

3659 Betrachtung über die sieben Worte Jesu am Kreuz: Daß wir mit Christus auferstehn, hrsg. von M.-V. Wildenhain (Leipzig 1980) 15–26 (vgl. Nr. 1259).

3660 Gesellschaft Jesu und Theologie: Jesuiten. Jahrbuch der Gesellschaft Jesu 1980/81 (Roma) 22–23.

3661 Osservazioni sulla situazione della fede oggi: Problemi e Prospettive di Teologia Fondamentale, hrsg. von R. Latourelle und G. O'Collins (Brescia 1980) 339–358.

3662 Grundriß des Glaubens – Ein Katechismus unserer Zeit: Katechetische Blätter 105. Jg. (München 7/1980) 545–547.

3663 Die größte Sorge: KNA – Katholische Korrespondenz Nr. 42 vom 14. 10. 1980, 2/3.

3664 Der Weideplatz des Pontifex: Rheinischer Merkur/Christ und Welt vom 14. 11. 1980 Nr. 46 (Koblenz) 35–36.

3665 Kirchlichkeit bleibt mir selbstverständlich: Die Furche vom 20. 8. 1980 Nr. 34 (Wien) 8 (vgl. Nr. 3544).

3666 O Auszüge aus: *Wagnis des Christen (Tokyo 1980)* (jap. Übers. von Nr. 2998).

3667 Ein Bewußtsein, aus dem man wirklich leben kann: Christlicher Glaube in moderner Gesellschaft. Enzyklopädische Bibliothek in 30 Teilbänden, Almanach, hrsg. von F. Böckle, F.-X. Kaufmann, K. Rahner, B. Welte (Freiburg 1980) 8–10.

3668 Brief zu „Christlicher Glaube in moderner Gesellschaft" (vgl. Nr. 3667) 1–2.

3669 Die Spannung austragen zwischen Leben und Denken. Plädoyer für eine unbekannte Tugend: Mut zur Tugend. Von der Fähigkeit, menschlicher zu leben, hrsg. von K. Rahner und B. Welte (Freiburg i. Br. ²1980) 11–18 (vgl. Nr. 3533).

3670 Die Spannung austragen zwischen Leben und Denken. Plädoyer für eine unbekannte Tugend: Mut zur Tugend. Von der Fähigkeit, menschlicher zu leben, hrsg. von K. Rahner und B. Welte (Freiburg i. Br. ³1980) 11–18 (vgl. Nr. 3669).

3671 ○ Grundkurs des Glaubens (Tokyo 1980) (japan. Übers. von Nr. 3603).

3672 Alltägliche Dinge. Theol. Meditationen (Einsiedeln ¹⁰1980) (vgl. Nr. 2882).

3673 ○ Our Christian Faith (zus. mit K. H. Weger) (London 1980) (engl. Übers. von Nr. 3550).

3674 ○ The Courage to Pray (zus. mit J. B. Metz) (London 1980) (engl. Übers. von Nr. 3392).

3675 Jesus Christus – Sinn des Lebens: Wege zu sinnvollem Leben, hrsg. von K. E. Schiller (Linz 1980) 45–66.

3676 ○ Sulla cattiva argomentazione in teologia morale: Chiamati alla Libertà, hrsg. von P. Beretta (Roma 1980) 37–51 (vgl. Nr. 3463).

3677 Der Mensch – die unbeantwortbare Frage: Kurs Philosophie, hrsg. von J. Ständeke (Düsseldorf 1980) 143–147 (vgl. Nr. 2818).

3678 Theologie heute: Akademische Festreden zum Jubiläum 1980, Schriftenreihe der Westfälischen Wilhelms-Universität Münster 1 (1980) 43–54.

3679 Selige Resignation: Wird es denn überhaupt gehen? Beiträge für W. Dirks, hrsg. von F. Boll, M. Linz und Th. Seiterich (München/Mainz 1980) 252–254.

3680 Gedenkworte für Étienne Gilson: Orden pour le Mérite für Wissenschaften und Künste, Reden und Gedenkworte XV. Bd. (Heidelberg 1980) 37–39 (vgl. Nr. 3580).

3681 Foreword: Theology and Discovery: Essays in honor of Karl Rahner S.J., hrsg. von W. J. Kelly S. J. (Milwaukee 1980) II/III.

3682 ○ Reflections on Foundations of the Christian Faith: Theology Digest 28 (3/1980) 209–213 (engl. Übers. von Nr. 3609).

3683 ○ Christology and an evolutionary world view: Theology Digest 28 (3/1980) 215–220 (engl. Übers. von Nr. 804).

3684 ○ The lasting significance of Vatican II: Theology Digest 28 (3/1980) 221–225 (engl. Übers. von Nr. 3564).

3685 A teológia és a tanítóhivatal: Vigilia 45 (11/1980) 729–727.

3686 Jesus Christus – Sinn des Lebens: GuL 53 (6/1980) 405–416 (vgl. Nr. 3675).

3687 ○ Solidarnost S Mrtvima: Život 6 (1980) 339–357 (kroat. Übers. von Nr. 3392).

3688 Weihnacht: zur Debatte. Themen der Katholischen Akademie in Bayern 10. Jg. (München 6/1980) 7–9.

3689 Arche in der Flut der Zeitenwende: Die Presse vom 24. 12. 1980 (Wien) I.

3690 ○ Gebed: Jesus Caritas 4 (12/1980) 4 (niederl. Übers. von Nr. 1198).

3691 Einzigkeit und Dreifaltigkeit Gottes im Gespräch mit dem nichtchristlichen Monotheismus: Theologisches Jahrbuch 1980, hrsg. von W. Ernst, K. Feiereis, S. Hübner, J. Reindl (Leipzig 1980) 261–273 (vgl. Nr. 3502).

3692 Scheinprobleme in der ökumenischen Diskussion: Theologisches Jahrbuch 1980, hrsg. von W. Ernst, K. Feiereis, S. Hübner, J. Reindl (Leipzig 1980) 451–464 (vgl. Nr. 3502).

3693 Die Gabe der Weihnacht (Freiburg i. Br. ²1980) (vgl. Nr. 3646).

3694 Vorwort zu: E. Engelke, Signale ins Leben (München 1980) 7–8.

3695 Grundkurs des Glaubens. Einführung in den Begriff des Christentums (Freiburg i. Br. ¹¹1980) (vgl. Nr. 3474).

3696 Kleines Theologisches Wörterbuch (zus. mit H. Vorgrimler unter Mitarbeit von K. Füssel) (Freiburg i. Br. ¹²1980) (vgl. Nr. 3472).

3697   *Kleines Konzilskompendium (zus. mit H. Vorgrimler) (Freiburg i.Br.* ¹⁴*1980)* (vgl. Nr. 3598).

3698   *Ermutigung zum Gebet (zus. mit J. B. Metz) (Freiburg i. Br. 1980)* 41–110 (vgl. Nr. 3629).

1981

3699   Blick in das neue Jahr der Kirche: Auf dem Weg ins Morgen. Katholische Studentenseelsorge Basel 1930–1980 (Basel, Ostern 1981) 3–14.

3700   O   *Theological Investigations, Vol. XVII (London 1981)* (engl. Übers. von Nr. 3162).

3701   *Worte vom Kreuz (Freiburg i. Br.* ²*1981)* (vgl. Nr. 3610).

3702   O   *The Courage to Pray (zus. mit J. B. Metz) (New York 1981)* 29–87 (engl. Übers. von Nr. 3698).

3703   O   *Our Christian Faith (zus. mit K. H. Weger) (New York 1981)* (engl. Übers. von Nr. 3550).

3704   Die Sonntagspflicht in der Industriegesellschaft: Was sollen wir tun? Ein Sonntags-Forum, hrsg. von A. Keller SJ (Frankfurt/M. 1981) 59–65.

3705   Kleine theologische Anmerkung zum Wesen des katholischen Verlegers: Für Wort und Sinn, hrsg. von W. Brüschweiler, F. Koller, R. Nagel, R. Schläpfer (Zürich 1981) 117–121.

3706   Vorwort zu: P. Arrupe, Unser Zeugnis muß glaubwürdig sein (Ostfildern 1981) 5–8.

3707   Über die bleibende Bedeutung des Zweiten Vatikanischen Konzils: Chronik 1978/1979 der Katholischen Akademie in Bayern (München 1981) 139–150 (vgl. Nr. 3564).

3708   Hilft beten?: Aus ganzem Herzen hoffen (Freiburg i. Br. 1981) 33–47 (vgl. Nr. 3644).

3709   Vater, in deine Hände empfehle ich meinen Geist: Wir gedenken der Entschlafenen, hrsg. von A. Köberle und R. Mumm (Kassel 1981) 115–116 (vgl. Nr. 3610).

3710   *Kleines Konzilskompendium (zus. mit H. Vorgrimler) (Freiburg i.Br.* ¹⁵*1981)* (vgl. Nr. 3697).

3711   Vom Geheimnis des Lebens: Fragestellungen einer Akademie, hrsg. von D. Bader (München/Zürich 1981) 23–34 (vgl. Nr. 1885).

3712   Südamerikanische Basisgemeinden in einer europäischen Kirche?: Entschluß, Zeitschrift für Praxis und Theologie 36 (Wien 1/1981) 4–8.

3713   Der Weg zur Weltkirche: Entschluß, Zeitschrift für Praxis und Theologie 36 (Wien 3/1981) 12–14 (vgl. Nr. 3565).

3714   „Ich suche eine missionarische Aufgabe". Ein Antwortbrief von K. Rahner: Entschluß, Zeitschrift für Praxis und Theologie 36 (Wien 4/1981) 16–17.

3715   Ist unser Glück wirklich ein Segen?: Entschluß, Zeitschrift für Praxis und Theologie 36 (Wien 5/1981) 4–5.

3716   Eroberung einer höheren Welt: Entschluß, Zeitschrift für Praxis und Theologie 36 (Wien 6/1981) 7.

3717   Über die Liebe zu Jesus: Entschluß, Zeitschrift für Praxis und Theologie 36 (Wien 7/8 1981) 3–18, 23–24.

3718   Kirche und Atheismus: StdZ 199 (1981) 3–13 (vgl. Nr. 3656).

3719   O   Iglesia y Ateismo: Razón y Fe 203 (Madrid 1/1981) 33–41 (vgl. Nr. 3718).

3720   Herausforderung an die Kirche: An unsere Freunde (München 1/1981) 22–23.

3721   Ein Bewußtsein, aus dem man wirklich leben kann: Pastoralblatt für die Diözesen Aachen, Berlin, Essen, Köln, Osnabrück (Köln 1/1981) 19–20 (vgl. Nr. 3667).

3722   Christentum an der Schwelle zum dritten Jahrtausend (Interview mit H. Schöpfer): Civitas 36 (Zürich 1/1981) 288–308.

3723   Die größte Sorge (Interview): Stadt Gottes 104 (2/1981) 16.

3724   O   Teología y Magisterio: Proyección 120 (Granada 1/1981) 21–33 (span. Übers. von Nr. 3622).

3725 Christentum an der Schwelle zum dritten Jahrtausend: Vaterland vom 24. 1. 1981 Nr. 19 (Luzern) 5 (vgl. Nr. 3722).

3726 Es gibt vieles in der Kirche, was mich mit Sorge erfüllt: Vaterland vom 31. 1. 1981 Nr. 25 (Luzern) 5 (vgl. Nr. 3722).

3727 Verpaßt das Christentum seine Chance?: Vaterland vom 7. 2. 1981 Nr. 31 (Luzern) 5 (vgl. Nr. 3722).

3728 Das Recht und die Pflicht der Theologen: Vaterland vom 14. 2. 1981 Nr. 37 (Luzern) 5 (vgl. Nr. 3722).

3729 Von der eigentümlichen Resignation im Alter: Publik-Forum 10 (Frankfurt/M. 1/1981) 19 (vgl. Nr. 3679).

3730 Menschliche Sinnfrage vor dem Geheimnis Gottes: zur Debatte 11.Jg. (München 2/1981) 5 (vgl. Nr. 3502).

3731 Falsche Selbstverständlichkeiten: Die Furche vom 29. 4. 1981 Nr. 17 (Wien) 10.

3732 Recht zur Stellungnahme – aber selbstkritisch: Die Zeit vom 10. 4. 1981 (Hamburg) 4.

3733 Der Papst könnte dazulernen (Interview mit S. von Kortzfleisch): Lutherische Monatshefte 4 (4/1981) 211–214.

3734 L'Eglise est une et multiple (Interview mit G. Jarczyk): France Catholique-Ecclesia Nr. 1799 vom 5. 6. 1981 (Paris) 7–8.

3735 Eucharistische Anbetung: GuL 54 (3/1981) 188–191.

3736 Die stille Anbetung darf einfach nicht untergehen: MKKZ vom 14. 6. 1981 (München) 3 (vgl. Nr. 3735).

3737 *Was sollen wir noch glauben? (zus. mit K.-H. Weger) (Freiburg i. Br. ⁴1981)* (vgl. Nr. 3590).

3738 *Wer ist dein Bruder? (Freiburg i. Br. 1981).*

3739 O *Dio e Rivelazione (Roma 1981)* (ital. Übers. von Nr. 3502).

3740 O *Theological Investigations, Vol. XVII (New York 1981)* (engl. Übers. von Nr. 3162).

3741 O *Theological Investigations, Vol. XX (New York 1981)* (engl. Übers. von Nr. 3609).

3742 O *Theological Investigations, Vol. XX (London 1981)* (engl. Übers. von Nr. 3609).

3743 *Erfahrung des Geistes. Meditation (Freiburg i. Br. ³1981)* (vgl. Nr. 3397).

3744 *Kleines Kirchenjahr (Freiburg i. Br. 1981)* (vgl. Nr. 310).

3745 Vorwort zu: H. Rahner, Worte, die Licht sind (Freiburg i. Br. 1981) 7–16.

3746 Nachwort zu: J.-F. Six, Ich preise dich, Vater (Freiburg i. Br. 1981) 142–144.

3747 In der Liebe aufgehoben: Entschluß, Zeitschrift für Praxis und Theologie 36. Jg. (Wien 11/1981) 11–14.

3748 Naturwissenschaft und Theologie: StdZ 199 (8/1981) 507–514 (vgl. Nr. 3749).

3749 Weltall – Erde – Mensch (zus. mit K. Rawer): Christlicher Glaube in moderner Gesellschaft, Bd. 3 (Freiburg i. Br. 1981) 34–85.

3750 Anthropologie und Theologie (zus. mit A. Raffelt): Christlicher Glaube in moderner Gesellschaft, Bd. 24 (Freiburg i. Br. 1981) 8–55.

3751 Gebet zu den Heiligen: Ordensnachrichten 20 (Wien 4/1981) 231–238 (vgl. Nr. 3392).

3752 Das Heil ist ein Geschenk: Jetzt 13. Jg. (München 2/1981) 5–7.

3753 Perspektiven der Pastoral in der Zukunft: Diakonia 12 (4/1981) 221–235.

3754 Nachruf auf Fritz Schalk: Das Parlament vom 18./25. 7. 1981 Nr. 29–30 (Bonn) 14.

3755 Zur Nachfolge Christi: Vom Wort zum Leben, hrsg. von A. Albrecht, O. Fuchs, M. Limbeck (Stuttgart 8/1981) 82 (vgl. Nr. 1122).

3756 Christsein heute und morgen. Kurztexte und Denkanstöße, hrsg. von S. Rothenberg (Konstanz 1981) Nr. 6, 7, 9, 191, 236, 272, 276, 300, 359, 361, 397, 420, 428, 434, 447, 451, 475, 479, 481, 561, 572, 625, 632, 654, 694, 768, 887, 924, 931, 996, 1011, 1068, 1078, 1096, 1104, 1132, 1147, 1203.

3757 Wenn meine Gedanken zu Kuno zurückwandern: Zur Rettung des Feuers, hrsg. von Christen für den Sozialismus Gruppe Münster (Münster 1981) 260–262.

3758 Vorwort zu: Theologie in Freiheit und Verantwortung, hrsg. von K. Rahner und H. Fries (München 1981) 9–14.

3759 Offizielle Glaubenslehre der Kirche und faktische Gläubigkeit des Volkes: Theologie in Freiheit und Verantwortung, hrsg. von K. Rahner und H. Fries (München 1981) 15–29.

3760 Über das kontemplative Leben: Karmel in Deutschland, hrsg. von U. Dobhan und V. E. Schmitt (München 1981) 11–16.

3761 Televisie-Portretten (Interview mit P. van Hoof): Religieuze denkers in beeld (Hilversum 1981) 125–127.

3762 Gemeinschaft der Heiligen: Brückenbau im Glauben, hrsg. von W. Sandfuchs (Leipzig 1981) 142–153 (vgl. Nr. 3172).

3763 *Stirbt das Christentum aus? (Antwort des Glaubens 21, hrsg. vom Informationszentrum Berufe der Kirche) (Freiburg 1981).*

3764 Angst und christliches Vertrauen (zus. mit M. Boss): Christlicher Glaube in moderner Gesellschaft, Bd. 9 (Freiburg i. Br. 1981) 70–100.

3765 *Kleines Theologisches Wörterbuch (zus. mit H. Vorgrimler) (Freiburg i. Br. ¹³1981)* (vgl. Nr. 3696).

3766 *Die Gabe der Weihnacht (Freiburg i. Br. ³1981)* (vgl. Nr. 3693).

3767 ○ *Dictionary of Theology (zus. mit H. Vorgrimler) (New York ²1981)* (engl. Übers. von Nr. 3287) (vgl. Nr. 1219).

3768 ○ The Theology and Spirituality of Parish Work: Parish Ministry III/3 (1981) 1–7 (engl. Übers. von Nr. 3451).

3769 Weihnachtsmeditation: Welt der Frau 12 (1981) 9 (vgl. Nr. 3766).

3770 Kleine theologische Reflexion über die gegenseitige Beziehung von Glaube und Sakrament: Fides Sacramenti, Sacramentum Fidei. Festschrift für P. Smulders, hrsg. von H. J. Auf der Mauer, L. Bakker, A. von de Bunt, J. Waldram (Assen 1981) 245–252.

3771 Vorwort zu: C. Martini, The Ignatian Exercises in the light of St. John (Anand/Indien 1981) IX–X.

3772 ○ *La fede che ama la terra (Roma ²1981)* (ital. Übers. von Nr. 1426) (vgl. Nr. 1780).

3773 ○ La comunión de los santos: Yo Creo (Madrid 1981) 117–125 (span. Übers. von Nr. 3172).

3774 Die bleibende Bedeutung des II. Vatikanischen Konzils: Theologisches Jahrbuch 1981, hrsg. von W. Ernst, K. Feiereis, S. Hübner, J. Reindl (Leipzig 1981) 26–35 (vgl. Nr. 3564).

3775 Warum läßt uns Gott leiden?: Theologisches Jahrbuch 1981, hrsg. von W. Ernst, K. Feiereis, S. Hübner, J. Reindl (Leipzig 1981) 300–310 (vgl. Nr. 3609).

3776 ○ Eucharistic praise: Theology Digest 29 (St. Louis, Mo. 3/1981) 243–244 (engl. Übers. von Nr. 3735).

3777 ○ Theology and magisterium: self-appraisala: Theology Digest 29 (St. Louis, Mo. 3/1981) 257–261 (engl. Übers. von Nr. 3622). [3718].

3778 Kirche und Atheismus: Evangelizzazione e ateismo (Roma 1981) 203–219 (vgl. Nr.

3779 Vorwort zu: M. Lange, R. Iblacker, Witnesses of Hope. The persecution of Christians in Latin America (Maryknoll 1981).

3780 ○ Towards a Fundamental Theological Interpretation of Vatican II (Tokyo 1981) (jap. Übers. von Nr. 3565).

3781 Warum bin ich ein Christ?: Didaskalia Vol. XI (Coimbra/Portugal 2/1981) 241–251 (vgl. Nr. 3535).

3782 Gedenkworte für Fritz Schalk: Orden pour le mérite für Wissenschaften und Künste. Reden und Gedenkworte, 17. Bd. (Heidelberg 1981) 49–51 (vgl. Nr. 3754).

1982

3783 Konkrete offizielle Schritte auf eine Einigung hin?: Ökumene. Möglichkeiten und Grenzen heute, hrsg. von K. Froehlich (Tübingen 1982) 80–85.

3784 *Wer ist dein Bruder? (Freiburg i. Br. ²1982)* (vgl. Nr. 3738).

3785 *Was heißt Jesus lieben? (Freiburg i. Br. 1982)* (vgl. Nr. 3686, 3717).

3786 ○ *Problemi di fede della nuova generazione (zus. mit K.-H. Weger) (Brescia 1982)* (ital. Übers. von Nr. 3531).

3787 Kleine Randbemerkung zur Frage des Amtsverständnisses: Auf Wegen der Versöhnung. Beiträge zum ökumenischen Gespräch, hrsg. von P. Neuner, F. Wolfinger (Frankfurt/M. 1982) 213–219. [5–36.

3788 Autorität: Christlicher Glaube in moderner Gesellschaft, Bd. 14 (Freiburg i. Br. 1982)

3789 Das christliche Verständnis der Erlösung: Erlösung in Christentum und Buddhismus, hrsg. von A. Bsteh, Beiträge zur Religionstheologie, Bd. 3 (Mödling 1982) 112–127.

3790 Fides qua – fides quae: Bekennendes Bekenntnis. Form und Formulierung christlichen Glaubens, hrsg. von E. Hultsch, K. Lüthi (Gütersloh 1982) 63–71.

3791 *Grundkurs des Glaubens. Einführung in den Begriff des Christentums (Freiburg i.Br. ¹²1982)* (vgl. Nr. 3695).

3792 [Rahner Reader]: *Rechenschaft des Glaubens. Karl Rahner-Lesebuch, hrsg. von K. Lehmann, A. Raffelt (Freiburg i. Br. / Zürich ²1982)* (vgl. Nr. 3532).

3793 „Ich bin Priester und Theologe, und damit hat's sich": Der Dom 37. Jg., Nr. 9 vom 28. 2. 1982 (Paderborn) 11.

3794 Statt eines Schlußwortes: Christologie heute: Concilium 18 (3/1982) 212–216.

3795 ○ Christologie vandaag. In plaats van een slotbeschouwing: Concilium (3/1982) 79–84 (niederländ. Übers. von Nr. 3794).

3796 ○ En guise de conclusion. La christologie aujourd'hui: Concilium 173 (Paris 3/1982) 119–125 (franz. Übers. von Nr. 3794).

3797 ○ En torno a la cristologia de nuestro tiempo: Concilium 173 (Madrid 3/1982) 400–407 (span. Übers. von Nr. 3794).

3798 „Da muß ich protestieren" (Leserbrief): MKKZ Nr. 11/82 vom 14. 3. 1982 (München) 10.

3799 Komm, Geist, Geist des Vaters und des Sohnes: MKKZ Nr. 22/82 vom 30. 5. 1982 (München) 1.

3800 Über Visionen und Offenbarungen: Jetzt 14. Jg. (München 1/1982) 4–6.

3801 Die Predigt von Pater Karl Rahner: Intim, Zeitung des Sigmund-Kripp-Hauses 7. Jg. (Innsbruck 7/1982) 5.

3802 Rahner-Worte und -Geschichten: Rundbrief, Oberdeutsche Provinz SJ Nr. 2/82, 27–30.

3803 Warten auf den Frühling: Hoffnung. Österreichischer Katholikentag 1983 (Wien 1982) 111.

3804 ○ Frihet och skuld – Reflexioner kring människans skuld och Guds förlåtelse: Signum 8. Jg. (Uppsala 3/1982) 76–81 (schwed. Übers. von Nr. 3830).

3805 Preis der Barmherzigkeit: Wenn unsere Gerechtigkeit nicht größer ist ... KSA Fastenaktion 1982, 7–9 (vgl. Nr. 1440).

3806 „Kritik unter uns sollte anders klingen": Publik-Forum 11 (Frankfurt/M. 5/1982) 17–18.

3807 ○ Entrevista con Karl Rahner. Hay que tomar en serio los movimientos carismáticos (Interview mit P. Kammerer und R. G. Mateo): El ciervo 31. Jg., Nr. 372 (Barcelona, Febr. 1982) 26–27 (span. Übers. von Nr. 3825).

3808 Aggiornamento ist nicht vollendet (Interview mit G. Ruis): Die Furche vom 6. 1. 1982 Nr. 1 (Wien) 3.

3809 Wer wird in Zukunft die Bischöfe bestellen?: Die Furche vom 24. 2. 1982 Nr. 8 (Wien) 8 (vgl. Nr. 3815).

3810 Freiheit, Erlösung und Emanzipation (Interview mit G. Ruis): Die Furche vom 7. 4. 1982 Nr. 14 (Wien) 11.

3811 Eucharistische Anbetung: Kirche. Schweizerische Kirchenzeitung 150. Jg., Nr. 22/ 1982 vom 3. 6. 1982, 363–364 (vgl. Nr. 3735).

3812 Eucharistische Anbetung: Wiener Diözesanblatt 120. Jg., Nr. 6/1982, 66–67 (vgl. Nr. 3735).

3813 Das wandernde Volk Gottes: Vaterland Nr. 30 vom 6. 2. 1982, 3.

3814 Heiliger Geist und Kirche: Vaterland Nr. 123 vom 29. 5. 1982, 1 (vgl. Nr. 3792).

3815 Bischofswahl?: KSÖ, Nachrichten und Stellungnahmen der Katholischen Sozialakademie Österreichs Nr. 3 vom 6. 2. 1982 (Wien) 7.

3816 Kritik der Kritik an der Kirche: KSÖ, Nachrichten und Stellungnahmen der Katholischen Sozialakademie Österreichs Nr. 8 vom 17. 4. 1982 (Wien) 7–8.

3817 Der brennende Schmerz unserer Existenz. Glaubensbegründung in einer agnostischen Welt: FAZ, Samstags-Beilage vom 10. 4. 1982, Nr. 84.

3818 Seine Entscheidung durchziehen (Interview mit N. Steidl): Kirche, Wochenblatt der Diözese Innsbruck Nr. 4 vom 24. 1. 1982 (Innsbruck) 6.

3819 Plädoyer für ein freies Wort. Mut zur Kritik an der Amtskirche: Die Zeit 37. Jg., Nr. 14 vom 2. 4. 1982 (Hamburg) 56.

3820 Anstoß zu einer neuen Fundamentaltheologie?: Österreichisches Klerus-Blatt 115. Jg., Nr. 3 vom 6. 2. 1982 (Salzburg) 10.

3821 Buchbesprechung von: K.-H. Weger, Der Mensch vor dem Anspruch Gottes: Österreichisches Klerus-Blatt 115. Jg., Nr. 3 vom 6. 2. 1982 (Salzburg) 34.

3822 Der Papst und die Jesuiten: präsent, Österreichische Wochenzeitung 82. Jg., Nr. 10 vom 11. 3. 1982 (Innsbruck) 1–2.

3823 Nicht jeder Künstler ist ein Heiliger. Zur Theologie der Kunst: Entschluß 37 (Wien 1/1982) 4–7.

3824 Wenn sich ein Deutscher über die Vergangenheit seines Volkes schämt: Entschluß 37 (Wien 2/1982) 23–26.

3825 Theologisch denken – religiös erfahren (Interview mit R. García-Mateo und P. Kammerer): Entschluß 37 (Wien 3/1982) 31–34.

3826 Du fragst, wo ist hier das Glück: Entschluß 37 (Wien 4/1982) 4–6.

3827 „Die Liebe Christi drängt uns". Von den unbekannten Heiligen: Entschluß 37 (Wien 7/8/1982) 5–8 (Vorabdruck aus Nr. 3833).

3828 Über die Eigenart des christlichen Gottesbegriffs: Diakonia 13 (3/1982) 150–159.

3829 O Theology and the Arts: Thought Vol. LVII, Nr. 224 (Fordham 1/1982) 17–29 (engl. Übers. von Nr. 3823).

3830 Vom Geheimnis menschlicher Schuld und göttlicher Vergebung: GuL 55 (1/1982) 39–54.

3831 Der mündige Christ: StdZ 200 (1/1982) 3–13.

3832 Reform der Bischofswahl: StdZ 200 (5/1982) 289–290.

3833 *Karl Rahner im Gespräch, Bd. 1: 1964–1977, hrsg. von P. Imhof/H. Biallowons (München 1982).*

3834 *Mein Problem. Karl Rahner antwortet jungen Menschen (Freiburg i. Br. 1982).*

3835 *Das Alte neu sagen. Rede des Ignatius von Loyola an einen Jesuiten von heute (Freiburg i. Br. 1982)* (vgl. Nr. 3475).

3836 O *Theological Investigations, Vol. I (New York ⁴1982)* (engl. Übers. von Nr. 337) (vgl. Nr. 2865).

3837 O *Theological Investigations, Vol. III (New York ³1982)* (engl. Übers. von Nr. 423) (vgl. Nr. 2866).

3838 O *Theological Investigations, Vol. VI (New York ³1982)* (engl. Übers. von Nr. 1250) (vgl. Nr. 2868).

3839 O *Theological Investigations, Vol. XI (New York ²1982)* (engl. Übers. von Nr. 2825) (vgl. Nr. 2869).

3840 O *Ignatius av Loyola (zus. mit P. Imhof und H. N. Loose) (Zürich 1982)* (schwed. Übers. von Nr. 3475).

3841 O *Vorwort zu: P. Arrupe, Trovärigt Vittnesbörd (Zürich 1982) 5–7* (schwed. Übers. von Nr. 3706).

3842 ○ *Sollecitudine per la Chiesa (Roma 1982)* (ital. Übers. von Nr. 3609).

3843 ○ *Foundations of Christian Faith. An introduction to the Idea of Christianity (New York*
²*1982)* (engl. Übers. von Nr. 3336) (vgl. Nr. 3476).

3844 ○ *Erwachen und dann beten (Tokyo 1982)* (jap. Übers. von Nr. 3606).

3845 Einleitung zu den Texten: A. Delp, Gesammelte Schriften, hrsg. von R. Bleistein
(Frankfurt/M. 1982) 43–50.

3846 Lebensstationen im 20. Jahrhundert. Zum theologischen und anthropologischen
Grundverständnis des Alters: Nochmals glauben lernen. Sinn und Chancen des Alters,
hrsg. von M. Schmid, W. Kirchschläger (Innsbruck 1982) 9–21.

3847 Weltgeschichte und Heilsgeschichte (zus. mit G. Mann): Christlicher Glaube in moderner Gesellschaft, Bd. 23 (Freiburg i. Br. 1982) 87–125.

3848 Über den Absolutheitsanspruch des Christentums: Universalität als Auftrag des Glaubens, hrsg. von D. Bader (München 1982) 61–74 (vgl. Nr. 3763).

3849 Die Atomwaffen und der Christ (zus. mit Th. Cremer): Atomrüstung – christlich zu
verantworten?, hrsg. von A. Battke (Düsseldorf 1982) 98–115.

3850 Selige Resignation: J. Schwarz, Grenzen überschreiten. Ein Begleitbuch zur Weih-
nachtszeit und zur Jahreswende (Eschbach 1982) 29–30 (vgl. Nr. 3679).

3851 Du fragst, wo ist hier das Glück: Auf der Suche nach dem Sinn. Jahrbuch 1983 der Erz-
diözese Wien (Wien 1982) 19–23 (vgl. Nr. 3834).

3852 (Brief an Abiturienten): Freiherr-vom-Stein-Gymnasium Leverkusen, Abitur 1982, 58.

3853 Eucharistie als Teilhabe an Christus: experiment. leben aus den exerzitien (Wien
3/1982) 6–9.

3854 John let Vatican II 'find its own sense of initiative': National Catholic Reporter 18. Jg.,
Nr. 44 vom 8. 10. 1982 (Kansas City) 5, 32.

3855 Darum dürfen wir diese Erde lieben. Ostern sagt: Gott hat etwas getan: Saarbrücker
Zeitung, Ostern 1982.

3856 Auch noch im Atheisten wirkt die Gnade Gottes: Rheinischer Merkur/Christ und
Welt Nr. 41 vom 8. 10. 1982, 24.

3857 Zur Typologie eines Katholikentages: Bildungsanzeiger Lainz, Sept./Okt. 1982, 7–8
(vgl. Nr. 3859).

3858 Der Petrusdienst des Papstes als Garant der Einheit: Evangelisches Monatsblatt 35. Jg.,
Nr. 9 vom 9. 9. 1982 (Bielefeld) 8.

3859 Zur Typologie eines Katholikentages: KSÖ, Nachrichten und Stellungnahmen der
Katholischen Sozialakademie Österreichs Nr. 14 vom 17. 7. 1982 (Wien) 6–8.

3860 Die Sünde, Konsens vorzutäuschen. Drei Typen und Themen für den Katholikentag:
präsent, Österreichische Wochenzeitung 82. Jg., Nr. 29 vom 22. 7. 1982 (Innsbruck) 7.

3861 Ein gutes Altmodischwerden. Pater Rahner SJ antwortet Pater Ziegler SJ: präsent,
Österreichische Wochenzeitung 82. Jg., Nr. 34 vom 26. 8. 1982 (Innsbruck) 7.

3862 Eucharistische Anbetung: Beigelegter Sonderdruck in: Maria 19. Jg. (Graz 5/1982) (vgl.
Nr. 3735).

3863 Randbemerkungen zur Armut in den Ordensgemeinschaften: Jetzt 14. Jg. (München
2/1982) 15–16.

3864 Die zornigen alten Männer in den Kirchen. Ein notwendiger Beitrag zur Kritik an der
Kirche: GuL 55 (5/1982) 336–339.   [(vgl. Nr. 3849).

3865 Ausbruch aus den alten Rastern: Publik-Forum 11 (Frankfurt/M. 17/18/1982) 12–14

3866 Das göttliche Feuer in sich lebendig halten. Taufe und Tauferneuerung: Entschluß 37
(Wien 9/10/1982) 6–11.

3867 Themen des Katholikentags: SOG Österreich 12. Jg. (Salzburg 4/1982) 3.

3868 Ökumenischer Realismus. Über das Ziel einer Einheit im Glauben: Evangelische Kommentare 15. Jg. (Stuttgart 9/1982) 480–484.

3869 Das christliche Verständnis der Erlösung: Epiphanie des Heils. Zur Heilsgegenwart in
indischer und christlicher Religion, hrsg. von G. Oberhammer (Wien 1982) 149–160
(vgl. Nr. 3789).

3870 *Kleines Konzilskompendium (zus. mit H. Vorgrimler) (Freiburg i. Br. ¹⁶1982)* (vgl. Nr. 3710).

3871 [Rahner-Reader]: *Praxis des Glaubens. Geistliches Lesebuch, hrsg. von K. Lehmann, A. Raffelt (Zürich/Freiburg i. Br. 1982).*

3872 *Das Böse. Wege zu seiner Bewältigung in Psychotherapie und Christentum (zus. mit A. Görres) (Freiburg i. Br. 1982)* 201–229 (vgl. Nr. 3830).

3873 O *Il dono del Natale (Roma 1982)* (ital. Übers. von Nr. 3693).

3874 O *Theological Investigations, Vol. XV (New York 1982)* (engl. Übers. von Nr. 2825).

3875 Theologie und Lehramt: Theologisches Jahrbuch 1982, hrsg. von W. Ernst, K. Feiereis, S. Hübner, J. Reindl (Leipzig 1982) 242–253 (vgl. Nr. 3622).

3876 Vorwort zu: S. Zucal, La teologia della morte in Karl Rahner (Bologna 1982) 5–6.

3877 Geleitwort zu: G. Neuhaus, Transzendentale Erfahrung als Geschichtsverlust? (Düsseldorf 1982) 11–13.

3878 Religion im 3. Jahrtausend: Idee 2000. öaab, hrsg. von H. Kohlmaier, W. Heinzinger, W. Ettmayer (Wien 1982) 15–21.

3879 Was kann realistischerweise Ziel der ökumenischen Bemühungen um die Einheit im Glauben sein?: Sonderdruck Nr. 6 der Katholischen Akademie in Bayern aus der Tagung „Spaltung der Christen – Skandal ohne Ende?" am 12./13. 6. 1982 in Bamberg.

3880 Sakramente und christliches Leben: Jetzt 14. Jg. (München 3/1982) 11–12.

3881 Hierarchie der Wahrheiten: Diakonia 13 (6/1982) 376–382.

3882 Realistische Ziele in der Ökumene: zur Debatte 12. Jg. (München 5/1982) 5–7.

3883 Die Fragen annehmen. Predigt in einer Klinikkirche: Entschluß 37 (Wien 11/1982) 17–18.

3884 Warum die Christen eine Minderheit bleiben. Über die Zukunft der Gemeinden: Entschluß 37 (Wien 12/1982) 11–12, 16–20.

3885 Die Finsternis der Welt und Gottes Licht: MKKZ Nr. 48/82 vom 28. 11. 1982 (München) 7.

3886 Herz-Jesu-Verehrung heute: Korrespondenzblatt des Canisianums 116. Jg. (1/1982/83) 2–8.

3887 Die Sinnfrage als Gottesfrage: Reinhold-Schneider-Stiftung, Heft 20 (Hamburg 1982) 21–28.

3888 Decentralisée mais orthodoxe: Témoignage Chrétien Nr. 2000 vom 8. 11. 1982 (Paris) 20–21.

3889 O Planning the church of the future: Theology Digest 30 (St. Louis, Mo. 1/1982) 59–62 (engl. Übers. von Nr. 3753).

3890 O Ser cristiano en la iglesia del futuro: Selecciones de Teología 84 (4/1982) 283–285 (span. Übers. von Nr. 3633).

3891 O Cristologia oggi – al posto di una conclusione: Concilium (Brescia 3/1982) [440] 128–136 [448] (ital. Übers. von Nr. 3794).

3892 O Vorwort zu: P. Arrupe, En el solo . . . la esperanza (Roma 1982) 1–4 (ital. Übers. von Nr. 3706).

3893 O Observations on the Situation of Faith Today: Problems and Perspectives of Fundamental Theology, hrsg. von R. Latourelle/G. O'Collins (New York 1982) 274–291 (engl. Übers. von Nr. 3661).

3894 Über die intellektuelle Geduld mit sich selbst: Toleranz. Zur Verleihung des Dr.-Leopold-Lucas-Preises (Tübinger Universitätsreden, Bd. 31), hrsg. von P. Stuhlmacher, L. Abramowski (Tübingen 1982) 195–206.

3895 O *qui est ton frère? (Mulhouse 1982)* (franz. Übers. von Nr. 3784).

3896 O *Watch and Pray With Me. The Seven Last Words (New York 1982)* (engl. Übers. von Nr. 1259) (vgl. Nr. 3455, bebilderte Ausgabe).

3897 O God's Oneness and Trinity: Vidyajyoti, Journal of theological reflection 46. Jg. (Delhi 8/1982) 366–379 (engl. Übers. von Nr. 3486).   [3834].

3898 *Mein Problem. Karl Rahner antwortet jungen Menschen (Freiburg i. Br. ²1982)* (vgl. Nr.

3899   ○ Christology Today (Instead of a Conclusion): Concilium (3/1982) 73–77 (engl. Übers. von Nr. 3794).

3900   Ein Wort zum religiösen Buch: Heilkraft des Lesens. Beobachtungen und Erfahrungen, hrsg. von der Taschenbuch-Redaktion (Freiburg i. Br. 1982) 73–75.

3901   Vom Mut zum kirchlichen Christentum: Warum ich Christ bin, hrsg. von W. Jens (München ²1982) 296–309 (vgl. Nr. 3544).

1983

3902   Der Traum von der Kirche: Ich habe einen Traum. Visionen von einer menschlicheren Welt, hrsg. M. Krauss (Freiburg i. Br. 1983) 77–88 (Lizenzausgabe von Nr. 3505).

3903   Religion und Revolution (zus. mit F. Alt, W. Jens, E. Käsemann, E. Kogon, A. Krieger, J. B. Metz, M. Penner, P. Rottländer, P. Schreiner): Religion von gestern in der Welt von heute. Streitgespräche und Positionen, hrsg. von P. Weidhaas (Gelnhausen 1983) 87–103.

3904   ○ *The Love of Jesus and the Love of Neighbor (New York 1983)* (engl. Übers. von Nr. 3784 und Nr. 3785).

3905   *Worte vom Kreuz (Freiburg i. Br. ³1983)* (vgl. Nr. 3701).

3906   *Mein Problem. Karl Rahner antwortet jungen Menschen (Freiburg i.Br. ³1983)* (vgl. Nr. 3898).

3907   Vom Wirken des Geistes auf dem Konzil. Beobachtungen eines Teilnehmers: Wer wird das Antlitz der Erde erneuern? Spuren des Geistes in unserer Zeit (Freiburg i. Br. 1983) 85–90.   [Nr. 3716].

3908   Eroberung einer höheren Welt: Die Exerzitien des Ignatius (Zürich 1983) 16–18 (vgl.

3909   Unmittelbare Gotteserfahrung in den Exerzitien (Interview mit W. Feneberg): Die Exerzitien des Ignatius (Zürich 1983) 19–31 (vgl. Nr. 3511).

3910   Realistische Möglichkeit der Glaubenseinigung?: Communicatio fidei. Festschrift für Eugen Biser zum 65. Geburtstag, hrsg. von H. Bürkle, G. Becker (Regensburg 1983) 175–183 (vgl. Nr. 3879).

3911   Bemerkungen zum Begriff der Offenbarung: Offenbarung. Phänomen – Begriff – Dimension, hrsg. von J. Bernard (Leipzig 1983) 143–153 (vgl. Nr. 1125).

3912   Vom Mut und der Gnade, sich auf das Ganze einzulassen: GuL 56 (1/1983) 12–14.

3913   Horizonte eines theologischen Denkens (Interview mit M. Waldenmair-Lackenbach): GuL 56 (1/1983) 62–68.

3914   Ein gutes Altmodischwerden. Pater Rahner SJ antwortet Pater Ziegler SJ: Theologie für Laien, Kurzzeitung 24. Jg., Nr. 3, Februar 1983 (Zürich) 74–75 (vgl. Nr. 3861).

3915   Wie ist die winterliche Zeit der Kirche auszuhalten? Die Eigentümlichkeit eines Ordensberufes in heutiger Zeit: Entschluß 38 (Wien 2/1983) 24–25.

3916   Die Offenheit auf Gott hin. Die theologische Dimension des Friedens: Entschluß 38 (Wien 3/1983) 11–13.

3917   „Stelle dir nicht das und jenes vor" (Interview mit J. A. Mair): präsent, Österreichische Wochenzeitung 83. Jg., Nr. 5 vom 3. 2. 1983 (Innsbruck) 6.

3918   Unser endgültig gerettetes Leben. Dogmatische Überlegungen zu zentralen Fragen von Tod und Auferstehung: Die Furche vom 2. 2. 1983 Nr. 5 (Wien) 3.

3919   testimonios y declaraciones (Brief an die Herausgeber): amanecer Nr. 15, Januar 1983 (Managua) 8.

3920   Miteinander an den Quellen der Urkirche (z. T. Interview mit J. Anderfuhren): la Vie protestante – Evangelische Stimmen 46. Jg., Nr. 8/2 vom 25. 2. 1983 (Genève) 1–2 (vgl. Nr. 3858).

3921   ○ Se retrouver aux sources de l'Église primitive: la Vie protestante – Hebdomadaire/N° Mensuel 46. Jg., Nr. 8/2 vom 25. 2. 1983 (Genève) 1–2 (franz. Übers. von Nr. 3920).

3922 ○ Misterio de la culpa humana y del perdón Divino: Selecciones de Teología 85 (1/1983) 15–28 (span. Übers. von Nr. 3830).

3923 Kann man auch als Erwachsener noch irgendwo Kind bleiben?: Glaube und Leben. Kirchenzeitung für das Bistum Mainz 39. Jg., Nr. 14, Ostern 1983 (Mainz) 12 (vgl. Nr. 3906).

3924 *Der Glaube der Kirche: Neuner-Roos (neu bearbeitet von K. Rahner und K.-H. Weger) (Regensburg ¹¹1983)* (vgl. Nr. 3553).

3925 *Karl Rahner im Gespräch, Bd. 2: 1978–1982, hrsg. von P. Imhof/H. Biallowons (München 1983).*

3926 Karl Rahner: Zorn aus Liebe. Die zornigen alten Männer der Kirche, hrsg. von N. Sommer (Stuttgart 1983) 249–253 (vgl. Nr. 3864).

3927 Versöhnung und Stellvertretung. Das Erlösungswerk Jesu Christi als Grund der Vergebung und Solidarität unter den Menschen: GuL 56 (2/1983) 98–110.

3928 Dimensionen des Martyriums. Plädoyer für die Erweiterung eines klassischen Begriffs: Concilium 19 (3/1983) 174–176.

3929 ○ Dimensions of Martyrdom: A Plea for the Broadening of a Classical Concept: Concilium (3/1983) 9–11 (engl. Übers. von Nr. 3928).

3930 ○ Dimensions du Martyre. Plaidoyer pour un élargissement d'un concept classique: Concilium 183 (Paris 3/1983) 21–24 (franz. Übers. von Nr. 3928).

3931 ○ Dimensies van het martelaarschap. Pleidooi voor de verruiming van een klassiek begrip: Concilium (3/1983) 14–16 (niederländ. Übers. von Nr. 3928).

3932 ○ Dimensiones del martirio: Concilium 183 (Madrid 3/1983) 321–324 (span. Übers. von Nr. 3928).

3933 ○ *Discours d'Ignace de Loyola aux jésuites d'aujourd'hui (Paris 1983)* (franz. Übers. von Nr. 3835).

3934 ○ *Traité fondamental de la foi. Introduction au concept du christianism (Paris 1983)* (franz. Übers. von Nr. 3791).

3935 ○ *Elementi di spiritualità nella Chiesa del futuro: Problemi e Prospettive di Spiritualità,* hrsg. von T. Goffi, B. Secondin (Brescia 1983) 433–443 (ital. Übers. von Nr. 3535).

3936 Le christianisme, religion de toutes les cultures. Une interview exclusive du théologien Karl Rahner (Interview mit G. Jarczyk): La croix 108. Jg., Nr. 30447 vom 13. 4. 1983 (Paris) 9.

3937 *Schriften zur Theologie XV. Bearbeitet von P. Imhof SJ (Wissenschaft und christlicher Glaube) (Einsiedeln 1983)* (vgl. Nr. 3658, 3670, 3678, 3686, 3718, 3749, 3763, 3764, 3788, 3789, 3790, 3794, 3817, 3828, 3831, 3835, 3846, 3847, 3849, 3881, 3887, 3894). Bisher unveröffentlicht: Zur momentanen Situation der katholischen Theologie, Aspekte europäischer Theologie, Eine Theologie, mit der wir leben können, Zur Situation des Jesuitenordens nach den Schwierigkeiten mit dem Vatikan.

3938 *Mein Problem. Karl Rahner antwortet jungen Menschen (Freiburg i. Br. ⁴1983)* (vgl. Nr. 3906).

3939 Was kann realistischerweise Ziel der ökumenischen Bemühungen um die Einheit im Glauben sein?: Das Ringen um die Einheit der Christen. Zum Stand des evangelisch-katholischen Dialogs, hrsg. von H. Fries (Düsseldorf 1983) 176–192 (vgl. Nr. 3910).

3940 Vom Geheimnis des Lebens: Universitas 38. Jg., Nr. 444 (Stuttgart 5/1983) 473–484 (vgl. Nr. 3711).

3941 Wenn Kinder den Eltern fremd werden. Eine lebenslange Aufgabe: Entschluß 38 (Wien 5/1983) 10–11.

3942 Ordensberuf in heutiger Zeit: Sankt-Georgs-Nachrichten-Blatt 19. Jg., Mai 1983, 6–7.

3943 L'unité des Églises est beaucoup plus facile à réaliser qu'on ne le pense (Interview mit A. Woodrow): Le Monde vom 14. 4. 1983 (Paris) 2.

3944 „L'hiver de l'Église": Informations Catholiques Internationales Nr. 585 vom 15. 4.1983 (Paris) 17–18.

3945 Mut zur Marienverehrung. Anthropologische und glaubensmäßige Zugänge zur heilsgeschichtlichen Bedeutung Marias: GuL 56 (3/1983) 163–173.

3946 Zur Theologie des beschaulichen Ordenslebens: Jetzt 16. Jg. (München 2/1983) 5–6.

3947 Otto domande a Karl Rahner. Intervista esclusiva di Vita Trentina all „architetto della teologia" (Interview mit P. Ghezzi): Vita Trentina vom 1. 5. 1983 (Trient) 1, 12.

3948 ○ *Che significa amare Gesù? (Roma 1983)* (ital. Übers. von Nr. 3785).

3949 *Einigung der Kirchen – reale Möglichkeit (zus. mit H. Fries) (Freiburg i. Br. 1983).*

3950 Austausch statt Einbahn? Ritenstreit – Neue Aufgaben für die Kirche: Entschluß 38 (Wien 7/8/1983) 28, 30–31.

3951 Pater André Jean Festugière: Das Parlament 33. Jg., Nr. 27 vom 9. Juli 1983 (Bonn) 17.

3952 *Über die Geduld (zus. mit E. Jüngel) (Freiburg i. Br. 1983)* 37–63 (vgl. Nr. 3894, 3937).

3953 Wider den Hexenwahn. Was hat Friedrich Spee uns heute zu sagen?: GuL 56 (4/1983) 284–291.

3954 „Die Kirchen sind nicht wirklich mutig!" „Sensationelle" Thesen von Karl Rahner und Heinrich Fries zur Ökumene: Publik-Forum 12 (Frankfurt/M. 14/1983) 25 (vgl. Nr. 3949).

3955 ○ Dimensies van het martelaarschap. Pleidooi voor de verruiming van een klassiek begrip: Pastorale Reeks 19. Jg., Nr. 7/1983, 70–72 (niederländ. Übers. von Nr. 3928; vgl. Nr. 3931).

3956 ○ Entrevista con Karl Rahner. La teología hoy (Interview mit R. García-Mateo und P. Kammerer): El ciervo 32. Jg., Nr. 389–390 (Barcelona, Juli–August 1983) 16–18 (span. Übers. von Nr. 3825).

3957 *Europa – Horizonte der Hoffnung (zus. mit F. König) (Graz 1983) 11–34.*

3958 Nachwort zu: H. Baar, Kommt, sagt es allen weiter. Eine Christin berichtet über charismatische Erfahrungen (Freiburg i. Br. 1983) 71–78.

3959 Vorwort zu: „Fürchtet euch nicht". Das Weihnachtsgeschehen in Zeugnissen der abendländischen Kultur, hrsg. von K. Gröning (München 1983) 11–19, und Texte auf S. 23, 24, 61, 72, 76 (vgl. Nr. 1122, 3083, 3646, 3744, 3766).

3960 Auch als Bischof ein Theologe der Mitte: Glaube und Leben. Kirchenzeitung für das Bistum Mainz 39. Jg., Nr. 40 vom 2. 10. 1983, 14 a, c.

3961 ○ *Amar a Jesus, amar al hermano (Santander 1983)* (span. Übers. von Nr. 3784 und Nr. 3785).

3962 ○ *Theological Investigations, Vol. XVIII (New York 1983)* (engl. Übers. von Nr. 3502).

3963 ○ *Theological Investigations, Vol. XIX (New York 1983)* (engl. Übers. von Nr. 3502 und Nr. 3609).

3964 *Das Böse. Wege zu seiner Bewältigung in Psychotherapie und Christentum (zus. mit A. Görres) (Freiburg i. Br. ²1983)* 201–229 (vgl. Nr. 3872).

3965 *Einigung der Kirchen – reale Möglichkeit (zus. mit H. Fries) (Freiburg i. Br. ²1983)* (vgl. Nr. 3949).

3966 *Einigung der Kirchen – reale Möglichkeit (zus. mit H. Fries) (Freiburg i. Br. ³1983)* (vgl. Nr. 3965).

3967 „Paul VII. an Peppino" – Ein Papstbrief aus dem 21. Jahrhundert: Das Papsttum. Epochen und Gestalten, hrsg. von B. Moser (München 1983) 275–292.

3968 Die Gemeinschaft der Heiligen und die Heiligenverehrung: Die Heiligen heute ehren. Eine theologisch-pastorale Handreichung, hrsg. von W. Beinert (Freiburg i. Br. 1983) 233–242.

3969 Leserbrief in: De schoolmeester Nr. 1 vom 7. 10. 1983, 3.   [579–589.

3970 Dialog und Toleranz als Grundlage einer humanen Gesellschaft: StdZ 201 (9/1983)

3971 Utopie und Realität. Christliche Lebens- und Weltgestaltung zwischen Anspruch und Wirklichkeit: GuL 56 (6/1983) 422–432.

3972 Das endgültige und siegreiche Zusagewort für die Welt. Fragen der Sakramententheologie: Entschluß 38 (Wien 11/1983) 6, 8–9.   [16.

3973 Kirche ist Verheißung. Das Grundsakrament des Heiles: Entschluß 38 (Wien 11/1983)

3974 Nachwort zu: P. Arrupe, Mein Weg und mein Glaube (Ostfildern 1983) 130–135.

3975 O L'Europa come partner teologico: Problemi e Prospettive di Teologia Dogmatica, hrsg. von K. H. Neufeld (Brescia 1983) 375–391 (ital. Übers. aus Nr. 3937).

3976 *Heil von den Juden? Ein Gespräch (zus. mit P. Lapide) (Mainz 1983).*

3977 O *The Practice of Faith. A Handbook of Contemporary Spirituality (New York 1983)* (engl. Übers. von Nr. 3871).

3978 *Vater, in deine Hände ... Die letzten Worte Jesu am Kreuz (Freiburg/Schweiz 1983)* (vgl. Nr. 3701). (Auszug aus Nr. 3610).

3979 Gescheite haben es leichter, feige zu sein: Anstiftung zur Zivilcourage. Prominente Autoren berichten über bestandene Konflikte, hrsg. von K. Schunk und R. Walter (Freiburg i. Br. 1983) 77–80.

3980 Gott wohnt im nebelhaften Land der Vergeblichkeit. Gedanken zu einem Jugendhaus: Entschluß 38 (9/10/1983) 12–13.

3981 O *Theological Investigations, Vol. XVIII (London 1983)* (engl. Übers. von Nr. 3502).

3982 O *Theological Investigations, Vol. XIX (London 1983)* (engl. Übers. von Nr. 3502 und Nr. 3609). [Nr. 3791].

3983 O *A hit alapjai. Bevezetés a kereszténység fogalmába (Budapest 1983)* (ungar. Übers. von

3984 O *Mijn probleem. Karl Rahner antwoordt aan jongeren (Antwerpen 1983)* (niederländ. Übers. von Nr. 3938). [Nr. 3966].

3985 *Einigung der Kirchen – reale Möglichkeit (zus. mit H. Fries) (Freiburg i. Br. ⁴1983)* (vgl.

3986 Vom irrenden Gewissen. Über Freiheit und Würde menschlicher Entscheidung: Orientierung 47 (22/1983) 246–250.

3987 Zur Theologie des Bildes: Deutsche Gesellschaft für christliche Kunst e.V., Halbjahresheft 3. Jg., Nr. 5 (München 1983) 2–8.

3988 viviamo in un tempo invernale. Intervista a Karl Rahner: nuove dimensioni 12 (Leumann/Torino 9/1983) 4–6, 8.

3989 O *The Love of Jesus and the Love of Neighbour (Middlegreen/England 1983)* (engl. Übers. von Nr. 3784 und Nr. 3785).

3990 *Der eine Gott und der dreieine Gott. Das Gottesverständnis bei Christen, Juden und Muslimen, hrsg. von K. Rahner (München 1983).* Darin: Vorwort (7–8), Einzigkeit und Dreifaltigkeit Gottes (141–160).

3991 Urworte: Im Haus der Sprache, Christlicher Glaube in moderner Gesellschaft, Bd. 31, Quellenband 1 (Freiburg i. Br. 1983) 93–96 (vgl. Nr. 3532).

3992 Wenn das Wort verschwunden wäre: Im Haus der Sprache, Christlicher Glaube in moderner Gesellschaft, Bd. 31, Quellenband 1 (Freiburg i. Br. 1983) 312–315 (vgl. Nr. 3695).

3993 Hören auf das Wort aus dem umfassenden Grund: Im Haus der Sprache, Christlicher Glaube in moderner Gesellschaft, Bd. 31, Quellenband 1 (Freiburg i. Br. 1983) 349–351 (vgl. Nr. 3532).

1984

3994 Die Heilige Schrift – Buch Gottes und Buch der Menschen: StdZ 202 (1/1984) 35–44.

3995 Vorwort zu: Heilsgeschichte und ethische Normen, hrsg. von H. Rotter (Freiburg i. Br. 1984) 5–10.

3996 *Für eine neue Liebe zu Maria (zus. mit M. Dirks) (Freiburg i. Br. 1984)* (vgl. Nr. 3945).

3997 [Rahner-Reader]: *Gebete des Lebens, hrsg. von A. Raffelt (Freiburg i. Br. 1984).*

3998 *Schriften zur Theologie XVI. Bearbeitet von P. Imhof SJ (Humane Gesellschaft und Kirche von morgen) (Einsiedeln 1984)* (vgl. Nr. 3545, 3622, 3626, 3648, 3712, 3735, 3753, 3759, 3770, 3783, 3787, 3823, 3866, 3884, 3886, 3916, 3928, 3939, 3945, 3950, 3953, 3957, 3959, 3967, 3970, 3971, 3972, 3986, 3987, 3994). Bisher unveröffentlicht: Vergessene Anstöße dogmatischer Art des II. Vatikanischen Konzils.

ALBERT RAFFELT

KARL RAHNER
BIBLIOGRAPHIE DER SEKUNDÄRLITERATUR

1979–1983
UND NACHTRÄGE

Die vorliegende Bibliographie setzt die Liste in dem Band „Wagnis Theologie", hrsg. von Herbert Vorgrimler (Freiburg i. Br. 1979, S. 598–622), fort. Die Kriterien für die Bearbeitung sind dieselben geblieben. Insbesondere wurden Rezensionen nur aufgenommen, wenn sie in Form eigener „Artikel" erschienen sind – ein anderes Vorgehen würde das Material ins Uferlose wachsen lassen, sind doch allein zu K. Rahners „Grundkurs" mehrere hundert Rezensionen nachweisbar. Problematisch ist auch die Auswahl unter den Monographien und Aufsätzen, die als ganze nicht thematisch zur Theologie K. Rahners sind, aber durch Zitat und Auseinandersetzung mehr oder weniger intensiv auf sein Werk Bezug nehmen. Eine Vollständigkeit im Stil des „citation indexing" ist hier ebenfalls nicht möglich und wäre auch wohl nicht sinnvoll. Das vorliegende Verzeichnis beschränkt sich daher hierbei zunächst auf solche Publikationen, die eigens ausgewiesene Abschnitte zum Werk Karl Rahners enthalten. Doch wurde in einigen Fällen von dieser Regel abgegangen; in anderen Fällen, bei denen Titel in Bibliographien ermittelt wurden, die nicht mehr durch Autopsie verifiziert werden konnten, mag die zitierte Literatur nicht ganz diesen Kriterien entsprechen.

Ein Teil des Titelmaterials wurde durch elektronische Recherchen in Datenbanken ermittelt. Auch das so gefundene Material beruht zum Teil auf einer feineren Erschließung der Literatur, als sie hier beabsichtigt war und durch herkömmliche bibliographische Mittel ermöglicht wird.

Insbesondere für den angelsächsischen Raum konnte die Liste von *Andrew Tallon:* In dialog with Karl Rahner. Bibliography of books, articles and selected reviews, 1939–1978, in: Theology Digest 26 (1978) 365–385 (496 Nummern), mit herangezogen werden. Da Tallon die Grenzen seiner Auswahl aber ebenfalls wesentlich weiter zieht als hier beabsichtigt, konnte ein guter Teil seines Materials nicht übernommen werden.

Einen besonderen Dank schuldet der Bearbeiter Herrn *Dr. R. Capurro* und dem *Fachinformationszentrum Energie, Physik, Mathematik* in Karlsruhe

(Leopoldshafen), das die elektronischen Recherchen in den einschlägigen amerikanischen Datenbanken durchführte und das Material freundlicherweise zur Verfügung stellte. Die Recherche im Datenpool der Deutschen Bibliothek (Biblio-Data) wurde an der *Universitätsbibliothek Freiburg i. Br.* durchgeführt. Ergänzungen aus dem bei P. Rahner eingegangenen Material wurden bei Drucklegung noch von Frau und Herrn Dr. Echtermeyer (Innsbruck) geliefert.

Soweit Abkürzungen verwendet wurden, sind sie nach den Abkürzungsverzeichnissen der gängigen theologischen Enzyklopädien auflösbar, vgl. insbes. Theologische Realenzyklopädie. Abkürzungsverzeichnis. Zusammengestellt von *Siegfried Schwertner* (Berlin 1976).

1944–1975

647. *Collins, James:* The German neoscholastic approach to Heidegger. In: The modern schoolman 21. 1944. 143–152.
648. *Hufnagel, Alfons:* Der Intuitionsbegriff des Thomas von Aquin, In: ThQ 133. 1953. 427–436.
649. *Volken, L.:* Um die theologische Bedeutung der Privatoffenbarung. In: FZPhTh 6. 1959. 431–439.
650. *Haubst, Rudolf:* Nikolaus von Kues und die heutige Christologie. In: Universitas. Dienst an Wahrheit und Leben. Festschr. f. A. Stohr. Hrsg. v. *Ludwig Lenhart.* Mainz: Mtth.-Grünewald-Verl. 1960. I, 165–175.
651. *Diem, Hermann:* Eine kontroverstheologische Bestandsaufnahme. In: Hören und Handeln. Festschrift E. Wolff. Hrsg. *Helmut Gollwitzer, Hellmut Traub.* München: Kaiser 1962. 64–84.
652. *Künzle, P.:* Sakramente und Ursakramente. In: FZPhTh 10. 1963. 428–444.
653. *Spindeler, Alois:* Kirche und Sakramente. Ein Beitrag zur Diskussion mit Karl Rahner im Blick auf das Tridentinum. In: ThGl 53. 1963. 1–15.
654. *McCool, Gerald A.:* Philosophical pluralism and an evolving Thomism. In: Continuum 2. 1964. 3–16.
655. *Niel, Henri:* The old and the new in theology. In: Continuum 2. 1964. 486ff. (vgl. Nr. 83 und 148).
656. *Pontifex, M.:* On a book by Karl Rahner. In: The Downside review 82. 1964. 303–311.
657. *McGoldrick, P.:* Sin and the holy church. In: IThQ 32. 1965. 3–27.
658. *Niel, Henri:* Honouring Karl Rahner. In: Heythrop journal 6. 1965. 259–269.
659. *Scherer, Georg:* Anthropologische Aspekte der Erwachsenenbildung. Osnabrück: Fromm 1965 (Beiträge zur Erwachsenenbildung. 9), bes. 11–35.
660. *Kühn, Ulrich:* Christentum außerhalb der Kirche? Zum interkonfessionellen Gespräch über das Verständnis der Welt. In: *Joachim Lell (Hrsg.):* Erneuerung der Einen Kirche. Arbeiten aus Kirchengeschichte und Konfessionskunde. Heinrich Bornkamm zum 65. Geburtstag. Göttingen: Vandenhoeck & Ruprecht 1966 (Kirche und Konfession. 11) 275–305.
661. *Holz, Harald:* Thomistischer Transzendentalismus: Möglichkeiten und Grenzen. In: Kantstudien 58. 1967. 376–386.
662. *Kantzenbach, Friedrich W.:* Die ekklesiologische Begründung des Heils der Nichtchristen. In: Oecumenica 1967. 210–234.
663. *Lindbeck, George A.:* Sacramentality of the ministery. Karl Rahner and a protestant view. In: Oecumenica 1967. 282–301 (vgl. Nr. 141).

664. *Becker, G. de:* La théologie actuelle du Sacré Coeur. In: Divinitas 12. 1968. 173–190.

665. *Balic, C.:* Note on the assumption. In: Diakonia pisteos. Mélanges de J. A. Aldama. Granada: Biblioteca teologica Granadina 1969. 185–215.

666. *Klaus, B.:* Von der ‚Pastoral-‘ zur Praktischen Theologie. In: ZRGG 21. 1969. 357–361.

667. *Lafont, Ghislain:* Peut-on connaître Dieu en Jésus-Christ? Paris: Cerf 1969 (Cogitatio fidei. 40), bes. 171–228.

668. *Mondin, B.:* Karl Rahner. In: *Ders.:* I grandi teologi del secolo ventesimo. I. I teologi cattolici. Borla 1969. 121–155.

669. *Peter, Carl J.:* Divine necessity and contingency. A note on R. W. Hepburn. In: Thomist 33. 1969. 150–161.

670. *Verhaak, C.:* De invloedssfeer van Joseph Maréchal. Een sector van de katholieke wijsbegeerte in de twintigste eeuw. In: Bijdragen 30. 1969. 436–448, bes. 440–446.

671. *Carmody, John:* Karl Rahner. Theology of the spiritual life. In: New theology 7. 1970. 107–123. (Vgl. Nr. 217).

672. *Fabro, Cornelio:* Antropologia esistenziale e metafisica tomistica. In: De homine. Studia hodiernae anthropologiae. Hrsg. v. *Joseph Coppens* u.a. Roma: Officium libri catholici 1970 (Acta congressus Thomistici internationalis. 7) (Bibliotheca Pont. Acad. Rom. S. Thomae Aquinatis. 8) I, 105–119.

673. *Koch, T.:* Natur und Gnade. Zur neueren Diskussion. In: KuD 16. 1970. 171–187.

674. *Maloney, G. D.:* Rahner and the „anonymous“ Christian. In: America 123. 21. 10. 1970. 348–350.

675. *Nagy, Ferenc:* Sur un ouvrage récent consacré à l'encyclique *Humanae vitae.* In: Science et esprit. 22. 1970. 99–109.

676. *Ochs, Robert:* Time, death and the sacred. An essay on Karl Rahner's theology of death and the unmanageable. Diss. Institut catholique. Paris 1970.

677. *Perini, Giuseppe:* Il carattere profetico del Tomismo e la filosofia scholastica trascendentale. In: Aquinas 13. 1970. 215–261.

678. *Rey, Bernard:* Theologie trinitaire et révélation biblique. In: RSPhTh 54. 1970. 636–653. (Zu Nr. 667).

679. *Riesenhuber, Klaus:* Rahner's „anonymous christian“. In: Christian witness in the secular city. Hrsg.: *Everett J. Morgan.* Chicago: Loyola Univ. Pr. 1970. 142–154. (Vgl. Nr. 90).

680. *Rovira Belloso, Joseph Maria:* Models de relació filosofia-teologia en alguns teòlegs catòlics del segle XX. in: Analecta Sacra Tarraconensia 43. 1970. 239–286, bes. 250–262.

681. *Vaas, George:* The faith needed for salvation. In: Talking with unbelievers. Part 1. Hrsg.: *Peter Hebblethwaite.* London: The month 1970. 41–66 (Times longbooks. 3).

683. *Beggiani, S.:* A case for logocentric theology. In: Theological studies 32. 1971. 371–406 (Vgl. Nr. 689).

684. *Dewart, Leslie:* Die Grundlagen des Glaubens (The foundations of belief, dt.). Einsiedeln: Benziger 1971. 272–282.

685. *Pechhacker, Anton:* Scholastik – wohin? Bemerkungen zu einem augenblicklichen Denkfortgang. In: Salzburger Jahrbuch für Philosophie 15/16. 1971/72. 303–355.

686. *Perić, Ratko:* Il senso dell' evangelizzazione nella prospettiva del christianesimo anonimo. Diss. theol. Pont. Univ. Urbiniana de Propaganda Fide. Roma 1971 (masch.) (vgl. Nr. 729).

687. *Williams, John R.:* Heidegger and the theologians. In: Heythrop journal 12. 1971. 258–280.

688. *Denecke, A.:* Wahrhaftigkeit. Eine evangelische Kasuistik. Auf der Suche nach einer konkreten Ethik zwischen Existenzphilosophie und katholischer Moraltheologie. Göttingen 1972. 194–197.

689. *Haught, J. F.:* What ist logocentric theology? In: Theological studies 33. 1972. 120–132 (Zu Nr. 683).

690. *Lantin, Emmanuel M.:* L'homme et la foi dans la pensée de Karl Rahner. Diss. Institut catholique. Paris 1972.

691. *Mondin, B.:* Il messagio cristiano e l'uomo moderno. In: Aquinas 15. 1972. 64–81.

692. *Riedlinger, Helmut:* Anmerkungen zum Problem des „ius divinum". In: Ius et salus animarum. Hrsg. v. *Ulrich Mosiek, Hartmut Zapp.* Freiburg: Rombach 1972. 31–41.

693. *Toinet, Paul:* Le problème théologique du plaralualisme. In: Revue Thomiste 72. Bd. 1972. 5–32.

694. *Bent, Charles N.:* Some critical reflections on Karl Rahner's thesis concerning man as a hearer of the word. In: *Richard J. Clifford, George W. MacRae (Hrsg.):* Word in the world. Essays in honor of F. L. Moriarty. Cambridge: Weston College Pr. 1973. 209–220.

695. *Blaser, K.:* Vers une nouvelle christologie. Quatre ouvrages récents. In: Revue de théologie et de philosophie. 23. 1973. 332–344.

696. *Boelaars, H.:* Riflessione sul senso dell'orazione nella vita cristiana. In: Studia moralia 11. 1973. 145–180.

697. *Corvez, M.:* Philosophie et théologie. In: Revue Thomiste 73. Bd. 1973. 595–608.

698. *Fabro, Cornelio:* Il trascendentale esistenziale e la riduzione al fondamento. La fine della metafisica e l'equivoco della teologia trascendentale. In: Giornale critico di filosofia italiana 52. 1973. 469–516, bes. 508 ff.

699. *Figl, Hans:* Strukturen der theologischen Auseinandersetzung mit dem Atheismus der Gegenwart. In: *Josef Kopperschmidt* (Hrsg.): Der fragliche Gott. Düsseldorf: Patmos 1973. 33–43.

700. *Hoye, William J.:* A critical remark on Karl Rahner's *Hearer of the word.* In: Antonianum 48. 1973. 508–532.

701. *Illanes Maestre, José Luis:* Cristianismo, historia, mundo. Pamplona 1973.

702. *Mondin, B.:* Le cristologie moderne. Un panorama. Roma 1973, bes. 39–45.

703. *Toinet, Paul:* Le principe de développement dogmatique et les idées du temps. In: Revue Thomiste 73. Bd. 1973. 211–238.

704. *Villamonte, Alejandro de:* El giro antropológico en la teologia moderna. In: Los movimentos teologicos secularizantes. Madrid: Ed. Católica 1973. 77–111 (Biblioteca de autores cristianos. Minor. 31).

705. *Bourke, Vernon J.:* Esse, transcendence, and law. Three phases of recent Thomism. In: Modern schoolman 52. 1974. 49–64.

706. *Bowman, Leonard J.:* A view of saint Bonaventure's symbolic theology. In: Proceedings of the American catholic philosophical association 48. 1974. 25–32.

707. *Donceel, Joseph:* Transcendental Thomism. In: The Monist 58. 1974. 67–85 (Vgl. Nr. 708).

708. *Donceel, Joseph:* Transcendental Thomism. In: Listening 9. 1974. 157–164 (Vgl. Nr. 707).

709. *Dyer, George:* Recent developments in the theology of death. In: *Michael J. Taylor (Hrsg.):* The mystery of suffering and death. Garden City, N. Y.: Image books 1974. 103–117.

710. *Galst, J.:* Valeur de la notion de personne dans l'expression du mystère du Christ. In: Gregorianum 55. 1974. 69–97, bes. 72–75, 78–82.

711. *Kattukapally, Joseph:* Nature and grace. A new dimension. In: Thought 49. 1974. 117–133.

712. *Müller-Schwefe, Hans R.:* Vom Symbol zur Metapher. Die Wandlung des Symbolbegriffs in der Theologie. In: *Meinold Krauss, Johannes Lundbeck* (Hrsg.): Die vielen Namen Gottes. Stuttgart: Steinkopf 1974. 264–276.

713. *Peccorini, Francisco L.:* Knowledge of the singular: Aquinas, Suarez, and recent interpreters. In: Thomist 38. 1974. 606–655.

714. *Piekarski, S.:* Jubileusz Karla Rahnera. In: Myśl Spoleczna. n. 13. 1974.

715. *Berenbruch, Karl W.:* Der anthropologische Ansatz Karl Rahners. In: Theologische Versuche 6. 1975. 137–155.

716. *Clerck, P. de:* La fréquence de messes. Réalités économiques et théologiques. In: La Maison-Dieu 121. 1975. 151–158.

717. *Dean, Thomas:* Post-theistic thinking: The marxist-christian dialogue in radical perspective. Philadelphia: Temple Univ. Pr. 1975.

718. *Gonzalez de Cardedal, Olegario:* Jesús de Nazaret. Approximación a la cristología. Madrid: BAC 1975, bes. 282–291.
719. *Kasper, Walter:* Christologie von unten. Kritik und Neuansatz gegenwärtiger Christologie. In: *Leo Scheffczyk* (Hrsg.): Grundfragen der Christologie. Freiburg i. Br.: Herder 1975 (QD 72). 141–169.
720. *Lakebrink, Bernhard:* La interpretación existencial del concepto tomista del acto del ser. In: *Juan J. Rodriguez Rosado; Pedro Rodriguez Garcia (Hrsg.):* Veritas et sapientia: en el VII centenario de Santo Tomás de Aquino. Pamplona: Ed. Univ. de Navarra 1975. 19–40.
721. *McCool, Gerald A.:* Person and community in Karl Rahner. In: *Robert J. Roth (Hrsg.):* Person and community. New York: Fordham Univ. Pr. 1975. 63–86.
722. *Morigi, S.:* La „anthropologische Kehre" in teologia secondo Karl Rahner. In: *Babolin, Albino (Hrsg.):* Problemi religiosi e filosofia. Padova: La Garangola 1975 (Saggi. 9).
723. *Schineller, J. Peter:* The place of scripture in the christology of Karl Rahner. Diss. Ph. Univ. of Chicago 1975 (in vol. 1976).
724. *Veauthier, Frank Werner:* Zur Problematik der philosophischen Theologie. In: *Gert Hummel u.a. (Hrsg.):* Synopse. Beitr. zum Gespräch der Theologie mit ihren Nachbarwissenschaften. Festschrift für Ulrich Mann. Darmstadt: Wiss. Buchges. 1975. 236–261.

1976

725. *Bauer, Gerhard:* Christliche Hoffnung und menschlicher Fortschritt. Mainz: Mtth.-Grünewald-Verl. 1976, bes. 266–287 (vgl. Reg.).
726. *Gutheinz, L.:* „Offener Brief" aus Taiwan. Zur lästigen Frage der „anonymen Christen". In Orientierung 40. 1976. 6–7.
726a. *Kanjirathinkal, Davis:* Potentia oboedientialis. Anthropological-theological premise to Karl Rahner's theology of incarnation. Lic. theol. Leuven 1976. XXVI, 213 p.
727. *McCool, Gerald A.:* Duty and reason in Thomistic social ethics. In: *Robert O. Johann* (Hrsg.): Freedom and value. New York: Fordham Univ. Pr. 1976. 137–159.
728. *Menasce, Cattaui de:* Riflessioni critiche sulla cristologia di Rahner. In: Divinitas 20. 1976. 175–184.
729. *Perić, Ratko:* Smisao evangelizacije u perspektivi anonimnog krščánstva. Sarajevo 1976 (kroat. Teilveröff. von Nr. 686).
730. *Reifenhäuser, Hubert:* Der Mensch und sein Heil. Aspekte einer christlichen Anthropologie. Essen: Ludgerus 1976 (Christliche Strukturen in der modernen Welt. 17), bes. 51–56.
731. *Richard, Lucien:* Kenotic christology in a new perspective. In: Église et théologie (Ottawa) 7. 1976. 5–39.
732. *Sesboüé, Bernard:* Esquisse d'un panorama de la recherche christologique actuelle. In: *Raymond Laflamme, Michel Gervais* (Hrsg.): Le Christ hier, aujourd'hui et demain, Quebec: Les Presses de l'université de Laval 1976. 1–43.

1977

733. *Afric, Canna:* Methodology of ecumenism. In: African ecclesiastical review (Masaka) 19. 1977. 38–45.
734. *Bradley, Denis J. M.:* Religious faith and the meditation of being: The Hegelian dilemma in Rahner's „Hearers of the word". In: Modern schoolman 55. 1977/78. 127–146.
735. *Burke, Ronald:* Rahner and Dunne: a new vision of God. In: The Iliff review 34. 1977. 37–49.
736. *Eckstrom, Vance L.:* Pluralism and Lutheran confessionalism. In: Lutheran quarterly 19. 1977. 109–149.
737. *Fahlbusch, Erwin:* Die gegenwärtige katholische Diskussion. In: MdKI 28. 1977. 73–76.

738. *Grün, Anselm:* Die Erlösungslehre und der heutige Mensch. In: Theologisches Jahrbuch (Leipzig). 1977/78. 197–227.

739. *Heinemann, H.:* Göttliches Recht? Versuch einer Differenzierung. In: Theologische Quartalschrift 157. 1977. 279–291.

740. *Hentz, Otto H.:* Karl Rahner's concept of the Christ-event as the act of God in history. Ph. D. The university of Chicago. 1977.

741. *Hentz, Otto:* Rahner among the giants. In: New review of books and religion 2. 1977. 4.

742. *Hollenbach, David A.:* A prophetic church and the catholic sacramental imagination. In: *John C. Haughey (Hrsg.):* The faith that does justice. New York: Paulist Pr. 1977. 234–263. (Woodstock studies. 2).

743. *Kunz, Erhard:* Christologie und menschliche Erfahrung. In: Lebendige Seelsorge 28. 1977. 76–82, bes. 79f.

744. *Mondin, B.:* Antropologia teologica. Storia – problemi – prospettive. Alba 1977, bes. 31–38, 165–168, 235–241.

745. *Richard, Lucien:* Some recent developments on the question of christology and world religions. In: Église et théologie (Ottawa) 9. 1977. 209–244.

746. *Sartori, L.:* Teologia delle religioni non christiane. 2. La cosidetta „linea Rahner". In: Dizionario teologico interdisciplinare. Torino 1977. III, 407–409.

747. *Schweizer, Eduard:* Rudolf Bultmann and Karl Rahner: the influence of Bultmann on modern catholic theology. In: Australien biblical review 25. 1977. 29–36.

748. *Serenthà, Mario; Moioli, Giovanni:* Christologie nella prospettiva dell'uomo Gesù. In: Scuola cattolica (Varese) 105. 1977. 61–113.

749. *Sesboüé, B.:* Le procès contemporain de Chalcédoine. In: RSR 65. 1977. 45–79.

750. *Seveso, B.:* Il progetto di K. Rahner e l'„Handbuch der Pastoraltheologie". In: Dizionario teologico interdisciplinare. Torino 1977. III, 94–97.

751. *Smith, Patricia:* Karl Rahner, pastoral theologian: A study of the meaning and dimensions of pastoral theology in the work of Karl Rahner. Ph. D. Inst. of Christian thought, Univ. of St. Michael's Col., Canada. 1977.

752. *Ward, Miriam:* Karl Rahner and the criterion of inspiration: A study of the norms for placing a book on the canon from the human point of view. Ph. D. Univ. of Ottawa 1965, in vol. 1977.

1978

753. *Collopy, Bartholomew J.:* Theology and the darkness of death. In: Theological studies 39. 1978. 22–54, bes. 35–39, 44.

754. *Corduan, W.:* Hegel in Rahner. A study of philosophical hermeneutics. In: Harvard theological review 71. 1978. 285–298.

755. *Donovan, D.:* Rahner's Grundkurs: frankly pastoral. In: Ecumenist 16. Aug. 1978. 65–70.

756. *Fiorenza, F.:* Seminar on Rahner's ecclesiology: Jesus and the foundations of the church – an analysis of the hermeneutical issues. In: PCTSA 33. 1978. 229–254.

757. *Greiner, F.:* Die Menschlichkeit der Offenbarung. Die transzendentale Grundlegung der Theologie bei K. Rahner im Lichte seiner Christologie. In: ZKTh 100. 1978. 596–619.

758. *Hentz, Otto:* Foundations of christian faith. An introduction in the idea of christianity. In: Thought 53. 1978. 433–441.

759. *King, J. Norman:* The experience of God in the theology of Karl Rahner. In: Thought 53. 1978. 174–202.

760. *Logan, I. D.:* Karl Rahner's transcendental anthropology. Ph. D. Theol. and religious studies. Leeds 1978.

761. *Masson, Robert Louis:* Language, thinking and God in Karl Rahner's theology of the word. A critical evaluation of Rahner's perspective on the problem of religious language. Ph. D. Fordham Univ. 1978.

762. *Michiels, R.:* Rahners „Grundkurs des Glaubens" of zijn theologisch testament. In: Collationes 8. 1978. 342–358.
763. *Otte, K.:* Lernen als reflex vollzogene Existenz. Die Analyse eines Lernprozesses in der Theologie, dargestellt an K. Rahner: Das Leben der Toten. Bern 1978 (Basler und Berner Studien zur historischen und systematischen Theologie. 31).
764. *Rowling, Richard J.:* A philosophy of revelation according to Karl Rahner. Washington, DC: Univ. Pr. of America 1978.
765. *Sala, R.:* Les cristologies actuals. In: Questions de vida cristiana (Montserrat) Nr. 91. 1978. 64–76.
766. *Scannone, Juan Carlos:* La logica de lo existencial e histórico según Karl Rahner. In: Stromata 34. 1978. 179–194.
767. *Scheffczyk, Leo:* Structures de pensée de la théologie contemporaine (poln. mit dt. Zusammenfassung). In: Zeszyty naukowe katolickiego uniwersytetu Lubelskiego 21. 1978. 17–23.
768. *Schreiter, Robert J.:* Anonymous christian and christology. In: Occasional bulletin of missionary research 2. 1978. 2–11.
769. *Schreiter, Robert J.:* The anonymous christian and christology (bibliogr.). In: Missiology 6. 1978. 29–52.
770. *Szura, John Paul:* The vocational decision. Its theological and psychological components. An attempt at integrating the theological anthropology of Karl Rahner with the psychology of Donald Super. Ph. D. Fordham Univ. 1978.
771. *Thielicke, Helmut:* Zur Frage des „anonymen Christentums". In: *Ders.:* Der Evangelische Glaube. III. Tübingen: Mohr 1978. § 28. 487–494.

1979

772. *Alcalá, Manuel:* La tensión teologia – magisterio en la vida y obra de Karl Rahner. In: Estudios ecclesiaticos 54. 1979. 3–17.
773. *Amato, A.:* Dall'uomo al Cristo, salvatore assoluto nella teologia di K. Rahner. La „cristologia trascendentale" al suo primo livello di riflessione. In: Salesianum 41. 1979. 3–36.
774. *Bantle, F. X.:* Person und Personbegriff in der Trinitätslehre Karl Rahners. In: MThZ 30. 1979. 11–24.
775. *Bleistein, Roman:* Dialogische Theologie. Zu einer Publikation Karl Rahners. In: StZ Bd. 197. 1979. 206–208.
776. *Brito, E.:* Hegel et la tâche actuelle de la christologie. Paris 1979.
777. *Buckley, James J.:* On being a symbol. An appraisal of Karl Rahner. In: Theological studies 40. 1979. 453–473.
778. *Buggert, William, Frederick:* The christologies of Hans Küng and Karl Rahner. A comparision and evaluation of their mutual compatibility. S. T. D. The catholic university of America. 1979.
779. *Butler, B. C.:* God. Anticipation and affirmation. In: Heythrop journal 20. 1979. 365–379.
780. *Capps, W. H.:* Toward a christian theology of the world's religions. In: Cross currents (New York, NY) 29. 1979. 156ff.
781. *Carroll, D.:* Faith and doctrine. In: IThQ 46. 1979. 111–122.
782. *Congar, Yves:* Die Offenheit lieben gegenüber jeglicher Wahrheit. Brief an Karl Rahner. In: *K. Rahner, B. Welte* (Hrsg.): Mut zur Tugend. Freiburg i. Br.: Herder, 1. u. 2. Aufl. 1979. 124–133. Portug.: Amar a franqueza face a cada verdade. Carta de S. Tomás de Aquino a Karl Rahner. In: Cenáculo (Braga) 20. 1981. 206–212.
783. *Dantine, W.:* Ökumenische Wegbegleitung. Zur Theologie Karl Rahners. In: Evangelische Kommentare 12. 1979. 659–650.
784. *Delaney, R.:* Theologian tells cardinal. Church leaders rarely admit their mistakes. In: National catholic reporter (Kansas City) 23. Nov. 1979. 1.

785. *Dych, W.:* Moving on to fresh horizons. The discoveries of Karl Rahner and William Lynch. In: Catholic mind (New York, N. Y.) 77. Sept. 1979. 8.–19.

786. *Flury, Joh.:* Um die Redlichkeit des Glaubens. Studien zur deutschen katholischen Fundamentaltheologie. Freiburg/Schweiz 1979 (ÖBFZPhTh 13). 240–277.

786a. *Folch Gomes, D. Cirilo:* A doutrina da Trindade eterna. O significado da expressão „Três pessoas". Rio de Janeiro: Ed. Lumen Christi (Mosteiro de São Bento), o.J. (1979), 137–152.

787. *Fries, Heinrich:* Theologische Methode bei John Newman und Karl Rahner. In: Catholica 33. 1979. 109–133.

788. *Giamberardini, G.:* La predestinazione assoluta di Christo nella cultura orientale prescolastica e in Giovanni Scoto. In: Antonianum 54. 1979. 596–621. [555–584.

789. *Girotto, Bruno:* Il problema dell'essere nel pensiero di K. Rahner. In: Filosofia 30. 1979.

790. *Hazelton, Roger:* Transcendence and theological method. In: *Bob. E. Patterson (Hrsg.):* Science, faith and revelation. Nashville: Broadman 1979. 49–64.

791. *Hebblethwaite, Brian:* Time and eternity and life „after" death. In: Heythrop journal 20. 1979. 57–62.

792. *Hoye, William J.:* Die Verfinsterung des absoluten Geheimnisses. Eine Kritik der Gotteslehre Karl Rahners. Düsseldorf: Patmos 1979.

793. *Kasper, Walter:* Karl Rahner – Theologe in einer Zeit des Umbruchs. In: ThQ 159. 1979. 263–271; gekürzte Übers.: Karl Rahner – theologian in an age of brokenness. In: Theology digest 28. 1980. 203–207.

794. *Kennedy, Eugene:* Quiet mover of the catholic church. The liberal Karl Rahner may have greater impact on catholicism than Pope John Paul II. In: New York Times Magazine. 22–23, 64–75 S. 23. 1979.

795. *Kern, W.:* Außerhalb der Kirche kein Heil? Freiburg i. Br.: Herder, 1979. 69–77.

796. *Kramm, Th.:* Analyse und Bewährung theologischer Modelle zur Begründung der Mission. Aachen 1979.

797. *Kramm, Th.:* Die Heilsbedeutung der Kirche. In: ZM 63. 1979. 299–302.

798. *Kramm, Th.:* Die Menschlichkeit der Offenbarung. Übersicht über e. Arb. z. Theologie K. Rahners. In: ZM 63. 1979. 214–219.

799. *Kull, Douglas Ramsey:* Karl Rahner's theology of revelation. A view from the Philippines. Manila: Loyola school of theology. Ateneo de Manila university 1979 (Logos. 13).

800. *McCoy, John Milton jr.:* Soteriology and the doctrine of God. A historical typology and an analysis of the theologies of Karl Rahner and Wolfhart Pannenberg. Ph. D. Princeton theological seminary 1979.

801. *Masson, R.:* Can Rahner bridge the linguistic divide? In: Horizons 6. 1979. 219–240.

802. *Medisch, Richard:* Ein neuer Band der „Schriften zur Theologie". In: Theologie der Gegenwart 22. 1979. 110–113.

803. *Mengus, R.:* Karl Rahner en pratique. In: NRTh 101. 1979. 378–380.

804. *Meyer, Regina Pacis:* Universales Heil, Kirche und Mission. Studien über die ekklesialmissionarischen Strukturen in der Theologie K. Rahners und im Epheserbrief St. Augustin: Steyler Verl. 1979 (Studia Instituti Missiologici Societatis Verbi Divini. 22). (Vgl. Nr. 558).

805. *Perini, Giuseppe:* Pluralismo teologico e unità della fede. A proposito della teoria di K. Rahner. In: Doctor communis 22. 1979. 135–188.

806. *Peter, Carl J.:* A shift to the human subject in Roman catholic theology. In: Communio (US) 6. 1979. 56–72.

807. *Pietri, Ch.:* Personne, analogie de l'âme humaine et théologie de l'esprit. Brèves remarques sur Augustin, Mühlen et Rahner. In: Les quatres fleuves 9. 1979. 111–124.

808. *Robertson, John C.; O'Donovan, Leo J.:* Karl Rahner. Foundation of Christian faith. An introduction to the idea of Christianity. In: Religious studies review 5. 1979. 190–198.

809. *Rodriguez Molinero, José Luis:* La antropologia filosofica de Karl Rahner. Salamanca: Univ. 1979.

810. *Roig Gironella, Juan:* La „experiencia transcendental" de Karl Rahner y el conocimiento filosofico de Dios. In: Espiritu 28. 1979. 165 – 184.
811. *Sayés, J. A.:* El problema de Dios en las epistemologías de K. Barth, R. Bultmann, K. Rahner, E. Schillebeeckx y H. Küng. In: Burgense 20. 1979. 455 – 532.
812. *Scanlon, Michael:* Karl Rahner. A neo-augustinian thomist. In: Thomist (Baltimore) 43. 1979. 178 – 185.
813. *Schachten, W.:* Das Verhältnis von „immanenter" und „ökonomischer" Trinität in der neueren Theologie. In: Franziskanische Studien 61. 1979. 8 – 27, bes. 20 f.
814. *Schwerdtfeger, Nikolaus:* Karl Rahner – Einführung und Interpretation. In: Die Welt der Bücher 6. 1979. 49 – 54.
815. *Simon, R.:* Ascèse et éthique. In: Le supplément (Paris) n. 131. 1979, 483 – 497.
816. *Singer, Johannes:* Karl Rahners Grundkurs. In: ThPQ 127. 1979. 382 – 387.
817. *Smit, Dirk Jacobus:* Teologie as antropologie? 'n kritiese beoordeling van die transendentaal-antropologiese teologie van Karl Rahner. Stellenbosch, Univ. Diss. Theol. 1979 (Microfiche).
818. *Striewe, H.:* Reditio subjecti in seipsum. Der Einfluß Hegels, Kants und Fichtes auf die Religionsphilosophie Karl Rahners. Diss. phil. Freiburg i. Br. Univ. 1979.
819. *Tallon, Andrew:* Approaching Rahner. Approaching Thomas. In: Thomist 43. 1979. 17 – 29.
820. *Tallon, Andrew:* Personal becoming. Karl Rahner's christian anthropology. In: Thomist 43. 1979. 7 – 177. Neuausgabe: Milwaukee: Marquette Univ. 1982 (mit Bibliographie).
821. *Tracy, D.:* Theological pluralism and analogy. In: Thought 54. 1979. 24 – 36.
822. *Vidal, M.:* Théologie, représentations et pratiques de l'universalité de l'Église. In: En marge, les chrétiens? Point de vue sur la marginalisation des catholiques en France. Paris: Centurion 1979. 155 – 163.
823. *Vorgrimler, Herbert (Hrsg.):* Wagnis Theologie. Erfahrungen mit der Theologie Karl Rahners. Karl Rahner zum 75. Geburtstag am 5. März 1979. Freiburg i. Br.: Herder 1979.
824. *Zuerich, A.:* Carlo Rahner nega di essere filosofo e si autoqualifica dilettante in teologia. In: Divus Thomas (Piacenza) 82. 1979. 19 – 28.

1980

825. *Bacik, James, J.:* Apologetics and the eclipse of mystery. Mystagogy according to Karl Rahner. Notre Dame, Ind.: Univ. of N. D. Pr. 1980.
826. *Balthasar, Hans Urs von:* Zur Soteriologie Karl Rahners: In: Ders.: Theodramatik. III. Einsiedeln: Johannes-Verl. 1980. 253 – 262.
827. *Brambilla, F. G.:* Salvezza e redenzione nella teologia di K. Rahner e H. U. von Balthasar. In: Scuola cattolica 108. 1980. 167 – 234.
828. *Brechtken, Josef:* Die Wiederentdeckung des Kindes. Zur Rechtfertigung des Anthropozentrismus in der Religionsdidaktik. In: ThGl 70. 1980. 1 – 43, bes. 36 – 39.
829. *Calvo Espiga, A.:* Algunas orientaciones actuales de la teología de la indulgencias. In: Burgense 21. 1980. 417 – 449.
830. *Carmody, Denise Lardner and John Tully:* Christology in Karl Rahner's evolutionary world view. In: Religion in life 49. 1980. 195 – 210.
831. *Doud, Robert E.:* Sensibility in Rahner and Merleau-Ponty. In: Thomist 44. 1980. 372 – 389.
832. *Dulles, Avery:* Scripture: recent protestant and catholic views. In: Theology today 37. 1980. 7 – 26.
833. *Edwards, James Denis:* The dynamism in faith. The interaction between experience of God and explicit faith. A comparative study of the mystical theology of John of the Cross and the transcendental theology of Karl Rahner. S. T. D. The catholic university of America 1980.

834. *Galvin, John P.:* Jesus' approach to death. An examination of some recent studies. In: Theological studies 41. 1980. 713–744, bes. 737–741. [89–107.

835. *Girotto, Bruna:* Applicazioni telogiche dell'ontologia di K. Rahner. In: Filosofia 31. 1980.

839. *Grass, Hans:* Literatur zur systematischen Theologie. In: Theologische Rundschau 45. 1980. 244–273.

837. *Kelly, William J. (Hrsg.):* Theology and discovery. Essays in honor of Karl Rahner. Milwaukee: Marquette Univ. Pr. 1980.

838. *Kerr, Fergus:* Rahner's Grundkurs revisited once again. In: New blackfriars 61. 1980. 438–442.

839. *Kerr, F.:* Rahner retrospective. Rupturing „Der Pianische Monolithismus". In: New Blackfriars 61. 1980. 224–233, 331–341.

840. *Knoebel, Thomas Louis:* Grace in the theology of Karl Rahner. A systematic presentation. Ph. D. Fordham University 1980.

841. *Kress, Robert:* Thomas Merton and Karl Rahner. Mystics for modern man. In: The Drew Gateway (Madison, N. J.) 50. 1980. Nr. 3, 46–51.

842. *Kuzmickas, B. J.:* Karl Rahner: próba sytezy tomizmu i mistycyzmu. In: Czlowiek i Swiatopoglad 1980. N. 10. 92–104.

843 *Lynch, Patrick Joseph:* The relationship of church and world in the theology of Karl Rahner. Ph. D. University of Chicago 1980.

844. *McCool, G. A.:* How can there be such a thing as a Christian philosophy. In: Proceeding of the American catholic philosophical association 54. 1980. 126–134.

845. *McDermott, Brian O.:* Roman catholic christology. Two recurring themes. In: Theological studies 41. 1980. 339–367.

846. *Masson, Robert:* Beyond Nygren and Rahner. An alternative to Tracy. In: Heythrop journal 21. 1980. 260–287.

847. *Mengus, Raymond:* Méthode transcendentale et révélation historique. In: NRTh 112. 1980. 22–34.

848. *Molnar, Paul David:* A critical examination of the relationship between the sacrament of the eucharist and the doctrine of God in the theology of Karl Barth and of Karl Rahner. Ph. D. Fordham University 1980.

849. *Mondin, Battista:* Atheism and christianity. In: Doctor communis 33. 1980. 210–221.

850. *Neumann, Karl:* Der Praxisbezug der Theologie bei Karl Rahner. Freiburg i.Br. Herder 1980 (Freiburger Theologische Studien. 118),

851. *O'Callaghan, M. F.:* Implicit belief in God according to Karl Rahner. Ph. D. Rel. Studies. Lancaster 1980.

852. *O'Donovan, Leo J.:* Orthopraxis and theological method in Karl Rahner. In: PCTSA 35, 1980, 47–65.

853. *O'Donovan, Leo J.:* A world of grace. An introduction to the themes and foundations of Karl Rahners theology. New York: Seabury 1980.

854 *Peter, Carl J.:* A Rahner-Küng debate and ecumenical possibilities. In: *Paul C. Empie, T. Austin Murphy, Joseph A. Burgess (Hrsg.):* Teaching authority and infallibility in the church. Minneapolis: Augsburg Publ. House 1980. 159–168 (Lutherans and catholics in dialogue. 6).

855. *Pfeil, Hans:* Die Frage nach der Veränderlichkeit und Geschichtlichkeit Gottes. In: MThZ 31. 1980. 1–23.

856. *Porter, Lawrence:* On keeping „persons" in the Trinity. A linguistic approach to Trinitarian thought. In: Theological studies 41. 1980. 530–548.

857. *Schaeffler, Richard:* Die Wechselbeziehungen zwischen Philosophie und katholischer Theologie. Darmstadt: Wiss. Buchges. 1980.

858. *Schrofner, Erich:* Gnade und Erfahrung bei Karl Rahner und Leonardo Boff. Zwei Wege gegenwärtiger Gnadentheologie. In: Geist und Leben 53. 1980. 266–280. Gekürzte Übers.: Grace and experience in Rahner and Boff. In: Theology digest 29. 1981. 213–216.

859. Rahner backs Vatican moves against Küng. In: National catholic reporter (Kansas City) 21. 3. 1980. 1.

860. *Weger, Karl Heinz:* Karl Rahner: an introduction to his theology. London: Burns & Oates; New York: Seabury 1980. (Vgl. Nr. 643; 892; 929).

861. *Weß, P.:* Wie kann der Mensch Gott erfahren? Eine Überlegung zur Theologie Karl Rahner. In: ZKTh 102. 1980. 343–348.

1981

862. *Carr, Anne:* The God who is involved. In: Theology today 38. 1981. 314–328.

863. *Gallagher, Helen Veronica:* Church and salvation. The premise of Karl Rahner's ecclesiology. Ph. D. Univ. of Notre Dame 1981.

864. *Gervais, P.:* Les énoncés de foi de l'Église aux prises avec la contingence de l'histoire selon Karl Rahner. In: NRTh 103. 1981. 481–511.

865. *Hocken, Peter:* Come, Holy Spirit. III: The theology of Karl Rahner. In: Clergy review 66. 1981. 385–393.

866. *Hendry, George S.:* Kant anniversary ‹Critique of pure reason; K. Rahner's transcendental method›. In: Theology today 38. 1981. 365–368.

867. *Honner, John:* Disclosed and transcendental. Rahner and Ramsey on the foundations of theology. In: Heythrop journal 22. 1981. 149–161.

868. *Horne, Brian L.:* Today's word for today, 6: Karl Rahner. In: Expository times 92. 1981. 324–329.

869. *Horne, B. L.:* Rahners Begriff geschichtlicher Existenz und die „Zukunft aus dem Gedächtnis des Leidens". Diss. Bochum 1981. 500 S.

870. *Illanes Maestre, José Luis:* Incidenza antropologica della teologia. In: Divus Thomas (Piacenza) 84. 1981. 303–329.

871. *Kehl, Medard; Löser, Werner:* Situation de la théologie systématique en Allemagne. In: RThPh 113. 1981. 25–38.

872. *Kerr, Fergus:* Karl Rahner volume seventeen. In: New blackfriars 62. 1981. 335–345.

873. *Kerr, Fergus:* Rahner retrospective. In: New blackfriars 62. 1981. 370–379. (Vgl. Nr. 923.)

874. *Kinast, Robert L.:* How theology functions. In: Theology today 37. 1981. 425–438.

875. *Lamb, Matthew (Hrsg.):* Creativity and method. Milwaukee: Marquette Univ. Pr. 1981.

876. *Lochbrunner, Manfred:* Karl Rahners (philosophisch-theologischer) Entwurf aus der Sicht Hans Urs von Balthasars. In: *Ders.:* Analogia Caritatis. Darstellung und Deutung der Theologie Hans Urs von Balthasars. Freiburg i.Br.: Herder 1981 (Freiburger Theologische Studien. 120). 113–132.

877. *Luyten, N. A.:* Conception de la mort et conception de l'homme. La conception de la mort chez K. Rahner et L. Boros. In: Nova et vetera (Genève) 56. Nr. 3. 1981. 195–213.

878. *Maas-Ewerd, Th.:* Die Krise der liturgischen Bewegung in Deutschland und Österreich. Regensburg 1981 (Studien zur Pastoralliturgie. 3). 313–338.

879. *Marranzini, Alfredo:* Sazerdozio commune e ministeriale e „consecrazione" nella chiesa secondo Karl Rahner. In: Lateranum 47. 1981. 173–189. Gekürzte Übers.: Rahner: church power and ministries. In: Theology digest 30. 1982. 119–122.

880. *Metz, Johannes Baptist:* Unterbrechungen. Theologisch-politische Profile. Gütersloh: G. Mohn 1981 (GTB Siebenstern. 1041).

881. *Momose, Fumiaki:* Salvation as the „sanctification of history" – considerations about the recent works of Jürgen Moltmann and Karl Rahner. In: Katorikku kenkyu 20. 1981. 163–173 (japan.?).

882. *Müller, Gerhard L.:* Der Auf-gang Gottes im anthropozentrischen Bewußtsein. Eine Alternative. In: *A. J. Buch; H. Fries (Hrsg.):* Die Frage nach Gott als Frage nach dem Menschen. Düsseldorf: Patmos 1981. 24–50, hier 42–49.

883. *Murphy, Roland E.:* Israel's wisdom. A biblical model of salvation. In: Studia missionalia 30. 1981. 1—43.
884. *Newman, Paul W.:* Humanity with spirit. In: Scottish journal of theology 34. 1981. 415—426.
885. *O'Connor, J. T.:* Modern christologies and Mary's place therein: Dogmatic aspect. In: Marian studies (Washington) 32. 1981. 51—75.
886. *O'Donovan, Leo J. (Hrsg.):* A world of grace. An introduction to the themes and foundations of Karl Rahner's theology. New York: Seabury Press 1981.
887. *O'Donovan, Leo J.:* Finding God in history. In: Emmanuel 87. 1981. 647—653.
888. *Pedrazzoli, Mauricio:* Intellectus quaerens fidem. Fede – ragione in W. Pannenberg. Il problema della credibilità, con referimento ai contributi di Rahner, Blondel e Pascal. Roma: St. Ans. 1981 (Studia Anselmiana. 80).
889. *Rusecki, Marian:* Wspólczesne teorie apologetyczne (Les théories contemporaines de l'apologétique; poln. mit engl. Zusammenfassung). In: Collectanea theologica (Warschau) 51. Nr. 4. 1981. 5—42.
890. *Sica, Joseph F.:* God so loved the world. Washington: Univ. Pr. of America 1981. 9—32 (Karl Rahner's theology of revelation).
891. *Takayanagi, Shunichi:* Karl Rahner's theological approach and the Spiritual Exercises (japan.). In: Katorikku kenkyu 20. 1981. 43—67.
892. *Weger, Karl-Heinz:* Karl Rahner. Uma introdução ao seu pensamento teológico. São Paulo: Ed. Loyola 1981 (portug. Übers. von Nr. 643; vgl. Nr. 860; 929).
893. *Weimer, Ludwig:* Die Lust an Gott und seiner Sache. Freiburg i.Br.: Herder 1981. Bes. 107—210 (Offenbarung als Erkenntnisprozeß ‹Rahner›) u. passim.
894. *Wong, Joseph H.P.:* „Logos-Symbol" in the christology of Karl Rahner. Diss. theol. Pont. Univ. Gregoriana. Roma 1981.

1982

895. *Allik, Tiina Katrin:* God and the unconscious: On Karl Rahner, justification by faith, and the Freudian unconscious. Ph. D. Yale University 1982.
896. *Brosseder, Johannes:* Die anonymen Christen. In: *H. Fries u.a.:* Heil in den Religionen und im Christentum. St. Ottilien: EOS 1982 (Kirche und Religionen – Begegnung und Dialog. 2). 243—270.
897. *Bueno, E.:* La „integración teológica" en el pensamiento de Karl Rahner. In: Burgense 23. 1982. 217—262.
898. *Callahan, C. Annice:* Karl Rahner's theology of symbol. Basis for his theology of the church and the sacraments. In: IThQ 49. 1982. 195—205.
899. *Chul Won Suh:* The creation-mediatorship of Jesus Christ. A study in the relation of the incarnation and the creation. Diss. theol. Amsterdam 1982. 74—100.
900. *Edwards, Denis:* Experience of God and explicit faith: A comparision of John of the Cross and Karl Rahner. In: Thomist 46. 1982. 33—74.
901. *Egbulefu, John:* Menschengeist, Gnade, Gottesschau. Zur Theologie der Gnade bei Karl Rahner. Diss. Theol. Münster/Westf. 1982.
902. *Fuente Eloy, Bueno de la:* Dialectica de lo cristiano y lo no cristiano en el pensamiento de Karl Rahner. Burgos 1982.
903. *Füssel, Kuno:* Sprache, Religion, Ideologie. Von einer sprachanalytischen zu einer materialistischen Theologie. Frankfurt, Bern: Lang 1982. 118—131.
904. *Harvey, D. Egan:* What are they saying about mysticism? New York: Paulist Press 1982. 98—108.
905. *Hurd, Robert L.:* The conception of freedom in Rahner. In: Listening 17. 1982. 138—152.
906. *Illanes Maestre, J.L.:* Vertiente antropológica de la teologia (mit engl. Zusammenfassung). In: Scripta theologica 14. Nr. 1. 1982. 105—135.

907. *Inbody, Tyron:* Rahner's christology. A critical assessment. In: St. Luke's journal of theology 25. 1982. 294–310.

908. *Kasper, Walter:* Der Gott Jesu Christi. Mainz: Matthias-Grünewald-Verlag 1982. (*Kasper: Das Glaubensbekenntnis der Kirche. 1*). Siehe Register. [209–210.

909. *Kasper, Walter:* Christologie und Anthropologie. In: ThQ 162. 1982. 202–221, hier

910. *Kern, Walter:* La filosofia come fermento della teologia fondamentale in alcuni modelli recenti della teologia tedesca. In: *Ders. u.a.:* Istanze della teologia fondamentale oggi. Atti del convegno tenuto a Trento il 14–15 maggio 1980. Bologna: EDB 1982 (Collana di scienze religiose. 4). 13–47, bes. 20–27 (vgl. Nr. 938).

911. *King, J. Norman:* The God of forgiveness and healing in the theology of Karl Rahner. Washington: Univ. Pr. of America 1982.

912. *King, J. Norman; Whitney, Barry Lyn:* Rahner and Hartshorne on divine immutability. In: International philosophical quarterly 22. 1982. 195–209.

913. *Kress, Robert Lee:* A Rahner handbook. Atlanta: John Knox 1982.

914. *Lorizio, G.:* La teologia fondamentale in „Uditori della Parola" di Karl Rahner. In: Lateranum 48. 1982. 384–397.

915. *Lull, Timothy F.:* The Trinity in recent theological literatur. In: Word and world 2. 1982. 61–68.

916. *Moloney, Raymond:* The intelligent faith of Karl Rahner. In: Studies (Dublin) 72. 1982. 121–129.

917. *Neuhaus, Gerd:* Transzendentale Erfahrung als Geschichtsverlust? Der Vorwurf der Subjektlosigkeit an Rahners Begriff geschichtlicher Existenz und eine weiterführende Perspektive transzendentaler Theologie. Düsseldorf: Patmos 1982.

918. *Neumann, Karl:* Diasporakirche als sacramentum mundi. Karl Rahner und die Diskussion um Volkskirche – Gemeindekirche. In: TThZ 91. 1982. 52–71.

919. *Newman, Paul W.:* Humanity with spirit. In: Scottish journal of theology 34. 1981. 415–426.

920. *Pappin, Joseph:* Kierkegaard, Rahner and existential infinity. In: Philosophy today 26. 1982. 226–233.

921. *Schwerdtfeger, Nikolaus:* Gnade und Welt. Zum Grundgefüge von Karl Rahners Theorie der „anonymen Christen". Freiburg i.Br.: Herder 1982 (Freiburger Theologische Studien. 123).

922. *Selvatico, Pietro; Kaufmann, Ludwig:* Glaubenseinheit: was möglich und genügend wäre. Karl Rahners Basler Vortrag über eine realistische ökumenische Zielsetzung heute. In: Orientierung 46. 1982. 37–42.

923. *Shutte, A.:* Reply. In: New blackfriars 63. 1982. 476–487 (zu Nr. 873).

924. *Sievernich, Michael:* Schuld und Sünde in der Theologie der Gegenwart. Frankfurt/M.: Knecht 1982 (Frankfurter Theologische Studien. 29). Bes. 33–69.

925. *Splett, Jörg:* „Macht Euch die Erde untertan"? Zur ethisch-religiösen Begrenzung technischen Zugriffs. In: ThPh 57. 1982. 260–274.

926. *Stevens, Clifford:* The Rahner equation. In: Listening 17. 1982. 239–243.

927. *Stickelberger, Hans:* Freisetzende Einheit. Über ein christologisches Grundaxiom bei Maximus Confessor und Karl Rahner. In: *F. Heinzer; Chr. Schönborn (Hrsg.):* Maximus Confessor. Actes du Symposium sur Maxime le Confesseur Fribourg, 2–5 septembre 1980. Freiburg/Schweiz: Éd. Univ. 1982. 375–384.

928. *Vanzan, Piersandro:* Approccio alla fede della „Nuova generazione". In: CivCatt 133. 1982. 369–374.

929. *Weger, Karl-Heinz:* Karl Rahner. Introducción a su pensamiento teológico. Barcelona: Herder 1982. 288p. (vgl. Nr. 643; 860; 892).

930. *Weß, P.:* Wie kann der Mensch Gott erfahren? Eine Überlegung zur Theologie Karl Rahners. In: Theologisches Jahrbuch. 1982. 64–69.

931. *Zucal, Silvano:* La teologia della morte in Karl Rahner. Bologna: EDB 1983 (Collana di scienze religiose. 3).

1983

932. *Blechschmidt, Meinulf:* Der Leib und das Heil. Zum christlichen Verständnis der Leiblichkeit in Auseinandersetzung mit R. Bultmann und K. Rahner. Bern, Frankfurt: Lang 1983.
933. *Dirks, Walter:* Versöhnte Verschiedenheit. Zwei Theologen zur Einheit der christlichen Kirchen. In: Rheinischer Merkur Nr. 34. 26.8.1983.
934. *Gerken, Alexander:* Der Begriff Offenbarung. Eine Auseinandersetzung mit Karl Rahner. In: Joh. Bernard (Hrsg.): Offenbarung. Phänomen – Begriff – Dimension. Leipzig 1983. 154–169 (vgl. Nr. 230, 11–28).
935. *Herzog, Wilhelm:* Anonyme Christlichkeit. In: *Ders.:* Zusammenleben mit Fremden. Zum Verhältnis von Mission und Religionen im Religionsunterricht der Sekundarstufe II. Münster, Diss. theol. 1983. 33–35 (u.ö.).
936. *Iersel, Bas van:* Van bijbelse theologie naar bijbelse theologen. In: Meedenken met Edward Schillebeeckx. Baarn 1983. 54–68, bes. 57–60.
937. *Jüngel, Eberhard:* Ein Schritt voran. Einigung der Kirchen als reale Möglichkeit. In: Süddeutsche Zeitung Nr. 226. 1./2.10.1983. S. 126.
938. *Kern, Walter:* Philosophie als Ferment der Fundamentaltheologie in neueren Modellen. In: *H. Bürkle; G. Becker (Hrsg.):* Communicatio fidei. Festschrift für E. Biser. Regensburg: Pustet 1983. 147–162, bes. 147–150 (gekürzte dt. Fassung von Nr. 910).
939. *Ntetem, Marc:* Die negro-afrikanische Stammesinitiation. Religionsgeschichtliche Darstellung, theologische Wertung, Möglichkeit der Christianisierung. Münsterschwarzach: Vier-Türme-Verlag 1983. Bes. 216–224.
940. *Neuner, Peter:* Ein Weg zur Einheit der Christen. In: StZ Bd. 201. 1983. 711–715.
941. *Odin, Karl-Alfred:* Acht Thesen, die eine neue Phase ökumenischer Entschlossenheit einleiten können. In: Frankfurter Allgemeine Zeitung. 21.7.1983.
942. *Quinn, Edward:* Farewell to Rahner. In: Downside review 101. 1983. 177–181.
943. *Schlette, Heinz Robert:* Vom religiösen Indifferentismus zum Agnostizismus. In: Concilium 19. 1983. 370–377, bes. 376f.
944. *Schneider, Michael:* „Unterscheidung der Geister". Die ignatianischen Exerzitien in der Deutung von E. Przywara, K. Rahner und Gaston Fessard. Innsbruck, Wien: Tyrolia 1983 (Innsbrucker theologische Studien. 11).
945. *Teipel, Alfred:* Die Katechismusfrage. Zur Vermittlung von Theologie und Didaktik aus religionspädagogischer Sicht. Freiburg i.Br.: Herder 1983. Bes. 211–253.
946. *Vischer, Lukas:* La liberté intellectuelle. In: Le monde. 14.4.1983. S. 2.
947. *Winling, Raymond:* La théologie contemporaine (1945–1980). Paris: Centurion 1983. Bes. 195–199, 349–351.
948. *Woodrow, Alain:* Vers une Église mondiale. In: Le monde. 14.4.1983. S. 2.

ABKÜRZUNGSVERZEICHNIS

AAS	Acta Apostolicae Sedis (Rom 1909ff).
AG	Ad gentes (Dekret über die Missionstätigkeit der Kirche).
ALW	Archiv für Liturgiewissenschaft (Regensburg 1950ff).
ATG	Archivo Teológico Granadino (Granada 1938ff).
Cath	Catholica. Jahrbuch für Kontroverstheologie (Münster 1932ff).
CBQ	The Catholic Biblical Quarterly (Washington 1939ff).
CC	Corpus Christianorum seu nova Patrum collectio (Turnhout 1953ff).
ChD	Christus Dominus (Dekret über die Hirtenaufgabe der Bischöfe in der Kirche).
CivCatt	La Civiltà Cattolica (Rom 1850ff).
ColLac	Collectio Lacensis: Acta et Decreta sacrorum conciliorum recentiorum, hrsg. von Jesuiten aus Maria Laach, 7 Bde. (Freiburg i.Br. 1870–90).
Concilium	Concilium. Internationale Zeitschrift für Theologie (dt. Ausg. Mainz 1965ff).
CPB	Christlich-Pädagogische Blätter (Wien 1888ff).
CSEL	Corpus scriptorum ecclesiasticorum latinorum (Wien 1866ff).
D	siehe DS.
DH	Dignitatis humanae (Erklärung über die Religionsfreiheit).
DMC	Discorsi, messaggi, colloqui del santo padre Giovanni XXIII (Rom 1960ff).
DS	H. Denzinger – A. Schönmetzer, Enchiridion Symbolorum, Definitionum et Declarationum de rebus fidei et morum, quod primum edictit H. Denzinger, et quod funditus retractavit, notulis ornavit A. Schönmetzer (Freiburg i.Br. ³⁶1976).
DV	Dei verbum (Dogmatische Konstitution über die göttliche Offenbarung).
ELit	Ephemerides Liturgicae (Rom 1887ff).
EMZ	Evangelische Missionszeitschrift (Korntal 1940ff).
ER	The Ecumenical Review (Genf 1948ff).
EvTh	Evangelische Theologie (München 1934ff).
FreibThSt	Freiburger Theologische Studien (Freiburg i.Br. 1910ff).
FrThSt	Frankfurter Theologische Studien (Frankfurt a.M. 1969ff).
GS	Gaudium et spes (Pastorale Konstitution über die Kirche in der Welt von heute).

HDG	Handbuch der Dogmengeschichte, hrsg. von M. Schmaus, A. Grillmeier, L. Scheffczyk, M. Seybold (Freiburg i.Br. 1951 ff).
HerKorr	Herder-Korrespondenz (Freiburg i.Br. 1946 ff).
HPTh	Handbuch der Pastoraltheologie. Praktische Theologie der Kirche in ihrer Gegenwart, hrsg. von F. X. Arnold u.a., 4 Bde. (Freiburg i.Br. 1964–69).
IKZ	Internationale Kirchliche Zeitschrift (Bern 1911 ff).
IThQ	The Irish Theological Quarterly (Dublin 1864 ff).
KatBl	Katechetische Blätter (München 1875 ff).
LG	Lumen gentium (Dogmatische Konstitution über die Kirche).
LJ	Liturgisches Jahrbuch (Münster 1951 ff).
LThK	Lexikon für Theologie und Kirche, hrsg. von J. Höfer und K. Rahner, 10 Bde. (Freiburg i.Br. ²1957–65).
LThK – Das Zweite Vatikanische Konzil	Lexikon für Theologie und Kirche. Das Zweite Vatikanische Konzil, Dokumente und Kommentare, 3 Bde. (Freiburg i.Br. 1966–68).
Mansi	J. D. Mansi, Sacrorum Conciliorum nova et amplissima collectio, 31 Bde. (Florenz–Venedig 1757–98), Neudruck u. Forts. hrsg. von L. Petit u. J. B. Martin, 60 Bde. (Paris 1899–1927).
MthSt	Münchener theologische Studien (München 1950 ff).
MThZ	Münchener Theologische Zeitschrift (München 1950 ff).
MySal	Mysterium Salutis. Grundriß heilsgeschichtlicher Dogmatik, hrsg. von J. Feiner u. M. Löhrer, 5 Bde. (Einsiedeln 1965–76).
NA	Nostra aetate (Erklärung über das Verhältnis der Kirche zu den nichtchristlichen Religionen).
NR	*J. Neuner – H. Roos,* Der Glaube der Kirche in den Urkunden der Lehrverkündigung, hrsg. von Karl Rahner (Regensburg ⁵1958).
NRTh	Nouvelle Revue Théologique (Tournai – Löwen – Paris 1879 ff).
ÖAKR	Österreichisches Archiv für Kirchenrecht (Wien 1950 ff).
OE	Orientalium Ecclesiarum (Dekret über die katholischen Ostkirchen).
OT	Optatam totius (Dekret über die Ausbildung der Priester).
PC	Perfectae caritatis (Dekret über die zeitgemäße Erneuerung des Ordenslebens).
PO	Presbyterorum ordinis (Dekret über Dienst und Leben der Priester).
QLP	Questions liturgiques et paroissiales (Löwen 1921 ff).
RAM	Revue d'ascétique et de mystique (Toulouse 1920 ff).
REB	Revista Eclesiastica Brasileira (Petrópolis 1941 ff).
RSPhTh	Revue des sciences philosophiques et théologiques (Paris 1907 ff).
RSR	Recherches de science religieuse (Paris 1910 ff).
RST	Reformationsgeschichtliche Studien und Texte (Münster).
RThAM	Recherches de Théologie ancienne et médiévale (Löwen 1929 ff).
RThom	Revue Thomiste (Paris 1893 ff).
SC	Sacrosanctum Concilium (Konstitution über die heilige Liturgie).
Scholastik	Scholastik (Freiburg i.Br. 1926–65).

Schriften	*K. Rahner,* Schriften zur Theologie, I–XVI (Einsiedeln 1954 ff).
SM	Sacramentum Mundi. Theologisches Lexikon für die Praxis, hrsg. von K. Rahner und A. Darlap, 4 Bde. (Freiburg i.Br. 1968–69).
SourcesChr	Sources chrétiennes, hrsg. von H. de Lubac und J. Daniélou (Paris 1941 ff).
StdZ	Stimmen der Zeit (Freiburg i.Br. 1914 ff).
STh	*Thomas von Aquin,* Summa theologiae.
TheolPhil	Theologie und Philosophie (Freiburg i.Br. 1966 ff).
ThGl	Theologie und Glaube (Paderborn 1909 ff).
ThLZ	Theologische Literaturzeitung (Leipzig 1878 ff).
ThPQ	Theologisch-praktische Quartalschrift (Linz a.D. 1848 ff).
ThQ	Theologische Quartalschrift (Tübingen 1819 ff, Stuttgart 1946 ff).
ThRv	Theologische Revue (Münster 1902 ff).
ThSt	Theological Studies (Baltimore 1940 ff).
ThWNT	Theologisches Wörterbuch zum Neuen Testament, hrsg. von G. Kittel, fortges. von G. Friedrich (Stuttgart 1933 ff).
TThQ	siehe ThQ.
TThZ	Trierer Theologische Zeitschrift (Trier 1888 ff).
UR	Unitatis redintegratio (Dekret über den Ökumenismus).
WuW	*Paul VI.,* Wort und Weisung im Jahr 1975 (Kevelaer 1976).
ZKTh	Zeitschrift für Katholische Theologie ([Innsbruck] Wien 1877 ff).
ZMR	Zeitschrift für Missionswissenschaft und Religionswissenschaft (Münster 1950 ff).
ZRGG	Zeitschrift für Religions- und Geistesgeschichte (Marburg 1948 ff).